GW00771933

DUDEN
OXFORD
Bildwörterbuch
Deutsch und Englisch

DUDEN-OXFORD
Fremdsprachliche Bildwörterbücher
(Auswahl)

Deutsch und Englisch
Herausgegeben von der DUDEN-Redaktion
und Oxford University Press

Deutsch und Italienisch
Herausgegeben von der DUDEN-Redaktion
in Zusammenarbeit mit M. Luisa Heinz-Mazzoni
und Paola Scaltriti

Deutsch und Französisch
Herausgegeben von der DUDEN-Redaktion
in Zusammenarbeit mit Daniel Moskowitz,
Université de Paris

Deutsch und Spanisch
Herausgegeben von der DUDEN-Redaktion
in Zusammenarbeit mit Manuel Alvar Ezquerra,
Universidad de Málaga

Spanisch und Englisch
Herausgegeben von der DUDEN-Redaktion
und Oxford University Press
in Zusammenarbeit mit Manuel Alvar Ezquerra,
Universidad de Málaga

Spanisch und Französisch
Herausgegeben von der DUDEN-Redaktion
in Zusammenarbeit mit Daniel Moskowitz,
Université de Paris, und Manuel Alvar Ezquerra,
Universidad de Málaga

Niederländisch und Deutsch
Herausgegeben von der DUDEN-Redaktion
in Zusammenarbeit mit der Wörterbuchredaktion des
Wolters-Noordhoff Verlags, Groningen

Niederländisch und Englisch
Herausgegeben von der DUDEN-Redaktion
und Oxford University Press in Zusammenarbeit
mit dem Verlag Wolters-Noordhoff,
Groningen

DUDEN OXFORD

Bildwörterbuch
Deutsch und Englisch

2., neu bearbeitete
und aktualisierte Auflage
Herausgegeben von der Dudenredaktion
und Oxford University Press

DUDENVERLAG
Mannheim·Leipzig·Wien·Zürich

Redaktionelle Koordination:
Werner Scholze-Stubenrecht

Redaktion des deutschen Textes:
Joachim Weiß

Redaktion des englischen Textes:
Michael Clark
und Bernadette Mohan

Graphische Gestaltung:
Dieter Kneifel, Joachim Schmidt und
Christian Schura

Die Deutsche Bibliothek – CIP-Einheitsaufnahme
Duden-Oxford Bildwörterbuch Deutsch und Englisch /
hrsg. von der Dudenred. und Oxford University Press,
[Red. Koordination: Werner Scholze-Stubenrecht]. –
2., neubearb. und aktualisierte Aufl. –
Mannheim; Leipzig; Wien; Zürich: Dudenverl., 1994
ISBN 3-411-05512-X
NE: Scholze-Stubenrecht, Werner [Red.];
Bildwörterbuch Deutsch und Englisch

Alle Rechte vorbehalten
Nachdruck, auch auszugsweise, verboten
© Deutscher Text und Grafiken:
Bibliographisches Institut & F. A. Brockhaus AG, Mannheim 1994
Englischer Text: Oxford University Press, 1994
Satz: Bibliographisches Institut & F. A. Brockhaus AG (DIACOS Siemens)
und SCS Schwarz Satz & Bild digital, L.-Echterdingen
Printed in Hongkong
ISBN 3-411-05512-X
(Bibliographisches Institut & F. A. Brockhaus AG)
ISBN 0-19-864501-5
(Oxford University Press)

VORWORT

Die Neuauflage dieses deutsch-englischen Bildwörterbuchs entstand auf der Grundlage der 4., neu bearbeiteten und aktualisierten Auflage des deutschen Bildwörterbuches, das als Band 3 der Reihe »Der Duden in 12 Bänden« erschienen ist. Den englischen Text überarbeiteten Dr. Michael Clark und Bernadette Mohan von der Abteilung Current Bilingual Dictionaries bei Oxford University Press.

Bilder können bestimmte Informationen schneller und deutlicher vermitteln als Erklärungen und Beschreibungen. Die Abbildung läßt uns häufig sehr viel leichter den Gegenstand erkennen, der mit einem bestimmten Wort bezeichnet wird, als eine noch so treffende Definition des Wortes.

Auch im Umgang mit einer fremden Sprache – ob wir sie nun lernen oder lehren, ob wir sie gut oder weniger gut beherrschen – ist die bildliche Darstellung eine nützliche Hilfe. Die Bildtafeln in diesem Buch zeigen die wichtigsten Dinge aus allen Bereichen des Lebens jeweils in ihrem thematischen Zusammenhang. Auf einer einzigen aufgeschlagenen Seite oder Doppelseite finden wir eine Tafel, die den Wortschatz eines ganzen Gebietes illustriert, dazu die zugehörigen exakten deutschen Bezeichnungen und die korrekten englischen Entsprechungen. Die thematische Gliederung erspart mühsames Nachschlagen der einzelnen Wörter, da man sich über einen ganzen Sachbereich mit einem Blick informieren kann. Außerdem werden alle Wörter noch einmal gesondert in je einem deutschen und einem englischen Register in alphabetischer Reihenfolge verzeichnet.

Diese bewährte Konzeption und die Tatsache, daß die Wortauswahl in besonders hohem Maße gerade die speziellen und fachbezogenen Wörter berücksichtigt, machen das DUDEN-Oxford-Bildwörterbuch zu einer unentbehrlichen Ergänzung jedes deutsch-englischen Wörterbuches.

Wir danken allen Firmen, Institutionen und Fachleuten, die uns bei der Beschaffung und Gestaltung des Bildmaterials unterstützt haben.

Frühjahr 1994

Der Wissenschaftliche Rat
der Dudenredaktion

PREFACE

The *Duden-Oxford Pictorial German and English Dictionary* has a firmly established reputation as a uniquely useful learning aid and reference tool. Based on the German *Bildwörterbuch*, published as Volume 3 of the twelve-volume *Duden* series of authoritative monolingual German dictionaries, the *Duden-Oxford Pictorial* is produced by the German Section of the Oxford University Press Dictionary Department in co-operation with the Dudenredaktion of the Bibliographisches Institut and with the assistance of numerous British companies, institutions, and technical experts.

A picture is worth a thousand words, and this is never more true than when learning a foreign language. A visual clue can guide the user quickly to the appropriate translation and remove the uncertainty of deciding between alternatives offered by traditional bilingual dictionaries. In particular, information about objects and their names can be conveyed more readily and clearly by pictures than by explanations or definitions, however precise and unambiguous, and an illustration will support a bare translation by helping the user to visualize the object referred to by a given word.

The *Duden-Oxford Pictorial German and English Dictionary* identifies over 28,000 numbered objects, ranging from the familiar to the highly specialized, and offers at a glance their names in both languages. Each double page contains a plate illustrating the vocabulary of a whole subject, together with the exact German names and their correct English translations. Detailed and comprehensive alphabetical indexes in German and in English allow the dictionary to be used either way – as a German-English or an English-German dictionary.

For this new edition the *Duden-Oxford Pictorial* has been revised to reflect recent developments in technical and everyday vocabulary and contains over 1,500 new items in fast-changing fields such as computing, audio and video, photography, typesetting, communications, and transport. Its wide range of vocabulary, accuracy of translation, and ease of use make it an indispensable supplement to any German-English or English-German dictionary.

Oxford, 1994   M. C.

Abbreviations used in the English text

Am.	*American usage*
c.	*castrated (animal)*
coll.	*colloquial*
f.	*female (animal)*
form.	*formerly*
joc.	*jocular*
m.	*male (animal)*
poet.	*poetic*
sg.	*singular*
sim.	*similar*
y.	*young (animal)*

Abkürzungen im deutschen Text

Im deutschen Text ist bei allen Substantiven das Geschlecht angegeben, soweit es nicht aus der Beugung ersichtlich oder mit dem des unmittelbar vorhergehenden Substantivs identisch ist. Synonyme stehen in Klammern.

ähnl.	ähnlich	*od.*	oder
alem.	alemannisch	*österr.*	österreichisch
bayr.	bayerisch	*pl*	Plural
bergm.	bergmännisch	*scherzh.*	scherzhaft
Bez.	Bezeichnung	*schwäb.*	schwäbisch
darg.	dargestellt	*schweiz.*	schweizerisch
dicht.	dichterisch	*seem.*	seemännisch
f	Femininum	*sg*	Singular
fam.	familiär	*sog.*	sogenannt
früh	früher	*südd.*	süddeutsch
landsch.	landschaftlich	*südwestd.*	südwestdeutsch
m	Maskulinum	*stud.*	studentisch
mitteld.	mitteldeutsch	*techn.*	technisch
mundartl.	mundartlich	*u.*	und
n	Neutrum	*ugs.*	umgangssprachlich
nd.	niederdeutsch	*versch.*	verschiedene
obd.	oberdeutsch	*verw.*	verwandt
		z. B.	zum Beispiel

Inhaltsverzeichnis

Die arabischen Ziffern sind die Nummern der Bildtafeln

Contents

The arabic numerals are the numbers of the pictures

Inhaltsverzeichnis

Inhaltsverzeichnis

Inhaltsverzeichnis

Contents

Inhaltsverzeichnis

Contents

Inhaltsverzeichnis

Inhaltsverzeichnis

1-8 Atommodelle *n*
- *atom models*
1 das Atommodell des Wasserstoffs *m* (H)
- *model of the hydrogen (H) atom*
2 der Atomkern, ein Proton *n*
- *atomic nucleus, a proton*
3 das Elektron
- *electron*
4 der Elektronenspin
- *electron spin*
5 das Atommodell des Heliums *n* (He)
- *model of the helium (He) atom*
6 die Elektronenschale
- *electron shell*
7 das Pauli-Prinzip
- *Pauli exclusion principle (exclusion principle, Pauli principle)*
8 die abgeschlossene Elektronenschale des Na-Atoms *n* (Natriumatoms)
- *complete electron shell of the Na atom (sodium atom)*
9-14 Molekülstrukturen *f* (Gitterstrukturen)
- *molecular structures (lattice structures)*
9 der Kochsalzkristall
- *crystal of sodium chloride (of common salt)*
10 das Chlorion
- *chlorine ion*
11 das Natriumion
- *sodium ion*
12 der Cristobalitkristall
- *crystal of cristobalite*
13 das Sauerstoffatom
- *oxygen atom*
14 das Siliciumatom
- *silicon atom*
15 **das Energieniveauschema** (Termschema, mögliche Quantensprünge *m*) des Wasserstoffatoms *n*
- **energy level diagram** *(term diagram, possible quantum jumps) of the hydrogen atom*
16 der Atomkern (das Proton)
- *atomic nucleus (proton)*
17 das Elektron
- *electron*
18 das Energieniveau des Grundzustands *m*
- *ground state level*
19 der angeregte Zustand
- *excited state*
20-25 die Quantensprünge *m*
- **quantum jumps** *(quantum transitions)*
20 die Lyman-Serie
- *Lyman series*
21 die Balmer-Serie
- *Balmer series*
22 die Paschen-Serie
- *Paschen series*
23 die Brackett-Serie
- *Brackett series*
24 die Pfund-Serie
- *Pfund series*

25 das freie Elektron
- *free electron*
26 das Bohr-Sommerfeldsche Atommodell des H-Atoms *n*
- *Bohr-Sommerfeld model of the H atom*
27 die Elektronenbahnen *f* des Elektrons *n*
- *electron orbits of the electron*
28 **der spontane Zerfall** eines radioaktiven Materials *n*
- **spontaneous decay** *of radioactive material*
29 der Atomkern
- *atomic nucleus*
30 *u.* 31 das Alphateilchen (α, die Alphastrahlung, der Heliumatomkern)
- *alpha (α) particle (alpha ray, helium nucleus)*
30 das Neutron
- *neutron*
31 das Proton
- *proton*
32 das Betateilchen (β, die Betastrahlung, das Elektron)
- *beta (β) particle (beta ray, electron)*
33 die Gammastrahlung (γ, eine harte Röntgenstrahlung)
- *gamma (γ) ray, a hard X-ray*
34 **die Kernspaltung**
- **nuclear fission**
35 der schwere Atomkern
- *heavy atomic nucleus*
36 der Neutronenbeschuß
- *neutron bombardment*
37 *u.* 38 die Kernbruchstücke *n*
- *fission fragments*
39 das freigesetzte Neutron
- *released neutron*
40 die Gammastrahlung (γ)
- *gamma (γ) ray*
41 **die Kettenreaktion**
- **chain reaction**
42 das kernspaltende Neutron
- *incident neutron*
43 der Kern vor der Spaltung
- *nucleus prior to fission*
44 das Kernbruchstück
- *fission fragment*
45 das freigesetzte Neutron
- *released neutron*
46 die wiederholte Kernspaltung
- *repeated fission*
47 das Kernbruchstück
- *fission fragment*
48 **die kontrollierte Kettenreaktion in einem Atomreaktor** *m*
- **controlled chain reaction in a nuclear reactor**
49 der Atomkern eines spaltbaren Elements *n*
- *atomic nucleus of a fissionable element*
50 der Beschuß durch ein Neutron *n*
- *neutron bombardment*

51 das Kernbruchstück (der neue Atomkern)
- *fission fragment (new atomic nucleus)*
52 das freiwerdende Neutron
- *released neutron*
53 die absorbierten Neutronen *n*
- *absorbed neutrons*
54 der Moderator, eine Bremsschicht aus Graphit *m*
- *moderator, a retarding layer of graphite*
55 die Wärmeableitung (Energiegewinnung)
- *extraction of heat (production of energy)*
56 die Röntgenstrahlung
- *X-ray*
57 der Beton-Blei-Schutzmantel
- *concrete and lead shield*
58 **die Blasenkammer** zur Sichtbarmachung der Bahnspuren *f* energiereicher ionisierender Teilchen *n*
- **bubble chamber** *for showing the tracks of high-energy ionizing particles*
59 die Lichtquelle
- *light source*
60 die Kamera
- *camera*
61 die Expansionsleitung
- *expansion line*
62 der Lichtstrahlengang
- *path of light rays*
63 der Magnet
- *magnet*
64 der Strahlungseintritt
- *beam entry point*
65 der Spiegel
- *reflector*
66 die Kammer
- *chamber*

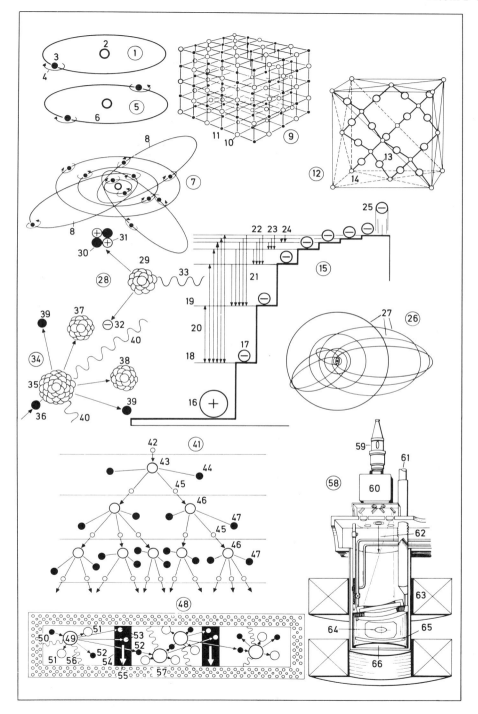

1-23 Strahlungsmeßgeräte *n*
- **radiation detectors** *(radiation meters)*
1 das Strahlenschutzmeßgerät
- *radiation monitor*
2 die Ionisationskammer
- *ionization chamber (ion chamber)*
3 die Innenelektrode
- *central electrode*
4 der Meßbereichswähler
- *measurement range selector*
5 das Instrumentengehäuse
- *instrument housing*
6 das Ableseinstrument
- *meter*
7 die Nullpunkteinstellung
- *zero adjustment*
8-23 Dosimeter *n*
- *dosimeter (dosemeter)*
8 das Filmdosimeter
- *film dosimeter*
9 der (das) Filter
- *filter*
10 der Film
- *film*
11 das Fingerring-Filmdosimeter
- *film-ring dosimeter*
12 der (das) Filter
- *filter*
13 der Film
- *film*
14 der Deckel mit Filter *m od. n*
- *cover with filter*
15 das Taschendosimeter
- *pocket meter (pen meter, pocket chamber)*
16 die Schauöffnung
- *window*
17 die Ionisationskammer
- *ionization chamber (ion chamber)*
18 die Taschenklemme
- *clip (pen clip)*
19 das Zählrohrgerät (der Geigerzähler)
- *Geiger counter (Geiger-Müller counter)*
20 die Zählrohrfassung
- *counter tube casing*
21 das Zählrohr
- *counter tube*
22 das Instrumentengehäuse
- *instrument housing*
23 der Meßbereichswähler
- *measurement range selector*
24 die Wilsonsche Nebelkammer
- *Wilson cloud chamber (Wilson chamber)*
25 der Kompressionsboden
- *compression plate*
26 die Nebelkammeraufnahme
- *cloud chamber photograph*
27 der Nebelstreifen einer Alphapartikel
- *cloud chamber track of an alpha particle*
28 die Kobaltbestrahlungsapparatur (*ugs.* Kobaltbombe)
- **telecobalt unit** (coll. *cobalt bomb*)
29 das Säulenstativ
- *pillar stand*

30 die Halteseile *n*
- *support cables*
31 der Strahlenschutzkopf
- *radiation shield (radiation shielding)*
32 der Abdeckschieber
- *sliding shield*
33 die Lamellenblende
- *bladed diaphragm*
34 das Lichtvisier
- *light-beam positioning device*
35 die Pendelvorrichtung
- *pendulum device (pendulum)*
36 der Bestrahlungstisch
- *irradiation table*
37 die Laufschiene
- *rail (track)*
38 der Kugelmanipulator (Manipulator)
- **manipulator with sphere unit**
39 der Handgriff
- *handle*
40 der Sicherungsflügel (Feststellhebel)
- *safety catch (locking lever)*
41 das Handgelenk
- *wrist joint*
42 die Führungsstange
- *master arm*
43 die Klemmvorrichtung
- *clamping device (clamp)*
44 die Greifzange
- *tongs*
45 das Schlitzbrett
- *slotted board*
46 die Bestrahlungsschutzwand, eine Bleisiegelwand [im Schnitt]
- *radiation shield (protective shield, protective shielding), a lead shielding wall [section]*
47 der Greifarm eines Parallelmanipulators *m* (Master-Slave-Manipulators)
- *grasping arm of a pair of manipulators (of a master/slave manipulator)*
48 der Staubschutz
- *dust shield*
49 das Synchrotron
- *synchrotron*
50 die Gefahrenzone
- *danger zone*
51 der Magnet
- *magnet*
52 die Pumpen *f* zur Entleerung der Vakuumkammer
- *pumps for emptying the vacuum chamber*

1-35 Sternkarte *f* **des nördlichen Fix-**
sternhimmels *m* (der nördlichen
Hemisphäre), eine Himmelskarte
- **star map of the northern sky**
  (northern hemisphere)
1-8 Einteilung des Himmelsgewölbes *n*
- *divisions of the sky*
1 der Himmelspol mit dem Polarstern *m* (Nordstern)
- *celestial pole with the Pole Star*
  (Polaris, the North Star)
2 die Ekliptik (scheinbare Jahresbahn
der Sonne)
- *ecliptic (apparent annual path of the*
  sun)
3 der Himmelsäquator
- *celestial equator (equinoctial line)*
4 der Wendekreis des Krebses *m*
- *tropic of Cancer*
5 der Grenzkreis der Zirkumpolar-
sterne *m*
- *circle enclosing circumpolar stars*
6 u. **7** die Äquinoktialpunkte *m*
(die Tagundnachtgleiche, das
Äquinoktium)
- *equinoctial points (equinoxes)*
6 der Frühlingspunkt (Widderpunkt,
Frühlingsanfang)
- *vernal equinoctial point (first point*
  of Aries)
7 der Herbstpunkt (Herbstanfang)
- *autumnal equinoctial point*
8 der Sommersonnenwendepunkt
(Sommersolstitialpunkt, das
Solstitium, die Sonnenwende)
- *summer solstice*
9-48 Sternbilder *n (Vereinigung von*
Fixsternen *m*, Gestirnen *n zu*
Bildern) **u. Sternnamen** *m*
- **constellations** *(grouping of fixed*
  stars into figures) **and names of**
  stars
9 Adler *m* (Aquila) mit Hauptstern *m*
Altair *m* (Atair)
- *Aquila (the Eagle) with Altair the*
  principal star (the brightest star)
10 Pegasus *m*
- *Pegasus (the Winged Horse)*
11 Walfisch *m* (Cetus) mit Mira *f*,
einem veränderlichen Stern *m*
- *Cetus (the Whale) with Mira, a*
  variable star
12 Fluß *m* Eridanus
- *Eridamus (the Celestial River)*
13 Orion *m* mit Rigel *m*, Beteigeuze u.
Bellatrix *f*
- *Orion (the Hunter) with Rigel,*
  Betelgeuse and Bellatrix
14 der Große Hund (Canis Major) mit
Sirius *m*, einem Stern 1. Größe
- *Canis Major (the Great Dog, the*
  Greater Dog) with Sirius (the Dog
  Star), a star of the first magnitude
15 der Kleine Hund (Canis Minor) mit
Prokyon *m*
- *Canis Minor (the Little Dog, the*
  Lesser Dog) with Procyon

16 Wasserschlange *f* (Hydra)
- *Hydra (the Water Snake, the Sea*
  Serpent)
17 Löwe *m* (Leo) mit Regulus *m*
- *Leo (the Lion) with Regulus*
18 Jungfrau *f* (Virgo) mit Spika *f*
- *Virgo (the Virgin) with Spica*
19 Waage *f* (Libra)
- *Libra (the Balance, the Scales)*
20 Schlange *f* (Serpens)
- *Serpens (the Serpent)*
21 Herkules *m* (Hercules)
- *Hercules*
22 Leier *f* (Lyra) mit Wega *f*
- *Lyra (the Lyre) with Vega*
23 Schwan *m* (Cygnus) mit Deneb *m*
- *Cygnus (the Swan, the Northern*
  Cross) with Deneb
24 Andromeda *f*
- *Andromeda*
25 Stier *m* (Taurus) mit Aldebaran *m*
- *Taurus (the Bull) with Aldebaran*
26 die Plejaden *f* (das Siebengestirn),
ein offener Sternhaufen
- *The Pleiades (Pleiads, the Seven*
  Sisters), an open cluster of stars
27 Fuhrmann *m* (Auriga) mit Kapella *f*
(Capella)
- *Auriga (the Wagoner, the Charioteer)*
  with Capella
28 Zwillinge *m* (Gemini) mit Kastor *m*
(Castor) u. Pollux *m*
- *Gemini (the Twins) with Castor and*
  Pollux
29 der Große Wagen (Große Bär, Ursa
Major *f*) mit Doppelstern *m* Mizar
u. Alkor *m*
- *Ursa Major (the Great Bear, the*
  Greater Bear, the Plough, Charles's
  Wain, Am. the Big Dipper) with the
  double star (binary star) Mizar and
  Alcor
30 Bootes *m* (Ochsentreiber) mit
Arktur *m* (Arcturus)
- *Boötes (the Herdsman) with*
  Arcturus
31 Nördliche Krone *f* (Corona
Borealis)
- *Corona Borealis (the Northern*
  Crown)
32 Drache *m* (Draco)
- *Draco (the Dragon)*
33 Kassiopeia *f* (Cassiopeia)
- *Cassiopeia*
34 der Kleine Wagen (Kleine Bär, Ursa
Minor *f*) mit dem Polarstern *m*
- *Ursa Minor (the Little Bear, Lesser*
  Bear, Am. Little Dipper) with the Pole
  Star (Polaris, the North Star)
35 die Milchstraße (Galaxis)
- *the Milky Way (the Galaxy)*
36-48 der südliche Sternhimmel
- **the southern sky**
36 Steinbock *m* (Capricornus)
- *Capricorn (the Goat, the Sea Goat)*
37 Schütze *m* (Sagittarius)
- *Sagittarius (the Archer)*

38 Skorpion *m* (Scorpius)
- *Scorpio (the Scorpion)*
39 Kentaur *m* (Centaurus)
- *Centaurus (the Centaur)*
40 Südliches Dreieck *n* (Triangulum
Australe)
- *Triangulum Australe (the Southern*
  Triangle)
41 Pfau *m* (Pavo)
- *Pavo (the Peacock)*
42 Kranich *m* (Grus)
- *Grus (the Crane)*
43 Oktant *m* (Octans)
- *Octans (the Octant)*
44 Kreuz *n* des Südens, Südliches
Kreuz (Crux *f*)
- *Crux (the Southern Cross, the Cross)*
45 Schiff *n* (Argo *f*)
- *Argo (the Celestial Ship)*
46 Kiel *m* des Schiffes *n* (Carina *f*)
- *Carina (the Keel)*
47 Maler *m* (Pictor, Staffelei *f*, Machina
Pictoris)
- *Pictor (the Painter)*
48 Netz *n* (Reticulum)
- *Reticulum (the Net)*

1-9 der Mond
– *the moon*
1 die Mondbahn (der Mondumlauf um die Erde)
– *moon's path (moon's orbit round the earth)*
2-7 die Mondphasen *f* (der Mondwechsel)
– *lunar phases (moon's phases) (lunation)*
2 der Neumond
– *new moon*
3 die Mondsichel (der zunehmende Mond)
– *crescent (crescent moon, waxing moon)*
4 der Halbmond (das erste Mondviertel)
– *half-moon (first quarter)*
5 der Vollmond
– *full moon*
6 der Halbmond (das letzte Mondviertel)
– *half-moon (last quarter, third quarter)*
7 die Mondsichel (der abnehmende Mond)
– *crescent (crescent moon, waning moon)*
8 die Erde (Erdkugel)
– *the earth (terrestrial globe)*
9 die Richtung der Sonnenstrahlen *m*
– *direction of the sun's rays*
10-21 die scheinbare Sonnenbahn zu Beginn *m* der Jahreszeiten *f*
– *apparent path of the sun at the beginning of the seasons*
10 die Himmelsachse
– *celestial axis*
11 der Zenit
– *zenith*
12 die Horizontalebene
– *horizontal plane*
13 der Nadir
– *nadir*
14 der Ostpunkt
– *east point*
15 der Westpunkt
– *west point*
16 der Nordpunkt
– *north point*
17 der Südpunkt
– *south point*
18 die scheinbare Sonnenbahn am 21. Dezember *m*
– *apparent path of the sun on 21 December*
19 die scheinbare Sonnenbahn 21. März *m* u. 23. September *m*
– *apparent path of the sun on 21 March and 23 September*
20 die scheinbare Sonnenbahn am 21. Juni *m*
– *apparent path of the sun on 21 June*

21 die Dämmerungsgrenze
– *border of the twilight area*
22-28 die Drehbewegungen *f* der Erdachse
– *rotary motions of the earth's axis*
22 die Achse der Ekliptik
– *axis of the ecliptic*
23 die Himmelssphäre
– *celestial sphere*
24 die Bahn des Himmelspols *m* (Präzession *f* und Nutation *f*)
– *path of the celestial pole [precession and nutation]*
25 die instantane Rotationsachse
– *instantaneous axis of rotation*
26 der Himmelspol
– *celestial pole*
27 die mittlere Rotationsachse
– *mean axis of rotation*
28 die Polhodie
– *polhode*
29-35 Sonnen- und Mondfinsternis [nicht maßstäblich]
– *solar and lunar eclipse [not to scale]*
29 die Sonne
– *the sun*
30 die Erde
– *the earth*
31 der Mond
– *the moon*
32 die Sonnenfinsternis
– *solar eclipse*
33 die Totalitätszone
– *area of the earth in which the eclipse appears total*
34 *u.* **35** die Mondfinsternis
– *lunar eclipse*
34 der Halbschatten
– *penumbra (partial shadow)*
35 der Kernschatten
– *umbra (total shadow)*
36-41 die Sonne
– *the sun*
36 die Sonnenscheibe
– *solar disc (disk) (solar globe, solar sphere)*
37 Sonnenflecken *m*
– *sunspots*
38 Wirbel *m* in der Umgebung von Sonnenflecken *m*
– *cyclones in the area of sunspots*
39 die Korona (Corona), der bei totaler Sonnenfinsternis oder mit Spezialinstrumenten *n* beobachtbare Sonnenrand
– *corona (solar corona), observable during total solar eclipse or by means of special instruments*
40 Protuberanzen *f*
– *prominences (solar prominences)*
41 der Mondrand bei totaler Sonnenfinsternis
– *moon's limb during a total solar eclipse*

42-52 die Planeten *m* (das Planetensystem, Sonnensystem) [nicht maßstäblich] und die Planetenzeichen *n* (Planetensymbole)
– *planets (planetary system, solar system) [not to scale] and planet symbols*
42 die Sonne
– *the sun*
43 der Merkur
– *Mercury*
44 die Venus
– *Venus*
45 die Erde mit dem Erdmond *m*, einem Satelliten *m* (Trabanten)
– *Earth, with the moon, a satellite*
46 der Mars mit zwei Monden *m*
– *Mars, with two moons*
47 die Planetoiden *m* (Asteroiden)
– *asteroids (minor planets)*
48 der Jupiter
– *Jupiter*
49 der Saturn
– *Saturn*
50 der Uranus
– *Uranus*
51 der Neptun
– *Neptune*
52 der Pluto mit dem Mond Charon
– *Pluto, with the moon Charon*
53-64 die Tierkreiszeichen *n* (Zodiakussymbole)
– *signs of the zodiac (zodiacal signs)*
53 Widder *m* (Aries)
– *Aries (the Ram)*
54 Stier *m* (Taurus)
– *Taurus (the Bull)*
55 Zwillinge *m* (Gemini)
– *Gemini (the Twins)*
56 Krebs *m* (Cancer)
– *Cancer (the Crab)*
57 Löwe *m* (Leo)
– *Leo (the Lion)*
58 Jungfrau *f* (Virgo)
– *Virgo (the Virgin)*
59 Waage *f* (Libra)
– *Libra (the Balance, the Scales)*
60 Skorpion *m* (Scorpius)
– *Scorpio (the Scorpion)*
61 Schütze *m* (Sagittarius)
– *Sagittarius (the Archer)*
62 Steinbock *m* (Capricornus)
– *Capricorn (the Goat, the Sea Goat)*
63 Wassermann *m* (Aquarius)
– *Aquarius (the Water Carrier, the Water Bearer)*
64 Fische *m* (Pisces)
– *Pisces (the Fish)*

1-16 das Europäische Südobservatorium (ESO) auf dem *La Silla* in *Chile,* eine Sternwarte (Observatorium *n*) [Schnitt]
– *the European Southern Observatory (ESO) on* Cerro la Silla, Chile, *an observatory [section]*
1 der Hauptspiegel von 3,6 m Durchmesser *m*
– *primary mirror (main mirror) with a diameter of 3.6 m (144 inches)*
2 die Primärfokuskabine mit der Halterung für die Sekundärspiegel *m*
– *prime focus cage with mounting for secondary mirrors*
3 der Planspiegel für den Coudé-Strahlengang
– *flat mirror for the coudé ray path*
4 die Cassegrain-Kabine
– *Cassegrain cage*
5 der Gitterspektrograph
– *grating spectrograph*
6 die spektrographische Kamera
– *spectrographic camera*
7 der Stundenachsenantrieb
– *hour axis drive*
8 die Stundenachse
– *hour axis*
9 das Hufeisen der Montierung
– *horseshoe mounting*
10 die hydraulische Lagerung
– *hydrostatic bearing*
11 Primär- und Sekundärfokuseinrichtungen *f*
– *primary and secondary focusing devices*
12 das Kuppeldach (die Drehkuppel)
– *observatory dome, a revolving dome*
13 der Spalt (Beobachtungsspalt)
– *observation opening*
14 das vertikal bewegliche Spaltsegment
– *vertically movable dome shutter*
15 der Windschirm
– *wind screen*
16 der Siderostat
– *siderostat*
17-28 das Planetarium *Stuttgart* [Schnitt]
– *the Stuttgart Planetarium [section]*
17 der Verwaltungs-, Werkstatt- und Magazinbereich
– *administration, workshop, and store area*
18 die Stahlspinne
– *steel scaffold*
19 die glasvertafelte Pyramide
– *glass pyramid*
20 die drehbare Bogenleiter
– *revolving arched ladder*
21 die Projektionskuppel
– *projection dome*
22 die Lichtblende
– *light stop*
23 der Planetariumsprojektor
– *planetarium projector*
24 der Versenkschacht
– *well*
25 das Foyer
– *foyer*
26 der Filmvorführraum
– *theatre (Am. theater)*
27 die Filmvorführkabine
– *projection booth*
28 der Gründungspfahl
– *foundation pile*
29-33 das Sonnenobservatorium *Kitt Peak* bei *Tucson, Ariz.* [Schnitt]
– *the Kitt Peak solar observatory near Tucson, Ariz. [section]*
29 der Sonnenspiegel (Heliostat)
– *heliostat*
30 der teilweise unterirdische Beobachtungsschacht
– *sunken observation shaft*
31 der wassergekühlte Windschutzschild
– *water-cooled windshield*
32 der Konkavspiegel
– *concave mirror*
33 der Beobachtungs- und Spektrographenraum
– *observation room housing the spectrograph*

1 die Apollo-Raumeinheit
– *Apollo spacecraft*
2 die Betriebseinheit (das Servicemodul, SM)
– *service module (SM)*
3 die Düse des Hauptraketentriebwerks *n*
– *nozzle of the main rocket engine*
4 die Richtantenne
– *directional antenna*
5 der Steuerraketensatz
– *manoeuvring* (Am. *maneuvering*) *rockets*
6 die Sauerstoff- und Wasserstofftanks *m* für die Bordenergieanlage
– *oxygen and hydrogen tanks for the spacecraft's energy system*
7 der Treibstofftank
– *fuel tank*
8 die Radiatoren *m* der Bordenergieanlage
– *radiators of the spacecraft's energy system*
9 die Kommandoeinheit (Apollo-Raumkapsel)
– *command module (Apollo space capsule)*
10 die Einstiegluke der Raumkapsel
– *entry hatch of the space capsule*
11 der Astronaut
– *astronaut*
12 die Mondlandeeinheit (das Lunarmodul, LM)
– *lunar module (LM)*
13 die Mondoberfläche, eine Stauboberfläche
– *moon's surface (lunar surface), a dust-covered surface*
14 der Mondstaub
– *lunar dust*
15 der Gesteinsbrocken
– *piece of rock*
16 der Meteoritenkrater
– *meteorite crater*

17 die Erde
– *the earth*
18-27 der Raumanzug
– *space suit (extra-vehicular suit)*
18 das Sauerstoffnotgerät
– *emergency oxygen apparatus*
19 die Sonnenbrillentasche [mit Sonnenbrille *f* für den Bordgebrauch]
– *sunglass pocket [with sunglasses for use on board]*
20 das Lebenserhaltungsgerät, ein Tornistergerät *n*
– *life support system (life support pack), a backpack unit*
21 die Zugangsklappe
– *access flap*
22 der Raumanzughelm mit Lichtschutzblenden *f*
– *space suit helmet with sun filters*
23 der Kontrollkasten des Tornistergeräts *n*
– *control box of the life support pack*
24 die Tasche für die Stablampe
– *penlight pocket*
25 die Zugangsklappe für das Spülventil
– *access flap for the purge valve*
26 Schlauch- und Kabelanschlüsse *m* für Radio *n*, Ventilierung *f* und Wasserkühlung *f*
– *tube and cable connections for the radio, ventilation, and water-cooling systems*
27 die Tasche für Schreibutensilien *n*, Werkzeug u. ä.
– *pocket for pens, tools, etc.*
28-36 die Abstiegsstufe
– *descent stage*
28 der Verbindungsbeschlag
– *connector*
29 der Treibstofftank
– *fuel tank*
30 das Triebwerk
– *engine*

31 die Landegestell-Spreizmechanik
– *mechanism for unfolding the legs*
32 das Hauptfederbein
– *main shock absorber*
33 der Landeteller
– *landing pad*
34 die Ein- und Ausstiegsplattform
– *ingress/egress platform (hatch platform)*
35 die Zugangsleiter
– *ladder to platform and hatch*
36 das Triebwerkskardan
– *cardan mount for engine*
37-47 die Aufstiegsstufe
– *ascent stage*
37 der Treibstofftank
– *fuel tank*
38 die Ein- und Ausstiegsluke
– *ingress/egress hatch (entry/exit hatch)*
39 die Lageregelungstriebwerke *n*
– *LM manoeuvring* (Am. *maneuvering*) *rockets*
40 das Fenster
– *window*
41 der Besatzungsraum
– *crew compartment*
42 die Rendezvous-Radarantenne
– *rendezvous radar antenna*
43 der Trägheitsmeßwertgeber
– *inertial measurement unit*
44 die Richtantenne für die Bodenstelle
– *directional antenna for ground control*
45 die obere Luke
– *upper hatch (docking hatch)*
46 die Anflugantenne
– *inflight antenna*
47 der Dockingeinschnitt
– *docking target recess*

Die Atmosphäre

1 die Troposphäre
- *the troposphere*
2 Gewitterwolken *f*
- *thunderclouds*
3 der höchste Berg *Mount Everest*
[8 882 m]
- *the highest mountain*, Mount Everest
[8,882 m]
4 der Regenbogen
- *rainbow*
5 die Starkwindschicht
- *jet stream level*
6 die Nullschicht (Umkehr der senk-
rechten Luftbewegungen *f*)
- *zero level [inversion of vertical air
movement]*
7 die Grundschicht
- *ground layer (surface boundary layer)*
8 die Stratosphäre
- *the stratosphere*
9 die Tropopause
- *tropopause*
10 die Trennschicht (Schicht
schwächerer Luftbewegungen *f*)
- *separating layer (layer of weaker air
movement)*
11 die Atombombenexplosion
- *atomic explosion*
12 die Wasserstoffbombenexplosion
- *hydrogen bomb explosion*
13 die Ozonschicht
- *ozone layer*
14 die Schallwellenausbreitung
- *range of sound wave propagation*
15 das Stratosphärenflugzeug
- *stratosphere aircraft*
16 der bemannte Ballon
- *manned balloon*

17 der Meßballon
- *sounding balloon*
18 der Meteor
- *meteor*
19 die Obergrenze der Ozonschicht
- *upper limit of ozone layer*
20 die Nullschicht
- *zero level*
21 der Krakatau-Ausbruch
- *eruption of Krakatoa*
22 leuchtende Nachtwolken *f*
- *luminous clouds (noctilucent clouds)*
23 die Ionosphäre
- *the ionosphere*
24 der Forschungsraketenbereich
- *range of research rockets*
25 die Sternschnuppe
- *shooting star*
26 die Kurzwelle (Hochfrequenz)
- *short wave (high frequency)*
27 die E-Schicht
- *E-layer (Heaviside-Kennelly Layer)*
28 die F_1-Schicht
- *F_1-layer*
29 die F_2-Schicht
- *F_2-layer*
30 das Polarlicht
- *aurora (polar light)*
31 die Exosphäre
- *the exosphere*
32 die Atomschicht
- *atom layer*
33 der Meßsatellitenbereich
- *range of satellite sounding*
34 der Übergang zum Weltraum *m*
- *fringe region*
35 die Höhenskala
- *altitude scale*

36 die Temperaturskala
- *temperature scale (thermometric
scale)*
37 die Temperaturlinie
- *temperature graph*

8 Meteorologie I (Wetterkunde)

1-19 Wolken *f* und Witterung *f*
(Wetter *n*)
- *clouds and weather*
1-4 die Wolken einheitlicher
Luftmassen *f*
- *clouds found in homogeneous air
masses*
1 der Kumulus (Cumulus, Cumulus
humilis), eine Quellwolke (flache
Haufenwolke, Schönwetterwolke)
- *cumulus (woolpack cloud), a heap
cloud; here: cumulus humilis
(fair-weather cumulus), a flat-based
heap cloud*
2 der Cumulus congestus, eine stärker
quellende Haufenwolke
- *cumulus congestus, a heap cloud with
more marked vertical development*
3 der Stratokumulus (Stratocumulus),
eine tiefe, gegliederte Schichtwolke
- *stratocumulus, a layer cloud (sheet
cloud) arranged in heavy masses*
4 der Stratus (Hochnebel), eine tiefe,
gleichförmige Schichtwolke
- *stratus (high fog), a thick, uniform
layer cloud (sheet cloud)*
5-12 die Wolken *f* an Warmfronten *f*
- *clouds found at warm fronts*
5 die Warmfront
- *warm front*
6 der Zirrus (Cirrus), eine hohe bis
sehr hohe Eisnadelwolke, dünn, mit
sehr mannigfaltigen Formen *f*
- *cirrus, a high to very high ice-crystal
cloud, thin and assuming a wide
variety of forms*
7 der Zirrostratus (Cirrostratus), eine
Eisnadelschleierwolke
- *cirrostratus, an ice-crystal cloud veil*
8 der Altostratus, eine mittelhohe
Schichtwolke
- *altostratus, a layer cloud (sheet cloud)
of medium height*
9 der Altostratus praecipitans, eine
Schichtwolke mit Niederschlag *m*
(Fallstreifen) in der Höhe
- *altostratus praecipitans, a layer cloud
(sheet cloud) with precipitation in its
upper parts*
10 der Nimbostratus, eine Regenwolke,
vertikal sehr mächtige Schichtwolke,
aus der Niederschlag *m* (Regen oder
Schnee) fällt
- *nimbostratus, a rain cloud, a layer
cloud (sheet cloud) of very large
vertical extent which produces
precipitation (rain or snow)*
11 der Fraktostratus (Fractostratus), ein
Wolkenfetzen *m* unterhalb des
Nimbostratus *m*
- *fractostratus, a ragged cloud occurring
beneath nimbostratus*
12 der Fraktokumulus (Fractocumulus),
ein Wolkenfetzen *m* wie 11, jedoch
mit quelligen Formen *f*
- *fractocumulus, a ragged cloud like 11
but with billowing shapes*

13-17 die Wolken *f* an Kaltfronten *f*
- *clouds at cold fronts*
13 die Kaltfront
- *cold front*
14 der Zirrokumulus (Cirrocumulus),
eine feine Schäfchenwolke
- *cirrocumulus, thin fleecy cloud in the
form of globular masses;* covering the
sky: *mackerel sky*
15 der Altokumulus (Altocumulus), eine
grobe Schäfchenwolke
- *altocumulus, a cloud in the form of
large globular masses*
16 der Altocumulus castellanus und der
Altocumulus floccus, Unterformen
zu 15
- *altocumulus castellanus and
altocumulus floccus, species of 15*
17 der Kumulonimbus (Cumulonimbus), eine vertikal sehr mächtige
Quellwolke, bei Wärmegewittern *n*
unter 1-4 einzuordnen
- *cumulonimbus, a heap cloud of very
large vertical extent, to be classified
under 1-4 in the case of tropical storms*
18-19 die Niederschlagsformen *f*
- *types of precipitation*
18 der Landregen oder der verbreitete
Schneefall, ein gleichförmiger
Niederschlag *m*
- *steady rain or snow covering a large
area, precipitation of uniform
intensity*
19 der Schauerniederschlag (Schauer),
ein ungleichmäßiger (strichweise auf-
tretender) Niederschlag *m*
- *shower, scattered precipitation*

schwarze Pfeile = Kaltluft
black arrow = cold air
weiße Pfeile = Warmluft
white arrow = warm air

Meteorology I

Meteorologie I (Wetterkunde)

9 Meteorologie II (Wetterkunde) und Klimakunde   *Meteorology II and Climatology*

1-39 die Wetterkarte
- *weather chart (weather map, surface chart, surface synoptic chart)*
1 die Isobare (Linie gleichen Luftdrucks *m* im Meeresniveau *n*)
- *isobar (line of equal or constant atmospheric or barometric pressure at sea level)*
2 die Pliobare (Isobare über 1 000 mbar)
- *pleiobar (isobar of over 1,000 mb)*
3 die Miobare (Isobare unter 1 000 mbar)
- *meiobar (isobar of under 1,000 mb)*
4 die Angabe des Luftdrucks *m* in Millibar *n* (mbar)
- *atmospheric (barometric) pressure given in millibars*
5 das Tiefdruckgebiet (Tief, die Zyklone, Depression)
- *low-pressure area (low, cyclone, depression)*
6 das Hochdruckgebiet (Hoch, die Antizyklone)
- *high-pressure area (high, anticyclone)*
7 eine Wetterbeobachtungsstelle (meteorolog. Station, Wetterstation) od. ein Wetterbeobachtungsschiff *n*
- *observatory (meteorological watch office, weather station) or ocean station vessel (weather ship)*
8 die Temperaturangabe
- *temperature*
9-19 die Darstellung des Windes *m*
- *means of representing wind direction (wind-direction symbols)*
9 der Windpfeil zur Bez. der Windrichtung
- *wind-direction shaft (wind arrow)*
10 die Windfahne zur Bez. der Windstärke
- *wind-speed barb (wind-speed feather) indicating wind speed*
11 die Windstille (Kalme)
- *calm*
12 1-2 Knoten *m* (1 Knoten = 1,852 km/h)
- *1-2 knots (1 knot = 1.852 kph)*
13 3-7 Knoten
- *3-7 knots*
14 8-12 Knoten
- *8-12 knots*
15 13-17 Knoten
- *13-17 knots*
16 18-22 Knoten
- *18-22 knots*
17 23-27 Knoten
- *23-27 knots*
18 28-32 Knoten
- *28-32 knots*
19 58-62 Knoten
- *58-62 knots*
20-24 Himmelsbedeckung *f* (Bewölkung)
- *state of the sky (distribution of the cloud cover)*

20 wolkenlos
- *clear (cloudless)*
21 heiter
- *fair*
22 halbbedeckt
- *partly cloudy*
23 wolkig
- *cloudy*
24 bedeckt
- *overcast (sky mostly or completely covered)*
25-29 Fronten *f* u. Luftströmungen *f*
- *fronts and air currents*
25 die Okklusion
- *occlusion (occluded front)*
26 die Warmfront
- *warm front*
27 die Kaltfront
- *cold front*
28 die warme Luftströmung
- *warm airstream (warm current)*
29 die kalte Luftströmung
- *cold airstream (cold current)*
30-39 Wettererscheinungen *f*
- *meteorological phenomena*
30 das Niederschlagsgebiet
- *precipitation area*
31 Nebel *m*
- *fog*
32 Regen *m*
- *rain*
33 Sprühregen *m* (Nieseln *n*)
- *drizzle*
34 Schneefall *m*
- *snow*
35 Graupeln *n*
- *ice pellets (graupel, soft hail)*
36 Hagel *m*
- *hail*
37 Schauer *m*
- *shower*
38 Gewitter *n*
- *thunderstorm*
39 Wetterleuchten *n*
- *lightning*
40-58 die Klimakarte
- *climatic map*
40 die Isotherme (Linie gleicher mittlerer Temperatur)
- *isotherm (line connecting points having equal mean temperature)*
41 die Nullisotherme (Linie durch alle Orte *m* mit 0 °C mittlerer Jahrestemperatur)
- *0 °C (zero) isotherm (line connecting points having a mean annual temperature of 0 °C)*
42 die Isochimene (Linie gleicher mittlerer Wintertemperatur)
- *isocheim (line connecting points having equal mean winter temperature)*
43 die Isothere (Linie gleicher Sommertemperatur)
- *isothere (line connecting points having equal mean summer temperature)*

44 die Isohelie (Linie gleicher Sonnenscheindauer)
- *isohel (line connecting points having equal duration of sunshine)*
45 die Isohyete (Linie gleicher Niederschlagssumme)
- *isohyet (line connecting points having equal amounts of precipitation)*
46-52 die Windsysteme *n*
- *atmospheric circulation (wind systems)*
46-47 die Kalmengürtel *m*
- *calm belts*
46 der äquatoriale Kalmengürtel
- *equatorial trough (equatorial calms, doldrums)*
47 die subtrop. Stillengürtel *m* (Roßbreiten *f*)
- *subtropical high-pressure belts (horse latitudes)*
48 der Nordostpassat
- *north-east trade winds (north-east trades, tropical easterlies)*
49 der Südostpassat
- *south-east trade winds (south-east trades, tropical easterlies)*
50 die Zonen *f* der veränderl. Westwinde *m*
- *zones of the variable westerlies*
51 die Zonen *f* der polaren Winde *m*
- *polar wind zones*
52 der Sommermonsun
- *summer monsoon*
53-58 die Klimate *n* der Erde
- *earth's climates*
53 das äquatoriale Klima: der trop. Regengürtel
- *equatorial climate: tropical zone (tropical rain zone)*
54 die beiden Trockengürtel *m*: die Wüsten- und Steppenzonen *f*
- *the two arid zones (equatorial dry zones): desert and steppe zones*
55 die beiden warm-gemäßigten Regengürtel *m*
- *the two temperate rain zones*
56 das boreale Klima (Schnee-Wald-Klima)
- *boreal climate (snow forest climate)*
57 u. 58 die polaren Klimate *n*
- *polar climates*
57 das Tundrenklima
- *tundra climate*
58 das Klima ewigen Frostes *m*
- *perpetual frost climate*

1 das Quecksilberbarometer, ein Heberbarometer *n*, ein Flüssigkeitsbarometer *n*
   – *mercury barometer, a siphon barometer, a liquid-column barometer*
2 die Quecksilbersäule
   – *mercury column*
3 die Millibarteilung (Millimeterteilung)
   – *millibar scale, a millimetre (Am. millimeter) scale*
4 der Barograph, ein selbstschreibendes Aneroidbarometer
   – *barograph, a self-registering aneroid barometer*
5 die Trommel
   – *drum (recording drum)*
6 der Dosensatz
   – *bank of aneroid capsules (aneroid boxes)*
7 der Schreibhebel
   – *recording arm*
8 der Hygrograph
   – *hygrograph*
9 das Feuchtigkeitsmeßelement (die Haarharfe)
   – *hygrometer element (hair element)*
10 die Standkorrektion
   – *reading adjustment*
11 die Amplitudeneinstellung
   – *amplitude adjustment*
12 der Schreibarm
   – *recording arm*
13 die Schreibfeder
   – *recording pen*
14 die Wechselräder *n* für das Uhrwerk
   – *change gears for the clockwork drive*
15 der Ausschalter für den Schreibarm
   – *off switch for the recording arm*
16 die Trommel
   – *drum (recording drum)*
17 die Zeitteilung
   – *time scale*
18 das Gehäuse
   – *case (housing)*
19 der Thermograph
   – *thermograph*
20 die Trommel
   – *drum (recording drum)*
21 der Schreibhebel
   – *recording arm*
22 das Meßelement
   – *sensing element*
23 das Silverdisk-Pyrheliometer, ein Instrument *n* zur Messung der Energie der Sonnenstrahlen *m*
   – *silver-disc (silver-disk) pyrheliometer, an instrument for measuring the sun's radiant energy*
24 die Silberscheibe
   – *silver disc (disk)*
25 das Thermometer
   – *thermometer*
26 die isolierende Holzverkleidung
   – *wooden insulating casing*

27 der Tubus, mit Diaphragma *n*
   – *tube with diaphragm (diaphragmed tube)*
28 das Windmeßgerät (der Windmesser, das Anemometer)
   – *wind gauge (Am. gage) (anemometer)*
29 das Gerät zur Anzeige der Windgeschwindigkeit *f*
   – *wind-speed indicator (wind-speed meter)*
30 der Schalenstern mit Hohlschalen *f*
   – *cross arms with hemispherical cups*
31 das Gerät zur Anzeige der Windrichtung *f*
   – *wind-direction indicator*
32 die Windfahne
   – *wind vane*
33 das Aspirationspsychrometer
   – *aspiration psychrometer*
34 das "trockene" Thermometer
   – *dry bulb thermometer*
35 das "feuchte" Thermometer
   – *wet bulb thermometer*
36 das Strahlungsschutzrohr
   – *solar radiation shielding*
37 das Saugrohr
   – *suction tube*
38 der schreibende Regenmesser
   – *recording rain gauge (Am. gage)*
39 das Schutzgehäuse
   – *protective housing (protective casing)*
40 das Auffanggefäß
   – *collecting vessel*
41 das Regendach
   – *rain cover*
42 die Registriervorrichtung
   – *recording mechanism*
43 das Heberrohr
   – *siphon tube*
44 der Niederschlagsmesser (Regenmesser)
   – *precipitation gauge (Am. gage) (rain gauge)*
45 das Auffanggefäß
   – *collecting vessel*
46 der Sammelbehälter
   – *storage vessel*
47 das Meßglas
   – *measuring glass*
48 das Schneekreuz
   – *insert for measuring snowfall*
49 die Thermometerhütte
   – *thermometer screen (thermometer shelter)*
50 der Hygrograph
   – *hygrograph*
51 der Thermograph
   – *thermograph*
52 das Psychrometer
   – *psychrometer (wet and dry bulb thermometer)*
53 u. 54 Extremthermometer *n*
   – *thermometers for measuring extremes of temperature*
53 das Maximumthermometer
   – *maximum thermometer*

54 das Minimumthermometer
   – *minimum thermometer*
55 das Radiosondengespann
   – *radiosonde assembly*
56 der Wasserstoffballon
   – *hydrogen balloon*
57 der Fallschirm
   – *parachute*
58 der Radarreflektor mit Abstandsschnur *f*
   – *radar reflector with spacing lines*
59 der Instrumentenkasten mit Radiosonde *f* (ein Kurzwellensender *m*) und Antenne *f*
   – *instrument housing with radiosonde [a short-wave transmitter] and antenna*
60 das Transmissometer, ein Sichtweitenmeßgerät *n*
   – *transmissometer, an instrument for measuring visibility*
61 das Registriergerät
   – *recording instrument (recorder)*
62 der Sender
   – *transmitter*
63 der Empfänger
   – *receiver*
64 der Wettersatellit (ITOS-Satellit)
   – *weather satellite (ITOS satellite)*
65 Wärmeregulierungsklappen *f*
   – *temperature regulation flaps*
66 der Solarzellenausleger
   – *solar panel*
67 die Fernsehkamera
   – *television camera*
68 die Antenne
   – *antenna*
69 der Sonnensensor
   – *solar sensor (sun sensor)*
70 die Telemetrieantenne
   – *telemetry antenna*
71 das Radiometer
   – *radiometer*

1-5 der Schalenaufbau der Erde
- *layered structure of the earth*

1 die Erdkruste
- *earth's crust (outer crust of the earth, lithosphere, oxysphere)*

2 die Fließzone
- *hydrosphere*

3 der Mantel
- *mantle*

4 die Zwischenschicht
- *sima (intermediate layer)*

5 der Kern (Erdkern)
- *core (earth core, centrosphere, barysphere)*

6-12 die hypsometr. Kurve der Erdoberfläche
- *hypsographic curve of the earth's surface*

6 die Gipfelung
- *peak*

7 die Kontinentaltafel
- *continental mass*

8 der Schelf (Kontinentalsockel)
- *continental shelf (continental platform, shelf)*

9 der Kontinentalabhang
- *continental slope*

10 die Tiefseetafel
- *deep-sea floor (abyssal plane)*

11 der Meeresspiegel
- *sea level*

12 der Tiefseegraben
- *deep-sea trench*

13-28 der Vulkanismus
- *volcanism (vulcanicity)*

13 der Schildvulkan
- *shield volcano*

14 die Lavadecke (der Deckenerguß)
- *lava plateau*

15 der tätige Vulkan, ein Stratovulkan *m* (Schichtvulkan)
- *active volcano, a stratovolcano (composite volcano)*

16 der Vulkankrater (Krater)
- *volcanic crater (crater)*

17 der Schlot (Eruptionskanal)
- *volcanic vent*

18 der Lavastrom
- *lava stream*

19 der Tuff (die vulkan. Lockermassen *f*)
- *tuff (fragmented volcanic material)*

20 der Subvulkan
- *subterranean volcano*

21 der Geysir (Geiser, die Springquelle)
- *geyser*

22 die Wasser-und-Dampf-Fontäne
- *jet of hot water and steam*

23 die Sinterterrassen *f*
- *sinter terraces (siliceous sinter terraces, fiorite terraces, pearl sinter terraces)*

24 der Wallberg
- *cone*

25 das Maar
- *maar (extinct volcano)*

26 der Tuffwall
- *tuff deposit*

27 die Schlotbrekzie
- *breccia*

28 der Schlot des erloschenen Vulkans *m*
- *vent of extinct volcano*

29-31 der Tiefenmagmatismus
- *plutonic magmatism*

29 der Batholit (das Tiefengestein)
- *batholite (massive protrusion)*

30 der Lakkolith, eine Intrusion
- *lacolith, an intrusion*

31 der Lagergang, eine Erzlagerstätte
- *sill, an ore deposit*

32-38 das Erdbeben (*Arten:* das tekton. Beben, vulkan. Beben, Einsturzbeben) **und die Erdbebenkunde** (Seismologie)
- *earthquake (kinds: tectonic quake, volcanic quake) and seismology*

32 das Hypozentrum (der Erdbebenherd)
- *earthquake focus (seismic focus, hypocentre, Am. hypocenter)*

33 das Epizentrum (der Oberflächenpunkt senkrecht über dem Hypozentrum *n*)
- *epicentre (Am. epicenter), point on the earth's surface directly above the focus*

34 die Herdtiefe
- *depth of focus*

35 der Stoßstrahl
- *shock wave*

36 die Oberflächenwellen *f* (Erdbebenwellen)
- *surface waves (seismic waves)*

37 die Isoseiste (Verbindungslinie *f* der Orte *m* gleicher Bebenstärke *f*)
- *isoseismal (line connecting points of equal intensity of earthquake shock)*

38 das Epizentralgebiet (makroseism. Schüttergebiet)
- *epicentral area, an area of macroseismic vibration*

39 der Horizontalseismograph (Seismometer *n*, Erdbebenmesser *m*)
- *horizontal seismograph (seismometer)*

40 der magnetische Dämpfer
- *electromagnetic damper*

41 der Justierknopf für die Eigenperiode des Pendels *n*
- *adjustment knob for the period of free oscillation of the pendulum*

42 das Federgelenk für die Pendelaufhängung
- *spring attachment for the suspension of the pendulum*

43 die Pendelmasse (stationäre Masse)
- *mass*

44 die Induktionsspulen *f* für den Anzeigestrom des Registriergalvanometers *n*
- *induction coils for recording the voltage of the galvanometer*

45-54 Erdbebenwirkungen *f* (die Makroseismik)
- *effects of earthquakes*

45 der Wasserfall
- *waterfall (cataract, falls)*

46 der Bergrutsch (Erdrutsch, Felssturz)
- *landslide (rockslide, landslip, Am. rock slip)*

47 der Schuttstrom (das Ablagerungsgebiet)
- *talus (rubble, scree)*

48 die Abrißnische
- *scar (scaur, scaw)*

49 der Einsturztrichter
- *sink (sinkhole, swallowhole)*

50 die Geländeverschiebung (der Geländeabbruch)
- *dislocation (displacement)*

51 der Schlammerguß (Schlammkegel)
- *solifluction lobe (solifluction tongue)*

52 die Erdspalte (der Bodenriß)
- *fissure*

53 die Flutwelle, bei Seebeben *n*
- *tsunami (seismic sea wave) produced by seaquake (submarine earthquake)*

54 der gehobene Strand (die Strandterrasse)
- *raised beach*

Allgemeine Geographie I

Physical Geography I 11

12 Allgemeine Geographie II

1-33 Geologie
- *geology*
1 die Lagerung der Sedimentgesteine n
- *stratification of sedimentary rock*
2 das Streichen
- *strike*
3 das Fallen (die Fallrichtung)
- *dip (angle of dip, true dip)*
4-20 die Gebirgsbewegungen f
- *orogeny (orogenis, tectogenis, deformation of rocks by folding and faulting)*
4-11 das Bruchschollengebirge
- *fault-block mountain (block mountain)*
4 die Verwerfung (der Bruch)
- *fault*
5 die Verwerfungslinie
- *fault line (fault trace)*
6 die Sprunghöhe
- *fault throw*
7 die Überschiebung
- *normal fault (gravity fault, normal slip fault, slump fault)*
8-11 zusammengesetzte Strömungen f
- *complex faults*
8 der Staffelbruch
- *step fault (distributive fault, multiple fault)*
9 die Pultscholle
- *tilt block*
10 der Horst
- *horst*
11 der Grabenbruch
- *graben*
12-20 das Faltengebirge
- *range of fold mountains (folded mountains)*
12 die stehende Falte
- *symmetrical fold (normal fold)*
13 die schiefe Falte
- *asymmetrical fold*
14 die überkippte Falte
- *overfold*
15 die liegende Falte
- *recumbent fold (reclined fold)*
16 der Sattel (die Antiklinale)
- *saddle (anticline)*
17 die Sattelachse
- *anticlinal axis*
18 die Mulde (Synklinale)
- *trough (syncline)*
19 die Muldenachse
- *trough surface (trough plane, synclinal axis)*
20 das Bruchfaltengebirge
- *anticlinorium*
21 **das gespannte** (artesische) **Grundwasser**
- *groundwater under pressure (artesian water)*
22 die wasserführende Schicht
- *water-bearing stratum (aquifer, aquafer)*
23 das undurchlässige Gestein
- *impervious rock (impermeable rock)*

24 das Einzugsgebiet
- *drainage basin (catchment area)*
25 die Brunnenröhre
- *artesian well*
26 das emporquellende Wasser, ein artesischer Brunnen m
- *rising water, an artesian spring*
27 **die Erdöllagerstätte** an einer Antiklinale
- *petroleum reservoir in an anticline*
28 die undurchlässige Schicht
- *impervious stratum (impermeable stratum)*
29 die poröse Schicht als Speichergestein n
- *porous stratum acting as reservoir rock*
30 das Erdgas, eine Gaskappe
- *natural gas, a gas cap*
31 das Erdöl
- *petroleum (crude oil)*
32 das Wasser (Randwasser)
- *underlying water*
33 der Bohrturm
- *derrick*
34 **das Mittelgebirge**
- *mountainous area*
35 die Bergkuppe
- *rounded mountain top*
36 der Bergrücken (Kamm)
- *mountain ridge (ridge)*
37 der Berghang (Abhang)
- *mountain slope*
38 die Hangquelle
- *hillside spring*
39-47 das Hochgebirge
- *high-mountain region*
39 die Bergkette, ein Bergmassiv n
- *mountain range, a massif*
40 der Gipfel (Berggipfel, die Bergspitze)
- *summit (peak, top of the mountain)*
41 die Felsschulter
- *shoulder*
42 der Bergsattel
- *saddle*
43 die Wand (Steilwand)
- *rock face (steep face)*
44 die Hangrinne
- *gully*
45 die Schutthalde (das Felsgeröll)
- *talus (scree, detritus)*
46 der Saumpfad
- *bridle path*
47 der Paß (Bergpaß)
- *pass (col)*
48-56 das Gletschereis
- *glacial ice*
48 das Firnfeld (Kar)
- *firn field (firn basin, nevé)*
49 der Talgletscher
- *valley glacier*
50 die Gletscherspalte
- *crevasse*
51 das Gletschertor
- *glacier snout*

52 der Gletscherbach
- *subglacial stream*
53 die Seitenmoräne (Wallmoräne)
- *lateral moraine*
54 die Mittelmoräne
- *medial moraine*
55 die Endmoräne
- *end moraine*
56 der Gletschertisch
- *glacier table*

1-13 die Flußlandschaft
– *fluvial topography*
1 die Flußmündung, ein Delta *n*
– *river mouth, a delta*
2 der Mündungsarm, ein Flußarm *m*
– *distributary (distributary channel),*
   a river branch (river arm)
3 der See
– *lake*
4 das Ufer
– *bank*
5 die Halbinsel
– *peninsula (spit)*
6 die Insel
– *island*
7 die Bucht
– *bay (cove)*
8 der Bach
– *stream (brook, rivulet, creek)*
9 der Schwemmkegel
– *levee*
10 die Verlandungszone
– *alluvial plain*
11 der Mäander (die Flußwindung)
– *meander (river bend)*
12 der Umlaufberg
– *meander core (rock island)*
13 die Wiesenaue
– *meadow*
14-24 das Moor
– *bog (marsh)*
14 das Flachmoor
– *low-moor bog*
15 die Muddeschichten *f*
– *layers of decayed vegetable matter*
16 das Wasserkissen
– *entrapped water*
17 der Schilf- und Seggentorf
– *fen peat [consisting of rush and*
   sedge]
18 der Erlenbruchtorf
– *alder-swamp peat*
19 das Hochmoor
– *high-moor bog*
20 die jüngere Moostorfmasse
– *layer of recent sphagnum mosses*
21 der Grenzhorizont
– *boundary between layers*
   (horizons)
22 die ältere Moostorfmasse
– *layer of older sphagnum mosses*
23 der Moortümpel
– *bog pool*
24 die Verwässerungszone
– *swamp*
25-31 die Steilküste
– *cliffline (cliffs)*
25 die Klippe
– *rock*
26 das Meer (die See)
– *sea (ocean)*
27 die Brandung
– *surf*
28 das Kliff (der Steilhang)
– *cliff (cliff face, steep rock face)*
29 das Brandungsgeröll (Strandgeröll)
– *scree*

30 die Brandungshohlkehle
– *[wave-cut] notch*
31 die Abrasionsplatte (Brandungs-
   platte)
– *abrasion platform (wave-cut*
   platform)
32 das Atoll (das Lagunenriff, Kranz-
   riff), ein Korallenriff *n*
– *atoll, a ring-shaped coral reef*
33 die Lagune
– *lagoon*
34 der Strandkanal
– *breach (hole)*
35-44 die Flachküste (Strandebene, der
   Strand)
– *beach*
35 der Strandwall (die Flutgrenze)
– *high-water line (high-water mark,*
   tidemark)
36 die Uferwellen *f*
– *waves breaking on the shore*
37 die Buhne
– *groyne (Am. groin)*
38 der Buhnenkopf
– *groyne (Am. groin) head*
39 die Wanderdüne, eine Düne
– *wandering dune (migratory dune,*
   travelling, Am. traveling, dune),
   a dune
40 die Sicheldüne
– *barchan (barchane, barkhan,*
   crescentic dune)
41 die Rippelmarken *f*
– *ripple marks*
42 die Kupste
– *hummock*
43 der Windflüchter
– *wind cripple*
44 der Strandsee
– *coastal lake*
45 der Cañon
– *canyon (cañon, coulee)*
46 das Plateau (die Hochfläche)
– *plateau (tableland)*
47 die Felsterrasse
– *rock terrace*
48 das Schichtgestein
– *sedimentary rock (stratified rock)*
49 die Schichtstufe
– *river terrace (bed)*
50 die Kluft
– *joint*
51 der Cañonfluß
– *canyon river*
52-56 Talformen *f* [Querschnitt]
– *types of valley [cross section]*
52 die Klamm
– *gorge (ravine)*
53 das Kerbtal
– *V-shaped valley (V-valley)*
54 das offene Kerbtal
– *widened V-shaped valley*
55 das Sohlental
– *U-shaped valley (U-valley, trough*
   valley)
56 das Muldental
– *synclinal valley*

57-70 die Tallandschaft (das Flußtal)
– *river valley*
57 der Prallhang (Steilhang)
– *scarp (escarpment)*
58 der Gleithang (Flachhang)
– *slip-off slope*
59 der Tafelberg
– *mesa*
60 der Höhenzug
– *ridge*
61 der Fluß
– *river*
62 die Flußaue (Talaue)
– *flood plain*
63 die Felsterrasse
– *river terrace*
64 die Schotterterrasse
– *terracette*
65 die Tallehne
– *pediment*
66 die Anhöhe (der Hügel)
– *hill*
67 die Talsohle (der Talgrund)
– *valley floor (valley bottom)*
68 das Flußbett
– *riverbed*
69 die Ablagerungen *f*
– *sediment*
70 die Felssohle
– *bedrock*
71-83 die Karsterscheinungen *f* im
   Kalkstein *m*
– *karst formation in limestone*
71 die Doline, ein Einsturztrichter *m*
– *dolina, a sink (sinkhole, swallowhole)*
72 das Polje
– *polje*
73 die Flußversickerung
– *percolation of a river*
74 die Karstquelle
– *karst spring*
75 das Trockental
– *dry valley*
76 das Höhlensystem
– *system of caverns (system of caves)*
77 der Karstwasserspiegel
– *water level (water table) in a karst*
   formation
78 die undurchlässige Gesteinsschicht
– *impervious rock (impermeable rock)*
79 die Tropfsteinhöhle (Karsthöhle)
– *limestone cave (dripstone cave)*
80 *u.* 81 Tropfsteine *m*
– *speleothems (cave formations)*
80 der Stalaktit
– *stalactite (dripstone)*
81 der Stalagmit
– *stalagmite*
82 die Sintersäule (Tropfsteinsäule)
– *linked-up stalagmite and stalactite*
83 der Höhlenfluß
– *subterranean river*

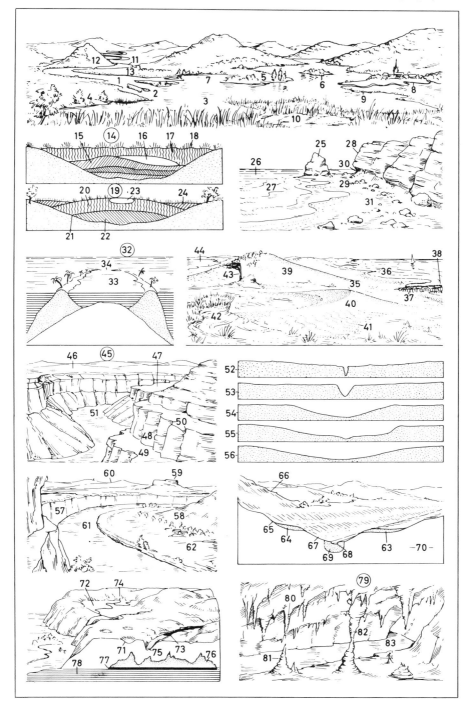

14 Landkarte I

Map I

1-7 **das Gradnetz der Erde**
- *graticule of the earth (network of meridians and parallels on the earth's surface)*
1 der Äquator
- *equator*
2 ein Breitenkreis *m*
- *line of latitude (parallel of latitude, parallel)*
3 der Pol (Nordpol oder Südpol *m*), ein Erdpol *m*
- *pole (North Pole or South Pole), a terrestrial pole (geographical pole)*
4 der Meridian (Längenhalbkreis)
- *line of longitude (meridian of longitude, meridian, terrestrial meridian)*
5 der Nullmeridian
- *Standard meridian (Prime meridian, Greenwich meridian, meridian of Greenwich)*
6 die geographische Breite
- *latitude*
7 die geographische Länge
- *longitude*
8 *u.* 9 **Kartennetzentwürfe** *m*
- *map projections*
8 die Kegelprojektion
- *conical (conic) projection*
9 die Zylinderprojektion
- *cylindrical projection (Mercator projection, Mercator's projection)*
10-45 **die Erdkarte** (Weltkarte)
- *map of the world*
10 die Wendekreise *m*
- *tropics*
11 die Polarkreise *m*
- *polar circles*
12-18 **die Erdteile** *m* (Kontinente)
- *continents*
12 *u.* 13 Amerika *n*
- *America*
12 Nordamerika *n*
- *North America*
13 Südamerika *n*
- *South America*
14 Afrika *n*
- *Africa*
15 *u.* 16 Eurasien *n*
- *Europe and Asia*
15 Europa *n*
- *Europe*
16 Asien *n*
- *Asia*
17 Australien *n*
- *Australia*
18 die Antarktis
- *Antarctica (Antarctic Continent)*
19-26 **das Weltmeer**
- *ocean (sea)*
19 der Große (Stille, Pazif.) Ozean
- *Pacific Ocean*
20 der Atlantische Ozean
- *Atlantic Ocean*
21 das Nördl. Eismeer
- *Arctic Ocean*

22 das Südl. Eismeer
- *Antarctic Ocean (Southern Ocean)*
23 der Indische Ozean
- *Indian Ocean*
24 die Straße von Gibraltar, eine Meeresstraße
- *Strait of Gibraltar, a sea strait*
25 das Mittelmeer (europäische Mittelmeer)
- *Mediterranean (Mediterranean Sea, European Mediterranean)*
26 die Nordsee, ein Randmeer *n*
- *North Sea, a marginal sea (epeiric sea, epicontinental sea)*
27-29 **die Legende (Zeichenerklärung)**
- *key (explanation of map symbols)*
27 die kalte Meeresströmung
- *cold ocean current*
28 die warme Meeresströmung
- *warm ocean current*
29 der Maßstab
- *scale*
30-45 **die Meeresströmungen** *f*
- *ocean (oceanic) currents (ocean drifts)*
30 der Golfstrom
- *Gulf Stream (North Atlantic Drift)*
31 der Kuroschio
- *Kuroshio (Kuro Siwo, Japan Current)*
32 der Nordäquatorialstrom
- *North Equatorial Current*
33 der Äquatoriale Gegenstrom
- *Equatorial Countercurrent*
34 der Südäquatorialstrom
- *South Equatorial Current*
35 der Brasilstrom
- *Brazil Current*
36 der Somalistrom
- *Somali Current*
37 der Agulhasstrom
- *Agulhas Current*
38 der Ostaustralstrom
- *East Australian Current*
39 der Kalifornische Strom
- *California Current*
40 der Labradorstrom
- *Labrador Current*
41 der Kanarienstrom
- *Canary Current*
42 der Humboldtstrom (Perustrom)
- *Peru Current*
43 der Benguellastrom
- *Benguela (Benguella) Current*
44 die Westwinddrift
- *West Wind Drift (Antarctic Circumpolar Drift)*
45 der Westaustralstrom
- *West Australian Current*
46-62 **die Vermessung** (Landesvermessung, Erdmessung, Geodäsie)
- *surveying (land surveying. geodetic surveying, geodesy)*
46 die Nivellierung (geometrische Höhenmessung)
- *levelling (Am. leveling) (geometrical measurement of height)*

47 die Meßlatte
- *graduated measuring rod (levelling, Am. leveling, staff)*
48 das Nivellierinstrument, ein Zielfernrohr *n*
- *level (surveying level, surveyor's level), a surveyor's telescope*
49 der trigonometrische Punkt
- *triangulation station (triangulation point)*
50 das Standgerüst
- *supporting scaffold*
51 das Signalgerüst
- *signal tower (signal mast)*
52-62 **der Theodolit, ein Winkelmeßgerät** *n*
- *theodolite, an instrument for measuring angles*
52 der Mikrometerknopf
- *micrometer head*
53 das Mikroskopokular
- *micrometer eyepiece*
54 der Höhenfeintrieb
- *vertical tangent screw*
55 die Höhenklemme
- *vertical clamp*
56 der Seitenfeintrieb
- *tangent screw*
57 die Seitenklemme
- *horizontal clamp*
58 der Einstellknopf für den Beleuchtungsspiegel
- *adjustment for the illuminating mirror*
59 der Beleuchtungsspiegel
- *illuminating mirror*
60 das Fernrohr
- *telescope*
61 die Querlibelle
- *spirit level*
62 die Kreisverstellung
- *circular adjustment*
63-66 **die Luftbildmessung** (Bildmessung, Fotogrammetrie, Fototopographie)
- *photogrammetry (phototopography)*
63 die Reihenmeßkammer
- *air survey camera for producing overlapping series of pictures*
64 das Stereotop
- *stereoscope*
65 der Storchschnabel (Pantograph)
- *pantograph*
66 der Stereoplanigraph
- *stereoplanigraph*

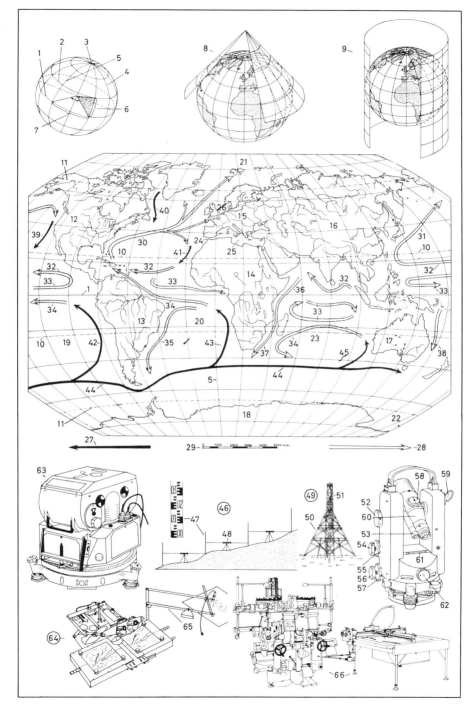

1-114 die Kartenzeichen einer Karte
1 : 25 000
– **map signs** *(map symbols, conventional signs) on a 1:25 000 map*
1 der Nadelwald
– *coniferous wood (coniferous trees)*
2 die Lichtung
– *clearing*
3 das Forstamt
– *forestry office* [no symbol]
4 der Laubwald
– *deciduous wood (non-coniferous trees)*
5 die Heide
– *heath (rough grassland, rough pasture, heath and moor, bracken)*
6 der Sand
– *sand or sand hills*
7 der Strandhafer
– *beach grass* [no symbol]
8 der Leuchtturm
– *lighthouse*
9 die Wattengrenze
– *mean low water*
10 die Bake
– *beacon*
11 die Tiefenlinien *f* (Isobathen)
– *submarine contours* [no symbol]
12 die Eisenbahnfähre (das Trajekt)
– *train ferry* [no symbol]
13 das Feuerschiff
– *lightship*
14 der Mischwald
– *mixed wood (mixed trees)*
15 das Buschwerk
– *brushwood*
16 die Autobahn mit Auffahrt *f*
– *motorway with slip road* (Am. *freeway with on-ramp, freeway with acceleration lane*)
17 die Bundesstraße (Fernverkehrsstraße)
– *trunk road*
18 die Wiese
– *grassland* [no symbol]
19 die nasse Wiese
– *marshy grassland* [no symbol]
20 der Bruch (das Moor)
– *marsh*
21 die Hauptstrecke (Hauptlinie, Hauptbahn)
– *main line railway* (Am. *trunk line*) [no symbol]
22 die Bahnunterführung
– *road over railway*
23 die Nebenbahn
– *branch line* [no symbol]
24 die Blockstelle
– *signal box* (Am. *switch tower*) [no symbol]
25 die Kleinbahn
– *local line* [no symbol]
26 der Planübergang
– *level crossing*
27 die Haltestelle
– *halt* [no symbol]
28 die Villenkolonie
– *residential area* [no symbol]
29 der Pegel
– *water gauge* (Am. *gage*) [no symbol]
30 die Straße III. Ordnung
– *good, metalled road*
31 die Windmühle
– *windmill* [labelled: Mill]
32 das Gradierwerk (die Saline)
– *thorn house (graduation house, salina, salt-works)* [no symbol]
33 der Funkturm
– *broadcasting station (wireless or television mast)* [no symbol]
34 das Bergwerk
– *mine* [labelled: Mine]
35 das verlassene Bergwerk
– *disused mine* [labelled: Mine (Disused)]

36 die Straße II. Ordnung
– *secondary road (B road)*
37 die Fabrik
– *works* [labelled: Works]
38 der Schornstein
– *chimney*
39 der Drahtzaun
– *wire fence* [no symbol]
40 die Straßenüberfahrt
– *bridge over railway*
41 der Bahnhof
– *railway station* (Am. *railroad station*)
42 die Bahnüberführung
– *bridge under railway*
43 der Fußweg
– *footpath*
44 der Durchlaß
– *bridge for footpath under railway* [no symbol]
45 der schiffbare Strom
– *navigable river* [no symbol]
46 die Schiffbrücke
– *pontoon bridge* [no symbol]
47 die Wagenfähre
– *vehicle ferry*
48 die Steinmole
– *mole* [no symbol]
49 das Leuchtfeuer
– *beacon*
50 die Steinbrücke
– *stone bridge*
51 die Stadt
– *town or city*
52 der Marktplatz
– *market place (market square)*
53 die große Kirche mit 2 Türmen *m*
– *large church with two towers* [no symbol]
54 das öffentliche Gebäude
– *public building*
55 die Straßenbrücke
– *road bridge*
56 die eiserne Brücke
– *iron bridge*
57 der Kanal
– *canal*
58 die Kammerschleuse
– *lock*
59 die Landungsbrücke
– *jetty*
60 die Personenfähre
– *foot ferry (foot passenger ferry)*
61 die Kapelle
– *chapel (church) without tower or spire*
62 die Höhenlinien *f* (Isohypsen)
– *contours*
63 das Kloster
– *monastery or convent* [named]
64 die weit sichtbare Kirche
– *church landmark* [no symbol]
65 der Weinberg
– *vineyard* [no symbol]
66 das Wehr
– *weir*
67 die Seilbahn
– *aerial ropeway*
68 der Aussichtsturm
– *view point* [tower]
69 die Stauschleuse
– *dam*
70 der Tunnel
– *tunnel*
71 der trigonometr. Punkt
– *triangulation station (triangulation point)*
72 die Ruine
– *remains of a building*
73 das Windrad
– *wind pump*
74 die Festung
– *fortress [castle]*
75 das Altwasser
– *ox-bow lake*

76 der Fluß
– *river*
77 die Wassermühle
– *watermill* [labelled: Mill]
78 der Steg
– *footbridge*
79 der Teich
– *pond*
80 der Bach
– *stream (brook, rivulet, creek)*
81 der Wasserturm
– *water tower* [labelled]
82 die Quelle
– *spring*
83 die Straße I. Ordnung
– *main road (A road)*
84 der Hohlweg
– *cutting*
85 die Höhle
– *cave* [labelled: Cave]
86 der Kalkofen
– *lime kiln* [labelled: Lime Works]
87 der Steinbruch
– *quarry*
88 die Tongrube
– *clay pit*
89 die Ziegelei
– *brickworks* [labelled: Brickworks]
90 die Wirtschaftsbahn
– *narrow-gauge* (Am. *narrow gage*) *railway*
91 der Ladeplatz
– *goods depot (freight depot)*
92 das Denkmal
– *monument*
93 das Schlachtfeld
– *site of battle*
94 das Gut, eine Domäne
– *country estate, a demesne*
95 die Mauer
– *wall* [no symbol]
96 das Schloß
– *stately home*
97 der Park
– *park*
98 die Hecke
– *hedge* [no symbol]
99 der unterhaltene Fahrweg
– *poor or unmetalled road*
100 der Ziehbrunnen
– *well*
101 der Einzelhof (Weiler, Einödhof)
– *farm* [named]
102 der Feld- und Waldweg
– *unfenced path (unfenced track)*
103 die Kreisgrenze
– *district boundary*
104 der Damm
– *embankment*
105 das Dorf
– *village*
106 der Friedhof
– *cemetery* [labelled: Cemy]
107 die Dorfkirche
– *church or chapel with spire*
108 der Obstgarten
– *orchard*
109 der Meilenstein
– *milestone*
110 der Wegweiser
– *guide post*
111 die Baumschule
– *tree nursery* [no symbol]
112 die Schneise
– *ride (aisle, lane, section line)* [no symbol]
113 die Starkstromleitung
– *electricity transmission line*
114 die Hopfenanpflanzung (der Hopfengarten)
– *hop garden* [no symbol]

in Britain:

1	30	69 *Dam*	92 *Mon*
4	36 B 3227	72 **Castle** (Remains of)	97
5	43 *F.P.*	73 *Wd Pp*	100 *W*
9 Mean Low Water (MLW)	47	74 **Castle**	102
10 + 49	55 + 56	76	103
13	58	78 *FB*	100
14	59 Jetty	79	108
15	60 *F*	82 *Spr* •	109 *MS*
16	62	83 A 35	110 *GP*
17 A 31 (T)	66 *Weir*	87 Quarry	113
20	67	88 Clay Pit	
	68	90	

43

1-54 **der menschliche Körper** (Leib)
- *the human body*
1-18 **der Kopf** (das Haupt)
- *head*
1 der Scheitel (Wirbel)
- *vertex (crown of the head, top of the head)*
2 das Hinterhaupt
- *occiput (back of the head)*
3 das Kopfhaar (Haar)
- *hair*
4-17 **das Gesicht** (Antlitz)
- *face*
4-5 die Stirn
- *forehead*
4 der Stirnhöcker
- *frontal eminence (frontal protuberance)*
5 der Stirnwulst
- *superciliary arch*
6 die Schläfe
- *temple*
7 das Auge
- *eye*
8 das Jochbein (Wangenbein, der Backenknochen)
- *zygomatic bone (malar bone, jugal bone, cheekbone)*
9 die Wange (Kinnbacke, Backe)
- *cheek*
10 die Nase
- *nose*
11 die Nasen-Lippen-Furche
- *nasolabial fold*
12 das Philtrum (die Oberlippenrinne)
- *philtrum*
13 der Mund
- *mouth*
14 der Mundwinkel
- *angle of the mouth (labial commissure)*
15 das Kinn
- *chin*
16 das Kinngrübchen (Grübchen)
- *dimple (fossette) in the chin*
17 die Kinnlade
- *jaw*
18 das Ohr
- *ear*
19-21 **der Hals**
- *neck*
19 die Kehle (Gurgel)
- *throat*
20 *ugs.* die Drosselgrube
- *hollow of the throat*
21 der Nacken (das Genick)
- *nape of the neck*
22-41 **der Rumpf**
- *trunk*
22-25 **der Rücken**
- *back*
22 die Schulter
- *shoulder*
23 das Schulterblatt
- *shoulderblade (scapula)*
24 die Lende
- *loins*

25 das Kreuz
- *small of the back*
26 die Achsel (Achselhöhle, Achselgrube)
- *armpit*
27 die Achselhaare *n*
- *armpit hair*
28-30 **die Brust** (der Brustkorb)
- *thorax (chest)*
28-29 die Brüste (die Brust, Büste)
- *breasts (breast, mamma)*
28 die Brustwarze
- *nipple*
29 der Warzenhof
- *areola*
30 der Busen
- *bosom*
31 die Taille
- *waist*
32 die Flanke (Weiche)
- *flank (side)*
33 die Hüfte
- *hip*
34 der Nabel
- *navel*
35-37 **der Bauch** (das Abdomen)
- *abdomen (stomach)*
35 der Oberbauch
- *upper abdomen*
36 der Mittelbauch
- *abdomen*
37 der Unterbauch (Unterleib)
- *lower abdomen*
38 die Leistenbeuge (Leiste)
- *groin*
39 die Scham
- *pudenda (vulva)*
40 das Gesäß (die Gesäßbacke, *ugs.* Hinterbacke, das Hinterteil)
- *seat (backside, coll. bottom)*
41 die Afterfurche
- *anal groove (anal cleft)*
42 die Gesäßfalte
- *gluteal fold (gluteal furrow)*
43-54 **die Gliedmaßen** *f* (Glieder *n*)
- *limbs*
43-48 der Arm
- *arm*
43 der Oberarm
- *upper arm*
44 die Armbeuge
- *crook of the arm*
45 der Ellbogen (Ellenbogen)
- *elbow*
46 der Unterarm
- *forearm*
47 die Hand
- *hand*
48 die Faust
- *fist (clenched fist, clenched hand)*
49-54 **das Bein**
- *leg*
49 der Oberschenkel
- *thigh*
50 das Knie
- *knee*

51 die Kniekehle (Kniebeuge)
- *popliteal space*
52 der Unterschenkel
- *shank*
53 die Wade
- *calf*
54 der Fuß
- *foot*

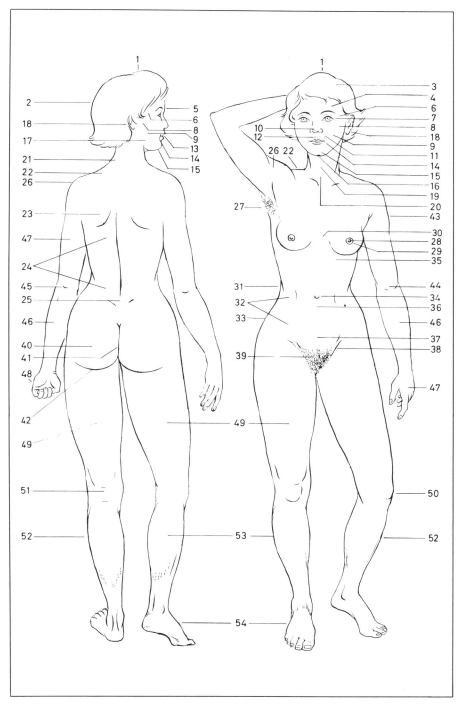

1-29 das Skelett (Knochengerüst, Gerippe, Gebein, die Knochen *m*)
- *skeleton (bones)*
1 der Schädel
- *skull*
2-5 die Wirbelsäule (das Rückgrat)
- *vertebral column (spinal column, spine, backbone)*
2 der Halswirbel
- *cervical vertebra*
3 der Brustwirbel
- *dorsal vertebra (thoracic vertebra)*
4 der Lendenwirbel
- *lumbar vertebra*
5 das Steißbein
- *coccyx (coccygeal vertebra)*
6 *u.* **7** der Schultergürtel
- *shoulder girdle*
6 das Schlüsselbein
- *collarbone (clavicle)*
7 das Schulterblatt
- *shoulderblade (scapula)*
8-11 der Brustkorb
- *thorax (chest)*
8 das Brustbein
- *breastbone (sternum)*
9 die echten Rippen *f* (wahren Rippen)
- *true ribs*
10 die falschen Rippen *f*
- *false ribs*
11 der Rippenknorpel
- *costal cartilage*
12-14 der Arm
- *arm*
12 das Oberarmbein (der Oberarmknochen)
- *humerus*
13 die Speiche
- *radius*
14 die Elle
- *ulna*
15-17 die Hand
- *hand*
15 der Handwurzelknochen
- *carpus*
16 der Mittelhandknochen
- *metacarpal bone (metacarpal)*
17 der Fingerknochen (das Fingerglied)
- *phalanx (phalange)*
18-21 das Becken
- *pelvis*
18 das Hüftbein
- *ilium (hip bone)*
19 das Sitzbein
- *ischium*
20 das Schambein
- *pubis*
21 das Kreuzbein
- *sacrum*
22-25 das Bein
- *leg*
22 das Oberschenkelbein
- *femur (thigh bone, thigh)*
23 die Kniescheibe
- *patella (kneecap)*

24 das Wadenbein
- *fibula (splint bone)*
25 das Schienbein
- *tibia (shinbone)*
26-29 der Fuß
- *foot*
26 die Fußwurzelknochen *m*
- *tarsal bones (tarsus)*
27 das Fersenbein
- *calcaneum (heelbone)*
28 die Vorfußknochen *m*
- *metatarsus*
29 die Zehenknochen *m*
- *phalanges*
30-41 der Schädel
- *skull*
30 das Stirnbein
- *frontal bone*
31 das linke Scheitelbein
- *left parietal bone*
32 das Hinterhauptsbein
- *occipital bone*
33 das Schläfenbein
- *temporal bone*
34 der Gehörgang
- *external auditory canal*
35 die Unterkieferbein (der Unterkiefer)
- *lower jawbone (lower jaw, mandible)*
36 das Oberkieferbein (der Oberkiefer)
- *upper jawbone (upper jaw, maxilla)*
37 das Jochbein
- *zygomatic bone (cheekbone)*
38 das Keilbein
- *sphenoid bone (sphenoid)*
39 das Siebbein
- *ethmoid bone (ethmoid)*
40 das Tränenbein
- *lachrimal (lacrimal) bone*
41 das Nasenbein
- *nasal bone*
42-55 der Kopf [Schnitt]
- *head [section]*
42 das Großhirn
- *cerebrum (great brain)*
43 die Hirnanhangdrüse
- *pituitary gland (pituitary body, hypophysis cerebri)*
44 der Balken
- *corpus callosum*
45 das Kleinhirn
- *cerebellum (little brain)*
46 die Brücke
- *pons (pons cerebri, pons cerebelli)*
47 das verlängerte Mark
- *medulla oblongata (brain stem)*
48 das Rückenmark
- *spinal cord*
49 die Speiseröhre
- *oesophagus (esophagus, gullet)*
50 die Luftröhre
- *trachea (windpipe)*
51 der Kehldeckel
- *epiglottis*
52 die Zunge
- *tongue*

53 die Nasenhöhle
- *nasal cavity*
54 die Keilbeinhöhle
- *sphenoidal sinus*
55 die Stirnhöhle
- *frontal sinus*
56-65 das Gleichgewichts- und Gehörorgan
- *organ of equilibrium and hearing*
56-58 das äußere Ohr
- *external ear*
56 die Ohrmuschel
- *auricle*
57 das Ohrläppchen
- *ear lobe*
58 der Gehörgang
- *external auditory canal*
59-61 das Mittelohr
- *middle ear*
59 das Trommelfell
- *tympanic membrane*
60 die Paukenhöhle
- *tympanic cavity*
61 die Gehörknöchelchen *n:* der Hammer, der Amboß, der Steigbügel
- *auditory ossicles: hammer, anvil, and stirrup (malleus, incus, and stapes)*
62-64 das innere Ohr
- *inner ear (internal ear)*
62 das Labyrinth
- *labyrinth*
63 die Schnecke
- *cochlea*
64 der Gehörnerv
- *auditory nerve*
65 die Eustachische Röhre
- *eustachian tube*

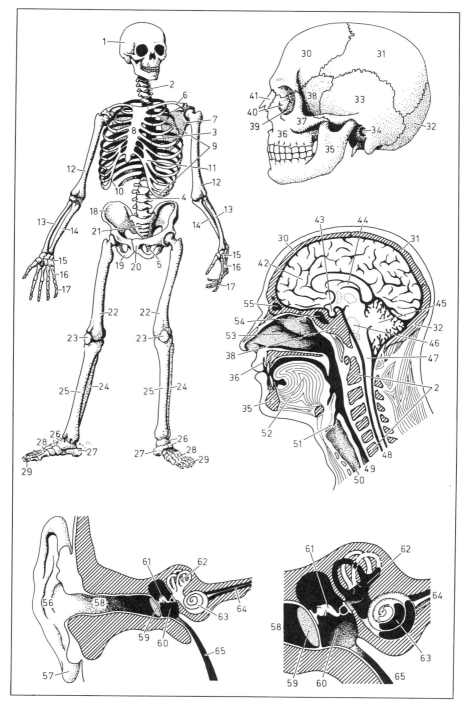

18 Mensch III

Man III

1-21 der Blutkreislauf
- *blood circulation (circulatory system)*
1 die Halsschlagader, eine Arterie
- *common carotid artery, an artery*
2 die Halsblutader, eine Vene
- *jugular vein, a vein*
3 die Schläfenschlagader
- *temporal artery*
4 die Schläfenvene
- *temporal vein*
5 die Stirnschlagader
- *frontal artery*
6 die Stirnvene
- *frontal vein*
7 die Schlüsselbeinschlagader
- *subclavian artery*
8 die Schlüsselbeinvene
- *subclavian vein*
9 die obere Hohlvene
- *superior vena cava*
10 der Aortenbogen (die Aorta)
- *arch of the aorta (aorta)*
11 die Lungenschlagader [mit venösem Blut *n*]
- *pulmonary artery [with venous blood]*
12 die Lungenvene [mit arteriellem Blut *n*]
- *pulmonary vein [with arterial blood]*
13 die Lungen *f*
- *lungs*
14 das Herz
- *heart*
15 die untere Hohlvene
- *inferior vena cava*
16 die Bauchaorta (absteigende Aorta)
- *abdominal aorta (descending portion of the aorta)*
17 die Hüftschlagader
- *iliac artery*
18 die Hüftvene
- *iliac vein*
19 die Schenkelschlagader
- *femoral artery*
20 die Schienbeinschlagader
- *tibial artery*
21 die Pulsschlagader
- *radial artery*

22-33 das Nervensystem
- *nervous system*
22 das Großhirn
- *cerebrum (great brain)*
23 das Zwischenhirn
- *cerebellum (little brain)*
24 das verlängerte Mark
- *medulla oblongata (brain stem)*
25 das Rückenmark
- *spinal cord*
26 die Brustnerven *m*
- *thoracic nerves*
27 das Armgeflecht
- *brachial plexus*
28 der Speichennerv
- *radial nerve*
29 der Ellennerv
- *ulnar nerve*

30 der Hüftnerv (Beinnerv, Ischiasnerv) [hinten liegend]
- *great sciatic nerve [lying posteriorly]*
31 der Schenkelnerv
- *femoral nerve (anterior crural nerve)*
32 der Schienbeinnerv
- *tibial nerve*
33 der Wadennerv
- *peroneal nerve*

34-64 die Muskulatur
- *musculature (muscular system)*
34 der Kopfhalter (Nicker)
- *sternocleidomastoid muscle (sternomastoid muscle)*
35 der Schultermuskel (Deltamuskel)
- *deltoid muscle*
36 der große Brustmuskel
- *pectoralis major (greater pectoralis muscle, greater pectoralis)*
37 der zweiköpfige Armmuskel (Bizeps)
- *biceps brachii (biceps of the arm)*
38 der dreiköpfige Armmuskel (Trizeps)
- *triceps brachii (triceps of the arm)*
39 der Armspeichenmuskel
- *brachioradialis*
40 der Speichenbeuger
- *flexor carpi radialis (radial flexor of the wrist)*
41 die kurzen Daumenmuskeln *m*
- *thenar muscle*
42 der große Sägemuskel
- *serratus anterior*
43 der schräge Bauchmuskel
- *obliquus externus abdominis (external oblique)*
44 der gerade Bauchmuskel
- *rectus abdominis*
45 der Schneidermuskel
- *sartorius*
46 der Unterschenkelstrecker
- *vastus lateralis and vastus medialis*
47 der Schienbeinmuskel
- *tibialis anterior*
48 die Achillessehne
- *tendo calcanaeus (Achilles' tendon)*
49 der Abzieher der großen Zehe, ein Fußmuskel *m*
- *abductor hallucis (abductor of the hallux), a foot muscle*
50 die Hinterhauptmuskeln *m*
- *occipitalis*
51 die Nackenmuskeln *m*
- *splenius of the neck*
52 der Kapuzenmuskel (Kappenmuskel)
- *trapezius*
53 der Untergrätenmuskel
- *infraspinatus*
54 der kleine runde Armmuskel
- *teres minor (lesser teres)*
55 der große runde Armmuskel
- *teres major (greater teres)*
56 der lange Speichenstrecker
- *extensor carpi radialis longus (long radial extensor of the wrist)*

57 der gemeinsame Fingerstrecker
- *extensor communis digitorum (common extensor of the digits)*
58 der Ellenbeuger
- *flexor carpi ulnaris (ulnar flexor of the wrist)*
59 der breite Rückenmuskel
- *latissimus dorsi*
60 der große Gesäßmuskel
- *gluteus maximus*
61 der zweiköpfige Unterschenkelbeuger
- *biceps femoris (biceps of the thigh)*
62 der Zwillingswadenmuskel
- *gastrocnemius, medial and lateral heads*
63 der gemeinsame Zehenstrecker
- *extensor communis digitorum (common extensor of the digits)*
64 der lange Wadenbeinmuskel
- *peroneus longus (long peroneus)*

1-13 der Kopf und der Hals
- *head and neck*
1 der Kopfhalter (Kopfnicker, Nicker)
- *sternocleidomastoid muscle (sternomastoid muscle)*
2 der Hinterhauptmuskel
- *occipitalis*
3 der Schläfenmuskel
- *temporalis (temporal, temporal muscle)*
4 der Stirnmuskel
- *occipito frontalis (frontalis)*
5 der Ringmuskel des Auges *n*
- *orbicularis oculi*
6 mimische Gesichtsmuskeln *m*
- *muscles of facial expression*
7 der große Kaumuskel
- *masseter*
8 der Ringmuskel des Mundes *m*
- *orbicularis oris*
9 die Ohrspeicheldrüse
- *parotid gland*
10 der Lymphknoten; *falsch:* die Lymphdrüse
- *lymph node (submandibular lymph gland)*
11 die Unterkieferdrüse
- *submandibular gland (submaxillary gland)*
12 die Halsmuskeln *m*
- *muscles of the neck*
13 der Adamsapfel [nur beim Mann]
- *Adam's apple (laryngeal prominence) [in men only]*

14-37 der Mund und der Rachen
- *mouth and pharynx*
14 die Oberlippe
- *upper lip*
15 das Zahnfleisch
- *gum*

16-18 das Gebiß
- *teeth (set of teeth)*
16 die Schneidezähne *m*
- *incisors*
17 der Eckzahn
- *canine tooth (canine)*
18 die Backenzähne *m*
- *premolar (bicuspid) and molar teeth (premolars and molars)*
19 der Mundwinkel
- *angle of the mouth (labial commissure)*
20 der harte Gaumen
- *hard palate*
21 der weiche Gaumen (das Gaumensegel)
- *soft palate (velum palati, velum)*
22 das Zäpfchen
- *uvula*
23 die Gaumenmandel (Mandel)
- *palatine tonsil (tonsil)*
24 die Rachenhöhle (der Rachen)
- *pharyngeal opening (pharynx)*
25 die Zunge
- *tongue*
26 die Unterlippe
- *lower lip*
27 der Oberkiefer
- *upper jaw (maxilla)*

28-37 der Zahn
- *tooth*
28 die Wurzelhaut
- *periodontal membrane (periodontium, pericementum)*
29 der Zement
- *cement (dental cementum, crusta petrosa)*
30 der Zahnschmelz
- *enamel*
31 das Zahnbein
- *dentine (dentin)*
32 das Zahnmark (die Pulpa)
- *dental pulp (tooth pulp, pulp)*
33 die Nerven *m* und Blutgefäße *n*
- *nerves and blood vessels*
34 der Schneidezahn
- *incisor*
35 der Backenzahn
- *molar tooth (molar)*
36 die Wurzel
- *root (fang)*
37 die Krone
- *crown*

38-51 das Auge
- *eye*
38 die Augenbraue
- *eyebrow (supercilium)*
39 das Oberlid
- *upper eyelid (upper palpebra)*
40 das Unterlid
- *lower eyelid (lower palpebra)*
41 die Wimper
- *eyelash (cilium)*
42 die Iris (Regenbogenhaut)
- *iris*
43 die Pupille
- *pupil*
44 die Augenmuskeln *m*
- *eye muscles (ocular muscles)*
45 der Augapfel
- *eyeball*
46 der Glaskörper
- *vitreous body*
47 die Hornhaut
- *cornea*
48 die Linse
- *lens*
49 die Netzhaut
- *retina*
50 der blinde Fleck
- *blind spot*
51 der Sehnerv
- *optic nerve*

52-63 der Fuß
- *foot*
52 die große Zehe (der große Zeh)
- *big toe (great toe, first toe, hallux, digitus I)*
53 die zweite Zehe
- *second toe (digitus II)*
54 die Mittelzehe
- *third toe (digitus III)*
55 die vierte Zehe
- *fourth toe (digitus IV)*
56 die kleine Zehe
- *little toe (digitus minimus, digitus V)*
57 der Zehennagel
- *toenail*

58 der Ballen
- *ball of the foot*
59 der Wadenbeinknöchel (Knöchel)
- *lateral malleolus (external malleolus, outer malleolus, malleolus fibulae)*
60 der Schienbeinknöchel
- *medial malleolus (internal malleolus, inner malleolus, malleolus tibulae, malleolus medialis)*
61 der Fußrücken (Spann, Rist)
- *instep (medial longitudinal arch, dorsum of the foot, dorsum pedis)*
62 die Fußsohle
- *sole of the foot*
63 die Ferse (Hacke, der Hacken)
- *heel*

64-83 die Hand
- *hand*
64 der Daumen
- *thumb (pollex, digitus I)*
65 der Zeigefinger
- *index finger (forefinger, second finger, digitus II)*
66 der Mittelfinger
- *middle finger (third finger, digitus medius, digitus III)*
67 der Ringfinger
- *ring finger (fourth finger, digitus anularis, digitus IV)*
68 der kleine Finger
- *little finger (fifth finger, digitus minimus, digitus V)*
69 der Speichenrand
- *radial side of the hand*
70 der Ellenrand
- *ulnar side of the hand*
71 der Handteller (die Hohlhand)
- *palm of the hand (palma manus)*

72-74 die Handlinien *f*
- *lines of the hand*
72 die Lebenslinie
- *life line (line of life)*
73 die Kopflinie
- *head line (line of the head)*
74 die Herzlinie
- *heart line (line of the heart)*
75 der Daumenballen
- *ball of the thumb (thenar eminence)*
76 das Handgelenk (die Handwurzel)
- *wrist (carpus)*
77 das Fingerglied
- *phalanx (phalange)*
78 die Fingerbeere
- *finger pad*
79 die Fingerspitze
- *fingertip*
80 der Fingernagel (Nagel)
- *fingernail (nail)*
81 das Möndchen
- *lunule (lunula) of the nail*
82 der Knöchel
- *knuckle*
83 der Handrücken
- *back of the hand (dorsum of the hand, dorsum manus)*

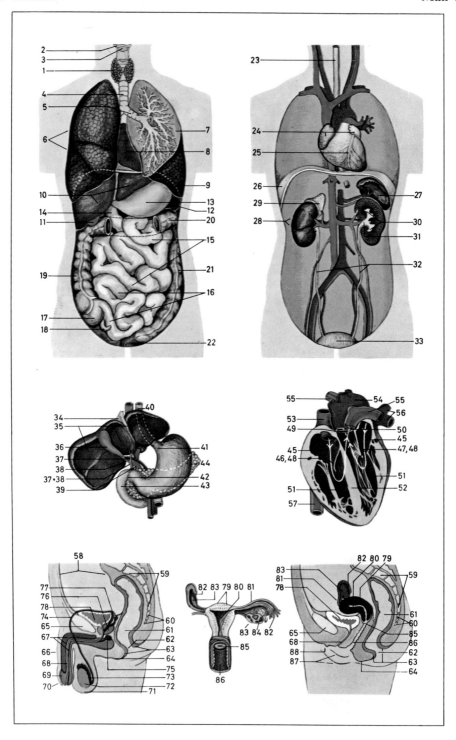

1-57 die inneren Organe *n* [von vorn]
- *internal organs [front view]*
1 die Schilddrüse
- *thyroid gland*
2 *u.* 3 der Kehlkopf
- *larynx*
2 das Zungenbein
- *hyoid bone (hyoid)*
3 der Schildknorpel
- *thyroid cartilage*
4 die Luftröhre
- *trachea (windpipe)*
5 der Luftröhrenast (die Bronchie)
- *bronchus*
6 *u.* 7 die Lunge
- *lung*
6 der rechte Lungenflügel
- *right lung*
7 der obere Lungenlappen [Schnitt]
- *upper pulmonary lobe (upper lobe of the lung) [section]*
8 das Herz
- *heart*
9 das Zwerchfell
- *diaphragm*
10 die Leber
- *liver*
11 die Gallenblase
- *gall bladder*
12 die Milz
- *spleen*
13 der Magen
- *stomach*
14-22 der Darm
- *intestines (bowel)*
14-16 der Dünndarm
- *small intestine (intestinum tenue)*
14 der Zwölffingerdarm
- *duodenum*
15 der Leerdarm
- *jejunum*
16 der Krummdarm
- *ileum*
17-22 der Dickdarm
- *large intestine (intestinum crassum)*
17 der Blinddarm
- *caecum (cecum)*
18 der Wurmfortsatz
- *appendix (vermiform appendix)*
19 der aufsteigende Grimmdarm
- *ascending colon*
20 der querliegende Grimmdarm
- *transverse colon*
21 der absteigende Grimmdarm
- *descending colon*
22 der Mastdarm
- *rectum*
23 die Speiseröhre
- *oesophagus (esophagus, gullet)*
24 *u.* 25 das Herz
- *heart*
24 das Herzohr
- *auricle*
25 die vordere Längsfurche
- *anterior longitudinal cardiac sulcus*
26 das Zwerchfell
- *diaphragm*
27 die Milz
- *spleen*
28 die rechte Niere
- *right kidney*
29 die Nebenniere
- *suprarenal gland*
30 *u.* 31 die linke Niere [Längsschnitt]
- *left kidney [longitudinal section]*

30 der Nierenkelch
- *calyx (renal calyx)*
31 das Nierenbecken
- *renal pelvis*
32 der Harnleiter
- *ureter*
33 die Harnblase
- *bladder*
34 *u.* 35 die Leber [hochgeklappt]
- *liver [from behind]*
34 das Leberband
- *falciform ligament of the liver*
35 der Leberlappen
- *lobe of the liver*
36 die Gallenblase
- *gall bladder*
37 *u.* 38 der gemeinsame Gallengang
- *common bile duct*
37 der Lebergang
- *hepatic duct (common hepatic duct)*
38 der Gallenblasengang
- *cystic duct*
39 die Pfortader
- *portal vein (hepatic portal vein)*
40 die Speiseröhre
- *oesophagus (esophagus, gullet)*
41 *u.* 42 der Magen
- *stomach*
41 der Magenmund
- *cardiac orifice*
42 der Pförtner
- *pylorus*
43 der Zwölffingerdarm
- *duodenum*
44 die Bauchspeicheldrüse
- *pancreas*
45-57 das Herz [Längsschnitt]
- *heart [longitudinal section]*
45 der Vorhof
- *atrium*
46 *u.* 47 die Herzklappen *f*
- *valves of the heart*
46 die dreizipflige Klappe
- *tricuspid valve (right atrioventricular valve)*
47 die Mitralklappe
- *bicuspid valve (mitral valve, left atrioventricular valve)*
48 das Segel
- *cusp*
49 die Aortenklappe
- *aortic valve*
50 die Pulmonalklappe
- *pulmonary valve*
51 die Herzkammer
- *ventricle*
52 die Kammerscheidewand
- *ventricular septum (interventricular septum)*
53 die obere Hohlvene
- *superior vena cava*
54 die Aorta
- *aorta*
55 die Lungenschlagader
- *pulmonary artery*
56 die Lungenvene
- *pulmonary vein*
57 die untere Hohlvene
- *inferior vena cava*
58 das Bauchfell
- *peritoneum*
59 das Kreuzbein
- *sacrum*
60 das Steißbein
- *coccyx (coccygeal vertebra)*

61 der Mastdarm
- *rectum*
62 der After
- *anus*
63 der Schließmuskel
- *anal sphincter*
64 der Damm
- *perineum*
65 die Schambeinfuge
- *pubic symphisis (symphisis pubis)*
66-77 die männl. Geschlechtsorgane *n* [Längsschnitt]
- *male sex organs [longitudinal section]*
66 das männliche Glied
- *penis*
67 der Schwellkörper
- *corpus cavernosum and spongiosum of the penis (erectile tissue of the penis)*
68 die Harnröhre
- *urethra*
69 die Eichel
- *glans penis*
70 die Vorhaut
- *prepuce (foreskin)*
71 der Hodensack
- *scrotum*
72 der rechte Hoden
- *right testicle (testis)*
73 der Nebenhoden
- *epididymis*
74 der Samenleiter
- *spermatic duct (vas deferens)*
75 die Cowper-Drüse
- *Cowper's gland (bulbourethral gland)*
76 die Vorsteherdrüse
- *prostate (prostate gland)*
77 die Samenblase
- *seminal vesicle*
78 die Harnblase
- *bladder*
79-88 die weibl. Geschlechtsorgane *n* [Längsschnitt]
- *female sex organs [longitudinal section]*
79 die Gebärmutter
- *uterus (matrix, womb)*
80 die Gebärmutterhöhle
- *cavity of the uterus*
81 der Eileiter
- *fallopian tube (uterine tube, oviduct)*
82 die Fimbrien
- *fimbria (fimbriated extremity)*
83 der Eierstock
- *ovary*
84 das Follikel mit dem Ei *n*
- *follicle with ovum (egg)*
85 der äußere Muttermund
- *os uteri externum*
86 die Scheide
- *vagina*
87 die Schamlippe
- *lip of the pudendum (lip of the vulva)*
88 der Kitzler
- *clitoris*

21 Erste Hilfe (Unfallhilfe)

First Aid

1-13 Notverbände *m*
- *emergency bandages*
1 der Armverband
- *arm bandage*
2 das Dreieck[s]tuch als Armtrage-
tuch *n* (Armschlinge *f*)
- *triangular cloth used as a sling (an arm sling)*
3 der Kopfverband
- *head bandage (capeline)*
4 das Verbandspäckchen
- *first aid kit*
5 der Schnellverband
- *first aid dressing*
6 die keimfreie Mullauflage
- *sterile gauze dressing*
7 das Heftpflaster
- *adhesive plaster (sticking plaster)*
8 die Wunde
- *wound*
9 die Mullbinde
- *bandage*
10 der behelfsmäßige Stützverband
eines gebrochenen Gliedes *n*
- *emergency splint for a broken limb (fractured limb)*
11 das gebrochene Bein
- *fractured leg (broken leg)*
12 die Schiene
- *splint*
13 das Kopfpolster
- *headrest*
14-17 Maßnahmen *f* **zur Blutstillung**
(die Unterbindung eines Blut-
gefäßes *n*)
- *measures for stanching the blood flow (tying up (ligature) of a blood vessel)*
14 die Abdrückstellen *f* der Schlag-
adern *f*
- *pressure points of the arteries*
15 die Notaderpresse am Oberschenkel *m*
- *emergency tourniquet on the thigh*
16 der Stock als Knebel *m* (Drehgriff)
- *walking stick used as a screw*
17 der Druckverband
- *compression bandage*
**18-23 die Bergung und Beförderung
eines Verletzten** *m* (Verunglückten)
- *rescue and transport of an injured person*
18 der Rautek-Griff (zur Bergung eines
Verletzten *m* aus einem Unfall-
fahrzeug *n*)
- *Rautek grip (for rescue of a car accident victim)*
19 der Helfer
- *helper*
20 der Verletzte (Verunglückte)
- *injured person (casualty)*
21 der Kreuzgriff
- *chair grip*
22 der Tragegriff
- *carrying grip*

23 die Behelfstrage aus Stöcken *m* und
einer Jacke
- *emergency stretcher of sticks and a jacket*
24-27 die Lagerung Bewußtloser *m* **und
die künstliche Atmung** (Wiederbele-
bung)
- *positioning of an unconscious person and artificial respiration (resuscitation)*
24 die stabile Seitenlage (Nato-Lage)
- *coma position*
25 der Bewußtlose
- *unconscious person*
26 die Mund-zu-Mund-Beatmung
(*Abart:* Mund-zu-Nase-Beatmung)
- *mouth-to-mouth resuscitation (variation: mouth-to-nose resuscitation)*
27 die Elektrolunge, ein Wieder-
belebungsapparat *m*, ein Atem-
gerät *n*
- *resuscitator (respiratory apparatus, resuscitation apparatus), a respirator (artificial breathing device)*
28-33 die Rettung bei Eisunfällen *m*
- *methods of rescue in ice accidents*
28 der im Eis *n* Eingebrochene
- *person who has fallen through the ice*
29 der Retter
- *rescuer*
30 das Seil
- *rope*
31 der Tisch (o. ä. Hilfsmittel *n*)
- *table (or similar device)*
32 die Leiter
- *ladder*
33 die Selbstrettung
- *self-rescue*
34-38 die Rettung Ertrinkender *m*
- *rescue of a drowning person*
34 der Befreiungsgriff bei
Umklammerung *f*
- *method of release (release grip, release) to free rescuer from the clutch of a drowning person*
35 der Ertrinkende
- *drowning person*
36 der Rettungsschwimmer
- *lifesaver*
37 u. 38 das Abschleppen (Transport-
griffe *m*)
- *towing (tows)*
37 der Achselgriff
- *double shoulder tow*
38 der Kopfgriff
- *head tow*

1-74 die Praxis für Allgemeinmedizin *f*
- *general practice (Am. physician's office)*
1 der Warteraum (das Wartezimmer)
- *waiting room*
2 der Patient
- *patient*
3 die (zur Routineuntersuchung oder Rezepterneuerung) vorbestellten Patienten *m*
- *patients with appointments (for a routine check-up or renewal of prescription)*
4 die ausgelegten Zeitschriften *f*
- *magazines [for waiting patients]*
5 die Annahme (Aufnahme, Rezeption)
- *reception*
6 die Patientenkartei
- *patients file*
7 die ausgeschiedenen Karteikarten *f*
- *eliminated index cards*
8 die Patientenkarte (das Krankenblatt)
- *medical record (medical card)*
9 der Krankenschein
- *health insurance certificate*
10 der Werbekalender
- *advertising calendar (publicity calendar)*
11 das Vorbestellbuch
- *appointments book*

12 der Schriftverkehrsordner
- *correspondence file*
13 der automatische Telefonanrufbeantworter und -aufzeichner
- *automatic telephone answering and recording set (telephone answering device)*
14 das Funksprechgerät
- *radiophone*
15 das Mikrophon
- *microphone*
16 die Schautafel
- *illustrated chart*
17 der Wandkalender
- *wall calendar*
18 das Telefon
- *telephone*
19 die Arzthelferin
- *[doctor's] assistant*
20 das Rezept
- *prescription*
21 der Telefonblock
- *telephone index*
22 das medizinische Wörterbuch
- *medical dictionary*
23 die „Rote Liste" der zugelassenen Arzneimittel *n*
- *pharmacopoeia (list of registered medicines)*
24 der Postfreistempler
- *franking machine (Am. postage meter)*

25 der Drahthefter
- *stapler*
26 die Diabetikerkartei
- *diabetics file*
27 das Diktiergerät
- *dictating machine*
28 der Locher
- *paper punch*
29 der Arztstempel
- *doctor's stamp*
30 das Stempelkissen
- *ink pad*
31 der Schreibstiftebehälter
- *pencil holder*

32-74 der Behandlungsraum
- *surgery*
32 die Augenhintergrundstafel
- *chart of eyegrounds*
33 die Arzttasche
- *doctor's bag (doctor's case)*
34 das Raumsprechgerät, ein Gegensprechgerät
- *intercom*
35 der Medikamentenschrank
- *medicine cupboard*
36 der Tupferspender
- *swab dispenser*
37 die Luftdusche (der Politzer-Ballon)
- *inflator (Politzer bag)*
38 das Elektrotom
- *electrotome*
39 der Dampfsterilisator
- *steam sterilizer*
40 das Wandschränkchen
- *cabinet*
41 die Ärztemuster *n*
- *medicine samples (from the pharmaceutical industry)*
42 die Babywaage
- *baby scales*
43 die Untersuchungsliege
- *examination couch*
44 der Beleuchtungsstrahler
- *directional lamp*
45 der Verbandstisch
- *instrument table*
46 der Tubenständer
- *tube holder*
47 die Salbentube
- *tube of ointment*

48-50 die Behandlungsinstrumente *n* für die kleine Chirurgie
- *instruments for minor surgery*
48 der Mundsperrer
- *mouth gag*
49 die Kocher-Klemme
- *Kocher's forceps*
50 der scharfe Löffel
- *scoop (curette)*
51 die gekröpfte Schere
- *angled scissors*
52 die Pinzette
- *forceps*
53 die Knopfsonde
- *olive-pointed (bulb-headed) probe*
54 die Spritze für Spülungen von Ohr *n* oder Blase *f*
- *syringe for irrigations of the ear or bladder*
55 das Heftpflaster
- *adhesive plaster (sticking plaster)*
56 das chirurgische Nahtmaterial
- *surgical suture material*
57 die gebogene chirurgische Nadel
- *curved surgical needle*
58 die sterile Gaze
- *sterile gauze*
59 der Nadelhalter
- *needle holder*
60 die Sprühdose zur Hautdesinfektion
- *spray for disinfecting the skin*
61 der Fadenbehälter
- *thread container*
62 der Augenspiegel
- *ophthalmoscope*

63 das Vereisungsgerät für kryochirurgische Eingriffe *m*
- *freezer for cryosurgery*
64 der Pflaster- und Kleinteilespender
- *dispenser for plasters and small pieces of equipment*
65 die Einmalinjektionsnadeln *f* und -spritzen *f*
- *disposable hypodermic needles and syringes*
66 die Personenwaage, eine Laufgewichtswaage
- *scales, sliding-weight scales*
67 die Wiegeplattform
- *weighing platform*
68 das Laufgewicht
- *sliding weight (jockey)*
69 der Körpergrößenmesser
- *height gauge (Am. gage)*
70 der Abfalleimer
- *waste bin (Am. trash bin)*
71 der Heißluftsterilisator
- *hot-air sterilizer*
72 die Pipette
- *pipette*
73 der Reflexhammer
- *percussor*
74 der Ohrenspiegel
- *aural speculum (auriscope, aural syringe)*

1 das Sprechzimmer (Konsultations-
zimmer)
– *consulting room*
2 der Arzt für Allgemeinmedizin *f*
(der Allgemeinmediziner; *früh.:*
der praktische Arzt)
– *general practitioner*
**3-21 gynäkologische und
proktologische Untersuchungs-
instrumente *n***
– ***instruments for gynecological and
proctological examinations***
3 die Vorwärmung der Instrumente *n*
auf Körpertemperatur *f*
– *warming the instruments up to body
temperature*
4 die Untersuchungsliege
– *examination couch*
5 das Kolposkop
– *colposcope*
6 der binokulare Einblick
– *binocular eyepiece*
7 die Kleinbildkamera
– *miniature camera*
8 die Kaltlichtbeleuchtung
– *cold light source*
9 der Drahtauslöser
– *cable release*
10 die Öse für den Beinhalter
– *bracket for the leg support*
11 der Beinhalter (Beinkloben)
– *leg support (leg holder)*
12 die Kornzangen *f* (Tupferhalter)
– *holding forceps (sponge holder)*

13 das Scheidenspekulum (der
Scheidenspiegel)
– *vaginal speculum*
14 das untere Blatt des Scheiden-
spiegels *m*
– *lower blade of the vaginal speculum*
15 die Platinöse (für Abstriche *m*)
– *platinum loop (for smears)*
16 das Rektoskop
– *rectoscope*
17 die Biopsiezange für das Rektoskop
– *biopsy forceps used with the
rectoscope (proctoscope)*
18 der Luftinsufflator für die
Rektoskopie
– *insufflator for proctoscopy
(rectoscopy)*
19 das Proktoskop
– *proctoscope (rectal speculum)*
20 der Harnröhrenkatheter
(Urethroskop)
– *urethroscope*
21 das Führungsgerät für das
Proktoskop
– *guide for inserting the proctoscope*
22 das Diathermiegerät (Kurzwellengerät, Kurzwellenbestrahlungs-
gerät)
– *diathermy unit (short-wave therapy
apparatus)*
23 der Radiator
– *radiator*
24 die Inhaliereinrichtung
– *inhaling apparatus (inhalator)*

25 das Spülbecken (für Auswurf *m*)
– *basin [for sputum]*
26-31 die Ergometrie
– ***ergometry***
26 das Fahrradergometer
– *bicycle ergometer*
27 der Monitor (die Leuchtbildanzeige
des EKG *n* und der Puls- und
Atemfrequenz während der
Belastung)
– *monitor (for visual display of the
ECG and of pulse and respiratory
rates when performing work)*
28 das EKG-Gerät (der Elektrokardio-
graph)
– *ECG (electrocardiograph)*
29 die Saugelektroden *f*
– *suction electrodes*
30 die Anschnallelektroden *f* zur
Ableitung von den Gliedmaßen *f*
– *strap-on electrodes for the limbs*
31 das Spirometer (zur Messung der
Atemfunktionen *f*)
– *spirometer (for measuring
respiratory functions)*
32 die Blutdruckmessung
– *measuring blood pressure*
33 der Blutdruckmesser
– *sphygmomanometer*
34 die Luftmanschette
– *inflatable cuff*
35 das Stethoskop (Hörrohr)
– *stethoscope*

36 das Mikrowellengerät für
  Bestrahlungen *f*
  – *microwave treatment unit*
37 das Faradisiergerät
  (Anwendung *f* niederfrequenter
  Ströme *m* mit verschiedenen
  Impulsformen *f*)
  – *faradization unit (for applying
  low-frequency currents with
  different pulse shapes)*
38 das automatische Abstimmungs-
  gerät
  – *automatic tuner*
39 das Kurzwellengerät mit
  Monode *f*
  – *short-wave therapy apparatus*
40 der Kurzzeitmesser
  – *timer*
41-59 das Labor (Laboratorium)
  – *laboratory*
41 die medizinisch-technische
  Assistentin (MTA)
  – *medical laboratory technician*
42 der Kapillarständer für die Blut-
  senkung
  – *capillary tube stand for blood
  sedimentation*
43 der Meßzylinder
  – *measuring cylinder*
44 die automatische Pipette
  – *automatic pipette*
45 die Nierenschale
  – *kidney dish*

46 das tragbare EKG-Gerät für den
  Notfalleinsatz
  – *portable ECG machine for
  emergency use*
47 das automatische Pipettiergerät
  – *automatic pipetting device*
48 das thermokonstante Wasserbad
  – *constant temperature water bath*
49 der Wasseranschluß mit Wasser-
  strahlpumpe *f*
  – *tap with water jet pump*
50 die Färbeschale (für die Färbung
  der Blutausstriche *m*, Sedimente *n*
  und Abstriche *m*)
  – *staining dish (for staining blood
  smears, sediments, and other
  smears)*
51 das binokulare Forschungsmikroskop
  – *binocular research microscope*
52 der Pipettenständer für die
  Photometrie
  – *pipette stand for photometry*
53 das Rechen- und Auswertegerät für
  die Photometrie
  – *computer and analyser for
  photometry*
54 das Photometer
  – *photometer*
55 der Kompensationsschreiber
  – *potentiometric recorder*
56 die Transformationsstufe
  – *transforming section*

57 das Laborgerät
  – *laboratory apparatus (laboratory
  equipment)*
58 die Harnsedimentstafel
  – *urine sediment chart*
59 die Zentrifuge
  – *centrifuge*

1 der Zahnarzt
- *dentist (dental surgeon)*
2 der Patient
- *patient*
3 der Patientenstuhl (Behandlungs-
stuhl)
- *dentist's chair*
4 das Zahnarztgerät
- *dental instruments*
5 der Behandlungstray
- *instrument tray*
6 die Bohrinstrumente *n* mit
verschiedenen Handstücken *n*
- *drills with different handpieces*
7 die Medikamentenkassette
- *medicine case*
8 die Garage (für das Zahnarztgerät)
- *storage unit (for dental instruments)*
9 die Helferineinheit
- *assistant's unit*
10 die Mehrfachfunktionsspritze
(für kaltes und warmes Wasser,
Spray *m* oder Luft *f*)
- *multi-purpose syringe (for cold and
warm water, spray, or air)*
11 die Absauganlage
- *suction apparatus*
12 das Speibecken
- *basin*

13 das Wasserglas mit automatischer
Füllung
- *water glass, filled automatically*
14 der Arbeitssessel
- *stool*
15 das Waschbecken
- *washbasin*
16 der Instrumentenschrank
- *instrument cabinet*
17 das Bohrerfach
- *drawer for drills*
18 die Zahnarzthelferin
- *dentist's assistant*
19 die Behandlungslampe
- *dentist's lamp*
20 die Deckenleuchte
- *ceiling light*
21 das Röntgengerät für Panorama-
aufnahmen *f*
- *X-ray apparatus for panoramic
pictures*
22 der Röntgengenerator
- *X-ray generator*
23 das Mikrowellengerät, ein
Bestrahlungsgerät *n*
- *microwave treatment unit, a
radiation unit*
24 der Sitzplatz
- *seat*

25 die Zahnprothese (der Zahnersatz,
das künstliche Gebiß)
- *denture (set of false teeth)*
26 die Brücke (Zahnbrücke)
- *bridge (dental bridge)*
27 der zurechtgeschliffene Zahnstumpf
- *prepared stump of the tooth*
28 die Krone (*Arten:* Goldkrone,
Jacketkrone)
- *crown (kinds: gold crown, jacket
crown)*
29 der Porzellanzahn
- *porcelain tooth (porcelain pontic)*
30 die Füllung (Zahnfüllung, *veralt.:*
Plombe)
- *filling*

Zahnarzt

31 der Stiftzahn (Ringstiftzahn)
  – post crown
32 die Facette
  – facing
33 der Ring
  – diaphragm
34 der Stift
  – post
35 die Carborundscheibe
  – carborundum disc (disk)
36 die Schmirgelscheibe
  – grinding wheel
37 Kavitätenbohrer m
  – burs
38 der Finierer (flammenförmige
  Bohrer)
  – flame-shaped finishing bur
39 Spaltbohrer m (Fissurenbohrer)
  – fissure burs
40 der Diamantschleifer
  – diamond point
41 der Mundspiegel
  – mouth mirror
42 die Mundleuchte
  – mouth lamp
43 der Thermokauter (Kauter)
  – cautery
44 die Platin-Iridium-Elektrode
  – platinum-iridium electrode
45 Zahnreinigungsinstrumente n
  – tooth scalers
46 die Sonde
  – probe
47 die Extraktionszange
  – extraction forceps
48 der Wurzelheber (Stößel)
  – tooth-root elevator
49 der Knochenmeißel
  – bone chisel
50 der Spatel
  – spatula
51 das Füllungsmischgerät
  – mixer for filling material
52 die Synchronzeitschaltuhr
  – synchronous timer
53 die Injektionsspritze zur
  Anästhesierung (Nervbetäubung)
  – hypodermic syringe for injection of
  local anaesthetic
54 die Injektionsnadel
  – hypodermic needle
55 der Matrizenspanner
  – matrix holder
56 der Abdrucklöffel
  – impression tray
57 die Spiritusflamme
  – spirit lamp

1-30 **die Intensivstation** (Intensivpflege-
station)
- *intensive care unit*
1-9 **der Kontrollraum**
- *control room*
1 die zentrale Herzüberwachungs-
anlage zur Kontrolle von Herz-
rhythmus *m* und Blutdruck *m*
- *central control unit for monitoring
heart rhythm (cardiac rhythm) and
blood pressure*
2 der Monitor für die Herzstromkurve
- *electrocardiogram monitor (ECG
monitor)*
3 das Schreibgerät
- *recorder*
4 das Registrierpapier
- *recording paper*
5 die Patientenkarte
- *patient's card*
6 die Signallampen *f* (mit Anwahl-
knöpfen *n* für jeden Patienten *m*)
- *indicator lights (with call buttons
for each patient)*
7 der Spatel
- *spatula*
8 das Sichtfenster
- *window (observation window,
glass partition)*
9 die Trennjalousie
- *blind*

10 das Patientenbett
- *bed (hospital bed)*
11 der Infusionsgeräteständer
- *stand for infusion apparatus*
12 die Infusionsflasche
- *infusion bottle*
13 der Infusionsschlauch für Tropfinfusionen *f*
- *tube for intravenous drips*
14 die Infusionseinrichtung für
wasserlösliche Medikamente *n*
- *infusion device for water-soluble
medicaments*
15 der Blutdruckmesser
- *sphygmomanometer*
16 die Manschette
- *cuff*
17 der Aufblasballon
- *inflating bulb*
18 das Quecksilbermanometer
- *mercury manometer*
19 das Bettmonitorgerät
- *bed monitor*
20 das Verbindungskabel zur zentralen
Überwachungsanlage
- *connecting lead to the central control
unit*
21 der Monitor für die Herzstromkurve
- *electrocardiogram monitor (ECG
monitor)*

22 das Manometer für die Sauerstoffzufuhr
- *manometer for the oxygen supply*
23 der Wandanschluß für die Sauerstoff-
beatmung
- *wall connection for oxygen treatment*
24 die fahrbare Patientenüberwachungs-
einheit
- *mobile monitoring unit*
25 das Elektrodenkabel zum passageren
Schrittmacher *m*
- *electrode lead to the short-term
pacemaker*
26 die Elektroden *f* zur Elektroschock-
behandlung
- *electrodes for shock treatment*
27 die EKG-Registriereinheit
- *ECG recording unit*
28 der Monitor zur Überwachung der
Herzstromkurve
- *electrocardiogram monitor (ECG
monitor)*
29 die Bedienungsknöpfe *m* für die Einstellung des Monitors *m*
- *control switches and knobs (controls)
for adjusting the monitor*
30 die Bedienungsknöpfe *m* für die
Schrittmachereinheit
- *control buttons for the pacemaker unit*
31 **der Herzschrittmacher**
- *pacemaker (cardiac pacemaker)*

32 die Quecksilberbatterie
– mercury battery
33 der programmierbare Taktgeber
– programmed impulse generator
34 der Elektrodenausgang
– electrode exit point
35 die Elektrode
– electrode
36 die Herzschrittmacherimplantation
– implantation of the pacemaker
37 der intrakorporale Herzschrittmacher (Schrittmacher)
– internal cardiac pacemaker (internal
pacemaker, pacemaker)
38 die transvenös geführte Elektrode
– electrode inserted through the vein
39 die Herzsilhouette im Röntgenbild n
– cardiac silhouette on the X-ray
40 **die Anlage zur Schrittmacher-
kontrolle**
– **pacemaker control unit**
41 der EKG-Schreiber
– electrocardiograph (ECG recorder)
42 der automatische Impulsmesser
– automatic impulse meter
43 das Verbindungskabel (EKG-Kabel)
zum Patienten
– ECG lead to the patient
44 der Monitor zur optischen Kontrolle
der Schrittmacherimpulse m
– monitor unit for visual monitoring of
the pacemaker impulses

45 der EKG-Langzeitanalysator
– long-term ECG analyser
46 das Magnetband zur Aufnahme der
EKG-Impulse m bei der Analyse
– magnetic tape for recording the ECG
impulses during analysis
47 der Monitor zur EKG-Kontrolle
– ECG monitor
48 die automatische EKG-Rhythmus-
analyse auf Papier n
– automatic analysis on paper of the
ECG rhythm
49 die Einstellung der EKG-
Amplitudenhöhe
– control knob for the ECG amplitude
50 die Programmwahl für die EKG-
Analyse
– program selector switches for the ECG
analysis
51 das Ladegerät für die Antriebs-
batterien f des Patientengerätes n
– charger for the pacemaker batteries
52 das Prüfgerät für die Batterien f
– battery tester
53 das Druckmeßgerät für den Rechts-
herzkatheter
– pressure gauge (Am. gage) for the
right cardiac catheter
54 der Monitor zur Kurvenkontrolle
– trace monitor
55 der Druckanzeiger
– pressure indicator

56 das Verbindungskabel zum Papierschreiber m
– connecting lead to the paper recorder
57 der Papierschreiber für die Druck-
kurven f
– paper recorder for pressure traces

**1-54 die chirurgische Abteilung
(chirurgische Klinik)**
- *surgical unit*
1-33 der Operationssaal (OP-Saal)
- *operating theatre* (Am. *theater*)
1 der Narkose- und Dauerbeatmungs-
apparat
- *anaesthesia and breathing apparatus
(respiratory machine)*
2 die Inhalationsschläuche *m*
- *inhalers (inhaling tubes)*
3 der Durchflußmesser für Lachgas *n*
(Distickstoffoxid, Stickstoffoxydul)
- *flowmeter for nitrous oxide*
4 der Durchflußmesser für Sauerstoff *m*
- *oxygen flow meter*
5 der aufgeständerte Operationstisch
(OP-Tisch)
- *pedestal operating table*
6 die Tischsäule
- *table pedestal*
7 das Steuergerät
- *control device (control unit)*
8 die verstellbare
Operationstischfläche
- *adjustable top of the operating table*
9 der Ständer für Tropfinfusionen *f*
- *stand for intravenous drips*

10 die schwenkbare schattenfreie
Operationsleuchte (OP-Lampe)
- *swivel-mounted shadow-free
operating lamp*
11 das Leuchtelement
- *individual lamp*
12 der Handgriff
- *handle*
13 der Schwenkarm
- *swivel arm*
14 der fahrbare Röntgen-
durchleuchtungsapparat
- *mobile fluoroscope*
15 der Bildwandlermonitor
- *monitor of the image converter*
16 der Monitor [Rückseite]
- *monitor [back]*
17 die Röhreneinheit
- *tube*
18 die Bildwandlereinheit
- *image converter*
19 der C-Bogen
- *C-shaped frame*
20 die Schalttafel der Klimaanlage
- *control panel for the air-conditioning*
21 das chirurgische Nahtmaterial
- *surgical suture material*
22 der fahrbare Abfallbehälter
- *mobile waste tray*

23 die Behälter *m* mit unsterilen Kom-
pressen *f*
- *containers for unsterile (unsterilized)
pads*
24 das Narkose- und Dauerbeatmungs-
gerät
- *anaesthesia and respiratory apparatus*
25 der Respirator
- *respirator*
26 der Fluothane-(Halothan-)Behälter
- *fluothane container (halothane
container)*
27 die Ventilationseinstellung
- *ventilation control knob*
28 die Registriertafel mit Zeiger *m* für
das Atemvolumen
- *indicator with pointer for respiratory
volume*

29 das Stativ mit Inhalationsschläu-
   chen *m* und Druckmessern *m*
 – *stand with inhalers (inhaling tubes)
   and pressure gauges (Am. gages)*
30 der Katheterbehälter
 – *catheter holder*
31 der steril verpackte Katheter
 – *catheter in sterile packing*
32 der Pulsschreiber (Sphygmograph)
 – *sphygmograph*
33 der Monitor
 – *monitor*
**34-54 der Vorbereitungs- und Sterilisier-
   raum**
 – **preparation and sterilization room**
34 das Verbandsmaterial
 – *dressing material*
35 der Kleinsterilisator
 – *small sterilizer*
36 das Operationstischfahrgestell
 – *carriage of the operating table*
37 der fahrbare Instrumententisch
 – *mobile instrument table*
38 das sterile Tuch
 – *sterile cloth*
39 der Instrumentenkorb
 – *instrument tray*
40-53 die chirurgischen Instrumente *n*
 – **surgical instruments**
40 die Knopfsonde
 – *olive-pointed (bulb-headed) probe*

41 die Hohlsonde
 – *hollow probe*
42 die gebogene Schere
 – *curved scissors*
43 das Skalpell
 – *scalpel (surgical knife)*
44 der Ligaturführer
 – *ligature-holding forceps*
45 die Sequesterzange
 – *sequestrum forceps*
46 die Branche
 – *jaw*
47 das Dränrohr (Dränagerohr)
 – *drainage tube*
48 die Aderpresse (Aderklemme)
 – *surgeon's tourniquet*
49 die Arterienpinzette
 – *artery forceps*
50 der Wundhaken
 – *blunt hook*
51 die Knochenzange
 – *bone nippers (bone-cutting forceps)*
52 der scharfe Löffel (die Kürette) für
   die Ausschabung (Kürettage)
 – *scoop (curette) for erasion
   (curettage)*
53 die Geburtszange
 – *obstetrical forceps*
54 die Heftpflasterrolle
 – *roll of plaster*

1-35 die Röntgenstation
- *X-ray unit*
1 der Röntgenuntersuchungstisch
- *X-ray examination table*
2 die Röntgenkassettenhalterung
- *support for X-ray cassettes*
3 die Höheneinstellung für den
  Zentralstrahl bei
  Seitaufnahmen *f*
- *height adjustment of the central
  beam for lateral views*
4 die Kompresse bei Nieren- und
  Gallenaufnahmen *f*
- *compress for pyelography and
  cholecystography*
5 die Instrumentenschale
- *instrument basin*
6 die Röntgeneinrichtung zur
  Aufnahme von Nierenkontrast-
  darstellungen *f*
- *X-ray apparatus for pyelograms*
7 die Röntgenröhre
- *X-ray tube*
8 das ausfahrbare Röntgenstativ
- *telescopic X-ray support*
9 die zentrale Röntgenschaltstelle
- *central X-ray control unit*
10 das Schaltpult
- *control panel (control desk)*
11 die Röntgenassistentin
- *radiographer (X-ray technician)*

12 das Blickfenster zum Angioraum *m*
   (Angiographieraum)
- *window to the angiography room*
13 das Oxymeter
- *oxymeter*
14 die Kassetten *f* für Nieren-
   aufnahmen *f*
- *pyelogram cassettes*
15 das Druckspritzengerät für Kontrast-
   mittelinjektionen *f*
- *contrast medium injector*
16 das Röntgenbildverstärkergerät
- *X-ray image intensifier*
17 der C-Bogen
- *C-shaped frame*
18 der Röntgenkopf mit der Röntgenröhre
- *X-ray head with X-ray tube*
19 der Bildwandler mit der Bildwandler-
   röhre
- *image converter with converter tube*
20 die Filmkamera
- *film camera*
21 der Fußschalter
- *foot switch*
22 die fahrbare Halterung
- *mobile mounting*
23 der Monitor
- *monitor*
24 der schwenkbare Monitorarm
- *swivel-mounted monitor support*

25 die Operationslampe (OP-Lampe)
- *operating lamp*
26 der angiographische Untersuchungs-
   tisch
- *angiographic examination table*
27 das Kopfkissen
- *pillow*
28 der Acht-Kanal-Schreiber
- *eight-channel recorder*
29 das Registrierpapier
- *recording paper*
30 der Kathetermeßplatz für die Herz-
   katheterisierung
- *catheter gauge (Am. gage) unit for
   catheterization of the heart*
31 der Sechs-Kanal-Monitor für Druck-
   kurven *f* und EKG *n*
- *six-channel monitor for pressure
   graphs and ECG*
32 die Druckwandlereinschübe *m*
- *slide-in units of the pressure
   transducer*

33 die Papierregistriereinheit mit Entwickler *m* für die Fotoregistrierung
 – *paper recorder unit with developer
   for photographic recording*
34 das Registrierpapier
 – *recording paper*
35 der Kurzzeitmesser
 – *timer*
36-50 Spirometrie *f*
 – ***spirometry***
36 der Spirograph, für die Lungen-
   funktionsprüfung
 – *spirograph for pulmonary function
   tests*
37 der Atemschlauch
 – *breathing tube*
38 das Mundstück
 – *mouthpiece*
39 der Natronkalkabsorber
 – *soda-lime absorber*
40 das Registrierpapier
 – *recording paper*
41 die Gasversorgungsregulierung
 – *control knobs for gas supply*
42 der O₂-Stabilisator
 – *O_2 stabilizer*
43 die Drosselklappe
 – *throttle valve*
44 die Absorberzuschaltung
 – *absorber attachment*
45 die Sauerstoffflasche
 – *oxygen cylinder*

46 die Wasserversorgung
 – *water supply*
47 die Schlauchhalterung
 – *tube support*
48 die Gesichtsmaske
 – *mask*
49 der Meßplatz für den CO₂-Verbrauch
 – *CO_2 consumption meter*
50 der Patientenhocker
 – *stool for the patient*

1 das Kinderreisebett
– *collapsible cot*
2 die Babywippe
– *bouncing cradle*
3 die Säuglingsbadewanne
– *baby bath*
4 der Wickeltischaufsatz
– *changing top*
5 der Säugling (das Baby,
  Wickelkind)
– *baby (new-born baby)*
6 die Mutter
– *mother*
7 die Haarbürste
– *hairbrush*
8 der Kamm
– *comb*
9 das Handtuch
– *hand towel*
10 die Schwimmente
– *toy duck*
11 die Wickelkommode
– *changing unit*
12 der Beißring
– *teething ring*
13 die Cremedose
– *cream jar*
14 der Puderstreuer
– *box of baby powder*
15 der Lutscher (Schnuller)
– *dummy*

16 der Ball
– *ball*
17 der Babyschlafsack
– *sleeping bag*
18 die Pflegebox (Babybox)
– *layette box*
19 die Milchflasche
– *feeding bottle*
20 der Sauger
– *teat*
21 die Warmhaltebox (Flaschenbox)
– *bottle warmer*
22 die Windelhose für Wegwerf-
  windeln *f*
– *rubber baby pants for disposable*
  *nappies (*Am. *diapers)*
23 das Kinderhemdchen
– *vest*
24 die Strampelhose
– *leggings*
25 das Babyjäckchen
– *baby's jacket*
26 das Häubchen
– *hood*
27 die Kindertasse
– *baby's cup*
28 der Kinderteller, ein Warmhalte-
  teller *m*
– *baby's plate, a stay-warm plate*
29 das Thermometer
– *thermometer*

30 der Stubenwagen, ein Korbwagen *m*
– *bassinet, a wicker pram*
31 die Stubenwagengarnitur
– *set of bassinet covers*
32 der Baldachin
– *canopy*
33 der Kinderstuhl, ein Klappstuhl *m*
– *baby's high chair, a folding chair*
34 der Sichtfensterkinderwagen
– *pram (baby-carriage) [with windows]*
35 das zurückklappbare Verdeck
– *folding hood*
36 das Sichtfenster
– *window*
37 der Sportwagen
– *pushchair (Am. stroller)*
38 der Fußsack
– *foot-muff (Am. foot-bag)*
39 der Laufstall (das Laufställchen, Ställchen)
– *play pen*
40 der Laufstallboden
– *floor of the play pen*
41 die Bauklötze *m*
– *building blocks (building bricks)*
42 das Kleinkind
– *small child*
43 das Lätzchen
– *bib*
44 der Rasselring
– *rattle (baby's rattle)*

45 die Babyschuhe *m*
– *bootees*
46 der Teddybär
– *teddy bear*
47 das Töpfchen (der Topf)
– *potty (baby's pot)*
48 die Babytragetasche
– *carrycot*
49 das Sichtfenster
– *window*
50 die Haltegriffe *m*
– *handles*

1-12 die Babykleidung
- *baby clothes*
1 die Ausfahrgarnitur
- *pram suit*
2 das Mützchen
- *hood*
3 das Ausfahrjäckchen
- *pram jacket (matinée coat)*
4 der Pompon (Bommel)
- *pompon (bobble)*
5 die Babyschuhe *m*
- *bootees*
6 das Achselhemdchen
- *sleeveless vest*
7 das Schlupfhemdchen
- *envelope-neck vest*
8 das Flügelhemdchen
- *wrapover vest*
9 das Babyjäckchen
- *baby's jacket*
10 das Windelhöschen
- *rubber baby pants*
11 das Strampelhöschen (der Baby-strampler)
- *playsuit*
12 der zweiteilige Babydress
- *two-piece suit*

13-30 die Kleinkinderkleidung
- *infants' wear*
13 das Sommerkleidchen, ein Träger-kleidchen *n*
- *child's sundress, a pinafore dress*
14 der Flügelärmel
- *frilled shoulder strap*
15 das gesmokte Oberteil
- *shirred top*
16 der Sommerhut (Sonnenhut)
- *sun hat*
17 der einteilige Jerseyanzug
- *one-piece jersey suit*
18 der Vorderreißverschluß
- *front zip (Am. zipper)*
19 der Overall
- *catsuit (playsuit)*
20 die Applikation
- *motif (appliqué)*
21 das Spielhöschen
- *romper*
22 der Spielanzug
- *playsuit (romper suit)*
23 der Schlaf- und Strampelanzug
- *coverall (sleeper and strampler)*
24 der Bademantel
- *dressing gown (bath robe)*
25 die Kindershorts *pl*
- *children's shorts*
26 die Hosenträger *m*
- *braces (Am. suspenders)*
27 das Kinder-T-Shirt
- *children's T-shirt*
28 das Jerseykleidchen (Strick-kleidchen)
- *jersey dress (knitted dress)*
29 die Stickerei
- *embroidery*
30 die Kindersöckchen *n*
- *children's ankle socks*

31-47 die Schulkinderkleidung
- *school children's wear*
31 der Regenmantel (Lodenmantel)
- *raincoat*
32 die Lederhose (Lederhosen *pl*)
- *leather shorts (lederhosen)*
33 der Hirschhornknopf
- *staghorn button*
34 der Lederhosenträger *m*
- *braces (Am. suspenders)*
35 der Hosenlatz
- *flap*
36 das Kinderdirndl
- *girl's dirndl*
37 die Zierkordel (Zier-verschnürung)
- *cross lacing*
38 der Schneeanzug (Steppanzug)
- *snow suit (quilted suit)*
39 die Steppnaht
- *quilt stitching (quilting)*
40 die Latzhose
- *dungarees (bib and brace)*
41 der Latzrock
- *bib skirt (bib top pinafore)*
42 die Strumpfhose
- *tights*
43 der Nickipulli (Nicki)
- *sweater (jumper)*
44 das Teddyjäckchen
- *pile jacket*
45 die Gamaschenhose
- *leggings*
46 der Mädchenrock
- *girl's skirt*
47 der Kinderpulli
- *child's jumper*

48-68 die Teenagerkleidung
- *teenagers' clothes*
48 die Mädchenüberziehbluse
- *girl's overblouse (overtop)*
49 die Mädchenhose
- *slacks*
50 das Mädchenkostüm
- *girl's skirt suit*
51 die Kostümjacke
- *jacket*
52 der Kostümrock
- *skirt*
53 die Kniestrümpfe *m*
- *knee-length socks*
54 der Mädchenmantel
- *girl's coat*
55 der Mantelgürtel
- *tie belt*
56 die Mädchentasche
- *girl's bag*
57 die Wollmütze
- *woollen (Am. woolen) hat*
58 die Mädchenbluse
- *girl's blouse*
59 der Hosenrock
- *culottes*
60 die Knabenhose
- *boy's trousers*
61 das Knabenhemd
- *boy's shirt*

62 der Anorak
- *anorak*
63 die angeschnittenen Taschen *f*
- *inset pockets*
64 das Kapuzenband
- *hood drawstring (drawstring)*
65 der Strickbund
- *knitted welt*
66 der (die) Wetterparka
- *parka coat (parka)*
67 der Durchziehgürtel
- *drawstring (draw cord)*
68 die aufgesetzten Taschen *f*
- *patch pockets*

30 Damenkleidung I (Winterkleidung) *Ladies' Wear I (Winter Wear)*

1 das Nerzjäckchen
 – *mink jacket*
2 der Rollkragenpullover
 – *cowl neck jumper*
3 der halsferne Rollkragen
 – *cowl collar*
4 der Überziehpullover
 – *knitted overtop*
5 der Umschlagkragen
 – *turndown collar*
6 der Umschlagärmel
 – *turn-up (turnover) sleeve*
7 der Rolli (Unterziehrolli)
 – *polo neck jumper*
8 der Kleiderrock
 – *pinafore dress*
9 die Reversbluse
 – *blouse (with revers collar)*
10 das Hemdblusenkleid, ein durch-
 geknöpftes Kleid
 – *shirt-waister dress, a button-through
 dress*
11 der Kleidergürtel
 – *belt*
12 das Winterkleid
 – *winter dress*
13 die (der) Paspel
 – *piping*
14 die Manschette
 – *cuff*
15 der lange Ärmel
 – *long sleeve*
16 die Steppweste (wattierte
 Steppweste)
 – *quilted waistcoat*
17 die Steppnaht
 – *quilt stitching (quilting)*
18 der Lederbesatz
 – *leather trimming*
19 die lange Winterhose
 – *winter slacks*
20 der Ringelpulli
 – *striped polo jumper*
21 die Latzhose
 – *boiler suit (dungarees, bib
 and brace)*
22 die aufgesetzte Tasche
 – *patch pocket*
23 die Brusttasche
 – *front pocket*
24 der Latz
 – *bib*
25 das Wickelkleid
 – *wrapover dress (wrap-around dress)*
26 die Polobluse
 – *shirt*
27 das Folklorekleid
 – *peasant-style dress*
28 die Blümchenborte
 – *floral braid*
29 die Tunika (Tunique, das
 Tunikakleid)
 – *tunic (tunic top)*
30 der Armbund
 – *ribbed cuff*
31 das aufgesteppte Muster
 – *quilted design*

32 der Plisseerock
 – *pleated skirt*
33 das zweiteilige Strickkleid
 – *two-piece knitted dress*
34 der Bootsausschnitt, ein Hals-
 ausschnitt *m*
 – *boat neck, a neckline*
35 der Ärmelaufschlag
 – *turn-up*
36 der angeschnittene Ärmel
 – *kimono sleeve*
37 das eingestrickte Muster
 – *knitted design*
38 der Lumber
 – *lumber-jacket*
39 das Zopfmuster
 – *cable pattern*
40 die Hemdbluse (Hemdenbluse,
 Bluse)
 – *shirt-blouse*
41 der Schlaufenverschluß
 – *loop fastening*
42 die Stickerei
 – *embroidery*
43 der Stehkragen
 – *stand-up collar*
44 die Stiefelhose
 – *cossack trousers*
45 das Kasackkleid
 – *two-piece combination (shirt top and
 long skirt)*
46 die Schleife
 – *tie (bow)*
47 die Blende
 – *decorative facing*
48 der Ärmelschlitz
 – *cuff slit*
49 der Seitenschlitz
 – *side slit*
50 das Chasuble
 – *tabard*
51 der Seitenschlitzrock
 – *inverted pleat skirt*
52 der Untertritt
 – *godet*
53 das Abendkleid
 – *evening gown*
54 der plissierte Trompetenärmel
 – *pleated bell sleeve*
55 die Partybluse
 – *party blouse*
56 der Partyrock
 – *party skirt*
57 der Hosenanzug
 – *trouser suit (slack suit)*
58 die Wildlederjacke
 – *suede jacket*
59 der Pelzbesatz
 – *fur trimming*
60 der Pelzmantel (*Arten:* Persianer *m*,
 Breitschwanz, Nerz, Zobel)
 – *fur coat (kinds: Persian lamb,
 broadtail, mink, sable)*
61 der Wintermantel (Tuchmantel)
 – *winter coat (cloth coat)*
62 der Ärmelpelzbesatz
 – *fur cuff (fur-trimmed cuff)*

63 der Pelzkragen
 – *fur collar (fur-trimmed collar)*
64 der Lodenmantel
 – *loden coat*
65 die Pelerine
 – *cape*
66 die Knebelknöpfe *m*
 – *toggle fastenings*
67 der Lodenrock
 – *loden skirt*
68 das Ponchocape
 – *poncho-style coat*
69 die Kapuze
 – *hood*

31 Damenkleidung II (Sommerkleidung)

1 das Kostüm
 – *skirt suit*
2 die Kostümjacke
 – *jacket*
3 der Kostümrock
 – *skirt*
4 die angeschnittene Tasche
 – *inset pocket*
5 die Ziernaht
 – *decorative stitching*
6 das Jackenkleid
 – *dress and jacket combination*
7 die Paspel
 – *piping*
8 das Trägerkleid
 – *pinafore dress*
9 das Sommerkleid
 – *summer dress*
10 der Gürtel (Kleidergürtel)
 – *belt*
11 das zweiteilige Kleid
 – *two-piece dress*
12 die Gürtelschnalle
 – *belt buckle*
13 der Wickelrock
 – *wrapover (wrap-around) skirt*
14 die Tubenlinie
 – *pencil silhouette*
15 die Schulterknöpfe *m*
 – *shoulder buttons*
16 der Fledermausärmel
 – *batwing sleeve*
17 das Overdresskleid
 – *overdress*
18 die Kimonopasse
 – *kimono yoke*
19 der Bindegürtel
 – *tie belt*
20 der Sommermantel
 – *summer coat*
21 die abknöpfbare Kapuze
 – *detachable hood*
22 die Sommerbluse
 – *summer blouse*
23 das Revers
 – *lapel*
24 der Rock
 – *skirt*
25 die Vorderfalte
 – *front pleat*
26 das Dirndl (Dirndlkleid)
 – *dirndl (dirndl dress)*
27 der Puffärmel
 – *puffed sleeve*
28 der Dirndlschmuck
 – *dirndl necklace*
29 die Dirndlbluse
 – *dirndl blouse*
30 das Mieder
 – *bodice*
31 die Dirndlschürze
 – *dirndl apron*
32 der Spitzenbesatz (die Spitze), eine
 Baumwollspitze
 – *lace trimming (lace), cotton lace*
33 die Rüschenschürze
 – *frilled apron*

34 die Rüsche
 – *frill*
35 der Kasack
 – *smock overall*
36 das Hauskleid
 – *house frock (house dress)*
37 die Popelinejacke
 – *poplin jacket*
38 das T-Shirt
 – *T-shirt*
39 die Damenshorts *pl*
 – *ladies' shorts*
40 der Hosenaufschlag
 – *trouser turn-up*
41 der Gürtelbund
 – *waistband*
42 der Blouson
 – *bomber jacket*
43 der Stretchbund
 – *stretch welt*
44 die Bermudas *pl*
 – *Bermuda shorts*
45 die Steppnaht
 – *saddle stitching*
46 der Rüschenkragen
 – *frill collar*
47 der Knoten
 – *knot*
48 der Hosenrock
 – *culotte*
49 das Twinset
 – *twin set*
50 die Strickjacke
 – *cardigan*
51 der Pulli
 – *sweater*
52 die Sommerhose
 – *summer (lightweight)
 slacks*
53 der Overall
 – *jumpsuit*
54 der Ärmelaufschlag
 – *turn-up*
55 der Reißverschluß
 – *zip* (Am. *zipper*)
56 die aufgesetzte Tasche
 – *patch pocket*
57 das Nickituch
 – *scarf (neckerchief)*
58 der Jeansanzug
 – *denim suit*
59 die Jeansweste
 – *denim waistcoat*
60 die Jeans *pl* (Bluejeans)
 – *jeans (denims)*
61 die Schlupfbluse
 – *overblouse*
62 der Krempelärmel
 – *turned-up sleeve*
63 der Stretchgürtel
 – *stretch belt*
64 das rückenfreie T-Shirt
 – *halter top*
65 der Kasackpullover
 – *knitted overtop*
66 der Tunnelgürtel
 – *drawstring waist*

67 der Sommerpulli
 – *short-sleeved jumper*
68 der V-Ausschnitt
 – *V-neck (vee-neck)*
69 der Umlegekragen
 – *turndown collar*
70 der Strickbund
 – *knitted welt*
71 das Schultertuch (Dreieckstuch)
 – *shawl*

1-15 die Damenunterkleidung (Damen-
unterwäsche, Damenwäsche,
schweiz. die Dessous *n*)
– *ladies' underwear (ladies'*
underclothes, lingerie)
1 der Büstenhalter (BH)
– *brassière (bra)*
2 die Miederhose
– *pantie-girdle*
3 das Hosenkorselett
– *pantie-corselette*
4 der Longline-Büstenhalter
(lange BH)
– *longline brassière (longline bra)*
5 der Elastikschlüpfer
– *stretch girdle*
6 der Strumpfhalter
– *suspender*
7 das Unterhemd
– *vest*
8 das Hosenhöschen in Slipform *f*
– *pantie briefs*
9 der Damenkniestrumpf
– *ladies' knee-high stocking*
10 der Schlankformschlüpfer
– *long-legged (long leg) panties*
11 die lange Unterhose
– *long pants*
12 die Strumpfhose
– *tights (pantie-hose)*
13 der Unterrock
– *slip*
14 der Halbrock
– *waist slip*
15 der Slip
– *bikini briefs*
16-21 die Damennachtkleidung
– *ladies' nightwear*
16 das Nachthemd
– *nightdress (nightgown, nightie)*
17 der zweiteilige Hausanzug (Schlaf-
anzug)
– *pyjamas (Am. pajamas)*
18 das Oberteil
– *pyjama top*
19 die Hose
– *pyjama trousers*
20 der Haus- und Bademantel
– *housecoat*
21 der Schlaf- und Freizeitanzug
– *vest and shorts set [for leisure wear*
and as nightwear]
22-29 die Herrenunterwäsche (Herren-
unterkleidung, Herrenwäsche)
– *men's underwear (men's underclothes)*
22 das Netzhemd (die Netzunterjacke)
– *string vest*
23 der Netzslip
– *string briefs*
24 der Deckverschluß
– *front panel*
25 die Unterjacke ohne Ärmel *m*
– *sleeveless vest*
26 der Slip
– *briefs*
27 der Schlüpfer
– *trunks*

28 die Unterjacke mit halben Ärmeln *m*
– *short-sleeved vest*
29 die Unterhose mit langen Beinen *n*
– *long johns*
30 der Hosenträger
– *braces (Am. suspenders)*
31 der Hosenträgerklipp
– *braces clip*
32-34 Herrensocken *f*
– *men's socks*
32 die knielange Socke
– *knee-length sock*
33 der elastische Sockenrand
– *elasticated top*
34 die wadenlange Socke
– *long sock*
35-37 die Herrennachtkleidung
– *men's nightwear*
35 der Morgenmantel
– *dressing gown*
36 der Langform-Schlafanzug
– *pyjamas (Am. pajamas)*
37 das Schlafhemd
– *nightshirt*
38-47 Herrenhemden *n*
– *men's shirts*
38 das Freizeithemd
– *casual shirt*
39 der Gürtel
– *belt*
40 das Halstuch
– *cravat*
41 die Krawatte
– *tie*
42 der Krawattenknoten
– *knot*
43 das Smokinghemd
– *dress shirt*
44 die Rüschen *f* (der Rüschenbesatz)
– *frill (frill front)*
45 die Manschette
– *cuff*
46 der Manschettenknopf
– *cuff link*
47 die Smokingschleife (Fliege)
– *bow-tie*

1-67 die Herrenmode
- **men's fashion**

1 der Einreiher, ein Herrenanzug m
- *single-breasted suit, a men's suit*

2 die Jacke (der Rock, das Jackett)
- *jacket*

3 die Anzughose
- *suit trousers*

4 die Weste
- *waistcoat (vest)*

5 der Aufschlag (das Revers)
- *lapel*

6 das Hosenbein mit Bügelfalte
- *trouser leg with crease*

7 der Smoking, ein Abendanzug
- *dinner dress, an evening suit*

8 das Seidenrevers
- *silk lapel*

9 die Brusttasche
- *breast pocket*

10 das Einstecktuch
   (Ziertaschentuch)
- *dress handkerchief*

11 die Smokingschleife
- *bow-tie*

12 die Seitentasche
- *side pocket*

13 der Frack, ein
   Gesellschaftsanzug m
- *tailcoat (tails), evening dress*

14 der Frackschoß
- *coat-tail*

15 die weiße Frackweste
- *white waistcoat (vest)*

16 die Frackschleife
- *white bow-tie*

17 der Freizeitanzug
- *casual suit*

18 die Taschenklappe (Patte)
- *pocket flap*

19 der Frontsattel
- *front yoke*

20 der Jeansanzug
- *denim suit*

21 die Jeansjacke
- *denim jacket*

22 die Jeans pl (Bluejeans)
- *jeans (denims)*

23 der Hosenbund
- *waistband*

24 der Strandanzug
- *beach suit*

25 die Shorts pl
- *shorts*

26 die kurzärmelige Jacke
- *short-sleeved jacket*

27 der Sport-(Trainings-)Anzug
- *tracksuit*

28 die Trainingsjacke mit
   Reißverschluß m
- *tracksuit top with zip*

29 die Trainingshose
- *tracksuit bottoms*

30 die Strickjacke
- *cardigan*

31 der Strickkragen
- *knitted collar*

32 der Herrensommerpulli
- *men's short-sleeved pullover (men's
   short-sleeved sweater)*

33 das kurzärmelige Hemd
- *short-sleeved shirt*

34 der Hemdenknopf
- *shirt button*

35 der Ärmelaufschlag
- *turn-up*

36 das Strickhemd
- *knitted shirt*

37 das Freizeithemd
- *casual shirt*

38 die aufgesetzte Hemdentasche
- *patch pocket*

39 die Freizeit-(Wander-)Jacke
- *casual jacket*

40 die Kniebundhose
- *knee-breeches*

41 der Kniebund
- *knee strap*

42 der Kniestrumpf
- *knee-length sock*

43 die Lederjacke
- *leather jacket*

44 die Arbeitslatzhose
- *bib and brace overalls*

45 der verstellbare Träger
- *adjustable braces (Am. suspenders)*

46 die Latztasche
- *front pocket*

47 die Hosentasche
- *trouser pocket*

48 der Hosenschlitz
- *fly*

49 die Zollstocktasche
- *rule pocket*

50 das Karohemd
- *check shirt*

51 der Herrenpullover
- *men's pullover*

52 der Skipullover
- *heavy pullover*

53 die Unterziehstrickweste
- *knitted waistcoat (vest)*

54 der Blazer
- *blazer*

55 der Rockknopf
- *jacket button*

56 der Arbeitsmantel (Arbeitskittel,
   „weiße Kittel")
- *overall*

57 der Regentrenchcoat, ein
   Trenchcoat m
- *trenchcoat*

58 der Mantelkragen
- *coat collar*

59 der Mantelgürtel
- *coat belt*

60 der Popeline-(Übergangs-)Mantel
- *poplin coat*

61 die Manteltasche
- *coat pocket*

62 die verdeckte Knopfleiste
- *fly front*

63 der Tuchcaban
- *car coat*

64 der Mantelknopf
- *coat button*

65 der Schal
- *scarf*

66 der Tuchmantel
- *cloth coat*

67 der Handschuh
- *glove*

1-25 Bart- und Haartrachten *f*
(Frisuren) **des Mannes** *m*
(Männerfrisuren)
- **men's beards and hairstyles** *(haircuts)*
1 das lange, offene Haar
- *long hair worn loose*
2 die Allongeperücke (Staatsperücke,
Lockenperücke), eine Perücke;
kürzer und glatter: die Stutzperücke
(Atzel), die Halbperücke
(das Toupet)
- *allonge periwig (full-bottomed wig), a
wig; shorter and smoother: bob wig,
toupet*
3 die Locken *f*
- *curls*
4 die Haarbeutelperücke (der Haar-
beutel, Mozartzopf)
- *bag wig (purse wig)*
5 die Zopfperücke
- *pigtail wig*
6 der Zopf
- *queue (pigtail)*
7 die Zopfschleife (das Zopfband)
- *bow (ribbon)*
8 der Schnauzbart (*ugs.* Schnauzer)
- *handlebars (handlebar moustache,
Am. mustache)*
9 der Mittelscheitel
- *centre (Am. center) parting*
10 der Spitzbart, ein Kinnbart *m*
- *goatee (goatee beard), chintuft*
11 der Igelkopf (*ugs.* Stiftenkopf, die
Bürste)
- *closely-cropped head of hair (crew cut)*
12 der Backenbart
- *whiskers*
13 der Henriquatre, ein Spitz- und
Knebelbart *m*
- *Vandyke beard (stiletto beard, bodkin
beard), with waxed moustache (Am.
mustache)*
14 der Seitenscheitel
- *side parting*
15 der Vollbart
- *full beard (circular beard, round
beard)*
16 der Stutzbart
- *tile beard*
17 die Fliege
- *shadow*
18 der Lockenkopf (Künstlerkopf)
- *head of curly hair*
19 der englische Schnurrbart
- *military moustache (Am. mustache)
(English-style moustache)*
20 der Glatzkopf
- *partly bald head*
21 die Glatze (*ugs.* Platte)
- *bald patch*
22 der Kahlkopf
- *bald head*
23 der Stoppelbart (die Stoppeln *f*, Bart-
stoppeln)
- *stubble beard (stubble, short beard
bristles)*

24 die Koteletten *pl; früh.:* Favoris
- *side-whiskers (sideboards, sideburns)*
25 die glatte Rasur
- *clean shave*
26 der Afro-Look (für Männer u.
Frauen)
- *Afro look (for men and women)*
27-38 Haartrachten *f* (Frisuren) **der
Frau** (Frauenfrisuren, Damen- und
Mädchenfrisuren)
- **ladies' hairstyles** *(coiffures, women's
and girls' hairstyles)*
27 der Pferdeschwanz
- *ponytail*
28 das aufgesteckte Haar
- *swept-back hair (swept-up hair,
pinned-up hair)*
29 der Haarknoten (Knoten, Chignon,
ugs. Dutt)
- *bun (chignon)*
30 die Zopffrisur (Hängezöpfe *m*)
- *plaits (bunches)*
31 die Kranzfrisur (Gretchenfrisur)
- *chaplet hairstyle (Gretchen style)*
32 der Haarkranz
- *chaplet (coiled plaits)*
33 das Lockenhaar
- *curled hair*
34 der Bubikopf
- *shingle (shingled hair, bobbed hair)*
35 der Pagenkopf (die Ponyfrisur)
- *pageboy style*
36 die Ponyfransen *f* (*ugs.* Simpel-
fransen)
- *fringe (Am. bangs)*
37 die Schneckenfrisur
- *earphones*
38 die Haarschnecke
- *earphone (coiled plait)*

1-21 Damenhüte *m* und -mützen *f*
- *ladies' hats and caps*
1 die Hutmacherin beim Anfertigen *n*
eines Hutes *m*
- *milliner making a hat*
2 der Stumpen
- *hood*
3 die Form
- *block*
4 die Putzteile *m od. n*
- *decorative pieces*
5 der Sonnenhut (Sombrero)
- *sombrero*
6 der Mohairhut mit Federputz *m*
- *mohair hat with feathers*
7 der Modellhut mit Schmuckgesteck *n*
- *model hat with fancy appliqué*
8 die Leinenmütze
- *linen cap (jockey cap)*
9 die Mütze aus dicker Dochtwolle
- *hat made of thick candlewick yarn*
10 die Strickmütze
- *woollen (Am. woolen) hat
(knitted hat)*
11 die Mohairstoffkappe
- *mohair hat*
12 der Topfhut mit Steckfedern *f*
- *cloche with feathers*
13 der große Herrenhut aus Sisal *m* mit
Ripsband *n*
- *large men's hat made of sisal with
corded ribbon*

14 die Herrenhutform mit Schmuck-
band *n*
- *trilby-style hat with fancy ribbon*
15 der weiche Haarfilzhut
- *soft felt hat*
16 der Japanpanamahut
- *Panama hat with scarf*
17 die Nerzschirmkappe
- *peaked mink cap*
18 der Nerzpelzhut
- *mink hat*
19 die Fuchspelzmütze mit
Lederkopfteil *m*
- *fox hat with leather top*
20 die Nerzmütze
- *mink cap*
21 der Florentinerhut
- *slouch hat trimmed with flowers*

22-40 Herrenhüte *m* **und -mützen** *f*
- *men's hats and caps*
22 der Filzhut im City-Stil *m*
- *trilby hat (trilby)*
23 der Lodenhut
- *loden hat (Alpine hat)*
24 der Rauhhaarfilzhut mit Quasten *f*
- *felt hat with tassels (Tyrolean hat, Tyrolese hat)*
25 die Kordmütze
- *corduroy cap*
26 die Wollmütze
- *woollen* (Am. *woolen*) *hat*
27 die Baskenmütze
- *beret*
28 die Schiffermütze (Prinz-Heinrich-Mütze)
- *German sailor's cap (Prinz Heinrich' cap)*
29 die Schirmmütze (Seglermütze)
- *peaked cap (yachting cap)*
30 der Südwester
- *sou'wester (southwester)*
31 die Fuchsfellmütze mit Ohrenklappen *f*
- *fox cap with earflaps*
32 die Ledermütze mit Fellklappen *f*
- *leather cap with fur flaps*
33 die Bisamfellmütze (Schiwago-Mütze)
- *musquash cap*

34 die Schiffchenmütze, eine Fell- oder Krimmermütze
- *astrakhan cap, a real or imitation astrakhan cap*
35 der Strohhut (die Kreissäge)
- *boater*
36 der (graue oder schwarze) Zylinder (Zylinderhut) aus Seidentaft *m; zusammenklappbar:* der Klapphut (Chapeau claque)
- *(grey, Am. gray, or black) top hat made of silk taffeta;* collapsible: *crush hat (opera hat, claque)*
37 der Sommerhut aus Stoff *m* mit Täschchen *n*
- *sun hat (lightweight hat) made of cloth with small patch pocket*
38 der breitrandige Hut (Kalabreser, Zimmermannshut, Künstlerhut)
- *wide-brimmed hat*
39 die Zipfelmütze (Skimütze)
- *toboggan cap (skiing cap, ski cap)*
40 die Arbeitsmütze (für Landwirte *m*, Forstbeamte, Handwerker)
- *workman's cap (for farmers, foresters, craftsmen)*

1 die Schmuckgarnitur (das Schmuckset)
– *set of jewellery (*Am. *jewelry)*
2 das Collier
– *necklace*
3 das Armband
– *bracelet*
4 der Ring
– *ring*
5 die Trauringe *m*
– *wedding rings*
6 das Trauringkästchen
– *wedding ring box*
7 die Brosche, eine Perlenbrosche
– *brooch, a pearl brooch*
8 die Perle
– *pearl*
9 das Zuchtperlenarmband
– *cultured pearl bracelet*
10 die Schließe, eine Weißgoldschließe
– *clasp, a white gold clasp*
11 das Ohrgehänge
– *pendant earrings (drop earrings)*
12 das Zuchtperlencollier
– *cultured pearl necklace*
13 die Ohrringe
– *earrings*
14 der Schmucksteinanhänger
   (Edelsteinanhänger)
– *gemstone pendant*
15 der Schmucksteinring (Edelsteinring)
– *gemstone ring*
16 der Halsring
– *choker (collar, neckband)*

17 der Armreif
– *bangle*
18 die Anstecknadel mit Brillant *m*
– *diamond pin*
19 der moderne Ansteckschmuck
– *modern-style brooches*
20 der Herrenring
– *man's ring*
21 die Manschettenknöpfe
– *cuff links*
22 die Krawattennadel
– *tiepin*
23 der Brillantring mit Perle *f*
– *diamond ring with pearl*
24 der moderne Brillantring
– *modern-style diamond ring*
25 das Schmucksteinarmband
   (Edelsteinarmband)
– *gemstone bracelet*
26 der asymmetrische Schmuckreif
– *asymmetrical bangle*
27 der asymmetrische Schmuckring
– *asymmetrical ring*
28 die Elfenbeinkette
– *ivory necklace*
29 die Elfenbeinrose (Erbacher Rose)
– *ivory rose*
30 die Elfenbeinbrosche
– *ivory brooch*
31 die Schmuckkassette (Schmuck-
   schatulle, der Schmuckkasten,
   das Schmuckkästchen)
– *jewel box (jewel case)*

32 die Perlenkette
– *pearl necklace*
33 die Schmuckuhr
– *bracelet watch*
34 die Echtkorallenkette
– *coral necklace*
35 die Berlocken *f* (das Ziergehänge,
   der Charivari)
– *charms*
36 die Münzenkette
– *coin bracelet*
37 die Goldmünze
– *gold coin*
38 die Münzenfassung
– *coin setting*
39 das Kettenglied
– *link*
40 der Siegelring
– *signet ring*
41 die Gravur (das Monogramm)
– *engraving (monogram)*
42-86 die Schleifarten und Schliffformen *f*
– *cuts and forms*
42-71 facettierte Steine
– *faceted stones*
42 *u.* 43 der normal facettierte Rund-
   schliff
– *standard round cut*
44 der Brillantschliff
– *brilliant cut*
45 der Rosenschliff
– *rose cut*

46 die flache Tafel
– *flat table*
47 die gemugelte Tafel
– *table en cabochon*
48 der normal facettierte normale Schliff
– *standard cut*
49 der normal facettierte antike Schliff
– *standard antique cut*
50 der Rechteck-Treppenschliff
– *rectangular step-cut*
51 der Karree-Treppenschliff
– *square step-cut*
52 der Achteck-Treppenschliff
– *octagonal step-cut*
53 der Achteck-Kreuzschliff
– *octagonal cross-cut*
54 die normal facettierte Birnenform
– *standard pear-shape (pendeloque)*
55 die Navette
– *marquise (navette)*
56 die normal facettierte Faßform
– *standard barrel-shape*
57 der Trapez-Treppenschliff
– *trapezium step-cut*
58 der Trapez-Kreuzschliff
– *trapezium cross-cut*
59 das Spießeck (der Rhombus) im Treppenschliff *m*
– *rhombus step-cut*
60 u. 61 das Dreieck (der Triangel) im Treppenschliff *m*
– *triangular step-cut*

62 das Sechseck (Hexagon) im Treppenschliff *m*
– *hexagonal step-cut*
63 das ovale Sechseck (Hexagon) im Kreuzschliff *m*
– *oval hexagonal cross-cut*
64 das runde Sechseck im Treppenschliff *m*
– *round hexagonal step-cut*
65 das runde Sechseck im Kreuzschliff *m*
– *round hexagonal cross-cut*
66 der Schachbrettschliff
– *chequer-board cut*
67 der Triangelschliff
– *triangle cut*
68-71 Phantasieschliffe *m*
– *fancy cuts*
72-77 Ringsteine *m*
– *ring gemstones*
72 die ovale flache Tafel
– *oval flat table*
73 die rechteckige flache Tafel
– *rectangular flat table*
74 die achteckige flache Tafel
– *octagonal flat table*
75 die Faßform
– *barrel-shape*
76 die antike gemugelte Tafel
– *antique table en cabochon*
77 die rechteckige gemugelte Tafel
– *rectangular table en cabochon*
78-81 Cabochons *m*
– *cabochons*

78 der runde Cabochon
– *round cabochon (simple cabochon)*
79 der runde Kegel
– *high dome (high cabochon)*
80 der ovale Cabochon
– *oval cabochon*
81 der achteckige Cabochon
– *octagonal cabochon*
82-86 Kugeln *f* und Pampeln *f*
– *spheres and pear-shapes*
82 die glatte Kugel
– *plain sphere*
83 die glatte Pampel
– *plain pear-shape*
84 die facettierte Pampel
– *faceted pear-shape*
85 der glatte Tropfen
– *plain drop*
86 das facettierte Briolett
– *faceted briolette*

1-53 das freistehende Einfamilienhaus
- *detached house*
1 das Kellergeschoß
- *basement*
2 das Erdgeschoß (Parterre)
- *ground floor (Am. first floor)*
3 das Obergeschoß
- *upper floor (first floor, Am. second floor)*
4 der Dachboden
- *loft*
5 das Dach, ein ungleiches Satteldach n
- *roof, a gable roof (saddle roof, saddleback roof)*
6 die Traufe
- *gutter*
7 der First
- *ridge*
8 der Ortgang mit Winddielen f
- *verge with bargeboards*
9 der Dachvorsprung (das Dachgesims), ein Sparrengesims n
- *eaves, rafter-supported eaves*
10 der Schornstein (Kamin)
- *chimney*
11 der Dachkanal (die Dachrinne)
- *gutter*
12 der Einlaufstutzen
- *swan's neck (swan-neck)*
13 das Regenabfallrohr
- *rainwater pipe (downpipe, Am. downspout, leader)*
14 das Standrohr, ein Gußrohr n
- *vertical pipe, a cast-iron pipe*
15 der Giebel (die Giebelseite)
- *gable (gable end)*
16 die Wandscheibe
- *glass wall*
17 der Haussockel
- *base course (plinth)*
18 die Loggia
- *balcony*
19 das Geländer
- *parapet*
20 der Blumenkasten
- *flower box*
21 die zweiflügelige Loggiatür
- *French window (French windows) opening on to the balcony*
22 das zweiflügelige Fenster
- *double casement window*
23 das einflügelige Fenster
- *single casement window*
24 die Fensterbrüstung mit Fensterbank f
- *window breast with window sill*
25 der Fenstersturz
- *lintel (window head)*
26 die Fensterleibung
- *reveal*
27 das Kellerfenster
- *cellar window*
28 der Rolladen
- *rolling shutter*
29 der Rolladenaussteller
- *rolling shutter frame*
30 der Fensterladen (Klappladen)
- *window shutter (folding shutter)*
31 der Ladenfeststeller
- *shutter catch*
32 die Garage mit Geräteraum m
- *garage with tool shed*

33 das Spalier
- *espalier*
34 die Brettertür
- *batten door (ledged door)*
35 das Oberlicht mit Kreuzsprosse f
- *fanlight with mullion and transom*
36 die Terrasse
- *terrace*
37 die Gartenmauer mit Abdeckplatten f
- *garden wall with coping stones*
38 die Gartenleuchte
- *garden light*
39 die Gartentreppe
- *steps*
40 der Steingarten
- *rockery (rock garden)*
41 der Schlauchhahn
- *outside tap (Am. faucet) for the hose*
42 der Gartenschlauch
- *garden hose*
43 der Rasensprenger
- *lawn sprinkler*
44 das Planschbecken
- *paddling pool*
45 der Plattenweg
- *stepping stones*
46 die Liegewiese
- *sunbathing area (lawn)*
47 der Liegestuhl
- *deck-chair*
48 der Sonnenschirm (Gartenschirm)
- *sunshade (garden parasol)*
49 der Gartenstuhl
- *garden chair*
50 der Gartentisch
- *garden table*
51 die Teppichstange
- *frame for beating carpets*
52 die Garageneinfahrt
- *garage driveway*
53 die Einfriedung, ein Holzzaun m
- *fence, a wooden fence*
54-57 die Siedlung
- *housing estate (housing development)*
54 das Siedlungshaus
- *house on a housing estate (on a housing development)*
55 das Schleppdach
- *pent roof (penthouse roof)*
56 die Schleppgaube (Schleppgaupe)
- *dormer (dormer window)*
57 der Hausgarten
- *garden*
58-63 das Reihenhaus, gestaffelt
- *terraced house [one of a row of terraced houses], stepped*
58 der Vorgarten
- *front garden*
59 der Pflanzenzaun
- *hedge*
60 der Gehweg
- *pavement (Am. sidewalk, walkway)*
61 die Straße
- *street (road)*
62 die Straßenleuchte (Straßenlaterne, Straßenlampe)
- *street lamp (street light)*
63 der Papierkorb
- *litter bin (Am. litter basket)*

64-68 das Zweifamilienhaus
- *house divided into two flats (Am. house divided into two apartments, duplex house)*
64 das Walmdach
- *hip (hipped) roof*
65 die Haustür
- *front door*
66 die Eingangstreppe
- *front steps*
67 das Vordach
- *canopy*
68 das Pflanzen- oder Blumenfenster
- *flower window (window for house plants)*
69-71 das Vier-Familien-Doppelhaus
- *pair of semi-detached houses divided into four flats (Am. apartments)*
69 der Balkon
- *balcony*
70 der Glaserker
- *sun lounge (Am. sun parlor)*
71 die Markise
- *awning (sun blind, sunshade)*
72-76 das Laubenganghaus
- *block of flats (Am. apartment building, apartment house) with access balconies*
72 das Treppenhaus
- *staircase*
73 der Laubengang
- *balcony*
74 die Atelierwohnung
- *studio flat (Am. studio apartment)*
75 die Dachterrasse, eine Liegeterrasse
- *sun roof, a sun terrace*
76 die Grünfläche
- *open space*
77-81 das mehrstöckige Zeilenhaus
- *multi-storey block of flats (Am. multistory apartment building, multistory apartment house)*
77 das Flachdach
- *flat roof*
78 das Pultdach
- *pent roof (shed roof, lean-to roof)*
79 die Garage
- *garage*
80 die Pergola
- *pergola*
81 das Treppenhausfenster
- *staircase window*
82 das Hochhaus
- *high-rise block of flats (Am. high-rise apartment building, high-rise apartment house)*
83 das Penthouse (die Dachterrassenwohnung)
- *penthouse*
84-86 das Wochenendhaus, ein Holzhaus n
- *weekend house, a timber house*
84 die waagerechte Bretterschalung
- *horizontal boarding*
85 der Natursteinsockel
- *natural stone base course (natural stone plinth)*
86 das Fensterband
- *strip windows (ribbon windows)*

38 Dach und Heizkeller

Roof and Boiler Room

1-29 das Dachgeschoß
- *attic*
1 die Dachhaut
- *roof cladding (roof covering)*
2 das Dachfenster
- *skylight*
3 das Laufbrett
- *gangway*
4 die Steigleiter (Dachleiter)
- *cat ladder (roof ladder)*
5 der Schornstein (Kamin, die Esse)
- *chimney*
6 der Dachhaken
- *roof hook*
7 die Dachgaube (Dachgaupe, Gaube, Gaupe)
- *dormer window (dormer)*
8 das Schneefanggitter
- *snow guard (roof guard)*
9 die Dachrinne
- *gutter*
10 das Fallrohr
- *rainwater pipe (downpipe, Am. downspout, leader)*
11 das Hauptgesims (Dachgesims)
- *eaves*
12 der Spitzboden
- *pitched roof*
13 die Falltür
- *trapdoor*
14 die Bodenluke
- *hatch*
15 die Sprossenleiter
- *ladder*
16 der Holm
- *stile*
17 die Sprosse
- *rung*
18 der Dachboden
- *loft (attic)*
19 der Holzverschlag (Verschlag)
- *wooden partition*
20 die Bodenkammertür
- *lumber room door (boxroom door)*
21 das Vorhängeschloß (Vorlegeschloß)
- *padlock*
22 der Wäschehaken
- *hook [for washing line]*
23 die Wäscheleine
- *clothes line (washing line)*
24 das Ausdehnungsgefäß (Expansionsgefäß) der Heizung
- *expansion tank for boiler*
25 die Holztreppe und das Treppengeländer
- *wooden steps and balustrade*
26 die Wange
- *string (Am. stringer)*
27 die Stufe
- *step*
28 der Handlauf
- *handrail (guard rail)*
29 der Geländerpfosten
- *baluster*
30 der Blitzableiter
- *lightning conductor (lightning rod)*

31 der Schornsteinfeger (Kaminkehrer, Essenkehrer)
- *chimney sweep (Am. chimney sweeper)*
32 die Sonne mit dem Kugelschlagapparat m
- *brush with weight*
33 das Schultereisen
- *shoulder iron*
34 der Rußsack
- *sack for soot*
35 der Stoßbesen
- *flue brush*
36 der Handbesen
- *broom (besom)*
37 der Besenstiel
- *broomstick (broom handle)*
38-81 die Warmwasserheizung, eine Sammelheizung (Zentralheizung)
- *hot-water heating system, full central heating*
38-43 der Heizraum
- *boiler room*
38 die Koksfeuerung
- *coke-fired central heating system*
39 die Aschentür
- *ash box door (Am. cleanout door)*
40 der Fuchs
- *flueblock*
41 das Schüreisen
- *poker*
42 die Ofenkrücke
- *rake*
43 die Kohlenschaufel
- *coal shovel*
44-60 die Ölfeuerung
- *oil-fired central heating system*
44 der Öltank (Ölbehälter)
- *oil tank*
45 der Einsteigschacht
- *manhole*
46 der Schachtdeckel
- *manhole cover*
47 der Einfüllstutzen
- *tank inlet*
48 der Domdeckel
- *dome cover*
49 das Tankbodenventil
- *tank bottom valve*
50 das Heizöl
- *fuel oil (heating oil)*
51 die Entlüftungsleitung
- *air-bleed duct*
52 die Entlüftungskappe
- *air vent cap*
53 die Ölstandsleitung
- *oil level pipe*
54 der Ölstandsanzeiger
- *oil gauge (Am. gage)*
55 die Saugleitung
- *suction pipe*
56 die Rücklaufleitung
- *return pipe*
57 der Zentralheizungskessel (Ölheizungskessel)
- *central heating furnace (oil heating furnace)*

58-60 der Ölbrenner
- *oil burner*
58 das Frischluftgebläse
- *fan*
59 der Elektromotor
- *electric motor*
60 die verkleidete Brenndüse
- *covered pilot light*
61 die Fülltür
- *charging door*
62 das Schauglas (die Kontrollöffnung)
- *inspection window*
63 der Wasserstandsmesser
- *water gauge (Am. gage)*
64 das Kesselthermometer
- *furnace thermometer*
65 der Füll- und Ablaßhahn
- *bleeder*
66 das Kesselfundament
- *furnace bed*
67 die Schalttafel
- *control panel*
68 der Warmwasserboiler (Boiler)
- *hot water tank (boiler)*
69 der Überlauf
- *overflow pipe (overflow)*
70 das Sicherheitsventil
- *safety valve*
71 die Hauptverteilerleitung
- *main distribution pipe*
72 die Isolierung
- *lagging*
73 das Ventil
- *valve*
74 der Vorlauf
- *flow pipe*
75 das Regulierventil
- *regulating valve*
76 der Heizkörper
- *radiator*
77 die Heizkörperrippe (das Element)
- *radiator rib*
78 der Raumthermostat
- *room thermostat*
79 der Rücklauf
- *return pipe (return)*
80 die Rücklaufsammelleitung
- *return pipe [in two-pipe system]*
81 der Rauchabzug
- *smoke outlet (smoke extract)*

1 der Mikrowellenherd
– *microwave oven (microwave)*
2 der Kühlschrank
– *refrigerator (fridge,* Am. *icebox)*
3 das Kühlfach
– *refrigerator shelf*
4 die Gemüseschale
– *salad drawer*
5 das Gefrierfach
– *freezing compartment*
6 das Türfach für Flaschen *f*
– *bottle rack (in storage door)*
7 der Gefrierschrank (Tiefgefrierschrank)
– *upright freezer*
8 der Oberschrank (Hängeschrank), ein
Geschirrschrank
– *wall cupboard, a kitchen cupboard*
9 der Unterschrank
– *base unit*
10 die Besteckschublade
– *cutlery drawer*
11 der Hauptarbeitsplatz
(Vorbereitungsplatz)
– *work surface (worktop)*
12-17 der Koch- und Backplatz
– *cooker unit*
12 der Elektroherd (*auch:* Gasherd)
– *electric cooker (also: gas cooker)*
13 der Backofen
– *oven*
14 das Backofenfenster
– *oven window*
15 die Kochplatte (automatische Schnell-
kochplatte)
– *hotplate, an automatic
high-speed plate*

16 der Wasserkessel (Flötenkessel)
– *kettle (whistling kettle)*
17 der Wrasenabzug (Dunstabzug)
– *cooker hood*
18 der Topflappen
– *pot holder*
19 der Topflappenhalter
– *pot holder rack*
20 die Küchenuhr
– *kitchen clock*
21 der Kurzzeitmesser
– *timer*
22 das Handrührgerät (der Handrührer)
– *hand mixer*
23 der Schlagbesen
– *whisk*
24 die elektrische Kaffeemühle, eine
Schlagwerkkaffeemühle
– *electric coffee grinder (with rotating
blades)*
25 die elektrische Zuleitung (das
Leitungskabel)
– *lead*
26 die Wandsteckdose
– *wall socket*
27 der Eckschrank
– *corner cupboard*
28 das Drehtablett
– *revolving shelf*
29 der Kochtopf
– *pot (cooking pot)*
30 die Kanne
– *jug*
31 das Gewürzregal
– *spice rack*
32 das Gewürzglas
– *spice jar*

33-36 der Spülplatz
– *sink unit*
33 der Abtropfständer
– *dish drainer*
34 der Frühstücksteller
– *tea plate*
35 die Geschirrspüle (Spüle, das
Spülbecken)
– *sink*
36 der Wasserhahn (die Wassermisch-
batterie)
– *water tap (Am. faucet); here: mixer tap
(Am. mixing faucet)*
37 die Topfpflanze, eine Blattpflanze
– *pot plant, a foliage plant*
38 die Kaffeemaschine (der Kaffeeautomat)
– *coffee maker*
39 die Küchenlampe
– *kitchen lamp*
40 der Geschirrspüler (Geschirrspül-
automat, Geschirrspülmaschine *f*)
– *dishwasher (dishwashing machine)*
41 der Geschirrwagen
– *dish rack*
42 der Eßteller
– *dinner plate*
43 der Küchenstuhl
– *kitchen chair*
44 der Küchentisch
– *kitchen table*
45 der Toaster
– *toaster*

Küchengeräte

1 der Allzweckabroller mit Allzweck-
  tüchern *n* (Papiertüchern)
– *general-purpose roll holder with
  kitchen roll (paper towels)*
2 die Kochlöffelgarnitur
– *set of wooden spoons*
3 der Rührlöffel
– *mixing spoon*
4 die Bratpfanne
– *frying pan*
5 die Isolierkanne
– *Thermos jug*
6 Küchenschüsseln *f*
– *set of bowls*
7 die Käseglocke
– *cheese dish with glass cover*
8 das Kabarett
– *three-compartment dish*
9 die Saftpresse für Zitrusfrüchte *f*
– *lemon squeezer*
10 der Flötenkessel
– *whistling kettle*
11 die Flöte
– *whistle*
12-16 die Geschirrserie
– *pan set*
12 der Kochtopf (Fleischtopf)
– *pot (cooking pot)*
13 der Topfdeckel
– *lid*
14 der Bratentopf
– *casserole dish*
15 der Milchtopf
– *milk pot*
16 die Stielkasserolle
– *saucepan*

17 der Tauchsieder
– *immersion heater*
18 der Hebelkorkenzieher
– *corkscrew [with levers]*
19 der Entsafter
– *juice extractor*
20 die Schlauchklemme
– *tube clamp (tube clip)*
21 der Schnellkochtopf (Dampfkochtopf)
– *pressure cooker*
22 das Überdruckventil
– *pressure valve*
23 der Einkocher (Einwecker)
– *fruit preserver*
24 der Einweckeinsatz
– *removable rack*
25 das Einweckglas
  (Weckglas)
– *preserving jar*
26 der Einweckring
– *rubber ring*
27 die Springform
– *spring form*
28 die Kastenkuchenform
– *cake tin*
29 die Napfkuchenform
– *cake tin*
30 der Mikrowellenherd
– *microwave oven (microwave)*
31 die Zeitschaltuhr
– *timer*
32 der Grill
– *rotisserie*
33 der Grillspieß
– *spit*

34 der Waffelautomat
– *electric waffle iron*
35 die Laufgewichtswaage
– *sliding-weight scales*
36 das Laufgewicht
– *sliding weight*
37 die Waagschale
– *scale pan*
38 der Allesschneider
– *food slicer*
39 der Fleischhacker
– *mincer (Am. meat chopper)*
40 die Schneidscheiben *f*
– *blades*
41 der Pommes-frites-Topf
– *chip pan*
42 der Drahteinsatz
– *basket*
43 der Pommes-frites-Schneider
– *potato chipper*
44 der Joghurtbereiter
– *yoghurt maker*
45 die Kleinküchenmaschine
– *mixer*
46 der Mixer
– *blender*
47 das Folienschweißgerät
– *bag sealer*

1-29 **die Diele** (der Flur, Korridor, Vorraum, Vorplatz)
– **hall** *(entrance hall)*
1 die Garderobe (Flurgarderobe, Garderobenwand)
– *coat rack*
2 der Kleiderhaken
– *coat hook*
3 der Kleiderbügel
– *coat hanger*
4 das Regencape
– *rain cape*
5 der Spazierstock
– *walking stick*
6 der Garderobenspiegel
– *hall mirror*
7 das Telefon
– *telephone*
8 der Schuh-Mehrzweck-Schrank
– *chest of drawers for shoes, etc.*
9 die Schublade
– *drawer*
10 die Sitzbank
– *seat*
11 der Damenhut
– *ladies' hat*
12 der Taschenschirm
– *telescopic umbrella*

13 die Tennisschläger *m*
– *tennis rackets (tennis racquets)*
14 der Schirmständer
– *umbrella stand*
15 der Regenschirm
– *umbrella*
16 die Schuhe *m*
– *shoes*
17 die Aktentasche
– *briefcase*
18 der Teppichboden
– *fitted carpet*
19 der Sicherungskasten
– *fuse box*
20 der Sicherungsautomat
– *miniature circuit breaker*
21 der Stahlrohrstuhl
– *tubular steel chair*
22 die Treppenleuchte
– *stair light*
23 der Handlauf
– *handrail*
24 die Treppenstufe
– *step*
25 die Abschlußtür (Korridortür)
– *front door*
26 der Türrahmen
– *door frame*

27 das Türschloß
– *door lock*
28 die Türklinke
– *door handle*
29 das Guckloch (der Spion)
– *spyhole*

1-20 **die Stollenanbauwand**
(Schrankwand)
- **wall units** *(shelf units)*
2 der Stollen
- *side wall*
3 das Bücherregal
- *bookshelf*
4 die Bücherreihe
- *row of books*
5 die Anbauvitrine
- *display cabinet unit*
6 der Unterschrank
- *cupboard base unit*
7 das Schrankelement
- *cupboard unit*
8 der Fernseher
- *television set (TV set)*
9 die Stereoanlage
- *stereo system (stereo equipment)*
10 die Lautsprecherbox
- *speaker (loudspeaker)*
11 der Pfeifenständer
- *pipe rack*
12 die Pfeife
- *pipe*
13 der Globus
- *globe*

14 der Messingkessel
- *brass kettle*
15 das Fernrohr
- *telescope*
16 die Aufsatzuhr
- *mantle clock*
17 die Porträtbüste
- *bust*
18 das mehrbändige Lexikon
- *encyclopaedia [in several volumes]*
19 der Raumteiler
- *room divider*
20 der Barschrank (das Barfach)
- *drinks cupboard*
21-26 **die Polsterelementgruppe**
- **upholstered suite** *(seating group)*
21 der Polstersessel (Fauteuil)
- *armchair*
22 die Armlehne
- *arm*
23 das Sitzkissen
- *seat cushion (cushion)*
24 das Sofa
- *settee*
25 das Rückenkissen
- *back cushion*
26 die Rundecke
- *[round] corner section*

27 das Sofakissen
- *scatter cushion*
28 der Couchtisch
- *coffee table*
29 der Aschenbecher
- *ashtray*
30 das Tablett
- *tray*
31 die Whiskyflasche
- *whisky (whiskey) bottle*
32 die Sodawasserflasche
- *soda water bottle (soda bottle)*
33-34 **die Eßgruppe**
- **dining set**
33 der Eßtisch
- *dining table*
34 der Stuhl
- *chair*
35 der Store
- *net curtain*
36 die Zimmerpflanzen *f*
- *indoor plants (houseplants)*

1 der Schlafzimmerschrank, ein
Hochschrank
– *wardrobe (*Am. *clothes closet)*
2 das Wäschefach
– *linen shelf*
3 der Korbstuhl
– *cane chair*
4-13 **das Doppelbett** (*ähnl.:* das
französische Bett)
– **double bed** (sim.: *double divan)*
4-6 **das Bettgestell**
– *bedstead*
4 das Fußende (der *od.* das
Fußteil)
– *foot of the bed*
5 der Bettkasten
– *bed frame*
6 das Kopfende (der *od.* das
Kopfteil)
– *headboard*
7 die Tagesdecke
– *bedspread*
8 die Schlafdecke, eine
Steppdecke
– *duvet, a quilted duvet*
9 das Bettuch (Bettlaken),
ein Leintuch
– *sheet, a linen sheet*

10 die Matratze, eine Schaumstoffauflage mit Drellüberzug *m*
– *mattress, a foam mattress with
drill tick*
11 das Keilkissen
– *[wedge-shaped] bolster*
12 u. 13 das Kopfkissen
– *pillow*
12 der Kopfkissenbezug
– *pillowcase (pillowslip)*
13 das Inlett
– *tick*
14 das Bücherregal (der
Regalaufsatz)
– *bookshelf [attached to the
headboard]*
15 die Leselampe
– *reading lamp*
16 der elektrische Wecker
– *electric alarm clock*
17 die Bettkonsole
– *bedside cabinet*
18 die Schublade
– *drawer*
19 die Schlafzimmerlampe
– *bedroom lamp*
20 das Wandbild
– *picture*

21 der Bilderrahmen
– *picture frame*
22 der Bettvorleger
– *bedside rug*
23 der Teppichboden
– *fitted carpet*
24 der Frisierstuhl
– *dressing stool*
25 die Frisierkommode
– *dressing table*
26 der Parfümzerstäuber
– *perfume spray*
27 das (der) Parfümflakon
– *perfume bottle*
28 die Puderdose
– *powder box*
29 der Frisierspiegel
– *dressing-table mirror (mirror)*

1-11 die Eßgruppe
- *dining set*
1 der Eßtisch
- *dining table*
2 das Tischbein
- *table leg*
3 die Tischplatte
- *table top*
4 der (das) Set
- *place mat*
5 das Gedeck
- *place (place setting, cover)*
6 der Suppenteller (tiefe Teller)
- *soup plate (deep plate)*
7 der flache Teller
- *dinner plate*
8 die Suppenterrine
- *soup tureen*
9 das Weinglas
- *wineglass*
10 der Eßzimmerstuhl
- *dining chair*
11 die Sitzfläche
- *seat*
12 die Deckenlampe (Hängelampe)
- *lamp (pendant lamp)*
13 die Übergardinen
- *curtains*

14 die Gardine
- *net curtain*
15 die Gardinenleiste
- *curtain rail*
16 der Bodenteppich
- *carpet*
17 der Hängeschrank
- *wall unit*
18 die Glastür
- *glass door*
19 der Einlegeboden
- *shelf*
20 das Sideboard
- *sideboard*
21 die Besteckschublade
- *cutlery drawer*
22 die Wäscheschublade
- *linen drawer*
23 der Sockel
- *base*
24 das runde Tablett
- *round tray*
25 die Topfpflanze
- *pot plant*
26 der Geschirrschrank (die Vitrine)
- *china cabinet (display cabinet)*
27 das Kaffeegeschirr
- *coffee set (coffee service)*

28 die Kaffeekanne
- *coffee pot*
29 die Kaffeetasse
- *coffee cup*
30 die Untertasse
- *saucer*
31 das Milchkännchen
- *milk jug*
32 die Zuckerdose
- *sugar bowl*
33 das Eßgeschirr
- *dinner set (dinner service)*

1 der Eßtisch
– *dining table*
2 das Tafeltuch, ein Damasttuch *n*
– *tablecloth, a damask cloth*
3-12 **das Gedeck**
– **place** *(place setting, cover)*
3 der Grundteller (Unterteller)
– *bottom plate*
4 der flache Teller (Eßteller)
– *dinner plate*
5 der tiefe Teller (Suppenteller)
– *deep plate (soup plate)*
6 der kleine Teller, für die Nachspeise (das Dessert)
– *dessert plate (dessert bowl)*
7 das Eßbesteck
– *knife and fork*
8 das Fischbesteck
– *fish knife and fork*
9 die Serviette (das Mundtuch)
– *serviette (napkin, table napkin)*
10 der Serviettenring
– *serviette ring (napkin ring)*
11 das Messerbänkchen
– *knife rest*
12 die Weingläser *n*
– *wineglasses*
13 die Tischkarte
– *place card*
14 der Suppenschöpflöffel (die Suppenkelle)
– *soup ladle*
15 die Suppenschüssel (Terrine)
– *soup tureen (tureen)*

16 der Tafelleuchter (Tischleuchter)
– *candelabra*
17 die Sauciere (Soßenschüssel)
– *sauceboat (gravy boat)*
18 der Soßenlöffel
– *sauce ladle (gravy ladle)*
19 der Tafelschmuck
– *table decoration*
20 der Brotkorb
– *bread basket*
21 das Brötchen
– *roll*
22 die Scheibe Brot *n* (die Brotscheibe)
– *slice of bread*
23 die Salatschüssel
– *salad bowl*
24 das Salatbesteck
– *salad servers*
25 die Gemüseschüssel
– *vegetable dish*
26 die Bratenplatte
– *meat plate (Am. meat platter)*
27 der Braten
– *roast meat (roast)*
28 die Kompottschüssel
– *fruit dish*
29 die Kompottschale
– *fruit bowl*
30 das Kompott
– *fruit (stewed fruit)*
31 die Kartoffelschüssel
– *potato dish*
32 der fahrbare Anrichtetisch
– *serving trolley*

33 die Gemüseplatte
– *vegetable plate (Am. vegetable platter)*
34 der Toast
– *toast*
35 die Käseplatte
– *cheeseboard*
36 die Butterdose
– *butter dish*
37 das belegte Brot
– *open sandwich*
38 der Brotbelag
– *filling*
39 das Sandwich
– *sandwich*
40 die Obstschale
– *fruit bowl*
41 die Knackmandeln *f* (auch: Kartoffelchips *m*, Erdnüsse *f*)
– *almonds (also: potato crisps, peanuts)*
42 die Essig- und Ölflasche
– *oil and vinegar bottle*
43 das Ketchup
– *ketchup (catchup, catsup)*
44 die Anrichte
– *sideboard*
45 die elektrische Warmhalteplatte
– *electric hotplate*
46 der Korkenzieher
– *corkscrew*
47 der Kronenkorköffner, ein Flaschenöffner *m*
– *crown cork bottle opener (crown cork opener), a bottle opener*

48 die Likörkaraffe
– *liqueur decanter*
49 der Nußknacker
– *nutcrackers (nutcracker)*
50 das Messer
– *knife*
51 das Heft (der Griff)
– *handle*
52 die Angel
– *tang (tongue)*
53 die Zwinge
– *ferrule*
54 die Klinge
– *blade*
55 die Krone
– *bolster*
56 der Rücken
– *back*
57 die Schneide
– *edge (cutting edge)*
58 die Gabel
– *fork*
59 der Stiel
– *handle*
60 die Zinke
– *prong (tang, tine)*
61 der Löffel (Eßlöffel, Suppenlöffel)
– *spoon (dessert spoon, soup spoon)*
62 der Stiel
– *handle*
63 der Schöpfteil
– *bowl*
64 das Fischmesser
– *fish knife*

65 die Fischgabel
– *fish fork*
66 der Dessertlöffel (Kompottlöffel)
– *dessert spoon (fruit spoon)*
67 der Salatlöffel
– *salad spoon*
68 die Salatgabel
– *salad fork*
69 u. 70 das Vorlegebesteck
– *carving set (serving cutlery)*
69 das Vorlegemesser
– *carving knife*
70 die Vorlegegabel
– *serving fork*
71 das Obstmesser
– *fruit knife*
72 das Käsemesser
– *cheese knife*
73 das Buttermesser
– *butter knife*
74 der Gemüselöffel, ein
    Vorlegelöffel *m*
– *vegetable spoon, a serving spoon*
75 der Kartoffellöffel
– *potato server (serving spoon for
    potatoes)*
76 die Sandwichgabel
– *cocktail fork*
77 der Spargelheber
– *asparagus server (asparagus slice)*
78 der Sardinenheber
– *sardine server*
79 die Hummergabel
– *lobster fork*

80 die Austerngabel
– *oyster fork*
81 das Kaviarmesser
– *caviare knife*
82 das Weißweinglas
– *white wine glass*
83 das Rotweinglas
– *red wine glass*
84 das Südweinglas (Madeiraglas)
– *sherry glass (madeira glass)*
85 u. 86 die Sektgläser *n*
– *champagne glasses*
85 das Spitzglas
– *tapered glass*
86 die Sektschale, ein Kristallglas *n*
– *champagne glass, a crystal glass*
87 der Römer
– *rummer*
88 die Kognakschale
– *brandy glass*
89 die Likörschale
– *liqueur glass*
90 das Schnapsglas
– *spirit glass*
91 das Bierglas
– *beer glass*

1 die Apartmentwand
  (Schrankwand, Regalwand,
  Studiowand)
– *wall units (shelf units)*
2 die Schrankfront
– *wardrobe door (*Am. *clothes closet
  door)*
3 der Korpus
– *body*
4 der Stollen
– *side wall*
5 die Blende
– *trim*
6 das zweitürige Schrankelement
– *two-door cupboard unit*
7 das Bücherregal (Vitrinenregal)
– *bookshelf unit (bookcase unit)
  [with glass door]*
8 die Bücher *n*
– *books*
9 die Vitrine
– *display cabinet*
10 der Plattenspieler
– *record player*
11 die Schublade
– *drawer*
12 die Konfektdose
– *decorative biscuit tin*
13 das Stofftier
– *soft toy animal*

14 der Fernseher
– *television set (TV set)*
15 die Schallplatten *f*
– *records (discs)*
16 die Bettkastenliege
– *bed unit*
17 das Sofakissen
– *scatter cushion*
18 die Bettkastenschublade
– *bed unit drawer*
19 das Bettkastenregal
– *bed unit shelf*
20 die Zeitschriften *f*
– *magazines*
21 der Schreibplatz
– *desk unit (writing unit)*
22 der Schreibtisch
– *desk*
23 die Schreibunterlage
– *desk mat (blotter)*
24 die Tischlampe
– *table lamp*
25 der Papierkorb
– *wastepaper basket*
26 die Schreibtischschublade
– *desk drawer*
27 der Schreibtischsessel
– *desk chair*
28 die Armlehne
– *arm*

29 die Küchenwand (Anbauküche)
– *kitchen unit*
30 der Oberschrank
– *wall cupboard*
31 der Wrasenabzug (die
  Dunsthaube)
– *cooker hood*
32 der Elektroherd
– *electric cooker*
33 der Kühlschrank
– *refrigerator (fridge,* Am. *icebox)*
34 der Eßtisch
– *dining table*
35 der Tischläufer
– *table runner*
36 der Orientteppich
– *oriental carpet*
37 die Stehlampe
– *standard lamp*

1 das Kinderbett, ein Doppelbett *n* (Etagenbett)	**15** das Plüschpferd zum Schaukeln *n* und Ziehen *n*	**29** der Gewürzständer
– *children's bed, a bunk bed*	– *toy horse for rocking and pulling*	– *spice rack*
2 der Bettkasten	**16** die Schaukelkufen *f*	**30** die Auslage
– *storage box*	– *rockers*	– *display*
3 die Matratze	**17** das Kinderbuch	**31** das Bonbonsortiment
– *mattress*	– *children's book*	– *assortment of sweets* (Am. *candies*)
4 das Kopfkissen	**18** das Spielemagazin	**32** die Bonbontüte
– *pillow*	– *compendium of games*	– *bag of sweets* (Am. *candies*)
5 die Leiter	**19** das Mensch-ärgere-dich-nicht-Spiel	**33** die Waage
– *ladder*	– *ludo*	– *scales*
6 der Stoffelefant, ein Kuscheltier *n* (Schlaftier)	**20** das Schachbrett	**34** die Ladenkasse
– *soft toy elephant, a cuddly toy animal*	– *chessboard*	– *cash register*
7 der Stoffhund	**21** der Kinderzimmerschrank	**35** das Kindertelefon
– *soft toy dog*	– *children's cupboard*	– *toy telephone*
8 das Sitzkissen	**22** die Wäscheschublade	**36** das Warenregal
– *cushion*	– *linen drawer*	– *shop shelves (goods shelves)*
9 die Ankleidepuppe	**23** die Schreibplatte	**37** die Holzeisenbahn
– *fashion doll*	– *drop-flap writing surface*	– *wooden train set*
10 der Puppenwagen	**24** das Schreibheft	**38** der Muldenkipper, ein Spielzeugauto *n*
– *doll's pram*	– *notebook (exercise book)*	– *dump truck, a toy lorry (toy truck)*
11 die Schlafpuppe	**25** die Schulbücher *n*	**39** der Hochbaukran
– *sleeping doll*	– *school books*	– *tower crane*
12 der Baldachin	**26** der Bleistift (*auch:* Buntstift *m*, Filzstift, Kugelschreiber)	**40** der Betonmischer
– *canopy*	– *pencil (also: crayon, felt tip pen, ballpoint pen)*	– *concrete mixer*
13 die Schreibtafel	**27** der Kaufladen (Kaufmannsladen)	**41** der große Plüschhund
– *blackboard*	– *toy shop*	– *large soft toy dog*
14 die Rechensteine *m*	**28** der Verkaufsstand	**42** der Würfelbecher
– *counting beads*	– *counter*	– *dice cup*

1-20 die Vorschulerziehung
- *pre-school education (nursery education)*
1 die Kindergärtnerin (Erzieherin)
- *nursery teacher*
2 der Vorschüler
- *nursery child*
3 die Bastelarbeit
- *handicraft*
4 der Klebstoff
- *glue*
5 das Aquarellbild
- *watercolour (Am. watercolor) painting*
6 der Aquarellkasten
- *paintbox*
7 der Malpinsel
- *paintbrush*
8 das Wasserglas
- *glass of water*
9 das Puzzle
- *jigsaw puzzle (puzzle)*
10 der Puzzlestein
- *jigsaw puzzle piece*
11 die Buntstifte *m* (Wachsmalstifte)
- *coloured (Am. colored) pencils (wax crayons)*
12 die Knetmasse (Plastilinmasse)
- *modelling (Am. modeling) clay (Plasticine)*
13 Knetfiguren *f* (Plastilinfiguren)
- *clay figures (Plasticine figures)*

14 das Knetbrett
- *modelling (Am. modeling) board*
15 die Schultafelkreide
- *chalk (blackboard chalk)*
16 die Schreibtafel (Tafel)
- *blackboard*
17 die Rechensteine *m*
- *counting blocks*
18 der Faserschreibstift
- *felt pen (felt tip pen)*
19 das Formlegespiel
- *shapes game*
20 die Spielergruppe
- *group of players*
21-32 das Spielzeug
- *toys*
21 das Kubusspiel
- *building and filling cubes*
22 der mechanische Baukasten
- *construction set*
23 die Kinderbücher *n*
- *children's books*
24 der Puppenwagen, ein Korbwagen
- *doll's pram, a wicker pram*
25 die Babypuppe
- *baby doll*
26 der Baldachin
- *canopy*
27 die Bauklötze *m*
- *building bricks (building blocks)*
28 das hölzerne Bauwerk
- *wooden model building*

29 die Holzeisenbahn
- *wooden train set*
30 der Schaukelteddy
- *rocking teddy bear*
31 der Puppensportwagen
- *doll's pushchair*
32 die Ankleidepuppe
- *fashion doll*
33 das Kind im Kindergartenalter *n*
- *child of nursery school age*
34 die Garderobenablage
- *cloakroom*

<table>
</table>

1 die Badewanne
- *bath*
2 die Mischbatterie für kaltes und
warmes Wasser
- *mixer tap (Am. mixing faucet) for hot
and cold water*
3 das Schaumbad
- *foam bath (bubble bath)*
4 die Schwimmente
- *toy duck*
5 das Badesalz
- *bath salts*
6 der Badeschwamm
- *bath sponge (sponge)*
7 das Bidet
- *bidet*
8 der Handtuchhalter
- *towel rail*
9 das Frottierhandtuch
- *terry towel*
10 der Toilettenpapierhalter
- *toilet roll holder (Am. bathroom tissue
holder)*
11 das Toilettenpapier (Klosettpapier,
ugs. Klopapier)
- *toilet paper (coll. loo paper, Am.
bathroom tissue)*
12 die Toilette (das Klosett, ugs. Klo, der
Abort, ugs. Lokus)
- *toilet (lavatory, W.C., coll. loo)*
13 das Klosettbecken
- *toilet pan (toilet bowl)*
14 der Klosettdeckel mit Frottierüberzug
- *toilet lid with terry cover*
15 die Klosettbrille
- *toilet seat*
16 der Wasserkasten
- *cistern*
17 der Spülhebel
- *flushing lever*

18 die Klosettumrahmung (Klosett-
umrandung)
- *pedestal mat*
19 die Wandkachel
- *tile*
20 die Abluftöffnung
- *ventilator (extraction vent)*
21 die Seifenschale
- *soap dish*
22 die Seife
- *soap*
23 das Handtuch
- *hand towel*
24 das Waschbecken
- *washbasin*
25 der Überlauf
- *overflow*
26 der Kalt- und Warmwasserhahn
- *hot and cold water tap*
27 der Waschbeckenfuß mit dem Siphon *m*
- *washbasin pedestal with trap
(anti-syphon trap)*
28 das Zahnputzglas (der Zahnputzbecher)
- *tooth glass (tooth mug)*
29 die elektrische Zahnbürste
- *electric toothbrush*
30 die Zahnbürsteneinsätze *m*
- *detachable brush heads*
31 der Spiegelschrank
- *mirrored bathroom cabinet*
32 die Leuchtröhre
- *fluorescent lamp*
33 der Spiegel
- *mirror*
34 das Schubfach
- *drawer*
35 die Puderdose
- *powder box*
36 das Mundwasser
- *mouthwash*

37 der elektrische Rasierapparat
- *electric shaver*
38 das Rasierwasser (After-shave, die
After-shave-Lotion)
- *aftershave lotion*
39 die Duschkabine
- *shower cubicle*
40 der Duschvorhang
- *shower curtain*
41 die verstellbare Handbrause
(Handdusche)
- *adjustable shower head*
42 der Brausenkopf
- *shower nozzle*
43 die Verstellstange
- *shower adjustment rail*
44 das Fußbecken (die Duschwanne)
- *shower base*
45 der Wannenablauf (das Überlaufventil)
- *waste pipe*
46 der Badepantoffel
- *bathroom mule*
47 die Personenwaage
- *bathroom scales*
48 der Badevorleger (die Badematte)
- *bath mat*
49 die Hausapotheke
- *medicine cabinet*

1-20 Bügelgeräte *n*
- *irons*
1 der elektrische Bügelautomat
- *electric ironing machine*
2 der elektrische Fußschalter
- *electric foot switch*
3 die Walzenbewicklung
- *roller covering*
4 die Bügelmulde
- *ironing head*
5 das Bettlaken
- *sheet*
6 das elektrische Bügeleisen (der Leichtbügelautomat)
- *electric iron (lightweight iron)*
7 die Bügelsohle
- *sole-plate*
8 der Temperaturwähler
- *temperature selector*
9 der Bügeleisengriff
- *handle (iron handle)*
10 die Anzeigeleuchte
- *pilot light*
11 der Dampf-, Spray- und Trockenbügelautomat
- *steam, spray, and dry iron*
12 der Einfüllstutzen
- *filling inlet*
13 die Spraydüse zum Befeuchten *n* der Wäsche
- *spray nozzle for damping the washing*
14 die Dampfaustrittsschlitze
- *steam hole (steam slit)*
15 der Bügeltisch
- *ironing table*
16 das Bügelbrett (die Bügelunterlage)
- *ironing board (ironing surface)*
17 der Bügelbrettbezug
- *ironing-board cover*
18 die Bügeleisenablage
- *iron well*
19 das Aluminiumgestell
- *aluminium (Am. aluminum) frame*
20 das Ärmelbrett
- *sleeve board*
21 die Wäschetruhe
- *linen bin*
22 die schmutzige Wäsche
- *dirty linen*
23-34 Wasch- und Trockengeräte *n*
- *washing machines and driers*
23 die Waschmaschine (der Waschvollautomat)
- *automatic washing machine*
24 die Waschtrommel
- *washing drum*
25 der Sicherheitstürverschluß
- *safety latch (safety catch)*
26 der Drehwählschalter
- *program selector control*
27 die Mehrkammerfronteinspülung
- *front soap dispenser [with several compartments]*
28 der Trockenautomat, ein Abluftwäschetrockner
- *tumble drier*
29 die Trockentrommel
- *drum*
30 die Fronttür mit den Abluftschlitzen *m*
- *front door with ventilation slits*
31 die Arbeitsplatte
- *worktop*

32 der Wäschetrockner (Wäscheständer)
- *airer*
33 die Wäscheleine
- *clothes line (washing line)*
34 der Scherenwäschetrockner
- *extending airer*
35 die Haushaltsleiter, eine Leichtmetalleiter
- *stepladder (steps), an aluminium (Am. aluminum) ladder*
36 die Wange
- *stile*
37 der Stützschenkel
- *prop*
38 die Stufe (Leiterstufe)
- *tread (rung)*
39-43 Schuhpflegemittel *n*
- *shoe care utensils*
39 die Schuhcremedose
- *tin of shoe polish*
40 der Schuhspray, ein Imprägnierspray *m*
- *shoe spray, an impregnating spray*
41 die Schuhbürste
- *shoe brush*
42 die Auftragebürste für Schuhcreme *f*
- *brush for applying polish*
43 die Schuhcremetube
- *tube of shoe polish*
44 die Kleiderbürste
- *clothes brush*
45 die Teppichbürste
- *carpet brush*
46 der Besen (Kehrbesen)
- *broom*
47 die Besenborsten
- *bristles*
48 der Besenkörper
- *broom head*
49 der Besenstiel
- *broomstick (broom handle)*
50 das Schraubgewinde
- *screw thread*
51 die Spülbürste (Abwaschbürste)
- *washing-up brush*
52 die Kehrschaufel
- *pan (dustpan)*
53-86 die Bodenpflege
- *floor and carpet cleaning*
53 der Handfeger (Handbesen)
- *brush*
54 der Putzeimer (Scheuereimer, Aufwascheimer)
- *bucket (pail)*
55 das Scheuertuch (Putztuch, *nd.* Feudel)
- *floor cloth (cleaning rag)*
56 die Scheuerbürste
- *scrubbing brush*
57 der Teppichkehrer
- *carpet sweeper*
58 der Handstaubsauger
- *upright vacuum cleaner*
59 die Umschalttaste
- *changeover switch*
60 der Gelenkkopf
- *swivel head*
61 die Staubbeutelfüllanzeige
- *bag-full indicator*
62 die Staubbeutelkassette
- *dust bag container*

63 der Handgriff
- *handle*
64 das Rohr
- *tubular handle*
65 der Kabelhaken
- *flex hook*
66 das aufgewundene Kabel
- *wound-up flex*
67 die Kombidüse
- *all-purpose nozzle*
68 der Bodenstaubsauger
- *cylinder vacuum cleaner*
69 das Drehgelenk
- *swivel coupling*
70 das Ansatzrohr
- *extension tube*
71 die Kehrdüse (*ähnl:* Klopfdüse)
- *floor nozzle (sim.: carpet beater nozzle)*
72 die Saugkraftregulierung
- *suction control*
73 die Staubfüllanzeige
- *bag-full indicator*
74 der Nebenluftschieber zur Luftregulierung
- *sliding fingertip suction control*
75 der Schlauch (Saugschlauch)
- *hose (suction hose)*
76 das Kombinationsteppichpflegegerät
- *combined carpet sweeper and shampooer*
77 die elektrische Zuleitung
- *electric lead (flex)*
78 die Gerätsteckdose
- *plug socket*
79 der Teppichklopfvorsatz (*ähnl.:* Teppichschampioniervorsatz, Teppichbürstvorsatz)
- *carpet beater head (sim.: shampooing head, brush head)*
80 der Allzwecksauger (Trocken- und Naßsauger)
- *all-purpose vacuum cleaner (wet and dry vacuum cleaner)*
81 die Lenkrolle
- *castor*
82 das Motoraggregat
- *motor unit*
83 der Deckelverschluß
- *lid clip*
84 der Grobschmutzschlauch
- *coarse dirt hose*
85 das Spezialzubehör für Grobschmutz *m*
- *special accessory (special attachment) for coarse dirt*
86 der Staubbehälter
- *dust container*
87 der Einkaufswagen
- *shopper (shopping trolley)*

1-35 der Ziergarten (Blumengarten)
- *flower garden*
1 die Pergola
- *pergola*
2 der Liegestuhl (die Gartenliege)
- *deck-chair*
3 der Rasenbesen (Laubbesen, Fächerbesen)
- *lawn rake (wire-tooth rake)*
4 der Rasenrechen
- *garden rake*
5 der Wilde Wein, eine Kletterpflanze
- *Virginia creeper (American ivy, woodbine), a climbing plant (climber, creeper)*
6 der Steingarten
- *rockery (rock garden)*
7 die Steingartenpflanzen f; Arten: Mauerpfeffer m, Hauswurz f, Silberwurz f, Blaukissen n
- *rock plants; varieties: stonecrop (wall pepper), houseleek, dryas, aubretia*
8 das Pampasgras
- *pampas grass*
9 die Gartenhecke
- *garden hedge*
10 die Blaufichte
- *blue spruce*
11 die Hortensien f
- *hydrangeas*

12 die Eiche
- *oak (oak tree)*
13 die Birke
- *birch (birch tree)*
14 der Gartenweg
- *garden path*
15 die Wegeinfassung
- *edging*
16 der Gartenteich
- *garden pond*
17 die Steinplatte
- *flagstone (stone slab)*
18 die Seerose
- *water lily*
19 die Knollenbegonien f
- *tuberous begonias*
20 die Dahlien f
- *dahlias*
21 die Gießkanne
- *watering can (Am. sprinkling can)*
22 der Krehl
- *weeding hoe*
23 die Edellupine
- *lupin*
24 die Margeriten f
- *marguerites (oxeye daisies, white oxeye daisies)*
25 die Hochstammrose
- *standard rose*

26 die Gartengerbera
- *gerbera*
27 die Iris
- *iris*
28 die Gladiolen f
- *gladioli*
29 die Chrysanthemen f
- *chrysanthemums*
30 der Klatschmohn
- *poppy*
31 die Prachtscharte
- *blazing star*
32 das Löwenmäulchen
- *snapdragon (antirrhinum)*
33 der Rasen
- *lawn*
34 der Löwenzahn
- *dandelion*
35 die Sonnenblume
- *sunflower*

1-32 der Kleingarten (Schrebergarten, Gemüse- und Obstgarten)
- *allotment (fruit and vegetable garden)*

1, 2, 16, 17, 29 Zwergobstbäume *m* (Spalierobstbäume, Formobstbäume)
- *dwarf fruit trees (espaliers, espalier fruit trees)*

1 die Verrierpalmette, ein Wand-spalierbaum *m*
- *quadruple cordon, a wall espalier*

2 der senkrechte Schnurbaum (Kordon)
- *vertical cordon*

3 der Geräteschuppen
- *tool shed (garden shed)*

4 die Regentonne
- *water butt (water barrel)*

5 die Schlingpflanze
- *climbing plant (climber, creeper, rambler)*

6 der Komposthaufen
- *compost heap*

7 die Sonnenblume
- *sunflower*

8 die Gartenleiter
- *garden ladder (ladder)*

9 die Staude (Blumenstaude)
- *perennial (flowering perennial)*

10 der Gartenzaun (Lattenzaun, das Staket)
- *garden fence (paling fence, paling)*

11 der Beerenhochstamm
- *standard berry tree*

12 die Kletterrose, am Spalierbogen *m*
- *climbing rose (rambling rose) on the trellis arch*

13 die Buschrose (der Rosenstock)
- *bush rose (standard rose tree)*

14 die Sommerlaube (Gartenlaube)
- *summerhouse (garden house)*

15 der Lampion (die Papierlaterne)
- *Chinese lantern (paper lantern)*

16 der Pyramidenbaum, die Pyramide, ein freistehender Spalierbaum *m*
- *pyramid tree (pyramidal tree, pyramid), a free-standing espalier*

17 der zweiarmige, waagerechte Schnurbaum (Kordon)
- *double horizontal cordon*

18 die Blumenrabatte, ein Randbeet *n*
- *flower bed, a border*

19 der Beerenstrauch (Stachelbeer-strauch, Johannisbeerstrauch)
- *berry bush (gooseberry bush, currant bush)*

20 die Zementleisteneinfassung
- *concrete edging*

21 der Rosenhochstamm (Rosenstock, die Hochstammrose)
- *standard rose (standard rose tree)*

22 das Staudenbeet
- *border with perennials*

23 der Gartenweg
- *garden path*

24 der Kleingärtner (Schrebergärtner)
- *allotment holder*

25 das Spargelbeet
- *asparagus patch (asparagus bed)*

26 das Gemüsebeet
- *vegetable patch (vegetable plot)*

27 die Vogelscheuche
- *scarecrow*

28 die Stangenbohne, eine Bohnen-pflanze an Stangen *f* (Bohnen-stangen)
- *runner bean (Am. scarlet runner), a bean plant on poles (bean poles)*

29 der einarmige, waagerechte Schnurbaum (Kordon)
- *horizontal cordon*

30 der Obsthochstamm (hochstämmige Obstbaum)
- *standard fruit tree*

31 der Baumpfahl
- *tree stake*

32 die Hecke
- *hedge*

1 die Pelargonie (der Storchschnabel),
   ein Geraniengewächs *n*
 – *pelargonium (crane's bill), a geranium*
2 die Passionsblume (Passiflora), eine
   Kletterpflanze *f*
 – *passion flower (Passiflora), a climbing
   plant (climber, creeper)*
3 die Fuchsie (Fuchsia), ein Nacht-
   kerzengewächs *n*
 – *fuchsia, an anagraceous plant*
4 die Kapuzinerkresse (Blumenkresse,
   das Tropaeolum)
 – *nasturtium (Indian cress, tropaeolum)*
5 das Alpenveilchen (Cyclamen), ein
   Primelgewächs *n*
 – *cyclamen, a primulaceous herb*
6 die Petunie, ein Nachtschattengewächs *n*
 – *petunia, a solanaceous herb*
7 die Gloxinie (Sinningia), ein
   Gesneriengewächs *n*
 – *gloxinia (Sinningia), a gesneriaceous
   plant*
8 die Klivie (Clivia), ein Amaryllis-
   gewächs *n* (Narzissengewächs)
 – *Clivia minata, an amaryllis
   (narcissus)*
9 die Zimmerlinde (Sparmannia), ein
   Lindengewächs *n*
 – *African hemp (Sparmannia), a
   tiliaceous plant, a linden plant*

10 die Begonie (Begonia, das
   Schiefblatt)
 – *begonia*
11 die Myrte (Brautmyrte, Myrtus)
 – *myrtle (common myrtle, Myrtus)*
12 die Azalee (Azalea), ein Heidekraut-
   gewächs *n*
 – *azalea, an ericaceous plant*
13 die Aloe, ein Liliengewächs *n*
 – *aloe, a liliaceous plant*
14 der Igelkaktus (Kugelkaktus,
   Echinopsis, Epsis)
 – *globe thistle (Echinops)*
15 der Ordenskaktus (die Stapelia, eine
   Aasblume, Aasfliegenblume, Ekel-
   blume), ein Seidenpflanzengewächs *n*
 – *stapelia (carrion flower), an
   asclepiadaceous plant*
16 die Zimmertanne (Schmucktanne,
   eine Araukarie)
 – *Norfolk Island Pine (an araucaria
   grown as an ornamental)*
17 das Zypergras (der Cyperus
   alternifolius), ein Ried- oder Sauer-
   gras
 – *galingale, a cyperacious plant of the
   sedge family*

1 die Aussaat
– *seed sowing (sowing)*
2 die Aussaatschale (Saatschale)
– *seed pan*
3 der Samen
– *seed*
4 das Namensschild
– *label*
5 das Verstopfen (Pikieren,
  Verpflanzen, Umpflanzen,
  Versetzen, Umsetzen)
– *pricking out (pricking off,
  transplanting)*
6 der Sämling
– *seedling (seedling plant)*
7 das Pflanzholz
– *dibber (dibble)*
8 der Blumentopf (die Scherbe, *md.*
  der Blumenasch, *obd.* der Blumen-
  scherben), ein Pflanztopf *m*
– *flower pot (pot)*
9 die Glasscheibe
– *sheet of glass*
10 die Vermehrung durch Ableger *m*
– *propagation by layering*
11 der Ableger
– *layer*
12 der bewurzelte Ableger
– *layer with roots*
13 die Astgabel zur Befestigung
– *forked stick used for fastening*
14 die Vermehrung durch Ausläufer *m*
– *propagation by runners*

15 die Mutterpflanze
– *parent (parent plant)*
16 der Ausläufer (Fechser)
– *runner*
17 der bewurzelte Sproß
– *small rooted leaf cluster*
18 das Absenken in Töpfe *m*
– *setting in pots*
19 der Wassersteckling
– *cutting in water*
20 der Steckling
– *cutting (slip, set)*
21 die Wurzel
– *root*
22 der Augensteckling an
  der Weinrebe
– *bud cutting on vine tendril*
23 das Edelauge, eine Knospe
– *scion bud, a bud*
24 der ausgetriebene Steckling
– *sprouting (shooting) cutting*
25 der Holzsteckling
– *stem cutting (hardwood cutting)*
26 die Knospe
– *bud*
27 die Vermehrung durch
  Brutzwiebeln *f*
– *propagation by bulbils (brood bud
  bulblets)*
28 die alte Zwiebel
– *old bulb*
29 die Brutzwiebel
– *bulbil (brood bud bulblet)*

30-39 die Veredlung
– **grafting** *(graftage)*
30 die Okulation (das Okulieren)
– *budding;* here: *shield budding*
31 das Okuliermesser
– *budding knife*
32 der T-Schnitt
– *T-cut*
33 die Unterlage
– *support (stock, rootstock)*
34 das eingesetzte Edelauge
– *inserted scion bud*
35 der Bastverband
– *raffia layer (bast layer)*
36 das Pfropfen (Spaltpfropfen)
– *side grafting*
37 das Edelreis (Pfropfreis)
– *scion (shoot)*
38 der Keilschnitt
– *wedge-shaped notch*
39 die Kopulation (das Kopulieren)
– *splice grafting*

55 Gärtnerei (Gartenbaubetrieb)

31 der Torfmullballen
 - *bale of peat*
32 das Warmhaus
 - *warm house (heated greenhouse)*
33 das Kalthaus
 - *cold house (unheated greenhouse)*
34 der Windmotor
 - *wind generator*
35 das Windrad
 - *wind wheel*
36 die Windfahne
 - *wind vane*
37 das Staudenbeet, ein Blumenbeet *n*
 - *shrub bed, a flower bed*
38 die Ringeinfassung
 - *hoop edging*
39 das Gemüsebeet
 - *vegetable plot*
40 der Folientunnel (das Folien-
   gewächshaus)
 - *plastic tunnel (polythene greenhouse)*
41 die Lüftungsklappe
 - *ventilation flap*
42 der Mittelgang
 - *central path*
43 die Gemüseversandsteige
   (Gemüsesteige)
 - *vegetable crate*
44 die Stocktomate (Tomatenstaude)
 - *tomato plant*
45 der Gartenbaugehilfe
 - *nursery hand*

46 die Gartenbaugehilfin
 - *nursery hand*
47 die Kübelpflanze
 - *tub plant*
48 der Kübel
 - *tub*
49 das Orangenbäumchen
 - *orange tree*
50 der Drahtkorb
 - *wire basket*
51 der Setzkasten
 - *seedling box*

1 das Pflanzholz (Setzholz)
 – *dibber (dibble)*
2 der Spaten
 – *spade*
3 der Gartenbesen
 – *lawn rake (wire-tooth rake)*
4 der Rechen (die Harke)
 – *rake*
5 die Häufelhacke (der Häufler)
 – *ridging hoe*
6 das Erdschäufelchen (die Pflanzkelle)
 – *trowel*
7 die Kombihacke
 – *combined hoe and fork*
8 die Sichel
 – *sickle*
9 das Gartenmesser (die Gartenhippe, Hippe, Asthippe)
 – *gardener's knife (pruning knife, billhook)*
10 das Spargelmesser
 – *asparagus cutter (asparagus knife)*
11 die Baumschere (Astschere, der Astschneider)
 – *tree pruner (long-handled pruner)*
12 der halbautomatische Spaten
 – *semi-automatic spade*
13 der Dreizinkgrubber (die Jätekralle)
 – *three-pronged cultivator*
14 der Baumkratzer (Rindenkratzer)
 – *tree scraper (bark scraper)*
15 der Rasenlüfter
 – *lawn aerator (aerator)*
16 die Baumsäge (Astsäge)
 – *pruning saw (saw for cutting branches)*
17 die batteriebetriebene Heckenschere
 – *battery-operated hedge trimmer*
18 die Motorgartenhacke
 – *motor cultivator*
19 die elektrische Handbohrmaschine
 – *electric drill*
20 das Getriebe
 – *gear*
21 das Anbau-Hackwerkzeug
 – *cultivator attachment*
22 der Obstpflücker
 – *fruit picker*
23 die Baumbürste (Rindenbürste)
 – *tree brush (bark brush)*
24 die Gartenspritze zur Schädlingsbekämpfung
 – *sprayer for pest control*
25 das Sprührohr
 – *lance*
26 der Schlauchwagen
 – *hose reel (reel and carrying cart)*
27 der Gartenschlauch
 – *garden hose*
28 der Motorrasenmäher
 – *motor lawn mower (motor mower)*
29 der Grasfangkorb
 – *grassbox*
30 der Zweitaktmotor
 – *two-stroke motor*
31 der elektrische Rasenmäher
 – *electric lawn mower (electric mower)*

32 das Stromkabel
 – *electric lead (electric cable)*
33 das Messerwerk
 – *cutting unit*
34 der Handrasenmäher
 – *hand mower*
35 die Messerwalze
 – *cutting cylinder*
36 das Messer
 – *blade*
37 der Rasentraktor (Aufsitzmäher)
 – *riding mower*
38 der Bremsarretierhebel
 – *brake lock*
39 der Elektrostarter
 – *electric starter*
40 der Fußbremshebel
 – *brake pedal*
41 das Schneidwerk
 – *cutting unit*
42 der Kippanhänger
 – *tip-up trailer*
43 der Kreisregner, ein Rasensprenger *m*
 – *revolving sprinkler, a lawn sprinkler*
44 die Drehdüse
 – *revolving nozzle*
45 der Schlauchnippel
 – *hose connector*
46 der Viereckregner
 – *oscillating sprinkler*
47 der Gartenschubkarren
 – *wheelbarrow*
48 die Rasenschere
 – *grass shears*
49 die Heckenschere
 – *hedge shears*
50 die Rosenschere
 – *secateurs (pruning shears)*

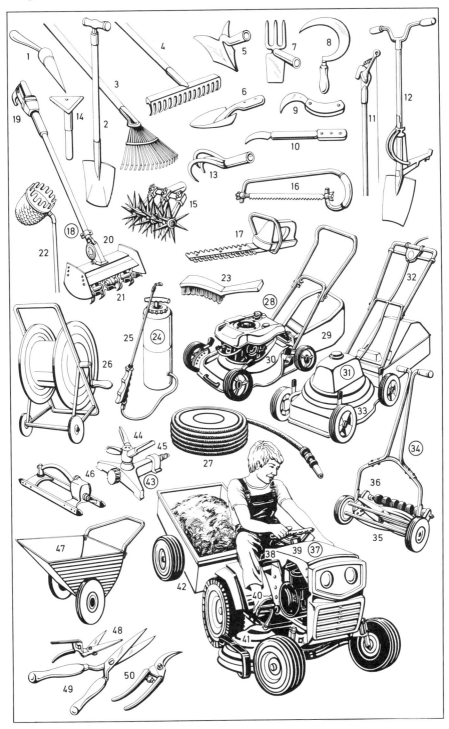

57 Gemüsepflanzen

Vegetables (Vegetable Plants)

1-11 **Hülsenfrüchte** *f* (Leguminosen)
– **leguminous plants** *(Leguminosae)*
1 die Erbsenpflanze, ein
Schmetterlingsblütler *m*
– *pea, a plant with a papilionaceous
corola*
2 die Erbsenblüte
– *pea flower*
3 das gefiederte Blatt
– *pinnate leaf*
4 die Erbsenranke, eine
Blattranke
– *pea tendril, a leaf tendril*
5 das Nebenblatt
– *stipule*
6 die Hülse, eine Fruchthülle
– *legume (pod), a seed vessel (pericarp,
legume)*
7 die Erbse [der Samen (Same)]
– *pea [seed]*
8 die Bohnenpflanze, eine Kletterpflanze; *Sorten:* Gemüsebohne,
Kletter- oder Stangenbohne, Feuer-
bohne; *kleiner:* Zwerg- oder Busch-
bohne
– *bean plant (bean), a climbing
plant (climber, creeper);* varieties:
broad bean (runner bean, Am. *scarlet
runner), climbing bean (climber,
pole bean), scarlet runner bean;*
smaller: *dwarf French bean (bush
bean)*
9 die Bohnenblüte
– *bean flower*
10 der rankende Bohnenstengel
– *twining beanstalk*
11 die Bohne [die Hülse mit den
Samen *m*]
– *bean [pod with seeds]*
12 die Tomate (der Liebesapfel,
Paradiesapfel, *österr.* Paradeis,
Paradeiser)
– *tomato*
13 die Gurke (*schwäb.* Guckummer,
österr. der Kümmerling)
– *cucumber*
14 der Spargel
– *asparagus*
15 das Radieschen
– *radish*
16 der Rettich (*bayr.-österr.* Radi)
– *white radish*
17 die Mohrrübe (*obd.* gelbe Rübe, *md.*
obd. Möhre, *nd.* Wurzel)
– *carrot*
18 die Karotte
– *stump-rooted carrot*
19 die Petersilie (Federselli,
das Peterlein)
– *parsley*
20 der Meerrettich (*österr.* Kren)
– *horse-radish*
21 der Porree (Lauch, Breitlauch)
– *leeks*
22 der Schnittlauch
– *chives*

23 der Kürbis; *ähnl.:* die Melone
– *pumpkin (*Am. *squash);* sim.: *melon*
24 die Zwiebel (Küchenzwiebel,
Gartenzwiebel)
– *onion*
25 die Zwiebelschale
– *onion skin*
26 der Kohlrabi (Oberkohlrabi)
– *kohlrabi*
27 der (die) Sellerie (Eppich, *österr.*
Zeller)
– *celeriac*
28-34 **Krautpflanzen** *f*
– **brassicas** *(leaf vegetables)*
28 der Mangold
– *chard (Swiss chard, seakale beet)*
29 der Spinat
– *spinach*
30 der Rosenkohl (Brüsseler Kohl)
– *Brussels sprouts (sprouts)*
31 der Blumenkohl (*österr.* Karfiol)
– *cauliflower*
32 der Kohl (Kopfkohl, Kohlkopf), ein
Kraut *n; Zuchtformen:* Weißkohl
(Weißkraut, *ugs.* Kappes), Rotkohl
(Rotkraut, Blaukraut)
– *cabbage (round cabbage, head of
cabbage), a brassica;* cultivated races
(cultivars): *green cabbage, red
cabbage*
33 der Wirsing (Wirsingkohl,
Wirsching, das Welschkraut)
– *savoy (savoy cabbage)*
34 der Blätterkohl (Grünkohl, Krauskohl, Braunkohl, Winterkohl)
– *kale (curly kale, kail), a winter green*
35 die Schwarzwurzel
– *scorzonera (black salsify)*
36-40 **Salatpflanzen** *f*
– **salad plants**
36 der Kopfsalat (Salat, grüner Salat,
die Salatstaude)
– *lettuce (cabbage lettuce, head of
lettuce)*
37 das Salatblatt
– *lettuce leaf*
38 der Feldsalat (Ackersalat, die
Rapunze, Rapunzel, das Rapunzlein,
Rapünzchen)
– *corn salad (lamb's lettuce)*
39 die Endivie (der Endiviensalat)
– *endive (endive leaves)*
40 die Chicorée (die Zichorie,
Salatzichorie)
– *chicory (succory, salad chicory)*
41 die Artischocke
– *globe artichoke*
42 der Paprika (spanische Pfeffer)
– *sweet pepper (Spanish paprika)*

112

58 Beeren- und Kernobst

1-30 **Beerenobst** *n* (Beerensträucher *m*)
– *soft fruit (berry bushes)*
1-15 **Steinbrechgewächse** *n*
– *Ribes*
1 der Stachelbeerstrauch
– *gooseberry bush*
2 der blühende Stachelbeerzweig
– *flowering gooseberry cane*
3 das Blatt
– *leaf*
4 die Blüte
– *flower*
5 die Stachelbeerspannerraupe
– *magpie moth larva*
6 die Stachelbeerblüte
– *gooseberry flower*
7 der unterständige Fruchtknoten
– *epigynous ovary*
8 der Kelch (die Kelchblätter *n*)
– *calyx (sepals)*
9 die Stachelbeere, eine Beere
– *gooseberry, a berry*
10 der Johannisbeerstrauch
– *currant bush*
11 die Fruchttraube
– *cluster of berries*
12 die Johannisbeere (*österr.* Ribisel, *schweiz.* Trübli *n*)
– *currant*
13 der Fruchtstiel (Traubenstiel)
– *stalk*
14 der blühende Johannisbeerzweig
– *flowering cane of the currant*
15 die Blütentraube
– *raceme*
16 die Erdbeerpflanze; *Arten:* die Walderdbeere, Gartenerdbeere od. Ananaserdbeere, Monatserdbeere
– *strawberry plant;* varieties: *wild strawberry (woodland strawberry), garden strawberry, alpine strawberry*
17 die blühende und fruchttragende Pflanze
– *flowering and fruit-bearing plant*
18 der Wurzelstock
– *rhizome*
19 das dreiteilige Blatt
– *ternate leaf (trifoliate leaf)*
20 der Ausläufer (Seitensproß, Fechser)
– *runner (prostrate stem)*
21 die Erdbeere, eine Scheinfrucht
– *strawberry, a pseudocarp*
22 der Außenkelch
– *epicalyx*
23 der Samenkern (Samen, Kern)
– *achene (seed)*
24 das Fruchtfleisch
– *flesh (pulp)*
25 der Himbeerstrauch
– *raspberry bush*
26 die Himbeerblüte
– *raspberry flower*
27 die Blütenknospe (Knospe)
– *flower bud (bud)*

28 die Frucht (Himbeere), eine Sammelfrucht
– *fruit (raspberry), an aggregate fruit (compound fruit)*
29 die Brombeere
– *blackberry*
30 die Dornenranke
– *thorny tendril*
31-61 **Kernobstgewächse** *n*
– *pomiferous plants*
31 der Birnbaum; *wild:* der Holzbirnbaum
– *pear tree;* wild: *wild pear tree*
32 der blühende Birnbaumzweig
– *flowering branch of the pear tree*
33 die Birne [Längsschnitt]
– *pear [longitudinal section]*
34 der Birnenstiel (Stiel)
– *pear stalk (stalk)*
35 das Fruchtfleisch
– *flesh (pulp)*
36 das Kerngehäuse (Kernhaus)
– *core (carpels)*
37 der Birnenkern (Samen), ein Obstkern
– *pear pip (seed), a fruit pip*
38 die Birnenblüte
– *pear blossom*
39 die Samenanlage
– *ovules*
40 der Fruchtknoten
– *ovary*
41 die Narbe
– *stigma*
42 der Griffel
– *style*
43 das Blütenblatt (Blumenblatt)
– *petal*
44 das Kelchblatt
– *sepal*
45 das Staubblatt (der Staubbeutel, das Staubgefäß)
– *stamen*
46 der Quittenbaum
– *quince tree*
47 das Quittenblatt
– *quince leaf*
48 das Nebenblatt
– *stipule*
49 die Apfelquitte (Quitte) [Längsschnitt]
– *apple-shaped quince [longitudinal section]*
50 die Birnquitte (Quitte) [Längsschnitt]
– *pear-shaped quince [longitudinal section]*
51 der Apfelbaum; *wild:* der Holzapfelbaum
– *apple tree;* wild: *crab apple tree*
52 der blühende Apfelzweig
– *flowering branch of the apple tree*
53 das Blatt
– *leaf*
54 die Apfelblüte
– *apple blossom*
55 die welke Blüte
– *withered flower*

56 der Apfel [Längsschnitt]
– *apple [longitudinal section]*
57 die Apfelschale
– *apple skin*
58 das Fruchtfleisch
– *flesh (pulp)*
59 das Kerngehäuse (das Kernhaus, *obd.* der Apfelbutzen, Butzen, *md.* Griebs)
– *core (apple core, carpels)*
60 der Apfelkern, ein Obstkern *m*
– *apple pip, a fruit pip*
61 der Apfelstiel (Stiel)
– *apple stalk (stalk)*
62 der Apfelwickler, ein Kleinschmetterling *m*
– *codling moth (codlin moth), a small moth*
63 der Fraßgang
– *burrow (tunnel)*
64 die Larve (Raupe, *ugs.* der Wurm, die Obstmade) eines Kleinschmetterlings *m*
– *larva (grub, caterpillar) of a small moth*
65 das Wurmloch (Bohrloch)
– *wormhole*

1-36 Steinobstgewächse *n*
- *drupes (drupaceous plants)*

1-18 der Kirschbaum
- *cherry tree*

1 der blühende Kirschzweig
- *flowering branch of the cherry tree (branch of the cherry tree in blossom)*

2 das Kirschbaumblatt
- *cherry leaf*

3 die Kirschblüte
- *cherry flower (cherry blossom)*

4 der Blütenstengel
- *peduncle (pedicel, flower stalk)*

5 die Kirsche; *Arten:* Süß- oder Herzkirsche, Wild- oder Vogelkirsche, Sauer- oder Weichselkirsche, Schattenmorelle
- *cherry;* varieties: *sweet cherry (heart cherry), wild cherry (bird cherry), sour cherry, morello cherry (morello)*

6-8 die Kirsche (Kirschfrucht) [Querschnitt]
- *cherry (cherry fruit) [cross section]*

6 das Fruchtfleisch
- *flesh (pulp)*

7 der Kirschkern
- *cherry stone*

8 der Samen
- *seed*

9 die Blüte [Querschnitt]
- *flower (blossom) [cross section]*

10 das Staubblatt (der Staubbeutel)
- *stamen*

11 das Kronblatt (das Blütenblatt)
- *petal*

12 das Kelchblatt
- *sepal*

13 das Fruchtblatt (der Stempel)
- *pistil*

14 die Samenanlage im mittelständigen Fruchtknoten *m*
- *ovule enclosed in perigynous ovary*

15 der Griffel
- *style*

16 die Narbe
- *stigma*

17 das Blatt
- *leaf*

18 das Blattnektarium (Nektarium, die Honiggrube)
- *nectary (honey gland)*

19-23 der Zwetschgenbaum
- *plum tree*

19 der fruchttragende Zweig
- *fruit-bearing branch*

20 die Zwetschge (Zwetsche), eine Pflaume
- *oval, black-skinned plum*

21 das Pflaumenbaumblatt
- *plum leaf*

22 die Knospe
- *bud*

23 der Pflaumenkern (Zwetschgenkern)
- *plum stone*

24 die Reneklode (Reineclaude, Rundpflaume, Ringlotte)
- *greengage*

25 die Mirabelle (Wachspflaume), eine Pflaume
- *mirabelle (transparent gage), a plum*

26-32 der Pfirsichbaum
- *peach tree*

26 der Blütenzweig
- *flowering branch (branch in blossom)*

27 die Pfirsichblüte
- *peach flower (peach blossom)*

28 der Blütenansatz
- *flower shoot*

29 das austreibende Blatt
- *young leaf (sprouting leaf)*

30 der Fruchtzweig
- *fruiting branch*

31 der Pfirsich
- *peach*

32 das Pfirsichbaumblatt
- *peach leaf*

33-36 der Aprikosenbaum (österr. Marillenbaum)
- *apricot tree*

33 der blühende Aprikosenzweig
- *flowering apricot branch (apricot branch in blossom)*

34 die Aprikosenblüte
- *apricot flower (apricot blossom)*

35 die Aprikose (österr. Marille)
- *apricot*

36 das Aprikosenbaumblatt
- *apricot leaf*

37-51 Nüsse *f*
- *nuts*

37-43 der Walnußbaum (Nußbaum)
- *walnut tree*

37 der blühende Nußbaumzweig
- *flowering branch of the walnut tree*

38 die Fruchtblüte (weibliche Blüte)
- *female flower*

39 der Staubblütenstand (die männlichen Blüten *f*, das Kätzchen mit den Staubblüten *f*)
- *male inflorescence (male flowers, catkins with stamens)*

40 das unpaarig gefiederte Blatt
- *alternate pinnate leaf*

41 die Walnuß, eine Steinfrucht
- *walnut, a drupe (stone fruit)*

42 die Fruchthülle (Fruchtwand, weiche Außenschale)
- *soft shell (cupule)*

43 die Walnuß (welsche Nuß), eine Steinfrucht
- *walnut, a drupe (stone fruit)*

44-51 der Haselnußstrauch (Haselstrauch), ein Windblütler *m*
- *hazel tree (hazel bush), an anemophilous shrub (a wind-pollinating shrub)*

44 der blühende Haselzweig
- *flowering hazel branch*

45 das Staubblütenkätzchen (Kätzchen)
- *male catkin*

46 der Fruchtblütenstand
- *female inflorescence*

47 die Blattknospe
- *leaf bud*

48 der fruchttragende Zweig
- *fruit-bearing branch*

49 die Haselnuß, eine Steinfrucht
- *hazelnut (hazel, cobnut, cob), a drupe (stone fruit)*

50 die Fruchthülle
- *involucre (husk)*

51 das Haselstrauchblatt
- *hazel leaf*

1 das Schneeglöckchen
 (Märzglöckchen, Märzblümchen,
 die Märzblume)
 - *snowdrop (spring snowflake)*
2 das Gartenstiefmütterchen
 (Pensee, Gedenkemein), ein
 Stiefmütterchen *n*
 - *garden pansy (heartsease pansy), a
 pansy*
3 die Trompetennarzisse, eine Narzisse
 - *trumpet narcissus (trumpet daffodil,
 Lent lily), a narcissus*
4 die Weiße Narzisse (Dichternarzisse,
 Sternblume, Studentenblume); ähnl.:
 die Tazette
 - *poet's narcissus (pheasant's eye, poet's
 daffodil); sim.: polyanthus narcissus*
5 das Tränende Herz (Flammende
 Herz, Hängende Herz, Frauenherz,
 Jungfernherz, die Herzblume), ein
 Erdrauchgewächs *n*
 - *bleeding heart (lyre flower), a
 fumariaceous flower*
6 die Bartnelke (Büschelnelke, Fleisch-
 nelke, Studentennelke), eine Nelke
 (Näglein *n, österr.* Nagerl)
 - *sweet william (bunch pink), a
 carnation*
7 die Gartennelke
 - *gillyflower (gilliflower, clove pink,
 clove carnation)*
8 die Wasserschwertlilie (Gelbe
 Schwertlilie, Wasserlilie, Schilflilie,
 Drachenwurz, Tropfwurz, Schwert-
 blume, der Wasserschwertel), eine
 Schwertlilie (Iris)
 - *yellow flag (yellow water flag, yellow
 iris), an iris*
9 die Tuberose (Nachthyazinthe)
 - *tuberose*
10 die Gemeine Akelei (Aglei, Glockenblume, Goldwurz, der Elfenschuh)
 - *columbine (aquilegia)*
11 die Gladiole (Siegwurz, der
 Schwertel, *österr.* das Schwertel)
 - *gladiolus (sword lily)*
12 die Weiße Lilie, eine Lilie (*obd.*
 Gilge, Ilge)
 - *Madonna lily (Annunciation lily, Lent
 lily), a lily*
13 der Gartenrittersporn, ein
 Hahnenfußgewächs *n*
 - *larkspur (delphinium), a
 ranunculaceous plant*
14 der Staudenphlox, ein Phlox *m*
 - *moss pink (moss phlox), a phlox*
15 die Edelrose (Chinesische Rose)
 - *garden rose (China rose)*
16 die Rosenknospe, eine Knospe
 - *rosebud, a bud*
17 die gefüllte Rose
 - *double rose*
18 der Rosendorn, ein Stachel *m*
 - *rose thorn, a thorn*
19 die Gaillardie (Kokardenblume)
 - *gaillardia*

20 die Tagetes (Samtblume, Studentenblume, Totenblume, Tuneserblume,
 Afrikane)
 - *African marigold (tagetes)*
21 der Gartenfuchsschwanz (Katzen-
 schwanz, das Tausendschön), ein
 Amarant *m* (Fuchsschwanz)
 - *love-lies-bleeding, an amaranthine
 flower*
22 die Zinnie
 - *zinnia*
23 die Pompondahlie, eine Dahlie
 (Georgine)
 - *pompon dahlia, a dahlia*

61 Unkräuter

1 die Kornblume (Zyane, Kreuzblume, Hungerblume, Tremse), eine Flockenblume
 - *corn flower (bluebottle), a centaury*
2 der Klatschmohn (Klappermohn, *österr.* Feldmohn, die Feuerblume, *schweiz.* Kornrose), ein Mohn *m*
 - *corn poppy (field poppy), a poppy*
3 die Knospe
 - *bud*
4 die Mohnblüte
 - *poppy flower*
5 die Samenkapsel (Mohnkapsel) mit den Mohnsamen *m*
 - *seed capsule containing poppy seeds*
6 die Gemeine Kornrade (Kornnelke, Roggenrose)
 - *corn cockle (corn campion, crown-of-the-field)*
7 die Saatwucherblume (Wucherblume, Goldblume), ein Chrysanthemum *n*
 - *corn marigold (field marigold), a chrysanthemum*
8 die Ackerkamille (Feldkamille, Wilde [Taube] Kamille, Hundskamille)
 - *corn camomile (field camomile, camomile, chamomile)*
9 das Gemeine Hirtentäschel (Täschelkraut, das Hirtentäschelkraut, die Gänsekresse)
 - *shepherd's purse*
10 die Blüte
 - *flower*
11 die Frucht (das Schötchen), in Täschchenform *f*
 - *fruit (pouch-shaped pod)*
12 das Gemeine Kreuzkraut (Greiskraut, der Beinbrech)
 - *common groundsel*
13 der Löwenzahn (die Kuhblume, Kettenblume, Sonnenblume, „Pusteblume", Augenwurz, das Milchkraut, der Kuhlattich, Hundslattich)
 - *dandelion*
14 das Blütenköpfchen
 - *flower head (capitulum)*
15 der Fruchtstand
 - *infructescence*
16 die Wegrauke, eine Rauke (Ruke, Runke)
 - *hedge mustard, a mustard*
17 das Steinkraut (die Steinkresse)
 - *stonecrop*
18 der Ackersenf (Wilde Senf, Falsche Hederich)
 - *wild mustard (charlock, runch)*
19 die Blüte
 - *flower*
20 die Frucht, eine Schote
 - *fruit, a siliqua (pod)*
21 der Hederich (Echte Hederich, Ackerrettich)
 - *wild radish (jointed charlock)*
22 die Blüte
 - *flower*

23 die Frucht (Schote)
 - *fruit (siliqua, pod)*
24 die Gemeine Melde
 - *common orache (common orach)*
25 der Gänsefuß
 - *goosefoot*
26 die Ackerwinde (Drehwurz), eine Winde
 - *field bindweed (wild morning glory), a bindweed*
27 der (das) Ackergauchheil (Rote Gauchheil, Augentrost, die Rote Hühnermyrte, Rote Miere)
 - *scarlet pimpernel (shepherd's weatherglass, poor man's weatherglass, eye-bright)*
28 die Mäusegerste (Taubgerste, Mauergerste)
 - *wild barley (wall barley)*
29 der Flughafer (Windhafer, Wildhafer)
 - *wild oat*
30 die Gemeine Quecke (Zwecke, das Zweckgras, Spitzgras, der Dort, das Pädergras); *ähnl.:* die Hundsquecke, die Binsenquecke (der Strandweizen)
 - *common couch grass (couch, quack grass, quick grass, quitch grass, scutch grass, twitch grass, witchgrass); sim.: bearded couch grass, sea couch grass*
31 das Kleinblütige Knopfkraut (Franzosenkraut, Hexenkraut, Goldknöpfchen, die Wucherblume)
 - *gallant soldier*
32 die Ackerdistel (Ackerkratzdistel, Felddistel, Haferdistel, Brachdistel), eine Distel
 - *field eryngo (Watling Street thistle), a thistle*
33 die Große Brennessel, eine Nessel
 - *stinging nettle, a nettle*

1 das Wohnhaus
– house
2 der Reittierstall
– stable
3 die Hauskatze
– house cat (cat)
4 die Bäuerin
– farmer's wife
5 der Besen
– broom
6 der Bauer
– farmer
7 der Rindviehstall
– cowshed
8 der Schweinestall
– pigsty (sty, Am. pigpen, hogpen)
9 der Offenfreßstand
– outdoor trough
10 das Schwein
– pig
11 der (das) Hochsilo (Futtersilo)
– above-ground silo (fodder silo)
12 das Silobeschickungsrohr
– silo pipe (standpipe for filling the silo)
13 der (das) Güllesilo
– liquid manure silo
14 das Nebengebäude
– outhouse
15 der Maschinenschuppen
– machinery shed
16 das Schiebetor
– sliding door

17 der Zugang zur Werkstatt
– door to the workshop
18 der Dreiseitenkipper, ein Transport-
fahrzeug n
– three-way tip-cart, a transport vehicle
19 der Kippzylinder
– tipping cylinder
20 die Deichsel
– shafts
21 der Stallmiststreuer (Dungstreuer)
– manure spreader (fertilizer spreader,
manure distributor)
22 das Streuaggregat
– spreader unit (distributor unit)
23 die Streuwalze
– spreader cylinder (distributor cylinder)
24 der bewegliche Kratzboden
– movable scraper floor
25 die Bordwand
– side planking (side board)
26 die Gitterwand
– wire mesh front
27 das Beregnungsfahrzeug
– sprinkler cart
28 das Regnerstativ
– sprinkler stand
29 der Regner (Schwachregner), ein
Drehstrahlregner
– sprinkler, a revolving sprinkler
30 die Regnerschläuche m (die
Schlauchleitung)
– sprinkler hoses

Bauernhof

31 der Hofraum
– *farmyard*
32 der Hofhund
– *watchdog*
33 das Kalb
– *calf*
34 die Milchkuh
– *dairy cow (milch-cow, milker)*
35 die Hofhecke
– *farmyard hedge*
36 das Huhn (die Henne)
– *chicken*
37 der Hahn
– *cock (Am. rooster)*
38 der Traktor (Schlepper)
– *tractor*
39 der Schlepperfahrer
– *tractor driver*

40 der Universalladewagen
– *all-purpose trailer*
41 die [hochgeklappe]
Pick-up-Vorrichtung
– *[folded] pick-up attachment*
42 die Entladevorrichtung
– *unloading unit*
43 der (das) Folienschlauchsilo, ein
Futtersilo *m od. n*
– *polythene silo, a fodder silo*
44 die Viehweide
– *meadow*
45 das Weidevieh
– *grazing cattle*
46 der Elektrozaun (elektrische
Weidezaun)
– *electrified fence*

1-41 Feldarbeiten *f*
- *work in the fields*
1 der Brachacker
- *fallow (fallow field, fallow ground)*
2 der Grenzstein
- *boundary stone*
3 der Grenzrain, ein Feldrain *m*
(Rain, Ort)
- *boundary ridge, a balk (baulk)*
4 der Acker (das Feld)
- *field*
5 das Ortscheit
- *swingletree (Am. whiffletree,
whippletree)*
6 der Pflug
- *plough (Am. plow)*
7 die Scholle
- *clod*
8 die Ackerfurche (Pflugfurche)
- *furrow*
9 der Lesestein (Feldstein)
- *stone*
10-12 die Aussaat (Bodenbestellung,
Bestellung, Feldbestellung, das Säen)
- *sowing*
10 der Sämann
- *sower*
11 das Sätuch
- *seedlip*
12 das Saatkorn (Saatgut)
- *seed corn (seed)*
13 der Flurwächter (Flurhüter,
Feldwächter, Feldhüter)
- *field guard*
14 der Kunstdünger (Handelsdünger);
Arten: Kalidünger, Phosphorsäuredünger, Kalkdünger,
Stickstoffdünger
- *chemical fertilizer (artificial fertilizer);*
kinds: *potash fertilizer, phosphoric
acid fertilizer, lime fertilizer, nitrogen
fertilizer*
15 die Fuhre Mist *m* (der Stalldünger,
Dung)
- *cartload of manure (farmyard
manure, dung)*
16 das Ochsengespann
- *oxteam (team of oxen, Am. span of
oxen)*
17 die Flur
- *fields (farmland)*
18 der Feldweg
- *farm track (farm road)*
19-30 die Heuernte
- *hay harvest (haymaking)*
19 der Kreiselmäher mit Schwad-
ablage *f* (der Schwadmäher)
- *rotary mower with swather (swath
reaper)*
20 der Verbindungsbalken
- *connecting shaft (connecting rod)*
21 die Zapfwelle
- *power take-off (power take-off shaft)*
22 die Wiese
- *meadow*
23 der Schwad (Schwaden)
- *swath (swathe)*

24 der Kreiselheuer (Kreiselzetter)
- *tedder (rotary tedder)*
25 das gebreitete (gezettete) Heu
- *tedded hay*
26 der Kreiselschwader
- *rotary swather*
27 der Ladewagen mit
Pick-up-Vorrichtung
- *trailer with pick-up attachment*
28 der Schwedenreuter, ein Heureuter
- *fence rack (rickstand), a drying rack
for hay*
29 die Heinze, ein Heureuter
- *rickstand, a drying rack for hay*
30 der Dreibockreuter
- *hay tripod*
**31-41 die Getreideernte und
Saatbettbereitung** *f*
- *grain harvest and seedbed preparation*
31 der Mähdrescher
- *combine harvester*
32 das Getreidefeld
- *cornfield*
33 das Stoppelfeld (der Stoppelacker)
- *stubble field*
34 der Strohballen (Strohpreßballen)
- *bale of straw*
35 die Strohballenpresse, eine Hoch-
druckpresse
- *straw baler (straw press), a
high-pressure baler*
36 der Strohschwad
- *swath (swathe) of straw (windrow
of straw)*
37 der hydraulische Ballenlader
- *hydraulic bale loader*
38 der Ladewagen
- *trailer*
39 der Stallmiststreuer
- *manure spreader*
40 der Vierscharbeetpflug
- *four-furrow plough (Am. plow)*
41 die Saatbettkombination
- *combination seed-harrow*

1-33 der Mähdrescher (die Kombine)
- *combine harvester (combine)*
1 der Halmteiler
- *divider*
2 die Ährenheber m
- *grain lifter*
3 der Messerbalken
- *cutter bar*
4 die Pick-up-Haspel, eine Federzinkenhaspel
- *pick-up reel, a spring-tine reel*
5 der Haspelregeltrieb
- *reel gearing*
6 die Einzugswalze
- *auger*
7 der Kettenschrägförderer
- *chain and slat elevator*
8 der Hydraulikzylinder für die Schneidwerkverstellung
- *hydraulic cylinder for adjusting the cutting unit*
9 die Steinfangmulde
- *stone catcher (stone trap)*
10 die Entgrannungseinrichtung
- *awner*
11 der Dreschkorb
- *concave*
12 die Dreschtrommel
- *threshing drum (drum)*
13 die Wendetrommel, zur Strohzuführung
- *revolving beater [for freeing straw from the drum and preparing it for the shakers]*
14 der Hordenschüttler
- *straw shaker (strawwalker)*
15 das Gebläse für die Druckwindreinigung
- *fan for compressed-air winnowing*
16 der Vorbereitungsboden
- *preparation level*
17 das Lamellensieb
- *louvred-type sieve*
18 die Siebverlängerung
- *sieve extension*
19 das Wechselsieb
- *shoe sieve (reciprocating sieve)*
20 die Kornschnecke
- *grain auger*
21 die Überkehrschnecke
- *tailings auger*
22 der Überkehrauslauf
- *tailings outlet*
23 der Korntank
- *grain tank*
24 die Korntankfüllschnecke
- *grain tank auger*
25 die Zubringerschnecken f zum Korntankauslauf m
- *augers feeding to the grain tank unloader*
26 das Korntankauslaufrohr
- *grain unloader spout*
27 die Fenster n zur Beobachtung der Tankfüllung
- *observation ports for checking tank contents*
28 der Sechszylinder-Dieselmotor
- *six-cylinder diesel engine*
29 die Hydraulikpumpe mit Ölbehälter m
- *hydraulic pump with oil reservoir*
30 das Triebachsvorgelege
- *driving axle gearing*
31 die Triebradbereifung
- *driving wheel tyre (Am. tire)*
32 die Lenkachsbereifung
- *rubber-tyred (Am. rubber-tired) wheel on the steering axle*
33 der Fahrerstand
- *driver's position*

34-39 der selbstfahrende Feldhäcksler
- *self-propelled forage harvester (self-propelled field chopper)*
34 die Schneidtrommel (Häckseltrommel)
- *cutting drum (chopper drum)*
35 das Maisgebiß
- *corn head*
36 die Fahrerkabine
- *cab (driver's cab)*
37 der schwenkbare Auswurfturm (Überladeturm)
- *swivel-mounted spout (discharge pipe)*
38 der Auspuff
- *exhaust*
39 die Hinterradlenkung
- *rear-wheel steering system*
40-45 der Wirbelschwader
- *rotary swather*
40 die Gelenkwelle
- *cardan shaft*
41 das Laufrad
- *running wheel*
42 der Doppelfederzinken
- *double spring tine*
43 die Handkurbel
- *crank*
44 der Schwadrechen
- *swath rake*
45 der Dreipunktanbaubock
- *three-point linkage*
46-58 der Wirbelwender
- *rotary tedder*
46 der Ackerschlepper
- *tractor*
47 die Anhängedeichsel
- *draw bar*
48 die Gelenkwelle
- *cardan shaft*
49 die Zapfwelle
- *power take-off (power take-off shaft)*
50 das Getriebe
- *gearing (gears)*
51 das Tragrohr
- *frame bar*
52 der Kreisel
- *rotating head*
53 das Zinkentragrohr
- *tine bar*
54 der Doppelfederzinken
- *double spring tine*
55 der Schutzbügel
- *guard rail*
56 das Laufrad
- *running wheel*
57 die Handkurbel für die Höhenverstellung
- *height adjustment crank*
58 die Laufradverstellung
- *wheel adjustment*
59-84 der Kartoffelsammelroder (Kartoffelbunkerroder)
- *potato harvester*
59 die Bedienungsstangen f für die Aufzüge m des Rodeorgans n, des Bunkers m und die Deichselverstellung
- *control levers for the lifters of the digger and the hopper and for adjusting the shaft*
60 die höhenverstellbare Zugöse
- *adjustable hitch*
61 die Zugdeichsel
- *drawbar*
62 die Deichselstütze
- *drawbar support*
63 der Gelenkwellenanschluß
- *cardan shaft connection*
64 die Druckwalze
- *press roller*

65 das Getriebe für die Motorhydraulik
- *gearing (gears) for the hydraulic system*
66 das Scheibensech
- *disc (disk) coulter (Am. colter) (rolling coulter)*
67 die Dreiblattschar
- *three-bladed share*
68 der Scheibensechantrieb
- *disc (disk) coulter (Am. colter) drive*
69 das Siebband
- *open-web elevator*
70 die Siebbandklopfeinrichtung
- *agitator*
71 das Mehrstufengetriebe
- *multi-step reduction gearing*
72 die Auflegematte
- *feeder*
73 der Krautabstreifer (die rotierende Flügelwalze)
- *haulm stripper (flail rotor)*
74 das Hubrad
- *rotary elevating drum*
75 die Taumelzellenwalze
- *mechanical tumbling separator*
76 das Krautband mit federnden Abstreifern m
- *haulm conveyor with flexible haulm strippers*
77 die Krautbandklopfeinrichtung
- *haulm conveyor agitator*
78 der Krautbandantrieb mit Keilriemen m
- *haulm conveyor drive with V-belt*
79 das Gumminoppenband zur Feinkraut-, Erdklumpen- und Steinabsonderung
- *studded rubber belt for sorting vines, clods and stones*
80 das Beimengenband
- *trash conveyor*
81 das Verleseband
- *sorting table*
82 die Gummischeibenwalzen f für die Vorsortierung
- *rubber-disc (rubber-disk) rollers for presorting*
83 das Endband
- *discharge conveyor*
84 der Rollbodenbunker
- *endless-floor hopper*
85-96 die Rübenerntemaschine (der Bunkerköpfroder)
- *beet harvester*
85 der Köpfer
- *topper*
86 das Tastrad
- *feeler*
87 das Köpfmesser
- *topping knife*
88 das Tasterstützrad mit Tiefenregulierung f
- *feeler support wheel with depth adjustment*
89 der Rübenputzer
- *beet cleaner*
90 der Blattelevator
- *haulm elevator*
91 die Hydraulikpumpe
- *hydraulic pump*
92 der Druckluftbehälter
- *compressed-air reservoir*
93 der Ölbehälter
- *oil tank (oil reservoir)*
94 die Spannvorrichtung für den Rübenelevator
- *tensioning device for the beet elevator*
95 das Rübenelevatorband
- *beet elevator belt*
96 der Rübenbunker
- *beet hopper*

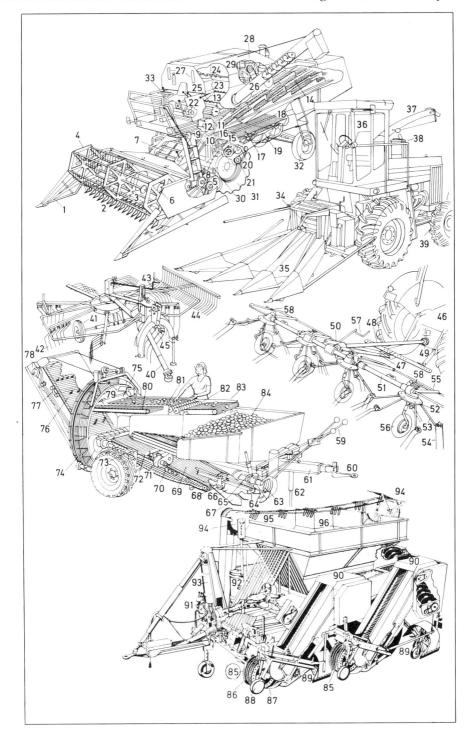

1 **der Karrenpflug,** ein Einscharpflug *m*
[früh.]
– *wheel plough (Am. plow), a
single-bottom plough* [form.]
2 der Handgriff
– *handle*
3 der Pflugsterz (Sterz)
– *plough (Am. plow) stilt (plough handle)*
4-8 **der Pflugkörper**
– ***plough** (Am. **plow) bottom***
4 das Streichblech (Abstreichblech,
Panzerabstreichblech)
– *mouldboard (Am. moldboard)*
5 das Molterbrett
– *landside*
6 die Pflugsohle (Sohle)
– *sole (slade)*
7 die (das) Pflugschar (Schar)
– *ploughshare (share, Am. plowshare)*
8 die Griessäule
– *frog (frame)*
9 der Grindel (Gründel, Grendel, Pflug-
baum)
– *beam (plough beam, Am. plowbeam)*
10 das Messersech (Pflugmesser, der *od.*
das Pflugkolter), ein Sech *n*
– *knife coulter (Am. colter), a coulter*
11 der Vorschäler (Vorschneider)
– *skim coulter (Am. colter)*
12 der Führungssteg (Quersteg, das Quer-
zeug) für die Kettenselbstführung
– *guide-chain crossbar*
13 die Selbsthaltekette (Führungskette)
– *guide chain*
14-19 **der Pflugkarren** (Karren, die Karre)
– ***forecarriage***
14 der Stellbügel (Stellbogen, die Brücke,
das Joch)
– *adjustable yoke*
15 das Landrad
– *land wheel*
16 das Furchenrad
– *furrow wheel*
17 die Zughakenkette (Aufhängekette)
– *hake chain*
18 die Zugstange
– *draught beam (drawbar)*
19 der Zughaken
– *hake*
20 **der Schlepper** (Ackerschlepper,
Traktor, Trecker, die Zugmaschine)
– ***tractor** (general-purpose tractor)*
21 das Fahrerhausgestänge (der Überrollbügel)
– *cab frame (roll bar)*
22 der Sattelsitz
– *seat*
23 die Zapfwellenschaltung
– *power take-off gear-change (gearshift)*
24-29 **die Hubhydraulik** (der Kraftheber)
– ***power lift***
24 der Hydraulikkolben
– *ram piston*
25 die Hubstrebenverstellung
– *lifting rod adjustment*
26 der Anschlußrahmen
– *drawbar frame*
27 der obere Lenker
– *top link*
28 der untere Lenker
– *lower link*
29 die Hubstrebe
– *lifting rod*
30 die Anhängekupplung
– *drawbar coupling*
31 die lastschaltbare Motorzapfwelle
(Zapfwelle)
– *live power take-off (live power take-off
shaft, take-off shaft)*

32 das Ausgleichsgetriebe
– *differential gear (differential)*
33 die Steckachse
– *floating axle*
34 der Wandlerhebel
– *torque converter lever*
35 die Gangschaltung
– *gear-change (gearshift)*
36 das Feinstufengetriebe
– *multi-speed transmission*
37 die hydraulische Kupplung
– *fluid clutch (fluid drive)*
38 das Zapfwellengetriebe
– *power take-off gear*
39 die Fahrkupplung (Kupplung)
– *main clutch*
40 die Zapfwellenschaltung, mit Zapf-
wellenkupplung *f*
– *power take-off gear-change (gearshift)
with power take-off clutch*
41 die hydraulische Lenkung mit dem
Wendegetriebe *n*
– *hydraulic power steering and reversing
gears*
42 der Kraftstoffbehälter
– *fuel tank*
43 der Schwimmerhebel
– *float lever*
44 der Vierzylinder-Dieselmotor
– *four-cylinder diesel engine*
45 die Ölwanne mit Pumpe *f* für die
Druckumlaufschmierung
– *oil sump and pump for the pressure-feed
lubrication system*
46 der Frischölbehälter
– *fresh oil tank*
47 die Spurstange
– *track rod (Am. tie rod)*
48 der Vorderachspendelbolzen
– *front axle pivot pin*
49 die Vorderachsfederung
– *front axle suspension*
50 die vordere Anhängevorrichtung
– *front coupling (front hitch)*
51 der Kühler
– *radiator*
52 der Ventilator
– *fan*
53 die Batterie
– *battery*
54 der (das) Ölbadluftfilter
– *oil bath air cleaner (oil bath air filter)*
55 **der Grubber** (Kultivator)
– ***cultivator** (grubber)*
56 der Profilrahmen
– *sectional frame*
57 die Federzinke
– *spring tine*
58 die (das) Schar, ein[e] Doppelherz-
schar *f u. n* (*ähnl.:* Meißelschar)
– *share, a diamond-shaped share (sim.:
chisel-shaped share)*
59 das Stützrad
– *depth wheel*
60 die Tiefeneinstellung
– *depth adjustment*
61 die Anhängevorrichtung
– *coupling (hitch)*
62 **der Volldrehpflug,** ein Anbaupflug *m*
– ***reversible plough** (Am. **plow), a
mounted plough***
63 das Pflugstützrad
– *depth wheel*
64-67 **der Pflugkörper, ein Universal-
pflugkörper** *m*
– ***plough** (Am. **plow) bottom,** a
general-purpose plough bottom*
64 das Streichblech
– *mouldboard (Am. moldboard)*

65 die (das) Pflugschar (Schar), ein[e]
Spitzschar *f u. n*
– *ploughshare (share, Am. plowshare),
a pointed share*
66 die Pflugsohle
– *sole (slade)*
67 das Molterbrett
– *landside*
68 der Vorschäler
– *skim coulter (Am. colter)*
69 das Scheibensech
– *disc (disk) coulter (Am. colter) (rolling
coulter)*
70 der Pflugrahmen
– *plough (Am. plow) frame*
71 der Grindel
– *beam (plough beam, Am. plowbeam)*
72 die Dreipunktkupplung
– *three-point linkage*
73 die Schwenkvorrichtung (das Stand-
drehwerk)
– *swivel mechanism*
74 **die Drillmaschine**
– ***drill***
75 der Säkasten
– *seed hopper*
76 das Säschar
– *drill coulter (Am. colter)*
77 das Saatleitungsrohr, ein Teleskoprohr
– *delivery tube, a telescopic tube*
78 der Saatauslauf
– *feed mechanism*
79 der Getriebekasten
– *gearbox*
80 das Antriebsrad
– *drive wheel*
81 der Spuranzeiger
– *track indicator*
82 **die Scheibenegge,** ein Aufsattelgerät *n*
– ***disc (disk) harrow,** a semimounted
implement*
83 die x-förmige Scheibenanordnung
– *discs (disks) in X-configuration*
84 die glatte Scheibe
– *plain disc (disk)*
85 die gezackte Scheibe
– *serrated-edge disc (disk)*
86 die Schnellkupplung
– *quick hitch*
87 **die Saatbettkombination**
– ***combination seed-harrow***
88 die dreifeldrige Zinkenegge
– *three-section spike-tooth harrow*
89 der dreifeldrige Zweiwalzenkrümler
– *three-section rotary harrow*
90 der Tragrahmen
– *frame*

1 die Ziehhacke (Bügelhacke)
  – *draw hoe (garden hoe)*
2 der Hackenstiel
  – *hoe handle*
3 die dreizinkige Heugabel (Heuforke,
  Forke)
  – *three-pronged (three-tined) hay fork*
  (fork)
4 der Zinken
  – *prong (tine)*
5 die Kartoffelgabel (Kartoffelforke,
  Rübengabel)
  – *potato fork*
6 die Kartoffelhacke
  – *potato hook*
7 die vierzinkige Mistgabel (Mistforke,
  Forke)
  – *four-pronged (four-tined) manure fork*
  (fork)
8 die Misthacke
  – *manure hoe*
9 der Dengelhammer
  – *whetting hammer [for scythes]*
10 die Finne
  – *peen (pane)*
11 der Dengelamboß
  – *whetting anvil [for scythes]*
12 die Sense
  – *scythe*
13 das Sensenblatt
  – *scythe blade*
14 der Dengel
  – *cutting edge*
15 der Sensenbart
  – *heel*
16 der Wurf (Sensenstiel)
  – *snath (snathe, snead, sneath)*
17 der Sensengriff (Griff)
  – *handle*
18 der Sensenschutz (Sensenschuh)
  – *scythe sheath*
19 der Wetzstein
  – *whetstone (scythestone)*
20 die Kartoffelkralle
  – *potato rake*
21 die Kartoffellegewanne
  – *potato planter*
22 die Grabgabel
  – *digging fork (fork)*
23 der Holzrechen (Rechen, die
  Heuharke)
  – *wooden rake (rake, hayrake)*
24 die Schlaghacke (Kartoffelhacke)
  – *hoe (potato hoe)*
25 der Kartoffelkorb, ein Drahtkorb *m*
  – *potato basket, a wire basket*
26 die Kleekarre, eine Kleesämaschine
  – *clover broadcaster*

1 das Düsenschwenkrohr
 – *oscillating spray line*
2 der Lagerstützbock
 – *stand (steel chair)*
3 die vollbewegliche
 Beregnungsanlage
 – *portable irrigation system*
4 der Kreisregner
 – *revolving sprinkler*
5 die Standrohrkupplung
 – *standpipe coupler*
6 der Kardanbogen
 – *elbow with cardan joint (cardan coupling)*
7 der Stützbock
 – *pipe support (trestle)*
8 der Pumpenanschlußbogen
 – *pump connection*
9 der Druckanschluß
 – *delivery valve*
10 das Manometer
 – *pressure gauge* (Am. *gage) (manometer)*
11 die Evakuierungspumpe
 – *centrifugal evacuating pump*
12 der Saugkorb
 – *basket strainer*
13 der Graben
 – *channel*

14 das Fahrgestell für die Schlepperpumpe
 – *chassis of the p.t.o.-driven pump (power take-off-driven pump)*
15 die Schlepperpumpe
 – *p.t.o.-driven (power take-off-driven) pump*
16 die Gelenkwelle
 – *cardan shaft*
17 der Schlepper
 – *tractor*
18 der Beregnungsautomat für
 Großflächen *f*
 – *long-range irrigation unit*
19 der Antriebsstutzen
 – *drive connection*
20 die Turbine
 – *turbine*
21 das Getriebe
 – *gearing (gears)*
22 die verstellbare Wagenabstützung
 – *adjustable support*
23 die Evakuierungspumpe
 – *centrifugal evacuating pump*
24 das Laufrad
 – *wheel*
25 die Rohrführung
 – *pipe support*
26 das PE-Rohr (Polyesterrohr)
 – *polyester pipe*

27 die Regendüse
 – *sprinkler nozzle*
28 das Schnellkupplungsrohr mit
 Kardangelenkkupplung *f*
 – *quick-fitting pipe connection with cardan joint*
29 der (das) Kardan-M-Teil
 – *M-cardan*
30 die Kupplung
 – *clamp*
31 das (der) Kardan-V-Teil
 – *V-cardan*
32 der Kreisregner, ein Feldregner *m*
 – *revolving sprinkler, a field sprinkler*
33 die Düse
 – *nozzle*
34 der Schwinghebel
 – *breaker*
35 die Schwinghebelfeder
 – *breaker spring*
36 der Stopfen
 – *stopper*
37 das Gegengewicht
 – *counterweight*
38 das Gewinde
 – *thread*

1-47 Feldfrüchte *f* (Ackerbau-
erzeugnisse *n*, Landwirtschafts-
produkte)
- **arable crops** *(agricultural produce,
farm produce)*
1-37 Getreidearten *f* (Getreide *n*,
Körnerfrüchte *f*, Kornfrüchte,
Mehlfrüchte, Brotfrüchte,
Zerealien *pl*)
- **varieties of grain** *(grain, cereals,
farinaceous plants, bread-corn)*
1 der Roggen *(auch:* das Korn;
„Korn" bedeutet oft Hauptbrot-
frucht *f*, in Norddeutschland:
Roggen *m*, in Süddeutschland und
Italien: Weizen *m*, in Schweden:
Gerste *f*, in Schottland: Hafer *m*,
in Nordamerika: Mais *m*,
in China: Reis *m*)
- *rye (also: corn, 'corn' often meaning
the main cereal of a country or region;
in Northern Germany: rye; in
Southern Germany and Italy: wheat;
in Sweden: barley; in Scotland: oats;
in North America: maize; in China:
rice)*
2 die Roggenähre, eine Ähre
- *ear of rye, a spike (head)*
3 das Ährchen
- *spikelet*
4 das Mutterkorn, ein durch einen
Pilz *m* entartetes Korn (mit Dauer-
myzelgeflecht)
- *ergot, a grain deformed by fungus
[shown with mycelium]*
5 der bestockte Getreidehalm
- *corn stem after tillering*
6 der Halm
- *culm (stalk)*
7 der Halmknoten
- *node of the culm*
8 das Blatt (Getreideblatt)
- *leaf (grain leaf)*
9 die Blattscheide (Scheide)
- *leaf sheath (sheath)*
10 das Ährchen
- *spikelet*
11 die Spelze
- *glume*
12 die Granne
- *awn (beard, arista)*
13 das Samenkorn (Getreidekorn,
Korn, der Mehlkörper)
- *seed (grain, kernel, farinaceous grain)*
14 die Keimpflanze
- *embryo plant*
15 das Samenkorn
- *seed*
16 der Keimling
- *embryo*
17 die Wurzel
- *root*
18 das Wurzelhaar
- *root hair*
19 das Getreideblatt
- *grain leaf*

20 die Blattspreite (Spreite)
- *leaf blade (blade, lamina)*
21 die Blattscheide
- *leaf sheath*
22 das Blatthäutchen
- *ligule (ligula)*
23 der Weizen
- *wheat*
24 der Spelt (Spelz, Dinkel, Blicken,
Fesen, Vesen, das Schwabenkorn)
- *spelt*
25 das Samenkorn; *unreif:* der Grün-
kern, eine Suppeneinlage
- *seed; unripe: green spelt, a soup
vegetable*
26 die Gerste
- *barley*
27 die Haferrispe, eine Rispe
- *oat panicle, a panicle*
28 die Hirse
- *millet*
29 der Reis
- *rice*
30 das Reiskorn
- *rice grain*
31 der Mais *(landsch.* Kukuruz,
türkische Weizen); *Sorten:* Puff-
oder Röstmais, Pferdezahnmais,
Hartmais, Hülsenmais, Weichmais,
Zuckermais
- *maize (Indian corn, Am. corn);
varieties: popcorn, dent corn, flint
corn (flint maize, Am. Yankee corn),
pod corn (Am. cow corn, husk corn),
soft corn (Am. flour corn, squaw
corn), sweet corn*
32 der weibliche Blütenstand
- *female inflorescence*
33 die Lieschen *pl*
- *husk (shuck)*
34 der Griffel
- *style*
35 der männliche Blütenstand in
Rispen *f*
- *male inflorescence (tassel)*
36 der Maiskolben
- *maize cob (Am. corn cob)*
37 das Maiskorn
- *maize kernel (grain of maize)*
38-45 Hackfrüchte *f*
- **root crops**
38 die Kartoffel *(österr.* der Erdapfel,
Herdapfel, die Grundbirne, *schweiz.*
die Erdbirne), eine Knollenpflanze;
Sorten: die runde, rundovale,
plattovale, lange Kartoffel, Nieren-
kartoffel; nach Farben: die weiße,
gelbe, rote, blaue Kartoffel
- *potato plant (potato), a tuberous
plant; varieties: round, round-oval
(pear-shaped), flat-oval, long,
kidney-shaped potato; according
to colour: white (Am. Irish),
yellow, red, purple potato*
39 die Saatkartoffel (Mutterknolle)
- *seed potato (seed tuber)*

40 die Kartoffelknolle (Kartoffel,
Knolle)
- *potato tuber (potato, tuber)*
41 das Kartoffelkraut
- *potato top (potato haulm)*
42 die Blüte
- *flower*
43 die giftige Beerenfrucht
(der Kartoffelapfel)
- *poisonous potato berry (potato apple)*
44 die Zuckerrübe, eine Runkelrübe
- *sugar beet, a beet*
45 die Wurzel (Rübe, der Rübenkörper)
- *root (beet)*
46 der Rübenkopf
- *beet top*
47 das Rübenblatt
- *beet leaf*

1-28 Futterpflanzen *f* für den Feldfutterbau
- *fodder plants (forage plants) for tillage*
1 der Rotklee (Kopfklee, Rote Wiesenklee, Futterklee, Deutsche Klee, Steyrer Klee)
- *red clover (purple clover)*
2 der Weißklee (Weiße Wiesenklee, Weidenklee, Kriechende Klee)
- *white clover (Dutch clover)*
3 der Bastardklee (Schwedenklee, *nd.* die Alsike)
- *alsike clover (alsike)*
4 der Inkarnatklee (Rosenklee, Blutklee)
- *crimson clover*
5 das vierblättrige Kleeblatt (*volkstüml.*: der Glücksklee)
- *four-leaf (four-leaved) clover*
6 der Wundklee (Wollklee, Tannenklee, Russische Klee, Bärenklee)
- *kidney vetch (lady's finger, lady-finger)*
7 die Kleeblüte
- *flower*
8 die Fruchthülse
- *pod*
9 die Luzerne (der Dauerklee, Welsche Klee, Hohe Klee, Monatsklee)
- *lucerne (lucern, purple medick)*
10 die Esparsette (Esper, der Süßklee, Schweizer Klee)
- *sainfoin (cock's head, cockshead)*
11 die Serradella (Serradelle, der Große Vogelfuß)
- *bird's foot (bird-foot, bird's foot trefoil)*
12 der Ackerspörgel (Feldspörgel, Gemeine Spörgel, Feldspark, Spörgel, Spergel, Spark, Sperk), ein Nelkengewächs *n*
- *corn spurrey (spurrey, spurry), a spurrey (spurry)*
13 der Komfrey (Comfrey), ein Beinwell *m*, Rauhblattgewächs *n*
- *common comfrey, one of the borage family (Boraginaceae)*
14 die Blüte
- *flower (blossom)*
15 die Ackerbohne (Saubohne, Feldbohne, Gemeine Feldbohne, Viehbohne, Pferdebohne, Roßbohne)
- *field bean (broad bean, tick bean, horse bean)*
16 die Fruchthülse
- *pod*
17 die Gelbe Lupine
- *yellow lupin*
18 die Futterwicke (Ackerwicke, Saatwicke, Feldwicke, Gemeine Wicke)
- *common vetch*
19 der Kicherling (die Deutsche Kicher, Saatplatterbse, Weiße Erve)
- *chick-pea*
20 die Sonnenblume
- *sunflower*

21 die Runkelrübe (Futterrübe, Dickrübe, Burgunderrübe, Dickwurz, der Randich)
- *mangold (mangelwurzel, mangoldwurzel, field mangel)*
22 der Hohe Glatthafer (das Französische Raygras, Franzosengras, Roßgras, der Wiesenhafer, Fromental, die Fromändaner Schmale)
- *false oat (oat-grass)*
23 das Ährchen
- *spikelet*
24 der Wiesenschwingel, ein Schwingel *m*
- *meadow fescue grass, a fescue*
25 das Gemeine Knaulgras (Knäuelgras, Knauelgras)
- *cock's foot (cocksfoot)*
26 das Welsche Weidelgras (Italienische Raygras, Italienische Raigras), *ähnl.*: das Deutsche Weidelgras (Englische Raygras, Englische Raigras)
- *Italian ryegrass; sim.: perennial ryegrass (English ryegrass)*
27 der Wiesenfuchsschwanz (das Kolbengras), ein Ährenrispengras *n*
- *meadow foxtail, a paniculate grass*
28 der Große Wiesenknopf (Große Pimpernell, Rote Pimpernell, die Bimbernelle, Pimpinelle)
- *greater burnet saxifrage*

1–14 **Doggen** *f*
- *mastiffs*
1 die Englische Bulldogge (der Bullenbeißer)
- *bulldog*
2 der Behang (das Ohr), ein Rosenohr *n*
- *ear, a rose-ear*
3 der Fang (die Schnauze)
- *muzzle*
4 die Nase
- *nose*
5 der Vorderlauf
- *foreleg*
6 die Vorderpfote
- *forepaw*
7 der Hinterlauf
- *hind leg*
8 die Hinterpfote
- *hind paw*
9 der Mops
- *pug (pug dog)*
10 der Boxer
- *boxer*
11 der Widerrist (Schulterblatthöcker)
- *withers*
12 die Rute (der Hundeschwanz), ein gestutzter (kupierter) Schwanz *m*
- *tail, a docked tail*

13 die Halsung (das Hundehalsband)
- *collar*
14 die Deutsche Dogge
- *Great Dane*
15-18 **Terrier** *m*
- *terriers*
15 der Foxterrier (Drahthaarfox, Fox)
- *wire-haired fox terrier*
16 der Bullterrier
- *bull terrier*
17 der Scotchterrier (Schottische Terrier)
- *Scotch terrier (Scottish terrier)*
18 der Bedlingtonterrier
- *Bedlington terrier*
19 der Pekinese
- *Pekinese (Pekingese, Pekinese dog, Pekingese dog)*
20-22 **Spitze** *m*
- *spitzes*
20 der Großspitz
- *spitz (Pomeranian)*
21 der Chow-Chow
- *chow (chow-chow)*
22 der Polarhund
- *husky*
23 u. 24 **Windhunde** *m* (Windspiele *n*)
- *greyhounds* (Am. *grayhounds*)
23 der Afghane
- *Afghan (Afghan hound)*

24 der Greyhound, ein Hetzhund *m*
- *greyhound* (Am. *grayhound*), *a courser*
25 der Deutsche Schäferhund (Wolfshund), ein Diensthund *m*, Wach- und Begleithund
- *Alsatian (German sheepdog, Am. German shepherd), a police dog, watch dog, and guide dog*
26 die Lefzen *f* (Lippen)
- *flews (chaps)*
27 der Dobermann
- *Dobermann terrier*

28-31 die Hundegarnitur
- *dog's outfit*
28 die Hundebürste
- *dog brush*
29 der Hundekamm
- *dog comb*
30 die Leine (Hundeleine, der Riemen);
   für Jagdzwecke: Schweißriemen
- *lead (dog lead, leash); for hunting:*
   leash
31 der Maulkorb
- *muzzle*
32 der Freßnapf (Futternapf)
- *feeding bowl (dog bowl)*
33 der Knochen
- *bone*
34 der Neufundländer
- *Newfoundland dog*
35 der Schnauzer
- *schnauzer*
36 der Pudel, *ähnl. u. kleiner:* der
   Zwergpudel
- *poodle;* sim. and smaller: *pygmy*
   (pigmy) poodle
37 der Bernhardiner
- *St. Bernard (St. Bernard dog)*
38-43 Jagdhunde *m*
- *hunting dogs*
38 der Cockerspaniel
- *cocker spaniel*

39 der Kurzhaardackel (Dachshund,
   Teckel), ein Erdhund *m*
- *dachshund, a terrier*
40 der Deutsche Vorstehhund
- *German pointer*
41 der Setter (die Englische Vorstehhund)
- *English setter*
42 der Schweißhund (Spürhund)
- *trackhound*
43 der Pointer, ein Spürhund *m*
- *pointer, a trackhound*

1-6 Reitkunst *f* (die Hohe Schule, das Schulreiten)
– ***equitation*** *(high school riding, haute école)*
1 die Piaffe
– *piaffe*
2 der Schulschritt
– *walk*
3 die Passage (der spanische Tritt)
– *passage*
4 die Levade
– *levade (pesade)*
5 die Kapriole
– *capriole*
6 die Kurbette
– *courbette (curvet)*
7-25 das Geschirr
– ***harness***
7-13 *u.* **25** das Zaumzeug (der Zaum)
– *bridle*
7-11 das Kopfgestell
– ***headstall*** *(headpiece, halter)*
7 der Nasenriemen
– *noseband*
8 das Backenstück
– *cheek piece (cheek strap)*
9 der Stirnriemen
– *browband (front band)*
10 das Genickstück
– *crownpiece*
11 der Kehlriemen
– *throatlatch (throatlash)*
12 die Kinnkette (Kandarenkette)
– *curb chain*
13 die Kandare (Schere)
– *curb bit*
14 der Zughaken
– *hasp (hook) of the hame (*Am. *drag hook)*
15 das Spitzkumt, ein Kumt *n* (Kummet)
– *pointed collar, a collar*
16 die Schalanken *pl*
– *trappings (side trappings)*
17 der Kammdeckel
– *saddle-pad*
18 der Bauchgurt
– *girth*
19 der Sprenggurt
– *backband*
20 die Aufhaltekette
– *shaft chain (pole chain)*
21 die Deichsel
– *pole*
22 der Strang
– *trace*
23 der Bauchnotgurt
– *second girth (emergency girth)*
24 der Zuggurt
– *trace*
25 die Zügel *m*
– *reins (*Am. *lines)*
26-36 das Sielengeschirr (Blattgeschirr)
– ***breast harness***
26 die Scheuklappe
– *blinker (*Am. *blinder, winker)*
27 der Aufhaltering
– *breast collar ring*
28 das Brustblatt
– *breast collar (Dutch collar)*
29 die Gabel
– *fork*
30 der Halsriemen
– *neck strap*
31 der Kammdeckel
– *saddle-pad*
32 der Rückenriemen
– *loin strap*
33 der Zügel
– *reins (rein,* Am. *line)*
34 der Schweifriemen
– *crupper (crupper-strap)*
35 der Strang
– *trace*
36 der Bauchgurt
– *girth (belly-band)*
37-49 Reitsättel *m*
– ***saddles***
37-44 der Bocksattel
– ***stock saddle*** *(*Am. *western saddle)*
37 der Sattelsitz
– *saddle seat*
38 der Vorderzwiesel
– *pommel horn (horn)*
39 der Hinterzwiesel
– *cantle*
40 das Seitenblatt
– *flap (*Am. *fender)*
41 die Trachten *pl*
– *bar*
42 der Bügelriemen
– *stirrup leather*
43 der Steigbügel
– *stirrup (stirrup iron)*
44 der Woilach
– *blanket*
45-49 die Pritsche (der englische Sattel)
– ***English saddle*** *(cavalry saddle)*
45 der Sitz
– *seat*
46 der Sattelknopf
– *cantle*
47 das Seitenblatt
– *flap*
48 die Pausche
– *roll (knee roll)*
49 das Sattelkissen
– *pad*
50 *u.* **51 Sporen** *pl* [*sg* der Sporn]
– ***spurs***
50 der Anschlagsporn
– *box spur (screwed jack spur)*
51 der Anschnallsporn
– *strapped jack spur*
52 das Hohlgebiß
– *curb bit*
53 das Maulgatter
– *gag bit (gag)*
54 der Striegel
– *currycomb*
55 die Kardätsche
– *horse brush (body brush, dandy brush)*

1-38 die äußere Form (das Exterieur) des
    Pferdes *n*
– **points** *of the horse*
1-11 der Kopf (Pferdekopf)
– **head** *(horse's head)*
1 das Ohr
– *ear*
2 der Schopf
– *forelock*
3 die Stirn
– *forehead*
4 das Auge
– *eye*
5 das Gesicht
– *face*
6 die Nase
– *nose*
7 die Nüster
– *nostril*
8 die Oberlippe
– *upper lip*
9 das Maul
– *mouth*
10 die Unterlippe
– *underlip (lower lip)*
11 die Ganasche
– *lower jaw*
12 das Genick
– *crest (neck)*
13 die Mähne (Pferdemähne)
– *mane (horse's mane)*
14 der Kamm (Pferdekamm)
– *crest (horse's crest)*
15 der Hals
– *neck*
16 der Kehlgang (die Kehle)
– *throat (Am. throatlatch, throatlash)*
17 der Widerrist
– *withers*

18-27 die Vorhand
– *forehand*
18 das Schulterblatt
– *shoulder*
19 die Brust
– *breast*
20 der Ellbogen
– *elbow*
21 der Vorarm
– *forearm*
22-26 der Vorderfuß
– *forefoot*
22 das Vorderknie (die Vorderfußwurzel)
– *knee (carpus, wrist)*
23 der Mittelfuß (Röhre)
– *cannon*
24 die Köte (das Kötengelenk)
– *fetlock*
25 die Fessel
– *pastern*
26 der Huf
– *hoof*
27 die Kastanie des Pferdes *n*, eine
    Schwiele
– *chestnut (castor), a callosity*
28 der Sporader
– *spur vein*
29 der Rücken (Pferderücken)
– *back*
30 die Lende (Nierengegend)
– *loins (lumbar region)*
31 die Kruppe (Pferdekruppe, das Kreuz)
– *croup (rump, crupper)*
32 die Hüfte
– *hip*
33-37 die Hinterhand
– *hind leg*
33 die Kniescheibe
– *stifle (stifle joint)*

34 die Schweifrübe
– *root (dock) of the tail*
35 die Hinterbacke
– *haunch*
36 die Hose (der Unterschenkel)
– *gaskin*
37 das Sprunggelenk
– *hock*
38 der Schweif (Schwanz, Pferdeschweif,
    Pferdeschwanz)
– *tail*
39-44 die Gangarten *f* des Pferdes *n*
– **gaits** *of the horse*
39 der Schritt
– *walk*
40 der Paßgang
– *pace*
41 der Trab
– *trot*
42 der Handgalopp (kurze Galopp,
    Canter)
– *canter (hand gallop)*
43 u. 44 der Vollgalopp (gestreckte
    Galopp, die Karriere)
– *full gallop*
43 die Karriere beim Auffußen *n* (Auf-
    setzen) der beiden Vorderfüße *m*
– *full gallop at the moment of descent on
    to the two forefeet*
44 die Karriere beim Schweben *n* mit
    allen vier Füßen *m*
– *full gallop at the moment when all four
    feet are off the ground*

Abkürzungen:
m. = männlich; *k.* = kastriert;
w. = weiblich; *j.* = das Jungtier

Abkürzungen:
m. = männlich; *k.* = kastriert;
w. = weiblich; *j.* = das Jungtier
Abbreviations:
m. = *male;* c. = *castrated;*
f. = *female;* y. = *young*

1-8 Großvieh *n* (Vieh)
– *cattle and horses*
1 das Rind, ein Horntier *n*, ein Wiederkäuer *m; m.* der Stier (Bulle); *k.* der
Ochse; *w.* die Kuh; *j.* das Kalb
– *cow, a bovine animal, a horned animal,
a ruminant; m. bull; c. ox; f. cow; y. calf*
2 das Pferd; *m.* der Hengst; *k.* der
Wallach; *w.* die Stute; *j.* das Füllen
(Fohlen)
– *horse; m. stallion; c. gelding; f. mare;*
y. *foal*
3 der Esel
– *donkey*
4 der Saumsattel (Tragsattel)
– *pack saddle (carrying saddle)*
5 der Saum (die Traglast)
– *pack (load)*
6 der Quastenschwanz
– *tufted tail*
7 die Quaste
– *tuft*
8 das Maultier, ein Bastard *m* von Esel-
hengst *m* und Pferdestute *f*
– *mule, a cross between a male donkey
and a mare*
9 das Schwein, ein Paarhufer *m; m.* der
Eber; *w.* die Sau; *j.* das Ferkel
– *pig, a cloven-hoofed animal; m. boar;*
f. *sow;* y. *piglet*
10 der Schweinsrüssel (Rüssel)
– *pig's snout (snout)*
11 das Schweinsohr
– *pig's ear*
12 das Ringelschwänzchen
– *curly tail*

13 das Schaf; *m.* der Schafbock (Bock,
Widder); *k.* der Hammel; *j.* das Lamm
– *sheep; m. ram; c. wether;* f. *ewe;*
y. *lamb*
14 die Ziege (Geiß)
– *goat*
15 der Ziegenbart
– *goat's beard*
16 der Hund, ein Leonberger *m; m.* der
Rüde; *w.* die Hündin; *j.* der Welpe
– *dog, a Leonberger; m. dog;* f. *bitch;*
y. *pup (puppy, whelp)*
17 die Katze, eine Angorakatze; *m.* der
Kater
– *cat, an Angora cat (Persian cat); m. tom
(tom cat)*
18-36 Kleinvieh *n*
– **small domestic animals**
18 das Kaninchen; *m.* der Rammler
(Bock); *w.* die Häsin
– *rabbit; m. buck;* f. *doe*
19-36 Geflügel *n*
– **poultry** *(domestic fowl)*
19-26 das Huhn
– **chicken**
19 die Henne
– *hen*
20 der Kropf
– *crop (craw)*
21 der Hahn; *k.* der Kapaun
– *cock* (Am. *rooster);* c. *capon*
22 der Hahnenkamm
– *cockscomb (comb, crest)*
23 der Wangenfleck
– *lap*
24 der Kinnlappen
– *wattle (gill, dewlap)*
25 der Sichelschwanz
– *falcate (falcated) tail*
26 der Sporn
– *spur*
27 das Perlhuhn
– *guinea fowl*

28 der Truthahn (Puter); *w.* die Trut-
henne (Pute)
– *turkey;* m. *turkey cock (gobbler);*
f. *turkey hen*
29 das Rad
– *fan tail*
30 der Pfau
– *peacock*
31 die Pfauenfeder
– *peacock's feather*
32 das Pfauenauge
– *eye (ocellus)*
33 die Taube; *m.* der Täuberich
– *pigeon;* m. *cock pigeon*
34 die Gans; *m.* der Gänserich (Ganser,
nd. Ganter); *j.* nd. das Gössel
– *goose; m. gander;* y. *gosling*
35 die Ente; *m.* der Enterich (Erpel);
j. das Entenküken
– *duck; m. drake;* y. *duckling*
36 die Schwimmhaut
– *web (palmations) of webbed foot
(palmate foot)*

141

74 Geflügelhaltung, Eierproduktion

1-27 **die Geflügelhaltung (Intensiv-
haltung)**
– *poultry farming (intensive poultry
management)*
1-17 **die Bodenhaltung**
– **straw yard** *(strawed yard)* **system**
1 der Hühneraufzuchtstall (Kükenstall)
– *fold unit for growing stock (chick unit)*
2 das Küken
– *chick*
3 die Schirmglucke
– *brooder (hover)*
4 die verstellbare Futterrinne
– *adjustable feeding trough*
5 der Junghennenstall
– *pullet fold unit*
6 die Tränkrinne
– *drinking trough*
7 der Wasserzulauf
– *water pipe*
8 die Einstreu
– *litter*
9 die Junghenne
– *pullet*
10 die Lüftungsvorrichtung
– *ventilator*
11-17 **die Mastgeflügelzucht**
– **broiler rearing** *(rearing of broiler
chickens)*
11 der Scharraum (Tagesraum)
– *chicken run (Am. fowl run)*
12 das Masthuhn
– *broiler chicken (broiler)*
13 der Futterautomat
– *mechanical feeder (self-feeder, feed
dispenser)*
14 die Haltekette
– *chain*
15 das Futterrohr
– *feed supply pipe*
16 die automatische Rundtränke
(Selbsttränke)
– *mechanical drinking bowl
(mechanical drinker)*
17 die Lüftungsvorrichtung
– *ventilator*
18 die Batteriehaltung (Käfighaltung)
– *battery system (cage system)*
19 die Batterie (Legebatterie)
– *battery (laying battery)*
20 der Etagenkäfig (Stufenkäfig,
Batteriekäfig)
– *tiered cage (battery cage, stepped
cage)*
21 die Futterrinne
– *feeding trough*
22 die Eierlängssammlung
– *egg collection by conveyor*
23-27 **die automatische Futterzuführung
und Entmistung**
– **mechanical feeding and dunging**
(manure removal, droppings removal)
23 das Schnellfütterungssystem für die
Batteriefütterung (die Futter-
maschine)
– *rapid feeding system for battery
feeding (mechanical feeder)*

24 der Einfülltrichter
– *feed hopper*
25 das Futtertransportband (die Futter-
transportkette, Futterkette)
– *endless-chain feed conveyor (chain
feeder)*
26 die Wasserleitung
– *water pipe (liquid feed pipe)*
27 das Kottransportband
– *dunging chain (dunging conveyor)*
28 der Schlupfbrüter
– *setting and hatching machine*
29 die Vorbruttrommel
– *ventilation drum [for the setting
compartment]*
30 der Schlupfteil
– *hatching compartment (hatcher)*
31 der Metallschlupfwagen
– *metal trolley for hatching trays*
32 die Metallschlupfhorde
– *hatching tray*
33 der Vorbruttrommelantrieb
– *ventilation drum motor*
34-53 **die Eierproduktion**
– **egg productions**
34 die Eiersammelvorrichtung
(Eiersammlung)
– *egg collection system (egg collection)*
35 die Niveauförderung
– *multi-tier transport*
36 die Einquersammlung
– *collection by pivoted fingers*
37 der Antriebsmotor
– *drive motor*
38 die Einsortiermaschine
– *sorting machine*
39 die Rollenzufuhr
– *conveyor trolley*
40 der Durchleuchtungsspiegel
– *fluorescent screen*
41 die Absaugvorrichtung zum
Eiertransport *m*
– *suction apparatus (suction box) for
transporting eggs*
42 das Ablagebord für leere und volle
Höckereinsätze *m*
– *shelf for empty and full egg boxes*
43 die Eierwaagen *f*
– *egg weighers*
44 die Klassensortierung
– *grading*
45 der Höckereinsatz
– *egg box*
46 die vollautomatische Eier-
verpackungsmaschine
– *fully automatic egg-packing
machine*
47 die Durchleuchtungskabine
– *radioscope box*
48 der Durchleuchtungstisch
– *radioscope table*
49-51 **die Auflegevorrichtung**
– *feeder*
49 die Vakuumabsaugvorrichtung
– *suction transporter*
50 der Vakuumschlauch
– *vacuum line*

51 der Anfuhrtisch
– *supply table*
52 die automatische Zählung und
Gewichtsklassensortierung *f*
– *automatic counting and grading*
53 der Verpackungsentstapler
– *packing box dispenser*
54 der Fußring
– *leg ring*
55 die Geflügelmarke
– *wing tally (identification tally)*
56 das Zwerghuhn (Bantamhuhn)
– *bantam*
57 die Legehenne
– *laying hen*
58 das Hühnerei (Ei)
– *hen's egg (egg)*
59 die Kalkschale (Eierschale), eine
Eihülle
– *eggshell, an egg integument*
60 die Schalenhaut
– *shell membrane*
61 die Luftkammer
– *air space*
62 das Eiweiß (österr. Eiklar)
– *white [of the egg] (albumen)*
63 die Hagelschnur (Chalaza)
– *chalaza (Am. treadle)*
64 die Dotterhaut
– *vitelline membrane (yolk sac)*
65 die Keimscheibe (der Hahnentritt)
– *blastodisc (germinal disc, cock's tread,
cock's treadle)*
66 das Keimbläschen
– *germinal vesicle*
67 der (das) weiße Dotter
– *white*
68 das Eigelb (der od. das gelbe Dotter)
– *yolk*

1 der Pferdestall
– *stable*
2 der Pferdestand (die Pferdebox, Box)
– *horse stall (stall, horse box, box)*
3 der Futtergang
– *feeding passage*
4 das Reitpony (Pony)
– *pony*
5 die Gitterwand
– *bars*
6 die Einstreu
– *litter*
7 der Strohballen
– *bale of straw*
8 das Oberlicht
– *ceiling light*
9 **der Schafstall**
– **sheep pen**
10 das Mutterschaf
– *mother sheep (ewe)*
11 das Lamm
– *lamb*
12 die Doppelraufe
– *double hay rack*
13 das Heu
– *hay*
14 **der Milchviehstall** (Kuhstall),
ein Anbindestall *m*
– **dairy cow shed** *(cow shed) in which
cows require tying*
15 *u.* 16 die Anbindevorrichtung
– *tether*
15 die Kette
– *chain*
16 der Aufhängeholm
– *rail*
17 die Milchkuh
– *dairy cow (milch-cow, milker)*
18 das Euter
– *udder*
19 die Zitze
– *teat*
20 die Kotrinne
– *manure gutter*
21 die Schubstangenentmistung
– *manure removal by sliding bars*
22 der Kurzstand
– *short standing*
23 **der Melkstand,** ein Fischgräten-
melkstand *m*
– **milking parlour** *(Am. parlor), a
herringbone parlour*
24 die Arbeitsgrube
– *working passage*
25 der Melker
– *milker (Am. milkman)*
26 das Melkgeschirr
– *teat cup cluster*
27 die Milchleitung
– *milk pipe*
28 die Luftleitung
– *air line*
29 die Vakuumleitung
– *vacuum line*
30 der Melkbecher
– *teat cup*

31 das Schauglas
– *window*
32 das Milchsammel- und Luft-
verteilerstück
– *pulsator*
33 der Entlastungstakt
– *release phase*
34 der Melktakt
– *squeeze phase*
35 **der Schweinestall** (Saustall)
– **pigsty** *(Am. pigpen, hogpen)*
36 die Läuferbucht (der Läuferkoben,
Koben)
– *pen for young pigs*
37 der Futtertrog
– *feeding trough*
38 die Trennwand
– *partition*
39 das Schwein, ein Läufer *m*
– *pig, a young pig*
40 die Abferkel-Aufzucht-Bucht
– *farrowing and store pen*
41 die Muttersau (Sau)
– *sow*
42 die Ferkel *n* (Saugferkel [bis 8
Wochen])
– *piglets (Am. shoats, shotes) (sucking
pigs [for first 8 weeks])*
43 das Absperrgitter
– *farrowing rails*
44 die Jaucherinne
– *liquid manure channel*

1-48 **die Molkerei** (der Milchhof)
- *dairy (dairy plant)*
1 **die Milchannahme** (die Abtankhalle)
- *milk reception*
2 der Milchtankwagen
- *milk tanker*
3 die Rohmilchpumpe
- *raw milk pump*
4 der Durchflußmesser (die Meßuhr), ein Ovalradzähler *m*
- *flowmeter, an oval (elliptical) gear meter*
5 der Rohmilchsilotank
- *raw milk storage tank*
6 der Füllstandmesser
- *gauge (Am. gage)*
7 **die zentrale Schaltwarte**
- *central control room*
8 das Betriebsschaubild
- *chart of the dairy*
9 das Betriebsablaufschema
- *flow chart (flow diagram)*
10 die Füllstandsanzeiger *m* des Silotanks
- *storage tank gauges (Am. gages)*
11 das Schaltpult
- *control panel*
12-48 **der Betriebsraum**
- *milk processing area*
12 der Reinigungsseparator (die Homogenisiermaschine)
- *sterilizer (homogenizer)*
13 der Milcherhitzer; *ähnl.:* der Rahmerhitzer
- *milk heater;* sim.: *cream heater*
14 der Magermilchseparator
- *cream separator*
15 die Trinkmilchtanks (Frischmilch-tanks)
- *fresh milk tanks*
16 der Tank für die gereinigte Milch
- *tank for sterilized milk*
17 der Magermilchtank
- *skim milk (skimmed milk) tank*
18 der Buttermilchtank
- *buttermilk tank*
19 der Rahmtank
- *cream tank*
20 die Abfüll- und Verpackungsanlage für Trinkmilch *f*
- *fresh milk filling and packing plant*
21 die Abfüllmaschine für Milch-packungen *f, ähnl.:* der Becherfüller
- *filling machine for milk cartons;* sim.: *milk tub filler*
22 die Milchpackung (der Milchbeutel)
- *milk carton*
23 das Förderband
- *conveyor belt (conveyor)*
24 der Folienschrumpftunnel
- *shrink-sealing machine*
25 die Zwölferpackung in Schrumpf-folie *f*
- *pack of twelve in shrink foil*
26 die Zehn-Liter-Abfüllanlage
- *ten-litre filling machine*

27 die Folienschweißanlage
- *heat-sealing machine*
28 die Folien *f*
- *plastic sheets*
29 der Schlauchbeutel
- *heat-sealed bag*
30 der Stapelkasten
- *crate*
31 der Rahmreifungstank
- *cream maturing vat*
32 die Butterungs- und Abpackanlage (Butterei)
- *butter shaping and packing machine*
33 die Butterungsmaschine (der Butter-fertiger), eine Süßrahmbutterungs-anlage für kontinuierliche Butterung *f*
- *butter churn, a creamery butter machine for continuous butter making*
34 der Butterstrang
- *butter supply pipe*
35 die Ausformanlage
- *shaping machine*
36 die Verpackungsmaschine
- *packing machine*
37 die Markenbutter in der 250-g-Packung
- *branded butter in 250 g packets*
38 die Produktionsanlage für Frischkäse (die Quarkbereitungsanlage)
- *plant for producing curd cheese (curd cheese machine)*
39 die Quarkpumpe
- *curd cheese pump*
40 die Rahmdosierpumpe
- *cream supply pump*
41 der Quarkseparator
- *curds separator*
42 der Sauermilchtank
- *sour milk vat*
43 der Rührer
- *stirrer*
44 die Quarkverpackungsmaschine
- *curd cheese packing machine*
45 die Quarkpackung (der Quark, Topfen, Weißkäse; *ähnl.:* der Schichtkäse)
- *curd cheese packet (curd cheese;* sim.: *cottage cheese)*
46 die Deckelsetzstation
- *bottle-capping machine (capper)*
47 der Schnittkäsebetrieb
- *cheese machine*
48 der Labtank
- *rennet vat*

1-25 die Biene (Honigbiene, Imme)
– *bee (honey-bee, hive-bee)*
1 u. **4-5 die Kasten** f (Klassen) der Biene
– *castes (social classes) of bees*
1 die Arbeiterin (Arbeitsbiene)
– *worker (worker bee)*
2 die drei Nebenaugen n (Stirnaugen)
– *three simple eyes (ocelli)*
3 das Höschen (der gesammelte Blütenstaub)
– *load of pollen on the hind leg*
4 die Königin (Bienenkönigin, der Weisel)
– *queen (queen bee)*
5 die Drohne (das Bienenmännchen)
– *drone (male bee)*
6-9 das linke Hinterbein einer Arbeiterin
– *left hind leg of a worker*
6 das Körbchen für den Blütenstaub
– *pollen basket*
7 die Bürste
– *pollen comb (brush)*
8 die Doppelklaue
– *double claw*
9 der Haftballen
– *suctorial pad*
10-19 der Hinterleib der Arbeiterin
– *abdomen of the worker*
10-14 der Stechapparat
– *stinging organs*
10 der Widerhaken
– *barb*
11 der Stachel
– *sting*
12 die Stachelscheide
– *sting sheath*
13 die Giftblase
– *poison sac*
14 die Giftdrüse
– *poison gland*
15-19 der Magen-Darm-Kanal
– *stomachic-intestinal canal*
15 der Darm
– *intestine*
16 der Magen
– *stomach*
17 der Schließmuskel
– *contractile muscle*
18 der Honigmagen
– *honey bag (honey sac)*
19 die Speiseröhre
– *oesophagus (esophagus, gullet)*
20-24 das Facettenauge (Netzauge, Insektenauge)
– *compound eye*
20 die Facette
– *facet*
21 der Kristallkegel
– *crystal cone*
22 der lichtempfindl. Abschnitt
– *light-sensitive section*
23 die Faser des Sehnervs m
– *fibre (Am. fiber) of the optic nerve*
24 der Sehnerv
– *optic nerve*

25 das Wachsplättchen
– *wax scale*
26-30 die Zelle (Bienenzelle)
– *cell*
26 das Ei
– *egg*
27 die bestiftete Zelle
– *cell with the egg in it*
28 die Made
– *young larva*
29 die Larve
– *larva (grub)*
30 die Puppe
– *chrysalis (pupa)*
31-43 die Wabe (Bienenwabe)
– *honeycomb*
31 die Brutzelle
– *brood cell*
32 die verdeckelte Zelle mit Puppe f (Puppenwiege)
– *sealed (capped) cell with chrysalis (pupa)*
33 die verdeckelte Zelle mit Honig m (Honigzelle)
– *sealed (capped) cell with honey (honey cell)*
34 die Arbeiterinnenzellen f
– *worker cells*
35 die Vorratszellen f, mit Pollen m
– *storage cells, with pollen*
36 die Drohnenzellen f
– *drone cells*
37 die Königinnenzelle (Weiselwiege)
– *queen cell*
38 die schlüpfende Königin
– *queen emerging from her cell*
39 der Deckel
– *cap (capping)*
40 das Rähmchen
– *frame*
41 der Abstandsbügel
– *distance piece*
42 die Wabe
– *[artificial] honeycomb*
43 die Mittelwand (der künstliche Zellenboden)
– *septum (foundation, comb foundation)*
44 der Königinnenversandkäfig
– *queen's travelling (Am. traveling) box*
45-50 der Bienenkasten (die Ständer-beute, Blätterbeute), ein Hinterlader m, mit Längsbau m (ein Bienenstock m, eine Beute)
– *frame hive (movable-frame hive, movable-comb hive [into which frames are inserted from the rear], a beehive (hive))*
45 der Honigraum mit den Honig-waben f
– *super (honey super) with honeycombs*
46 der Brutraum mit den Brutwaben f
– *brood chamber with breeding combs*
47 das Absperrgitter (der Schied)
– *queen-excluder*
48 das Flugloch
– *entrance*

49 das Flugbrettchen
– *flight board (alighting board)*
50 das Fenster
– *window*
51 veralteter Bienenstand m
– *old-fashioned bee shed*
52 der Bienenkorb (Stülpkorb, Stülper), eine Beute
– *straw hive (skep), a hive*
53 der Bienenschwarm
– *swarm (swarm cluster) of bees*
54 das Schwarmnetz
– *swarming net (bag net)*
55 der Brandhaken
– *hooked pole*
56 das Bienenhaus (Apiarium)
– *apiary (bee house)*
57 der Imker (Bienenzüchter)
– *beekeeper (apiarist, Am. beeman)*
58 der Bienenschleier
– *bee veil*
59 die Imkerpfeife
– *bee smoker*
60 die Naturwabe
– *natural honeycomb*
61 die Honigschleuder
– *honey extractor (honey separator)*
62 u. **63** der Schleuderhonig (Honig)
– *strained honey (honey)*
62 der Honigbehälter
– *honey pail*
63 das Honigglas
– *honey jar*
64 der Scheibenhonig
– *honey in the comb*
65 der Wachsstock
– *wax taper*
66 die Wachskerze
– *wax candle*
67 das Bienenwachs
– *beeswax*
68 die Bienengiftsalbe
– *bee sting ointment*

1-21 **das Weinbergsgelände**
(Weinbaugelände)
- *vineyard area*
1 der Weinberg (Wingert, Weingarten)
in Drahtrahmenspalierziehung *f*
- *vineyard using wire trellises for
training vines*
2-9 **der Rebstock** (Weinstock, die
Weinrebe, Rebe)
- *vine (Am. grapevine)*
2 die Weinranke
- *vine shoot*
3 der Langtrieb (Schoß, die Lotte)
- *long shoot*
4 das Weinrebenblatt (Rebenblatt)
- *vine leaf*
5 die Weintraube (Traube) mit den
Weinbeeren *f*
- *bunch of grapes (cluster of grapes)*
6 der Rebenstamm
- *vine stem*
7 der Pfahl (Rebstecken, Stickel,
Weinpfahl)
- *post (stake)*
8 die Drahtrahmenabspannung
- *guy (guy wire)*
9 der Drahtrahmen (das Draht-
rahmengerüst)
- *wire trellis*

10 der Lesebehälter
- *tub for grape gathering*
11 die Weinleserin (Leserin)
- *grape gatherer*
12 die Rebenschere
- *secateurs for pruning vines*
13 der Winzer (Weinbauer)
- *wine grower (viniculturist,
viticulturist)*
14 der Büttenträger
- *dosser carrier*
15 die Bütte (Weinbütte,
Traubenhotte, Tragbütte, die *od.*
das Logel)
- *dosser (pannier)*
16 der Maischetankwagen
- *crushed grape transporter*
17 die Traubenmühle
- *grape crusher*
18 der Trichter
- *hopper*
19 die aufsteckbare Dreiseitenwand
- *three-sided flap extension*
20 das Podest
- *platform*
21 der Weinbergschlepper, ein
Schmalspurschlepper *m*
- *vineyard tractor, a narrow-track
tractor*

1-22 der Weinkeller (Lagerkeller, Faß-
keller, das Faßlager)
- **wine cellar** *(wine vault)*
1 das Gewölbe
- *vault*
2 das Lagerfaß
- *wine cask*
3 der Weinbehälter, ein Betonbehälter
- *wine vat, a concrete vat*
4 der Edelstahlbehälter *(auch:* Kunst-
stofftank)
- *stainless steel vat (*also: *vat made of
synthetic material)*
5 das Propeller-Schnellrührgerät
- *propeller-type high-speed mixer*
6 der Propellerrührer
- *propeller mixer*
7 die Kreiselpumpe
- *centrifugal pump*
8 der (das) Edelstahl-Schichtfilter
- *stainless steel sediment filter*
9 der halbautomatische Rundfüller
- *semi-automatic circular bottling
machine*
10 die halbautomatische Naturkorken-
Verschließmaschine
- *semi-automatic corking machine*
11 das Flaschenlager (Flaschengestell)
- *bottle rack*

12 der Kellereigehilfe
- *cellarer's assistant*
13 der Flaschenkorb
- *bottle basket*
14 die Weinflasche
- *wine bottle*
15 die Weinstütze
- *wine jug*
16 die Weinprobe
- *wine tasting*
17 der Weinküfermeister
- *head cellarman*
18 der Weinküfer
- *cellarman*
19 das Weinglas
- *wineglass*
20 das Schnelluntersuchungsgerät
- *inspection apparatus [for
spot-checking samples]*
21 die Horizontaltraubenpresse
- *horizontal wine press*
22 das Sprühgerät
- *humidifier*

1-19 Obstschädlinge *m*
- *fruit pests*
1 der Schwammspinner (Großkopf)
- *gipsy (gypsy) moth*
2 die Eiablage (der Schwamm)
- *batch (cluster) of eggs*
3 die Raupe
- *caterpillar*
4 die Puppe
- *chrysalis (pupa)*
5 die Apfelgespinstmotte, eine
   Gespinstmotte
- *small ermine moth, an ermine moth*
6 die Larve
- *larva (grub)*
7 das Gespinstnetz (Raupennest)
- *tent*
8 die Raupe beim Skelettierfraß *m*
- *caterpillar skeletonizing a leaf*
9 der Fruchtschalenwickler (Apfel-
   schalenwickler)
- *fruit surface eating tortrix moth
   (summer fruit tortrix moth)*
10 der Apfelblütenstecher (Apfel-
    stecher, Blütenstecher, Brenner),
    ein Rüsselkäfer *m*
- *appleblossom weevil, a weevil*
11 die angestochene vertrocknete Blüte
- *punctured, withered flower (blossom)*
12 das Stichloch
- *hole for laying eggs*
13 der Ringelspinner
- *lackey moth*
14 die Raupe
- *caterpillar*
15 die Eier *n*
- *eggs*
16 der Kleine Frostspanner (Frostnacht-
    spanner, Waldfrostspanner, Frost-
    schmetterling), ein Spanner *m*
- *winter moth, a geometrid*
17 die Raupe
- *caterpillar*
18 die Kirschfliege (Kirschfruchtfliege),
    eine Bohrfliege
- *cherry fruit fly, a borer*
19 die Larve (Made)
- *larva (grub, maggot)*
20-27 Rebenschädlinge *m*
- *vine pests*
20 der Falsche Mehltau, ein Mehltau-
    pilz *m*, eine Blattfallkrankheit
- *downy mildew, a mildew, a disease
   causing leaf drop*
21 die Lederbeere
- *grape affected with downy mildew*
22 der Traubenwickler
- *grape-berry moth*
23 der Heuwurm, die Raupe der ersten
    Generation
- *first-generation larva of the
   grape-berry moth* (Am. *grape worm*)
24 der Sauerwurm, die Raupe der
    zweiten Generation
- *second-generation larva of the
   grape-berry moth* (Am. *grape worm*)

25 die Puppe
- *chrysalis (pupa)*
26 die Wurzellaus, eine Reblaus
- *root louse, a grape phylloxera*
27 die gallenartige Wurzelanschwellung
    (Wurzelgalle, Nodosität, Tuberosität)
- *root gall (knotty swelling of the root,
   nodosity, tuberosity)*
28 der Goldafter
- *brown-tail moth*
29 die Raupe
- *caterpillar*
30 das Gelege
- *batch (cluster) of eggs*
31 das Überwinterungsnest
- *hibernation cocoon*
32 die Blutlaus, eine Blattlaus
- *woolly apple aphid (American blight),
   an aphid*
33 der Blutlauskrebs, eine Wucherung
- *gall caused by the woolly apple aphid*
34 die Blutlauskolonie
- *woolly apple aphid colony*
35 die San-José-Schildlaus, eine Schild-
    laus
- *San-José scale, a scale insect
   (scale louse)*
36 die Larven *f* [männl. länglich,
    weibl. rund]
- *larvae (grubs) [male elongated, female
   round]*
37-55 Ackerschädlinge *m* (Feld-
    schädlinge)
- *field pests*
37 der Saatschnellkäfer, ein
    Schnellkäfer *m*
- *click beetle, a snapping beetle
   (Am. snapping bug)*
38 der Drahtwurm, die Larve des Saat-
    schnellkäfers *m*
- *wireworm, larva of the click beetle*
39 der Erdfloh
- *flea beetle*
40 die Hessenfliege (Hessenmücke),
    eine Gallmücke
- *Hessian fly, a gall midge (gall gnat)*
41 die Larve
- *larva (grub)*
42 die Wintersaateule, eine Erdeule
- *turnip moth, an earth moth*
43 die Puppe
- *chrysalis (pupa)*
44 die Erdraupe, eine Raupe
- *cutworm, a caterpillar*
45 der Rübenaaskäfer
- *beet carrion beetle*
46 die Larve
- *larva (grub)*
47 der Große Kohlweißling
- *large cabbage white butterfly*
48 die Raupe des Kleinen
    Kohlweißlings *m*
- *caterpillar of the small cabbage white
   butterfly*
49 der Derbrüßler, ein Rüsselkäfer *m*
- *brown leaf-eating weevil, a weevil*

50 die Fraßstelle
- *feeding site*
51 das Rübenälchen, eine Nematode
    (ein Fadenwurm *m*)
- *sugar beet eelworm, a nematode
   (a threadworm, hairworm)*
52 der Kartoffelkäfer (Koloradokäfer)
- *Colorado beetle (potato beetle)*
53 die ausgewachsene Larve
- *mature larva (grub)*
54 die Junglarve
- *young larva (grub)*
55 die Eier *n*
- *eggs*

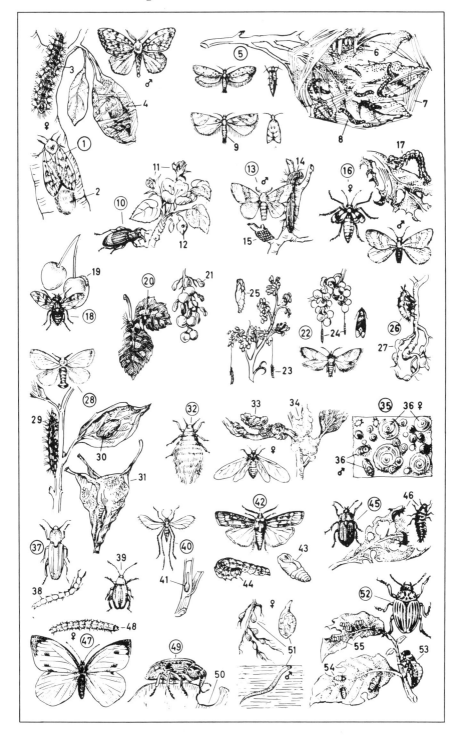

81 Hausungeziefer, Vorratsschädlinge und Schmarotzer

1-14 **Hausungeziefer** n
- *house insects*
1 die Kleine Stubenfliege
- *lesser housefly*
2 die Gemeine Stubenfliege (Große
Stubenfliege)
- *common housefly*
3 die Puppe (Tönnchenpuppe)
- *chrysalis (pupa, coarctate pupa)*
4 die Stechfliege (der Wadenstecher)
- *stable fly (biting housefly)*
5 der dreigliedrige Fühler
- *trichotomous antenna*
6 die Kellerassel (Assel), ein Ringel-
krebs m
- *wood louse (slater, Am. sow bug)*
7 das Heimchen (die Hausgrille), eine
Grabheuschrecke
- *house cricket*
8 der Flügel mit Schrillader f (Schrill-
apparat m)
- *wing with stridulating apparatus
(stridulating mechanism)*
9 die Hausspinne (Winkelspinne)
- *house spider*
10 das Wohnnetz
- *spider's web*
11 der Ohrenkriecher (Ohrenkneifer,
Ohrenhöhler, Ohrwurm, Öhrling)
- *earwig*
12 die Hinterleibszange (Raife pl, Cerci)
- *caudal pincers*
13 die Kleidermotte, eine Motte
- *clothes moth, a moth*
14 das Silberfischchen (der Zuckergast),
ein Borstenschwanz m
- *silverfish (Am. slicker), a bristletail*
15-30 **Vorratsschädlinge** m
- **food pests** *(pests to stores)*
15 die Käsefliege (Fettfliege)
- *cheesefly*
16 der Kornkäfer (Kornkrebs, Korn-
wurm)
- *grain weevil (granary weevil)*
17 die Hausschabe (Deutsche Schabe,
der Schwabe, Franzose, Russe,
Kakerlak)
- *cockroach (black beetle)*
18 der Mehlkäfer (Mehlwurm)
- *meal beetle (meal worm beetle, flour
beetle)*
19 der Vierfleckige Bohnenkäfer
- *spotted bruchus*
20 die Larve
- *larva (grub)*
21 die Puppe
- *chrysalis (pupa)*
22 der Dornspeckkäfer
- *leather beetle (hide beetle)*
23 der Brotkäfer
- *yellow meal beetle*
24 die Puppe
- *chrysalis (pupa)*
25 der Tabakkäfer
- *cigarette beetle (tobacco beetle)*
26 der Maiskäfer
- *maize billbug (corn weevil)*

27 der Leistenkopfplattkäfer, ein
Getreideschädling m
- *one of the Cryptolestes, a grain pest*
28 die Dörrobstmotte
- *Indian meal moth*
29 die Getreidemotte
- *Angoumois grain moth (Angoumois
moth)*
30 die Getreidemottenraupe im Korn n
- *Angoumois grain moth caterpillar
inside a grain kernel*
31-42 **Schmarotzer** m **des Menschen** m
- **parasites of man**
31 der Spulwurm
- *round worm (maw worm)*
32 das Weibchen
- *female*
33 der Kopf
- *head*
34 das Männchen
- *male*
35 der Bandwurm, ein Plattwurm m
- *tapeworm, a flatworm*
36 der Kopf, ein Haftorgan n
- *head, a suctorial organ*
37 der Saugnapf
- *sucker*
38 der Hakenkranz
- *crown of hooks*
39 die Wanze (Bettwanze, Wandlaus)
- *bug (bed bug, Am. chinch)*
40 die Filzlaus (Schamlaus, eine
Menschenlaus)
- *crab louse (a human louse)*
41 die Kleiderlaus (eine Menschenlaus)
- *clothes louse (body louse, a human
louse)*
42 der Floh (Menschenfloh)
- *flea (human flea, common flea)*
43 die Tsetsefliege
- *tsetse fly*
44 die Malariamücke (Fiebermücke,
Gabelmücke)
- *malaria mosquito*

1 der Maikäfer, ein Blatthornkäfer *m*
– *cockchafer (May bug), a lamellicorn*
2 der Kopf
– *head*
3 der Fühler
– *antenna (feeler)*
4 der Halsschild
– *thoracic shield (prothorax)*
5 das Schildchen
– *scutellum*
6-8 die Gliedmaßen *f* (Extremitäten)
– *legs*
6 das Vorderbein
– *front leg*
7 das Mittelbein
– *middle leg*
8 das Hinterbein
– *back leg*
9 der Hinterleib
– *abdomen*
10 die Flügeldecke (der Deckflügel)
– *elytron (wing case)*
11 der Hautflügel (häutige Flügel)
– *membranous wing*
12 der Engerling, eine Larve
– *cockchafer grub, a larva*
13 die Puppe
– *chrysalis (pupa)*
14 der Prozessionsspinner, ein Nacht-
schmetterling *m*
– *processionary moth, a nocturnal moth
(night-flying moth)*
15 der Schmetterling
– *moth*
16 die gesellig wandernden Raupen *f*
– *caterpillars in procession*
17 die Nonne (der Fichtenspinner)
– *nun moth (black arches moth)*
18 der Schmetterling
– *moth*
19 die Eier *n*
– *eggs*
20 die Raupe
– *caterpillar*
21 die Puppe
– *chrysalis (pupa) in its cocoon*
22 der Buchdrucker, ein Borkenkäfer *m*
– *typographer beetle, a bark beetle*
23 u. 24 das Fraßbild [Fraßgänge *m*
unter der Rinde]
– *galleries under the bark*
23 der Muttergang
– *egg gallery*
24 der Larvengang
– *gallery made by larva*
25 die Larve
– *larva (grub)*
26 der Käfer
– *beetle*
27 der Kiefernschwärmer (Fichten-
schwärmer, Tannenpfeil), ein
Schwärmer *m*
– *pine hawkmoth, a hawkmoth*
28 der Kiefernspanner, ein Spanner *m*
– *pine moth, a geometrid*
29 der männliche Schmetterling
– *male moth*

30 der weibliche Schmetterling
– *female moth*
31 die Raupe
– *caterpillar*
32 die Puppe
– *chrysalis (pupa)*
33 die Eichengallwespe, eine Gallwespe
– *oak-gall wasp, a gall wasp*
34 der Gallapfel, eine Galle
– *oak gall (oak apple), a gall*
35 die Wespe
– *wasp*
36 die Larve in der Larvenkammer
– *larva (grub) in its chamber*
37 die Zwiebelgalle an der Buche
– *beech gall*
38 die Fichtengallenlaus
– *spruce-gall aphid*
39 der Wanderer (die Wanderform)
– *winged aphid*
40 die Ananasgalle
– *pineapple gall*
41 der Fichtenrüßler
– *pine weevil*
42 der Käfer
– *beetle (weevil)*
43 der Eichenwickler, ein Wickler *m*
– *green oak roller moth (green oak
tortrix), a leaf roller*
44 die Raupe
– *caterpillar*
45 der Schmetterling
– *moth*
46 die Kieferneule (Forleule)
– *pine beauty*
47 die Raupe
– *caterpillar*
48 der Schmetterling
– *moth*

1 die Flächenspritzung
- *area spraying*
2 das Aufbauspritzgerät
- *tractor-mounted sprayer*
3 der Breitspritzrahmen
- *spray boom*
4 die Flachstrahldüse
- *fan nozzle*
5 der Spritzbrühebehälter
- *spray fluid tank*
6 der Schaumstoffbehälter für die Schaummarkierung
- *foam canister for blob marking*
7 die federnde Aufhängung
- *spring suspension*
8 der Sprühnebel
- *spray*
9 der Schaummarkierer
- *blob marker*
10 die Schaumzufuhrleitung
- *foam feed pipe*
11 die Vakuumbegasungsanlage einer Tabakfabrik
- *vacuum fumigator (vacuum fumigation plant) of a tobacco factory*
12 die Vakuumkammer
- *vacuum chamber*
13 die Rohtabakballen m
- *bales of raw tobacco*
14 das Gasrohr
- *gas pipe*
15 die fahrbare Begasungskammer zur Blausäurebegasung von Baumschulsetzlingen m, Setzreben f, Saatgut und leeren Säcken m
- *mobile fumigation chamber for fumigating nursery saplings, vine layers, seeds, and empty sacks with hydrocyanic (prussic) acid*
16 die Kreislaufanlage
- *gas circulation unit*
17 das Hordenblech
- *tray*
18 die Spritzpistole
- *spray gun*
19 der Drehgriff für die Strahl-verstellung
- *twist grip (control grip, handle) for regulating the jet*
20 der Schutzbügel
- *finger guard*
21 der Bedienungshebel
- *control lever (operating lever)*
22 das Strahlrohr
- *spray tube*
23 die Rundstrahldüse
- *cone nozzle*
24 die Handspritze
- *hand spray*
25 der Kunststoffbehälter
- *plastic container*
26 die Handpumpe
- *hand pump*
27 das Pendelspritzgestänge für den Hopfenanbau in Schräglagen f
- *pendulum spray for hop growing on slopes*

28 die Pistolenkopfdüse
- *pistol-type nozzle*
29 das Spritzrohr
- *spraying tube*
30 der Schlauchanschluß
- *hose connection*
31 die Giftlegeröhre zum Auslegen n von Giftweizen m
- *tube for laying poisoned bait*
32 die Fliegenklappe (Fliegenklatsche)
- *fly swat*
33 die Reblauslanze (der Schwefel-kohlenstoffinjektor)
- *soil injector (carbon disulphide, Am. carbon disulfide, injector) for killing the vine root louse*
34 der Fußtritt
- *foot lever (foot pedal, foot treadle)*
35 das Gasrohr
- *gas tube*
36 die Mausefalle
- *mousetrap*
37 die Wühlmaus- und Maulwurfsfalle
- *vole and mole trap*
38 die fahrbare Obstbaumspritze, eine Karrenspritze
- *mobile orchard sprayer, a wheelbarrow sprayer (carriage sprayer)*
39 der Spritzmittelbehälter
- *spray tank*
40 der Schraubdeckel
- *screw-on cover*
41 das Pumpenaggregat mit Benzinmotor m
- *direct-connected motor-driven pump with petrol motor*
42 das Manometer
- *pressure gauge (Am. gage) (manometer)*
43 die Kolbenrückenspritze
- *plunger-type knapsack sprayer*
44 der Spritzbehälter mit Windkessel m
- *spray canister with pressure chamber*
45 der Kolbenpumpenschwengel
- *piston pump lever*
46 das Handspritzrohr mit Düse f
- *hand lance with nozzle*
47 das aufgesattelte Sprühgerät
- *semi-mounted sprayer*
48 der Weinbergschlepper
- *vineyard tractor*
49 das Gebläse
- *fan*
50 der Brühebehälter
- *spray fluid tank*
51 die Weinrebenzeile
- *row of vines*
52 der Beizautomat für die Trocken-beizung von Saatgut n
- *dressing machine (seed-dressing machine) for dry-seed dressing (seed dusting)*
53 das Entstaubungsgebläse mit Elektromotor m
- *dedusting fan (dust removal fan) with electric motor*

54 der (das) Schlauchfilter
- *bag filter*
55 der Absackstutzen
- *bagging nozzle*
56 der Entstaubungsschirm
- *dedusting screen (dust removal screen)*
57 der Sprühwasserbehälter
- *water canister [containing water for spraying]*
58 die Sprüheinrichtung
- *spray unit*
59 das Förderaggregat mit Mischschnecke f
- *conveyor unit with mixing screw*
60 der Beizpulverbehälter mit Dosiereinrichtung f
- *container for disinfectant powder with dosing mechanism*
61 die Fahrrolle
- *castor*
62 die Mischkammer
- *mixing chamber*

1-34 **der Forst** (das Holz), ein Wald *m*
– *forest, a wood*
1 die Schneise (das Gestell)
– *ride (aisle, lane, section line)*
2 das Jagen (die Abteilung)
– *compartment (section)*
3 der Holzabfuhrweg, ein Waldweg *m*
– *wood haulage way, a forest track*
4-14 **die Kahlschlagwirtschaft**
– *clear-felling system*
4 der Altbestand (das Altholz, Baum-
holz)
– *standing timber*
5 das Unterholz (der Unterstand)
– *underwood (underbrush, undergrowth,
brushwood, Am. brush)*
6 der Saatkamp, ein Kamp *m* (Pflanz-
garten, Forstgarten, Baumschule *f*);
andere Art: der Pflanzkamp
– *seedling nursery, a tree nursery*
7 das Wildgatter (Gatter), ein
Maschendrahtzaun *m* (Kulturzaun)
– *deer fence (fence), a wire netting fence
(protective fence for seedlings); sim.:
rabbit fence*
8 die Sprunglatte
– *guard rail*
9 die Kultur (Saat)
– *seedlings*
10 *u.* 11 der Jungbestand
– *young trees*

10 die Schonung (die Kultur nach
beendeter Nachbesserung *f,* Nach-
pflanzung)
– *tree nursery after transplanting*
11 die Dickung
– *young plantation*
12 das Stangenholz (die Dickung nach
der Astreinigung)
– *young plantation after brashing*
13 der Kahlschlag (die Schlagfläche,
Blöße)
– *clearing*
14 der Wurzelstock (Stock, Stubben,
ugs. Baumstumpf)
– *tree stump (stump, stub)*

15-37 der Holzeinschlag
(Hauungsbetrieb)
– *wood cutting (timber cutting, tree felling, Am. lumbering)*
15 das gerückte (gepolterte) Langholz
– *timber skidded to the stack (stacked timber, Am. yarded timber)*
16 die Schichtholzbank, ein Raummeter *n* Holz, der Holzstoß
– *stack of logs, one cubic metre (Am. meter) of wood*
17 der Pfahl
– *post (stake)*
18 der Waldarbeiter (Forstwirt) beim Wenden *n*
– *forest labourer (woodsman, Am. logger, lumberer, lumberjack, lumberman, timberjack) turning (Am. canting) timber*
19 der Stamm (Baumstamm, das Langholz)
– *bole (tree trunk, trunk, stem)*
20 der Haumeister beim Numerieren *n*
– *feller numbering the logs*
21 die Stahlmeßkluppe
– *steel tree calliper (caliper)*
22 die Motorsäge (beim Trennen *n* eines Stammes *m*)
– *power saw (motor saw) cutting a bole*
23 der Schutzhelm mit Augenschutz *m* und Gehörschutzkapseln *f*
– *safety helmet with visor and ear pieces*

24 die Jahresringe *m*
– *annual rings*
25 der hydraulische Fällheber
– *hydraulic felling wedge*
26 die Schutzkleidung [orangefarbene Bluse *f*, grüne Hose *f*]
– *protective clothing [orange top, green trousers]*
27 das Fällen mit Motorsäge *f*
– *felling with a power saw (motor saw)*
28 die ausgeschnittene Fallkerbe
– *undercut (notch, throat, gullet, mouth, sink, kerf, birdsmouth)*
29 der Fällschnitt
– *back cut*
30 die Tasche mit Fällkeil *m*
– *sheath holding felling wedge*
31 der Abschnitt
– *log*
32 das Freischneidegerät zur Beseitigung von Unterholz *n* und Unkraut *n*
– *free-cutting saw for removing underwood and weeds*
33 der Anbausatz mit Kreissäge *f* (oder Schlagmesser *n*)
– *circular saw (or activated blade) attachment*
34 die Motoreinheit
– *power unit (motor)*

35 das Gebinde mit Sägekettenhaftöl *n*
– *canister of viscous oil for the saw chain*
36 der Benzinkanister
– *petrol canister (Am. gasoline canister)*
37 das Fällen von Schwachholz *n* (Durchforsten *n*)
– *felling of small timber (of small-sized thinnings) (thinning)*

85 Forstwirtschaft II

Forestry II

1 die Axt
- *axe (Am. ax)*
2 die Schneide
- *edge (cutting edge)*
3 der Stiel
- *handle (helve)*
4 der Scheitkeil mit Einsatzholz n
und Ring m
- *felling wedge (falling wedge) with
wood insert and ring*
5 der Spalthammer
- *riving hammer (cleaving hammer,
splitting hammer)*
6 die Sapine (der Sappie, Sappel)
- *lifting hook*
7 der Wendehaken
- *cant hook*
8 das Schäleisen
- *barking iron (bark spud)*
9 der Fällheber mit Wendehaken m
- *peavy*
10 der Kluppmeßstock mit Reißer m
- *slide calliper (caliper) (calliper square)*
11 die Heppe (das od. der Gertel),
ein Haumesser n
- *billhook, a knife for lopping*
12 der Revolvernumerierschlägel
- *revolving die hammer (marking
hammer, marking iron, Am. marker)*
13 die Motorsäge
- *power saw (motor saw)*
14 die Sägekette
- *saw chain*
15 die Sicherheitskettenbremse
mit Handschutz m
- *safety brake for the saw chain,
with finger guard*
16 die Sägeschiene
- *saw guide*
17 die Gashebelsperre
- *accelerator lock*
18 die Entästungsmaschine
- *snedding machine (trimming
machine, Am. knotting machine,
limbing machine)*
19 die Vorschubwalzen f
- *feed rolls*
20 das Gelenkmesser
- *flexible blade*
21 der Hydraulikarm
- *hydraulic arm*
22 der Spitzenabschneider
- *trimming blade*
23 die Stammholzentrindung
- *debarking (barking, bark stripping)
of boles*
24 die Vorschubwalze
- *feed roller*
25 der Lochrotor
- *cylinder trimmer*
26 das Rotormesser
- *rotary cutter*
27 der Waldschlepper (zum Transport
m von Schicht- und Schwachholz n
innerhalb des Waldes n)
- *short-haul skidder*

28 der Ladekran
- *loading crane*
29 der Holzgreifer
- *log grips*
30 die Laderunge
- *post*
31 die Knicklenkung
- *Ackermann steering system*
32 das Rundholzpolter
- *log dump*
33 die Numerierung
- *number (identification number)*
34 der Stammholzschlepper (Skidder)
- *skidder*
35 der Frontschild
- *front blade (front plate)*
36 das überschlagfeste Sicherheits-
verdeck
- *crush-proof safety bonnet (Am.
safety hood)*
37 die Knicklenkung
- *Ackermann steering system*
38 die Seilwinde
- *cable winch*
39 die Seilführungsrolle
- *cable drum*
40 der Heckschild
- *rear blade (rear plate)*
41 das freihängende Stammholz
- *boles with butt ends held off the
ground*
42 der Straßentransport von Langholz n
- *haulage of timber by road*
43 der Zugwagen
- *tractor (tractor unit)*
44 der Ladekran
- *loading crane*
45 die hydraulische Ladestütze
- *hydraulic jack*
46 die Seilwinde
- *cable winch*
47 die Runge
- *post*
48 der Drehschemel
- *bolster plate*
49 der Nachläufer
- *rear bed (rear bunk)*

162

1-52 Jagden *f* (Jagdarten, die Jägerei, das Jagen, Weidwerk*)
– *kinds of hunting*
1-8 die Suchjagd (der Pirschgang, das Pirschen im Jagdrevier *n*, Revier)
– *stalking (deer stalking, Am. stillhunting) in the game preserve*
1 der Jäger (Weidmann*, Schütze)
– *huntsman (hunter)*
2 der Jagdanzug
– *hunting clothes*
3 der Rucksack (Weidsack*)
– *knapsack*
4 die Pirschbüchse
– *sporting gun (sporting rifle, hunting rifle)*
5 der Jagdhut (Jägerhut)
– *huntsman's hat*
6 das Jagdglas, ein Fernglas
– *field glasses, binoculars*
7 der Jagdhund
– *gun dog*
8 die Fährte (Spur, das Trittsiegel)
– *track (trail, hoofprints)*
9-12 die Brunftjagd und die Balzjagd
– *hunting in the rutting season and the pairing season*
9 der Jagdschirm (Schirm)
– *hunting screen (screen, Am. blind)*

10 der Jagdstuhl (Ansitzstuhl, Jagdsitz, Jagdstock, Sitzstock)
– *shooting stick (shooting seat, seat stick)*
11 der balzende Birkhahn
– *blackcock, displaying*
12 der Brunfthirsch (brünstige, röhrende Hirsch)
– *rutting stag*
13 das Rottier bei der Äsung
– *hind, grazing*
14-17 der Anstand (Ansitz)
– *hunting from a raised hide (raised stand)*
14 der Hochsitz (Hochstand, die Jagdkanzel, Kanzel, Wildkanzel)
– *raised hide (raised stand, high seat)*
15 das Rudel in Schußweite *f*
– *herd within range*
16 der Wechsel (Wildwechsel)
– *game path (Am. runway)*
17 der Rehbock, durch Blattschuß *m* getroffen und durch Fangschuß *m* getötet
– *roebuck, hit in the shoulder and killed by a finishing shot*
18 der Jagdwagen
– *phaeton*
19-27 Fangjagden *f*
– *types of trapping*
19 der Raubwildfang
– *trapping of small predators*

20 die Kastenfalle (Raubwildfalle)
– *box trap (trap for small predators)*
21 der Köder (Anbiß)
– *bait*
22 der Marder, ein Raubwild *n*
– *marten, a small predator*
23 das Frettieren (die Erdjagd auf Kaninchen *n*)
– *ferreting (hunting rabbits out of their warrens)*
24 das Frettchen (Frett, Kaninchenwiesel)
– *ferret*
25 der Frettchenführer
– *ferreter*
26 der Bau (Kaninchenbau, die Kaninchenhöhle)
– *burrow (rabbit burrow, rabbit hole)*
27 die Haube (Kaninchenhaube, das Netz) über dem Röhrenausgang *m*
– *net (rabbit net) over the burrow opening*

* In der Jägersprache auch: Waidwerk, Waidmann, Waidsack

28 die Wildfutterstelle (Winterfutter-
   stelle)
 – *feeding place for game (winter
   feeding place)*
29 der Wilderer (Raubschütz, Wild-
   frevler, Jagdfrevler, Wilddieb)
 – *poacher*
30 der Stutzen, ein kurzes Gewehr *n*
 – *carbine, a short rifle*
31 die Sauhatz (Wildschweinjagd)
 – *boar hunt*
32 die Wildsau (Sau, das Wildschwein)
 – *wild sow (sow, wild boar)*
33 der Saupacker (Saurüde, Rüde,
   Hatzrüde, Hetzhund; *mehrere:* die
   Meute, Hundemeute)
 – *boarhound (hound, hunting dog;
   collectively: pack, pack of hounds)*
34-39 die Treibjagd (Kesseljagd,
   Hasenjagd, das Kesseltreiben)
 – ***beating** (driving, hare hunting)*
34 der Anschlag
 – *aiming position*
35 der Hase (Krumme, Lampe), ein
   Haarwild *n*
 – *hare, furred game (ground game)*
36 der Apport (das Apportieren)
 – *retrieving*
37 der Treiber
 – *beater*

38 die Strecke (Jagdbeute)
 – *bag (kill)*
39 der Wildwagen
 – *cart for carrying game*
40 die Wasserjagd (Entenjagd)
 – *waterfowling (wildfowling, duck
   shooting,* Am. *duck hunting)*
41 der Wildentenzug, das Federwild
 – *flight of wild ducks, winged game*
42-46 die Falkenbeize (Beizjagd,
   Beize, Falkenjagd, Falknerei)
 – ***falconry** (hawking)*
42 der Falkner (Falkenier, Falken-
   jäger)
 – *falconer*
43 das Zieget, ein Fleischstück *n*
 – *reward, a piece of meat*
44 die Falkenhaube (Falkenkappe)
 – *falcon's hood*
45 die Fessel
 – *jess*
46 der Falke, ein Beizvogel, ein Fal-
   kenmännchen *n* (Terzel *m*) beim
   Schlagen *n* eines Reihers *m*
 – *falcon, a hawk, a male hawk
   (tiercel) swooping (stooping) on a
   heron*
47-52 die Hüttenjagd
 – ***shooting from a butt***
47 der Einfallbaum
 – *tree to which birds are lured*

48 der Uhu (Auf), ein Reizvogel *m*
   (Lockvogel)
 – *eagle owl, a decoy bird (decoy)*
49 die Krücke (Jule)
 – *perch*
50 der angelockte Vogel, eine Krähe
 – *decoyed bird, a crow*
51 die Krähenhütte (Uhuhütte), eine
   Hütte (Schießhütte, Ansitzhütte)
 – *butt for shooting crows or eagle
   owls*
52 die Schießluke
 – *gun slit*

1-40 Sportwaffen _f_ (Jagdgewehre _n_)
- **sporting guns** _(sporting rifles, hunting rifles)_
1 der Einzellader
- _single-loader (single-loading rifle)_
2 die Repetierbüchse, eine Handfeuerwaffe (Schußwaffe), ein Mehrlader _m_ (Magazingewehr _n_)
- _repeating rifle, a small-arm (fire-arm), a repeater (magazine rifle, magazine repeater)_
3, 4, 6, 13 die Schäftung
- _stock_
3 der Kolben
- _butt_
4 die Backe [an der linken Seite]
- _cheek [on the left side]_
5 der Riemenbügel
- _sling ring_
6 der Pistolengriff
- _pistol grip_
7 der Kolbenhals
- _small of the butt_
8 der Sicherungsflügel
- _safety catch_
9 das Schloß (Gewehrschloß)
- _lock_
10 der Abzugbügel
- _trigger guard_
11 der Druckpunktabzug
- _second set trigger (firing trigger)_
12 der Stecher
- _hair trigger (set trigger)_
13 der Vorderschaft
- _foregrip_

14 der Rückschlaghinderer (die Gummikolbenkappe)
- _butt plate_
15 das Patronenlager
- _cartridge chamber_
16 der Hülsenkopf
- _receiver_
17 das Patronenmagazin
- _magazine_
18 die Zubringerfeder
- _magazine spring_
19 die Munition
- _ammunition (cartridge)_
20 die Kammer
- _chamber_
21 der Schlagbolzen
- _firing pin (striker)_
22 der Kammerstengel
- _bolt handle (bolt lever)_
23 der Drilling, ein kombiniertes Gewehr _n_, ein Selbstspanner _m_
- _triple-barrelled (triple-barreled) rifle, a self-cocking gun_
24 der Umschaltschieber (_bei verschiedenen Waffen:_ die Sicherung)
- _reversing catch; in various guns: safety catch_
25 der Verschlußhebel
- _sliding safety catch_
26 der Büchsenlauf
- _rifle barrel (rifled barrel)_
27 der Schrotlauf
- _smooth-bore barrel_
28 die Jagdgravur
- _chasing_

29 das Zielfernrohr
- _telescopic sight (riflescope, telescope sight)_
30 Schrauben _f_ für die Absehenverstellung
- _graticule adjuster screws_
31 _u._ **32** das Absehen (Zielfernrohrabsehen)
- _graticule (sight graticule)_
31 versch. Absehensysteme _n_
- _various graticule systems_
32 das Fadenkreuz
- _cross wires (Am. cross hairs)_
33 die Bockbüchsflinte
- _over-and-under shotgun_
34 der gezogene Gewehrlauf
- _rifled gun barrel_
35 die Laufwandung
- _barrel casing_
36 der Zug
- _rifling_
37 das Zugkaliber
- _rifling calibre (Am. caliber)_
38 die Seelenachse
- _bore axis_
39 das Feld
- _land_
40 das Bohrungs- oder Felderkaliber (Kaliber)
- _calibre (bore diameter, Am. caliber)_

41-48 Jagdgeräte *n*
- *hunting equipment*
41 der Hirschfänger
- *double-edged hunting knife*
42 der Genickfänger (das Weid-
messer, Jagdmesser)
- *[single-edged] hunting knife*
43-47 Lockgeräte *n* **zur Lockjagd**
- *calls for luring game (for calling
game)*
43 der Fiepblatter (Rehblatter, die
Rehfiepe)
- *roe call*
44 die Hasenklage (Hasenquäke)
- *hare call*
45 die Wachtellocke
- *quail call*
46 der Hirschruf
- *stag call*
47 die Rebhuhnlocke
- *partridge call*
48 der Schwanenhals, eine Bügelfalle
- *bow trap (bow gin), a jaw trap*
49 die Schrotpatrone
- *small-shot cartridge*
50 die Papphülse
- *cardboard case*
51 die Schrotladung
- *small-shot charge*
52 der Filzpfropf
- *felt wad*
53 das rauchlose Pulver (*andere Art:*
Schwarzpulver)
- *smokeless powder (*different kind:
black powder)
54 die Patrone
- *cartridge*
55 das Vollmantelgeschoß
- *full-jacketed cartridge*
56 der Weichbleikern
- *soft-lead core*
57 die Pulverladung
- *powder charge*
58 der Amboß
- *detonator cap*
59 das Zündhütchen
- *percussion cap*
60 das Jagdhorn
- *hunting horn*
61-64 das Waffenreinigungsgerät
- *rifle cleaning kit*
61 der Putzstock
- *cleaning rod*
62 die Laufreinigungsbürste
- *cleaning brush*
63 das Reinigungswerg
- *cleaning tow*
64 die Reinigungsschnur
- *pull-through (*Am. *pull-thru)*
65 die Visiereinrichtung
- *sights*
66 die Kimme
- *notch (sighting notch)*
67 die Visierklappe
- *back sight leaf*
68 die Visiermarke
- *sight scale division*

69 der Visierschieber
- *back sight slide*
70 die Raste
- *notch [to hold the spring]*
71 das Korn
- *front sight (foresight)*
72 die Kornspitze
- *bead*
73 Ballistik *f*
- *ballistics*
74 die Mündungswaagerechte
- *azimuth*
75 der Abgangswinkel
- *angle of departure*
76 der Erhöhungswinkel
(Elevationswinkel)
- *angle of elevation*
77 die Scheitelhöhe
- *apex (zenith)*
78 der Fallwinkel
- *angle of descent*
79 die ballist. Kurve
- *ballistic curve*

88 Wild   *Game*

1-27 das Rotwild (Edelwild)
- *red deer*
1 das Tier (Edeltier, Rottier, die
  Hirschkuh), ein Schmaltier *n* od. ein
  Gelttier *n; mehrere:* Kahlwild *n,*
  das Junge: *(weibl.)* Wildkalb *n,*
  (männl.) Hirschkalb *n*
- *hind (red deer), a young hind or*
  a dam; collectively: antlerless deer,
  (y.) calf
2 der Lecker
- *tongue*
3 der Träger (Hals)
- *neck*
4 der Brunfthirsch
- *rutting stag*
5-11 das Geweih
- *antlers*
5 die Rose
- *burr (rose)*
6 die Augensprosse (der Augsproß)
- *brow antler (brow tine, brow point,*
  brow snag)
7 die Eissprosse (der Eissproß)
- *bez antler (bay antler, bay, bez tine)*
8 die Mittelsprosse (der Mittelsproß)
- *royal antler (royal, tray)*
9 die Krone
- *surroyal antlers (surroyals)*
10 das Ende (die Sprosse)
- *point (tine)*
11 die Stange
- *beam (main trunk)*
12 der Kopf (das Haupt)
- *head*
13 das Geäse (der Äser, das Maul)
- *mouth*
14 die Tränengrube (Tränenhöhle)
- *larmier (tear bag)*
15 das Licht
- *eye*
16 der Lauscher (Loser, Luser)
- *ear*
17 das Blatt
- *shoulder*
18 der Ziemer
- *loin*
19 der Wedel (die Blume)
- *scut (tail)*
20 der Spiegel
- *rump*
21 die Keule
- *leg (haunch)*
22 der Hinterlauf
- *hind leg*
23 das Geäfter (die Afterklaue, Ober-
  klaue, der Heufler, Oberrücken)
- *dew claw*
24 die Schale (Klaue)
- *hoof*
25 der Vorderlauf
- *foreleg*
26 die Flanke
- *flank*
27 der Kragen (Brunftkragen, die
  Brunftmähne)
- *collar (rutting mane)*
28-39 das Rehwild
- *roe (roe deer)*
28 der Rehbock (Bock)
- *roebuck (buck)*
29-31 das Gehörn (die Krone,
  bayr.-östr. das Gewichtl)
- *antlers (horns)*
29 die Rose
- *burr (rose)*
30 die Stange mit den Perlen *f*
- *beam with pearls*
31 das Ende
- *point (tine)*
32 der Lauscher
- *ear*

33 das Licht
- *eye*
34 die Ricke (Geiß, Rehgeiß, das Reh),
  ein Schmalreh *n* (Kitzreh) od. ein
  Altreh *n* (Geltreh, Altricke *f,* Altgeiß)
- *doe (female roe), a female fawn or*
  a barren doe
35 der Ziemer (Rehziemer)
- *loin*
36 der Spiegel
- *rump*
37 die Keule
- *leg (haunch)*
38 das Blatt
- *shoulder*
39 das Kitz, *(männl.)* Bockkitz, *(weibl.)*
  Rehkitz
- *fawn, (m.) young buck, (f.) young doe*
40-41 das Damwild
- *fallow deer*
40 der Damhirsch (Dambock), ein
  Schaufler *m, (weibl.)* das Damtier
- *fallow buck, a buck with palmate*
  (palmated) antlers, (f.) doe
41 die Schaufel
- *palm*
42 der Rotfuchs, *(männl.)* Rüde, *(weibl.)*
  die Fähe (Fähin), *das Junge:* der
  Welpe
- *red fox, (m.) dog, (f.) vixen, (y.) cub*
43 die Seher *m*
- *eyes*
44 das Gehör
- *ear*
45 der Fang (das Maul)
- *muzzle (mouth)*
46 die Pranten *f* (Branten, Branken)
- *pads (paws)*
47 die Lunte (Standarte, Rute)
- *brush (tail)*
48 der Dachs, *(männl.)* Dachsbär, *(weibl.)*
  die Dächsin
- *badger, (f.) sow*
49 der Pürzel (Bürzel, Schwanz,
  die Rute)
- *tail*
50 die Pranten *f* (Branten, Branken)
- *paws*
51 das Schwarzwild, *(männl.)* der Keiler
  (das Wildschwein, die Sau) *(weibl.)* die
  Bache (Sau), *das Junge:* der Frischling
- *wild boar, (m.) boar, (f.) wild sow (sow),*
  (y.) young boar
52 die Federn *f* (der Kamm)
- *bristles*
53 das Gebrech (Gebräch, der Rüssel)
- *snout*
54 der untere Hauzahn (Hauer), *beide*
  unteren Hauzähne: das Gewaff, *(bei*
  der Bache) die Haken, *beide oberen*
  Hauzähne: die Haderer *m*
- *tusk*
55 das Schild (bes. dicke Haut *f* auf dem
  Blatt *n*)
- *shield*
56 die Schwarte (Haut)
- *hide*
57 das Geäfter
- *dew claw*
58 der Pürzel (Bürzel, Schmörkel, das
  Federlein)
- *tail*
59 der Hase (Feldhase), *(männl.)*
  Rammler, *(weibl.)* Setzhase (die
  Häsin)
- *hare, (m.) buck, (f.) doe*
60 der Seher (das Auge)
- *eye*
61 der Löffel
- *ear*
62 die Blume
- *scut (tail)*

63 der Hinterlauf (Sprung)
- *hind leg*
64 der Vorderlauf
- *foreleg*
65 das Kaninchen
- *rabbit*
66 der Birkhahn (Spielhahn, kleine Hahn)
- *blackcock*
67 der Schwanz (das Spiel, der Stoß,
  die Leier, Schere)
- *tail*
68 die Sichelfedern *f*
- *falcate (falcated) feathers*
69 das Haselhuhn
- *hazel grouse (hazel hen)*
70 das Rebhuhn
- *partridge*
71 das (der) Schild
- *horseshoe (horseshoe marking)*
72 der Auerhahn (Urhahn, große Hahn)
- *wood grouse (capercaillie)*
73 der Federbart (Kehlbart, Bart)
- *beard*
74 der Spiegel
- *axillary marking*
75 der Schwanz (Stoß, Fächer, das
  Ruder, die Schaufel)
- *tail (fan)*
76 der Fittich (die Schwinge)
- *wing (pinion)*
77 der Edelfasan (Jagdfasan), ein
  Fasan *m, (männl.)* Fasanenhahn,
  (weibl.) Fasanenhenne
- *common pheasant, a pheasant, (m.)*
  cock pheasant (pheasant cock), (f.) hen
  pheasant (pheasant hen)
78 das Federohr (Horn)
- *plumicorn (feathered ear, ear tuft, ear,*
  horn)
79 der Fittich (das (der) Schild)
- *wing*
80 der Schwanz (Stoß, das Spiel)
- *tail*
81 das Bein (der Ständer)
- *leg*
82 der Sporn
- *spur*
83 die Schnepfe (Waldschnepfe)
- *snipe*
84 der Stecher (Schnabel)
- *bill (beak)*

168

89 Fischzucht und Angelsport

1-19 die Fischzucht
- *fish farming (fish culture, pisciculture)*
1 der Hälter im fließenden Wasser *n*
- *cage in running water*
2 der Handkescher (Ketscher)
- *hand net (landing net)*
3 das halbovale Fischtransportfaß
- *semi-oval barrel for transporting fish*
4 die Stande
- *vat*
5 der Überlaufrechen
- *trellis in the overflow*
6 der Forellenteich; *ähnl.*: der Karpfenteich, ein Brut-, Vorstreck-, Streck- oder Abwachsteich *m*
- *trout pond; sim.*: *carp pond, a fry pond, fattening pond, or cleansing pond*
7 der Wasserzulauf
- *water inlet (water supply pipe)*
8 der Wasserablauf
- *water outlet (outlet pipe)*
9 der Mönch (Teichmönch)
- *monk*
10 das Mönchabsperrgitter
- *screen*
11-19 die Fischbrutanstalt
- *hatchery*
11 das Abstreifen des Laichhechts *m*
- *stripping the spawning pike (seed pike)*
12 der Fischlaich (Laich, Rogen, die Fischeier *n*)
- *fish spawn (spawn, roe, fish eggs)*
13 der weibliche Fisch (Rogner)
- *female fish (spawner, seed fish)*
14 die Forellenzucht
- *trout breeding (trout rearing)*
15 der kalifornische Brutapparat
- *Californian incubator*
16 die Forellenbrut
- *trout fry*
17 das Hechtbrutglas
- *hatching jar for pike*
18 der Langstromtrog
- *long incubation tank*
19 die Brandstettersche Eierzählplatte
- *Brandstetter egg-counting board*
20-94 das Sportangeln (die Angelfischerei)
- *angling*
20-31 das Grundangeln
- *bottom fishing (coarse fishing)*
20 der Wurf mit abgezogener Schnur
- *line shooting*
21 die Klänge *m*
- *coils*
22 das Tuch oder Papier *n*
- *cloth (rag) or paper*
23 der Rutenhalter
- *rod rest*
24 die Köderdose
- *bait tin*
25 der Fischkorb
- *fish basket (creel)*
26 der Karpfenansitz vom Boot *n* aus
- *fishing for carp from a boat*
27 das Ruderboot (Fischerboot)
- *rowing boat (fishing boat)*
28 der Setzkescher
- *keep net*
29 die Köderfischsenke
- *drop net*
30 die Stake
- *pole (punt pole, quant pole)*
31 das Wurfnetz
- *casting net*

32 der beidhändige Seitwurf mit Stationärrolle
- *two-handed side cast with fixed-spool reel*
33 die Ausgangsstellung
- *initial position*
34 der Abwurfpunkt
- *point of release*
35 die Bahn der Rutenspitze
- *path of the rod tip*
36 die Flugbahn des Ködergewichts *n*
- *trajectory of the baited weight*
37-94 Angelgeräte *n*
- *fishing tackle*
37 die Anglerzange
- *fishing pliers*
38 das Filiermesser
- *filleting knife*
39 das Fischmesser
- *fish knife*
40 der Hakenlöser
- *disgorger (hook disgorger)*
41 die Ködernadel
- *bait needle*
42 der Schonrachenspanner
- *gag*
43-48 Posen *f*
- *floats*
43 das Korkgleitfloß
- *sliding cork float*
44 die Kunststoffpose
- *plastic float*
45 die Federkielpose
- *quill float*
46 der Schaumstoffschwimmer
- *polystyrene float*
47 die ovale Wasserkugel
- *oval bubble float*
48 die bleibeschwerte Gleitpose
- *lead-weighted sliding float*
49-58 Ruten *f*
- *rods*
49 die Vollglasrute
- *solid glass rod*
50 der Preßkorkgriff
- *cork handle (cork butt)*
51 der Federstahlring
- *spring-steel ring*
52 der Spitzenring
- *top ring (end ring)*
53 die Teleskoprute
- *telescopic rod*
54 das Rutenteil
- *rod section*
55 das umwickelte Handteil
- *bound handle (bound butt)*
56 der Laufring
- *ring*
57 die Kohlefiberrute, *ähnl.*: die Hohlglasrute
- *carbon-fibre rod; sim.*: *hollow glass rod*
58 der Weitwurfring, ein Stahlbrückenring
- *all-round ring (butt ring for long cast), a steel bridge ring*
59-64 Rollen *f*
- *reels*
59 die Multiplikatorrolle (Multirolle)
- *multiplying reel (multiplier reel)*
60 die Schnurführung
- *line guide*
61 die Stationärrolle
- *fixed-spool reel (stationary-drum reel)*
62 der Schnurfangbügel
- *bale arm*
63 die Angelschnur
- *fishing line*

64 die Wurfkontrolle mit dem Zeigefinger *m*
- *controlling the cast with the index finger*
65-76 Köder *m*
- *baits*
65 die Fliege
- *fly*
66 der Nymphenköder (die Nymphe)
- *artificial nymph*
67 der Regenwurmköder
- *artificial earthworm*
68 der Heuschreckenköder
- *artificial grasshopper*
69 der einteilige Wobbler
- *single-jointed plug (single-jointed wobbler)*
70 der zweiteilige Langwobbler
- *double-jointed plug (double-jointed wobbler)*
71 der Kugelwobbler
- *round wobbler*
72 der Pilker
- *wiggler*
73 der Blinker (Löffel)
- *spoon bait (spoon)*
74 der Spinner
- *spinner*
75 der Spinner mit verstecktem Haken
- *spinner with concealed hook*
76 der Zocker
- *long spinner*
77 der Wirtel
- *swivel*
78 das Vorfach
- *cast (leader)*
79-87 Haken *m*
- *hooks*
79 der Angelhaken
- *fish hook*
80 die Hakenspitze mit Widerhaken *m*
- *point of the hook with barb*
81 der Hakenbogen
- *bend of the hook*
82 das Plättchen (Öhr)
- *spade (eye)*
83 der offene Doppelhaken
- *open double hook*
84 der Limerick
- *limerick*
85 der geschlossene Drilling
- *closed treble hook (triangle)*
86 der Karpfenhaken
- *carp hook*
87 der Aalhaken
- *eel hook*
88-92 Bleigewichte *n*
- *leads (lead weights)*
88 die Bleiolive
- *oval lead (oval sinker)*
89 die Bleikugeln *f*
- *lead shot*
90 das Birnenblei
- *pear-shaped lead*
91 das Grundsucherblei
- *plummet*
92 das Seeblei
- *sea lead*
93 der Fischpaß
- *fish ladder (fish pass, fish way)*
94 das Schockernetz
- *stake net*

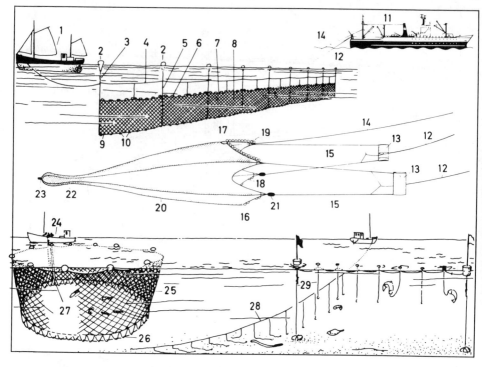

1-23 **die Hochseefischerei**
- *deep-sea fishing*
1-10 **die Treibnetzfischerei**
- *drift net fishing*
1 der Heringslogger (Fischlogger,
   Logger)
- *herring lugger (fishing lugger, lugger)*
2-10 **das Heringstreibnetz**
- *herring drift net*
2 die Boje (Brail)
- *buoy*
3 das Brailtau
- *buoy rope*
4 das Fleetreep
- *float line*
5 die Zeising
- *seizing*
6 das Flottholz
- *wooden float*
7 das Sperreep
- *headline*
8 das Netz (die Netzwand)
- *net*
9 das Untersimm
- *footrope*
10 die Grundgewichte *n*
- *sinkers (weights)*
11-23 **die Schleppnetzfischerei**
- *trawl fishing (trawling)*
11 das Fangfabrikschiff, ein Fisch-
   trawler
- *factory ship, a trawler*

12 die Kurrleine
- *warp (trawl warp)*
13 die Scherbretter *n*
- *otter boards*
14 das Netzsondenkabel
- *net sonar cable*
15 der Stander
- *wire warp*
16 der Flügel
- *wing*
17 die Netzsonde
- *net sonar device*
18 das Grundtau
- *footrope*
19 die Kugeln *f*
- *spherical floats*
20 der Bauch (Belly)
- *belly*
21 das 1800-kg-Eisengewicht
- *1,800 kg iron weight*
22 der Stert
- *cod end (cod)*
23 die Codleine zum Schließen *n* des
   Sterts *m*
- *cod line for closing the cod end*
24-29 **die Küstenfischerei**
- *inshore fishing*
24 das Fischerboot
- *fishing boat*
25 die Ringwade, ein ringförmig
   ausgefahrenes Treibnetz *n*
- *ring net cast in a circle*

26 das Drahtseil zum Schließen *n* der
   Ringwade
- *cable for closing the ring net*
27 die Schließvorrichtung
- *closing gear*
28 *u.* 29 die Langleinenfischerei
- *long-line fishing (long-lining)*
28 die Langleine
- *long line*
29 die Stellangel
- *suspended fishing tackle*

1-34 **die Windmühle**
- *windmill*
1 der Windmühlenflügel
- *windmill vane (windmill sail, windmill arm)*
2 die Windrute
- *stock (middling, back, radius)*
3 die Saumlatte
- *frame*
4 die Windtür
- *shutter*
5 die Flügelwelle (Radwelle)
- *wind shaft (sail axle)*
6 der Flügelkopf
- *sail top*
7 das Kammrad
- *brake wheel*
8 die Radbremse
- *brake*
9 der Holzzahn
- *wooden cog*
10 das Stützlager
- *pivot bearing (step bearing)*
11 das Windmühlengetriebe (der Trilling)
- *wallower*
12 das Mühleisen
- *mill spindle*
13 die Gosse
- *hopper*
14 der Rüttelschuh
- *shoe (trough, spout)*
15 der Müller
- *miller*

16 der Mühlstein
- *millstone*
17 der Hauschlag (die Luftfurche)
- *furrow (flute)*
18 die Sprengschärfe (Mahlfurche)
- *master furrow*
19 das Mühlsteinauge
- *eye*
20 die Bütte (das Mahlsteingehäuse)
- *hurst (millstone casing)*
21 der Mahlgang
- *set of stones (millstones)*
22 der Läuferstein (Oberstein)
- *runner (upper millstone)*
23 der Bodenstein
- *bed stone (lower stone, bedder)*
24 die Holzschaufel
- *wooden shovel*
25 der Kegeltrieb (Winkeltrieb)
- *bevel gear (bevel gearing)*
26 der Rundsichter
- *bolter (sifter)*
27 der Holzbottich
- *wooden tub (wooden tun)*
28 das Mehl
- *flour*
29 die holländ. Windmühle
- *smock windmill (Dutch windmill)*
30 die drehbare Windmühlenhaube
- *rotating (revolving) windmill cap*
31 die Bockmühle
- *post windmill (German windmill)*
32 der Stert
- *tailpole (pole)*

33 das Bockgerüst
- *base*
34 der Königsbaum
- *post*
35-44 **die Wassermühle**
- *watermill*
35 das oberschlächtige Zellenrad, ein Mühlrad *n* (Wasserrad)
- *overshot mill wheel (high-breast mill wheel), a mill wheel (waterwheel)*
36 die Schaufelkammer (Zelle)
- *bucket (cavity)*
37 das mittelschlächtige Mühlrad
- *middleshot mill wheel (breast mill wheel)*
38 die gekrümmte Schaufel
- *curved vane*
39 das unterschlächtige Mühlrad
- *undershot mill wheel*
40 die gerade Schaufel
- *flat vane*
41 das Gerinne
- *headrace (discharge flume)*
42 das Mühlwehr
- *mill weir*
43 der Wasserüberfall
- *overfall (water overfall)*
44 der Mühlbach (Mühlgraben)
- *millstream (millrace, Am. raceway)*

1-41 die Malzbereitung (das Mälzen)
– *preparation of malt (malting)*
1 der Mälzturm (die
Malzproduktionsanlage)
– *malting tower (maltings)*
2 der Gersteeinlauf
– *barley hopper*
3 die Waschetage mit
Druckluftwäsche *f*
– *washing floor with compressed-air
washing unit*
4 der Ablaufkondensator
– *outflow condenser*
5 der Wasserauffangbehälter
– *water-collecting tank*
6 der Weichwasserkondensator
– *condenser for the steep liquor*
7 der Kältemittelsammler
– *coolant collecting plant*
8 die Weich-Keim-Etage (der Feucht-
raum, Weichstock, die Tenne)
– *steeping floor (steeping tank, dressing
floor)*
9 der Kaltwasserbehälter
– *cold water tank*
10 der Warmwasserbehälter
– *hot water tank*
11 der Wasserpumpenraum
– *pump room*
12 die Pneumatikanlage
– *pneumatic plant*
13 die Hydraulikanlage
– *hydraulic plant*
14 der Frisch- und Abluftschacht
– *ventilation shaft (air inlet and outlet)*
15 der Exhauster
– *exhaust fan*
16-18 die Darretagen *f*
– *kilning floors*
16 die Vordarre
– *drying floor*
17 der Brennerventilator
– *burner ventilator*
18 die Nachdarre
– *curing floor*
19 der Darrablaufschacht
– *outlet duct from the kiln*
20 der Fertigmalztrichter
– *finished malt collecting hopper*
21 die Trafostation
– *transformer station*
22 die Kältekompressoren *m*
– *cooling compressors*
23 das Grünmalz (Keimgut)
– *green malt (germinated barley)*
24 die drehbare Horde
– *turner (plough)*
25 die zentrale Schaltwarte mit dem
Schaltschaubild *n*
– *central control room with flow
diagram*
26 die Aufgabeschnecke
– *screw conveyor*
27 die Waschetage
– *washing floor*
28 die Weich-Keim-Etage
– *steeping floor*

29 die Vordarre
– *drying kiln*
30 die Nachdarre
– *curing kiln*
31 der Gerstesilo
– *barley silo*
32 die Waage
– *weighing apparatus*
33 der Gersteelevator
– *barley elevator*
34 der Drei-Wege-Kippkasten
– *three-way chute (three-way
tippler)*
35 der Malzelevator
– *malt elevator*
36 die Putzmaschine
– *cleaning machine*
37 der Malzsilo
– *malt silo*
38 die Keimabsaugung
– *corn removal by suction*
39 die Absackmaschine
– *sacker*
40 der Staubabscheider
– *dust extractor*
41 die Gersteanlieferung
– *barley reception*
42-53 der Sudprozeß im Sudhaus *n*
– *mashing process in the mashhouse*
42 der Vormaischer zum Mischen *n* von
Schrot *n* und Wasser *n*
– *premasher (converter) for mixing grist
and water*
43 der Maischbottich zum
Einmaischen *n* des Malzes *n*
– *mash tub (mash tun) for mashing
the malt*
44 die Maischpfanne (der Maischkessel)
zum Kochen *n* der Maische
– *mash copper (mash tun,* Am. *mash
kettle) for boiling the mash*
45 die Pfannenhaube
– *dome of the tun*
46 das Rührwerk
– *propeller (paddle)*
47 die Schiebetür
– *sliding door*
48 die Wasserzuflußleitung
– *water (liquor) supply pipe*
49 der Brauer (Braumeister, Biersieder)
– *brewer (master brewer, masher)*
50 der Läuterbottich zum Absetzen *n*
der Rückstände *m* (Treber) und
Abfiltrieren *n* der Würze
– *lauter tun for settling the draff
(grains) and filtering off the wort*
51 die Läuterbatterie zur Prüfung der
Würze auf Feinheit *f*
– *lauter battery for testing the wort for
quality*
52 der Hopfenkessel (die Würzpfanne)
zum Kochen *n* der Würze
– *hop boiler (wort boiler) for boiling the
wort*
53 das Schöpfthermometer
– *ladle-type thermometer (scoop
thermometer)*

1-31 **die Bierbrauerei** (Brauerei, das
Brauhaus)
 − *brewery (brewhouse)*
1-5 **die Würzekühlung und Trub-
ausscheidung**
 − *wort cooling and break removal
(trub removal)*
1 das Steuerpult
 − *control desk (control panel)*
2 der Whirlpool zur
Heißtrubausscheidung
 − *whirlpool separator for removing the
hot break (hot trub)*
3 das Dosiergefäß für Kieselgur *f*
 − *measuring vessel for the kieselguhr*
4 der (das) Kieselgurfilter
 − *kieselguhr filter*
5 der Würzekühler
 − *wort cooler*
6 der Hefereinzuchtapparat
 − *pure culture plant for yeast
(yeast propagation plant)*
7 der Gärkeller
 − *fermenting cellar*
8 der Gärbottich
 − *fermentation vessel (fermenter)*
9 das Gärthermometer
(Maischethermometer)
 − *fermentation thermometer
(mash thermometer)*
10 die Maische
 − *mash*
11 das Kühlschlangensystem
 − *refrigeration system*
12 der Lagerkeller
 − *lager cellar*
13 das Mannloch zum Lagertank *m*
 − *manhole to the storage tank*
14 der Anstichhahn
 − *broaching tap*
15 der (das) Bierfilter
 − *beer filter*
16 das Faßlager
 − *barrel store*
17 das Bierfaß, ein Aluminiumfaß *n*
 − *beer barrel, an aluminium
(Am. aluminum) barrel*
18 die Flaschenreinigungsanlage
 − *bottle-washing plant*
19 die Flaschenreinigungsmaschine
 − *bottle-washing machine
(bottle washer)*
20 die Schaltanlage
 − *control panel*
21 die gereinigten Flaschen *f*
 − *cleaned bottles*
22 die Flaschenabfüllung
 − *bottling*
23 der Gabelstapler
 − *forklift truck (fork truck, forklift)*
24 der Bierkastenstapel
 − *stack of beer crates*
25 die Bierdose
 − *beer can*

26 die Bierflasche, eine Europaflasche
mit Flaschenbier *n; Biersorten:* helles
Bier, dunkles Bier, Pilsener Bier,
Münchener Bier, Malzbier, Starkbier
(Bockbier, Bock), Porter, Ale, Stout,
Salvator, Gose, Weißbier (Weizen-
bier), Schwachbier (Dünnbier)
 − *beer bottle, a Eurobottle with bottled
beer; kinds of beer: light beer (lager,
light ale, pale ale or bitter), dark beer
(brown ale, mild), Pilsener beer,
Munich beer, malt beer, strong beer
(bock beer), porter, ale, stout, Salvator
beer, wheat beer, small beer*
27 der Kronenverschluß
 − *crown cork (crown cork closure)*
28 die Einwegpackung
 − *disposable pack (carry-home pack)*
29 die Einwegflasche (Wegwerfflasche)
 − *non-returnable bottle (single-trip
bottle)*
30 das Bierglas
 − *beer glass*
31 die Schaumkrone
 − *head*

1 der Schlächter (Fleischer, *nordd.*
   Schlachter, *südd.* Metzger, *österr.*
   Fleischhauer)
 - *slaughterman (Am. slaughterer,*
   killer)
2 das Schlachtvieh, ein Rind *n*
 - *animal for slaughter, an ox*
3 das Bolzenschußgerät, ein
   Betäubungsgerät *n*
 - *captive-bolt pistol (pneumatic gun),*
   a stunning device
4 der Schußbolzen
 - *bolt*
5 die Patronen *f*
 - *cartridges*
6 der Auslösebügel
 - *release lever (trigger)*
7 das elektrische Betäubungsgerät
 - *electric stunner*
8 die Elektrode
 - *electrode*
9 die Zuleitung
 - *lead*
10 der Handschutz (die
   Schutzisolierung)
 - *hand guard (insulation)*
11 das Schlachtschwein
 - *pig (Am. hog) for slaughter*
12 die Messerscheide
 - *knife case*
13 das Abhäutemesser
 - *flaying knife*
14 das Stechmesser
 - *sticking knife (sticker)*
15 das Blockmesser
 - *butcher's knife (butcher knife)*
16 der Wetzstahl
 - *steel*
17 der Rückenspalter
 - *splitter*
18 der Spalter
 - *cleaver (butcher's cleaver, meat axe*
   (Am. meat ax))
19 die Knochensäge
 - *bone saw (butcher's saw)*
20 die Fleischzerlegesäge zum
   Portionieren *n* von Fleischteilen *n*
 - *meat saw for sawing meat into cuts*
21-24 das Kühlhaus
 - ***cold store*** *(cold room)*
21 der Aufhängebügel
 - *gambrel (gambrel stick)*
22 das Rinderviertel
 - *quarter of beef*
23 die Schweinehälfte
 - *side of pork*
24 der Kontrollstempel des
   Fleischbeschauers *m*
 - *meat inspector's stamp*

linke Seite: Fleischseite;
rechte Seite: Knochenseite
left: meat side;
right: bone side

1-13 das Kalb
– animal: *calf;* meat: **veal**
1 die Keule mit Hinterhachse *f*
  (*südd.* Hinterhaxe *f*)
– *leg with hind knuckle*
2 der Bauch
– *flank*
3 das Kotelett (Kalbskotelett)
– *loin and rib*
4 die Brust (Kalbsbrust)
– *breast (breast of veal)*
5 der Bug mit Vorderhachse *f*
  (*südd.* Vorderhaxe *f*)
– *shoulder with fore knuckle*
6 der Hals
– *neck with scrag (scrag end)*
7 das Filet (Kalbsfilet)
– *best end of loin (of loin of veal)*
8 die Vorderhachse
– *fore knuckle*
9 der Bug
– *shoulder*
10 die Hinterhachse (*südd.* Hinterhaxe)
– *hind knuckle*
11 das Nußstück
– *roasting round (oyster round)*
12 das Frikandeau
– *cutlet for frying or braising*
13 die Oberschale
– *undercut (fillet)*
14-37 das Rind
– animal: *ox;* meat: **beef**
14 die Keule mit Hinterhesse *f*
– *round with rump and shank*
15 *u.* 16 die Lappen *m*
– *flank*
15 die Fleischdünnung
– *thick flank*

16 die Knochendünnung
– *thin flank*
17 das Roastbeef
– *sirloin*
18 die Hochrippe
– *prime rib (fore ribs, prime fore rib)*
19 die Fehlrippe
– *middle rib and chuck*
20 der Kamm
– *neck*
21 die Spannrippe
– *flat rib*
22 der Bug mit Vorderhesse *f*
– *leg of mutton piece (bladebone)*
  with shin
23 die Brust (Rinderbrust)
– *brisket (brisket of beef)*
24 das Filet (Rinderfilet)
– *fillet (fillet of beef)*
25 die Nachbrust
– *hind brisket*
26 die Mittelbrust
– *middle brisket*
27 das Brustbein
– *breastbone*
28 die Vorderhesse
– *shin*
29 das dicke Bugstück
– *leg of mutton piece*
30 das Schaufelstück
– *part of bladebone*
31 das falsche Filet
– *part of top rib*
32 der Schaufeldeckel
– *part of bladebone*
33 die Hinterhesse
– *shank*
34 das Schwanzstück
– *silverside*
35 die Blume
– *rump*
36 die Kugel
– *thick flank*

37 die Oberschale
– *top side*
38-54 das Schwein
– animal: **pig;** meat: **pork**
38 der Schinken mit dem Eisbein *n* und
  dem Spitzbein *n*
– *leg with knuckle and trotter*
39 die Wamme
– *ventral part of the belly*
40 der Rückenspeck
– *back fat*
41 der Bauch
– *belly*
42 der Bug mit Eisbein *n* und Spitzbein *n*
– *bladebone with knuckle and trotter*
43 der Kopf (Schweinskopf)
– *head (pig's head)*
44 das Filet (Schweinefilet)
– *fillet (fillet of pork)*
45 der Flomen
– *leaf fat (pork flare)*
46 das Kotelett (Schweinekotelett)
– *loin (pork loin)*
47 der Kamm (Schweinekamm)
– *spare rib*
48 das Spitzbein
– *trotter*
49 das Eisbein
– *knuckle*
50 das dicke Stück
– *butt*
51 das Schinkenstück
– *fore end (ham)*
52 die Nuß
– *round end for boiling*
53 der Schinkenspeck
– *fat end*
54 die Oberschale
– *gammon steak*

1-30 die Fleischerei (das Fleischerfachgeschäft, *obd./westd.* Metzgerei, Schlächterei, *nd.* Schlachterei)
– *butcher's shop*
1-4 Fleischwaren *pl*
– *meat*
1 der Knochenschinken
– *ham on the bone*
2 die Speckseite
– *flitch of bacon*
3 das Dörrfleisch (Rauchfleisch)
– *smoked meat*
4 das Lendenstück
– *piece of loin (piece of sirloin)*
5 das Schweinefett (Schweineschmalz)
– *lard*
6-11 Wurstwaren *pl*
– *sausages*
6 das Preisschild
– *price label*
7 die Mortadella
– *mortadella*
8 das Brühwürstchen (Würstchen, Siedewürstchen); *Arten:* „Wiener", „Frankfurter"
– *scalded sausage; kinds: Vienna sausage (Wiener), Frankfurter sausage (Frankfurter)*
9 der Preßsack (Preßkopf)
– *collared pork (Am. headcheese)*

10 der Fleischwurstring (die „Lyoner")
– *ring of [Lyoner] sausage*
11 die Bratwurst
– *bratwurst (sausage for frying or grilling)*
12 die Kühltheke
– *cold shelves*
13 der Fleischsalat
– *meat salad (diced meat salad)*
14 die Aufschnittware
– *cold meats (Am. cold cuts)*
15 die Fleischpastete
– *pâté*
16 das Hackfleisch (Gehackte, Schabefleisch, Geschabte, Gewiegte)
– *mince (mincemeat, minced meat)*
17 das Eisbein
– *knuckle of pork*
18 der Sonderangebotskorb
– *basket for special offers*
19 die Sonderpreistafel
– *price list for special offers*
20 das Sonderangebot
– *special offer*
21 die Tiefkühltruhe
– *freezer*
22 das abgepackte Bratenfleisch
– *pre-packed joints*
23 das tiefgefrorene Fertiggericht
– *deep-frozen ready-to-eat meal*

24 das Hähnchen
– *chicken*
25 Konserven *f* (Vollkonserven; *mit beschränkter Haltbarkeit:* Präserven *f*)
– *canned food*
26 die Konservendose
– *can*
27 die Gemüsekonserve
– *canned vegetables*
28 die Fischkonserve
– *canned fish*
29 die Remoulade
– *salad cream*
30 die Erfrischungsgetränke *n*
– *soft drinks*

97 Bäckerei

Bakery

1-54 **der Verkaufsraum** der Bäckerei
(Feinbäckerei, Konditorei)
– **baker's shop**
1 die Verkäuferin
– *shop assistant (Am.* salesgirl,
saleslady)
2 das Brot (der Brotlaib, Laib)
– *bread (loaf of bread, loaf)*
3 die Krume
– *crumb*
4 die Kruste (Brotrinde)
– *crust (bread crust)*
5 das Endstück (*norddt.* die Kante)
– *crust (Am.* heel)
6-12 **Brotsorten** f
– **kinds of bread** *(breads)*
6 das Rundbrot (Landbrot, ein
Mischbrot n)
– *round loaf, a wheat and rye bread*
7 das kleine Rundbrot
– *small round loaf*
8 das Langbrot, ein Roggenmischbrot n
– *long loaf (bloomer), a wheat and
rye bread*
9 das Weißbrot
– *white loaf*
10 das Kastenbrot (*ugs.* Kommißbrot),
ein Vollkornbrot n
– *pan loaf, a wholemeal rye bread*
11 der Stollen (Weihnachtsstollen,
Christstollen)
– *yeast bread (Am.* stollen)
12 das französische Weißbrot
(die Baguette)
– *French loaf (baguette, French stick)*

13-16 **Brötchen** n (*norddt.* Rundstücke,
landsch. Wecke *m,* Wecken *m,*
Semmeln f)
– **rolls**
13 die Semmel (*auch:* der Salzkuchen)
– *roll*
14 das Weizenbrötchen (Weißbrötchen,
auch: Salzbrötchen, Mohnbrötchen,
Kümmelbrötchen)
– *[white] roll*
15 das Doppelbrötchen
– *double roll*
16 das Roggenbrötchen
– *rye-bread roll*
17-47 **Konditoreiwaren** *pl*
– **cakes** *(confectionery)*
17 die Sahnerolle
– *cream roll*
18 die Pastete, eine Blätterteigpastete
– *vol-au-vent, a puff pastry (Am.*
puff paste)
19 die Biskuitrolle
– *Swiss roll (Am.* jelly roll)
20 das Törtchen
– *tartlet*
21 die Cremeschnitte
– *cream slice*
22-24 **Torten** f
– **flans** *(Am.* pies) **and gateaux** *(torten)*
22 die Obsttorte (*Arten:* Erdbeertorte,
Kirschtorte, Stachelbeertorte; Pfirsich-
torte, Rhabarbertorte)
– *fruit flan (kinds: strawberry flan, cherry
flan, gooseberry flan, peach flan,
rhubarb flan)*

23 die Käsetorte
– *cheesecake*
24 die Cremetorte (*auch:* Sahnetorte,
Arten: Buttercremetorte, Schwarzwälder Kirschtorte)
– *cream cake (Am.* cream pie) (kinds:
butter-cream cake, Black Forest
gateau)
25 die Tortenplatte
– *cake plate*
26 der Baiser (die Meringe, *schweiz.*
Meringue)
– *meringue*
27 der Windbeutel
– *cream puff*
28 die Schlagsahne (*österr.* das
Schlagobers)
– *whipped cream*
29 der Berliner Pfannkuchen (Berliner)
– *doughnut (Am.* bismarck)
30 das Schweinsohr
– *Danish pastry*
31 die Salzstange (*auch:* Kümmelstange)
– *saltstick (Salzstange) (also: caraway
roll, caraway stick)*
32 das Hörnchen
– *croissant (crescent roll, Am.* crescent)
33 der Napfkuchen (Topfkuchen, *oberdt.*
Gugelhupf)
– *ring cake (gugelhupf)*
34 der Kastenkuchen mit Schokoladen-
überzug *m*
– *slab cake with chocolate icing*
35 das Streuselgebäck
– *streusel cakes*

36 der Mohrenkopf
– *marshmallow*
37 die Makrone
– *coconut macaroon*
38 die Schnecke (*landsch.*
Schneckennudel)
– *schnecke*
39 der Amerikaner
– *[kind of] iced bun*
40 der Einback
– *sweet bread*
41 der Hefezopf
– *plaited bun (plait)*
42 der Frankfurter Kranz
– *Frankfurter garland cake*
43 der Blechkuchen (*Arten:*
Streuselkuchen, Zuckerkuchen,
Zwetschgenkuchen)
– *slices (kinds: streusel slices, sugared
slices, plum slices)*
44 die Brezel
(Laugenbrezel)
– *pretzel*
45 die Waffel
– *wafer* (Am. *waffle*)
46 der Baumkuchen
– *tree cake (baumkuchen)*
47 der Tortenboden
– *flan case*
48-50 **abgepackte Brotsorten** *f*
– **wrapped bread**
48 das Vollkornbrot (*auch:*
Weizenkeimbrot)
– *wholemeal bread (also: wheatgerm
bread)*

49 der Pumpernickel
– *pumpernickel (wholemeal rye bread)*
50 das Knäckebrot
– *crispbread*
51 der Lebkuchen
– *gingerbread* (Am. *lebkuchen*)
52 das Mehl (*Arten:* Weizenmehl,
Roggenmehl)
– *flour (kinds: wheat flour, rye flour)*
53 die Hefe
– *yeast (baker's yeast)*
54 der Zwieback (Kinderzwieback)
– *rusks (French toast)*
55-74 **der Backraum** (die Backstube)
– **bakery (bakehouse)**
55 die Knetmaschine
– *kneading machine (dough mixer)*
56-57 **die Brotanlage**
– **bread unit**
56 die Teigteilmaschine
– *divider*
57 die Wirkanlage
– *moulder* (Am. *molder*)
58 das Wassermisch- und -meßgerät
– *premixer*
59 der Mixer
– *dough mixer*
60 der Arbeitstisch
– *workbench*
61 die Brötchenanlage
– *roll unit*
62 der Arbeitstisch
– *workbench*
63 die Teigteil- und Rundwirkmaschine
– *divider and rounder (rounding machine)*

64 die Hörnchenwickelmaschine
– *crescent-forming machine*
65 Frosteranlagen *f*
– *freezers*
66 das Fettbackgerät
– *oven [for baking with fat]*
67-70 **die Konditorei**
– **confectionery unit**
67 der Kühltisch
– *cooling table*
68 die Spüle
– *sink*
69 der Kocher
– *boiler*
70 die Rühr- und Schlagmaschine
– *whipping unit [with beater]*
71 der Etagenofen (Backofen)
– *reel oven (oven)*
72 der Gärraum
– *fermentation room*
73 der Gärwagen
– *fermentation trolley*
74 die Mehlsiloanlage
– *flour silo*

1-87 das Lebensmittelgeschäft (die Lebensmittelhandlung, das Feinkostgeschäft, Delikatessengeschäft, *veraltet:* die Kolonialwarenhandlung), ein Einzelhandelsgeschäft *n*
- *grocer's shop (grocer's, delicatessen shop, Am. grocery store, delicatessen store), a retail shop (Am. retail store)*
1 die Schaufensterauslage
- *window display*
2 das Plakat (Werbeplakat)
- *poster (advertisement)*
3 die Kühlvitrine
- *cold shelves*
4 die Wurstwaren *pl*
- *sausages*
5 der Käse
- *cheese*
6 das Brathähnchen
- *roasting chicken (broiler)*
7 die Poularde, eine gemästete Henne
- *poulard, a fattened hen*
8-11 Backzutaten *f*
- *baking ingredients*
8 die Rosinen *f; ähnl.:* Sultaninen
- *raisins; sim.: sultanas*
9 die Korinthen *f*
- *currants*
10 das Zitronat
- *candied lemon peel*
11 das Orangeat
- *candied orange peel*
12 die Neigungswaage, eine Schnellwaage
- *computing scale, a rapid scale*
13 der Verkäufer
- *shop assistant (Am. salesclerk)*

14 das Warengestell (Warenregal)
- *goods shelves (shelves)*
15-20 Konserven *f*
- *canned food*
15 die Büchsenmilch (Dosenmilch)
- *canned milk*
16 die Obstkonserve
- *canned fruit (cans of fruit)*
17 die Gemüsekonserve
- *canned vegetables*
18 der Fruchtsaft
- *fruit juice*
19 die Ölsardinen *f,* eine Fischkonserve
- *sardines in oil, a can of fish*
20 die Fleischkonserve
- *canned meat (cans of meat)*
21 die Margarine
- *margarine*
22 die Butter
- *butter*
23 das Kokosfett, ein Pflanzenfett *n*
- *coconut oil, a vegetable oil*
24 das Öl; *Arten:* Tafelöl, Salatöl; Olivenöl, Sonnenblumenöl, Weizenkeimöl, Erdnußöl
- *oil; kinds: salad oil, olive oil, sunflower oil, wheatgerm oil, ground-nut oil*
25 der Essig
- *vinegar*
26 der Suppenwürfel
- *stock cube*
27 der Brühwürfel
- *bouillon cube*
28 der Senf
- *mustard*
29 die Essiggurke
- *pickled gherkin*

30 die Suppenwürze
- *soup seasoning*
31 die Verkäuferin
- *shop assistant (Am. salesgirl, saleslady)*
32-34 Teigwaren *pl*
- *pastas*
32 die Spaghetti *pl*
- *spaghetti*
33 die Makkaroni *pl*
- *macaroni*
34 die Nudeln *f*
- *noodles*
35-39 Nährmittel *pl*
- *cereal products*
35 die Graupen *f*
- *pearl barley*
36 der Grieß
- *semolina*
37 die Haferflocken *f*
- *rolled oats (porridge oats, oats)*
38 der Reis
- *rice*
39 der Sago
- *sago*
40 das Salz
- *salt*
41 der Kaufmann (Händler), ein Einzelhändler *m*
- *grocer (Am. groceryman), a shopkeeper (tradesman, retailer, Am. storekeeper)*
42 die Kapern *f*
- *capers*
43 die Kundin
- *customer*
44 der Kassenzettel
- *receipt (sales check)*

45 die Einkaufstasche
– *shopping bag*
46-49 **Packmaterial** *n*
– **wrapping material**
46 das Einwickelpapier
– *wrapping paper*
47 der Klebestreifen
– *adhesive tape*
48 der Papierbeutel
– *paper bag*
49 die spitze Tüte
– *cone-shaped paper bag*
50 das Puddingpulver
– *blancmange powder*
51 die Konfitüre
– *whole-fruit jam (preserve)*
52 die Marmelade
– *jam*
53-55 **Zucker** *m*
– **sugar**
53 der Würfelzucker
– *cube sugar*
54 der Puderzucker
– *icing sugar (Am. confectioner's sugar)*
55 der Kristallzucker, eine Raffinade
– *refined sugar in crystals*
56-59 **Spirituosen** *pl*
– **spirits**
56 der Korn, ein klarer Schnaps *m* (Branntwein)
– *schnapps distilled from grain [usually wheat]*
57 der Rum
– *rum*
58 der Likör
– *liqueur*
59 der Weinbrand (Kognak)
– *brandy (cognac)*

60-64 Wein *m* in Flaschen *f*
– **wine** *in bottles (bottled wine)*
60 der Weißwein
– *white wine*
61 der Chianti
– *Chianti*
62 der Wermut
– *vermouth*
63 der Sekt (Schaumwein)
– *sparkling wine*
64 der Rotwein
– *red wine*
65-68 **Genußmittel** *n*
– **tea, coffee, etc.**
65 der Kaffee (Bohnenkaffee)
– *coffee (pure coffee)*
66 der Kakao
– *cocoa*
67 die Kaffeesorte
– *coffee*
68 der Teebeutel
– *tea bag*
69 die elektr. Kaffeemühle
– *electric coffee grinder*
70 die Kaffeeröstmaschine
– *coffee roaster*
71 die Rösttrommel
– *roasting drum*
72 die Probierschaufel
– *sample scoop*
73 die Preisliste
– *price list*
74 die Tiefkühltruhe
– *freezer*
75-86 **Süßwaren** *pl*
– **confectionery** (Am. *candies*)
75 das (der) Bonbon
– *sweet (Am. candy)*

76 die Drops *pl*
– *drops*
77 die Karamelle
– *toffees*
78 die Schokoladentafel
– *bar of chocolate*
79 die Bonbonniere
– *chocolate box*
80 die Praline (das Praliné), ein Konfekt *n*
– *chocolate, a sweet*
81 der Nougat (Nugat)
– *nougat*
82 das Marzipan
– *marzipan*
83 die Weinbrandbohne
– *chocolate liqueur*
84 die Katzenzunge
– *cat's tongue*
85 der Krokant
– *croquant*
86 die Schokoladentrüffel
– *truffle*
87 das Tafelwasser (Selterswasser, der Sprudel)
– *soda water*

1-96 der Supermarkt, ein
Selbstbedienungsgeschäft *n* für
Lebensmittel *n*
- *supermarket, a self-service food store*
1 der Einkaufswagen
- *shopping trolley*
2 der Kunde (Käufer)
- *customer*
3 die Einkaufstasche
- *shopping bag*
4 der Zugang zum Verkaufsraum *m*
- *entrance to the sales area*
5 die Absperrung (Barriere)
- *barrier*
6 das Hundeverbotsschild
- *sign (notice) banning dogs*
7 die angeleinten Hunde *m*
- *dogs tied by their leads*
8 der Verkaufskorb
- *basket*
9 die Backwarenabteilung (Brot-
abteilung, Konditoreiabteilung)
- *bread and cake counter (bread counter,
cake counter)*
10 die Backwarenvitrine
- *display counter for bread and cakes*
11 die Brotsorten *f*
- *kinds of bread (breads)*
12 die Brötchen *n*
- *rolls*
13 die Hörnchen *n*
- *croissants (crescent rolls, Am. crescents)*
14 das Landbrot
- *round loaf (strong rye bread)*
15 die Torte
- *gateau*
16 die Jahresbrezel *[südd.]*, eine
Hefebrezel
- *pretzel [made with yeast dough]*

17 die Verkäuferin
- *shop assistant (Am. salesgirl,
saleslady)*
18 die Kundin (Käuferin)
- *customer*
19 das Angebotsschild
- *sign listing goods*
20 die Obsttorte
- *fruit flan*
21 der Kastenkuchen
- *slab cake*
22 der Napfkuchen
- *ring cake*
23 die Kosmetikgondel, eine Gondel
(ein Verkaufsregal *n*)
- *cosmetics gondola, a gondola
(sales shelves)*
24 der Baldachin
- *canopy*
25 das Strumpffach
- *hosiery shelf*
26 die Strumpfpackung
- *stockings pack (nylons pack)*
27-35 Körperpflegemittel (Kosmetika) *n*
- *toiletries (cosmetics)*
27 die Cremedose (Creme; Arten:
Feuchtigkeitscreme *f*, Tagescreme *f*,
Nachtcreme *f*, Handcreme *f*)
- *cream jar (cream; kinds: moisturising
cream, day cream, night-care cream,
hand cream)*
28 die Wattepackung
- *cotton wool packet*
29 die Puderdose
- *powder tin*
30 die Packung Wattebäuschchen *n*
- *packet of cotton wool balls*
31 die Zahnpastapackung
- *toothpaste box*

32 der Nagellack
- *nail varnish (nail polish)*
33 die Cremetube
- *cream tube*
34 der Badezusatz
- *bath salts*
35 Hygieneartikel *m*
- *sanitary articles*
36 u. 37 die Tiernahrung
- *pet foods*
36 die Hundevollkost
- *complete dog food*
37 die Packung Hundekuchen *m*
- *packet of dog biscuits*
38 die Packung Katzenstreu *f*
- *bag of cat litter*
39 die Käseabteilung
- *cheese counter*
40 der Käselaib
- *whole cheese*
41 der Schweizer Käse (Emmentaler)
mit Löchern *n*
- *Swiss cheese (Emmental cheese)
with holes*
42 der Edamer (Edamer Käse), ein
Rundkäse
- *Edam cheese, a round cheese*
43 die Milchproduktegondel
- *gondola for dairy products*
44 die H-Milch (haltbare, hocherhitzte
und homogenisierte Milch)
- *long-life milk (milk with good keeping
properties, pasteurized and
homogenized milk)*
45 der Milchbeutel
- *plastic milk bag*
46 die Sahne
- *cream*

47 die Butter
- *butter*
48 die Margarine
- *margarine*
49 die Käseschachtel
- *cheese box*
50 die Eierpackung
- *egg box*
51 **die Frischfleischabteilung**
(Fleischwarenabteilung)
- **fresh meat counter** *(meat counter)*
52 der Knochenschinken
- *ham on the bone*
53 die Fleischwaren *pl*
- *meat (meat products)*
54 die Wurstwaren *pl*
- *sausages*
55 der Fleischwurstring
- *ring of [pork] sausage*
56 der Rotwurstring (die Blutwurst)
- *ring of blood sausage*
57 die Tiefkühlbox
- *freezer*
58-61 **das Gefriergut**
- **frozen food**
58 die Poularde
- *poulard*
59 der Putenschlegel
- *turkey leg (drumstick)*
60 das Suppenhuhn
- *boiling fowl*
61 das Gefriergemüse
- *frozen vegetables*
62 **die Back- und Nährmittelgondel**
- **gondola for baking ingredients and cereal products**
63 das Weizenmehl
- *wheat flour*

64 der Zuckerhut
- *sugar loaf*
65 die Packung Suppennudeln *f*
- *packet of noodles [for soup]*
66 das Speiseöl
- *salad oil*
67 die Gewürzpackung
- *spice packet*
68-70 **die Genußmittel** *n*
- **tea, coffee, etc.**
68 der Kaffee
- *coffee*
69 die Teeschachtel
- *tea packet*
70 der lösliche Pulverkaffee (Instant-kaffee)
- *instant coffee*
71 **die Getränkegondel**
- **drinks gondola**
72 der Bierkasten (Kasten Bier *n*)
- *beer crate (crate of beer)*
73 die Bierdose (das Dosenbier)
- *beer can (canned beer)*
74 die Fruchtsaftflasche
- *fruit juice bottle*
75 die Fruchtsaftdose
- *fruit juice can*
76 die Weinflasche
- *bottle of wine*
77 die Chiantiflasche
- *chianti bottle*
78 die Sektflasche
- *champagne bottle*
79 der Notausgang
- *emergency exit*
80 **die Obst- und Gemüseabteilung**
- **fruit and vegetable counter**
81 der Gemüsekorb
- *vegetable basket*

82 die Tomaten *f*
- *tomatoes*
83 die Gurken *f*
- *cucumbers*
84 der Blumenkohl
- *cauliflower*
85 die Ananas
- *pineapple*
86 die Äpfel *m*
- *apples*
87 die Birnen *f*
- *pears*
88 die Obstwaage
- *scales for weighing fruit*
89 die Weintrauben *f*
- *grapes (bunches of grapes)*
90 die Bananen *f*
- *bananas*
91 die Konservendose
- *can*
92 **der Kassenstand** (die Kasse)
- **checkout**
93 die Registrierkasse
- *cash register*
94 die Kassiererin
- *cashier*
95 die Sperrkette
- *chain*
96 der Substitut (Assistent des Abteilungs-leiters *m*)
- *assistant departmental manager*

1-68 die Schuhmacherwerkstatt
(*landsch.* Schusterwerkstatt)
– *shoemaker's workshop (bootmaker's
workshop)*
1 die fertigen (reparierten) Schuhe *m*
– *finished (repaired) shoes*
2 die Durchnähmaschine
– *auto-soling machine*
3 die Ausputzmaschine
– *finishing machine*
4 der Absatzfräser
– *heel trimmer*
5 die Wechselfräser *m*
– *sole trimmer*
6 die Schleifscheibe
– *scouring wheel*
7 der Bimskreisel
– *naum keag*
8 der Antrieb
– *drive unit (drive wheel)*
9 der Schnittdrücker
– *iron*
10 die Schwabbelscheibe
– *buffing wheel*
11 die Polierbürste
– *polishing brush*
12 die Roßhaarbürste
– *horsehair brush*
13 die Absaugung
– *extractor grid*

14 die automatische Sohlenpresse
– *automatic sole press*
15 die Preßplatte
– *press attachment*
16 das Preßkissen
– *pad*
17 die Andruckbügel *m*
– *press bar*
18 der Ausweitapparat
– *stretching machine*
19 die Verstellvorrichtung für Weite *f*
– *width adjustment*
20 die Verstellvorrichtung für Länge *f*
– *length adjustment*
21 die Nähmaschine
– *stitching machine*
22 die Stärkeverstellung
– *power regulator (power control)*
23 der Fuß
– *foot*
24 das Schwungrad
– *handwheel*
25 der Langarm
– *arm*
26 die Doppelmaschine
– *sole stitcher (sole-stitching machine)*
27 der Fußanheber
– *foot bar lever*
28 die Vorschubeinstellung
– *feed adjustment (feed setting)*

29 die Fadenrolle
– *bobbin (cotton bobbin)*
30 der Fadenführer
– *thread guide (yarn guide)*
31 das Sohlenleder
– *sole leather*
32 der Leisten
– *[wooden] last*
33 der Arbeitstisch
– *workbench*
34 der Eisenleisten
– *last*
35 die Farbsprühdose
– *dye spray*
36 das Materialregal
– *shelves for materials*

37 der Schusterhammer
– shoemaker's hammer
38 die Falzzange
– shoemaker's pliers (welt pincers)
39 die Bodenlederschere
– sole-leather shears
40 die kleine Beißzange
– small pincers (nippers)
41 die große Beißzange (Kneifzange)
– large pincers (nippers)
42 die Oberlederschere
– upper-leather shears
43 die Fadenschere
– scissors
44 die Revolverlochzange
– revolving punch (rotary punch)
45 das Locheisen
– punch
46 das Henkellocheisen
– punch [with a handle]
47 der Stiftenzieher
– nail puller
48 das Randmesser
– welt cutter
49 die Schuhmacherraspel
– shoemaker's rasp
50 das Schustermesser
– cobbler's knife (shoemaker's
knife)

51 das Schärfmesser
– skiving knife (skife knife,
paring knife)
52 die Kappenheberzange
– toecap remover
53 die Ösen-, Haken- und
Druckknopfeinsetzmaschine
– eyelet, hook, and press-stud
setter
54 der Arbeitsständer (Eisenfuß)
– stand (with iron lasts)
55 der Weitfixleisten
– width-setting tree
56 das Nagelheft
– nail grip
57 der Stiefel
– boot
58 die Vorderkappe
– toecap
59 die Hinterkappe
– counter
60 das Vorderblatt
– vamp
61 das Seitenteil (das Quartier)
– quarter
62 der Haken
– hook
63 die Öse
– eyelet

64 das Schnürband
– lace (shoelace, bootlace)
65 die Zunge
– tongue
66 die Sohle
– sole
67 der Absatz
– heel
68 das Gelenk
– shank (waist)

1 der Winterstiefel
– *winter boot*
2 die PVC-Sohle (Kunststoffsohle,
   Plastiksohle)
– *PVC sole (plastic sole)*
3 das Plüschfutter
– *high-pile lining*
4 das Anoraknylon
– *nylon*
5 der Herrenstiefel
– *men's boot*
6 der Innenreißverschluß
– *inside zip (Am. zipper)*
7 der Herrenschaftstiefel
– *men's high leg boot*
8 die Plateausohle
– *platform sole (platform)*
9 der Westernstiefel
– *Western boot (cowboy boot)*
10 der Fohlenfellstiefel
– *pony-skin boot*
11 die Schalensohle
– *cemented sole*
12 der Damenstiefel (Damen-
    straßenstiefel)
– *ladies' boot*
13 der Herrenstraßenstiefel
– *men's high leg boot*
14 der nahtlos gespritzte
    PVC-Regenstiefel
– *seamless PVC waterproof
   wellington boot*
15 die Transparentsohle
– *natural-colour (Am. natural-color)
   sole*
16 die Stiefelkappe
– *toecap*
17 das Trikotfutter
– *tricot lining (knitwear lining)*
18 der Wanderstiefel
– *hiking boot*
19 die Profilsohle
– *grip sole*
20 der gepolsterte Schaftrand
– *padded collar*
21 die Verschnürung
– *tie fastening (lace fastening)*
22 die Badepantolette
– *open-toe mule*
23 das Oberteil aus Frottierstoff
– *terry upper*
24 die Pololaufsohle
– *polo outsole*
25 der Pantoffel
– *mule*
26 das Breitkordoberteil
– *corduroy upper*
27 der Spangenpumps
– *evening sandal (sandal court shoe)*
28 der hohe Absatz (Stöckelabsatz)
– *high heel (stiletto heel)*
29 der Pumps
– *court shoe (Am. pump)*
30 der Mokassin
– *moccasin*
31 der Halbschuh (Schnürschuh)
– *shoe, a tie shoe (laced shoe, Oxford
   shoe, Am. Oxford)*
32 die Zunge
– *tongue*

33 der Halbschuh mit hohem Absatz
– *high-heeled shoe (shoe with
   raised heel)*
34 der Slipper
– *casual*
35 der Sportschuh (Turnschuh)
– *trainer (training shoe)*
36 der Tennisschuh
– *tennis shoe*
37 die Kappe
– *counter (stiffening)*
38 die Transparentgummisohle
– *natural-colour (Am. natural-color)
   rubber sole*
39 der Arbeitsschuh
– *heavy-duty boot (Am. stogy, stogie)*
40 die Schutzkappe
– *toecap*
41 der Hausschuh
– *slipper*
42 der Hüttenschuh aus Wolle f
– *woollen (Am. woolen) slip sock*
43 das Strickmuster
– *knit stitch (knit)*
44 der Clog
– *clog*
45 die Holzsohle
– *wooden sole*
46 das Oberteil aus Softrindleder
– *soft-leather upper*
47 der Töffel
– *sabot*
48 die Dianette
– *toe post sandal*
49 die Sandalette
– *ladies' sandal*
50 das orthopädische Fußbett
– *surgical footbed (sock)*
51 die Sandale
– *sandal*
52 die Schuhschnalle
– *shoe buckle (buckle)*
53 der Slingpumps
– *sling-back court shoe (Am. sling
   pump)*
54 der Stoffpumps
– *fabric court shoe*
55 der Keilabsatz
– *wedge heel*
56 der Lernlaufkinderschuh
– *baby's first walking boot*

1-27 das Damenschneideratelier
- *dressmaker's workroom*
1 der Damenschneider
- *dressmaker*
2 das Maßband (Bandmaß), ein Meter-maß *n*
- *tape measure (measuring tape), a metre* (Am. *meter) tape measure*
3 die Zuschneideschere
- *cutting shears*
4 der Zuschneidetisch
- *cutting table*
5 das Modellkleid
- *model dress*
6 die Schneiderpuppe (Schneiderbüste)
- *dressmaker's model (dressmaker's dummy, dress form)*
7 der Modellmantel
- *model coat*
8 die Schneidernähmaschine
- *sewing machine*
9 der Antriebsmotor
- *drive motor*
10 der Treibriemen
- *drive belt*
11 die Fußplatte
- *treadle*

12 das Nähmaschinengarn (die Garnrolle)
- *sewing machine cotton (sewing machine thread) (bobbin)*
13 die Zuschneideschablone
- *cutting template*
14 das Nahtband (Kantenband)
- *seam binding*
15 die Knopfschachtel
- *button box*
16 der Stoffrest
- *remnant*
17 der fahrbare Kleiderständer
- *movable clothes rack*
18 der Flächenbügelplatz
- *hand-iron press*
19 die Büglerin
- *presser (ironer)*
20 das Dampfbügeleisen
- *steam iron*
21 die Wasserzuleitung
- *water feed pipe*
22 der Wasserbehälter
- *water container*
23 die neigbare Bügelfläche
- *adjustable-tilt ironing surface*
24 die Bügeleisenschwebevorrichtung
- *lift device for the iron*

25 die Saugwanne für die Dampfabsaugung
- *steam extractor*
26 die Fußschalttaste für die Absaugung
- *foot switch controlling steam extraction*
27 der aufgebügelte Vliesstoff
- *pressed non-woven woollen (Am. woolen) fabric*

1-32 das Herrenschneideratelier
- *tailor's workroom*
1 der dreiteilige Spiegel
- *triple mirror*
2 die Stoffbahnen *f*
- *lengths of material*
3 der Anzugstoff
- *suiting*
4 das Modejournal
- *fashion journal (fashion magazine)*
5 der Aschenbecher
- *ashtray*
6 der Modekatalog
- *fashion catalogue*
7 der Arbeitstisch
- *workbench*
8 das Wandregal
- *wall shelves (wall shelf unit)*
9 die Nähgarnrolle
- *cotton reel*
10 die Nähseidenröllchen *n*
- *small reels of sewing silk*
11 die Handschere
- *hand shears*
12 die kombinierte Elektro- und
Tretnähmaschine
- *combined electric and treadle
sewing machine*
13 der Tritt
- *treadle*

14 der Kleiderschutz
- *dress guard*
15 das Schwungrad
- *band wheel*
16 der Unterfadenumspuler
- *bobbin thread*
17 der Nähmaschinentisch
- *sewing machine table*
18 die Nähmaschinenschublade
- *sewing machine drawer*
19 das Kantenband
- *seam binding*
20 das Nadelkissen
- *pincushion*
21 die Anzeichnerei
- *marking out*
22 der Herrenschneider
- *tailor*
23 das Formkissen
- *shaping pad*
24 die Schneiderkreide
- *tailor's chalk (French chalk)*
25 das Werkstück
- *workpiece*
26 der Dampfbügler
- *steam press (steam pressing unit)*
27 der Schwenkarm
- *swivel arm*
28 das Bügelformkissen
- *pressing cushion (pressing pad)*

29 das Bügeleisen
- *iron*
30 das Handbügelkissen
- *hand-ironing pad*
31 die Stoffbürste
- *clothes brush*
32 das Bügeltuch
- *pressing cloth*

1-39 der Damenfrisiersalon
(Damensalon) und Kosmetiksalon
– **ladies' hairdressing salon and beauty**
salon (Am. *beauty parlor, beauty*
shop)
1-16 Frisierutensilien *n*
– **hairdresser's tools**
1 die Schale für das Blondiermittel
– *bowl containing bleach*
2 die Strähnenbürste
– *detangling brush*
3 die Blondiermitteltube
– *bleach tube*
4 der Färbelockenwickel
– *curler [used in dyeing]*
5 die Brennschere
– *curling tongs (curling iron)*
6 der Einsteckkamm
– *comb (back comb, side comb)*
7 die Haarschneideschere
– *haircutting scissors*
8 die Effilierschere
– *thinning scissors (Am. thinning*
shears)
9 das Effiliermesser
– *thinning razor*
10 die Haarbürste
– *hairbrush*
11 der Haarclip
– *hair clip*
12 der Lockenwickler
(Lockenwickel)
– *roller*

13 die Lockwellbürste
– *curl brush*
14 die Lockenklammer
– *curl clip*
15 der Frisierkamm
– *dressing comb*
16 die Stachelbürste
– *stiff-bristle brush*
17 der verstellbare Frisierstuhl
– *adjustable hairdresser's chair*
18 die Fußstütze
– *footrest*
19 der Frisiertisch
– *dressing table*
20 der Frisierspiegel
– *salon mirror (mirror)*
21 der Haarschneider
– *electric clippers*
22 der Fönkamm
– *warm-air comb*
23 der Handspiegel
– *hand mirror (hand glass)*
24 das Haarspray (das Haarfixativ)
– *hairspray (hair-fixing spray)*
25 die Trockenhaube, eine
Schwenkarmhaube
– *drier, a swivel-mounted drier*
26 der Haubenschwenkarm
– *swivel arm of the drier*
27 der Tellerfuß
– *round base*
28 die Waschanlage
– *shampoo unit*

29 das Haarwaschbecken
– *shampoo basin*
30 die Handbrause
– *hand spray (shampoo spray)*
31 das Serviceplateau
– *service tray*
32 die Shampooflasche
– *shampoo bottle*
33 der Fön
– *hair drier (hand hair drier, hand-held*
hair drier)
34 der Frisierumhang
– *cape (gown)*
35 die Friseuse
– *hairdresser*
36 die Parfumflasche
– *perfume bottle*
37 die Flasche mit Toilettenwasser *n*
– *bottle of toilet water*
38 die Perücke (Zweitfrisur)
– *wig*
39 der Perückenständer
– *wig block*

1 die Zigarrenkiste
– *cigar box*
2 die Zigarre; *Arten:* Havanna, Brasil, Sumatra
– *cigar; kinds: Havana cigar (Havana), Brazilian cigar, Sumatra cigar*
3 das (der, *ugs.* die) Zigarillo
– *cigarillo*
4 der Stumpen
– *cheroot*
5 das Deckblatt
– *wrapper*
6 das Umblatt
– *binder*
7 die Einlage
– *filler*
8 das Zigarrenetui
– *cigar case*
9 der Zigarrenabschneider
– *cigar cutter*
10 das Zigarettenetui
– *cigarette case*
11 die Zigarettenschachtel
– *cigarette packet (Am. pack)*
12 die Zigarette, eine Filterzigarette
– *cigarette, a filter-tipped cigarette*
13 das Mundstück; *Arten:* Korkmundstück, Goldmundstück
– *cigarette tip; kinds: cork tip, gold tip*
14 die Papirossa
– *Russian cigarette*
15 die Zigarettenmaschine (der Zigarettenwickler)
– *cigarette roller*
16 die Zigarettenspitze
– *cigarette holder*
17 das Zigarettenpapierheftchen
– *packet of cigarette papers*

18 der Rollentabak
– *pigtail (twist of tobacco)*
19 der Kautabak; *ein Stück:* der Priem
– *chewing tobacco; a piece: plug (quid, chew)*
20 die Schnupftabaksdose, mit Schnupftabak *m*
– *snuff box, containing snuff*
21 die Streichholzschachtel (Zündholzschachtel)
– *matchbox*
22 das Streichholz (Zündholz)
– *match*
23 der Schwefelkopf (Zündkopf)
– *head (match head)*
24 die Reibfläche
– *striking surface*
25 das Paket (Päckchen) Tabak *m; Arten:* Feinschnitt, Krüllschnitt, Navy Cut
– *packet of tobacco; kinds: fine cut, shag, navy plug*
26 die Banderole (Steuerbanderole, Steuermarke)
– *revenue stamp*
27 das Benzinfeuerzeug
– *petrol cigarette lighter (petrol lighter)*
28 der Feuerstein
– *flint*
29 der Docht
– *wick*
30 das Gasfeuerzeug, ein Einwegfeuerzeug (Wegwerffeuerzeug)
– *gas cigarette lighter (gas lighter), a disposable lighter*
31 die Flammenregulierung
– *flame regulator*
32 der Tschibuk
– *chibonk (chibonque)*

33 die kurze Pfeife
– *short pipe*
34 die Tonpfeife
– *clay pipe (Dutch pipe)*
35 die lange Pfeife
– *long pipe*
36 der Pfeifenkopf
– *pipe bowl (bowl)*
37 der Pfeifendeckel
– *bowl lid*
38 das Pfeifenrohr
– *pipe stem (stem)*
39 die Bruyèrepfeife
– *briar pipe*
40 das Pfeifenmundstück
– *mouthpiece*
41 die (sandgestrahlte oder polierte) Bruyèremaserung
– *sand-blast finished or polished briar grain*
42 die (das) Nargileh, eine Wasserpfeife
– *hookah (narghile, narghileh), a water pipe*
43 der Tabaksbeutel
– *tobacco pouch*
44 das Raucherbesteck (Pfeifenbesteck)
– *smoker's companion*
45 der Auskratzer
– *pipe scraper*
46 der Pfeifenreiniger
– *pipe cleaner*
47 der Stopfer
– *tobacco presser*
48 der Pfeifenreinigungsdraht
– *pipe cleaner*

1 die Draht- und Blechwalze
– *wire and sheet roller*
2 die Ziehbank
– *drawbench (drawing bench)*
3 der Draht (Gold- oder Silberdraht)
– *wire (gold or silver wire)*
4 der Dreul (Drillbohrer)
– *archimedes drill (drill)*
5 das Querholz
– *crossbar*
6 die elektrische Hängebohrmaschine
– *suspended (pendant) electric drilling machine*
7 der Kugelfräser mit Handstück *n*
– *spherical cutter (cherry)*
8 der Schmelzofen
– *melting pot*
9 der Schamottedeckel
– *fireclay top*
10 der Graphittiegel
– *graphite crucible*
11 die Tiegelzange
– *crucible tongs*
12 die Bogensäge
– *piercing saw (jig saw)*
13 das Laubsägeblatt
– *piercing saw blade*
14 die Lötpistole
– *soldering gun*
15 das Gewindeschneideisen
– *thread tapper*
16 das Zylinderlötgebläse
– *blast burner (blast lamp) for soldering*
17 der Goldschmied
– *goldsmith*

18 die Würfelanke (Anke, der Vertiefstempel)
– *swage block*
19 die Punze
– *punch*
20 das Werkbrett
– *workbench (bench)*
21 das Werkbrettfell
– *bench apron*
22 der Feilnagel
– *needle file*
23 die Blechschere
– *metal shears*
24 die Trauringmaschine (Trauring-Weitenänderungsmaschine)
– *wedding ring sizing machine*
25 der Ringstock
– *ring gauge (Am. gage)*
26 der Ringriegel
– *ring-rounding tool*
27 das Ringmaß
– *ring gauge (Am. gage)*
28 der Stahlwinkel
– *steel set-square*
29 das Linsenkissen, ein Lederkissen
– *(circular) leather pad*
30 die Punzenbüchse
– *box of punches*
31 die Punze
– *punch*
32 der Magnet
– *magnet*
33 die Brettbürste (der Brettpinsel)
– *bench brush*
34 die Gravierkugel
– *engraving ball (joint vice, clamp)*

35 die Gold- und Silberwaage, eine Präzisionswaage
– *gold and silver balance (assay balance), a precision balance*
36 das Lötmittel
– *soldering flux (flux)*
37 die Glühplatte, aus Holzkohle *f*
– *charcoal block*
38 die Lötstange
– *stick of solder*
39 der Lötborax
– *soldering borax*
40 der Fassonhammer
– *shaping hammer*
41 der Ziselierhammer
– *chasing (enchasing) hammer*
42 die Poliermaschine
– *polishing and burnishing machine*
43 der Tischstaubsauger (Tischstaubsauger)
– *dust exhauster (vacuum cleaner)*
44 die Polierbürste
– *polishing wheel*
45 der Staubsammelkasten
– *dust collector (dust catcher)*
46 das Naßbürstgerät
– *buffing machine*
47 die Rundfeile
– *round file*
48 der Blutstein (Roteisenstein)
– *bloodstone (haematite, hematite)*
49 die Flachfeile
– *flat file*
50 das Feilenheft
– *file handle*
51 der Polierstahl
– *polishing iron (burnisher)*

1 der Uhrmacher
– *watchmaker; also: clockmaker*
2 der Werktisch
– *workbench*
3 die Armauflage
– *armrest*
4 der Ölgeber
– *oiler*
5 der Ölblock für Kleinuhren f
– *oil stand*
6 der Schraubenziehersatz
– *set of screwdrivers*
7 der Zeigeramboß
– *clockmaker's anvil*
8 die Glättahle, eine Reibahle
– *broach, a reamer*
9 das Federstegwerkzeug
– *spring pin tool*
10 der Abheber für
Armbanduhrzeiger m
– *hand-removing tool*
11 der Gehäuseschlüssel
– *watchglass-fitting tool [for armoured,
Am. armored, glass]*
12 die Arbeitslampe, eine Mehrzweck-
leuchte
– *workbench lamp, a multi-purpose
lamp*
13 der Mehrzweckmotor
– *multi-purpose motor*
14 die Kornzange (Pinzette)
– *tweezers*

15 die Poliermaschinenaufsätze m
– *polishing machine attachments*
16 das Stiftenklöbchen
– *pin vice (pin holder)*
17 die Rolliermaschine (der Rollier-
stuhl) zum Rollieren n, Polieren n,
Arrondieren n und Kürzen n von
Wellen f
– *burnisher, for burnishing,
polishing, and shortening of
spindles*
18 der Staubpinsel
– *dust brush*
19 der Abschneider für
Metallarmbänder n
– *cutter for metal watch straps*
20 die Präzisions-Kleindrehmaschine
(Kleindrehbank, der Uhrmacher-
drehstuhl)
– *precision bench lathe (watchmaker's
lathe)*
21 das Keilriemenvorgelege
– *drive-belt gear*
22 der Werkstattmuli für Ersatzteile n
– *workshop trolley for spare
parts*
23 die Vibrationsreinigungsmaschine
– *ultrasonic cleaner*
24 das Umlaufprüfgerät für
automatische Uhren f
– *rotating watch-testing machine for
automatic watches*

25 das Meßpult für die Überprüfung
elektronischer Bauelemente n
– *watch-timing machine for electronic
components*
26 das Prüfgerät für wasserdichte
Uhren f
– *testing device for waterproof watches*
27 die Zeitwaage
– *electronic timing machine*
28 der Schraubstock
– *vice (Am. vise)*
29 die Einpreßvorrichtung für armierte
Uhrgläser n
– *watchglass-fitting tool for armoured
(Am. armored) glasses*
30 der Reinigungsautomat für die kon-
ventionelle Reinigung
– *[automatic] cleaning machine for
conventional cleaning*
31 die Kuckucksuhr
(Schwarzwälderuhr)
– *cuckoo clock (Black Forest clock)*
32 die Wanduhr (der Regulator)
– *wall clock (regulator)*
33 das Kompensationspendel
– *compensation pendulum*
34 die Küchenuhr
– *kitchen clock*
35 die Kurzzeituhr
(der Kurzzeitwecker)
– *timer*

1 die elektronische Armbanduhr
– *electronic wristwatch*
2 die Digitalanzeige (eine Leuchtdiodenanzeige, *auch:* Flüssigkristallanzeige, LCD-Anzeige)
– *digital display (a light-emitting
diode (LED) display; also: a liquid
crystal display, LCD)*
3 der Stunden- und Minutenknopf
(bei 6 auch für die Einstellung der
Analoganzeige)
– *hour and minute button (on 6,
also for setting the analogue
(Am. analog) display*
4 der Datums- und Sekundenknopf
– *date and second button*
5 das Armband
– *strap (watch strap)*
6 die multifunktionelle elektronische
Armbanduhr
– *multifunction electronic watch*
7 die Analoganzeige
– *analogue (Am. analog) display*
8 der Weckalarmknopf
– *alarm button*
9 der Stopp-Programm-Knopf
– *stopwatch button*
10 der drehbare Zeiteinstellring
– *rotating bezel (time-lapse indicator
ring)*
11 die Terminuhr (Weckuhr, der
Wecker)
– *calendar clock (alarm clock)*
12 die Digitalanzeige mit
Fallblattziffern *f*
– *digital display with flip-over
numerals*
13 die Weckzeitanzeige
– *alarm indicator*
14 die Abstelltaste
– *stop button*
15 das Stellrad
– *forward and backward wind knob*
16 die Standuhr
– *grandfather clock*
17 das Zifferblatt
– *face*
18 das Uhrgehäuse
– *clock case*
19 das Pendel (das *od.* der
Perpendikel)
– *pendulum*
20 das Schlaggewicht
– *striking weight*
21 das Ganggewicht
– *time weight*
22 die Sonnenuhr
– *sundial*
23 die Sanduhr (Eieruhr)
– *hourglass (egg timer)*
24-35 das Springbild der
automatischen Armbanduhr *f*
(Uhr mit automatischem Aufzug *m*, Selbstaufzug)
– *components of an automatic watch
(automatic wristwatch, self-winding
watch)*

24 die Schwingmasse (der Rotor)
– *weight (rotor)*
25 der Stein (Lagerstein), ein
synthetischer Rubin
– *stone (jewel, jewelled bearing)
a synthetic ruby*
26 die Spannklinke
– *click*
27 das Spannrad
– *click wheel*
28 das Uhrwerk
– *clockwork (clockwork mechanism)*
29 die Werkplatte
– *bottom train plate*
30 das Federhaus
– *spring barrel*
31 die Unruh
– *balance wheel*
32 das Ankerrad
– *escape wheel*
33 das Aufzugsrad
– *crown wheel*
34 die Krone
– *winding crown*
35 das Antriebswerk
– *drive mechanism*
36 das Prinzip der elektronischen
Quarzuhr *f*
– *principle of the electronic quartz
watch*
37 der Quarz (Schwingquarz)
– *quartz*
38 die Antriebsquelle (eine
Knopfzelle)
– *power source (a button cell)*
39 der kleine Zeiger
– *hour hand*
40 der große Zeiger
– *minute hand*
41 das Räderwerk
– *wheels*
42 der Schrittschaltmotor
– *stepping motor (stepper motor)*
43 die Frequenzunterteilung
(integrierte Schaltungen *f*)
– *frequency divider (integrated
circuit)*
44 der Decoder
– *decoder*

1-19 **der Verkaufsraum**
– *sales premises*
1-4 **die Brillenanprobe**
– *spectacle fitting*
1 der Optiker
– *optician*
2 der Kunde
– *customer*
3 das Probegestell
– *trial frame*
4 der Spiegel
– *mirror*
5 der Gestellständer (die
   Gestellauswahl, Brillenauswahl)
– *stand with spectacle frames (display*
   of frames, range of spectacles)
6 die Sonnenbrille
– *sunglasses (sun spectacles)*
7 das Metallgestell
– *metal frame*
8 das Horngestell
– *tortoiseshell frame (shell frame)*
9 die Brille
– *spectacles (glasses)*
10-14 **das Brillengestell**
– *spectacle frame*
10 die Gläserfassung
– *fitting (mount) of the frame*
11 der Steg
– *bridge*

12 der Padsteg
– *pad bridge*
13 der Bügel
– *side*
14 das Bügelscharnier
– *side joint*
15 das Brillenglas, ein Bifokalglas *n*
   (Zweistärkenglas)
– *spectacle lens, a bifocal lens*
16 der Handspiegel
– *hand mirror (hand glass)*
17 das Fernglas
– *binoculars*
18 das monokulare Fernrohr
   (der Tubus)
– *monocular telescope (tube)*
19 das Mikroskop
– *microscope*

20-47 die Optikerwerkstatt
- *optician's workshop*
20 der Arbeitstisch
- *workbench*
21 das Universalzentriergerät
- *universal centring (centering) apparatus*
22 die Zentriersaugeraufnahme
- *centring (centering) suction holder*
23 der Zentriersauger
- *sucker*
24 der Brillenglas-Randbearbeitungs-automat
- *edging machine*
25 die Formscheiben *f* für den Randbearbeitungsautomaten *m*
- *formers for the lens edging machine*
26 die eingesetzte Formscheibe
- *inserted former*
27 die mitdrehende Kopierscheibe
- *rotating printer*
28 die Schleifscheibenkombination
- *abrasive wheel combination*
29 das Steuergerät
- *control unit*
30 das Maschinenteil
- *machine part f*
31 der Kühlwasseranschluß
- *cooling water pipe*

32 die Reinigungsflüssigkeit
- *cleaning fluid*
33 der Scheitelbrechwertmesser
- *focimeter (vertex refractionometer)*
34 das Zentrier-, Saugerandrück- und Metallaufblockgerät
- *metal-blocking device*
35 Schleifscheibenkombination *f* und Schlifformen *f*
- *abrasive wheel combination and forms of edging*
36 die Vorschleifscheibe
- *roughing wheel for preliminary surfacing*
37 die Feinschleifscheibe für Plus- und Minusfacette *f*
- *fining lap for positive and negative lens surfaces*
38 die Feinschleifscheibe für Spezial-facette *f* und Flachfacette *f*
- *fining lap for special and flat lenses*
39 das Plankonkavglas mit Flachfacette *f*
- *plano-concave lens with a flat surface*
40 das Plankonkavglas mit Spezial-facette *f*
- *plano-concave lens with a special surface*

41 das Konkavkonvexglas mit Spezial-facette *f*
- *concave and convex lens with a special surface*
42 das Konkavkonvexglas mit Minusfacette *f*
- *convex and concave lens with a special surface*
43 der ophthalmologische Prüfplatz
- *ophthalmic test stand*
44 der Phoropter mit Ophthalmometer *n* und Augenrefraktometer *n*
- *phoropter with ophthalmometer and optometer (refractometer)*
45 der Probiergläserkasten
- *trial lens case*
46 der Sehzeichenkollimator
- *collimator*
47 der Sehzeichenprojektor
- *acuity projector*

1 das Laboratoriums- und Forschungsmikroskop, System Leitz [teilweise im Schnitt]
- *laboratory and research microscope, Leitz system*
2 das Stativ
- *stand*
3 der Stativfuß
- *base*
4 der Grobtrieb
- *coarse adjustment*
5 der Feintrieb
- *fine adjustment*
6 der Beleuchtungsstrahlengang
- *illumination beam path (illumination path)*
7 die Beleuchtungsoptik
- *illumination optics*
8 die Kondensoreinrichtung
- *condenser*
9 der Mikroskoptisch (Objekttisch)
- *microscope (microscopic, object) stage*
10 die Kreuztischeinrichtung
- *mechanical stage*
11 der Objektivrevolver
- *objective turret (revolving nosepiece)*
12 der Binokulartubus
- *binocular head*
13 die Umlenkprismen *n*
- *beam-splitting prisms*
14 das Durchlichtmikroskop mit Kamera *f* und Polarisations-einrichtung *f*, System Zeiss
- *transmitted-light microscope with camera and polarizer, Zeiss system*
15 der Tischsockel
- *stage base*
16 der Aperturblendenschieber
- *aperture-stop slide*
17 der Universaldrehtisch
- *universal stage*
18 die Objektivbrücke
- *lens panel*
19 die Bildweiche
- *polarizing filter*
20 das (der) Kcamerateil
- *camera*
21 die Einstellscheibe
- *focusing screen*
22 die Diskussionstubusanordnung
- *discussion tube arrangement*
23 das Großfeld-Metallmikroskop, ein Auflichtmikroskop *n*
- *wide-field metallurgical microscope, a reflected-light microscope (microscope for reflected light)*
24 die Projektionsmattscheibe
- *matt screen (ground glass screen, projection screen)*
25 die Großbildkamera
- *large-format camera*
26 die Kleinbildkamera
- *miniature camera*
27 die Bodenplatte
- *base plate*

28 das Lampenhaus
- *lamphouse*
29 der drehbare Kreuztisch
- *mechanical stage*
30 der Objektivrevolver
- *objective turret (revolving nosepiece)*
31 das Operationsmikroskop
- *surgical microscope*
32 das Säulenstativ
- *pillar stand*
33 die Objektfeldbeleuchtung
- *field illumination*
34 das Fotomikroskop
- *photomicroscope*
35 die Kleinbildkassette
- *miniature film cassette*
36 der zusätzliche Fotoausgang für Großformat- oder Fernsehkamera *f*
- *photomicrographic camera attachment for large-format or television camera*
37 das Oberflächenprüfgerät
- *surface-finish microscope*
38 der Lichtschnittubus
- *light section tube*
39 der Zahntrieb
- *rack and pinion*
40 das Großfeldstereomikroskop mit Zoomeinstellung *f*
- *zoom stereomicroscope*
41 das Zoomobjektiv
- *zoom lens*
42 das optische Feinstaubmeßgerät
- *dust counter*
43 die Meßkammer
- *measurement chamber*
44 der Datenausgang
- *data output*
45 der Analogausgang
- *analogue (Am. analog) output*
46 der Meßbereichwähler
- *measurement range selector*
47 die digitale Datenanzeige
- *digital display (digital readout)*
48 das Eintauchrefraktometer, zur Nahrungsmitteluntersuchung
- *dipping refractometer for examining food*
49 das Mikroskopphotometer
- *microscopic photometer*
50 die Photometerlichtquelle
- *photometric light source*
51 die Meßeinrichtung (der Photovervielfacher)
- *measuring device (photomultiplier, multiplier phototube)*
52 die Lichtquelle für die Übersichtsbeleuchtung
- *light source for survey illumination*
53 der Elektronikschrank
- *remote electronics*
54 das universelle Großfeldmikroskop
- *universal wide-field microscope*
55 der Fotostutzen, für Kamera *f* oder Projektionsaufsatz *m*
- *adapter for camera or projector attachment*

56 der Drehknopf zum Einstellen *n* des Okularabstandes *m*
- *eyepiece focusing knob*
57 die Filteraufnahme
- *filter pick-up*
58 die Handauflage
- *handrest*
59 das Lampenhaus für die Auflichtbeleuchtung
- *lamphouse for incident (vertical) illumination*
60 der Lampenhausanschluß für die Durchlichtbeleuchtung
- *lamphouse connector for transillumination*
61 das Großfeldstereomikroskop
- *wide-field stereomicroscope*
62 die Wechselobjektive *n*
- *interchangeable lenses (objectives)*
63 die Auflichtbeleuchtung
- *incident (vertical) illumination (incident top lighting)*
64 die vollautomatische Mikroskop-kamera, eine Aufsatzkamera
- *fully automatic microscope camera, a camera with photomicro mount adapter*
65 die Filmkassette
- *film cassette*
66 der Universalkondensor zum Forschungsmikroskop 1 *n*
- *universal condenser for research microscope 1*
67 die Universalmeßkammer für die Photogrammetrie (der Phototheodolit)
- *universal-type measuring machine for photogrammetry (phototheodolite)*
68 die Meßbildkamera
- *photogrammetric camera*
69 das Motornivellier, ein Kompensatornivellier *n*
- *motor-driven level, a compensator level*
70 das elektro-optische Streckenmeßgerät
- *electro-optical distance-measuring instrument*
71 die Stereomeßkammer
- *stereometric camera*
72 die horizontale Basis
- *horizontal base*
73 der Sekundentheodolit
- *one-second theodolite*

113 Optische Geräte II

Optical Instruments II

1 das 2,2-m-Spiegelteleskop
 - *2.2 m reflecting telescope (reflector)*
2 das Untergestell
 - *pedestal (base)*
3 die Axial-radial-Lagerung
 - *axial-radial bearing*
4 das Deklinationsgetriebe
 - *declination gear*
5 die Deklinationsachse
 - *declination axis*
6 das Deklinationslager
 - *declination bearing*
7 der Frontring
 - *front ring*
8 der Tubus
 - *tube (body tube)*
9 das Tubusmittelteil
 - *tube centre (Am. center) section*
10 der Hauptspiegel
 - *primary mirror (main mirror)*
11 der Umlenkspiegel
 - *secondary mirror (deviation mirror, corrector plate)*
12 die Gabel
 - *fork mounting (fork)*
13 die Abdeckung
 - *cover*
14 das Führungslager
 - *guide bearing*
15 der Hauptantrieb der Stundenachse
 - *main drive unit of the polar axis*
16-25 **Fernrohrmontierungen** *f*
 - **telescope mountings** *(telescope mounts)*
16 das Linsenfernrohr (der Refraktor) in deutscher Montierung
 - *refractor (refracting telescope) on a German-type mounting*

17 die Deklinationsachse
 - *declination axis*
18 die Stundenachse
 - *polar axis*
19 das Gegengewicht
 - *counterweight (counterpoise)*
20 das Okular
 - *eyepiece*
21 die Knicksäulenmontierung
 - *knee mounting with a bent column*
22 die englische Achsenmontierung
 - *English-type axis mounting (axis mount)*
23 die englische Rahmenmontierung
 - *English-type yoke mounting (yoke mount)*
24 die Gabelmontierung
 - *fork mounting (fork mount)*
25 die Hufeisenmontierung
 - *horseshoe mounting (horseshoe mount)*
26 der Meridiankreis
 - *meridian circle*
27 der Teilkreis
 - *divided circle (graduated circle)*
28 das Ablesemikroskop
 - *reading microscope*
29 das Meridianfernrohr
 - *meridian telescope*
30 das Elektronenmikroskop
 - *electron microscope*
31-39 die Mikroskopröhre
 - *microscope tube (microscope body, body tube)*
31 das Strahlenerzeugungssystem (der Strahlkopf)
 - *electron gun*
32 die Kondensorlinsen *f*
 - *condensers*

33 die Objektschleuse
 - *specimen insertion air lock*
34 die Objekttischverstellung (Objektverschiebung)
 - *control for the specimen stage adjustment*
35 der Aperturblendentrieb
 - *control for the objective apertures*
36 die Objektivlinse
 - *objective lens*
37 das Zwischenbildfenster
 - *intermediate image screen*
38 die Fernrohrlupe
 - *telescope magnifier*
39 das Endbildfenster (der Endbildleuchtschirm)
 - *final image tube*
40 die Aufnahmekammer für Film- bzw. Plattenkassetten *f*
 - *photographic chamber for film and plate magazines*

1 die Kleinbild-Kompaktkamera
– *miniature camera (35 mm camera)*
2 der Sucherausblick
– *viewfinder eyepiece*
3 das Belichtungsmesserfenster
– *meter cell*
4 der Zubehörschuh
– *accessory shoe*
5 das versenkbare Objektiv
– *flush lens*
6 die Rückspulkurbel (Rückwickelkurbel)
– *rewind handle (rewind, rewind crank)*
7 die Kleinbildkassette
(Kleinbildpatrone) 135
– *miniature film cassette (135 film cassette, 35 mm cassette)*
8 die Filmspule
– *film spool*
9 der Film mit dem „Einfädelschwanz" *m* und der Perforation *f*
– *film with leader and perforations*
10 das Kassettenmaul
– *cassette slit (cassette exit slot)*
11 die Kassettenkamera
– *cartridge-loading camera*
12 die Auslösetaste
– *shutter release (shutter release button)*
13 der Blitzwürfelanschluß
– *flash cube contact*
14 der quadratische Sucher
– *rectangular viewfinder*
15 die Filmkassette 126 (Instamatic-Kassette)
– *126 cartridge (instamatic cartridge)*
16 die Pocketkamera (Kleinstbildkamera)
– *pocket camera (subminiature camera)*
17 die Kleinstbildkassette 110
– *110 cartridge (subminiature cartridge)*
18 das Bildnummernfenster
– *film window*
19 der Rollfilm 120
– *120 rollfilm*
20 die Rollfilmspule
– *rollfilm spool*
21 das Schutzpapier
– *backing paper*
22 die zweiäugige Spiegelreflexkamera
– *twin-lens reflex camera*
23 der aufklappbare Sucherschacht
– *folding viewfinder hood (focusing hood)*
24 das Belichtungsmesserfenster
– *meter cell*
25 das Sucherobjektiv
– *viewing lens*
26 das Aufnahmeobjektiv
– *object lens*

27 der Spulenknopf
– *spool knob*
28 die Entfernungseinstellung
– *distance setting (focus setting)*
29 der Nachführbelichtungsmesser
– *exposure meter using needle-matching system*
30 der Blitzlichtanschluß
– *flash contact*
31 der Auslöser
– *shutter release*
32 die Filmtransportkurbel
– *film transport (film advance, film wind)*
33 der Blitzschalter
– *flash switch*
34 das Blendeneinstellrad
– *aperture-setting control*
35 das Zeiteinstellrad
– *shutter speed control*
36 die Großformathandkamera
(Pressekamera)
– *large-format hand camera (press camera)*
37 der Handgriff
– *grip (handgrip)*
38 der Drahtauslöser
– *cable release*
39 der Rändelring zur Entfernungseinstellung
– *distance-setting ring (focusing ring)*
40 das Entfernungsmesserfenster
– *rangefinder window*
41 der Mehrformatsucher
– *multiple-frame viewfinder (universal viewfinder)*
42 das Rohrstativ (Dreibein)
– *tripod*
43 das Stativbein
– *tripod leg*
44 der Rohrschenkel
– *tubular leg*
45 der Gummifuß
– *rubber foot*
46 die Mittelsäule
– *central column*
47 der Kugelgelenkkopf
– *ball and socket head*
48 der Kinonivellierkopf
– *cine camera pan and tilt head*
49 die Großformatbalgenkamera
– *large-format folding camera*
50 die optische Bank
– *optical bench*
51 die Standartenverstellung
– *standard adjustment*
52 die Objektivstandarte
– *lens standard*

53 der Balgen
– *bellows*
54 das Kamerarückteil
– *camera back*
55 die Rückteilverstellung
– *back standard adjustment*
56 der Handbelichtungsmesser
(Belichtungsmesser)
– *hand-held exposure meter (exposure meter)*
57 die Rechenscheibe
– *calculator dial*
58 die Anzeigeskalen *f* mit Anzeigenadel *f*
– *scales (indicator scales) with indicator needle (pointer)*
59 die Meßbereichswippe
– *range switch (high/low range selector)*
60 die Diffusorkalotte für Lichtmessungen *f*
– *diffuser for incident light measurement*
61 die Belichtungsmeßkassette für Großbildkameras *f*
– *probe exposure meter for large-format cameras*
62 das Meßgerät
– *meter*
63 die Meßsonde
– *probe*
64 der Kassettenschieber
– *dark slide*
65 das zweiteilige Elektronenblitzgerät
– *battery-portable electronic flash (battery-portable electronic flash unit)*
66 das (der) Generatorteil (die Batterie)
– *power pack unit (battery)*
67 der Blitzkopf (der Blitzstab)
– *flash head*
68 das einteilige Elektronenblitzgerät
– *single-unit electronic flash (flashgun)*
69 der schwenkbare Reflektor
– *swivel-mounted reflector*
70 die Photodiode
– *photodiode*
71 der Sucherfuß
– *foot*
72 der Mittenkontakt
– *hot-shoe contact*
73 das Würfelblitzgerät
– *flash cube unit*
74 der Würfelblitz
– *flash cube*
75 die Flashbar *(AGFA)*
– *flash bar (AGFA)*
76 der Diaprojektor
– *slide projector*
77 das Rundmagazin
– *rotary magazine*

1-24 **die Systemkamera** (die voll-automatische einäugige Kleinbild-Spiegelreflexkamera)
– **system camera** *(fully automatic miniature single-lens reflex camera)*
1 der Hauptschalter
– *main switch*
2 die Funktionseinstelltaste (für Belichtungskorrekturen *f*, Motor *m* und Autofokuszielfeld *n*)
– *function adjustment button (to set exposure adjustment value, drive mode, and focus area)*
3 die Taste für die Belichtungsfunktionen *f*
– *exposure mode button*
4 der Zubehörschuh
– *accessory shoe*
5 die Programmrückstelltaste
– *program reset button*
6 der Datenmonitor (das Datendisplay)
– *data panel (data monitor, data display)*
7 die Ein/Aus-Taste für die Chipkarte
– *card on/off key*
8 der Funktionswähler
– *function selector key*
9 die Chipkarte mit speziellen Fotoprogrammen *n*
– *chip program card*
10 die Kartenfachklappe
– *card door*
11 das Kartensichtfenster
– *card window*
12 das Batteriefach
– *battery chamber*
13 der Fernsteuerungsanschluß
– *remote control terminal*
14 der Auslöser
– *shutter release (shutter release button)*
15 das Fenster für den Autofokus-meßblitz und das Selbstauslöserlicht-signal
– *autofocus (AF) illuminator and self-timer light*
16 der Schaltschieber für das Erniedrigen/Erhöhen manuell eingestellter Werte *m*
– *manual shutter control [up/down control]*
17 der Rückschwingspiegel
– *reflex mirror*
18 der Autofokussensor, ein CCD-Bild-wandler *m*
– *autofocus sensor, a CCD image converter (image sensor)*
19 der Anlagebajonettring
– *bayonet mounting ring*
20 die Blendeneinstelltaste
– *aperture setting button*
21 die Bajonettentriegelung
– *lens release*
22 der Autofokusumschalter (zum Umschalten *n* auf manuelle Scharf-einstellung *f*)
– *focus-mode switch (to switch to manual focusing)*
23 das Autofokuszoomobjektiv, ein Drei-fachzoomobjektiv *n* (35–105 mm)
– *autofocus zoom lens, a x3 zoom lens (35–105 mm)*
24 die Steueranschlüsse *m* für Blende *f* und Autofokus *m*
– *aperture and autofocus contacts*

25-35 **die Sucherscheibe** (Einstellscheibe, ugs.: Mattscheibe), eine Mikrowaben-scheibe
– **viewfinder screen** *(focusing screen, matt screen), a micro-honeycombed focusing screen*
25 das Blitzeinschaltsignal
– *flash-on signal*
26 das Blitzbereitschaftssignal
– *flash-ready signal*
27 die Schärfeindikatoren *m*
– *focus signals*
28 das große Autofokuszielfeld
– *wide focus area*
29 die Verschlußzeitanzeige
– *shutter speed display*
30 die Abstimmanzeige für die manuelle Belichtungseinstellung
– *manual-exposure compensation-value indicator*
31 die Blenden- oder Belichtungs-korrekturanzeige
– *aperture or exposure adjustment indicator*
32 die Spotmessungsanzeige
– *spot metering indicator*
33 der Meßkreis für die Spotmessung
– *spot metering area*
34 das zentrale Autofokuszielfeld
– *centre focus area*
35 die Meßfeldwahlanzeige
– *focus area indicator*
36-42 **der LCD-Datenmonitor**
– **LCD data panel** *(data monitor)*
36 die Programmanzeige
– *program exposure-mode indicator*
37 die Bildzahlanzeige
– *frame counter*
38 die Funktionsanzeigen *f*
– *function indicators*
39 die Blenden- oder Belichtungs-korrekturanzeige
– *aperture or exposure adjustment indicator*
40 die Verschlußzeit- oder Filmempfindlichkeitsanzeige
– *shutter speed or film speed (film sensitivity) indicator*
41 die Filmtransportanzeige
– *film transport indicator*
42 der Funktionspfeil
– *function pointer*
43 die Wechselobjektive *n* (Autofokus-objektive, AF-Objektive)
– *interchangeable lenses (autofocus lenses, AF lenses)*
44 das Fischaugenobjektiv (das Fischauge)
– *fisheye lens (fisheye)*
45 das Weitwinkelobjektiv (die kurze Brennweite)
– *wide-angle lens (short focal-length lens)*
46 das Normalobjektiv
– *standard lens*
47 die mittlere Brennweite
– *medium focal-length lens*
48 das Teleobjektiv (die lange Brennweite), ein Zoomobjektiv (Varioobjektiv)
– *telephoto lens (long focal-length lens), a zoom lens (variable focus lens, varifocal lens)*
49 das Fernobjektiv (die Fernbildlinse)
– *long-focus lens*

50 das Spiegelobjektiv
– *mirror lens*
51 der Telekonverter
– *tele converter*
52 die Datenrückwand (das Data-Back)
– *data back*
53 das Zehn-Meter-Filmmagazin
– *ten-metre (Am. ten-meter) film back (magazine back)*
54-74 **das Zubehör für Nah- und Makroaufnahmen *f***
– **accessories for close-up and macro shots**
54 der Zwischentubus
– *extension tube*
55 der Adapterring
– *adapter ring*
56 der Umkehrring
– *reversing ring*
57 das Objektiv in Retrostellung *f*
– *lens in retrofocus position*
58 das Balgengerät (Balgen-naheinstellgerät)
– *bellows unit (extension bellows, close-up bellows attachment)*
59 der Einstellschlitten
– *focusing stage*
60 der Diakopiervorsatz
– *slide-copying attachment*
61 der Diakopieradapter
– *slide-copying adapter*
62 der Drahtauslöser
– *cable release*
63 das Reprostativ
– *copying stand (copy stand)*
64 der Reproarm
– *arm of the copying stand (copy stand)*
65 das Schulterstativ
– *rifle grip*
66 das Tischstativ (Ministativ)
– *table(-top) tripod (mini tripod)*
67 die Bereitschaftstasche
– *ever-ready case*
68 der Objektivköcher
– *lens case*
69 der Weichleder-Objektivköcher
– *soft-leather lens pouch*
70 die Kameratasche, in Metall-ausführung: der Alukoffer
– *camera bag, of metallic construction: aluminium (Am. aluminum) case*
71 die Filmdose
– *film container*
72 der Filterbehälter
– *filter case*
73 das Zweitgehäuse
– *second body*
74 das Ringblitzgerät für Makroaufnahmen *f*
– *ring flash for macro shots*

1-60 Dunkelkammergeräte n
- *darkroom equipment*
1 die Filmentwicklungsdose
- *developing tank*
2 die Einsatzspirale
- *spiral (developing spiral, tank reel)*
3 die Mehretagen-Entwicklungsdose
- *multi-unit developing tank*
4 die Mehretagen-Filmspirale
- *multi-unit tank spiral*
5 die Tageslichteinspuldose
- *daylight-loading tank*
6 das Filmfach
- *loading chamber*
7 der Filmtransportknauf
- *film transport handle*
8 das Entwicklungsthermometer
- *developing tank thermometer*
9 die Faltflasche für Entwickler-
lösung f
- *collapsible bottle for developing
solution*
10 die Chemikalienflaschen f für Erstentwickler m, Stopphärtebad n,
Farbentwickler m, Bleichfixierbad n,
Stabilisator m
- *chemical bottles for first developer,
stop bath, colour developer,
bleach-hardener, stabilizer*
11 die Mensuren f
- *measuring cylinders*
12 der Einfülltrichter
- *funnel*
13 das Badthermometer (Schalen-
thermometer)
- *tray thermometer (dish thermometer)*
14 die Filmklammer
- *film clip*
15 die Wässerungswanne (das
Wässerungsgerät, der Bildwascher)
- *wash tank (washer)*
16 der Wasserzulauf
- *water supply pipe*
17 der Wasserablauf
- *water outlet pipe*
18 der Laborwecker (Kurzzeitwecker)
- *laboratory timer (timer)*
19 der Filmagitator (das Filmdosen-
bewegungsgerät)
- *automatic film agitator*
20 die Entwicklungsdose (*auch:* die
Bildtrommel)
- *developing tank*
21 die Dunkelkammerleuchte
- *darkroom lamp (safelight)*
22 die Filterglasscheibe
- *filter screen*
23 der Filmtrockner
- *film drier (drying cabinet)*
24 die Belichtungsschaltuhr
- *exposure timer*
25 die Entwicklungsschale
- *developing dish (developing tray)*
26 der Vergrößerer
(das Vergrößerungsgerät,
der Vergrößerungsapparat)
- *enlarger*

27 das Grundbrett
- *baseboard*
28 die geneigte Tragsäule
- *angled column*
29 der Lampenkopf (das Lampengehäuse)
- *lamphouse (lamp housing)*
30 die Negativbühne (Filmbühne)
- *negative carrier*
31 der Balgen
- *bellows*
32 das Objektiv
- *lens*
33 der Friktionsfeintrieb
- *friction drive for fine adjustment*
34 die Höhenverstellung (Maßstabs-
verstellung)
- *height adjustment (scale adjustment)*
35 der Vergrößerungsrahmen (die
Vergrößerungskassette)
- *masking frame (easel)*
36 der Coloranalyser (Analyser, Farb-
filterbestimmer)
- *colour (Am. color) analyser*
37 die Farbkontrollampe
- *colour (Am. color) analyser lamp*
38 das Meßkabel
- *probe lead*
39 der Zeitabgleichknopf
- *exposure time balancing knob*
40 der Farbvergrößerer
- *colour (Am. color) enlarger*
41 der Gerätekopf
- *enlarger head*
42 die Profilsäule
- *column*
43-45 der Farbmischkopf
- *colour-mixing (Am. color-mixing)
knob*
43 die Purpurfiltereinstellung
(Magentaeinstellung)
- *magenta filter adjustment (minus
green filter adjustment)*
44 die Gelbfiltereinstellung
- *yellow filter adjustment (minus blue
filter adjustment)*
45 die Blaugrünfiltereinstellung
(Cyaneinstellung)
- *cyan filter adjustment (minus red
filter adjustment)*
46 das (der) Einstellfilter
- *red swing filter*
47 die Entwicklungszange
- *print tongs*
48 die Papierentwicklungstrommel
- *processing drum*
49 der Rollenquetscher
- *squeegee*
50 das Papiersortiment
- *range (assortment) of papers*
51 das Farbvergrößerungspapier, eine
Packung Fotopapier n
- *colour (Am. color) printing paper, a
packet of photographic printing paper*
52 die Farbentwicklungschemikalien f
- *colour (Am. color) chemicals (colour
processing chemicals)*

53 der Papierbelichtungsmesser
(Vergrößerungsbelichtungsmesser)
- *enlarging meter (enlarging
photometer)*
54 der Einstellknopf mit Papierindex m
- *adjusting knob with paper speed scale*
55 der Meßkopf (die Meßsonde)
- *probe*
56 die halbautomatische
Thermostatentwicklungsschale
- *semi-automatic thermostatically
controlled developing dish*
57 die Schnelltrockenpresse (Heiz-
presse)
- *rapid print drier (heated print drier)*
58 die Hochglanzfolie
- *glazing sheet*
59 das Spanntuch
- *pressure cloth*
60 die automatische Walzenentwicklungsmaschine
- *automatic processor (machine
processor)*

1 **die Schmalfilmkamera,** eine Super-
8-Tonfilmkamera
– **cine camera,** *a Super-8 sound camera*
2 das auswechselbare Zoomobjektiv
(Varioobjektiv)
– *interchangeable zoom lens (variable focus
lens, varifocal lens)*
3 die Entfernungseinstellung und die
manuelle Brennweiteneinstellung
– *distance setting (focus setting) and
manual focal length setting*
4 der Blendenring für die manuelle
Blendeneinstellung
– *aperture ring (aperture-setting ring,
aperture control ring) for manual
aperture setting*
5 der Batteriehandgriff
– *handgrip with battery chamber*
6 der Auslöser mit Drahtauslöseran-
schluß *m*
– *shutter release with cable release socket*
7 der Pilotton- oder Impulsgeberanschluß
für das Tonaufnahmegerät *n* (beim
Zweibandverfahren)
– *pilot tone or pulse generator socket for the
sound recording equipment (with the dual
film-tape system)*
8 die Tonanschlußleitung für Mikrophon *n* oder Zuspielgerät *n* (beim
Einbandverfahren *n*)
– *sound connecting cord for microphone or
external sound source (in single-system
recording)*
9 der Fernauslöseranschluß
– *remote control socket (remote control
jack)*
10 der Kopfhöreranschluß
– *headphone socket (sim.: earphone socket)*
11 der Einstellsystemschalter
– *autofocus override switch*
12 der Filmgeschwindigkeitsschalter
– *filming speed selector*
13 der Tonaufnahme-Wahlschalter für
automatischen oder manuellen Betrieb
– *sound recording selector switch for
automatic or manual operation*
14 das Okular mit Augenmuschel *f*
– *eyepiece with eyecup*
15 die Dioptrieneinstellung
– *diopter control ring (dioptric adjustment
ring)*
16 der Tonaussteuerungsregler
– *recording level control (audio level
control, recording sensitivity selector)*
17 der Belichtungsmesser-Wahlschalter
– *manual/automatic exposure control
switch*
18 die Filmempfindlichkeitseinstellung
– *film speed setting*
19 die Powerzoomeinrichtung
– *power zooming arrangement*
20 die Blendenautomatik
– *automatic aperture control*
21 **das Pistentonsystem**
– **sound track system**
22 die Tonfilmkamera
– *sound camera*
23 der ausziehbare Mikrophonausleger
– *telescopic microphone boom*
24 das Mikrophon
– *microphone*
25 die Mikrophonanschlußleitung
– *microphone connecting lead (microphone
connecting cord)*
26 **das Mischpult**
– **mixing console** *(mixing desk, mixer)*
27 die Eingänge für verschiedene
Tonquellen *f*
– *inputs from various sound sources*
28 der Kameraausgang
– *output to camera*
29 **die Super-8-Tonfilmkassette**
– **Super-8 sound film cartridge**
30 das Kassettenfenster
– *film gate of the cartridge*

31 die Vorratsspule
– *feed spool*
32 die Aufwickelspule
– *take-up spool*
33 der Aufnahmetonkopf
– *recording head (sound head)*
34 die Transportrolle (der Capstan)
– *transport roller (capstan)*
35 die Gummiandruckrolle (der
Gegencapstan)
– *rubber pinch roller (capstan idler)*
36 die Führungsnut
– *guide step (guide notch)*
37 die Belichtungssteuernut
– *exposure meter control step*
38 die Konversionsfiltereingabenut
– *conversion filter step (colour, Am. color,
conversion filter step)*
39 **die Single-8-Kassette**
– **single-8 cassette**
40 die Bildfensteraussparung
– *film gate opening*
41 der unbelichtete Film
– *unexposed film*
42 der belichtete Film
– *exposed film*
43 **die Sechzehn-Millimeter-Kamera**
– **16 mm camera**
44 der Reflexsucher
– *reflex finder (through-the-lens reflex
finder)*
45 das Magazin
– *magazine*
46-49 **der Objektivkopf**
– **lens head**
46 der Objektivrevolver
– *lens turret (turret head)*
47 das Teleobjektiv
– *telephoto lens*
48 das Weitwinkelobjektiv
– *wide-angle lens*
49 das Normalobjektiv
– *normal lens (standard lens)*
50 die Handkurbel
– *winding handle*
51 **die Super-8-Kompaktkamera**
– **compact Super-8 camera**
52 die Filmverbrauchsanzeige
– *footage counter*
53 das Makrozoomobjektiv
– *macro zoom lens*
54 der Zoomhebel
– *zooming lever*
55 die Makrovorsatzlinse (Nahlinse)
– *macro lens attachment (close-up lens)*
56 die Makroschiene (Halterung für
Kleinvorlagen *f*)
– *macro frame (mount for small originals)*
57 das Unterwassergehäuse
– **underwater housing** *(underwater case)*
58 der Diopter
– *direct-vision frame finder*
59 der Abstandhalter
– *measuring rod*
60 die Stabilisationsfläche
– *stabilizing wing*
61 der Handgriff
– *grip (handgrip)*
62 der Verschlußriegel
– *locking bolt*
63 der Bedienungshebel
– *control lever (operating lever)*
64 das Frontglas
– *porthole*
65 **der Synchronstart**
– **synchronization start** *(sync start)*
66 die Filmberichterkamera
– *professional press-type camera*
67 der Kameramann
– *cameraman*
68 der Kameraassistent (Tonassistent)
– *camera assistant (sound assistant)*
69 der Handschlag zur Synchronstart-
markierung
– *handclap marking sync start*

70 **die Zwei-Band-Film- und Tonaufnahme**
– **dual film-tape recording using a tape
recorder**
71 die impulsgebende Kamera
– *pulse-generating camera*
72 das Impulskabel
– *pulse cable*
73 der Kassettenrecorder
– *cassette recorder*
74 das Mikrophon
– *microphone*
75 **die Zwei-Band-Ton- und Filmwiedergabe**
– **dual film-tape reproduction**
76 die Tonbandkassette
– *tape cassette*
77 das Synchronsteuergerät
– *synchronization unit*
78 der Schmalfilmprojektor
– *cine projector*
79 die Originalfilmspule
– *film feed spool*
80 die Fangspule, eine Selbstfangspule
– *take-up reel (take-up spool), an automatic
take-up reel (take-up spool)*
81 **der Tonfilmprojektor**
– **sound projector**
82 der Tonfilm (Pistenfilm) mit Magnet-
randspur *f* (Tonpiste, Piste)
– *sound film with magnetic stripe (sound
track, track)*
83 die Aufnahmetaste
– *automatic-threading button*
84 die Tricktaste
– *trick button*
85 der Lautstärkeregler
– *volume control*
86 die Löschtaste
– *reset button*
87 der Trickprogrammschalter
– *fast and slow motion switch*
88 der Betriebsartschalter
– *forward, reverse, and still projection
switch*
89 die Klebepresse für Naßklebungen *f*
– *splicer for wet splices*
90 der schwenkbare Filmstreifenhalter
– *hinged clamping plate*
91 **der Filmbetrachter** (Laufbildbetrachter,
Editor)
– **film viewer** *(animated viewer editor)*
92 der schwenkbare Spulenarm
– *foldaway reel arm*
93 die Rückwickelkurbel
– *rewind handle (rewinder)*
94 die Mattscheibe
– *viewing screen*
95 die Markierungsstanze (Filmstanze)
– *film perforator (film marker)*
96 **der Sechs-Teller-Film- und -Ton-
Schneidetisch**
– **six-turntable film and sound cutting table**
*(editing table, cutting bench, animated
sound editor)*
97 der Monitor
– *monitor*
98 die Bedienungstasten *f* (der Betätigungs-
brunnen)
– *control buttons (control well)*
99 der Filmteller
– *film turntable*
100 der erste Tonteller, z.B. für den
Live-Ton (Originalton)
– *first sound turntable, e.g. for live sound*
101 der zweite Tonteller, für den Zuspielton
– *second sound turntable for post-sync
sound*
102 die Bild-Ton-Einheit
– *film and tape synchronizing head*

1-49 der Rohbau [Hausbau]
- *carcase (carcass, fabric) [house construction, carcassing]*
1 das Kellergeschoß (Souterrain), aus Stampfbeton *m*
- *basement of tamped (rammed) concrete*
2 der Betonsockel
- *concrete base course*
3 das Kellerfenster
- *cellar window (basement window)*
4 die Kelleraußentreppe
- *outside cellar steps*
5 das Waschküchenfenster
- *utility room window*
6 die Waschküchentür
- *utility room door*
7 das Erdgeschoß
- *ground floor (Am. first floor)*
8 die Backsteinwand (Ziegelsteinwand)
- *brick wall*
9 der Fenstersturz
- *lintel (window head)*
10 die äußere Fensterleibung
- *reveal*
11 die innere Fensterleibung
- *jamb*
12 die Fensterbank (Fenstersohlbank)
- *window ledge (window sill)*
13 der Stahlbetonsturz
- *reinforced concrete lintel*
14 das Obergeschoß
- *upper floor (first floor, Am. second floor)*
15 die Hohlblocksteinwand
- *hollow-block wall*
16 die Massivdecke
- *concrete floor*
17 die Arbeitsbühne
- *work platform (working platform)*
18 der Maurer
- *bricklayer (Am. brickmason)*
19 der Hilfsarbeiter
- *bricklayer's labourer (Am. laborer); also: builder's labourer*
20 der Mörtelkasten
- *mortar trough*
21 der Schornstein
- *chimney*
22 die Treppenhausabdeckung
- *cover (boards) for the staircase*
23 die Gerüststange (der Gerüstständer)
- *scaffold pole (scaffold standard)*
24 die Brüstungsstreiche
- *platform railing*
25 der Gerüstbug
- *angle brace (angle tie) in the scaffold*
26 die Streichstange
- *ledger*
27 der Gerüsthebel
- *putlog (putlock)*
28 der Dielenbelag (Bohlenbelag)
- *plank platform (board platform)*
29 das Sockelschutzbrett
- *guard board*
30 der Gerüstknoten, mit Ketten- od. Seilschließen *f*
- *scaffolding joint with chain or lashing or whip or bond*
31 der Bauaufzug
- *builder's hoist*

32 der Maschinist
- *mixer operator*
33 die Betonmischmaschine, ein Freifallmischer *m*
- *concrete mixer, a gravity mixer*
34 die Mischtrommel
- *mixing drum*
35 der Aufgabekasten
- *feeder skip*
36 die Zuschlagstoffe [Sand *m*, Kies *m*]
- *concrete aggregate [sand and gravel]*
37 die Schiebkarre (Schubkarre, der Schiebkarren, Schubkarren)
- *wheelbarrow*
38 der Wasserschlauch
- *hose (hosepipe)*
39 die Mörtelpfanne (Speispfanne)
- *mortar pan (mortar trough, mortar tub)*
40 der Steinstapel
- *stack of bricks*
41 das gestapelte Schalholz
- *stacked shutter boards (lining boards)*
42 die Leiter
- *ladder*
43 der Sack Zement *m*
- *bag of cement*
44 der Bauzaun, ein Bretterzaun *m*
- *site fence, a timber fence*
45 die Reklamefläche
- *signboard (billboard)*
46 das aushängbare Tor
- *removable gate*
47 die Firmenschilder *n*
- *contractors' name plates*
48 die Baubude (Bauhütte)
- *site hut (site office)*
49 der Baustellenabort
- *building site latrine*
50-57 das Mauerwerkzeug
- *bricklayer's (Am. brickmason's) tools*
50 das Lot (der Senkel)
- *plumb bob (plummet)*
51 der Maurerbleistift
- *thick lead pencil*
52 die Maurerkelle
- *trowel*
53 der Maurerhammer
- *bricklayer's (Am. brickmason's) hammer (brick hammer)*
54 der Schlegel
- *mallet*
55 die Wasserwaage
- *spirit level*
56 die Traufel
- *laying-on trowel*
57 das Reibebrett
- *float*
58-68 Mauerverbände *m*
- *masonry bonds*
58 der NF-Ziegelstein (Normalformat-Ziegelstein)
- *brick (standard brick)*
59 der Läuferverband
- *stretching bond*
60 der Binder- od. Streckerverband
- *heading bond*
61 die Abtreppung
- *racking (raking) back*
62 der Blockverband
- *English bond*

63 die Läuferschicht
- *stretching course*
64 die Binder- od. Streckerschicht
- *heading course*
65 der Kreuzverband
- *English cross bond (Saint Andrew's cross bond)*
66 der Schornsteinverband
- *chimney bond*
67 die erste Schicht
- *first course*
68 die zweite Schicht
- *second course*
69-82 die Baugrube
- *excavation*
69 die Schnurgerüstecke
- *profile (Am. batterboard) [fixed on edge at the corner]*
70 das Schnurkreuz
- *intersection of strings*
71 das Lot
- *plumb bob (plummet)*
72 die Böschung
- *excavation side*
73 die obere Saumdiele
- *upper edge board*
74 die untere Saumdiele
- *lower edge board*
75 der Fundamentgraben
- *foundation trench*
76 der Erdarbeiter
- *navvy (Am. excavator)*
77 das Förderband
- *conveyor belt (conveyor)*
78 der Erdaushub
- *excavated earth*
79 der Bohlenweg
- *plank roadway*
80 der Baumschutz
- *tree guard*
81 der Löffelbagger
- *mechanical shovel (excavator)*
82 der Tieflöffel
- *shovel bucket (bucket)*
83-91 Verputzarbeiten *f*
- *plastering*
83 der Gipser
- *plasterer*
84 der Mörtelkübel
- *mortar trough*
85 das Wurfsieb
- *screen*
86-89 das Leitergerüst
- *ladder scaffold*
86 die Standleiter
- *standard ladder*
87 der Belag
- *boards (planks, platform)*
88 die Kreuzstrebe
- *diagonal strut (diagonal brace)*
89 die Zwischenlatte
- *railing*
90 die Schutzwand
- *guard netting*
91 der Seilrollenaufzug
- *rope-pulley hoist*

1-89 der Stahlbetonbau
- *reinforced concrete (ferroconcrete)*
  construction
1 das Stahlbetonskelett
- *reinforced concrete (ferroconcrete)*
  skeleton construction
2 der Stahlbetonrahmen
- *reinforced concrete (ferroconcrete)*
  frame
3 der Randbalken (Unterzug)
- *inferior purlin*
4 die Betonpfette
- *concrete purlin*
5 der Unterzug
- *ceiling joist*
6 die Voute
- *arch (flank)*
7 die Schüttbetonwand
- *rubble concrete wall*
8 die Stahlbetondecke
- *reinforced concrete (ferroconcrete)*
  floor
9 der Betonarbeiter, beim
  Glattstrich *m*
- *concreter (concretor), flattening out*
10 das Anschlußeisen
- *projecting reinforcement*
  (Am. connection rebars)
11 die Stützenschalung
- *column box*
12 die Unterzugschalung
- *joist shuttering*
13 die Schalungssprieße
- *shuttering strut*
14 die Verschwertung
- *diagonal bracing*
15 der Keil
- *wedge*
16 die Diele
- *board*
17 die Spundwand
- *sheet pile wall (sheet pile, sheet piling)*
18 das Schalholz (die Schalbretter *n*)
- *shutter boards (lining boards)*
19 die Kreissäge
- *circular saw (buzz saw)*
20 der Biegetisch
- *bending table*
21 der Eisenbieger
- *bar bender (steel bender)*
22 die Handeisenschere
- *hand steel shears*
23 das Bewehrungseisen
  (Armierungseisen)
- *reinforcing steel (reinforcement rods)*
24 der Bimshohlblockstein
- *pumice concrete hollow block*
25 die Trennwand, eine Bretterwand
- *partition wall, a timber wall*
26 die Zuschlagstoffe *m* [Kies *m* und
  Sand *m* verschiedener Korngröße]
- *concrete aggregate [gravel and sand*
  of various grades]
27 das Krangleis
- *crane track*
28 die Kipplore
- *tipping wagon (tipping truck)*

29 die Betonmischmaschine
- *concrete mixer*
30 der Zementsilo
- *cement silo*
31 der Turmdrehkran
- *tower crane (tower slewing crane)*
32 das Fahrgestell
- *bogie (Am. truck)*
33 das Gegengewicht (der Ballast)
- *counterweight*
34 der Turm
- *tower*
35 das Kranführerhaus
- *crane driver's cabin (crane driver's*
  cage)
36 der Ausleger
- *jib (boom)*
37 das Tragseil
- *bearer cable*
38 der Betonkübel
- *concrete bucket*
39 der Schwellenrost
- *sleepers (Am. ties)*
40 der Bremsschuh
- *chock*
41 die Pritsche
- *ramp*
42 die Schubkarre
- *wheelbarrow*
43 das Schutzgeländer
- *safety rail*
44 die Baubude
- *site hut*
45 die Kantine
- *canteen*
46 das Stahlrohrgerüst
- *tubular steel scaffold*
  (scaffolding)
47 der Ständer
- *standard*
48 der Längsriegel
- *ledger tube*
49 der Querriegel
- *tie tube*
50 die Fußplatte
- *shoe*
51 die Verstrebung
- *diagonal brace*
52 der Belag
- *planking (platform)*
53 die Kupplung
- *coupling (coupler)*
54-76 Betonschalung *f* **u. Bewehrung** *f*
  (Armierung)
- *formwork (shuttering) and*
  reinforcement
54 der Schalboden (die Schalung)
- *bottom shuttering (lining)*
55 die Seitenschalung eines
  Randbalkens *m*
- *side shutter of a purlin*
56 der eingeschnittene Boden
- *cut-in bottom*
57 die Traverse (der Tragbalken)
- *cross beam*
58 die Bauklammer
- *cramp iron (cramp, dog)*

59 der Sprieß, eine Kopfstütze
- *upright member, a standard*
60 die Heftlasche
- *strap*
61 das Schappelholz
- *cross piece*
62 das Drängbrett
- *stop fillet*
63 das Bugbrett
- *strut (brace, angle brace)*
64 das Rahmenholz
- *frame timber (yoke)*
65 die Lasche
- *strap*
66 die Rödelung
- *reinforcement binding*
67 die Stelze (Spange, „Mauerstärke")
- *cross strut (strut)*
68 die Bewehrung (Armierung)
- *reinforcement*
69 der Verteilungsstahl
- *distribution steel*
70 der Bügel
- *stirrup*
71 das Anschlußeisen
- *projecting reinforcement*
  (Am. connection rebars)
72 der Beton (Schwerbeton)
- *concrete (heavy concrete)*
73 die Stützenschalung
- *column box*
74 das geschraubte Rahmenholz
- *bolted frame timber (bolted yoke)*
75 die Schraube
- *nut (thumb nut)*
76 das Schalbrett
- *shutter board (shuttering board)*
77-89 Werkzeug *n*
- *tools*
77 das Biegeeisen
- *bending iron*
78 der verstellbare Schalungsträger
- *adjustable service girder*
79 die Stellschraube
- *adjusting screw*
80 der Rundstahl
- *round bar reinforcement*
81 der Abstandhalter
- *distance piece (separator, spacer)*
82 der Torstahl
- *Torsteel*
83 der Betonstampfer
- *concrete tamper*
84 die Probewürfelform
- *mould (Am. mold) for concrete test*
  cubes
85 die Monierzange
- *concreter's tongs*
86 die Schalungsstütze
- *sheeting support*
87 die Handschere
- *hand shears*
88 der Betoninnenrüttler
- *immersion vibrator (concrete vibrator)*
89 die Rüttelflasche
- *vibrating cylinder (vibrating head,*
  vibrating poker)

1-59 der Zimmerplatz (Abbindeplatz)
- *carpenter's yard*
1 der Bretterstapel
- *stack of boards (planks)*
2 das Langholz
- *long timber* (Am. *lumber*)
3 der Sägeschuppen
- *sawing shed*
4 die Zimmererwerkstatt
- *carpenter's workshop*
5 das Werkstattor
- *workshop door*
6 der Handwagen
- *handcart*
7 der Dachstuhl
- *roof truss*
8 der Richtbaum, mit der Richtkrone
- *tree [used for topping out ceremony], with wreath*
9 die Bretterschalung
- *timber wall*
10 das Kantholz (Bauholz)
- *squared timber (building timber, scantlings)*
11 die Reißbühne (der Reißboden, Schnürboden)
- *drawing floor*
12 der Zimmerer (Zimmermann)
- *carpenter*
13 der Zimmermannshut
- *carpenter's hat*
14 die Ablängsäge, eine Kettensäge
- *cross-cut saw, a chain saw*
15 der Steg
- *chain guide*
16 die Sägekette
- *saw chain*
17 der Stemmapparat (die Kettenfräse)
- *mortiser (chain cutter)*
18 der Auflagerbock
- *trestle (horse)*
19 der aufgebockte Balken
- *beam mounted on a trestle*
20 das Bundgeschirr
- *set of carpenter's tools*
21 die elektrische Bohrmaschine
- *electric drill*
22 das Dübelloch (Dollenloch)
- *dowel hole*
23 das angerissene Dübelloch
- *mark for the dowel hole*
24 der Abbund
- *beams*
25 der Pfosten (Stiel, die Säule)
- *post (stile, stud, quarter)*
26 der Zwischenriegel
- *corner brace*
27 die Strebe
- *brace (strut)*
28 der Haussockel
- *base course (plinth)*
29 die Hauswand
- *house wall (wall)*
30 die Fensteröffnung
- *window opening*
31 die äußere Leibung
- *reveal*
32 die innere Leibung
- *jamb*
33 die Fensterbank (Sohlbank)
- *window ledge (window sill)*

34 der Ringanker
- *cornice*
35 das Rundholz
- *roundwood (round timber)*
36 die Laufdielen *f*
- *floorboards*
37 das Aufzugseil
- *hoisting rope*
38 der Deckenbalken (Hauptbalken)
- *ceiling joist (ceiling beam, main beam)*
39 der Wandbalken
- *wall joist*
40 der Streichbalken
- *wall plate*
41 der Wechsel (Wechselbalken)
- *trimmer (trimmer joist, Am. header, header joist)*
42 der Stichbalken
- *dragon beam (dragon piece)*
43 der Zwischenboden (die Einschubdecke)
- *false floor (inserted floor)*
44 die Deckenfüllung, aus Koksasche *f*, Lehm *m* u. a.
- *floor filling of breeze, loam, etc.*
45 die Traglatte
- *fillet (cleat)*
46 das Treppenloch
- *stair well (well)*
47 der Schornstein
- *chimney*
48 die Fachwerkwand
- *framed partition (framed wall)*
49 die Schwelle
- *wall plate*
50 die Saumschwelle
- *girt*
51 der Fensterstiel, ein Zwischenstiel *m*
- *window jamb, a jamb*
52 der Eckstiel
- *corner stile (corner strut, corner stud)*
53 der Bundstiel
- *principal post*
54 die Strebe, mit Versatz *m*
- *brace (strut) with skew notch*
55 der Zwischenriegel
- *nogging piece*
56 der Brüstungsriegel
- *sill rail*
57 der Fensterriegel (Sturzriegel)
- *window lintel (window head)*
58 das Rähm (Rähmholz)
- *head (head rail)*
59 das ausgemauerte Fach
- *filled-in panel (bay, pan)*
60-82 Handwerkszeug *n* **des Zimmerers** *m*
- *carpenter's tools*
60 der Fuchsschwanz
- *hand saw*
61 die Handsäge
- *bucksaw*
62 das Sägeblatt
- *saw blade*
63 die Lochsäge
- *compass saw (keyhole saw)*
64 der Hobel
- *plane*
65 der Stangenbohrer
- *auger (gimlet)*

66 die Schraubzwinge
- *screw clamp (cramp, holdfast)*
67 das Klopfholz
- *mallet*
68 die Bundsäge
- *two-handed saw*
69 der Anreißwinkel
- *try square*
70 das Breitbeil
- *broad axe (Am. broadax)*
71 das Stemmeisen
- *chisel*
72 die Bundaxt (Stoßaxt)
- *mortise axe (mortice axe, Am. mortise ax)*
73 die Axt
- *axe (Am. ax)*
74 der Zimmermannshammer
- *carpenter's hammer*
75 die Nagelklaue
- *claw head (nail claw)*
76 der Zollstock
- *folding rule*
77 der Zimmermannsbleistift
- *carpenter's pencil*
78 der Eisenwinkel
- *iron square*
79 das Zugmesser
- *drawknife (drawshave, drawing knife)*
80 der Span
- *shaving*
81 die Gehrungsschmiege (Stellschmiege)
- *bevel*
82 der Gehrungswinkel
- *mitre square (Am. miter square, miter angle)*
83-96 Bauhölzer *n*
- *building timber*
83 der Rundstamm
- *round trunk (undressed timber, Am. rough lumber)*
84 das Kernholz
- *heartwood (duramen)*
85 das Splintholz
- *sapwood (sap, alburnum)*
86 die Rinde
- *bark (rind)*
87 das Ganzholz
- *baulk (balk)*
88 das Halbholz
- *halved timber*
89 die Waldkante (Fehlkante, Baumkante)
- *wane (waney edge)*
90 das Kreuzholz
- *quarter baulk (balk)*
91 das Brett
- *plank (board)*
92 das Hirnholz
- *end-grained timber*
93 das Herzbrett (Kernbrett)
- *heartwood plank (heart plank)*
94 das ungesäumte Brett
- *unsquared (untrimmed) plank (board)*
95 das gesäumte Brett
- *squared (trimmed) board*
96 die Schwarte (der Schwartling)
- *slab (offcut)*

1-26 **Dachformen** f **und Dachteile** n
- *styles and parts of roofs*
1 das Satteldach
- *gable roof (saddle roof, saddleback roof)*
2 der First (Dachfirst)
- *ridge*
3 der Ortgang
- *verge*
4 die Traufe (der Dachfuß)
- *eaves*
5 der Giebel
- *gable*
6 die Dachgaube (Dachgaupe)
- *dormer window (dormer)*
7 das Pultdach
- *pent roof (shed roof, lean-to roof)*
8 das Dachliegefenster
- *skylight*
9 der Brandgiebel
- *fire gable*
10 das Walmdach
- *hip (hipped) roof*
11 die Walmfläche
- *hip end*
12 der Grat (Dachgrat)
- *hip (arris)*
13 die Walmgaube (Walmgaupe)
- *hip (hipped) dormer window*
14 der Dachreiter
- *ridge turret*
15 die Kehle (Dachkehle)
- *valley (roof valley)*
16 das Krüppelwalmdach (der Schopfwalm)
- *hipped-gable roof (jerkin head roof)*
17 der Krüppelwalm
- *partial-hip (partial-hipped) end*
18 das Mansarddach
- *mansard roof (Am. gambrel roof)*
19 das Mansardfenster (Mansardenfenster)
- *mansard dormer window*
20 das Sägedach (Sheddach)
- *sawtooth roof*
21 das Oberlichtband
- *north light*
22 das Zeltdach
- *broach roof*
23 die Fledermausgaube (Fledermausgaupe)
- *eyebrow*
24 das Kegeldach
- *conical broach roof*
25 die Zwiebelkuppel
- *imperial dome (imperial roof)*
26 die Wetterfahne
- *weather vane*
27-83 **Dachkonstruktionen** f **aus Holz** n (Dachverbände m)
- *roof structures of timber*
27 das Sparrendach
- *rafter roof*
28 der Sparren
- *rafter*
29 der Dachbalken
- *roof beam*
30 die Windrispe
- *diagonal tie (cross tie, sprocket piece, cocking piece)*
31 der Aufschiebling
- *arris fillet (tilting fillet)*
32 die Außenwand
- *outer wall*
33 der Balkenkopf
- *beam head*
34 das Kehlbalkendach
- *collar beam roof (trussed rafter roof)*

35 der Kehlbalken
- *collar beam (collar)*
36 der Sparren
- *rafter*
37 zweifachstehender Kehlbalkendachstuhl
- *strutted collar beam roof structure*
38 das Kehlgebälk
- *collar beams*
39 das Rähm (die Seitenpfette)
- *purlin*
40 der Pfosten (Stiel)
- *post (stile, stud)*
41 der Bug
- *brace*
42 einfachstehender Pfettendachstuhl
- *unstrutted (king pin) roof structure*
43 die Firstpfette
- *ridge purlin*
44 die Fußpfette
- *inferior purlin*
45 der Sparrenkopf
- *rafter head (rafter end)*
46 zweifachstehender Pfettendachstuhl, mit Kniestock m
- *purlin roof with queen post and pointing sill*
47 der Kniestock (Drempel)
- *pointing sill*
48 die Firstlatte (Firstbohle)
- *ridge beam (ridge board)*
49 die einfache Zange
- *simple tie*
50 die Doppelzange
- *double tie*
51 die Mittelpfette
- *purlin*
52 zweifachliegender Pfettendachstuhl
- *purlin roof structure with queen post*
53 der Binderbalken (Bundbalken)
- *tie beam*
54 der Zwischenbalken (Deckenbalken)
- *joist (ceiling joist)*
55 der Bindersparren (Bundsparren)
- *principal rafter*
56 der Zwischensparren
- *common rafter*
57 der Schwenkbug
- *angle brace (angle tie)*
58 die Strebe
- *brace (strut)*
59 die Zangen f
- *ties*
60 Walmdach n mit Pfettendachstuhl m
- *hip (hipped) roof with purlin roof structure*
61 der Schifter
- *jack rafter*
62 der Gratsparren
- *hip rafter*
63 der Walmschifter
- *jack rafter*
64 der Kehlsparren
- *valley rafter*
65 das doppelte Hängewerk
- *queen truss*
66 der Hängebalken
- *main beam*
67 der Unterzug
- *summer (summer beam)*
68 die Hängesäule
- *queen post (truss post)*
69 die Strebe
- *brace (strut)*
70 der Spannriegel
- *collar beam (collar)*
71 der Wechsel
- *trimmer (Am. header)*

72 der Vollwandträger
- *solid-web girder*
73 der Untergurt
- *lower chord*
74 der Obergurt
- *upper chord*
75 der Brettersteg
- *boarding*
76 die Pfette
- *purlin*
77 die tragende Außenwand
- *supporting outer wall*
78 der Fachwerkbinder
- *roof truss*
79 der Untergurt
- *lower chord*
80 der Obergurt
- *upper chord*
81 der Pfosten
- *post*
82 die Strebe
- *brace (strut)*
83 das Auflager
- *support*
84-98 **Holzverbindungen** f
- *timber joints*
84 der einfache Zapfen
- *mortise (mortice) and tenon joint*
85 der Scherzapfen
- *forked mortise (mortice) and tenon joint*
86 das gerade Blatt
- *halving (halved) joint*
87 das gerade Hakenblatt
- *simple scarf joint*
88 das schräge Hakenblatt
- *oblique scarf joint*
89 die schwalbenschwanzförmige Überblattung
- *dovetail halving*
90 der einfache Versatz
- *single skew notch*
91 der doppelte Versatz
- *double skew notch*
92 der Holznagel
- *wooden nail*
93 der Dollen
- *pin*
94 der Schmiedenagel
- *clout nail (clout)*
95 der Drahtnagel
- *wire nail*
96 die Hartholzkeile m
- *hardwood wedges*
97 die Klammer
- *cramp iron (timber dog, dog)*
98 der Schraubenbolzen
- *bolt*

1 das Ziegeldach
- *tiled roof*
2 die Biberschwanz-Doppeldeckung
- *plain-tile double-lap roofing*
3 der Firstziegel
- *ridge tile*
4 der Firstschlußziegel
- *ridge course tile*
5 die Traufplatte
- *under-ridge tile*
6 der Biberschwanz
- *plain (plane) tile*
7 der Lüftungsziegel
- *ventilating tile*
8 der Gratziegel (Walmziegel)
- *ridge tile*
9 die Walmkappe
- *hip tile*
10 die Walmfläche
- *hipped end*
11 die Kehle
- *valley (roof valley)*
12 das Dachliegefenster
- *skylight*
13 der Schornstein
- *chimney*
14 die Schornsteineinfassung, aus Zinkblech n
- *chimney flashing, made of sheet zinc*
15 der Leiterhaken
- *ladder hook*
16 die Schneefangstütze
- *snow guard bracket*
17 die Lattung
- *battens (slating and tiling battens)*
18 die Lattenlehre
- *batten gauge (Am. gage)*
19 der Sparren
- *rafter*
20 der Ziegelhammer
- *tile hammer*
21 das Lattbeil
- *lath axe (Am. ax)*
22 das Deckfaß
- *hod*
23 der Faßhaken
- *hod hook*
24 der Ausstieg
- *opening (hatch)*
25 die Giebelscheibe
- *gable (gable end)*
26 die Zahnleiste
- *toothed lath*
27 das Windbrett
- *soffit*
28 die Dachrinne
- *gutter*
29 das Regenrohr
- *rainwater pipe (downpipe)*
30 der Einlaufstutzen
- *swan's neck (swan-neck)*
31 die Rohrschelle
- *pipe clip*
32 der Rinnenbügel
- *gutter bracket*
33 die Dachziegelschere
- *tile cutter*
34 das Arbeitsgerüst
- *scaffold*
35 die Schutzwand
- *safety wall*
36 das Dachgesims
- *eaves*
37 die Außenwand
- *outer wall*
38 der Außenputz
- *exterior rendering*
39 die Vormauerung
- *frost-resistant brickwork*

40 die Fußpfette
- *inferior purlin*
41 der Sparrenkopf
- *rafter head (rafter end)*
42 die Gesimsschalung
- *eaves fascia*
43 die Doppellatte
- *double lath (tilting lath)*
44 die Dämmplatten f
- *insulating boards*
45-60 **Dachziegel** m **und Dachziegeldeckungen** f
- **tiles and tile roofings**
45 das Spließdach
- *split-tiled roof*
46 der Biberschwanzziegel
- *plain (plane) tile*
47 die Firstschar
- *ridge course*
48 der Spließ
- *slip*
49 das Traufgebinde
- *eaves course*
50 das Kronendach (Ritterdach)
- *plain-tiled roof*
51 die Nase
- *nib*
52 der Firstziegel
- *ridge tile*
53 das Hohlpfannendach
- *pantiled roof*
54 die Hohlpfanne (S-Pfanne)
- *pantile*
55 der Verstrich
- *pointing*
56 das Mönch-Nonnen-Dach
- *Spanish-tiled roof (Am. mission-tiled roof)*
57 die Nonne
- *under tile*
58 der Mönch
- *over tile*
59 die Falzpfanne
- *interlocking tile*
60 die Flachdachpfanne
- *flat interlocking tile*
61-89 **das Schieferdach**
- **slate roof**
61 die Schalung
- *roof boards (roof boarding, roof sheathing)*
62 die Dachpappe
- *roofing paper (sheathing paper); also: roofing felt (Am. rag felt)*
63 die Dachleiter
- *cat ladder (roof ladder)*
64 der Länghaken
- *coupling hook*
65 der Firsthaken
- *ridge hook*
66 der Dachbock (Dachstuhl)
- *roof trestle*
67 der Bockstrang
- *trestle rope*
68 die Schlinge (der Knoten)
- *knot*
69 der Leiterhaken
- *ladder hook*
70 die Gerüstdiele
- *scaffold board*
71 der Schieferdecker
- *slater*
72 die Nageltasche
- *nail bag*
73 der Schieferhammer
- *slate hammer*
74 der Dachdeckerstift, ein verzinkter Drahtnagel m
- *slate nail, a galvanized wire nail*

75 der Dachschuh, ein Bast- oder Hanfschuh m
- *slater's shoe, a bast or hemp shoe*
76 das Fußgebinde
- *eaves course (eaves joint)*
77 der Eckfußstein
- *corner bottom slate*
78 das Deckgebinde
- *roof course*
79 das Firstgebinde
- *ridge course (ridge joint)*
80 die Ortsteine m
- *gable slate*
81 die Fußlinie
- *tail line*
82 die Kehle
- *valley (roof valley)*
83 die Kastenrinne
- *box gutter (trough gutter, parallel gutter)*
84 die Schieferschere
- *slater's iron*
85 der Schieferstein
- *slate*
86 der Rücken
- *back*
87 der Kopf
- *head*
88 die Brust
- *front edge*
89 das Reiß
- *tail*
90-103 **Pappdeckung** f **und Wellasbestzementdeckung** f
- **asphalt-impregnated paper roofing and corrugated asbestos cement roofing**
90 das Pappdach
- *asphalt-impregnated paper roof*
91 die Bahn [parallel zur Traufe]
- *width [parallel to the gutter]*
92 die Traufe
- *gutter*
93 der First
- *ridge*
94 der Stoß
- *join*
95 die Bahn [senkrecht zur Traufe]
- *width [at right angles to the gutter]*
96 der Pappnagel
- *felt nail (clout nail)*
97 das Wellasbestzementdach
- *corrugated asbestos cement roof*
98 die Welltafel
- *corrugated sheet*
99 die Firsthaube
- *ridge capping piece*
100 die Überdeckung
- *lap*
101 die Holzschraube
- *wood screw*
102 der Regenzinkhut
- *rust-proof zinc cup*
103 die Bleischeibe
- *lead washer*

1 die Kellerwand, eine Betonwand
- *basement wall, a concrete wall*
2 das Bankett (der Fundamentstreifen)
- *footing (foundation)*
3 der Fundamentvorsprung
- *foundation base*
4 die Horizontalisolierung
- *damp course (damp-proof course)*
5 der Schutzanstrich
- *waterproofing*
6 der Bestich (Rapputz, Rauhputz)
- *rendering coat*
7 die Backsteinflachschicht
- *brick paving*
8 das Sandbett
- *sand bed*
9 das Erdreich
- *ground*
10 die Seitendiele
- *shuttering*
11 der Pflock
- *peg*
12 die Packlage (das Gestück)
- *hardcore*
13 der Unterbeton
- *oversite concrete*
14 der Zementglattstrich (Zementestrich)
- *cement screed*
15 die Untermauerung
- *brickwork base*
16 die Kellertreppe, eine Massivtreppe
- *basement stairs, solid concrete stairs*
17 die Blockstufe
- *block step*
18 die Antrittsstufe (der Antritt)
- *curtail step (bottom step)*
19 die Austrittsstufe
- *top step*
20 der Kantenschutz
- *nosing*
21 die Sockelplatte
- *skirting (skirting board, Am. mopboard, washboard, scrub board, base)*
22 das Treppengeländer, aus Metallstäben *m*
- *balustrade of metal bars*
23 der Treppenvorplatz
- *ground-floor (Am. first-floor) landing*
24 die Hauseingangstür
- *front door*
25 der Fußabstreifer
- *foot scraper*
26 der Plattenbelag
- *flagstone paving*
27 das Mörtelbett
- *mortar bed*
28 die Massivdecke, eine Stahlbeton-platte
- *concrete ceiling, a reinforced concrete slab*
29 das Erdgeschoßmauerwerk
- *ground-floor (Am. first-floor) brick wall*
30 die Laufplatte
- *ramp*

31 die Keilstufe
- *wedge-shaped step*
32 die Trittstufe
- *tread*
33 die Setzstufe
- *riser*
34-41 **das Podest** (der Treppen-absatz)
- **landing**
34 der Podestbalken
- *landing beam*
35 die Stahlbetonrippendecke
- *ribbed reinforced concrete floor*
36 die Rippe
- *rib*
37 die Stahlbewehrung
- *steel-bar reinforcement*
38 die Druckplatte
- *subfloor (blind floor)*
39 der Ausgleichestrich
- *level layer*
40 der Feinestrich
- *finishing layer*
41 der Gehbelag
- *top layer (screed)*
42-44 **die Geschoßtreppe, eine Podesttreppe**
- **dog-legged staircase, a staircase without a well**
42 die Antrittsstufe
- *curtail step (bottom step)*
43 der Antrittspfosten
- *newel post (newel)*
44 die Freiwange (Lichtwange)
- *outer string (Am. outer stringer)*
45 die Wandwange
- *wall string (Am. wall stringer)*
46 die Treppenschraube
- *staircase bolt*
47 die Trittstufe
- *tread*
48 die Setzstufe
- *riser*
49 das Kropfstück
- *wreath piece (wreathed string)*
50 das Treppengeländer
- *balustrade*
51 der Geländerstab
- *baluster*
52-62 **das Zwischenpodest**
- **intermediate landing**
52 der Krümmling
- *wreath*
53 der Handlauf
- *handrail (guard rail)*
54 der Austrittspfosten
- *head post*
55 der Podestbalken
- *landing beam*
56 das Futterbrett
- *lining board*
57 die Abdeckleiste
- *fillet*
58 die Leichtbauplatte
- *lightweight building board*
59 der Deckenputz
- *ceiling plaster*

60 der Wandputz
- *wall plaster*
61 die Zwischendecke
- *false ceiling*
62 der Riemenboden
- *strip flooring (overlay flooring, parquet strip)*
63 die Sockelleiste
- *skirting board (Am. mopboard, washboard, scrub board, base)*
64 der Abdeckstab
- *beading*
65 das Treppenhausfenster
- *staircase window*
66 der Hauptpodestbalken
- *main landing beam*
67 die Traglatte
- *fillet (cleat)*
68 u. 69 die Zwischendecke
- *false ceiling*
68 der Zwischenboden (die Einschubdecke)
- *false floor (inserted floor)*
69 die Zwischenbodenauffüllung
- *floor filling (plugging, pug)*
70 die Lattung
- *laths*
71 der Putzträger (die Rohrung)
- *lathing*
72 der Deckenputz
- *ceiling plaster*
73 der Blindboden
- *subfloor (blind floor)*
74 der Parkettboden, mit Nut *f* und Feder *f* (Nut- u. Federriemen *m*)
- *parquet floor with tongued-and-grooved blocks*
75 die viertelgewendelte Treppe
- *quarter-newelled (Am. quarter-neweled) staircase*
76 die Wendeltreppe, mit offener Spindel *f*
- *winding staircase (spiral staircase) with open newels (open-newel staircase)*
77 die Wendeltreppe, mit voller Spindel *f*
- *winding staircase (spiral staircase) with solid newels (solid-newel staircase)*
78 die Spindel
- *newel (solid newel)*
79 der Handlauf
- *handrail*

124 Glaser

Glazier

1 die Glaserwerkstatt
– *glazier's workshop*
2 die Leistenproben *f*
(Rahmenproben)
– *frame wood samples
(frame samples)*
3 die Leiste
– *frame wood*
4 die Gehrung
– *mitre joint (mitre,* Am. *miter joint,
miter)*
5 das Flachglas; *Arten:* Fensterglas,
Mattglas, Musselinglas, Kristall-
spiegelglas, Dickglas, Milchglas,
Verbundglas, Panzerglas
(Sicherheitsglas)
– *sheet glass;* kinds: *window glass,
frosted glass, patterned glass, crystal
plate glass, thick glass, milk glass,
laminated glass (safety glass,
shatterproof glass)*
6 das Gußglas; *Arten:* Kathedralglas,
Ornamentglas, Rohglas, Butzenglas,
Drahtglas, Linienglas
– *cast glass;* kinds: *stained glass,
ornamental glass, raw glass,
bull's-eye glass, wired glass, line glass
(lined glass)*
7 die Gehrungssprossenstanze
– *mitring (Am. mitering) machine*

8 der Glaser (*z. B.* Bauglaser, Rahmen-
glaser, Kunstglaser)
– *glassworker (e.g. building glazier,
glazier, decorative glass worker)*
9 die Glastrage (der Glaserkasten)
– *glass holder*
10 die Glasscherbe
– *piece of broken glass*
11 der Bleihammer
– *lead hammer*
12 das Bleimesser
– *lead knife*
13 die Bleirute (Bleisprosse, der
Bleisteg)
– *came (lead came)*
14 das Bleiglasfenster
– *leaded light*
15 der Arbeitstisch
– *workbench*
16 die Glasscheibe (Glasplatte)
– *pane of glass*
17 der Glaserkitt (Kitt)
– *putty*
18 der Stifthammer (Glaserhammer)
– *glazier's hammer*
19 die Glaserzange (Glasbrechzange,
Kröselzange)
– *glass pliers*
20 der Schneidewinkel
– *glazier's square*

21 das Schneidelineal (die
Schneideleiste)
– *glazier's rule*
22 der Rundglasschneider
(Zirkelschneider)
– *glazier's beam compass*
23 die Öse
– *eyelet*
24 die Glaserecke
– *glazing sprig*
25 *u.* 26 Glasschneider *m*
– *glass cutters*
25 der Glaserdiamant (Krösel), ein
Diamantschneider *m*
– *diamond glass cutter*
26 der Stahlrad-Glasschneider
– *steel-wheel (steel) glass cutter*
27 das Kittmesser
– *putty knife*
28 der Stiftdraht
– *pin wire*
29 der Stift
– *panel pin*
30 die Gehrungssäge
– *mitre (Am. miter) block (mitre box)
[with saw]*
31 die Gehrungsstoßlade (Stoßlade)
– *mitre (Am. miter) shoot (mitre board)*

1 die Blechschere
- *metal shears (tinner's snips,*
  Am. tinner's shears)
2 die Winkelschere
- *elbow snips (angle shears)*
3 die Richtplatte
- *gib*
4 die Schlichtplatte
- *lapping plate*
5-7 das Propangaslötgerät
- *propane soldering apparatus*
5 der Propangaslötkolben, ein
  Hammerlötkolben *m*
- *propane soldering iron, a hatchet iron*
6 der Lötstein, ein Salmiakstein *m*
- *soldering stone, a sal-ammoniac block*
7 das Lötwasser (Flußmittel)
- *soldering fluid (flux)*
8 der Sickenstock, zum Formen *n* von
  Wülsten *m* (Sicken *f*, Sieken, Secken)
- *beading iron for forming*
  reinforcement beading
9 die Winkelreibahle, eine Reibahle
- *angled reamer*
10 die Werkbank
- *workbench (bench)*
11 der Stangenzirkel
- *beam compass (trammel, Am. beam*
  trammel)

12 die elektrische Handschneid-
   kluppe
- *electric hand die*
13 das Locheisen
- *hollow punch*
14 der Sickenhammer
- *chamfering hammer*
15 der Kornhammer
- *beading swage (beading hammer)*
16 die Trennschleifmaschine
- *abrasive-wheel cutting-off*
  machine
17 der Klempner (*obd.* Spengler,
   schweiz. Stürzner)
- *plumber*
18 der Holzhammer
- *mallet*
19 das Horn
- *mandrel*
20 die Faust
- *socket (tinner's socket)*
21 der Klotz
- *block*
22 der Amboß
- *anvil*
23 der Tasso
- *stake*
24 die Kreissägemaschine
- *circular saw (buzz saw)*

25 die Sicken-, Bördel- und
   Drahteinlegemaschine
- *flanging, swaging, and wiring*
  machine
26 die Tafelschere (Schlagschere)
- *sheet shears (guillotine)*
27 die Gewindeschneidmaschine
- *screw-cutting machine (thread-cutting*
  machine, die stocks)
28 die Rohrbiegemaschine
- *pipe-bending machine (bending*
  machine, pipe bender)
29 der Schweißtransformator
- *welding transformer*
30 die Biegemaschine (Rundmaschine)
   zum Biegen *n* von Trichtern *m*
- *bending machine (rounding machine)*
  for shaping funnels

126 Installateur — Plumber, Gas Fitter, Heating Engineer

1 der Gas- und Wasserinstallateur
(ugs.: Installateur)
- gas fitter and plumber
2 die Treppenleiter
- stepladder
3 die Sicherheitskette
- safety chain
4 das Absperrventil
- stop valve
5 die Gasuhr
- gas meter
6 die Konsole
- bracket
7 die Steigleitung
- service riser
8 die Abzweigleitung
- distributing pipe
9 die Anschlußleitung
- supply pipe
10 die Rohrsägemaschine
- pipe-cutting machine
11 der Rohrbock
- pipe repair stand
12-25 Gas- und Wassergeräte n
- gas and water appliances
12 u. 13 der Durchlauferhitzer, ein
Heißwasserbereiter
- geyser, an instantaneous water heater
12 der Gasdurchlauferhitzer
- gas water heater
13 der Elektrodurchlauferhitzer
- electric water heater
14 der Spülkasten der Toilette
- toilet cistern
15 der Schwimmer
- float
16 das Ablaufventil
- bell
17 das Spülrohr
- flush pipe
18 der Wasserzufluß
- water inlet
19 der Bedienungshebel
- flushing lever (lever)
20 der Heizungskörper (Zentral-
heizungskörper, Radiator)
- radiator
21 die Radiatorrippe
- radiator rib
22 das Zweirohrsystem
- two-pipe system
23 der Vorlauf
- flow pipe
24 der Rücklauf
- return pipe
25 der Gasofen
- gas heater
26-37 Armaturen f
- plumbing fixtures
26 der Siphon (Geruchsverschluß)
- trap (anti-syphon trap)
27 die Einlochmischbatterie für
Waschbecken n
- mixer tap (Am. mixing faucet) for
washbasins
28 der Warmwassergriff
- hot tap
29 der Kaltwassergriff
- cold tap

30 die ausziehbare Schlauchbrause
- extendible shower attachment
31 der Wasserhahn (das Standventil) für
Waschbecken n
- water tap (pillar tap) for washbasins
32 die Spindel
- spindle top
33 die Abdeckkappe
- shield
34 das Auslaufventil (der Wasserhahn,
Kran, Kranen)
- draw-off tap (Am. faucet)
35 das Auslaufdoppelventil (der
Flügelhahn)
- supatap
36 das Schwenkventil (der
Schwenkhahn)
- swivel tap
37 der Druckspüler
- flushing valve
38-52 Fittings n
- fittings
38 das Übergangsstück mit
Außengewinde n
- joint with male thread
39 das Reduzierstück
- reducing socket (reducing coupler)
40 die Winkelverschraubung
- elbow screw joint (elbow coupling)
41 das Übergangsreduzierstück mit
Innengewinde n
- reducing socket (reducing coupler)
with female thread
42 die Verschraubung
- screw joint
43 die Muffe
- coupler (socket)
44 das T-Stück
- T-joint (T-junction joint, tee)
45 die Winkelverschraubung mit
Innengewinde n
- elbow screw joint with female thread
46 der Bogen
- bend
47 das T-Stück mit Abgangsinnen-
gewinde n
- T-joint (T-junction joint, tee) with
female taper thread
48 der Deckenwinkel
- ceiling joint
49 der Übergangswinkel
- reducing elbow
50 das Kreuzstück
- cross
51 der Übergangswinkel mit
Außengewinde n
- elbow joint with male thread
52 der Winkel
- elbow joint
53-57 Rohrbefestigungen f
- pipe supports
53 das Rohrband
- saddle clip
54 das Abstandsrohrband
- spacing bracket
55 der Dübel
- plug
56 einfache Rohrschellen f
- pipe clips

57 die Abstandsrohrschelle
- two-piece spacing clip
58-86 Installationswerkzeug n
- plumber's tools, gas fitter's tools
58 die Brennerzange
- gas pliers
59 die Rohrzange
- footprints
60 die Kombinationszange
- combination cutting pliers
61 die Wasserpumpenzange
- water pump pliers
62 die Flachzange
- flat-nose pliers
63 der Nippelhalter
- nipple key
64 die Standhahnmutternzange
- round-nose pliers
65 die Kneifzange
- pincers
66 der Rollgabelschlüssel
- adjustable S-wrench
67 der Franzose
- screw wrench
68 der Engländer
- shifting spanner
69 der Schraubendreher
(Schraubenzieher)
- screwdriver
70 die Stich- oder Lochsäge
- compass saw (keyhole saw)
71 der Metallsägebogen
- hacksaw frame
72 der Fuchsschwanz
- hand saw
73 der Lötkolben
- soldering iron
74 die Lötlampe
- blowlamp (blowtorch) [for soldering]
75 das Dichtband (Gewindeband)
- sealing tape
76 das Lötzinn
- tin-lead solder
77 der Fäustel
- club hammer
78 der Handhammer
- hammer
79 die Wasserwaage
- spirit level
80 der Schlosserschraubstock
- steel-leg vice (Am. vise)
81 der Rohrschraubstock
- pipe vice (Am. vise)
82 der Rohrbieger
- pipe-bending machine
83 die Biegeform
- former (template)
84 der Rohrabschneider
- pipe cutter
85 die Gewindeschneidkluppe
- hand die
86 die Gewindeschneidmaschine
- screw-cutting machine (thread-cutting
machine)

1 der Elektroinstallateur
- *electrician (electrical fitter, wireman)*
2 der Klingeltaster (Türtaster) für Schutzkleinspannung *f* (Schwachstrom *m*)
- *bell push (doorbell) for low-voltage safety current*
3 die Haussprechstelle mit Ruftaste *f*
- *house telephone with call button*
4 der Wippenschalter [für die Unterputzinstallation]
- *[flush-mounted] rocker switch*
5 die Schutzkontaktsteckdose [für die Unterputzinstallation]
- *[flush-mounted] earthed socket (wall socket, plug point, Am. wall outlet, convenience outlet, outlet)*
6 die Schutzkontakt- Doppelsteckdose [für die Aufputzinstallation]
- *[surface-mounted] earthed double socket (double wall socket, double plug point, Am. double wall outlet, double convenience outlet, double outlet)*
7 die Zweifachkombination (Schalter *m* und Schutzkontaktsteckdose *f*)
- *switched socket (switch and socket)*
8 die Vierfachsteckdose
- *four-socket (four-way) adapter (socket)*
9 der Schutzkontaktstecker
- *earthed plug*
10 die Verlängerungsschnur
- *extension lead (Am. extension cord)*
11 der Kupplungsstecker
- *extension plug*
12 die Kupplungsdose
- *extension socket*
13 die dreipolige Steckdose [für Drehstrom *m*] mit Nulleiter *m* und Schutzkontakt *m* für die Aufputzinstallation
- *surface-mounted three-pole earthed socket [for three-phase circuit] with neutral conductor*
14 der Drehstromstecker
- *three-phase plug*
15 das elektrische Läutewerk (der Summer)
- *electric bell (electric buzzer)*
16 der Zugschalter mit Schnur *f*
- *pull-switch (cord-operated wall switch)*
17 der Dimmer [zur stufenlosen Einstellung des Glühlampenlichts *n*]
- *dimmer switch [for smooth adjustment of lamp brightness]*
18 der gußgekapselte Paketschalter
- *drill-cast rotary switch*
19 der Leitungsschutzschalter (Sicherungsschraubautomat)
- *miniature circuit breaker (screw-in circuit breaker, fuse)*
20 der Sicherungsdruckknopf
- *resetting button*

21 die Paßschraube, der Paßeinsatz [für Schmelzsicherungen *f* und Sicherungsschraubautomaten *m*]
- *set screw [for fuses and miniature circuit breakers]*
22 die Unterflurinstallation
- *underfloor mounting (underfloor sockets)*
23 der Kippanschluß für die Starkstrom- und die Fernmeldeleitung
- *hinged floor socket for power lines and communication lines*
24 der Einbauanschluß mit Klappdeckel *m*
- *sunken floor socket with hinged lid (snap lid)*
25 der Anschlußaufsatz
- *surface-mounted socket outlet (plug point) box*
26 die Taschenlampe, eine Stablampe
- *pocket torch, a torch (Am. flashlight)*
27 die Trockenbatterie (Taschenlampenbatterie)
- *dry cell battery*
28 die Kontaktfeder
- *contact spring*
29 die Leuchtenklemme (Buchsenklemme, Lüsterklemme), teilbar, aus thermoplastischem Kunststoff *m*
- *strip of thermoplastic connectors*
30 das Einziehstahlband mit Suchfeder *f* und angenieteter Öse
- *steel draw-in wire (draw wire) with threading key, and ring attached*
31 der Zählerschrank
- *electricity meter cupboard*
32 der Wechselstromzähler
- *electricity meter*
33 die Leitungsschutzschalter *m* (Sicherungsautomaten)
- *miniature circuit breakers (miniature circuit breaker consumer unit)*
34 das Isolierband
- *insulating tape (Am. friction tape)*
35 der Schmelzeinsatzhalter (die Schraubkappe)
- *fuse holder*
36 die Leitungsschutzsicherung (Schmelzsicherung), eine Sicherungspatrone mit Schmelzeinsatz *m*
- *circuit breaker (fuse), a fuse cartridge with fusible element*
37 der Kennmelder [je nach Nennstrom *m* farbig gekennzeichnet]
- *colour (Am. color) indicator [showing current rating]*
38 u. 39 das Kontaktstück
- *contact maker*
40 die Kabelschelle (Plastikschelle)
- *cable clip*
41 das Vielfachmeßgerät (der Spannungs- und Strommesser)
- *universal test meter (multiple meter for measuring current and voltage)*

42 die Feuchtraummantelleitung aus thermoplastischem Kunststoff *m*
- *thermoplastic moisture-proof cable*
43 der Kupferleiter
- *copper conductor*
44 die Stegleitung
- *three-core cable*
45 der elektrische Lötkolben
- *electric soldering iron*
46 der Schraubendreher (Schraubenzieher)
- *screwdriver*
47 die Wasserpumpenzange
- *water pump pliers*
48 der Schutzhelm aus schlagfestem Kunststoff *m*
- *shock-resisting safety helmet*
49 der Werkzeugkoffer
- *tool case*
50 die Rundzange
- *round-nose pliers*
51 der Seitenschneider
- *cutting pliers*
52 die Taschensäge
- *junior hacksaw*
53 die Kombinationszange
- *combination cutting pliers*
54 der Isoliergriff
- *insulated handle*
55 der Spannungssucher (Spannungsprüfer)
- *continuity tester*
56 die elektrische Glühlampe (Allgebrauchslampe, Glühbirne)
- *electric light bulb (general service lamp, filament lamp)*
57 der Glaskolben
- *glass bulb (bulb)*
58 der Doppelwendelleuchtkörper
- *coiled-coil filament*
59 die Schraubfassung (der Lampensockel mit Gewinde *n*)
- *screw base*
60 die Fassung für Glühlampen *f* (Leuchtensockel *m*)
- *lampholder*
61 die Entladungslampe (Leuchtstofflampe)
- *fluorescent tube*
62 die Fassung für Entladungslampen *f*
- *bracket for fluorescent tubes*
63 das Kabelmesser
- *electrician's knife*
64 die Abisolierzange
- *wire strippers*
65 die Bajonettfassung
- *bayonet fitting*
66 die Dreipolsteckdose mit Schalter *m*
- *three-pin socket with switch*
67 der Dreipolstecker
- *three-pin plug*
68 die Sicherung mit Sicherungsdraht *m*
- *fuse carrier with fuse wire*
69 die Glühbirne mit Bajonettfassung *f*
- *light bulb with bayonet fitting*

1-17 die Untergrundvorbehandlung
- *preparation of surfaces*
1 der Tapetenablöser
- *wallpaper-stripping liquid (stripper)*
2 der Gips
- *plaster (plaster of Paris)*
3 die Spachtelmasse
- *filler*
4 der Tapetenwechselgrund
- *glue size (size)*
5 die Rollenmakulatur (ähnl.:
Stripmakulatur, Untertapete), ein
Unterlagsstoff *m*
- *lining paper, a backing paper*
6 das Grundiermittel
- *primer*
7 das Fluatmittel
- *fluate*
8 die Feinmakulatur
- *shredded lining paper*
9 das Tapetenablösegerät
- *wallpaper-stripping machine (stripper)*
10 der Japanspachtel
- *scraper*
11 die Glättscheibe
- *smoother*
12 der Tapetenperforator
- *perforator*
13 der Schleifklotz
- *sandpaper block*
14 das Schleifpapier
- *sandpaper*
15 der Tapetenschaber
- *stripping knife*
16 das Abdeckband
- *masking tape*
17 die Rißunterlage
- *strip of sheet metal [on which wallpaper
is laid for cutting]*
18-53 das Tapezieren
- *wallpapering (paper hanging)*

18 die Tapete (*Arten:* Papier-, Rauhfaser-,
Textil-, Kunststoff-, Metall-,
Naturwerkstoff-, Wandbildtapete)
- *wallpaper (kinds: wood pulp paper, wood
chip paper, fabric wallhangings, synthetic
wallpaper, metallic paper, natural (e.g.
wood or cork) paper, tapestry wallpaper)*
19 die Tapetenbahn
- *length of wallpaper*
20 die Tapetennaht, auf Stoß *m*
- *butted paper edges*
21 der gerade Ansatz (Rapport)
- *matching edge*
22 der versetzte Ansatz
- *non-matching edge*
23 der Tapetenkleister
- *wallpaper paste*
24 der Spezialtapetenkleister
- *heavy-duty paste*
25 das Kleistergerät
- *pasting machine*
26 der Tapeziergerätekleister
- *paste [for the pasting machine]*
27 die Kleisterbürste
- *paste brush*
28 der Dispersionskleber
- *emulsion paste*
29 die Tapetenleiste
- *picture rail*
30 die Leistenstifte
- *beading pins*
31 der Tapeziertisch
- *pasteboard (paperhanger's bench)*
32 der Tapetenschutzlack
- *gloss finish*
33 der Tapezierkasten
- *paperhanging kit*
34 die Tapezierschere
- *shears (bull-nosed scissors)*
35 der Handspachtel
- *filling knife*

36 der Nahtroller
- *seam roller*
37 das Haumesser
- *hacking knife*
38 das Beschneidmesser
- *knife (trimming knife)*
39 die Tapezierschiene
- *straightedge*
40 die Tapezierbürste
- *paperhanging brush*
41 die Wandschneidekelle
- *wallpaper-cutting board*
42 die Abreißschiene
- *cutter*
43 der Nahtschneider
- *trimmer*
44 der Kunststoffspachtel
- *plastic spatula*
45 die Schlagschnur
- *chalked string*
46 der Zahnspachtel
- *spreader*
47 die Tapetenandrückwalze
- *paper roller*
48 das Flanelltuch
- *flannel cloth*
49 der Tapezierwischer
- *dry brush*
50 das Deckentapeziergerät
- *ceiling paperhanger*
51 der Eckenschneidewinkel
- *overlap angle*
52 die Tapeziererleiter
- *paperhanger's trestles*
53 die Deckentapete
- *ceiling paper*

1 **das Malen** (Anstreichen)
- *painting*
2 der Maler (Lackierer)
- *painter*
3 die Streichbürste
- *paintbrush*
4 die Dispersionsfarbe
- *emulsion paint (emulsion)*
5 die Stehleiter (Doppelleiter)
- *stepladder*
6 die Farbendose
- *can (tin) of paint*
7 u. 8 die Farbenkannen *f*
- *cans (tins) of paint*
7 die Kanne mit Handgriff *m*
- *can (tin) with fixed handle*
8 die Kanne mit Traghenkel *m*
- *paint kettle*
9 der Farbenhobbock
- *drum of paint*
10 der Farbeimer
- *paint bucket*
11 der Farbroller (die Farbrolle)
- *paint roller*
12 das Abstreifgitter
- *grill [for removing excess paint from the roller]*
13 die Musterwalze
- *stippling roller*
14 **das Lackieren**
- *varnishing*
15 der Ölsockel
- *oil-painted dado*
16 die Lösungsmittelkanne
- *canister for thinner*
17 der Flächenstreicher
- *flat brush for larger surfaces (flat wall brush)*
18 die Stupfbürste
- *stippler*

19 der Ringpinsel
- *fitch*
20 der Kluppenpinsel
- *cutting-in brush*
21 der Heizkörperpinsel
- *radiator brush (flay brush)*
22 der Malspachtel
- *paint scraper*
23 der Japanspachtel
- *scraper*
24 das Kittmesser
- *putty knife*
25 das Schleifpapier
- *sandpaper*
26 der Schleifklotz
- *sandpaper block*
27 der Fußbodenstreicher
- *floor brush*
28 **das Schleifen und Spritzen** *n*
- *sanding and spraying*
29 die Schleifmaschine
- *grinder*
30 der Rutscher
- *sander*
31 der Spritzkessel
- *pressure pot*
32 die Spritzpistole
- *spray gun*
33 der Kompressor
- *compressor (air compressor)*
34 das Flutgerät zum Fluten *n* von Heizkörpern *m* u. ä.
- *flow coating machine for flow coating radiators, etc.*
35 die Handspritzpistole
- *hand spray*
36 die Anlage für das luftlose Spritzen
- *airless spray unit*
37 die luftlose Spritzpistole
- *airless spray gun*

38 der Auslaufbecher zur Viskositätsmessung
- *efflux viscometer*
39 der Sekundenmesser
- *seconds timer*
40 **das Beschriften und Vergolden** *n*
- *lettering and gilding*
41 der Schriftpinsel
- *lettering brush (signwriting brush, pencil)*
42 das Pausrädchen
- *tracing wheel*
43 das Schablonenmesser
- *stencil knife*
44 das Anlegeöl
- *oil gold size*
45 das Blattgold
- *gold leaf*
46 das Konturieren
- *outline drawing*
47 der Malstock
- *mahlstick*
48 das Aufpausen der Zeichnung
- *pouncing*
49 der Pausebeutel
- *pounce bag*
50 das Vergolderkissen
- *gilder's cushion*
51 das Vergoldermesser
- *gilder's knife*
52 das Anschießen des Blattgoldes *n*
- *sizing gold leaf*
53 das Ausfüllen der Buchstaben *m* mit Stupffarbe *f*
- *filling in the letters with stipple paint*
54 der Stupfpinsel
- *gilder's mop*

1-33 die Böttcherei und Behälterbauerei
- *cooper's and tank construction
  engineer's workshops*
1 der Bottich
- *tank*
2 der Mantel aus Umhölzern *n*,
  Stäben *m*
- *circumference made of staves
  (staved circumference)*
3 der Rundeisenreifen
- *iron rod*
4 das Spannschloß
- *turnbuckle*
5 das Faß
- *barrel (cask)*
6 der Faßrumpf
- *body of barrel (of cask)*
7 das Spundloch
- *bunghole*
8 der Faßreifen (das Faßband)
- *band (hoop) of barrel*
9 die Faßdaube
- *barrel stave*
10 der Faßboden
- *barrelhead (heading)*
11 der Böttcher
- *cooper*
12 der Faßzieher
- *trusser*

13 das eiserne Rollringfaß
- *drum*
14 der Autogenschweißbrenner
- *gas welding torch*
15 der Beizbottich, aus
  Thermoplasten *m*
- *staining vat, made of thermoplastics*
16 der Verstärkungsreifen aus
  Profileisen
- *iron reinforcing bands*
17 der Lagerbehälter, aus glasfaser-
  verstärktem Polyesterharz (GFP) *n*
- *storage container, made of glass fibre
  (Am. glass fiber) reinforced polyester
  resin*
18 das Mannloch
- *manhole*
19 der Mannlochdeckel, mit Spindel *f*
- *manhole cover with handwheel*
20 der Flanschstutzen
- *flange mount*
21 der Blockflansch
- *flange-type stopcock*
22 der Meßbehälter
- *measuring tank*
23 der Mantel
- *shell (circumference)*
24 der Schrumpfring
- *shrink ring*

25 die Heißluftpistole
- *hot-air gun*
26 das Rohrstück, aus glasfaser-
  verstärktem Kunstharz (GFK) *n*
- *roller made of glass fibre (Am. glass
  fiber) reinforced synthetic resin*
27 das Rohr
- *cylinder*
28 der Flansch
- *flange*
29 die Glasmatte, das Glasgewebe
- *glass cloth*
30 die Rillenwalze
- *grooved roller*
31 die Lammfellrolle
- *lambskin roller*
32 der Viskosebecher
- *ladle for testing viscosity*
33 das Härterdosiergerät
- *measuring vessel for hardener*

1-25 die Kürschnerwerkstatt
– *furrier's workroom*
1 der Kürschner
– *furrier*
2 die Dampfspritzpistole
– *steam spray gun*
3 das Dampfbügeleisen
– *steam iron*
4 die Klopfmaschine
– *beating machine*
5 die Schneidemaschine zum
  Auslassen *n* der Felle *n*
– *cutting machine for letting out
  furskins*
6 das unzerschnittene Fell
– *uncut furskin*
7 die Auslaßstreifen *m*
– *let-out strips (let-out sections)*
8 die Pelzwerkerin (Pelznäherin)
– *fur worker*
9 die Pelznähmaschine
– *fur-sewing machine*
10 das Gebläse für die Auslaßtechnik
– *blower for letting out*
11-21 Felle *n*
– *furskins*
11 das Nerzfell
– *mink skin*
12 die Haarseite
– *fur side*

13 die Lederseite
– *leather side*
14 das geschnittene Fell
– *cut furskin*
15 das Luchsfell vor dem Auslassen *n*
– *lynx skin before letting out*
16 das ausgelassene Luchsfell
– *let-out lynx skin*
17 die Haarseite
– *fur side*
18 die Lederseite
– *leather side*
19 das ausgelassene Nerzfell
– *let-out mink skin*
20 das zusammengesetzte Luchsfell
– *lynx fur, sewn together (sewn)*
21 das Breitschwanzfell
– *broadtail*
22 der Pelzstift
– *fur marker*
23 die Pelzwerkerin (Pelzschneiderin)
– *fur worker*
24 der Nerzmantel
– *mink coat*
25 der Ozelotmantel
– *ocelot coat*

132 Tischler I   *Joiner I*

1-73 die Tischlerwerkstatt (Tischlerei;
Schreinerei)
– *joiner's workshop*
1-28 das Tischlerwerkzeug
– *joiner's tools*
1 die Holzraspel
– *wood rasp*
2 die Holzfeile
– *wood file*
3 die Stichsäge (Lochsäge)
– *compass saw (keyhole saw)*
4 der Fuchsschwanzgriff
– *saw handle*
5 der Vierkantholzhammer (Klüpfel,
Klöpfel)
– *[square-headed] mallet*
6 der Tischlerwinkel
– *try square*
7-11 Beitel *m*
– *chisels*
7 der Stechbeitel (das Stemmeisen)
– *bevelled-edge chisel (chisel)*
8 der Lochbeitel (das Locheisen)
– *mortise (mortice) chisel*
9 der Hohlbeitel (das Hohleisen)
– *gouge*
10 das Heft
– *handle*
11 der Kantbeitel
– *framing chisel (cant chisel)*
12 der Leimkessel mit Wasserbad *n*
– *glue pot in water bath*
13 der Leimtopf, ein Einsatz *m* für
Tischlerleim *m*
– *glue pot (glue well), an insert for
joiner's glue*
14 die Schraubzwinge
– *handscrew*
15-28 Hobel *m* (Handhobel)
– *planes*
15 der Schlichthobel
– *smoothing plane*
16 der Schrupphobel (Doppelhobel)
– *jack plane*
17 der Zahnhobel
– *toothing plane*
18 die Nase
– *handle (toat)*
19 der Keil
– *wedge*
20 das Hobeleisen (Hobelmesser)
– *plane iron (cutter)*
21 das Keilloch
– *mouth*
22 die Sohle
– *sole*
23 die Wange (Backe)
– *side*
24 der Kasten (Hobelkasten)
– *stock (body)*
25 der Simshobel
– *rebate (rabbet) plane*
26 der Grundhobel
– *router plane (old woman's tooth)*
27 der Schabhobel
– *spokeshave*

28 der Schiffshobel
– *compass plane*
29-37 die Hobelbank
– *woodworker's bench*
29 der Fuß
– *foot*
30 die Vorderzange
– *front vice (Am. vise)*
31 der Spannstock
– *vice (Am. vise) handle*
32 die Druckspindel
– *vice (Am. vise) screw*
33 das Zangenbrett
– *jaw*
34 die Bankplatte
– *bench top*
35 die Beilade
– *well*
36 der Bankhaken (das Bankeisen)
– *bench stop (bench holdfast)*
37 die Hinterzange
– *tail vice (Am. vise)*
38 der Tischler (Schreiner)
– *cabinet maker (joiner)*
39 die Rauhbank (der Langhobel)
– *trying plane*
40 die Hobelspäne
– *shavings*
41 die Holzschraube
– *wood screw*
42 das Schränkeisen (der Sägensetzer)
– *saw set*
43 die Gehrungslade
– *mitre (Am. miter) box*
44 der gerade Fuchsschwanz
– *tenon saw*
45 die Dicktenhobelmaschine
– *thicknesser (thicknessing machine)*
46 der Dicktentisch, mit Tischwalzen *f*
– *thicknessing table with rollers*
47 der Rückschlagschutz
– *kick-back guard*
48 der Späneauswurf
– *chip-extractor opening*
49 die Kettenfräsmaschine
– *chain mortising machine
(chain mortiser)*
50 die endlose Fräskette
– *endless mortising chain*
51 die Holzeinspannvorrichtung
– *clamp (work clamp)*
52 die Astlochfräsmaschine
– *knot hole moulding (Am. molding)
machine*
53 der Astlochfräser
– *knot hole cutter*
54 das Schnellspannfutter
– *quick-action chuck*
55 der Handhebel
– *hand lever*
56 der Wechselhebel
– *change-gear handle*
57 die Format- und Besäumkreissäge
– *sizing and edging machine*
58 der Hauptschalter
– *main switch*

59 das Kreissägeblatt
– *circular-saw (buzz saw) blade*
60 das Handrad zur Höheneinstellung
– *height (rise and fall) adjustment wheel*
61 die Prismaschiene
– *V-way*
62 der Rahmentisch
– *framing table*
63 der Ausleger
– *extension arm (arm)*
64 der Besäumtisch
– *trimming table*
65 der Linealwinkel
– *fence*
66 das Linealhandrädchen
– *fence adjustment handle*
67 der Klemmhebel
– *clamp lever*
68 die Plattenkreissäge
– *board-sawing machine*
69 der Schwenkmotor
– *swivel motor*
70 die Plattenhalterung
– *board support*
71 der Sägeschlitten
– *saw carriage*
72 das Pedal zur Anhebung der
Transportrollen *f*
– *pedal for raising the transport rollers*
73 die Tischlerplatte
– *blockboard*

234

1 die Furnierschälmaschine
- *veneer-peeling machine (peeling machine, peeler)*
2 das Furnier
- *veneer*
3 die Furnierzusammenklebemaschine
- *veneer-splicing machine*
4 der Nylonfadenkops
- *nylon-thread cop*
5 die Nähvorrichtung
- *sewing mechanism*
6 die Dübelbohrmaschine
- *dowel hole boring machine (dowel hole borer)*
7 der Bohrmotor mit Hohlwellen-bohrer *m*
- *boring motor with hollow-shaft boring bit*
8 das Handrad für den Spannbügel
- *clamp handle*
9 der Spannbügel
- *clamp*
10 die Spannpratze
- *clamping shoe*
11 die Anschlagschiene
- *stop bar*
12 die Kantenschleifmaschine
- *edge sander (edge-sanding machine)*
13 die Spannrolle mit Ausleger *m*
- *tension roller with extension arm*
14 die Schleifbandregulierschraube
- *sanding belt regulator (regulating handle)*
15 das endlose Schleifband
- *endless sanding belt (sand belt)*
16 der Bandspannhebel
- *belt-tensioning lever*
17 der neigbare Auflagetisch
- *canting table (tilting table)*
18 die Bandwalze
- *belt roller*
19 das Winkellineal für Gehrungen *f*
- *angling fence for mitres* (Am. *miters*)
20 die aufklappbare Staubhaube
- *opening dust hood*
21 die Tiefenverstellung des Auflagetisches *m*
- *rise adjustment of the table*
22 das Handrad für die Tischhöhen-verstellung
- *rise adjustment wheel for the table*
23 die Klemmschraube für die Tischhöhenverstellung
- *clamping screw for the table rise adjustment*
24 die Tischkonsole
- *console*
25 der Maschinenfuß
- *foot of the machine*
26 die Kantenklebemaschine
- *edge-veneering machine*
27 das Schleifrad
- *sanding wheel*
28 die Schleifstaubabsaugung
- *sanding dust extractor*
29 die Klebevorrichtung
- *splicing head*
30 die Einbandschleifmaschine
- *single-belt sanding machine (single-belt sander)*
31 die Bandabdeckung
- *belt guard*
32 die Bandscheibenverkleidung
- *band wheel cover*
33 der Exhauster
- *extractor fan (exhaust fan)*
34 der Rahmenschleifschuh
- *frame-sanding pad*
35 der Schleiftisch
- *sanding table*
36 die Feineinstellung
- *fine adjustment*
37 die Feinschnitt- und Fügemaschine
- *fine cutter and jointer*
38 der Sägewagen (das Säge- und Hobelaggregat) mit Kettenantrieb *m*
- *saw carriage with chain drive*
39 die nachgeführte Kabelaufhängung
- *trailing cable hanger (trailing cable support)*
40 der Luftabsaugstutzen
- *air extractor pipe*
41 die Transportschiene
- *rail*
42 die Rahmenpresse
- *frame-cramping (frame-clamping) machine*
43 der Rahmenständer
- *frame stand*
44 das Werkstück, ein Fensterrahmen *m*
- *workpiece, a window frame*
45 die Druckluftzuleitung
- *compressed-air line*
46 der Druckzylinder
- *pressure cylinder*
47 der Druckstempel
- *pressure foot*
48 die Rahmeneinspannung
- *frame-mounting device*
49 die Furnierschnellpresse
- *rapid-veneer press*
50 der Preßboden
- *bed*
51 der Preßdeckel
- *press*
52 der Preßstempel
- *pressure piston*

1-34 der Werkzeugschrank für das Heimwerken (Basteln, Do-it-yourself)
- *tool cupboard (tool cabinet) for do-it-yourself work*
1 der Schlichthobel
- *smoothing plane*
2 der Gabelschlüsselsatz
- *set of fork spanners (fork wrenches, open-end wrenches)*
3 die Bügelsäge
- *hacksaw*
4 der Schraubendreher (Schraubenzieher)
- *screwdriver*
5 der Kreuzschlitzschraubendreher
- *cross-point screwdriver*
6 die Sägeraspel
- *saw rasp*
7 der Hammer
- *hammer*
8 die Holzraspel
- *wood rasp*
9 die Schruppfeile
- *roughing file*
10 der Kleinschraubstock
- *small vice (Am. vise)*
11 die Eckrohrzange
- *corner pipe wrench*
12 die Wasserpumpenzange
- *water pump pliers*
13 die Kneifzange
- *pincers*
14 die Kombizange
- *all-purpose wrench*
15 die Entisolierzange
- *wire stripper and cutter*
16 die elektrische Bohrmaschine
- *electric drill*
17 die Stahlsäge
- *hacksaw*
18 der Gipsbecher
- *plaster cup*
19 der Lötkolben
- *soldering iron*
20 der Lötzinndraht
- *tin-lead solder wire*
21 die Lammfellscheibe (Lammfellpolierhaube)
- *lamb's wool polishing bonnet*
22 der Polierteller (Gummiteller) für die Bohrmaschine
- *rubber backing disc (disk)*
23 Schleifscheiben *f*
- *grinding wheel*
24 der Drahtbürstenteller
- *wire wheel brush*
25 das Tellerschleifpapier
- *sanding discs (disks)*
26 der Anschlagwinkel
- *try square*
27 der Fuchsschwanz
- *hand saw*
28 der Universalschneider
- *universal cutter*
29 die Wasserwaage
- *spirit level*

30 der Stechbeitel
- *firmer chisel*
31 der Körner
- *centre (Am. center) punch*
32 der Durchschläger
- *nail punch*
33 der Zollstock (Maßstab)
- *folding rule (rule)*
34 der Kleinteilekasten
- *storage box for small parts*
35 der Werkzeugkasten (Handwerkskasten)
- *tool box*
36 der Weißleim (Kaltleim)
- *woodworking adhesive*
37 der Malerspachtel
- *stripping knife*
38 das Lassoband (Klebeband)
- *adhesive tape*
39 der Sortimentseinsatz mit Nägeln *m*, Schrauben *f* und Dübeln *m*
- *storage box with compartments for nails, screws, and plugs*
40 der Schlosserhammer
- *machinist's hammer*
41 die zusammenlegbare Werkbank (Heimwerkerbank)
- *collapsible workbench (collapsible bench)*
42 die Spannvorrichtung
- *jig*
43 die elektrische Schlagbohrmaschine (der Elektrobohrer, Schlagbohrer)
- *electric percussion drill (electric hammer drill)*
44 der Pistolenhandgriff
- *pistol grip*
45 der zusätzliche Handgriff
- *side grip*
46 der Getriebeschalter
- *gearshift switch*
47 der Handgriff mit Abstandshalter *m*
- *handle with depth gauge (Am. gage)*
48 der Bohrkopf
- *chuck*
49 der Spiralbohrer
- *twist bit (twist drill)*
50-55 Zusatz- und Anbaugeräte zum Elektrobohrer
- *attachments for an electric drill*
50 die kombinierte Kreis- und Bandsäge
- *combined circular saw (buzz saw) and bandsaw*
51 die Drechselbank
- *wood-turning lathe*
52 der Kreissägevorsatz
- *circular saw attachment*
53 der Vibrationsschleifer
- *orbital sanding attachment (orbital sander)*
54 der Bohrständer
- *drill stand*
55 der Heckenscherenvorsatz
- *hedge-trimming attachment (hedge trimmer)*
56 die Lötpistole
- *soldering gun*

57 der Lötkolben
- *soldering iron*
58 der Blitzlöter
- *high-speed soldering iron*
59 die Polsterarbeit, das Beziehen eines Sessels *m*
- *upholstery, upholstering an armchair*
60 der Bezugsstoff
- *fabric (material) for upholstery*
61 der Heimwerker (Selbstwerker)
- *do-it-yourself enthusiast*

1-26 die **Drechslerei** (Drechsler-
werkstatt)
- **turnery** *(turner's workshop)*
1 die Holzdrehbank (Drechselbank)
- *wood-turning lathe (lathe)*
2 die Drechselwange (Drehbank-
wange)
- *lathe bed*
3 der Anlaßwiderstand
- *starting resistance (starting resistor)*
4 der Getriebekasten
- *gearbox*
5 die Handvorlage (Werkzeugauflage)
- *tool rest*
6 das Spundfutter
- *chuck*
7 der Reitstock
- *tailstock*
8 die Spitzdocke
- *centre (Am. center)*
9 der Wirtel (Quirl), eine Schnurrolle
mit Mitnehmer *m*
- *driving plate with pin*
10 das Zweibackenfutter
- *two-jaw chuck*
11 der Dreizack (Zwirl)
- *live centre (Am. center)*
12 die Laubsäge
- *fretsaw*

13 das Laubsägeblatt
- *fretsaw blade*
14, 15, 24 Drechselwerkzeuge *n*
(Drechslerdrehstähle *m*)
- *turning tools*
14 der Gewindesträhler (Strähler,
Schraubstahl), zum Holzgewinde-
schneiden *n*
- *thread chaser, for cutting threads in
wood*
15 die Drehröhre, zum Vordrehen *n*
- *gouge, for rough turning*
16 der Löffelbohrer (Parallelbohrer)
- *spoon bit (shell bit)*
17 der Ausdrehhaken
- *hollowing tool*
18 der Tastzirkel (Greifzirkel,
Außentaster)
- *outside calliper (caliper)*
19 der gedrechselte Gegenstand
(die gedrechselte Holzware)
- *turned work (turned wood)*
20 der Drechslermeister (Drechsler)
- *master turner (turner)*
21 der Rohling (das unbearbeitete
Holz)
- *[piece of] rough wood*
22 der Drillbohrer
- *drill*

23 der Lochzirkel (Innentaster)
- *inside calliper (caliper)*
24 der Grabstichel (Abstechstahl,
Plattenstahl)
- *parting tool*
25 das Glaspapier (Sandpapier,
Schmirgelpapier)
- *glass paper (sandpaper, emery paper)*
26 die Drehspäne *m* (Holzspäne)
- *shavings*

1-40 die **Korbmacherei** (Korbflechterei)
- *basket making (basketry, basketwork)*
1-4 **Flechtarten** *f*
- *weaves (strokes)*
1 das Drehergeflecht
- *randing*
2 das Köpergeflecht
- *rib randing*
3 das Schichtgeflecht
- *oblique randing*
4 das einfache Geflecht, ein Flecht-
  werk *n*
- *randing, a piece of wickerwork
  (screen work)*
5 der Einschlag
- *weaver*
6 die Stake
- *stake*
7 das Werkbrett
- *workboard; also: lapboard*
8 die Querleiste
- *screw block*
9 das Einstreckloch
- *hole for holding the block*
10 der Bock
- *stand*
11 der Spankorb
- *chip basket (spale basket)*
12 der Span
- *chip (spale)*
13 der Einweichbottich
- *soaking tub*
14 die Weidenruten *f* (Ruten)
- *willow stakes (osier stakes)*
15 die Weidenstöcke *m* (Stöcke)
- *willow rods (osier rods)*

16 der Korb, eine Flechtarbeit
- *basket, a piece of wickerwork
  (basketwork)*
17 der Zuschlag (Abschluß)
- *border*
18 das Seitengeflecht
- *woven side*
19 der Bodenstern
- *round base*
20 das Bodengeflecht
- *woven base*
21 das Bodenkreuz
- *slath*
22-24 die **Gestellarbeit**
- *covering a frame*
22 das Gestell
- *frame*
23 der Splitt
- *end*
24 die Schiene
- *rib*
25 das Gerüst
- *upsett*
26 das Gras; *Arten:* Espartogras, Alfagras
  (Halfagras)
- *grass; kinds: esparto grass, alfalfa grass*
27 das Schilf (Rohrkolbenschilf)
- *rush (bulrush, reed mace)*
28 die Binse (Chinabinsenschnur)
- *reed (China reed, string)*
29 das Raffiabast (Bast)
- *raffia (bast)*
30 das Stroh
- *straw*
31 das Bambusrohr
- *bamboo cane*

32 das Peddigrohr (span. Rohr, der
  Rotang)
- *rattan (ratan) chair cane*
33 der Korbmacher (Korbflechter)
- *basket maker*
34 das Biegeeisen
- *bending tool*
35 der Reißer
- *cutting point (bodkin)*
36 das Klopfeisen
- *rapping iron*
37 die Beißzange
- *pincers*
38 das Putzmesser (der Ausstecher)
- *picking knife*
39 der Schienenhobel
- *shave*
40 die Bogensäge
- *hacksaw*

1-8 die Esse mit dem Schmiedefeuer *n*
- *hearth (forge) with blacksmith's fire*
1 die Esse
- *hearth (forge)*
2 die Feuerschaufel
- *shovel (slice)*
3 der Löschwedel
- *swab*
4 die Feuerkratze
- *rake*
5 der Schlackenhaken
- *poker*
6 die Luftzuführung
- *blast pipe (tue iron)*
7 der Rauchfang
- *chimney (cowl, hood)*
8 der Löschtrog
- *water trough (quenching trough, bosh)*
9 der Schmiedelufthammer
- *power hammer*
10 der Hammerbär
- *ram (tup)*
11-16 der Amboß
- *anvil*
11 der Amboß
- *anvil*
12 das Vierkanthorn
- *flat beak (beck, bick)*
13 das Rundhorn
- *round beak (beck, bick)*

14 der Voramboß
- *auxiliary table*
15 der Backen
- *foot*
16 der Stauchklotz
- *upsetting block*
17 die Lochplatte
- *swage block*
18 der Werkzeugschleifbock
- *tool-grinding machine (tool grinder)*
19 die Schleifscheibe
- *grinding wheel*
20 der Flaschenzug
- *block and tackle*
21 die Werkbank
- *workbench (bench)*
22-39 Schmiedewerkzeuge *n*
- *blacksmith's tools*
22 der Vorschlaghammer
- *sledge hammer*
23 der Schmiedehandhammer
- *blacksmith's hand hammer*
24 die Flachzange
- *flat tongs*
25 die Rundzange
- *round tongs*
26 die Teile *n* des Hammers *m*
- *parts of the hammer*
27 die Pinne
- *peen (pane, pein)*

28 die Bahn
- *face*
29 das Auge
- *eye*
30 der Stiel
- *haft*
31 der Keil
- *cotter punch*
32 der Abschroter
- *hardy (hardie)*
33 der Flachhammer
- *set hammer*
34 der Kehlhammer
- *sett (set, sate)*
35 der Schlichthammer
- *flat-face hammer (flatter)*
36 der Rundlochhammer
- *round punch*
37 die Winkelzange
- *angle tongs*
38 der Schrotmeißel
- *blacksmith's chisel (scaling hammer, chipping hammer)*
39 das Dreheisen
- *moving iron (bending iron)*

1 die Druckluftanlage
- compressed-air system
2 der Elektromotor
- electric motor
3 der Kompressor
- compressor
4 der Druckluftkessel
- compressed-air tank
5 die Druckluftleitung
- compressed-air line
6 der Druckluftschlagschrauber
- percussion screwdriver
7 das Schleifgerät (die Werkstatt-
schleifmaschine)
- pedestal grinding machine
(floor grinding machine)
8 die Schleifscheibe
- grinding wheel
9 die Schutzhaube
- guard
10 der Anhänger
- trailer
11 die Bremstrommel
- brake drum
12 die Bremsbacke
- brake shoe
13 der Bremsbelag
- brake lining
14 der Prüfkasten
- testing kit

15 das Druckluftmeßgerät
- pressure gauge (Am. gage)
16 der Bremsprüfstand, ein Rollen-
bremsprüfstand
- brake-testing equipment,
a rolling road
17 die Bremsgrube
- pit
18 die Bremsrolle
- braking roller
19 das Registriergerät
- meter (recording meter)
20 die Bremstrommel-
Feindrehmaschine
- precision lathe for brake drums
21 das Lkw-Rad
- lorry wheel
22 das Bohrwerk
- boring mill
23 die Schnellsäge, eine Bügelsäge
- power saw, a hacksaw (power
hacksaw)
24 der Schraubstock
- vice (Am. vise)
25 der Sägebügel
- saw frame
26 die Kühlmittelzuführung
- coolant supply pipe
27 die Nietmaschine
- riveting machine

28 das Anhängerchassis im Rohbau m
- trailer frame (chassis) under
construction
29 das Schutzgasschweißgerät
- inert-gas welding equipment
30 der Gleichrichter
- rectifier
31 das Steuergerät
- control unit
32 die CO_2-Flasche
- CO_2 cylinder
33 der Amboß
- anvil
34 die Esse mit dem Schmiedefeuer
- hearth (forge) with blacksmith's fire
35 der Autogenschweißwagen
- trolley for gas cylinders
36 das Reparaturfahrzeug, ein
Traktor m
- vehicle under repair, a tractor

139 Freiform- und Gesenkschmiede (Warmmassivumformung)

1 der Rillenherd-Durchstoßofen zum
  Wärmen *n* von Rundmaterialien *n*
  – *continuous furnace with grid hearth
  for annealing of round stock*
2 die Ausfallöffnung
  – *discharge opening (discharge door)*
3 die Gasbrenner *m*
  – *gas burners*
4 die Bedienungstür
  – *charging door*
5 der Gegenschlaghammer
  – *counterblow hammer*
6 der Oberbär
  – *upper ram*
7 der Unterbär
  – *lower ram*
8 die Bärführung
  – *ram guide*
9 der hydraulische Antrieb
  – *hydraulic drive*
10 der Ständer
  – *column*
11 der Kurzhubgesenkhammer
  – *short-stroke drop hammer*
12 der Hammerbär (Bär, Hammer)
  – *ram (tup)*
13 der obere Schmiedesattel (das
  Obergesenk)
  – *upper die block*
14 der untere Schmiedesattel (das
  Untergesenk)
  – *lower die block*
15 der hydraulische Antrieb
  – *hydraulic drive*
16 der Hammerständer
  – *frame*
17 die Schabotte (der Amboß)
  – *anvil*
18 die Gesenkschmiede- und
  Kalibrierpresse
  – *forging and sizing press*
19 der Maschinenständer
  – *standard*
20 die Tischplatte
  – *table*
21 die Lamellenreibungskupplung
  – *disc (disk) clutch*
22 die Preßluftzuleitung
  – *compressed-air pipe*
23 das Magnetventil
  – *solenoid valve*
24 der Lufthammer
  – *air-lift gravity hammer (air-lift drop
  hammer)*
25 der Antriebsmotor
  – *drive motor*
26 der Schlagbär
  – *hammer (tup)*
27 der Fußsteuerhebel
  – *foot control (foot pedal)*
28 das freiformgeschmiedete
  (vorgeschmiedete) Werkstück
  – *preshaped (blocked) workpiece*
29 der Bärführungskopf
  – *hammer guide*
30 der Bärzylinder
  – *hammer cylinder*

31 die Schabotte
  – *anvil*
32 der Schmiedemanipulator
  (Manipulator) zum Bewegen *n*
  des Werkstücks *n* beim Freiform-
  schmieden *n*
  – *mechanical manipulator to move the
  workpiece in hammer forging*
33 die Zange
  – *dogs*
34 das Gegengewicht
  – *counterweight*
35 die hydraulische Schmiedepresse
  – *hydraulic forging press*
36 der Preßkopf
  – *crown*
37 das Querhaupt
  – *cross head*
38 der obere Schmiedesattel
  – *upper die block*
39 der untere Schmiedesattel
  – *lower die block*
40 die Schabotte (der Unteramboß)
  – *anvil*
41 der Hydraulikkolben
  – *hydraulic piston*
42 die Säulenführung
  – *pillar guide*
43 die Wendevorrichtung
  – *rollover device*
44 die Krankette
  – *burden chain (chain sling)*
45 der Kranhaken
  – *crane hook*
46 das Werkstück
  – *workpiece*
47 der gasbeheizte Schmiedeofen
  – *gas furnace (gas-fired furnace)*
48 der Gasbrenner
  – *gas burner*
49 die Arbeitsöffnung
  – *charging opening*
50 der Kettenschleier
  – *chain curtain*
51 die Aufzugstür
  – *vertical-lift door*
52 die Heißluftleitung
  – *hot-air duct*
53 der Luftvorwärmer
  – *air preheater*
54 die Gaszufuhr
  – *gas pipe*
55 die Türaufzugsvorrichtung
  – *electric door-lifting mechanism*
56 der Luftschleier
  – *air blast*

1-22 die Schlosserwerkstatt
- *metalwork shop (mechanic's workshop, fitter's workshop, locksmith's workshop)*
1 der Schlosser (z. B. Maschinenschlosser, Bauschlosser, Stahlbauschlosser, Schloß- und Schlüsselmacher; *früh. auch:* Kunstschlosser), ein Metallbauer *m*
- *metalworker (e.g. mechanic, fitter, locksmith; form. also: wrought-iron craftsman)*
2 der Parallelschraubstock
- *parallel-jaw vice (Am. vise)*
3 die Backe
- *jaw*
4 die Spindel
- *screw*
5 der Knebel
- *handle*
6 das Werkstück
- *workpiece*
7 die Werkbank
- *workbench (bench)*
8 die Feile (Arten: Grobfeile, Schlichtfeile, Präzisionsfeile)
- *files (kinds: rough file, smooth file, precision file)*
9 die Bügelsäge
- *hacksaw*

10 der Flachschraubstock, ein Zangenschraubstock *m*
- *leg vice (Am. vise), a spring vice*
11 der Muffelofen (Härteofen), ein Gasschmiedeofen *m*
- *muffle furnace, a gas-fired furnace*
12 die Gaszuführung
- *gas pipe*
13 die Handbohrmaschine
- *hand brace (hand drill)*
14 die Lochplatte (Gesenkplatte)
- *swage block*
15 die Feilmaschine
- *filing machine*
16 die Bandfeile
- *file*
17 das Späneblasrohr
- *compressed-air pipe*
18 die Schleifmaschine
- *grinding machine (grinder)*
19 die Schleifscheibe
- *grinding wheel*
20 die Schutzhaube
- *guard*
21 die Schutzbrille
- *goggles (safety glasses)*
22 der Schutzhelm
- *safety helmet*
23 der Schlosserhammer
- *machinist's hammer*

24 der Feilkloben
- *hand vice (Am. vise)*
25 der Kreuzmeißel (Spitzmeißel)
- *cape chisel (cross-cut chisel)*
26 der Flachmeißel
- *flat chisel*
27 die Flachfeile
- *flat file*
28 der Feilenhieb
- *file cut (cut)*
29 die Rundfeile (auch: Halbrundfeile)
- *round file (also: half-round file)*
30 das Windeisen
- *tap wrench*
31 die Reibahle
- *reamer*
32 die Schneidkluppe
- *die (die and stock)*
33-35 der Schlüssel
- *key*
33 der Schaft (Halm)
- *stem (shank)*
34 der Griff (die Räute)
- *bow*
35 der Bart
- *bit*
36-43 das Türschloß, ein Einsteckschloß *n*
- *door lock, a mortise (mortice) lock*
36 die Grundplatte (das Schloßblech)
- *back plate*

37 die Falle
– *spring bolt (latch bolt)*
38 die Zuhaltung
– *tumbler*
39 der Riegel
– *bolt*
40 das Schlüsselloch
– *keyhole*
41 der Führungszapfen
– *bolt guide pin*
42 die Zuhaltungsfeder
– *tumbler spring*
43 die Nuß, mit Vierkantloch *n*
– *follower, with square hole*
44 das Zylinderschloß (Sicherheits-
schloß)
– *cylinder lock (safety lock)*
45 der Zylinder
– *cylinder (plug)*
46 die Feder
– *spring*
47 der Arretierstift
– *pin*
48 der Sicherheitsschlüssel, ein Flach-
schlüssel *m*
– *safety key, a flat key*
49 das Scharnierband
– *lift-off hinge*
50 das Winkelband
– *hook-and-ride band*
51 das Langband
– *strap hinge*
52 der Meßschieber (die Schieblehre)
– *vernier calliper (caliper) gauge*
(Am. gage)
53 die Fühlerlehre
– *feeler gauge (Am. gage)*
54 der Tiefenmeßschieber (die Tiefenlehre)
– *vernier depth gauge (Am. gage)*
55 der Nonius
– *vernier*
56 das Haarlineal
– *straightedge*
57 der Meßwinkel
– *square*
58 die Brustleier
– *breast drill*
59 der Spiralbohrer
– *twist bit (twist drill)*
60 der Gewindebohrer (das Gewinde-
eisen)
– *screw tap (tap)*
61 die Gewindebacken *m*
– *halves of a screw die*
62 der Schraubendreher (Schraubenzieher)
– *screwdriver*
63 der Schaber (*auch:* Dreikantschaber)
– *scraper (also: pointed triangle scraper)*
64 der Körner
– *centre (Am. center) punch*
65 der Durchschlag
– *round punch*
66 die Flachzange
– *flat-nose pliers*
67 der Hebelvorschneider
– *detachable-jaw cut nippers*
68 die Rohrzange
– *gas pliers*
69 die Kneifzange
– *pincers*

1 die Flaschenbatterie
– gas cylinder manifold
2 die Acetylenflasche
– acetylene cylinder
3 die Sauerstoffflasche
– oxygen cylinder
4 das Hochdruckmanometer
– high-pressure manometer
5 das Druckminderventil
– pressure-reducing valve (reducing valve, pressure regulator)
6 das Niederdruckmanometer
– low-pressure manometer
7 das Absperrventil
– stop valve
8 die Niederdruck-Wasservorlage
– hydraulic back-pressure valve for low-pressure installations
9 der Gasschlauch
– gas hose
10 der Sauerstoffschlauch
– oxygen hose
11 der Schweißbrenner
– welding torch (blowpipe)
12 der Schweißstab
– welding rod (filler rod)
13 der Schweißtisch
– welding bench
14 der Schneidrost
– grating

15 der Schrottkasten
– scrap box
16 der Tischbelag, aus Schamottesteinen m
– bench covering of chamotte slabs
17 der Wasserkasten
– water tank
18 die Schweißpaste
– welding paste (flux)
19 der Schweißbrenner, mit Schneidsatz m und Brennerführungswagen m
– welding torch (blowpipe) with cutting attachment and guide tractor
20 das Werkstück
– workpiece
21 die Sauerstoffflasche
– oxygen cylinder
22 die Acetylenflasche
– acetylene cylinder
23 der Flaschenwagen
– cylinder trolley
24 die Schweißerbrille
– welding goggles
25 der Schlackenhammer
– chipping hammer
26 die Drahtbürste
– wire brush
27 der Brenneranzünder
– torch lighter (blowpipe lighter)

28 der Schweißbrenner
– welding torch (blowpipe)
29 das Sauerstoffventil
– oxygen control
30 der Sauerstoffanschluß
– oxygen connection
31 der Brenngasanschluß
– gas connection (acetylene connection)
32 das Brenngasventil
– gas control (acetylene control)
33 das Schweißmundstück
– welding nozzle
34 die Brennschneidemaschine
– cutting machine
35 die Kreisführung
– circular template
36 die Universalbrennschneidemaschine
– universal cutting machine
37 der Steuerkopf
– tracing head
38 die Brennerdüse
– cutting nozzle

1 der Schweißtransformator
(Schweißtrafo)
- *welding transformer*
2 **der Elektroschweißer**
- ***arc welder***
3 die Schweißerschutzhaube
- *arc welding helmet*
4 das hochklappbare Schutzglas
- *flip-up window*
5 der Schulterschutz
- *shoulder guard*
6 der Ärmelschutz
- *protective sleeve*
7 der Elektrodenköcher
- *electrode case*
8 der dreifingrige Schweißerhandschuh
- *three-fingered welding glove*
9 der Elektrodenhalter
- *electrode holder*
10 die Elektrode
- *electrode*
11 die Lederschürze
- *leather apron*
12 der Schienbeinschutz
- *shin guard*
13 **der Absaugeschweißtisch**
- ***welding table with fume extraction
equipment***
14 die Absaugetischfläche
- *table top*
15 der Absaugeschwenkrüssel
- *movable extractor duct*

16 der Abluftstutzen
- *extractor support*
17 der Schlackenhammer
- *chipping hammer*
18 die Stahldrahtbürste
- *wire brush*
19 das Schweißkabel
- *welding lead*
20 der Elektrodenhalter
- *electrode holder*
21 der Schweißtisch
- *welding bench*
22 **die Punktschweißung**
- ***spot welding***
23 die Punktschweißzange
- *spot welding electrode holder*
24 der Elektrodenarm
- *electrode arm*
25 die Stromzuführung (das Anschluß-
kabel)
- *power supply (lead)*
26 der Elektrodenkraftzylinder
- *electrode-pressure cylinder*
27 der Schweißtransformator
- *welding transformer*
28 das Werkstück
- *workpiece*
29 die fußbetätigte Punktschweiß-
maschine
- *foot-operated spot welder*
30 die Schweißarme *m*
- *welder electrode arms*

31 der Fußbügel für den Elektroden-
kraftaufbau
- *foot pedal for welding pressure
adjustment*
32 der fünffingrige Schweißerhandschuh
- *five-fingered welding glove*
33 der Schutzgasschweißbrenner für die
Schutzgasschweißung (Inertgas-
schweißung)
- *inert-gas torch for inert-gas welding
(gas-shielded arc welding)*
34 die Schutzgaszuführung
- *inert-gas (shielding-gas) supply*
35 die Polzwinge (Werkstückklemme,
Erdklemme; der Gegenkontakt)
- *work clamp (earthing clamp)*
36 die Kehlnahtmeßlehre
- *fillet gauge* (Am. *gage*) *(weld gauge)*
[for measuring throat thickness]
37 die Feinmeßschraube (Mikrometer-
schraube)
- *micrometer*
38 der Meßschenkel
- *measuring arm*
39 das Schutzschild (Schweißschutz-
schild)
- *arc welding helmet*
40 das Schweißhaubenglas
- *filter lens*
41 der Kleindrehtisch
- *small turntable*

143 Profile, Schrauben und Maschinenteile

[Herstellungsmaterial: Stahl, Messing,
Aluminium, Kunststoff usw.; als Beispiel
wurde im folgenden Stahl gewählt]
*[material: steel, brass, aluminium (Am.
aluminum), plastics, etc: in the following,
steel was chosen as an example]*

1 das Winkeleisen
 – *angle iron (angle)*
2 der Schenkel (Flansch)
 – *leg (flange)*
3-7 **Eisenträger** (Baustahlträger) *m*
 – **steel girders**
3 das T-Eisen
 – *T-iron (tee-iron)*
4 der Steg
 – *vertical leg*
5 der Flansch
 – *flange*
6 das Doppel-T-Eisen
 – *H-girder (H-beam)*
7 das U-Eisen
 – *E-channel (channel iron)*
8 das Rundeisen
 – *round bar*
9 das Vierkanteisen
 – *square iron (Am. square stock)*
10 das Flacheisen
 – *flat bar*
11 das Bandeisen
 – *strip steel*
12 der Eisendraht
 – *iron wire*
13-50 **Schrauben** *f*
 – **screws and bolts**
13 die Sechskantschraube
 – *hexagonal-head bolt*
14 der Kopf
 – *head*
15 der Schaft
 – *shank*
16 das Gewinde
 – *thread*
17 die Unterlegscheibe
 – *washer*
18 die Sechskantmutter
 – *hexagonal nut*
19 der Splint
 – *split pin*
20 die Rundkuppe
 – *rounded end*
21 die Schlüsselweite
 – *width of head (of flats)*
22 die Stiftschraube
 – *stud*
23 die Spitze
 – *point (end)*
24 die Kronenmutter
 – *castle nut (castellated nut)*
25 das Splintloch
 – *hole for the split pin*
26 die Kreuzschlitzschraube, eine
 Blechschraube
 – *cross-head screw, a sheet-metal screw
 (self-tapping screw)*
27 die Innensechskantschraube
 – *hexagonal socket head screw*
28 die Senkschraube
 – *countersunk-head bolt*
29 die Nase
 – *catch*
30 die Gegenmutter (Kontermutter)
 – *locknut (locking nut)*
31 der Zapfen
 – *bolt (pin)*
32 die Bundschraube
 – *collar-head bolt*
33 der Schraubenbund
 – *set collar (integral collar)*
34 der Sprengring (Federring)
 – *spring washer (washer)*
35 die Lochrundmutter, eine Stellmutter
 – *round nut, an adjusting nut*
36 die Zylinderkopfschraube, eine Schlitzschraube
 – *cheese-head screw, a slotted screw*

37 der Kegelstift
 – *tapered pin*
38 der Schraubenschlitz
 – *screw slot (screw slit, screw groove)*
39 die Vierkantschraube
 – *square-head bolt*
40 der Kerbstift, ein Zylinderstift *m*
 – *grooved pin, a cylindrical pin*
41 die Hammerkopfschraube
 – *T-head bolt*
42 die Flügelmutter
 – *wing nut (fly nut, butterfly nut)*
43 die Steinschraube
 – *rag bolt*
44 der Widerhaken
 – *barb*
45 die Holzschraube
 – *wood screw*
46 der Senkkopf
 – *countersunk head*
47 das Holzgewinde
 – *wood screw thread*
48 der Gewindestift
 – *grub screw*
49 der Stiftschlitz
 – *pin slot (pin slit, pin groove)*
50 die Kugelkuppe
 – *round end*
51 der Nagel (Drahtstift)
 – *nail (wire nail)*
52 der Kopf
 – *head*
53 der Schaft
 – *shank*
54 die Spitze
 – *point*
55 der Dachpappenstift
 – *roofing nail*
56 die Nietung (Nietverbindung,
 Überlappung)
 – *riveting (lap riveting)*
57-60 **die Niete** (der Niet)
 – **rivet**
57 der Setzkopf, ein Nietkopf *m*
 – *set head (swage head, die head),
 a rivet head*
58 der Nietenschaft
 – *rivet shank*
59 der Schließkopf
 – *closing head*
60 die Nietteilung
 – *pitch of rivets*
61 **die Welle**
 – **shaft**
62 die Fase
 – *chamfer (bevel)*
63 der Zapfen
 – *journal*
64 der Hals
 – *neck*
65 der Sitz
 – *seat*
66 die Keilnut
 – *keyway*
67 der Kegelsitz (Konus)
 – *conical seat (cone)*
68 das Gewinde
 – *thread*
69 **das Kugellager**, ein Wälzlager *n*
 – **ball bearing**, *an antifriction bearing*
70 die Stahlkugel
 – *steel ball (ball)*
71 der Außenring
 – *outer race*
72 der Innenring
 – *inner race*
73 u. 74 **die Nutkeile** *m*
 – **keys**
73 der Einlegekeil (Federkeil, die Feder)
 – *sunk key (feather)*
74 der Nasenkeil
 – *gib (gib-headed key)*
75 u. 76 **das Nadellager**
 – **needle roller bearing**
75 der Nadelkäfig
 – *needle cage*

76 die Nadel
 – *needle*
77 die Kronenmutter
 – *castle nut (castellated nut)*
78 der Splint
 – *split pin*
79 das Gehäuse
 – *casing*
80 der Gehäusedeckel
 – *casing cover*
81 der Druckschmiernippel
 – *grease nipple (lubricating nipple)*
82-96 **Zahnräder** *n* (Verzahnungen *f*)
 – **gear wheels, cog wheels**
82 das Stufenrad
 – *stepped gear wheel*
83 der Zahn
 – *cog (tooth)*
84 der Zahngrund
 – *space between teeth*
85 die Nut (Keilnut)
 – *keyway (key seat, key slot)*
86 die Bohrung
 – *bore*
87 das Pfeilstirnrad
 – *herringbone gear wheel*
88 die Speiche
 – *spoke (arm)*
89 die Schrägverzahnung
 – *helical gearing (helical spur wheel)*
90 der Zahnkranz
 – *sprocket*
91 das Kegelrad
 – *bevel gear wheel (bevel wheel)*
92 u. 93 **die Spiralverzahnung**
 – **spiral toothing**
92 das Ritzel
 – *pinion*
93 das Tellerrad
 – *crown wheel*
94-96 **das Planetengetriebe** *n*
 – **epicyclic gear** *(planetary gear)*
94 die Planetenräder *n*
 – *planet wheels*
95 das Hohlrad
 – *internal gear*
96 das Sonnenrad
 – *sun wheel (sun gear)*
97-107 **Bremsdynamometer** *n*
 – **absorption dynamometer**
97 die Backenbremse
 – *shoe brake (check brake, block brake)*
98 die Bremsscheibe
 – *brake pulley*
99 die Bremswelle
 – *brake shaft (brake axle)*
100 der Bremsklotz (die Bremsbacke)
 – *brake block (brake shoe)*
101 die Zugstange
 – *pull rod*
102 der Bremslüftmagnet
 – *brake magnet*
103 das Bremsgewicht
 – *brake weight*
104 die Bandbremse
 – *band brake*
105 das Bremsband
 – *brake band*
106 der Bremsbelag
 – *brake lining*
107 die Stellschraube, zur gleichmäßigen
 Lüftung
 – *adjusting screw, for even application of the
 brake*

1-51 das Steinkohlenbergwerk (die
Steinkohlengrube, Grube, Zeche)
- *coal mine (colliery, pit)*
1 das Fördergerüst
- *pithead gear (headgear)*
2 das Maschinenhaus
- *winding engine house*
3 der Förderturm
- *pithead frame (head frame)*
4 das Schachtgebäude
- *pithead building*
5 die Aufbereitungsanlage
- *processing plant*
6 die Sägerei
- *sawmill*
7-11 die Kokerei
- **coking plant**
7 die Koksofenbatterie
- *battery of coke ovens*
8 der Füllwagen
- *larry car (larry, charging car)*
9 der Kokskohlenturm
- *coking coal tower*
10 der Kokslöschturm
- *coke-quenching tower*
11 der Kokslöschwagen
- *coke-quenching car*
12 der Gasometer
- *gasometer*
13 das Kraftwerk
- *power plant (power station)*
14 der Wasserturm
- *water tower*
15 der Kühlturm
- *cooling tower*
16 der Grubenlüfter
- *mine fan*
17 der Materiallagerplatz
- *depot*
18 das Verwaltungsgebäude
- *administration building (office
building, offices)*
19 die Bergehalde
- *tip heap (spoil heap)*
20 das Klärwerk (die Kläranlage)
- *cleaning plant*
21-51 die Untertageanlagen *f*
(der Grubenbetrieb)
- **underground workings**
(underground mining)
21 der Wetterschacht
- *ventilation shaft*
22 der Wetterkanal
- *fan drift*
23 die Gestellförderung mit
Förderkörben *m*
- *cage-winding system with cages*
24 der Hauptschacht
- *main shaft*
25 die Gefäßförderanlage
- *skip-winding system*
26 der (*bergm.* das) Füllort
- *winding inset*
27 der Blindschacht
- *staple shaft*

28 die Wendelrutsche (Wendelrutschen-
förderung)
- *spiral chute*
29 die Flözstrecke
- *gallery along seam*
30 die Richtstrecke
- *lateral*
31 der Querschlag
- *cross-cut*
32 die Streckenvortriebsmaschine
- *tunnelling (Am. tunneling) machine*
33-37 Strebe *m*
- **longwall faces**
33 der Hobelstreb in flacher Lagerung
- *horizontal ploughed longwall face*
34 der Schrämstreb in flacher Lagerung
- *horizontal cut longwall face*
35 der Abbauhammerstreb in steiler
Lagerung
- *vertical pneumatic pick longwall face*
36 der Rammstreb in steiler Lagerung
- *diagonal ram longwall face*
37 der Alte Mann
- *goaf (gob, waste)*
38 die Wetterschleuse
- *air lock*
39 die Personenfahrung mit
Personenzug *m*
- *transportation of men by cars*
40 die Bandförderung
- *belt conveying*
41 der Rohkohlenbunker
- *raw coal bunker*
42 das Beschickungsband
- *charging conveyor*
43 der Materialtransport mit der
Einschienenhängebahn
- *transportation of supplies by monorail
car*
44 die Personenfahrung mit der
Einschienenhängebahn
- *transportation of men by monorail car*
45 der Materialtransport mit
Förderwagen *m*
- *transportation of supplies by mine car*
46 die Wasserhaltung
- *drainage*
47 der Schachtsumpf
- *sump (sink)*
48 das Deckgebirge
- *capping*
49 das Steinkohlengebirge
- *[layer of] coal-bearing rock*
50 das Steinkohlenflöz
- *coal seam*
51 die Verwerfung
- *fault*

1-21 die Erdölbohrung
- *oil drilling*
1 der Bohrturm
- *drilling rig*
2 der Unterbau
- *substructure*
3 die Arbeitsbühne
- *crown safety platform*
4 die Turmrollen *f*
- *crown blocks*
5 die Gestängebühne, eine Zwischenbühne
- *working platform, an intermediate platform*
6 die Bohrrohre *n*
- *drill pipes*
7 das Bohrseil
- *drilling cable (drilling line)*
8 der Flaschenzug
- *travelling (Am. traveling) block*
9 der Zughaken
- *hook*
10 der Spülkopf
- *[rotary] swivel*
11 das Hebewerk, eine Winde
- *draw works, a hoist*
12 die Antriebsmaschine
- *engine*
13 die Spülleitung
- *standpipe and rotary hose*
14 die Mitnehmerstange
- *kelly*

15 der Drehtisch
- *rotary table*
16 die Spülpumpe
- *slush pump (mud pump)*
17 das Bohrloch
- *well*
18 das Standrohr
- *casing*
19 das Bohrgestänge
- *drilling pipe*
20 die Verrohrung
- *tubing*
21 der Bohrmeißel (Bohrer); *Arten:* Fischschwanzbohrer *m*, Rollenbohrer, Kernbohrgerät *n*
- *drilling bit; kinds: fishtail (blade) bit, rock (Am. roller) bit, core bit*
22-27 die Erdölgewinnung (Erdölförderung)
- *oil (crude oil) production*
22 der Pumpenantriebsbock
- *pumping unit (pump)*
23 die Tiefpumpe
- *plunger*
24 die Steigrohre *n*
- *tubing*
25 das Pumpgestänge
- *sucker rods (pumping rods)*
26 die Stopfbüchse
- *stuffing box*
27 die Polierstange
- *polish (polished) rod*

28-35 die Rohölaufbereitung [Schema]
- *treatment of crude oil [diagram]*
28 der Gasabscheider
- *gas separator*
29 die Gasleitung
- *gas pipe (gas outlet)*
30 der Naßöltank
- *wet oil tank (wash tank)*
31 der Vorwärmer
- *water heater*
32 die Entwässerungs- und Entsalzungsanlage
- *water and brine separator*
33 die Salzwasserleitung
- *salt water pipe (salt water outlet)*
34 der Reinöltank
- *oil tank*
35 die Transportleitung für Reinöl *n* [zur Raffinerie oder zum Versand *m* mit Kesselwagen *m*, Tankschiff *n*, Pipeline *f*]
- *trunk pipeline for oil [to the refinery or transport by tanker lorry (Am. tank truck), oil tanker, or pipeline]*
36-64 die Rohölverarbeitung (Erdölverarbeitung) [Schema]
- *processing of crude oil [diagram]*
36 der Ölerhitzer (Röhrenofen)
- *oil furnace (pipe still)*

37 die Destillationskolonne (der
   Fraktionierturm) mit den
   Kolonnenböden *m*
– *fractionating column (distillation
  column) with trays*
38 die Topgase *n*
– *top gases (tops)*
39 die Leichtbenzinfraktion
– *light distillation products*
40 die Schwerbenzinfraktion
– *heavy distillation products*
41 das Petroleum
– *petroleum*
42 die Gasölfraktion
– *gas oil component*
43 der Rückstand
– *residue*
44 der Kühler
– *condenser (cooler)*
45 der Verdichter (Kompressor)
– *compressor*
46 die Entschwefelungsanlage
– *desulphurizing (desulphurization,
  Am. desulfurizing, desulfurization)
  plant*
47 die Reformieranlage
– *reformer (hydroformer, platformer)*
48 die katalytische Krackanlage
– *catalytic cracker (cat cracker)*
49 die Destillationskolonne
– *distillation column*

50 die Entparaffinierung
– *de-waxing (wax separation)*
51 der Vakuumanschluß
– *vacuum equipment*
52-64 **Erdölerzeugnisse** *n* (Erdöl-
   produkte)
– **oil products**
52 das Heizgas
– *fuel gas*
53 das Flüssiggas
– *liquefied petroleum gas (liquid gas)*
54 das Normalbenzin (Fahrbenzin)
– *regular grade petrol* (Am. *gasoline*)
55 das Superbenzin
– *super grade petrol* (Am. *gasoline*)
56 der Dieseltreibstoff
– *diesel oil*
57 das Flugbenzin
– *aviation fuel*
58 das leichte Heizöl
– *light fuel oil*
59 das schwere Heizöl
– *heavy fuel oil*
60 das Paraffin (Tankbodenwachs)
– *paraffin (paraffin oil, kerosene)*
61 das Spindelöl
– *spindle oil*
62 das Schmieröl
– *lubricating oil*
63 das Zylinderöl
– *cylinder oil*

64 das Bitumen
– *bitumen*
65-74 **die Erdölraffinerie**
   (Ölraffinerie)
– *oil refinery*
65 die Pipeline (Erdölleitung)
– *pipeline (oil pipeline)*
66 die Destillationsanlagen *f*
– *distillation plants*
67 die Schmierölraffinerie
– *lubricating oil refinery*
68 die Entschwefelungsanlage
– *desulphurizing (desulphurization,
  Am. desulfurizing, desulfurization)
  plant*
69 die Gastrennanlage
– *gas-separating plant*
70 die katalytische Krackanlage
– *catalytic cracking plant*
71 die katalytische Reformieranlage
– *catalytic reformer*
72 der Lagertank
– *storage tank*
73 der Kugeltank
– *spherical tank*
74 der Ölhafen
– *tanker terminal*

1-39 die Bohrinsel (Förderinsel)
- *drilling rig (oil rig)*
1-37 die Bohrturmplattform
- *drilling platform*
1 die Energieversorgungsanlage
- *power station*
2 die Abgasschornsteine *m* der
  Generatoranlage
- *generator exhausts*
3 der Drehkran
- *revolving crane (pedestal crane)*
4 das Rohrlager
- *piperack*
5 die Abgasrohre *n* der Turbinen-
  anlage
- *turbine exhausts*
6 das Materiallager
- *materials store*
7 das Hubschrauberdeck
- *helicopter deck (heliport deck,*
  heliport)
8 der Fahrstuhl
- *elevator*
9 die Vorrichtung zur Trennung von
  Gas *n* und Öl *n*
- *production oil and gas separator*
10 die Probentrennvorrichtung
- *test oil and gas separators (test*
  separators)
11 die Notfallabfackelanlage
- *emergency flare stack*
12 der Bohrturm
- *derrick*
13 der Dieselkraftstofftank
- *diesel tank*
14 der Bürokomplex
- *office building*
15 die Zementvorrattanks *m*
- *cement storage tanks*
16 der Trinkwassertank
- *drinking water tank*
17 der Vorratstank für Salzwasser *n*
- *salt water tank*
18 die Tanks *m* für Hubschrauber-
  kraftstoff *m*
- *jet fuel tanks*
19 die Rettungsboote *n*
- *lifeboats*
20 der Fahrstuhlschacht
- *elevator shaft*
21 der Druckluftbehälter
- *compressed-air reservoir*
22 die Pumpanlage
- *pumping station*
23 der Luftkompressor
- *air compressor*
24 die Klimaanlage
- *air lock*
25 die Meerwasserentsalzungsanlage
- *seawater desalination plant*
26 die Filteranlage für
  Dieselkraftstoff *m*
- *inlet filters for diesel fuel*
27 das Gaskühlaggregat
- *gas cooler*

28 das Steuerpult für die Trenn-
  vorrichtungen *f*
- *control panel for the separators*
29 die Toiletten *f*
- *toilets (lavatories)*
30 die Werkstatt
- *workshop*
31 die Molchschleuse [der „Molch"
  dient zur Reinigung der
  Hauptölleitung]
- *pig trap [the 'pig' is used to clean*
  the oil pipeline]
32 der Kontrollraum
- *control room*
33 die Unterkünfte *f*
- *accommodation modules*
  (accommodation)
34 die Hochdruckzementierungs-
  pumpen *f*
- *high-pressure cementing pumps*
35 das untere Deck
- *lower deck*
36 das mittlere Deck
- *middle deck*
37 das obere Deck
- *top deck (main deck)*
38 die Stützkonstruktion
- *substructure*
39 der Meeresspiegel
- *mean sea level*

1-20 die Hochofenanlage
- *blast furnace plant*

1 der Hochofen, ein Schachtofen *m*
- *blast furnace, a shaft furnace*

2 der Schrägaufzug für Erz *n* und Zuschläge *m* oder Koks *m*
- *furnace incline (lift) for ore and flux or coke*

3 die Laufkatze
- *skip hoist*

4 die Gichtbühne
- *charging platform*

5 der Trichterkübel
- *receiving hopper*

6 der Verschlußkegel (die Gichtglocke)
- *bell*

7 der Hochofenschacht
- *blast furnace shaft*

8 die Reduktionszone
- *smelting section*

9 der Schlackenabstich (Schlackenabfluß)
- *slag escape*

10 der Schlackenkübel
- *slag ladle*

11 der Roheisenabstich (Roheisenabfluß)
- *pig iron (crude iron, iron) runout*

12 die Roheisenpfanne
- *pig iron (crude iron, iron) ladle*

13 der Gichtgasabzug
- *downtake*

14 der Staubfänger (Staubsack), eine Entstaubungsanlage
- *dust catcher, a dust-collecting machine*

15 der Winderhitzer
- *hot-blast stove*

16 der außenstehende Brennschacht
- *external combustion chamber*

17 die Luftzuleitung
- *blast main*

18 die Gasleitung
- *gas pipe*

19 die Heizwindleitung
- *hot-blast pipe*

20 die Windform
- *tuyère*

21-69 das Stahlwerk
- *steelworks*

21-30 der Siemens-Martin-Ofen
- *Siemens-Martin open-hearth furnace*

21 die Roheisenpfanne
- *pig iron (crude iron, iron) ladle*

22 die Eingußrinne
- *feed runner*

23 der feststehende Ofen
- *stationary furnace*

24 der Ofenraum
- *hearth*

25 die Beschickungsmaschine
- *charging machine*

26 die Schrottmulde
- *scrap iron charging box*

27 die Gasleitung
- *gas pipe*

28 die Gasheizkammer
- *gas regenerator chamber*

29 das Luftzufuhrrohr
- *air feed pipe*

30 die Luftheizkammer
- *air regenerator chamber*

31 die Stahlgießpfanne mit Stopfenverschluß *m*
- *[bottom-pouring] steel-casting ladle with stopper*

32 die Kokille
- *ingot mould (Am. mold)*

33 der Stahlblock
- *steel ingot*

34-44 die Masselgießmaschine
- *pig-casting machine*

34 das Eingießende
- *pouring end*

35 die Eisenrinne
- *metal runner*

36 das Kokillenband
- *series (strand) of moulds (Am. molds)*

37 die Kokille
- *mould (Am. mold)*

38 der Laufsteg
- *catwalk*

39 die Abfallvorrichtung
- *discharging chute*

40 die Massel (das Roheisen)
- *pig*

41 der Laufkran
- *travelling (Am. traveling) crane*

42 die Roheisenpfanne mit Obenentleerung *f*
- *top-pouring pig iron (crude iron, iron) ladle*

43 der Gießpfannenschnabel
- *pouring ladle lip*

44 die Kippvorrichtung
- *tilting device (tipping device, Am. dumping device)*

45-50 der Sauerstoffaufblaskonverter (LD-Konverter, Linz-Donawitz-Konverter)
- *oxygen-blowing converter (L-D converter, Linz-Donawitz converter)*

45 der Konverterhut
- *conical converter top*

46 der Tragring
- *mantle*

47 der Konverterboden
- *solid converter bottom*

48 die feuerfeste Ausmauerung
- *fireproof lining (refractory lining)*

49 die Sauerstofflanze
- *oxygen lance*

50 das Abstichloch
- *tapping hole (tap hole)*

51-54 der Siemens-Elektro-Niederschachtofen
- *Siemens electric low-shaft furnace*

51 die Begichtung
- *feed*

52 die Elektroden *f* [kreisförmig angeordnet]
- *electrodes [arranged in a circle]*

53 die Ringleitung zum Abziehen *n* der Ofengase *n*
- *bustle pipe*

54 der Abstich
- *runout*

55-69 der Thomaskonverter (die Thomasbirne)
- *Thomas converter (basic Bessemer converter)*

55 die Füllstellung für flüssiges Roheisen *n*
- *charging position for molten pig iron*

56 die Füllstellung für Kalk *m*
- *charging position for lime*

57 die Blasstellung
- *blow position*

58 die Ausgußstellung
- *discharging position*

59 die Kippvorrichtung
- *tilting device (tipping device, Am. dumping device)*

60 die Kranpfanne
- *crane-operated ladle*

61 der Hilfskranzug
- *auxiliary crane hoist*

62 der Kalkbunker
- *lime bunker*

63 das Fallrohr
- *downpipe*

64 der Muldenwagen
- *tipping car (Am. dump truck)*

65 die Schrottzufuhr
- *scrap iron feed*

66 der Steuerstand
- *control desk*

67 der Konverterkamin
- *converter chimney*

68 das Blasluftzufuhrrohr
- *blast main*

69 der Düsenboden
- *wind box*

1-45 die Eisengießerei
- iron foundry
1-12 der Schmelzbetrieb
- melting plant
1 der Kupolofen (Kuppelofen), ein Schmelzofen m
- cupola furnace (cupola), a melting furnace
2 die Windleitung
- blast main (blast inlet, blast pipe)
3 die Abstichrinne
- tapping spout
4 das Schauloch
- spyhole
5 der kippbare Vorherd
- tilting-type [hot-metal] receiver
6 die fahrbare Trommelpfanne
- mobile drum-type ladle
7 der Schmelzer
- melter
8 der Gießer
- founder (caster)
9 die Abstichstange
- tap bar (tapping bar)
10 die Stopfenstange
- bott stick (Am. bot stick)
11 das flüssige Eisen
- molten iron
12 die Schlackenrinne
- slag spout
13 die Gießkolonne
- casting team
14 die Tragpfanne
- hand shank
15 die Traggabel
- double handle (crutch)

16 der Tragstiel
- carrying bar
17 der Krammstock
- skimmer rod
18 der geschlossene Formkasten
- closed moulding (Am. molding) box
19 der Oberkasten
- upper frame (cope)
20 der Unterkasten
- lower frame (drag)
21 der Einguß
- runner (runner gate, down-gate)
22 der Steigertrichter
- riser (riser gate)
23 die Handpfanne
- hand ladle
24-29 der Strangguß (Senkrechtstrangguß)
- continuous casting
24 der absenkbare Gießtisch
- sinking pouring floor
25 der erstarrende Metallblock
- solidifying pig
26 die feste Phase
- solid stage
27 die flüssige Phase
- liquid stage
28 die Wasserkühlung
- water-cooling system
29 die Kokillenwand
- mould (Am. mold) wall
30-37 die Formerei
- moulding (Am. molding) department (moulding shop)
30 der Former
- moulder (Am. molder)

31 der Preßluftstampfer
- pneumatic rammer
32 der Handstampfer
- hand rammer
33 der geöffnete Formkasten
- open moulding (Am. molding) box
34 die Form (der Modellabdruck)
- pattern
35 der Formsand
- moulding (Am. molding) sand
36 der Kern
- core
37 die Kernmarke
- core print
38-45 die Putzerei
- cleaning shop (fettling shop)
38 die Zuführung von Stahlkies m oder Sand m
- steel grit or sand delivery pipe
39 das automatische Drehtischgebläse
- rotary-table shot-blasting machine
40 der Streuschutz
- grit guard
41 der Drehtisch
- revolving table
42 das Gußstück
- casting
43 der Putzer
- fettler
44 die Preßluftschleifmaschine
- pneumatic grinder
45 der Preßluftmeißel
- pneumatic chisel

46-75 das Walzwerk
– *rolling mill*
46 der Tiefofen
– *soaking pit*
47 der Tiefofenkran, ein Zangenkran *m* (Stripperkran)
– *soaking pit crane*
48 die Rohbramme (der gegossene Rohstahlblock)
– *ingot*
49 der Blockkippwagen
– *ingot tipper*
50 der Rollgang
– *roller table*
51 das Walzgut (Walzstück)
– *workpiece*
52 die Blockschere
– *bloom shears*
53 das Zweiwalzen-(Duo-)Gerüst
– *two-high mill*
54-55 der Walzensatz
– *set of rolls (set of rollers)*
54 die Oberwalze
– *upper roll (upper roller)*
55 die Unterwalze
– *lower roll (lower roller)*
56-60 das Walzgerüst
– *roll stand*
56 die Grundplatte
– *base plate*
57 der Walzenständer
– *housing (frame)*
58 die Kuppelspindel
– *coupling spindle*
59 das Kaliber
– *groove*

60 das Walzenlager
– *roll bearing*
61-65 die Anstellvorrichtung
– *adjusting equipment*
61 das Einbaustück
– *chock*
62 die Druckschraube
– *main screw*
63 das Getriebe
– *gear*
64 der Motor
– *motor*
65 die Anzeigevorrichtung mit Grob- und Feineinstellung *f*
– *indicator for rough and fine adjustment*
66-75 die Walzenstraße zur Herstellung von Bandstahl *m* [schematisch]
– *continuous rolling mill train for the manufacture of strip [diagram]*
66-68 die Halbzeugzurichtung
– *processing of semi-finished product*
66 das Halbzeug
– *semi-finished product*
67 die Autogenschneideanlage
– *gas cutting installation*
68 der Fertigstapel
– *stack of finished steel sheets*
69 die Stoßöfen *m*
– *continuous reheating furnaces*
70 die Vorstraße
– *blooming train*
71 die Fertigstraße
– *finishing train*
72 die Haspel
– *coiler*

73 das Bundlager für den Verkauf
– *collar bearing for marketing*
74 die 5-mm-Scherenstraße
– *5 mm shearing train*
75 die 10-mm-Scherenstraße
– *10 mm shearing train*

1 die Leit- und Zugspindeldrehmaschine (Drehbank)
– *centre (*Am. *center) lathe*
2 der Spindelstock mit dem
Schaltgetriebe
– *headstock with gear control (geared*
headstock)
3 der Vorlegeschalthebel
– *reduction drive lever*
4 der Hebel für Normal- und
Steilgewinde
– *lever for normal and coarse threads*
5 die Drehzahleinstellung
– *speed change lever*
6 der Hebel für das Leitspindel-
wendegetriebe
– *leadscrew reverse-gear lever*
7 der Wechselräderkasten
– *change-gear box*
8 der Vorschubgetriebekasten (das
Nortongetriebe, der Nortonkasten)
– *feed gearbox (Norton tumbler gear)*
9 die Hebel *m* für die Vorschub- und
Gewindesteigungen *f*
– *levers for changing the feed and*
thread pitch
10 der Hebel für das Vorschubgetriebe
– *feed gear lever (tumbler lever)*
11 der Einschalthebel für Rechts- oder
Linkslauf *m* der Hauptspindel
– *switch lever for right or left hand*
action of main spindle
12 der Drehmaschinenfuß
– *lathe foot (footpiece)*
13 das Handrad zur Längsschlitten-
bewegung
– *leadscrew handwheel for traversing of*
saddle (longitudinal movement of
saddle)
14 der Hebel für das Wendegetriebe der
Vorschubeinrichtung
– *tumbler reverse lever*
15 die Vorschubspindel
– *feed screw*
16 die Schloßplatte
– *apron (saddle apron, carriage apron)*
17 der Längs- und Plangangshebel
– *lever for longitudinal and transverse*
motion
18 die Fallschnecke zum Einschalten *n*
der Vorschübe *m*
– *drop (dropping) worm (feed trip, feed*
tripping device) for engaging feed
mechanisms
19 der Hebel für das Mutterschloß der
Leitspindel
– *lever for engaging half nut of*
leadscrew (lever for clasp nut
engagement)
20 die Drehspindel (Arbeitsspindel)
– *lathe spindle*
21 der Stahlhalter
– *tool post*
22 der Oberschlitten (Längssupport)
– *top slide (tool slide, tool rest)*
23 der Querschlitten (Quersupport)
– *cross slide*

24 der Bettschlitten (Unterschlitten)
– *bed slide*
25 die Kühlmittelzuführung
– *coolant supply pipe*
26 die Reitstockspitze
– *tailstock centre (*Am. *center)*
27 die Pinole
– *barrel (tailstock barrel)*
28 der Pinolenfeststellknebel
– *tailstock barrel clamp lever*
29 der Reitstock
– *tailstock*
30 das Pinolenverstellrad
– *tailstock barrel adjusting*
handwheel
31 das Drehmaschinenbett
– *lathe bed*
32 die Leitspindel
– *leadscrew*
33 die Zugspindel
– *feed shaft*
34 die Umschaltspindel für Rechts-
und Linkslauf *m* und Ein- und
Ausschalten *n*
– *reverse shaft for right and left*
hand motion and engaging and
disengaging
35 das Vierbackenfutter
– *four-jaw chuck (four-jaw independent*
chuck)
36 die Spannbacke
– *gripping jaw*
37 das Dreibackenfutter
– *three-jaw chuck (three-jaw self-*
*centring, *Am. *self-centering, chuck)*
38 die Revolverdrehmaschine
– *turret lathe*
39 der Querschlitten (Quersupport)
– *cross slide*
40 der Revolverkopf
– *turret*
41 der Mehrfachmeißelhalter
– *combination toolholder (multiple*
turning head)
42 der Längsschlitten (Längssupport)
– *top slide*
43 das Handkreuz (Drehkreuz)
– *star wheel*
44 die Fangschale für Späne *m* und
Kühlschmierstoffe *m*
– *coolant tray for collecting coolant*
and swarf
45-53 Drehmeißel *m* (Drehstähle)
– *lathe tools*
45 der Meißel (Klemmhalter) für
Wendeschneidplatten *f*
– *tool bit holder (clamp tip tool) for*
adjustable cutting tips
46 die Wendeschneidplatte (Klemmplatte) aus Hartmetall *n* oder
Oxidkeramik *f*
– *adjustable cutting tip (clamp tip) of*
cemented carbide or oxide ceramic
47 Formen *f* der oxidkeramischen
Wendeplatten *f*
– *shapes of adjustable oxide ceramic*
tips

48 der Drehmeißel mit Hartmetallschneide *f*
– *lathe tool with cemented carbide*
cutting edge
49 der Meißelschaft
– *tool shank*
50 die aufgelötete Hartmetallplatte
(Hartmetallschneide)
– *brazed cemented carbide cutting tip*
(cutting edge)
51 der Inneneckmeißel
– *internal facing tool (boring tool) for*
corner work
52 der gebogene Drehmeißel
– *general-purpose lathe tool*
53 der Stechdrehmeißel (Abstechdreh-
meißel, Einstechdrehmeißel)
– *parting (parting-off) tool*
54 das Drehherz
– *lathe carrier*
55 der Mitnehmer
– *driving (driver) plate*
56-72 Meßwerkzeuge *n*
– *measuring instruments*
56 der Grenzlehrdorn (Kaliberdorn)
– *plug gauge (*Am. *gage)*
57 das Sollmaß
– *'GO' gauging (*Am. *gaging) member*
(end)
58 das Ausschußmaß
– *'NOT GO' gauging (*Am. *gaging)*
member (end)
59 die Grenzrachenlehre
– *calliper (caliper, snap) gauge*
*(*Am. *gage)*
60 die Gutseite
– *'GO' side*
61 die Ausschußseite
– *'NOT GO' side*
62 die Bügelmeßschraube
(Schraublehre)
– *micrometer calliper (caliper)*
(micrometer)
63 die Meßskala
– *measuring scale*
64 die Meßtrommel
– *graduated thimble*
65 der Meßbügel
– *frame*
66 die Meßspindel
– *spindle (screwed spindle)*
67 der Meßschieber (die Schiebleyhre)
– *vernier calliper (caliper) gauge*
*(*Am. *gage)*
68 der Tiefenmeßfühler
– *depth gauge (*Am. *gage) attachment*
rule
69 die Noniusskala
– *vernier scale*
70 die Außenmeßfühler
– *outside jaws*
71 die Innenmeßfühler
– *inside jaws*
72 der Tiefenmeßschieber (die
Tiefenlehre)
– *vernier depth gauge (*Am. *gage)*

1 die Universalrundschleifmaschine
- *universal grinding machine*
2 der Spindelstock
- *headstock*
3 der Schleifsupport
- *wheelhead slide*
4 die Schleifscheibe
- *grinding wheel*
5 der Reitstock
- *tailstock*
6 das Schleifmaschinenbett
- *grinding machine bed*
7 der Schleifmaschinentisch
- *grinding machine table*
8 die Zweiständer-Langhobelmaschine
- *two-column planing machine*
  (two-column planer)
9 der Antriebsmotor, ein Gleichstrom-
  Regelmotor *m*
- *drive motor, a direct current motor*
10 der Ständer
- *column*
11 der Hobeltisch
- *planer table*
12 der Querbalken
- *cross slide (rail)*
13 der Werkzeugsupport
- *tool box*
14 die Bügelsäge
- *hacksaw*
15 die Einspannvorrichtung
- *clamping device*
16 das Sägeblatt
- *saw blade*
17 der Sägebügel
- *saw frame*
18 die Schwenk- oder Radialbohr-
  maschine
- *radial (radial-arm)* drilling machine
19 die Fußplatte
- *bed (base plate)*
20 der Werkstückaufnahmetisch
- *block for workpiece*
21 der Ständer
- *pillar*
22 der Hubmotor
- *lifting motor*
23 die Bohrspindel
- *drill spindle*
24 der Ausleger
- *arm*
25 die Universalfräsmaschine
- *universal milling machine*
26 der Frästisch
- *milling machine table*
27 der Tischvorschubantrieb
- *table feed drive*
28 der Hebelschalter für die Spindel-
  drehzahl
- *switch lever for spindle rotation speed*
29 der Schaltkasten
- *control box (control unit)*
30 die Senkrechtfrässpindel
- *vertical milling spindle*
31 der Senkrechtantriebskopf
- *vertical drive head*

32 die Waagerechtfrässpindel
- *horizontal milling spindle*
33 das vordere Lager zur Stabilisierung
  der Waagerechtspindel
- *end support for steadying horizontal*
  spindle
34 der Maschinengewindebohrer
- *machine tap*
35 der Drehgelenkroboter, ein Industrie-
  roboter
- *articulated robot, an industrial robot*
36 die Fußplatte
- *base plate*
37 die Dreheinheit
  (die Grunddrehachse)
- *rotating column (base rotating axis)*
38 das Schultergelenk
- *shoulder joint*
39 der Oberarm
- *upper arm*
40 das Ellenbogengelenk
- *elbow joint*
41 der Unterarm in Röhrenversion *f*
- *tubular forearm*
42 das Handgelenk
- *wrist joint*
43 der Greiferanschlußflansch
- *gripper mounting flange*
44 der Greifer
- *gripper*
45 die Finger *m*
- *fingers*
46 der Ständerroboter
- *upright robot (linear-axis robot,*
  rectilinear robot)
47 der Portalroboter
- *portal robot (gantry robot)*

151 Konstruktionsbüro (Zeichnerbüro) *Drawing Office*

1 das Reißbrett
- *drawing board*
2 die Zeichenmaschine mit Geradführung *f*
- *drafting machine with parallel motion*
3 der verstellbare Zeichenkopf
- *adjustable knob*
4 das Winkellineal
- *drawing head (adjustable set square)*
5 die Reißbrettverstellung
- *drawing board adjustment*
6 der Zeichentisch
- *drawing table*
7 der Zeichenwinkel (das Dreieck)
- *set square (triangle)*
8 das gleichseitige Dreieck
- *triangle*
9 die Handreißschiene
- *T-square (tee-square)*
10 die Zeichnungsrolle
- *rolled drawing*
11 die graphische Darstellung (das Diagramm)
- *diagram*
12 die Terminplantafel
- *time schedule*
13 der Papierständer
- *paper stand*
14 die Papierrolle
- *roll of paper*
15 die Abschneidevorrichtung
- *cutter*
16 die technische Zeichnung
- *technical drawing (drawing, design)*
17 die Vorderansicht
- *front view (front elevation)*
18 die Seitenansicht
- *side view (side elevation)*
19 die Draufsicht
- *plan*
20 die unbearbeitete Fläche
- *surface not to be machined*
21 die geschruppte Fläche, eine bearbeitete Fläche
- *surface to be machined*
22 die feingeschlichtete Fläche
- *surface to be superfinished*
23 die sichtbare Kante
- *visible edge*
24 die unsichtbare Kante
- *hidden edge*
25 die Maßlinie
- *dimension line*
26 der Maßpfeil
- *arrow head*
27 die Schnittverlaufsangabe
- *section line*
28 der Schnitt A–B
- *section A-B*
29 die schraffierte Fläche
- *hatched surface*
30 die Mittellinie
- *centre (Am. center) line*
31 das Schriftfeld
- *title panel (title block)*

32 die Strichliste (die technischen Daten *pl*)
- *technical data*
33 der Zeichenmaßstab
- *ruler (rule)*
34 der Dreikantmaßstab
- *triangular scale*
35 die Radierschablone
- *erasing shield*
36 die Tuschepatrone
- *drawing ink cartridge*
37 Ständer *m* für Tuschefüller *m*
- *holders for tubular drawing pens*
38 der Arbeitssatz Tuschefüller *m*
- *set of tubular drawing pens*
39 der Feuchtigkeitsmesser
- *hygrometer*
40 die Verschlußkappe mit Strichstärkenkennzeichnung
- *cap with indication of nib size*
41 der Radierstift
- *pencil-type eraser*
42 der Radiergummi
- *eraser*
43 das Radiermesser
- *erasing knife*
44 die Radierklinge
- *erasing knife blade*
45 der Minenklemmstift
- *clutch-type pencil*
46 die Graphitmine
- *pencil lead (refill lead, refill, spare lead)*
47 der Radierpinsel (Glasfaserradierer)
- *glass eraser*
48 die Glasfasern *f*
- *glass fibres (Am. fibers)*
49 die Reißfeder
- *ruling pen*
50 das Kreuzscharnier
- *cross joint*
51 die Teilscheibe
- *index plate*
52 der Einsatzzirkel
- *compass with interchangeable attachments*
53 die Geradführung
- *compass head*
54 der Spitzeneinsatz (Nadeleinsatz)
- *needle point attachment*
55 der Bleinadeleinsatz
- *pencil point attachment*
56 die Nadel
- *needle*
57 die Verlängerungsstange
- *lengthening arm (extension bar)*
58 der Reißfedereinsatz
- *ruling pen attachment*
59 der Fallnullenzirkel
- *pump compass (drop compass)*
60 die Fallstange
- *piston*
61 der Reißfedereinsatz
- *ruling pen attachment*
62 der Bleieinsatz
- *pencil attachment*

63 der Tuschebehälter
- *drawing ink container*
64 der Schnellverstellzirkel
- *spring bow (rapid adjustment, ratchet-type) compass*
65 das Federringscharnier
- *spring ring hinge*
66 der federgelagerte Bogeneintrieb
- *spring-loaded fine adjustment for arcs*
67 die gekröpfte Nadel
- *right-angle needle*
68 der Tuschefüllereinsatz
- *tubular ink unit*
69 die Schriftschablone
- *stencil lettering guide (lettering stencil)*
70 die Kreisschablone
- *circle template*
71 die Ellipsenschablone
- *ellipse template*

1-28 **das Dampfkraftwerk,** ein
Elektrizitätswerk *n*
- **steam-generating station,** *an electric*
  power plant
1-21 **das Kesselhaus**
- *boiler house*
1 das Kohlenförderband
- *coal conveyor*
2 der Kohlenbunker
- *coal bunker*
3 das Kohlenabzugsband
- *travelling-grate* (Am. *traveling-grate*)
  stoker
4 die Kohlenmühle
- *coal mill*
5 der Dampfkessel, ein Röhren-
kessel *m* (Strahlungskessel)
- *steam boiler, a water-tube boiler*
  (radiant-type boiler)
6 die Brennkammer
- *burners*
7 die Wasserrohre *n*
- *water pipes*
8 der Aschenabzug (Schlackenabzug)
- *ash pit (clinker pit)*
9 der Überhitzer
- *superheater*
10 der Wasservorwärmer
- *water preheater*
11 der Luftvorwärmer
- *air preheater*

12 der Gaskanal
- *gas flue*
13 der (das) Rauchgasfilter, ein
Elektrofilter *m od. n*
- *electrostatic precipitator*
14 das Saugzuggebläse
- *induced-draught* (Am. *induced-draft*)
  fan
15 der Schornstein
- *chimney (smokestack)*
16 der Entgaser
- *de-aerator*
17 der Wasserbehälter
- *feedwater tank*
18 die Kesselspeisepumpe
- *boiler feed pump*
19 die Schaltanlage
- *control room*
20 der Kabelboden
- *cable tunnel*
21 der Kabelkeller
- *cable vault*
22 das Maschinenhaus (Turbinenhaus)
- *turbine house*
23 die Dampfturbine, mit
Generator *m*
- *steam turbine with alternator*
24 der Oberflächenkondensator
- *surface condenser*
25 der Niederdruckvorwärmer
- *low-pressure preheater*

26 der Hochdruckvorwärmer
- *high-pressure preheater (economizer)*
27 die Kühlwasserleitung
- *cooling water pipe*
28 die Schaltwarte
- *control room*
29-35 **die Freiluftschaltanlage,** eine
Hochspannungsverteilungsanlage
- *outdoor substation, a substation*
29 die Stromschienen *f*
- *busbars*
30 der Leistungstransformator, ein
Wandertransformator *m*
- *power transformer, a mobile*
  (transportable) transformer

31 das Abspannungsgerüst
 – *stay poles (guy poles)*
32 das Hochspannungsleitungsseil
 – *high-voltage transmission line*
33 das Hochspannungsseil
 – *high-voltage conductor*
34 der Druckluftschnellschalter
 (Leistungsschalter)
 – *air-blast circuit breaker (circuit breaker)*
35 der Überspannungsableiter
 – *surge diverter (Am. lightning arrester, arrester)*
36 der Freileitungsmast (Abspannungs-
 mast), ein Gittermast *m*
 – *overhead line support, a lattice steel tower*
37 der Querträger (die Traverse)
 – *cross arm (traverse)*
38 der Abspannisolator (die
 Abspannkette)
 – *strain insulator*
39 **der Wandertransformator** (Leistungstransformator, Transformator,
 Trafo, Umspanner)
 – **mobile (transportable) transformer**
 (power transformer, transformer)
40 der Transformator[en]kessel
 – *transformer tank*
41 das Fahrgestell
 – *bogie (Am. truck)*

42 das Ölausdehnungsgefäß
 – *oil conservator*
43 die Oberspannungsdurchführung
 – *primary voltage terminal (primary voltage bushing)*
44 die Unterspannungs-
 durchführungen *f*
 – *low-voltage terminals (low-voltage bushings)*
45 die Ölumlaufpumpe
 – *oil-circulating pump*
46 der Öl-Wasser-Kühler
 – *oil cooler*
47 das Funkenhorn
 – *arcing horn*
48 die Transportöse
 – *transport lug*

1-8 die Schaltwarte
- *control room*
1-6 das Schaltpult
- *control console (control desk)*
1 der Steuer- und Regelteil, für die
Drehstromgeneratoren *m*
- *control board (control panel) for the
alternators*
2 der Steuerschalter
- *master switch*
3 der Leuchtmelder
- *signal light*
4 die Anwahlsteuerplatte, zur Steuerung der Hochspannungsabzweige *m*
- *feeder panel*
5 die Überwachungsorgane *n*, für die
Steuerung der Schaltgeräte *n*
- *monitoring controls for the switching
systems*
6 die Steuerelemente *n*
- *controls*
7 die Wartentafel, mit den Meß-
geräten *n* der Rückmeldeanlage
- *revertive signal panel*
8 das Blindschaltbild, zur Darstellung
des Netzzustandes *m*
- *matrix mimic board*
9-18 der Transformator
- *transformer*
9 das Ölausdehnungsgefäß
- *oil conservator*
10 die Entlüftung
- *breather*
11 der Ölstandsanzeiger
- *oil gauge* (Am. *gage)*
12 der Durchführungsisolator
- *feed-through terminal (feed-through
insulator)*
13 der Umschalter, für Oberspannungs-
anzapfungen *f*
- *on-load tap changer*
14 das Joch
- *yoke*
15 die Primärwicklung (Ober-
spannungswicklung)
- *primary winding (primary)*
16 die Sekundärwicklung (Unter-
spannungswicklung)
- *secondary winding (secondary,
low-voltage winding)*
17 der Kern (Schenkel)
- *core*
18 die Anzapfungsverbindung
- *tap (tapping)*
19 die Transformatorenschaltung
- *transformer connection*
20 die Sternschaltung
- *star connection (star network,
Y-connection)*
21 die Dreieckschaltung (Delta-
schaltung)
- *delta connection (mesh connection)*
22 der Sternpunkt (Nullpunkt)
- *neutral point*
23-30 die Dampfturbine, eine
Dampfturbogruppe
- *steam turbine, a turbogenerator unit*

23 der Hochdruckzylinder
- *high-pressure cylinder*
24 der Mitteldruckzylinder
- *medium-pressure cylinder*
25 der Niederdruckzylinder
- *low-pressure cylinder*
26 der Drehstromgenerator (Generator)
- *three-phase generator (generator)*
27 der Wasserstoffkühler
- *hydrogen cooler*
28 die Dampfüberströmleitung
- *leakage steam path*
29 das Düsenventil
- *jet nozzle*
30 der Turbinenüberwachungsschrank
mit den Meßinstrumenten *n*
- *turbine monitoring panel with
measuring instruments*
31 der Spannungsregler
- *[automatic] voltage regulator*
32 die Synchronisiereinrichtung
- *synchro*
33 der Kabelendverschluß
- *cable box*
34 der Leiter
- *conductor*
35 der Durchführungsisolator
- *feed-through terminal (feed-through
insulator)*
36 die Wickelkeule
- *core*
37 das Gehäuse
- *casing*
38 die Füllmasse
- *filling compound (filler)*
39 der Bleimantel
- *lead sheath*
40 der Einführungsstutzen
- *lead-in tube*
41 das Kabel
- *cable*
42 das Hochspannungskabel, für
Dreiphasenstrom *m*
- *high voltage cable, for three-phase
current*
43 der Stromleiter
- *conductor*
44 das Metallpapier
- *metallic paper (metallized paper)*
45 der Beilauf
- *tracer (tracer element)*
46 das Nesselband
- *varnished-cambric tape*
47 der Bleimantel
- *lead sheath*
48 das Asphaltpapier
- *asphalted paper*
49 die Juteumhüllung
- *jute serving*
50 die Stahlband- oder Stahldraht-
armierung
- *steel tape or steel wire armour
(Am. armor)*
51-62 der Druckluftschnellschalter, ein
Leistungsschalter *m*
- *air-blast circuit breaker, a circuit
breaker*

51 der Druckluftbehälter
- *compressed-air tank*
52 das Steuerventil
- *control valve (main operating valve)*
53 der Druckluftanschluß
- *compressed-air inlet*
54 der Hohlstützisolator, ein Kappen-
isolator *m*
- *support insulator, a hollow porcelain
supporting insulator*
55 die Schaltkammer (Löschkammer)
- *interrupter*
56 der Widerstand
- *resistor*
57 die Hilfskontakte *m*
- *auxiliary contacts*
58 der Stromwandler
- *current transformer*
59 der Spannungswandler
- *voltage transformer (potential
transformer)*
60 der Klemmenkasten
- *operating mechanism housing*
61 das Funkenhorn
- *arcing horn*
62 die Funkenstrecke
- *spark gap*

1 der **Brutreaktor** (schnelle Brüter)
[Schema]
- *fast-breeder reactor (fast breeder)*
[diagram]
2 der Primärkreislauf (primäre
Natriumkreislauf)
- *primary circuit (primary loop, primary*
sodium system)
3 der Reaktor
- *reactor*
4 die Brennelementstäbe *m* (der Kern-
brennstoff)
- *fuel rods (fuel pins)*
5 die Primärkreisumwälzpumpe
- *primary sodium pump*
6 der Wärmetauscher
- *heat exchanger*
7 der Sekundärkreislauf (sekundäre
Natriumkreislauf)
- *secondary circuit (secondary loop,*
secondary sodium system)
8 die Sekundärkreisumwälzpumpe
- *secondary sodium pump*
9 der Dampferzeuger
- *steam generator*
10 der Tertiärkreislauf (Kühlwasser-
kreislauf)
- *cooling water flow circuit*
11 die Dampfleitung
- *steam line*
12 die Speisewasserleitung
- *feedwater line*
13 die Speisewasserpumpe
- *feed pump*
14 die Dampfturbine
- *steam turbine*
15 der Generator
- *generator*
16 die Netzeinspeisung
- *transmission line*
17 der Kondensator
- *condenser*
18 das Kühlwasser
- *cooling water*
19 der **Kernreaktor**, ein Druckwasser-
reaktor *m* (das Kernkraftwerk, ugs.
Atomkraftwerk)
- *nuclear reactor, a pressurized-water*
reactor (nuclear power plant, atomic
power plant)
20 die Betonhülle (das Reaktorgebäude)
- *concrete shield (reactor building)*
21 der Sicherheitsbehälter aus Stahl *m*
mit Absaugluftspalt *m*
- *steel containment (steel shell) with air*
extraction vent
22 der Reaktordruckbehälter
- *reactor pressure vessel*
23 der Steuerantrieb des Reaktors
- *control rod drive*
24 die Absorberstäbe *m* (Steuerstäbe)
- *control rods*
25 die Hauptkühlmittelpumpe
- *primary coolant pump*
26 der Dampferzeuger
- *steam generator*
27 die Lademaschine für die Brenn-
elemente *n*
- *fuel-handling hoists*
28 das Lagerbecken für die Brenn-
elemente *n*
- *fuel storage*

29 die Reaktorkühlmittelleitung
- *coolant flow passage*
30 die Speisewasserleitung
- *feedwater line*
31 die Frischdampfleitung
- *prime steam line*
32 die Personenschleuse
- *manway*
33 der Turbinensatz
- *turbogenerator set*
34 der Drehstromgenerator
- *turbogenerator*
35 der Kondensator
- *condenser*
36 das Nebenanlagengebäude
- *service building*
37 der Abluftkamin
- *exhaust gas stack*
38 der Rundlaufkran
- *polar crane*
39 der Kühlturm, ein Trockenkühl-
turm *m*
- *cooling tower, a dry cooling tower*
40 das Druckwasserprinzip [Schema]
- *pressurized-water system*
41 der Reaktor
- *reactor*
42 der Primärkreislauf
- *primary circuit (primary loop)*
43 die Umwälzpumpe
- *circulation pump (recirculation*
pump)
44 der Wärmetauscher (Dampferzeuger)
- *heat exchanger (steam generator)*
45 der Sekundärkreislauf (Speise-
wasser-Dampf-Kreislauf)
- *secondary circuit (secondary loop,*
feedwater steam circuit)
46 die Dampfturbine
- *steam turbine*
47 der Generator
- *generator*
48 das Kühlsystem
- *cooling system*
49 das Siedewasserprinzip [Schema]
- *boiling water system [diagram]*
50 der Reaktor
- *reactor*
51 der Dampf-Kondensat-Kreislauf
- *steam and recirculation water flow*
paths
52 die Dampfturbine
- *steam turbine*
53 der Generator
- *generator*
54 die Umwälzpumpe
- *circulation pump (recirculation pump)*
55 das Kühlwassersystem (die Kühlung
mit Flußwasser *n*)
- *coolant system (cooling with water*
from river)
56 die **Atommüllagerung** im Salzbergwerk *n*
- *radioactive waste storage in salt mine*
57-68 die geologischen Verhältnisse *pl*
des als Lagerstätte *f* für radioaktive
Abfälle *m* (Atommüll) eingerichteten
aufgelassenen Salzbergwerks *n*
- *geological structure of abandoned salt*
mine converted for disposal of
radioactive waste (nuclear waste)

57 der Untere Keuper
- *Lower Keuper*
58 der Obere Muschelkalk
- *Upper Muschelkalk*
59 der Mittlere Muschelkalk
- *Middle Muschelkalk*
60 der Untere Muschelkalk
- *Lower Muschelkalk*
61 die verstürzte Buntsandsteinscholle
- *Bunter downthrow*
62 die Auslaugungsrückstände *m* des
Zechsteins *m*
- *residue of leached (lixiviated)*
Zechstein (Upper Permian)
63 das Aller-Steinsalz
- *Aller rock salt*
64 das Leine-Steinsalz
- *Leine rock salt*
65 das Staßfurt-Flöz (Kalisalzflöz)
- *Stassfurt seam (potash salt seam,*
potash salt bed)
66 das Staßfurt-Steinsalz
- *Stassfurt salt*
67 der Grenzanhydrit
- *grenzanhydrite*
68 der Zechsteinletten
- *Zechstein shale*
69 der Schacht
- *shaft*
70 die Übertagebauten *m*
- *minehead buildings*
71 die Einlagerungskammer
- *storage chamber*
72 die Einlagerung mittelaktiver
Abfälle *m* im Salzbergwerk *n*
- *storage of medium-active waste in salt*
mine
73 die 511-m-Sohle
- *511 m level*
74 die Strahlenschutzmauer
- *protective screen (anti-radiation*
screen)
75 das Bleiglasfenster
- *lead glass window*
76 die Lagerkammer
- *storage chamber*
77 das Rollreifenfaß mit radioaktivem
Abfall *m*
- *drum containing radioactive waste*
78 die Fernsehkamera
- *television camera*
79 die Beschickungskammer
- *charging chamber*
80 das Steuerpult
- *control desk (control panel)*
81 die Abluftanlage
- *upward ventilator*
82 der Abschirmbehälter
- *shielded container*
83 die 490-m-Sohle
- *490 m level*

1 das Wärmepumpensystem
– *heat pump system*
2 der Grundwasserzufluß
– *source water inlet*
3 der Kühlwasser-Wärmetauscher
– *cooling water heat exchanger*
4 der Kompressor
– *compressor*
5 der Erdgas- oder Dieselmotor
– *natural-gas or diesel engine*
6 der Verdampfer
– *evaporator*
7 das Reduzierventil
– *pressure release valve*
8 der Kondensator
– *condenser*
9 der Abgaswärmetauscher
– *waste-gas heat exchanger*
10 der Vorlauf
– *flow pipe*
11 die Abluftleitung
– *vent pipe*
12 der Kamin
– *chimney*
13 der Heizkessel
– *boiler*
14 das Gebläse
– *fan*
15 der Heizkörper (Radiator)
– *radiator*
16 der Sickerschacht
– *sink*
17-36 die Sonnenenergienutzung
– *utilization of solar energy*
17 das mit Sonnenenergie *f* beheizte
Haus
– *solar (solar-heated) house*

18 die Sonneneinstrahlung
– *solar radiation (sunlight, insolation)*
19 der Kollektor
– *collector*
20 der Wärmespeicher
– *hot reservoir (heat reservoir)*
21 die Stromzufuhr
– *power supply*
22 die Wärmepumpe
– *heat pump*
23 die Abwasserleitung
– *water outlet*
24 der Luftzutritt
– *air supply*
25 der Abluftkamin
– *flue*
26 die Heißwasserversorgung
– *hot water supply*
27 die Radiatorheizung
– *radiator heating*
28 das Sonnenkraftwerkselement
– *flat plate solar collector*
29 der Schwarzkollektor
(mit Asphalt *m* beschichtetes
Aluminiumblech)
– *blackened receiver surface with
asphalted aluminium
(Am. aluminum) foil*
30 das Stahlrohr
– *steel tube*
31 das Wärmetransportmittel
– *heat transfer fluid*
32 der Sonnenziegel
– *flat plate solar collector, containing
solar cell*
33 die Glasabdeckung
– *glass cover*

34 die Solarzelle
– *solar cell*
35 die Luftkanäle *m*
– *air ducts*
36 die Isolierung
– *insulation*
37 das Gezeitenkraftwerk [Schnitt]
– *tidal power plant [section]*
38 der Staudamm
– *dam*
39 die doppeltwirkende Turbine
– *reversible turbine*
40 der seeseitige Turbineneinlauf
– *turbine inlet for water from the sea*
41 der speicherseitige Turbineneinlauf
– *turbine inlet for water from the basin*
42 das Windkraftwerk
– *wind power plant (wind generator,
aerogenerator)*
43 der Rohrturm
– *truss tower*
44 die Drahtseilabspannung
– *guy wire*
45 der Rotor
– *rotor*
46 der Generator und der Richtungs-
stellmotor
– *generator with variable pitch for power
regulation*

1-15 die Kokerei
- *coking plant*
1 die Kokskohlenentladung
- *dumping of coking coal*
2 der Gurtförderer
- *belt conveyor*
3 der Kokskohlenkomponentenbunker
- *blending bunker*
4 der Kohlenturmgurtförderer
- *service bunker conveyor*
5 der Kohlenturm
- *service bunker*
6 der Füllwagen
- *larry car (larry, charging car)*
7 die Koksausdrückmaschine
- *pusher ram*
8 die Koksofenbatterie
- *battery of coke ovens*
9 der Kokskuchenführungswagen
- *coke guide*
10 der Löschwagen, mit Löschlok f
- *quenching car, with engine*
11 der Löschturm
- *quenching tower*
12 die Koksrampe
- *coke loading bay (coke wharf)*
13 das Koksrampenband
- *coke wharf conveyor*
14 die Grob- und Feinkokssieberei
- *screening of coke and breeze*
15 die Koksverladung
- *coke loading*
16-45 die Kokereigasbehandlung
- *coke-oven gas processing*
16 der Gasaustritt aus den Koksöfen m
- *discharge (release) of gas from the coke ovens*

17 die Gassammelleitung
(Vorlage)
- *gas-collecting main*
18 die Dickteerabscheidung
- *coal tar extraction*
19 der Gaskühler
- *gas cooler*
20 der (das) Elektrofilter
- *electrostatic precipitator*
21 der Gassauger
- *gas extractor*
22 der Schwefelwasserstoffwascher
- *hydrogen sulphide (Am. hydrogen sulfide) scrubber (hydrogen sulphide wet collector)*
23 der Ammoniakwascher
- *ammonia scrubber (ammonia wet collector)*
24 der Benzolwascher
- *benzene (benzol) scrubber*
25 der Gassammelbehälter
- *gas holder*
26 der Gaskompressor
- *gas compressor*
27 die Entbenzolung mit Kühler m und Wärmetauscher m
- *debenzoling by cooler and heat exchanger*
28 die Druckgasentschwefelung
- *desulphurization (Am. desulfurization) of pressure gas*
29 die Gaskühlung
- *gas cooling*
30 die Gastrocknung
- *gas drying*
31 der Gaszähler
- *gas meter*

32 der Rohteerbehälter
- *crude tar tank*
33 die Schwefelsäurezufuhr
- *sulphuric acid (Am. sulfuric acid) supply*
34 die Schwefelsäureerzeugung
- *production of sulphuric acid (Am. sulfuric acid)*
35 die Ammoniumsulfatherstellung
- *production of ammonium sulphate (Am. ammonium sulfate)*
36 das Ammoniumsulfat
- *ammonium sulphate (Am. ammonium sulfate)*
37 die Regenerieranlage zum Regenerieren n der Waschmedien n
- *recovery plant for recovering the scrubbing agents*
38 die Abwasserabfuhr
- *waste water discharge*
39 die Entphenolung des Gaswassers n
- *phenol extraction from the gas water*
40 der Rohphenolbehälter
- *crude phenol tank*
41 die Rohbenzolerzeugung
- *production of crude benzol (crude benzene)*
42 der Rohbenzoltank
- *crude benzol (crude benzene) tank*
43 der Waschöltank
- *scrubbing oil tank*
44 die Niederdruckgasleitung
- *low-pressure gas main*
45 die Hochdruckgasleitung
- *high-pressure gas main*

1 das Sägewerk (die Sägehalle)	16 der Wagen für die Spreißel *m*	30 das Rundholz
– *sawmill*	– *truck for splinters (splints)*	– *roundwood (round timber)*
2 das Vollgatter	17 der Blockzug (Spitzenblockzug)	31 das Rundholzpolter (Sortierpolter)
– *vertical frame saw (Am. gang mill)*	– *endless log chain (Am. jack chain)*	– *log dump*
3 die Sägeblätter *n*	18 die Anschlagplatte	32 der Schnittholzplatz
– *saw blades*	– *stop plate*	– *squared timber store*
4 die Einzugswalze	19 die Blockauswerfer *m*	33 die Blockware
– *feed roller*	– *log-kicker arms*	– *sawn logs*
5 die Kletterwalze	20 der Querförderer	34 die Dielen *f*
– *guide roller*	– *cross conveyor*	– *planks*
6 die Riffelung	21 die Waschanlage	35 die Bretter *n*
– *fluting (grooving, grooves)*	– *washer (washing machine)*	– *boards (planks)*
7 das Öldruckmanometer	22 der Kettenquerförderer für	36 die Kanthölzer *n*
– *oil pressure gauge (Am. gage)*	Schnittware *f*	– *squared timber*
8 der Gatterrahmen	– *cross chain conveyor for sawn*	37 der Stapelstein
– *saw frame*	*timber*	– *stack bearer*
9 der Vorschubanzeiger	23 der Rollentisch	
– *feed indicator*	– *roller table*	
10 die Skala für die Durchlaßhöhe	24 die Untertischkappsäge	
– *log capacity scale*	– *undercut swing saw*	
11 der Hilfswagen	25 die Vorstapelung	
– *auxiliary carriage*	– *piling*	
12 der Spannwagen	26 die Rollenböcke *m*	
– *carriage*	– *roller trestles*	
13 die Spannzange	27 der Portalkran	
– *log grips*	– *gantry crane*	
14 die Fernbedienung	28 der Kranmotor	
– *remote control panel*	– *crane motor*	
15 der Antrieb für den Spannwagen	29 der Schwedengreifer	
– *carriage motor*	– *pivoted log grips*	

38 die automatische Kettenablängsäge
- *automatic cross-cut chain saw*
39 die Stammholzhalter *m*
- *log grips*
40 die Vorschubwalze
- *feed roller*
41 die Kettenspannvorrichtung
- *chain-tensioning device*
42 die automatische
Sägenschärfmaschine
- *saw-sharpening machine*
43 die Schleifscheibe
- *grinding wheel (teeth grinder)*
44 die Vorschubklinke
- *feed pawl*
45 die Tiefeneinstellung für die
Schärfscheibe
- *depth adjustment for the teeth grinder*
46 der Ausheber für den Schärfkopf
- *lifter (lever) for the grinder chuck*
47 die Haltevorrichtung für das
Sägeblatt
- *holding device for the saw blade*
48 die horizontale Blockbandsäge
- *horizontal bandsaw for sawing logs*
49 die Höheneinstellung
- *height adjustment*
50 der Spanabstreifer
- *chip remover*

51 die Späneabsaugung
- *chip extractor*
52 der Transportschlitten
- *carriage*
53 das Bandsägeblatt
- *bandsaw blade*
54 die automatische Brennholzsäge
- *automatic blocking saw*
55 der Einwurfschacht
- *feed channel*
56 die Auswurföffnung
- *discharge opening*
57 die Doppelbesäumsäge
- *twin edger (double edger)*
58 die Breitenskala
- *breadth scale (width scale)*
59 die Rückschlagsicherung
(Lamellen *f*)
- *kick-back guard (plates)*
60 die Höhenskala
- *height scale*
61 die Vorschubskala
- *in-feed scale*
62 die Kontrollampen *f*
- *indicator lamps*
63 der Aufgabetisch
- *feed table*
64 die Untertischkappsäge
- *undercut swing saw*

65 der automatische Niederhalter
(mit Schutzhaube *f*)
- *automatic hold-down with protective
hood*
66 der Fußschalter
- *foot switch*
67 die Schaltanlage
- *distribution board (panelboard)*
68 der Längenanschlag
- *length stop*

1 **der Steinbruch,** ein Tagebau *m*
(Abraumbau)
 - *quarry, an open-cast working*
2 *der* Abraum
 - *overburden*
3 das anstehende Gestein
 - *working face*
4 das Haufwerk (gelöste Gestein)
 - *loose rock pile (blasted rock)*
5 der Brecher, ein Steinbrucharbeiter *m*
 - *quarryman (quarrier), a quarry worker*
6 der Keilhammer
 - *sledge hammer*
7 der Keil
 - *wedge*
8 der Felsblock
 - *block of stone*
9 der Bohrer
 - *driller*
10 der Schutzhelm
 - *safety helmet*
11 der Bohrhammer (Gesteinsbohrer)
 - *hammer drill (hard-rock drill)*
12 das Bohrloch
 - *borehole*
13 der Universalbagger
 - *universal excavator*
14 die Großraumlore
 - *large-capacity truck*
15 die Felswand
 - *rock face*
16 der Schrägaufzug
 - *inclined hoist*

17 der Vorbrecher
 - *primary crusher*
18 das Schotterwerk
 - *stone-crushing plant*
19 der Grobkreiselbrecher; *ähnl.:* Fein-
kreiselbrecher (Kreiselbrecher)
 - *coarse rotary (gyratory) crusher; sim.:*
fine rotary (gyratory) crusher (rotary or
gyratory crusher)
20 der Backenbrecher
 - *hammer crusher (impact crusher)*
21 das Vibrationssieb
 - *vibrating screen*
22 das Steinmehl
 - *screenings (fine dust)*
23 der Splitt
 - *stone chippings*
24 der Schotter
 - *crushed stone*
25 der Sprengmeister (Schießmeister)
 - *shot firer*
26 der Meßstab
 - *measuring rod*
27 die Sprengpatrone
 - *blasting cartridge*
28 die Zündschnur
 - *fuse (blasting fuse)*
29 der Füllsandeimer
 - *plugging sand (stemming sand)*
bucket
30 der Quaderstein
 - *dressed stone*
31 die Spitzhacke
 - *pick*

32 die Brechstange
 - *crowbar (pinch bar)*
33 die Steingabel
 - *fork*
34 der Steinmetz
 - *stonemason*
35-38 **Steinmetzwerkzeug** *n*
 - **stonemason's tools**
35 der Fäustel
 - *stonemason's hammer*
36 der Klöpfel
 - *mallet*
37 das Scharriereisen (Breiteisen)
 - *drove chisel (drove, boaster, broad*
chisel)
38 das schwere Flächeneisen
 - *dressing axe (Am. ax)*

1 die Lehmgrube
– *clay pit*
2 der Lehm, ein unreiner Ton *m*
  (Rohton)
– *loam, an impure clay (raw clay)*
3 der Abraumbagger, ein
  Großraumbagger *m*
– *overburden excavator, a large-scale
  excavator*
4 die Feldbahn, eine Schmalspurbahn
– *narrow-gauge (Am. narrow-gage)
  track system*
5 der Schrägaufzug
– *inclined hoist*
6 das Maukhaus
– *souring chambers*
7 der Kastenbeschicker (Beschicker)
– *box feeder (feeder)*
8 der Kollergang (Mahlgang)
– *edge runner mill (edge mill, pan
  grinding mill)*
9 das Walzwerk
– *rolling plant*
10 der Doppelwellenmischer (Mischer)
– *double-shaft trough mixer (mixer)*
11 die Strangpresse (Ziegelpresse)
– *extrusion press (brick-pressing
  machine)*
12 die Vakuumkammer
– *vacuum chamber*

13 das Mundstück
– *die*
14 der Tonstrang
– *clay column*
15 der Abschneider (Ziegelschneider)
– *cutter (brick cutter)*
16 der ungebrannte Ziegel (Rohling)
– *unfired brick (green brick)*
17 die Trockenkammer
– *drying shed*
18 der Hubstapler (Absetzwagen)
– *mechanical finger car (stacker truck)*
19 der Ringofen (Ziegelofen)
– *circular kiln (brick kiln)*
20 der Vollziegel (Ziegelstein,
  Backstein, Mauerstein)
– *solid brick (building brick)*
21 u. 22 die Lochziegel *m*
– *perforated bricks and hollow blocks*
21 der Hochlochziegel
– *perforated brick with vertical
  perforations*
22 der Langlochziegel
– *hollow clay block with horizontal
  perforations*
23 der Gitterziegel
– *hollow clay block with vertical
  perforations*
24 der Deckenziegel
– *floor brick*

25 der Schornsteinziegel (Radialziegel)
– *compass brick (radial brick, radiating
  brick)*
26 die Tonhohlplatte (der Hourdi,
  Hourdis, Hourdistein)
– *hollow flooring block*
27 die Stallvollplatte
– *paving brick*
28 der Kaminformstein
– *cellular brick [for fireplaces]
  (chimney brick)*

1 die Rohstoffe *m* (Kalkstein *m*, Ton *m* u. Kalksteinmergel *m*)
– *raw materials (limestone, clay and marl)*
2 der Hammerbrecher
– *hammer crusher (hammer mill)*
3 das Rohmateriallager
– *raw material store*
4 die Rohmühle zur Mahlung und gleichzeitigen Trocknung der Rohstoffe *m* unter Verwendung *f* der Wärmetauscherabgase *n*
– *raw mill for simultaneously grinding and drying the raw materials with exhaust gas from the heat exchanger*
5 die Rohmehlsilos *m od. n* (Homogenisiersilos)
– *raw meal silos*
6 die Wärmetauscheranlage (der Zyklonwärmetauscher)
– *heat exchanger (cyclone heat exchanger)*
7 die Entstaubungsanlage (ein Elektrofilter *m od. n*) für die Wärmetauscherabgase *n* aus der Rohmühle
– *dust collector (an electrostatic precipitator) for the heat exchanger exhaust from the raw mill*

8 der Drehrohrofen
– *rotary kiln*
9 der Klinkerkühler
– *clinker cooler*
10 das Klinkerlager
– *clinker store*
11 das Primärluftgebläse
– *primary air blower*
12 die Zementmahlanlage
– *cement-grinding mill*
13 das Gipslager
– *gypsum store*
14 die Gipszerkleinerungsmaschine
– *gypsum crusher*
15 der (das) Zementsilo
– *cement silo*
16 die Zementpackmaschinen *f* für Papierventilsäcke *m*
– *cement-packing plant for paper sacks*

1 die Trommelmühle (Massemühle,
  Kugelmühle), zur Naßaufbereitung
  des Rohstoffgemenges *n*
 – *grinding cylinder (ball mill) for the*
  preparation of the raw material in
  water
2 die Probekapsel, mit Öffnung *f* zur
  Beobachtung des Brennvorgangs *m*
 – *sample sagger (saggar, seggar), with*
  aperture for observing the firing
  process
3 der Rundofen [Schema]
 – *bottle kiln (beehive kiln) [diagram]*
4 die Brennform
 – *firing mould (Am. mold)*
5 der Tunnelofen
 – *tunnel kiln*
6 der Segerkegel, zum Messen *n* hoher
  Hitzegrade *m*
 – *Seger cone (pyrometric cone,*
  Am. Orton cone) for measuring high
  temperatures
7 die Vakuumpresse, eine Strangpresse
 – *de-airing pug mill (de-airing pug*
  press), an extrusion press
8 der Massestrang
 – *clay column*
9 der Dreher, beim Drehen *n* eines
  Formlings *m*
 – *thrower throwing a ball (bat) of clay*

10 der Hubel
 – *slug of clay*
11 die Drehscheibe; *ähnl.:* die Töpfer-
  scheibe
 – *turntable; sim.: potter's wheel*
12 die Filterpresse
 – *filter press*
13 der Massekuchen
 – *filter cake*
14 das Drehen, mit der Drehschablone
 – *jiggering, with a profiling tool;*
  sim.: jollying
15 die Gießform, zum Schlickerguß *m*
 – *plaster mould (Am. mold) for slip*
  casting
16 die Rundtischglasiermaschine
 – *turntable glazing machine*
17 der Porzellanmaler
 – *porcelain painter (china painter)*
18 die handgemalte Vase
 – *hand-painted vase*
19 der Bossierer (Retuscheur)
 – *repairer*
20 das Bossierholz (Modellierholz,
  der Bossiergriffel)
 – *pallet (modelling, Am. modeling, tool)*
21 die Porzellanscherben *f* (Scherben)
 – *shards (sherds, potsherds)*

162 Glasherstellung

Glass Production

1-20 **die Tafelglasherstellung**
(Flachglasherstellung)
- *sheet glass production (flat glass production)*
1 die Glasschmelzwanne für das
Fourcault-Verfahren [Schema]
- *glass furnace (tank furnace) for the Fourcault process [diagram]*
2 die Einlegevorbauten *m*, für die
Gemengeeingabe
- *filling end, for feeding in the batch (frit)*
3 die Schmelzwanne
- *melting bath*
4 die Läuterwanne
- *refining bath (fining bath)*
5 die Arbeitswannen *f*
- *working baths (working area)*
6 die Brenner
- *burners*
7 die Ziehmaschinen *f*
- *drawing machines*
8 die Fourcault-Glasziehmaschine
- *Fourcault glass-drawing machine*
9 die Ziehdüse
- *slot*
10 das aufsteigende Glasband
- *glass ribbon (ribbon of glass, sheet of glass) being drawn upwards*

11 die Transportwalzen *f*
- *rollers (drawing rolls)*
12 der Floatglasprozeß [Schema]
- *float glass process*
13 der Gemengetrichter
- *batch (frit) feeder (funnel)*
14 die Schmelzwanne
- *melting bath*
15 die Abstehwanne
- *cooling tank*
16 das Floatbad unter Schutzgas *n*
- *float bath in a protective inert-gas atmosphere*
17 das geschmolzene Zinn
- *molten tin*
18 der Rollenkühlofen
- *annealing lehr*
19 die Schneidevorrichtung
- *automatic cutter*
20 die Stapler *m*
- *stacking machines*
21 die IS-(Individual-section-) Maschine, eine Flaschen- blasmaschine
- *IS (individual-section) machine, a bottle-making machine*
22-37 **die Blasschemata *n***
- *blowing processes*
22 der doppelte Blasprozeß
- *blow-and-blow process*

23 die Schmelzgutaufgabe
– *introduction of the gob of molten glass*
24 das Vorblasen
– *first blowing*
25 das Gegenblasen
– *suction*
26 die Überführung von der Preßform
in die Blasform
– *transfer from the parison mould
(Am. mold) to the blow mould
(Am. mold)*
27 die Wiedererhitzung
– *reheating*
28 das Blasen (die Vakuumformung)
– *blowing (suction, final shaping)*
29 der Fertiggutausstoß
– *delivery of the completed vessel*
30 das Preß- und Blasverfahren
– *press-and-blow process*
31 die Schmelzgutaufgabe
– *introduction of the gob of molten glass*
32 der Preßstempel
– *plunger*
33 das Pressen
– *pressing*
34 die Überführung von der Preßform
in die Blasform
– *transfer from the press mould
(Am. mold) to the blow mould
(Am. mold)*
35 das Wiedererhitzen
– *reheating*

36 das Blasen (die Vakuumformung)
– *blowing (suction, final shaping)*
37 der Fertiggutausstoß
– *delivery of the completed vessel*
38-47 das Glasmachen (Mundblasen, die
Formarbeit)
– **glassmaking** *(glassblowing,
glassblowing by hand, glass forming)*
38 der Glasmacher (Glasbläser)
– *glassmaker (glassblower)*
39 die Glasmacherpfeife
– *blowing iron*
40 das Külbel (Kölbchen)
– *gob*
41 das mundgeblasene Kelchglas
– *hand-blown goblet*
42 die Pitsche, zum Formen *n* des
Kelchglasfußes *m*
– *clappers for shaping the base (foot) of
the goblet*
43 die Fassonlehre
– *trimming tool*
44 das Zwackeisen
– *tongs*
45 der Glasmacherstuhl
– *glassmaker's chair (gaffer's chair)*
46 der verdeckte Glashafen
– *covered glasshouse pot*
47 die Form, zum Einblasen *n* des
vorgeformten Külbels *m*
– *mould (Am. mold), into which the
parison is blown*

48-55 die Herstellung von Textilglas *n*
– **production of glass fibre** *(Am. glass
fiber)*
48 das Düsenziehverfahren
– *continuous filament process*
49 der Glasschmelzofen
– *glass furnace*
50 die Wanne mit Glasschmelze *f*
– *bushing containing molten glass*
51 die Lochnippel *m*
– *bushing tips*
52 die Textilglas-Elementarfäden *m*
– *glass filaments*
53 die Schlichtung
– *sizing*
54 der Spinnfaden
– *strand (thread)*
55 der Spulenkopf
– *spool*
56-58 Textilglasprodukte *n*
– **glass fibre** *(Am. glass fiber)* **products**
56 das Textilglasgarn
– *glass yarn (glass thread)*
57 das gefachte Textilglasgarn
– *sleeved glass yarn (glass thread)*
58 die Textilglasmatte
– *glass wool*

1-13 die Baumwollanlieferung
- *supply of cotton*
1 die erntereife Baumwollkapsel
- *ripe cotton boll*
2 der fertige Garnkötzer (Cops, Kops, die Bobine)
- *full cop (cop wound with weft yarn)*
3 der gepreßte Baumwollballen
- *compressed cotton bale*
4 die Juteumhüllung
- *jute wrapping*
5 der Eisenreifen
- *steel band*
6 die Partienummern *f* des Ballens *m*
- *identification mark of the bale*
7 der Mischballenöffner (Baumwollereiniger)
- *bale opener (bale breaker)*
8 das Zuführlattentuch
- *cotton-feeding brattice*
9 der Füllkasten
- *cotton feed*
10 der Staubsaugtrichter
- *dust extraction fan*
11 die Rohrleitung, zum Staubkeller *m*
- *duct to the dust-collecting chamber*
12 der Antriebsmotor
- *drive motor*
13 das Sammellattentuch
- *conveyor brattice*
14 **die Doppelschlagmaschine**
- *double scutcher (machine with two scutchers)*
15 die Wickelmulde
- *lap cradle*
16 der Kompressionshaken (Pressionshaken)
- *rack head*
17 der Maschineneinschalthebel
- *starting handle*
18 das Handrad, zum Heben *n* und Senken *n* der Pressionshaken *m*
- *handwheel, for raising and lowering the rack head*
19 das bewegliche Wickelumschlagbrett
- *movable lap-turner*
20 die Preßwalzen *f*
- *calender rollers*
21 die Haube, für das Siebtrommelpaar
- *cover for the perforated cylinders*
22 der Staubkanal
- *dust escape flue (dust discharge flue)*
23 die Antriebsmotoren *m*
- *drive motors (beater drive motors)*
24 die Welle, zum Antrieb *m* der Schlagflügel *m*
- *beater driving shaft*
25 der dreiflüglige Schläger
- *three-blade beater (Kirschner beater)*
26 der Stabrost
- *grid [for impurities to drop]*
27 der Speisezylinder
- *pedal roller (pedal cylinder)*
28 der Mengenregulierhebel, ein Pedalhebel *m*
- *control lever for the pedal roller, a pedal lever*

29 das stufenlose Getriebe
- *variable change-speed gear*
30 der Konuskasten
- *cone drum box*
31 das Hebelsystem, für die Materialregulierung
- *stop and start levers for the hopper*
32 die Holzdruckwalze
- *wooden hopper delivery roller*
33 der Kastenspeiser
- *hopper feeder*
34 **die Deckelkrempel** (Karde, Kratze)
- *carding machine (card, carding engine)*
35 die Kardenkanne, zur Ablage des Kardenbandes *n*
- *card can (carding can), for receiving the coiled sliver*
36 der Kannenstock
- *can holder*
37 die Kalanderwalzen *f*
- *calender rollers*
38 das Kardenband
- *carded sliver (card sliver)*
39 der Hackerkamm
- *vibrating doffer comb*
40 der Abstellhebel
- *start-stop lever*
41 die Schleiflager *n*
- *grinding-roller bearing*
42 der Abnehmer
- *doffer*
43 die Trommel (der Tambour)
- *cylinder*
44 die Deckelputzvorrichtung
- *flat clearer*
45 die Deckelkette
- *flats*
46 die Spannrollen *f*, für die Deckelkette
- *supporting pulleys for the flats*
47 der Batteurwickel
- *scutcher lap (carded lap)*
48 das Wickelgestell
- *scutcher lap holder*
49 der Antriebsmotor, mit Flachriemen *m*
- *drive motor with flat belt*
50 die Hauptantriebsscheibe
- *main drive pulley (fast-and-loose drive pulley)*
51 das Arbeitsprinzip der Karde
- *principle of the card (of the carding engine)*
52 der Speisezylinder
- *fluted feed roller*
53 der Vorreißer (Briseur)
- *licker-in (taker-in, licker-in roller)*
54 der Vorreißerrost
- *licker-in undercasing*
55 der Tambourrost
- *cylinder undercasing*
56 **die Kämmaschine**
- *combing machine (comber)*
57 der Getriebekasten
- *drive gearbox (driving gear)*

58 der Kehrstreckenwickel
- *laps ready for combing*
59 die Bandverdichtung
- *calender rollers*
60 das Streckwerk
- *comber draw box*
61 die Zähluhr
- *counter*
62 die Kammzugablage
- *coiler top*
63 das Arbeitsprinzip der Kämmaschine
- *principle of the comber*
64 das Krempelband
- *lap*
65 die Unterzange
- *bottom nipper*
66 die Oberzange
- *top nipper*
67 der Fixkamm
- *top comb*
68 der Kreiskamm
- *combing cylinder*
69 das Ledersegment
- *plain part of the cylinder*
70 das Nadelsegment
- *needled part of the cylinder*
71 die Abreißzylinder *m*
- *detaching rollers*
72 der Kammzug
- *carded and combed sliver*

164 Baumwollspinnerei II *Cotton Spinning II*

1 **die Strecke**
- *draw frame*
2 der Getriebekasten, mit eingebautem
  Motor *m*
- *gearbox with built-in motor*
3 die Kardenkannen *f*
- *sliver cans*
4 die Kontaktwalze, zur Abstellung der
  Maschine bei Bandbruch *m*
- *broken thread detector roller*
5 die Doublierung (Doppelung) der
  Krempelbänder *n*
- *doubling of the slivers*
6 der Maschinenabstellhebel
- *stopping handle*
7 die Streckwerkabdeckung
- *draw frame cover*
8 die Kontrollampen *f*
- *indicator lamps (signal lights)*
9 das einfache Vierzylinderstreckwerk
  [Schema]
- *simple four-roller draw frame
  [diagram]*
10 die Unterzylinder *m* (gerillte
   Stahlwalzen *f*)
- *bottom rollers (lower rollers), fluted
  steel rollers*
11 die mit Kunststoff bezogenen
   Oberzylinder *m*
- *top rollers (upper rollers) covered with
  synthetic rubber*
12 das grobe Band, vor dem Strecken *n*
- *doubled slivers before drafting*
13 das durch Streckwalzen *f* verzogene
   dünne Band
- *thin sliver after drafting*
14 das Hochverzugstreckwerk
- *high-draft system (high-draft draw
  frame) [diagram]*
15 die Lunteneinführung
   (Vorgarneinführung)
- *feeding-in of the sliver*
16 das Laufleder
- *leather apron (composition apron)*
17 die Wendeschiene
- *guide bar*
18 die Durchzugwalze
- *light top roller (guide roller)*
19 der Hochverzugflyer
- *high-draft speed frame (fly frame,
  slubbing frame)*
20 die Streckenkannen *f*
- *sliver cans*
21 das Einlaufen der Streckenbänder *n*
   ins Streckwerk *n*
- *feeding of the slivers to the drafting
  rollers*
22 das Flyerstreckwerk, mit
   Putzdeckel *m*
- *drafting rollers with top clearers*
23 die Flyerspulen *f*
- *roving bobbins*
24 die Flyerin
- *fly frame operator
  (operative)*
25 der Flyerflügel
- *flyer*

26 das Maschinenendschild
- *frame end plate*
27 der Mittelflyer
- *intermediate yarn-forming frame*
28 das Spulenaufsteckgatter
- *bobbin creel (creel)*
29 die aus dem Streckwerk *n*
   austretende Flyerlunte
- *roving emerging from the drafting
  rollers*
30 der Spulenantriebswagen
- *lifter rail (separating rail)*
31 der Spindelantrieb
- *spindle drive*
32 der Maschinenabstellhebel
- *stopping handle*
33 der Getriebekasten, mit aufgesetztem
   Motor *m*
- *gearbox, with built-on motor*
34 **die Ringspinnmaschine** (Trossel)
- ***ring frame** (ring spinning frame)*
35 der Kollektordrehstrommotor
- *three-phase motor*
36 die Motorgrundplatte
- *motor base plate (bedplate)*
37 der Transportierring für den Motor
- *lifting bolt [for motor removal]*
38 der Spinnregler
- *control gear for spindle speed*
39 der Getriebekasten
- *gearbox*
40 die Wechselradschere zur Änderung
   der Garnnummerfeinheit
- *change wheels for varying the spindle
  speed [to change the yarn count]*
41 das volle Spulengatter
- *full creel*
42 die Wellen *f* und Stützen *f* für den
   Ringbankantrieb
- *shafts and levers for raising and
  lowering the ring rail*
43 die Spindeln *f*, mit den Faden-
   trennern *m* (Separatoren)
- *spindles with separators*
44 der Sammelkasten der Faden-
   absaugung
- *suction box connected to the front
  roller underclearers*
45 **die Standardspindel** der
   Ringspinnmaschine
- ***standard ring spindle***
46 der Spindelschaft
- *spindle shaft*
47 das Rollenlager
- *roller bearing*
48 der Wirtel
- *wharve (pulley)*
49 der Spindelhaken
- *spindle catch*
50 die Spindelbank
- *spindle rail*
51 die Spinnorgane *n*
- *ring and traveller (Am. traveler)*
52 die nackte Spindel
- *top of the ring tube (of the bobbin)*
53 das Garn (der Faden)
- *yarn (thread)*

54 der auf der Ringbank eingelassene
   Spinnring
- *ring fitted into the ring rail*
55 der Läufer (Traveller)
- *traveller (Am. traveler)*
56 das aufgewundene Garn
- *yarn wound onto the bobbin*
57 **die Zwirnmaschine**
- ***doubling frame***
58 das Gatter, mit den aufgesteckten
   Fachkreuzspulen *f*
- *creel, with cross-wound cheeses*
59 das Lieferwerk
- *delivery rollers*
60 die Zwirnkopse *m*
- *bobbins of doubled yarn*

1-57 die Webereivorbereitung
- *processes preparatory to weaving*
1 die Kreuzspulmaschine
- *cone-winding frame*
2 das Wandergebläse
- *travelling (Am. traveling) blower*
3 die Laufschiene, für das Wandergebläse
- *guide rail, for the travelling (Am. traveling) blower*
4 das Ventilatorgebläse
- *blowing assembly*
5 die Ausblasöffnung
- *blower aperture*
6 das Haltegestänge, für die Ventilatorschiene
- *superstructure for the blower rail*
7 die Anzeigevorrichtung, für den Kreuzspulendurchmesser
- *full-cone indicator*
8 die Kreuzspule, mit kreuzgeführten Fäden *m*
- *cross-wound cone*
9 der Spulenrahmen
- *cone creel*
10 der Nutenzylinder (die Schlitztrommel)
- *grooved cylinder*
11 der Zickzackschlitz, zur Fadenverkreuzung
- *guiding slot for cross-winding the threads*
12 der Seitentragrahmen, mit Motor *m*
- *side frame, housing the motor*
13 der Stellhebel, zum Abrücken *n* der Kreuzspule
- *tension and slub-catching device*
14 das Endgestell, mit Filtereinrichtung *f*
- *off-end framing with filter*
15 der Trosselkops
- *yarn package, a ring tube or mule cop*
16 der Kopsbehälter
- *yarn package container*
17 der Ein- und Ausrücker
- *starting and stopping lever*
18 der Bügel, zur Selbsteinfädlung
- *self-threading guide*
19 die automatische Abstellvorrichtung, bei Fadenbruch *m*
- *broken thread stop motion*
20 der Schlitzfadenreiniger
- *thread clearer*
21 die Belastungsscheibe, zur Fadenspannung
- *weighting disc (disk) for tensioning the thread*
22 die Zettelmaschine
- *warping machine*
23 der Ventilator
- *fan*
24 die Kreuzspule
- *cross-wound cone*
25 das Spulengatter
- *creel*

26 der verstellbare Kamm (Expansionskamm)
- *adjustable comb*
27 das Zettelmaschinengestell
- *warping machine frame*
28 der Garnmeterzähler
- *yarn length recorder*
29 der Zettel (Zettelbaum)
- *warp beam*
30 die Baumscheibe (Fadenscheibe)
- *beam flange*
31 die Schutzleiste
- *guard rail*
32 die Anlegewalze (Antriebswalze)
- *driving drum (driving cylinder)*
33 der Riemenantrieb
- *belt drive*
34 der Motor
- *motor*
35 das Einschaltfußbrett
- *release for starting the driving drum*
36 die Schraube, zur Kammbreiteveränderung
- *screw for adjusting the comb setting*
37 die Nadeln *f*, zur Abstellung bei Fadenbruch *m*
- *drop pins, for stopping the machine when a thread breaks*
38 die Streifstange
- *guide bar*
39 das Klemmwalzenpaar
- *drop pin rollers*
40 die Indigofärbeschlichtmaschine
- *indigo dying and sizing machine*
41 das Ablaufgestell
- *take-off stand*
42 der Zettelbaum
- *warp beam*
43 die Zettelkette
- *warp*
44 der Netztrog
- *wetting trough*
45 die Tauchwalze
- *immersion roller*
46 die Quetschwalze
- *squeeze roller (mangle)*
47 der Färbetrog
- *dye liquor padding trough*
48 der Luftgang
- *air oxidation passage*
49 der Spültrog
- *washing trough*
50 der Zylindertrockner für die Vortrocknung
- *drying cylinders for pre-drying*
51 der Speicherkompensator
- *tension compensator (tension equalizer)*
52 die Schlichtmaschine
- *sizing machine*
53 der Zylindertrockner
- *drying cylinders*
54 das Trockenteilfeld
- *for cotton: stenter; for wool: tenter*
55 die Bäummaschine
- *beaming machine*

56 der geschlichtete Kettbaum
- *sized warp beam*
57 die Preßrollen *f*
- *rollers*

166 Weberei II

1 die **Webmaschine** (der Webstuhl)
- *weaving machine (automatic loom)*
2 der Tourenzähler
- *pick counter (tachometer)*
3 die Führungsschiene der Schäfte *m*
- *shaft (heald shaft, heald frame) guide*
4 die Schäfte *m*
- *shafts (heald shafts, heald frames)*
5 der Schußwechselautomat (Revolverwechsel), zum Kanettenwechsel *m*
- *rotary battery for weft replenishment*
6 der Ladendeckel
- *sley (slay) cap*
7 die Schußspule
- *weft pirn*
8 der Ein- und Ausrückhebel
- *starting and stopping handle*
9 der Schützenkasten, mit Webschützen *m*
- *shuttle box, with shuttles*
10 das Blatt (Riet, der Rietkamm)
- *reed*
11 die Leiste (Warenkante, Webkante, der Webrand, Rand)
- *selvedge (selvage)*
12 die Ware (das fertige Gewebe)
- *cloth (woven fabric)*
13 der Breithalter
- *temple (cloth temple)*
14 der elektr. Fadenfühler
- *electric weft feeler*
15 das Schwungrad
- *flywheel*
16 das Brustbaumbrett
- *breast beam board*
17 der Schlagstock (Schlagarm)
- *picking stick (pick stick)*
18 der Elektromotor
- *electric motor*
19 die Wechselräder *n*
- *cloth take-up motion*
20 der Warenbaum
- *cloth roller (fabric roller)*
21 der Hülsenkasten, für leere Kanetten *f*
- *can for empty pirns*
22 der Schlagriemen, zur Betätigung des Schlagarms *m*
- *lug strap, for moving the picking stick*
23 der Sicherungskasten
- *fuse box*
24 das Webstuhlgestell (der Webstuhlrahmen)
- *loom framing*
25 die Metallspitze
- *metal shuttle tip*
26 der Webschütz
- *shuttle*
27 die Litze (Drahtlitze)
- *heald (heddle, wire heald, wire heddle)*
28 das Fadenauge (Litzenauge)
- *eye (eyelet, heald eyelet, heddle eyelet)*
29 das Fadenauge (Schützenauge)
- *eye (shuttle eye)*
30 die Kanette (Spulenhülse)
- *pirn*
31 die Metallhülse, für Tastfühlerkontakt *m*
- *metal contact sleeve for the weft feeler*
32 die Aussparung, für den Tastfühler
- *slot for the feeler*
33 die Kanettenklemmfeder
- *spring-clip pirn holder*
34 der Kettfadenwächter
- *drop wire*
35 die Webmaschine (der Webstuhl) [schemat. Seitenansicht]
- *weaving machine (automatic loom) [side elevation]*
36 die Schaftrollen *f*
- *heald shaft guiding wheels*
37 der Streichbaum
- *backrest*
38 die Teilschiene
- *lease rods*
39 die Kette (der Kettfaden)
- *warp (warp thread)*
40 das Fach (Webfach)
- *shed*
41 die Weblade
- *sley (slay)*
42 der Ladenklotz
- *race board*
43 der Stecher für die Abstellvorrichtung
- *stop rod blade for the stop motion*
44 der Prellklotz
- *bumper steel*
45 die Pufferabstellstange
- *bumper steel stop rod*
46 der Brustbaum
- *breast beam*
47 die Riffelwalze
- *cloth take-up roller*
48 der Kettbaum
- *warp beam*
49 die Garnscheibe (Baumscheibe)
- *beam flange*
50 die Hauptwelle
- *crankshaft*
51 das Kurbelwellenzahnrad
- *crankshaft wheel*
52 die Ladenschubstange
- *connector*
53 die Ladenstelze
- *sley (slay)*
54 der Spanner (Schaftspanner)
- *lam rods*
55 das Exzenterwellenzahnrad
- *camshaft wheel*
56 die Exzenterwelle
- *camshaft (tappet shaft)*
57 der Exzenter
- *tappet (shedding tappet)*
58 der Exzentertritthebel
- *treadle lever*
59 die Kettbaumbremse
- *let-off motion*
60 die Bremsscheibe
- *beam motion control*
61 das Bremsseil
- *rope of the warp let-off motion*
62 der Bremshebel
- *let-off weight lever*
63 das Bremsgewicht
- *control weight [for the treadle]*
64 der Picker mit Leder- oder Kunstharzpolster *n*
- *picker with leather or bakelite pad*
65 der Schlagarmpuffer
- *picking stick buffer*
66 der Schlagexzenter
- *picking cam*
67 die Exzenterrolle
- *picking bowl*
68 die Schlagstock-Rückholfeder
- *picking stick return spring*

1-66 die Strumpffabrik
- *hosiery mill*
1 der Rundstuhl (die Rundstrick-
maschine), zur Herstellung von
Schlauchware *f*
- *circular knitting machine for the
manufacture of tubular fabric*
2 die Fadenführerhaltestange
- *yarn guide support post (thread guide
support post)*
3 der Fadenführer
- *yarn guide (thread guide)*
4 die Flaschenspule
- *bottle bobbin*
5 der Fadenspanner
- *yarn-tensioning device*
6 das Schloß
- *yarn feeder*
7 das Handrad, zur Führung des
Fadens *m* hinter die Nadeln *f*
- *handwheel for rotating the machine
by hand*
8 der Nadelzylinder
- *needle cylinder (cylindrical needle
holder)*
9 der Warenschlauch (die Schlauchware, Maschenware)
- *tubular fabric*
10 der Warenbehälter
- *fabric drum (fabric box, fabric
container)*
11 der Nadelzylinder [Schnitt]
- *needle cylinder (cylindrical needle
holder) [section]*
12 die radial angeordneten Zungennadeln *f*
- *latch needles arranged in a circle*
13 der Schloßmantel
- *cam housing*
14 die Schloßteile *n od. m*
- *needle cams*
15 der Nadelkanal
- *needle trick*
16 der Zylinderdurchmesser; *zugleich:*
Warenschlauchbreite *f*
- *cylinder diameter (*also: *diameter of
tubular fabric)*
17 der Faden (das Garn)
- *thread (yarn)*
18 die Cottonmaschine, zur
Damenstrumpffabrikation
- *Cotton's patent flat knitting
machine for ladies' fully-fashioned
hose*
19 die Musterkette
- *pattern control chain*
20 der Seitentragrahmen
- *side frame*
21 die Fontur (der Arbeitsbereich);
mehrfonturig: gleichzeitige
Herstellung *f* mehrerer
Strümpfe *m*
- *knitting head;* with several knitting
heads: *simultaneous production of
several stockings*
22 die Griffstange
- *starting rod*

23 die Raschelmaschine
(der Fangkettstuhl)
- *Raschel warp-knitting machine*
24 die Kette (der Kettbaum)
- *warp (warp beam)*
25 der Teilbaum
- *yarn-distributing (yarn-dividing) beam*
26 die Teilscheibe
- *beam flange*
27 die Nadelreihe (Zungennadelreihe)
- *row of needles*
28 der Nadelbarren
- *needle bar*
29 die Ware (Raschelware)
[Gardinen- und Netzstoffe *m*], auf
dem Warenbaum *m*
- *fabric (Raschel fabric) [curtain lace
and net fabrics] on the fabric roll*
30 das Handtriebrad
- *handwheel*
31 die Antriebsräder *n* und der Motor
- *motor drive gear*
32 das Preßgewicht
- *take-down weight*
33 der Rahmen (das Traggestell)
- *frame*
34 die Grundplatte
- *base plate*
35 die Flachstrickmaschine
(Handstrickmaschine)
- *hand flat (flat-bed) knitting machine*
36 der Faden (das Garn)
- *thread (yarn)*
37 die Rückholfeder
- *return spring*
38 das Haltegestänge, für die Federn
- *support for springs*
39 der verschiebbare Schlitten
- *carriage*
40 das Schloß
- *feeder-selecting device*
41 die Schiebegriffe *m*
- *carriage handles*
42 die Maschengrößeeinstellskala
- *scale for regulating size of stitches*
43 der Tourenzähler
- *course counter (tachometer)*
44 der Vorsetzhebel
- *machine control lever*
45 die Laufschiene
- *carriage rail*
46 die obere Nadelreihe
- *back row of needles*
47 die untere Nadelreihe
- *front row of needles*
48 der Warenabzug (die Ware)
- *knitted fabric*
49 die Spannleiste (Abzugleiste)
- *tension bar*
50 das Spanngewicht
- *tension weight*
51 das Nadelbett mit Strickvorgang *m*
- *needle bed showing knitting action*
52 die Zähne *m* des Abschlagkamms *m*
- *teeth of knock-over bit*
53 die parallel angeordneten Nadeln *f*
- *needles in parallel rows*

54 der Fadenführer
- *yarn guide (thread guide)*
55 das Nadelbett
- *needle bed*
56 die Abdeckschiene, über den
Zungennadeln *f*
- *retaining plate for latch needles*
57 das Nadelschloß
- *guard cam*
58 der Nadelsenker
- *sinker*
59 der Nadelheber
- *needle-raising cam*
60 der Nadelfuß
- *needle butt*
61 die Zungennadel
- *latch needle*
62 die Masche
- *loop*
63 das Durchstoßen der Nadel durch
die Masche
- *pushing the needle through the fabric*
64 das Auflegen des Fadens *m* auf die
Nadel durch den Fadenführer
- *yarn guide (thread guide) placing
yarn in the needle hook*
65 die Maschenbildung
- *loop formation*
66 das Maschenabschlagen
- *casting off of loop*

1-65 die Fertigbehandlung von Stoffen *m*
- *finishing*

1 die Zylinderwalke, zur Verdichtung der Wollware (des Wollgewebes *n*)
- *rotary milling (fulling) machine for felting the woollen (Am. woolen) fabric*

2 die Gewichtbelastung
- *pressure weights*

3 die obere Zugwalze
- *top milling roller (top fulling roller)*

4 die Antriebsscheibe der unteren Zugwalze
- *drive wheel of bottom milling roller (bottom fulling roller)*

5 die Warenleitwalze
- *fabric guide roller*

6 die untere Zugwalze
- *bottom milling roller (bottom fulling roller)*

7 das Zugbrett (die Brille)
- *draft board*

8 die Breitwaschmaschine, für empfindliche Gewebe *n*
- *open-width scouring machine for finer fabrics*

9 das Einziehen des Gewebes *n*
- *fabric being drawn off the machine*

10 der Getriebekasten
- *drive gearbox*

11 die Wasserleitung
- *water inlet pipe*

12 die Leitwalze
- *drawing-in roller*

13 der Spannriegel
- *scroll-opening roller*

14 die Pendelzentrifuge, zur Gewebeentwässerung
- *pendulum-type hydro-extractor (centrifuge), for extracting liquors from the fabric*

15 der Grundrahmen
- *machine base*

16 die Säule
- *casing over suspension*

17 das Gehäuse, mit rotierender Innentrommel *f*
- *outer casing containing rotating cage (rotating basket)*

18 der Zentrifugendeckel
- *hydro-extractor (centrifuge) lid*

19 die Abstellsicherung
- *stop-motion device (stopping device)*

20 der Anlauf- und der Bremsautomat
- *automatic starting and braking device*

21 die Gewebetrockenmaschine
- *for cotton: stenter; for wool: tenter*

22 das feuchte Gewebe
- *air-dry fabric*

23 der Bedienungsstand
- *operator's (operative's) platform*

24 die Gewebebefestigung, durch Nadel- oder Kluppenketten *f*
- *feeding of fabric by guides onto stenter (tenter) pins or clips*

25 der Elektroschaltkasten
- *electric control panel*

26 der Wareneinlauf in Falten *f*, zwecks Eingehens *n* (Schrumpfens, Krumpfens) beim Trocknen *n*
- *initial overfeed to produce shrink-resistant fabric when dried*

27 das Thermometer
- *thermometer*

28 die Trockenkammer
- *drying section*

29 das Abluftrohr
- *air outlet*

30 der Trocknerauslauf
- *plaiter (fabric-plaiting device)*

31 die Kratzenrauhmaschine, zum Aufrauhen *n* der Gewebeoberfläche mit Kratzen *f* zur Florbildung
- *wire-roller fabric-raising machine for producing raised or nap surface*

32 der Antriebskasten
- *drive gearbox*

33 der ungerauhte Stoff
- *unraised cloth*

34 die Rauhwalzen *f*
- *wire-covered rollers*

35 die Gewebeablegevorrichtung (der Facher)
- *plaiter (cuttling device)*

36 die gerauhte Ware
- *raised fabric*

37 die Warenbank
- *plaiting-down platform*

38 die Muldenpresse, zum Gewebebügeln *n*
- *rotary press (calendering machine), for press finishing*

39 das Tuch
- *fabric*

40 die Schaltknöpfe *m* und Schalträder *n*
- *control buttons and control wheels*

41 die geheizte Preßwalze
- *heated press bowl*

42 die Gewebeschermaschine
- *rotary cloth-shearing machine*

43 die Scherfasernabsaugung
- *suction slot, for removing loose fibres (Am. fibers)*

44 das Schermesser (der Scherzylinder)
- *doctor blade (cutting cylinder)*

45 das Schutzgitter
- *protective guard*

46 die rotierende Bürste
- *rotating brush*

47 die Stoffrutsche
- *curved scray entry*

48 das Schalttrittbrett
- *treadle control*

49 die Dekatiermaschine, zur Erzielung nichtschrumpfender Stoffe *m*
- *[non-shrinking] decatizing (decating) fabric-finishing machine*

50 die Dekatierwalze
- *perforated decatizing (decating) cylinder*

51 das Stück
- *piece of fabric*

52 die Kurbel
- *cranked control handle*

53 die Zehnfarben-Walzendruckmaschine (Gewebedruckmaschine)
- *ten-colour (Am. ten-color) roller printing machine*

54 der Maschinengrundrahmen
- *base of the machine*

55 der Motor
- *drive motor*

56 das Mitläufertuch
- *blanket [of rubber or felt]*

57 die Druckware
- *fabric after printing (printed fabric)*

58 die Elektroschaltanlage
- *electric control panel (control unit)*

59 der Gewebefilmdruck
- *screen printing*

60 der fahrbare Schablonenkasten
- *mobile screen frame*

61 der Abstreicher (die Rakel)
- *squeegee*

62 die Druckschablone
- *pattern stencil*

63 der Drucktisch
- *screen table*

64 das aufgeklebte, unbedruckte Gewebe
- *fabric gummed down on table ready for printing*

65 der Textildrucker
- *screen printing operator (operative)*

1-34 die Herstellung von **Viskosefasern**
f (Viskosefilamentgarn *n*) und
Spinnfasern *f* im Viskoseverfahren *n*
– *manufacture of* **continuous filament**
and staple fibre *(Am. fiber) viscose*
rayon yarns by means of the viscose
process
1-12 vom Rohmaterial *n* zur Viskose
– *from raw material to viscose rayon*
1 das Ausgangsmaterial [Buchen- und
Fichtenzellstoff *m* in Blättern *n*,
Zellstoffplatten *f*]
– *basic material [beech and spruce*
cellulose in form of sheets]
2 die Mischung der Zellstoffblätter *n*
– *mixing cellulose sheets*
3 die Natronlauge
– *caustic soda*
4 das Einlegen der Zellstoffblätter *n* in
Natronlauge *f*
– *steeping cellulose sheets in caustic*
soda
5 das Abpressen der überschüssigen
Natronlauge
– *pressing out excess caustic soda*
6 die Zerfaserung der Zellstoffblätter *n*
– *shredding the cellulose sheets*
7 die Reife der Alkalizellulose
– *maturing (controlled oxidation) of the*
alkali-cellulose crumbs
8 der Schwefelkohlenstoff
– *carbon disulphide* (Am. *carbon*
disulfide)
9 die Sulfidierung (Umwandlung
der Alkalizellulose in
Zellulosexanthogenat *n*)
– *conversion of alkali-cellulose into*
cellulose xanthate
10 die Auflösung des Xanthogenats *n* in
Natronlauge *f*, zur Erzeugung der
Viskosespinnlösung
– *dissolving the xanthate in caustic soda*
for the preparation of the viscose
spinning solution
11 die Vakuumlagerkessel *m*
– *vacuum ripening tanks*
12 die Filterpressen *f*
– *filter presses*
13-27 von der Viskosespinnmasse zum
Viskosefilamentgarn *n*
– *from viscose to viscose rayon thread*
13 die Spinnpumpe
– *metering pump*
14 die Spinndüse
– *multi-holed spinneret (spinning jet)*
15 das Spinnbad, zur Verwandlung der
zähflüssigen Viskose *f* in plastische
Zellulosefilamente *n*
– *coagulating (spinning) bath for*
converting (coagulating) viscose
(viscous solution) into solid filaments
16 die Galette, eine Glasrolle
– *Godet wheel, a glass pulley*
17 die Spinnzentrifuge, zur Vereinigung
der Filamente *n*
– *Topham centrifugal pot (box) for*
twisting the filaments into yarn

18 der Spinnkuchen
– *viscose rayon cake*
19-27 die Behandlung des
Spinnkuchens *m*
– *processing of the cake*
19 die Entsäuerung
– *washing*
20 die Entschwefelung
– *desulphurizing (desulphurization,*
Am. *desulfurizing, desulfurization)*
21 das Bleichen
– *bleaching*
22 das Avivieren (Weich- und
Geschmeidigmachen, die
Avivierung)
– *treating of cake to give filaments*
softness and suppleness
23 das Schleudern, zur Entfernung der
überschüssigen Badflüssigkeit
– *hydro-extraction to remove surplus*
moisture
24 das Trocknen, in der
Trockenkammer
– *drying in heated room*
25 das Spulen (die Spulerei)
– *winding yarn from cake into cone*
form
26 die Spulmaschine
– *cone-winding machine*
27 das Viskosefilamentgarn auf
konischer Kreuzspule zur
textilen Weiterverarbeitung
– *viscose rayon yarn on cone ready for*
use
28-34 von der Viskosespinnlösung zur
Spinnfaser
– *from viscose spinning solution to*
viscose rayon staple fibre
(Am. fiber)
28 das Kabel
– *filament tow*
29 die Traufenwascheinrichtung
– *overhead spray washing plant*
30 das Schneidwerk, zum Schneiden *n*
des Kabels *n* auf eine bestimmte
Länge
– *cutting machine for cutting filament*
tow to desired length
31 der Faserbandetagentrockner
– *multiple drying machine for cut-up*
staple fibre (Am. *fiber) layer (lap)*
32 das Förderband
– *conveyor belt (conveyor)*
33 die Ballenpresse
– *baling press*
34 der versandfertige
Viskosespinnfaserballen
– *bale of viscose rayon ready for*
dispatch (despatch)

170 Chemiefasern II

Synthetic (Man-made) Fibres (Am. Fibers) II

1-62 die Herstellung von **Polyamid-fasern**
- *manufacture of polyamide (nylon 6, perlon) fibres (Am. fibers)*
1 die Steinkohle [der Rohstoff für die Polyamidherstellung]
- *coal [raw material for manufacture of polyamide (nylon 6, perlon) fibres (Am. fibers)]*
2 die Kokerei, zur Steinkohletrocken-destillation
- *coking plant for dry coal distillation*
3 die Teer- und Phenolgewinnung
- *extraction of coal tar and phenol*
4 die stufenweise Teerdestillation
- *gradual distillation of tar*
5 der Kühler
- *condenser*
6 die Benzolgewinnung und der Benzolabtransport
- *benzene extraction and dispatch (despatch)*
7 das Chlor
- *chlorine*
8 die Benzolchlorierung
- *benzene chlorination*
9 das Chlorbenzol
- *monochlorobenzene (chlorobenzene)*
10 die Natronlauge
- *caustic soda solution*
11 die Chlorbenzol- und Natronlauge-verdampfung
- *evaporation of chlorobenzene and caustic soda*
12 der Reaktionsbehälter (Autoklav)
- *autoclave*
13 das Kochsalz, ein Nebenprodukt *n*
- *sodium chloride (common salt), a by-product*
14 das Phenol
- *phenol (carbolic acid)*
15 die Wasserstoffzuführung
- *hydrogen inlet*
16 die Phenolhydrierung, zur Erzeugung von Roh-Cyclohexanol *n*
- *hydrogenation of phenol to produce raw cyclohexanol*
17 die Destillation
- *distillation*
18 das reine Cyclohexanol
- *pure cyclohexanol*
19 die Dehydrierung
- *oxidation (dehydrogenation)*
20 Bildung *f* von Cyclohexanon *n*
- *formation of cyclohexanone (pimehinketone)*
21 die Hydroxylaminzuleitung
- *hydroxylamine inlet*
22 Bildung *f* von Cyclohexanonoxim *n*
- *formation of cyclohexanoxime*
23 die Schwefelsäurezusetzung, zur Molekularumlagerung
- *addition of sulphuric acid (Am. sulfuric acid) to effect molecular rearrangement*

24 das Ammoniak, zur Aussonderung der Schwefelsäure
- *ammonia to neutralize sulphuric acid (Am. sulfuric acid)*
25 Bildung *f* von Laktamöl *n*
- *formation of caprolactam oil*
26 die Ammonsulfatlauge
- *ammonium sulphate (Am. ammonium sulfate) solution*
27 die Kühlwalze
- *cooling cylinder*
28 das Kaprolaktam
- *caprolactam*
29 die Waage
- *weighing apparatus*
30 der Schmelzkessel
- *melting pot*
31 die Pumpe
- *pump*
32 das (der) Filter
- *filter*
33 die Polymerisation im Autoklav *m* (Druckbehälter)
- *polymerization in the autoclave*
34 die Abkühlung des Polyamids *n*
- *cooling of the polyamide*
35 das Schmelzen des Polyamids *n*
- *solidification of the polyamide*
36 der Paternosteraufzug
- *vertical lift (Am. elevator)*
37 der Extraktor, zur Trennung des Polyamids *n* vom restlichen Laktamöl *n*
- *extractor for separating the polyamide from the remaining lactam oil*
38 der Trockner
- *drier*
39 die Polyamidtrockenschnitzel *n* oder *m*
- *dry polyamide chips*
40 der Schnitzelbehälter
- *chip container*
41 der Schmelzspinnkopf, zum Schmelzen *n* des Polyamids *n* und Pressen *n* durch die Spinndüsen *f*
- *top of spinneret for melting the polyamide and forcing it through spinneret holes (spinning jets)*
42 die Spinndüsen *f*
- *spinneret holes (spinning jets)*
43 die Erstarrung der Polyamid-filamente *n*, im Spinnschacht *m*
- *solidification of polyamide filaments in the cooling tower*
44 die Garnaufwicklung
- *collection of extruded filaments into thread form*
45 die Vorzwirnerei
- *preliminary stretching (preliminary drawing)*
46 die Streckzwirnerei, zur Erzielung großer Festigkeit *f* und Dehnbar-keit *f* des Polyamidfilaments *n*
- *stretching (cold-drawing) of the polyamide thread to achieve high tensile strength*

47 die Nachzwirnerei
- *final stretching (final drawing)*
48 die Spulenwäsche
- *washing of yarn packages*
49 der Kammertrockner
- *drying chamber*
50 das Umspulen
- *rewinding*
51 die Kreuzspule
- *polyamide cone*
52 die versandfertige Kreuzspule
- *polyamide cone ready for dispatch (despatch)*
53 der Mischkessel
- *mixer*
54 die Polymerisation, im Vakuumkessel *m*
- *polymerization under vacua*
55 das Strecken
- *stretching (drawing)*
56 die Wäscherei
- *washing*
57 die Präparation, zum Spinnfähigmachen *n*
- *finishing of tow for spinning*
58 die Trocknung des Kabels *n*
- *drying of tow*
59 die Kräuselung des Kabels *n*
- *crimping of tow*
60 das Schneiden des Kabels *n* auf übliche Faserlänge *f*
- *cutting of tow into normal staple lengths*
61 die Polyamid-Spinnfaser
- *polyamide staple*
62 der Polyamid-Spinnfaserballen
- *bale of polyamide staple*

1-29 Gewebebindungen *f* [schwarze Quadrate: gehobener Kettfaden, Schußfaden gesenkt; weiße Quadrate: gehobener Schußfaden, Kettfaden gesenkt]
– **weaves** *[black squares: warp thread raised, weft thread lowered; white squares: weft thread raised, warp thread lowered]*
1 die Leinwandbindung (Tuchbindung) [Gewebedraufsicht]
– *plain weave (tabby weave) [weave viewed from above]*
2 der Kettfaden
– *warp thread*
3 der Schußfaden
– *weft thread*
4 die Patrone [Vorlage für den Weber] zur Leinwandbindung
– *draft (point paper design) for plain weave*
5 der Fadeneinzug in die Schäfte *m*
– *threading draft*
6 der Rieteinzug
– *denting draft (reed-threading draft)*
7 der gehobene Kettfaden
– *raised warp thread*
8 der gesenkte Kettfaden
– *lowered warp thread*
9 die Schnürung (Aufhängung der Schäfte *m*)
– *tie-up of shafts in pairs*
10 die Trittfolge
– *treadling diagram*
11 die Patrone zur Panamabindung (Würfelbindung, englische Bindung)
– *draft for basket weave (hopsack weave, matt weave)*
12 der Rapport (der sich fortlaufend wiederholende Bindungsteil)
– *pattern repeat*
13 die Patrone für den Schußrips *m* (Längsrips)
– *draft for warp rib weave*
14 Gewebeschnitt *m* des Schußripses *m*, ein Kettschnitt *m*
– *section of warp rib fabric, a section through the warp*
15 der gesenkte Schußfaden
– *lowered weft thread*
16 der gehobene Schußfaden
– *raised weft thread*
17 der erste und zweite Kettfaden [gehoben]
– *first and second warp threads [raised]*
18 der dritte und vierte Kettfaden [gesenkt]
– *third and fourth warp threads [lowered]*
19 die Patrone für unregelmäßigen Querrips *m*
– *draft for combined rib weave*
20 der Fadeneinzug in die Leistenschäfte *m* (Zusatzschäfte für die Webkante)
– *selvedge (selvage) thread draft (additional shafts for the selvedge)*

21 der Fadeneinzug in die Warenschäfte *m*
– *draft for the fabric shafts*
22 die Schnürung der Leistenschäfte *m*
– *tie-up of selvedge (selvage) shafts*
23 die Schnürung der Warenschäfte *m*
– *tie-up of fabric shafts*
24 die Leiste in Tuchbindung *f*
– *selvedge (selvage) in plain weave*
25 Gewebeschnitt *m* des unregelmäßigen Querripses *m*
– *section through combination rib weave*
26 die Längstrikotbindung
– *thread interlacing of reversible warp-faced cord*
27 die Patrone zur Längstrikotbindung
– *draft (point paper design) for reversible warp-faced cord*
28 die Gegenbindungsstellen *f*
– *interlacing points*
29 die Waffelbindung für Waffelmuster *n* in der Ware
– *weaving draft for honeycomb weave in the fabric*
30-48 Grundverbindungen *f* **der Gewirke** *n* **und Gestricke** *n*
– **basic knits**
30 die Masche, eine offene Masche
– *loop, an open loop*
31 der Kopf
– *head*
32 der Schenkel
– *side*
33 der Fuß
– *neck*
34 die Kopfbindungsstelle
– *head interlocking point*
35 die Fußbindungsstelle
– *neck interlocking point*
36 die geschlossene Masche
– *closed loop*
37 der Henkel
– *mesh [with inlaid yarn]*
38 die schräge Fadenstrecke
– *diagonal floating yarn (diagonal floating thread)*
39 die Schleife mit Kopfbindung *f*
– *loop interlocking at the head*
40 die Flottung
– *float*
41 die freilaufende Fadenstrecke
– *loose floating yarn (loose floating thread)*
42 die Maschenreihe
– *course*
43 der Schuß
– *inlaid yarn*
44 der Rechts-links-Fang
– *tuck and miss stitch*
45 der Rechts-links-Perlfang (Köper)
– *pulled-up tuck stitch*
46 der übersetzte Rechts-links-Perlfang (der schräge, versetzte Köper)
– *staggered tuck stitch*
47 der Rechts-links-Doppelfang
– *2 x 2 tuck and miss stitch*

48 der Rechts-links-Doppelperlfang (Doppelköper)
– *double pulled-up tuck stitch*

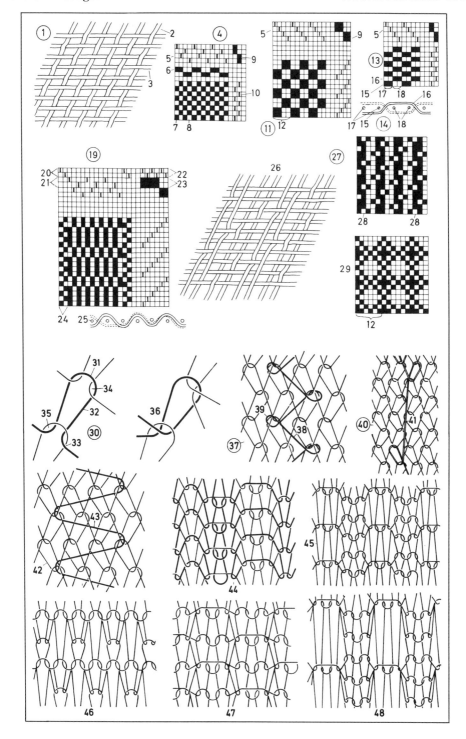

1-52 die Sulfatzellstoffabrik
[im Schema]
– *sulphate (Am. sulfate) pulp mill
(kraft pulp mill) [in diagram form]*
1 die Hackmaschinen *f* mit
Staubabscheider *m*
– *chippers with dust extractor*
2 der Rollsichter
– *rotary screen (riffler)*
3 der Zellenzuteilapparat
– *chip packer (chip distributor)*
4 das Gebläse
– *blower*
5 die Schleudermühle
– *disintegrator (crusher, chip crusher)*
6 die Staubkammer
– *dust-settling chamber*
7 der Zellstoffkocher
– *digester*
8 der Laugenvorwärmer
– *liquor preheater*
9 der Schalthahn
– *control tap*
10 das Schwenkrohr
– *swing pipe*
11 der Diffuseur
– *blow tank (diffuser)*
12 das Spritzventil
– *blow valve*
13 die Diffuseurbütte
– *blow pit (diffuser)*
14 der Terpentinabscheider
– *turpentine separator*
15 der Zentralabscheider
– *centralized separator*
16 der Einspritzkondensator
– *jet condenser (injection condenser)*
17 der Kondensatspeicher
– *storage tank for condensate*
18 der Warmwasserbehälter
– *hot water tank*
19 der Wärmetauscher
– *heat exchanger*
20 der (das) Filter
– *filter*
21 der Vorsortierer
– *presorter*
22 die Sandschleuder
– *centrifugal screen*
23 die umlaufende Sortiermaschine
– *rotary sorter (rotary strainer)*
24 der Entwässerungszylinder
– *concentrator (thickener, decker)*
25 die Bütte
– *vat (chest)*
26 der Sammelbehälter für
Rückwasser *n*
– *collecting tank for backwater
(low box)*
27 die Kegelstoffmühle
– *conical refiner (cone refiner, Jordan,
Jordan refiner)*
28 der (das) Schwarzlaugenfilter
– *black liquor filter*
29 der Schwarzlaugenbehälter
– *black liquor storage tank*
30 der Kondensator
– *condenser*
31 die Separatoren *m*
– *separators*
32 die Heizkörper *m*
– *heaters (heating elements)*

33 die Laugenpumpe
– *liquor pump*
34 die Dicklaugenpumpe
– *heavy liquor pump*
35 der Mischbehälter
– *mixing tank*
36 der Sulfatbehälter
– *salt cake storage tank (sodium
sulphate storage tank)*
37 der Schmelzlöser
– *dissolving tank (dissolver)*
38 der Dampfkessel
– *steam heater*
39 der (das) Elektrofilter
– *electrostatic precipitator*
40 die Luftpumpe
– *air pump*
41 der Behälter für die ungeklärte
Grünlauge
– *storage tank for the uncleared green
liquor*
42 der Eindicker
– *concentrator (thickener, decker)*
43 der Grünlaugenvorwärmer
– *green liquor preheater*
44 der Wascheindicker
– *concentrator (thickener, decker)
for the weak wash liquor
(wash water)*
45 der Behälter für die Schwachlauge
– *storage tank for the weak liquor*
46 der Behälter für die Kochlauge
– *storage tank for the cooking liquor*
47 das Rührwerk
– *agitator (stirrer)*
48 der Eindicker
– *concentrator (thickener, decker)*
49 die Kaustifizier-Rührwerke *n*
– *causticizing agitators (causticizing
stirrers)*
50 der Klassierer
– *classifier*
51 die Kalklöschtrommel
– *lime slaker*
52 der rückgebrannte Kalk
– *reconverted lime*
53-65 die Holzschleifereianlage
[Schema]
– *groundwood mill (mechanical pulp
mill) [diagram]*
53 der Stetigschleifer
– *continuous grinder (continuous chain
grinder)*
54 der Splitterfänger
– *strainer (knotter)*
55 die Stoffwasserpumpe
– *pulp water pump*
56 die Sandschleuder
– *centrifugal screen*
57 der Sortierer
– *screen (sorter)*
58 der Nachsortierer
– *secondary screen (secondary sorter)*
59 die Grobstoffbütte
– *rejects chest*
60 der Kegelrefiner
– *conical refiner (cone refiner, Jordan,
Jordan refiner)*
61 die Entwässerungsmaschine
– *pulp-drying machine (pulp machine)*
62 die Eindickbütte
– *concentrator (thickener, decker)*

63 die Abwasserpumpe
– *waste water pump (white water pump,
pulp water pump)*
64 die Dampfschwadenleitung
– *steam pipe*
65 die Wasserleitung
– *water pipe*
66 der Stetigschleifer
– *continuous grinder (continuous chain
grinder)*
67 die Vorschubkette
– *feed chain*
68 das Schleifholz
– *groundwood*
69 die Untersetzung für den
Vorschubkettenantrieb
– *reduction gear for the feed chain drive*
70 die Steinschärfvorrichtung
– *stone-dressing device*
71 der Schleifstein
– *grinding stone (grindstone, pulpstone)*
72 das Spritzrohr
– *spray pipe*
73 der Steilkegelrefiner
(die Kegelmühle)
– *conical refiner (cone refiner, Jordan,
Jordan refiner)*
74 das Einstellrad für den
Mahlmesserabstand
– *handwheel for adjusting the clearance
between the knives (blades)*
75 der rotierende Messerkegel
– *rotating bladed cone (rotating bladed
plug)*
76 der stehende Messerkegel
– *stationary bladed shell*
77 der Einlaufanschluß für
ungemahlenen Zellstoff *m* bzw.
Holzschliff
– *inlet for unrefined cellulose (chemical
wood pulp, chemical pulp) or
groundwood pulp (mechanical pulp)*
78 der Auslaufanschluß für gemahlenen
Zellstoff *m* bzw. Holzschliff
– *outlet for refined cellulose (chemical
wood pulp, chemical pulp) or
groundwood pulp (mechanical pulp)*
79-86 die Stoffaufbereitungsanlage
[Schema]
– *stuff (stock) preparation plant
[diagram]*
79 das Förderband zum Aufbringen *n*
von Zellstoff *m* bzw. Holzschliff
– *conveyor belt (conveyor) for loading
cellulose (chemical wood pulp,
chemical pulp) or groundwood pulp
(mechanical pulp)*
80 der Zellstoffauflöser
– *pulper*
81 die Ableerbütte
– *dump chest*
82 der Kegelaufschläger
– *cone breaker*
83 die Kegelmühle
– *conical refiner (cone refiner, Jordan,
Jordan refiner)*
84 die Reistenmühle
– *refiner*
85 die Fertigbütte
– *stuff chest (stock chest)*
86 die Maschinenbütte
– *machine chest (stuff chest)*

1 die Rührbütte, eine
Papierstoffmischbütte
- *stuff chest (stock chest, machine
chest), a mixing chest for stuff (stock)*
2-10 Laborgeräte *n* für die Papierstoff-
und die Papieruntersuchung
- *laboratory apparatus (laboratory
equipment) for analysing stuff (stock)
and paper*
2 der Erlenmeyerkolben
- *Erlenmeyer flask*
3 der Mischzylinder
- *volumetric flask*
4 der Meßzylinder
- *measuring cylinder*
5 der Bunsenbrenner
- *Bunsen burner*
6 der Dreifuß
- *tripod*
7 die Laborschale
- *petri dish*
8 das Reagenzglasgestell
- *test tube rack*
9 die Rohgewichtswaage
- *balance for measuring basis weight*
10 der Dickenmesser
- *micrometer*
11 die Rohrschleudern *f* vor dem Stoff-
auflauf *m* einer Papiermaschine
- *centrifugal cleaners ahead of the
breastbox (headbox, stuff box) of a
paper machine*
12 das Standrohr
- *standpipe*
13-28 die Papiermaschine (Fertigungs-
straße) [Schema]
- *paper machine (production line)
[diagram]*
13 die Zuleitung von der Maschinenbütte mit Sand- und Knotenfang *m*
- *feed-in from the machine chest (stuff
chest) with sand table (sand trap,
riffler) and knotter*
14 das Sieb
- *wire (machine wire)*
15 der Siebsauger
- *vacuum box (suction box)*
16 die Siebsaugwalze
- *suction roll*
17 der erste Naßfilz
- *first wet felt*
18 der zweite Naßfilz
- *second wet felt*
19 die erste Naßpresse
- *first press*
20 die zweite Naßpresse
- *second press*
21 die Offsetpresse
- *offset press*
22 der Trockenzylinder
- *drying cylinder (drier)*
23 der Trockenfilz (*auch:* das
Trockensieb)
- *dry felt (drier felt)*
24 die Leimpresse
- *size press*

25 der Kühlzylinder
- *cooling roll*
26 die Glättwalzen *f*
- *calender rolls*
27 die Trockenhaube
- *machine hood*
28 die Aufrollung
- *delivery reel*
29-35 die Rakelstreichmaschine
(der Rakelstreicher)
- *blade coating machine (blade coater)*
29 das Rohpapier
- *raw paper (body paper)*
30 die Papierbahn
- *web*
31 die Streichanlage für die Vorderseite
- *coater for the top side*
32 der Infrarottrockenofen
- *infrared drier*
33 die beheizte Trockentrommel
- *heated drying cylinder*
34 die Streichanlage für die Rückseite
- *coater for the underside (wire side)*
35 die fertig gestrichene Papierrolle (der
Tambour)
- *reel of coated paper*
36 der Kalander
- *calender (super-calender)*
37 die Anpreßhydraulik
- *hydraulic system for the press rolls*
38 die Kalanderwalze
- *calender roll*
39 die Abrollvorrichtung
- *unwind station*
40 die Personenhebebühne
- *lift platform*
41 die Aufrollvorrichtung
- *rewind station (rewinder, re-reeler,
reeling machine, re-reeling machine)*
42 der Rollenschneider
- *roll cutter*
43 die Schalttafel
- *control panel*
44 der Schneidapparat
- *cutter*
45 die Papierbahn
- *web*
46-51 die Handpapierherstellung
- *papermaking by hand*
46 der Schöpfer (Büttgeselle)
- *vatman*
47 die Bütte (der Trog)
- *vat*
48 die Schöpfform
- *mould (Am. mold)*
49 der Gautscher
- *coucher (couchman)*
50 die Bauscht (Pauscht), fertig zum
Pressen
- *post ready for pressing*
51 der Filz
- *felt*

1 die Handsetzerei
- *hand-setting room (hand-composing room)*
2 das Setzregal (Pultregal)
- *composing frame*
3 der Schriftkasten
- *case (typecase)*
4 der Steckschriftkasten
- *case cabinet (case rack)*
5 der Handsetzer (Setzer, Metteur)
- *hand compositor (compositor, typesetter, maker-up)*
6 das Manuskript (Typoskript)
- *manuscript (typescript)*
7 die Lettern *f* (Schrift)
- *sorts (types, type characters, characters)*
8 der Kasten, für Stege *m*, Füllmaterial *n* (Blindmaterial)
- *rack (case) for furniture (spacing material)*
9 das Stehsatzregal
- *standing type rack (standing matter rack)*
10 das Abstellbrett (Formbrett)
- *storage shelf (shelf for storing formes, Am. forms)*
11 der Stehsatz
- *standing type (standing matter)*
12 das Satzschiff
- *galley*
13 der Winkelhaken
- *composing stick (setting stick)*
14 die Setzlinie
- *composing rule (setting rule)*
15 der Satz
- *type (type matter, matter)*
16 die Kolumnenschnur
- *page cord*
17 die Ahle
- *bodkin*
18 die Pinzette
- *tweezers*
19 die Zeilensetzmaschine „Linotype" *f*, eine Mehrmagazinmaschine
- *Linotype line-composing (line-casting, slug-composing, slug-casting) machine, a multi-magazine machine*
20 der Ablegemechanismus
- *distributing mechanism (distributor)*
21 die Satzmagazine *n* mit Matrizen *f*
- *type magazines with matrices (matrixes)*
22 der Greifer, zum Ablegen *n* der Matrizen *f*
- *elevator carrier for distributing the matrices (matrixes)*
23 der Sammler
- *assembler*
24 die Spatienkeile *m*
- *spacebands*
25 das Gießwerk
- *casting mechanism*
26 die Metallzuführung
- *metal feeder*

27 der Maschinensatz (die gegossenen Zeilen *f*)
- *machine-set matter (cast lines, slugs)*
28 die Handmatrizen *f*
- *matrices (matrixes) for hand-setting (sorts)*
29 die Linotypematrize
- *Linotype matrix*
30 die Zahnung, für den Ablegemechanismus *m*
- *teeth for the distributing mechanism (distributor)*
31 das Schriftbild (die Matrize)
- *face (type face, matrix)*
32-45 die Einzelbuchstaben-Setz-und-Gießmaschine „Monotype" *f*
- *monotype single-unit composing (typesetting) and casting machine (monotype single-unit composition caster)*
32 die „Monotype"-Normalsetz-maschine (der Taster)
- *monotype standard composing (typesetting) machine (keyboard)*
33 der Papierturm
- *paper tower*
34 der Satzstreifen
- *paper ribbon*
35 die Settrommel
- *justifying scale*
36 der Einheitenzeiger
- *unit indicator*
37 die Tastatur
- *keyboard*
38 der Preßluftschlauch
- *compressed-air hose*
39 die „Monotype"-Gießmaschine
- *monotype casting machine (monotype caster)*
40 die automatische Metallzuführung
- *automatic metal feeder*
41 die Pumpendruckfeder
- *pump compression spring (pump pressure spring)*
42 der Matrizenrahmen
- *matrix case (die case)*
43 der Papierturm
- *paper tower*
44 das Satzschiff, mit Lettern *f* (gegossenen Einzelbuchstaben *m*)
- *galley with types (letters, characters, cast single types, cast single letters)*
45 die elektrische Heizung
- *electric heater (electric heating unit)*
46 der Matrizenrahmen
- *matrix case (die case)*
47 die Schriftmatrizen *f*
- *type matrices (matrixes) (letter matrices)*
48 die Klaue, zum Eingreifen *n* in die Kreuzschlittenführung
- *guide block for engaging with the cross-slide guide*

1-17 der Schriftsatz
- *composition (type matter, type)*
1 das Initial (die Initiale)
- *initial (initial letter)*
2 die dreiviertelfette Schrift (dreiviertelfett)
- *bold type (bold, boldfaced type, heavy type, boldface)*
3 die halbfette Schrift (halbfett)
- *semibold type (semibold)*
4 die Zeile
- *line*
5 der Durchschuß
- *space*
6 die Ligatur
- *ligature (double letter)*
7 die kursive Schrift (kursiv)
- *italic type (italics)*
8 die magere Schrift (mager)
- *light face type (light face)*
9 die fette Schrift (fett)
- *extra bold type (extra bold)*
10 die schmalfette Schrift (schmalfett)
- *bold condensed type (bold condensed)*
11 die Majuskel (der Versalbuchstabe, Versal *m*, Großbuchstabe)
- *majuscule (capital letter, capital, upper case letter)*
12 die Minuskel (der Kleinbuchstabe)
- *minuscule (small letter, lower case letter)*
13 die Sperrung (Spationierung)
- *letter spacing (interspacing)*
14 die Kapitälchen *n*
- *small capitals*
15 der Absatz
- *break*
16 der Einzug
- *indention*
17 der Zwischenraum
- *space*
18 Schriftgrade *m* [ein typographischer Punkt *m* = 0,376 mm]
- *type sizes [one typographic point = 0.376 mm (Didot system), 0.351 mm (Pica system). The German size-names refer to exact multiples of the Didot (Continental) system. The English names are now obsolete: current English type-sizes are exact multiples of the Pica]*
19 die Nonplusultra (2 Punkt)
- *six-to-pica (2 points)*
20 die Brillant (3 Punkt)
- *half nonpareil (four-to-pica) (3 points)*
21 die Diamant (4 Punkt)
- *brilliant (4 points); sim.: diamond (4½ points)*
22 die Perl (5 Punkt)
- *pearl (5 points); sim.: ruby (Am. agate) (5½ points)*
23 die Nonpareille (6 Punkt)
- *nonpareil (6 points); sim.: minionette (6½ points)*
24 die Kolonel (Mignon, 7 Punkt)
- *minion (7 points)*

25 die Petit (8 Punkt)
- *brevier (8 points)*
26 die Borgis (9 Punkt)
- *bourgeois (9 points)*
27 die Korpus (Garmond, 10 Punkt)
- *long primer (10 points)*
28 die Cicero (12 Punkt)
- *pica (12 points)*
29 die Mittel (14 Punkt)
- *English (14 points)*
30 die Tertia (16 Punkt)
- *great primer (two-line brevier, Am. Columbian) (16 points)*
31 die Text (20 Punkt)
- *paragon (two-line primer) (20 points)*
32-37 die Herstellung von Lettern *f*
- *typefounding (type casting)*
32 der Stempelschneider
- *punch cutter*
33 der Stahlstichel (Stichel)
- *graver (burin, cutter)*
34 die Lupe
- *magnifying glass (magnifier)*
35 der Stempel
- *punch blank (die blank)*
36 der fertige Stahlstempel (die Patrize)
- *finished steel punch (finished steel die)*
37 die geprägte Matrize
- *punched matrix (stamped matrix, strike, drive)*
38 die Letter
- *type (type character, character)*
39 der Kopf
- *head*
40 das Fleisch
- *shoulder*
41 die Punze
- *counter*
42 das Schriftbild
- *face (type face)*
43 die Schriftlinie
- *type line (bodyline)*
44 die Schrifthöhe
- *height to paper (type height)*
45 die Schulterhöhe
- *height of shank (height of shoulder)*
46 der Kegel
- *body size (type size, point size)*
47 die Signatur
- *nick*
48 die Dickte
- *set (width)*
49 die Matrizenbohrmaschine, eine Spezialbohrmaschine
- *matrix-boring machine (matrix-engraving machine), a special-purpose boring machine*
50 der Ständer
- *stand*
51 der Fräser
- *cutter (cutting head)*
52 der Frästisch
- *cutting table*
53 der Pantographensupport
- *pantograph carriage*
54 die Prismaführung
- *V-way*

55 die Schablone
- *pattern*
56 der Schablonentisch
- *pattern table*
57 der Kopierstift
- *follower*
58 der Pantograph
- *pantograph*
59 die Matrizenspannvorrichtung
- *matrix clamp*
60 die Frässpindel
- *cutter spindle*
61 der Antriebsmotor
- *drive motor*

Meyer, **Joseph,** Verlagsbuchhändler, Schriftsteller und Industrieller, *9. 5. 1796 Gotha, †27. 6. 1856 Hildburghausen, erwies sich nach mißglückten Börsen- (1816 - 20 in London) und industriellen Unternehmungen (1820-23 in Thüringen) als origineller Shakespeare- und Scott-Übersetzer und fand mit seinem „Korrespondenzblatt für Kaufleute" 1825 Anklang. 1826 gründete er den Verlag *„Bibliographisches Institut"* in Gotha (1828 nach Hildburghausen verlegt), den er durch die Vielseitigkeit seiner eigenen Werke **(„Universum", „Das Große Konversationslexikon für die gebildeten Stände", „Meyers Universal-Atlas"** 1830-37) sowie durch die Wohlfeilheit und die gediegene Ausstattung seiner volkstümlichen Verlagswerke („Klassikerausgaben", „Meyers Familien- und Groschenbibliothek", „Volksbibliothek für Naturkunde", „Geschichtsbibliothek", „Meyers Pfennig-Atlas" u. a.) sowie durch die Entwicklung neuer Absatzwege (lieferungsweises Erscheinen auf Subskription und Vertrieb durch Reisebuchhandel) zum Welthaus machte. Besonders durch das **„Universum",** ein historisch - geographisches Bilderwerk, das in 80000 AUFLAGE und in 12 SPRACHEN erschien, wirkte er auf breiteste Kreise. — Seit Ende der 1830er Jahre trat er unter großen Opfern für ein einheitliches deutsches Eisenbahnnetz ein, doch scheiterten seine Pläne und seine

176 Setzerei III (Lichtsatz)

1-21 **die Verbundsysteme** *n* für den
Lichtsatz
- *phototypesetting* **configurations**
1 das Off-Line-Verbundsystem
- *off-line configuration*
2 *u.* 3 die Satzerfassung
- *data capture*
2 der Endloserfassungsplatz
- *terminal for keying unformatted text*
3 der Erfassungs- und Korrekturplatz
- *text capture and correction terminal*
4 der Gestaltungsbildschirm
- *layout terminal (page-layout terminal)*
5 der Datenträger, eine Diskette
- *data carrier, a diskette (floppy disk)*
6 die Belichtungseinheit
- *(photo)typesetting unit*
  (phototypesetter)
7 das On-Line-Verbundsystem
- *on-line configuration*
8 das Umbruchterminal
- *make-up terminal (page make-up*
  terminal)
9 der Zentralrechner (Satzrechner,
Satzcomputer)
- *central processing unit (typesetting*
  computer)
10 die Magnetbandstation (Magnet-
band-Speichereinheit)
- *magnetic tape unit (magnetic tape*
  drive)
11 der Plattenspeicher
- *disk store*
12 der Drucker (Printer), ein
Laserdrucker (Laserprinter)
- *printer, a laser printer*
13 die Belichtungsanlage
- *phototypesetting machine*
  (phototypesetter)
14 die Texterfassung (der
Texterfassungsplatz)
- *text capture (text-capture terminal)*
15 der Schriftsetzer (Texterfasser *od.*
Typograph)
- *typesetter (keyboarder or*
  typographer)
16 der Bildschirm (Monitor)
- *screen (monitor)*
17 das Diskettenlaufwerk (Laufwerk)
- *floppy disk drive*
18 die Rechen- und Speichereinheit mit
der Zentraleinheit und der Festplatte *f* (Festplattenspeicher *m*)
- *computer and memory unit with*
  central processing unit and hard disk
19 die Maus, ein Eingabegerät *n*
- *mouse, an input device*
20 das Maustablett
- *mouse mat*
21 die Tastatur, ein Eingabegerät *n*
- *keyboard, an input device*
22 **die Kompakt-Lichtsetzanlage**
- **direct-entry phototypesetter**
23-33 **das Desktop publishing** (DTP)
- **desktop publishing** *(DTP)*

23 die Diskette mit Text-, Layout- und
Graphikprogrammen *n*
- *diskette (floppy disk) with text, layout,*
  and graphics programs
24 der Scanner (Flachbettscanner), ein
Abtastgerät *n*
- *scanner (flat-bed scanner)*
25 der Personalcomputer (PC) *od.* die
Workstation
- *personal computer (PC) or*
  workstation
26 der Ausdruck (Computerausdruck)
- *printout (computer printout)*
27 der Rasterbildrechner (Raster Image
Processor, RIP)
- *raster image processor (RIP)*
28 der Laserbelichter
- *laser phototypesetter*
29 die Fahne (der Fahnenabzug)
- *proof*
30 der hochauflösende Graphik-
bildschirm, ein großformatiger
Farbmonitor *m*
- *high-resolution graphics screen, a*
  large-format colour monitor
31 der Darstellungsteil
- *display window*
32 die typographischen Parameter *m*
- *typographic parameters*
33 der Befehlsteil (Befehlsbildschirm)
- *(typographic) command window*
34 der Vervielfältigungsautomat für
Filme *m* (der Filmkopierer)
- *film copier*
35-46 **der Kathodenstrahlbelichter**
- **cathode ray tube** *(CRT)* **typesetter**
35 das Abtastsystem
- *scanning system*
36 die Scan-Kathodenstrahlröhre
- *scan-generating (scanning) cathode*
  ray tube (CRT)
37 die Linse
- *lens*
38 der Schriftrahmen (Matrizenrahmen)
- *character grid (matrix case)*
39 die Kondensorlinse
- *condenser lens*
40 der Photomultiplier
- *photomultiplier*
41 das Wiedergabesystem
- *output system*
42 der Videoverstärker
- *video amplifier*
43 die Schreibröhre
- *character-generating tube*
  (CRT character generator)
44 die Belichtungsebene
- *exposure plane*
45 der Matrizenrahmen
- *matrix case*
46 die Führungsklaue
- *guide claw*

1 die Reproduktionskamera in
Brückenbauweise *f*
– *overhead process camera (overhead
copying camera)*
2 die Mattscheibe
– *focusing screen (ground glass screen)*
3 der schwenkbare Mattscheiben-
rahmen
– *hinged screen holder*
4 das Achsenkreuz
– *graticule*
5 der Bedienungsstand
– *control console*
6 das schwenkbare Hängeschaltpult
– *hinged bracket-mounted control panel*
7 die Prozentskalen *f*
– *percentage focusing charts*
8 der Vakuumfilmhalter
– *vacuum film holder*
9 das Rastermagazin
– *screen magazine*
10 der Balgen
– *bellows*
11 die Standarte
– *standard*
12 die Registriereinrichtung
– *register device*
13 das Brückenstativ
– *overhead gantry*
14 der Originalhalter
– *copyboard*
15 das Originalhaltergestell
– *copyholder*
16 der Lampengelenkarm
– *lamp bracket*
17 die Xenonlampe
– *xenon lamp*
18 das Original
– *copy (original)*
19 der Retuschier- und Montagetisch
– *retouching and stripping desk*
20 die Leuchtfläche
– *illuminated screen*
21 die Höhen- und Neigungsverstellung
– *height and angle adjustment*
22 der Vorlagenhalter
– *copyboard*
23 der zusammenlegbare Fadenzähler,
eine Lupe (Vergrößerungsglas *n*)
– *linen tester, a magnifying glass*
24 die Universalreproduktionskamera
– *universal process and reproduction
camera*
25 der Kamerakasten
– *camera body*
26 der Balgen
– *bellows*
27 der Optikträger
– *lens carrier*
28 die Winkelspiegel *m*
– *angled mirror*
29 der T-Ständer
– *stand*
30 der Vorlagenhalter
– *copyboard*
31 die Halogenleuchte
– *halogen lamp*

32 die Vertikal-Reproduktionskamera,
eine Kompaktkamera
– *vertical process camera, a compact
camera*
33 der Kamerakasten
– *camera body*
34 die Mattscheibe
– *focusing screen
(ground glass screen)*
35 der Vakuumdeckel
– *vacuum back*
36 die Bedienungstafel
– *control panel*
37 die Vorbelichtungslampe
– *flash lamp*
38 die Spiegeleinrichtung für
seitenrichtige Aufnahmen *f*
– *mirror for right-reading images*
39 der Scanner
(das Farbkorrekturgerät)
– *scanner (colour, Am. color, correction
unit)*
40 das Untergestell
– *base frame*
41 der Lampenraum
– *lamp compartment*
42 das Xenonlampengehäuse
– *xenon lamp housing*
43 die Vorschubmotoren *m*
– *feed motors*
44 der Diaarm
– *transparency arm*
45 die Abtastwalze
– *scanning drum*
46 der Abtastkopf
– *scanning head*
47 der Maskenabtastkopf
– *mask-scanning head*
48 die Maskenwalze
– *mask drum*
49 der Schreibraum
– *recording space*
50 die Tageslichtkassette
– *daylight cassette*
51 der Farbrechner mit Steuersatz *m*
und selektiver Farbkorrektur *f*
– *colour (Am. color) computer with
control unit and selective colour
correction*
52 das Klischiergerät
– *engraving machine*
53 die Nahtausblendung
– *seamless engraving adjustment*
54 die Antriebskupplung
– *drive clutch*
55 der Kupplungsflansch
– *clutch flange*
56 der Antriebsturm
– *drive unit*
57 das Maschinenbett
– *machine bed*
58 der Geräteträger
– *equipment carrier*
59 der Bettschlitten
– *bed slide*
60 das Bedienungsfeld
– *control panel*

61 der Lagerbock
– *bearing block*
62 der Reitstock
– *tailstock*
63 der Abtastkopf
– *scanning head*
64 der Vorlagenzylinder
– *copy cylinder*
65 das Mittellager
– *centre (Am. center) bearing*
66 das Graviersystem
– *engraving system*
67 der Druckzylinder
– *printing cylinder*
68 der Zylinderausleger
– *cylinder arm*
69 der Anbauschrank
– *electronics (electronic) cabinet*
70 die Recheneinheiten *f*
– *computers*
71 der Programmeinschub
– *program input*
72 der automatische Filmentwickler für
Scannerfilme *m*
– *automatic film processor for scanner
films*

1-6 der galvanische Betrieb
- *electrotyping plant*
1 die Spülwanne
- *cleaning tank*
2 der Gleichrichter
- *rectifier*
3 das Meß- und Regelgerät
- *measuring and control unit*
4 das Galvanisierbecken
- *electroplating tank (electroplating bath, electroplating vat)*
5 die Anodenstange (mit Kupferanoden *f*)
- *anode rod (with copper anodes)*
6 die Warenstange (Kathode)
- *plate rod (cathode)*
7 die hydraulische Matrizenprägepresse
- *hydraulic moulding* (Am. *molding*) *press*
8 das Manometer
- *pressure gauge* (Am. *gage*) *(manometer)*
9 der Prägetisch
- *apron*
10 der Zylinderfuß
- *round base*
11 die hydraulische Preßpumpe
- *hydraulic pressure pump*
12 der Antriebsmotor
- *drive motor*
13 das Rundplattengießwerk
- *curved plate casting machine (curved electrotype casting machine)*
14 der Motor
- *motor*
15 die Antriebsknöpfe
- *control knobs*

16 das Pyrometer
- *pyrometer*
17 der Gießmund
- *mouth piece*
18 der Gießkern
- *core*
19 der Schmelzofen
- *melting furnace*
20 die Einschaltung
- *starting lever*
21 die gegossene Rundplatte für den Rotationsdruck
- *cast curved plate (cast curved electrotype) for rotary printing*
22 die feststehende Gießschale
- *fixed mould (Am. mold)*
23 die Klischeeätzmaschine
- *etching machine*
24 der Ätztrog mit der Ätzflüssigkeit und dem Flankenschutzmittel *n*
- *etching tank with etching solution (etchant, mordant) and filming agent (film former)*
25 die Schaufelwalzen *f*
- *paddles*
26 der Rotorteller
- *turntable*
27 die Plattenhalterung
- *plate clamp*
28 der Antriebsmotor
- *drive motor*
29 das Steueraggregat
- *control unit*
30 die Zwillingsätzmaschine
- *twin etching machine*
31 der Ätztrog [im Schnitt]
- *etching tank (etching bath) [in section]*

32 die kopierte Zinkplatte
- *photoprinted zinc plate*
33 das Schaufelrad
- *paddle*
34 der Abflußhahn
- *outlet cock (drain cock, Am. faucet)*
35 der Plattenständer
- *plate rack*
36 die Schaltung
- *control switches*
37 der Trogdeckel
- *lid*
38 die Autotypie, ein Klischee *n*
- *halftone photoengraving (halftone block, halftone plate), a block (plate, printing plate)*
39 der Rasterpunkt, ein Druckelement
- *dot (halftone dot), a printing element*
40 die geätzte Zinkplatte
- *etched zinc plate*
41 der Klischeefuß (das Klischeeholz)
- *block mount (block mounting, plate mount, plate mounting)*
42 die Strichätzung
- *line block (line engraving, line etching, line plate, line cut)*
43 die nichtdruckenden, tiefgeätzten Teile *m* od. *n*
- *non-printing, deep-etched areas*
44 die Klischeefacette
- *flange (bevel edge)*
45 die Ätzflanke (Flanke)
- *sidewall*

1 die Plattenschleuder
  (Plattenzentrifuge) zum
  Beschichten *n* der Offsetplatten *f*
– *plate whirler (whirler, plate-coating
  machine) for coating offset plates*
2 der Schiebedeckel
– *sliding lid*
3 die Elektroheizung
– *electric heater*
4 das Rundthermometer
– *temperature gauge* (Am. *gage*)
5 der Wasserspülanschluß
– *water connection for the spray unit*
6 die Umlaufspülung
– *spray unit*
7 die Handbrause
– *hand spray*
8 die Plattenhaltestangen *f*
– *plate clamps*
9 die Zinkplatte (*auch:* Magnesium-,
  Kupferplatte)
– *zinc plate (*also: *magnesium plate,
  copper plate)*
10 das Schaltpult
– *control panel*
11 der Antriebsmotor
– *drive motor*
12 der Bremsfußhebel
– *brake pedal*
13 der pneumatische Kopierrahmen
– *vacuum printing frame (vacuum
  frame, printing-down frame)*
14 das Kopierrahmenuntergestell
– *base of the vacuum printing frame
  (vacuum frame, printing-down
  frame)*

15 das Rahmenoberteil mit der
  Spiegelglasscheibe
– *plate glass frame*
16 die beschichtete Offsetplatte
– *coated offset plate*
17 die Schalttafel
– *control panel*
18 die Belichtungszeiteinstellung
– *exposure timer*
19 die Schalter *m* für die
  Vakuumherstellung
– *vacuum pump switches*
20 das Gestänge
– *support*
21 die Punktlichtkopierlampe, eine
  Metallhalogenlampe
– *point light exposure lamp, a
  quartz-halogen lamp*
22 das Lampengebläse
– *fan blower*
23 der Montagetisch, für die
  Filmmontage
– *stripping table (make-up table) for
  stripping films*
24 die Kristallglasscheibe
– *crystal glass screen*
25 der Beleuchtungskasten
– *light box*
26 die Linealeinrichtung
– *straightedge rules*
27 die Vertikaltrockenschleuder
– *vertical plate-drying cabinet*
28 der Feuchtigkeitsmesser
– *hygrometer*
29 die Geschwindigkeitsregulierung
– *speed control*

30 der Bremsfußhebel
– *brake pedal*
31 die Entwicklungsmaschine für
  vorbeschichtete Platten *f*
– *processing machine for presensitized
  plates*
32 der Brennofen (Einbrennofen) für
  Heißemail-(Diazo-)platten *f*
– *burning-in oven for glue-enamel plates
  (diazo plates)*
33 der Schaltkasten
– *control box (control unit)*
34 die Diazoplatte
– *diazo plate*

1   die Vierfarben-Rollenoffsetmaschine
–   *four-colour (Am. four-color) rotary*
    offset press (rotary offset machine,
    web-offset press)
2   die unbedruckte Papierrolle
–   *roll of unprinted paper (blank paper)*
3   der Rollenstern (Einhänge-
    vorrichtung *f* für die unbedruckte
    Papierrolle)
–   *reel stand (carrier for the roll of*
    unprinted paper)
4   die Papiertransportwalzen *f*
–   *forwarding rolls*
5   die Bahnkantensteuerung
–   *side margin control (margin control,*
    side control, side lay control)
6-13 die Farbwerke *n*
–   *inking units (inker units)*
6, 8, 10, 12 die Farbwerke *n* im oberen
    Druckwerk *n*
–   *inking units (inker units) in the upper*
    printing unit
6 *u.* 7 das Gelb-Doppeldruckwerk
–   *perfecting unit (double unit) for yellow*
7, 9, 11, 13 die Farbwerke *n* im
    unteren Druckwerk *n*
–   *inking units (inker units) in the lower*
    printing unit
8 *u.* 9 das Cyan-Doppeldruckwerk
–   *perfecting unit (double unit) for cyan*
10 *u.* 11 das Magenta-Doppeldruckwerk
–   *perfecting unit (double unit) for*
    magenta
12 *u.* 13 das Schwarz-Doppeldruckwerk
–   *perfecting unit (double unit) for black*
14 der Trockenofen
–   *drier*
15 der Falzapparat
–   *folder (folder unit)*
16 das Schaltpult
–   *control desk*
17 der Druckbogen
–   *sheet*
18 die Vierfarben-Rollenoffsetmaschine
    [Schema]
–   *four-colour (Am. four-color) rotary*
    offset press (rotary offset machine,
    web-offset press) [diagram]
19 der Rollenstern
–   *reel stand*
20 die Bahnkantensteuerung
–   *side margin control (margin control,*
    side control, side lay control)
21 die Farbwalzen *f*
–   *inking rollers (ink rollers, inkers)*
22 der Farbkasten
–   *ink duct (ink fountain)*
23 die Feuchtwalzen *f*
–   *damping rollers (dampening rollers,*
    dampers, dampeners)
24 der Gummizylinder
–   *blanket cylinder*
25 der Plattenzylinder (Druckträger)
–   *plate cylinder*
26 die Papierlaufbahn
–   *route of the paper (of the web)*
27 der Trockenofen
–   *drier*
28 die Kühlwalzen *f*
–   *chilling rolls (cooling rollers, chill*
    rollers)
29 der Falzapparat
–   *folder (folder unit)*

30 die Vierfarben-Bogenoffsetmaschine
    [Schema]
–   *four-colour (Am. four-color) sheet-fed*
    offset machine (offset press)
    [diagram]
31 der Bogenanleger
–   *sheet feeder (feeder)*
32 der Anlagetisch
–   *feed table (feed board)*
33 der Bogenlauf über Vorgreifer *m* zur
    Anlegetrommel
–   *route of the sheets through swing-*
    grippers to the feed drum
34 die Anlegetrommel
–   *feed drum*
35 der Druckzylinder
–   *impression cylinder*
36 die Übergabetrommeln *f*
–   *transfer drums (transfer cylinders)*
37 der Gummizylinder
–   *blanket cylinder*
38 der Plattenzylinder
–   *plate cylinder*
39 das Feuchtwerk
–   *damping unit (dampening unit)*
40 das Farbwerk
–   *inking unit (inker unit)*
41 das Druckwerk
–   *printing unit*
42 die Auslegetrommel
–   *delivery cylinder*
43 die Kettenauslage
–   *chain delivery*
44 die Bogenablage
–   *delivery pile*
45 der Bogenausleger
–   *delivery unit (delivery mechanism)*
46 die Einfarben-Offsetmaschine
    (Offsetmaschine)
–   *single-colour (Am. single-color) offset*
    press (offset machine)
47 der Papierstapel (das Druckpapier)
–   *pile of paper (sheets, printing paper)*
48 der Bogenanleger, ein automatischer
    Stapelanleger *m*
–   *sheet feeder (feeder), an automatic*
    pile feeder
49 der Anlagetisch
–   *feed table (feed board)*
50 die Farbwalzen *f*
–   *inking rollers (ink rollers, inkers)*
51 das Farbwerk
–   *inking unit (inker unit)*
52 die Feuchtwalzen *f*
–   *damping rollers (dampening rollers,*
    dampers, dampeners)
53 der Plattenzylinder (Druckträger),
    eine Zinkplatte
–   *plate cylinder, a zinc plate*
54 der Gummizylinder, ein Stahl-
    zylinder *m* mit Gummidrucktuch *n*
–   *blanket cylinder, a steel cylinder with*
    rubber blanket
55 der Stapelausleger für die bedruckten
    Bogen *m*
–   *pile delivery unit for the printed*
    sheets
56 der Greiferwagen, ein Ketten-
    greifer *m*
–   *gripper bar, a chain gripper*
57 der Papierstapel (mit bedrucktem
    Papier)
–   *pile of printed paper (printed sheets)*

58 das Schutzblech für den
    Keilriemenantrieb *m*
–   *guard for the V-belt (vee-belt) drive*
59 die Einfarben-Offsetmaschine
    [Schema]
–   *single-colour (Am. single-color) offset*
    press (offset machine) [diagram]
60 das Farbwerk mit den Farbwalzen *f*
–   *inking unit (inker unit) with inking*
    rollers (ink rollers, inkers)
61 das Feuchtwerk mit den Feucht-
    walzen *f*
–   *damping unit (dampening unit) with*
    damping rollers (dampening rollers,
    dampers, dampeners)
62 der Plattenzylinder
–   *plate cylinder*
63 der Gummizylinder
–   *blanket cylinder*
64 der Druckzylinder
–   *impression cylinder*
65 die Auslagetrommel mit dem
    Greifersystem *n*
–   *delivery cylinders with grippers*
66 die Antriebsscheibe
–   *drive wheel*
67 der Bogenzuführungstisch
–   *feed table (feed board)*
68 der Bogenanlegeapparat
–   *sheet feeder (feeder)*
69 der Papierstapel (mit unbedrucktem
    Papier)
–   *pile of unprinted paper (blank paper,*
    unprinted sheets, blank sheets)
70 der Kleinoffset-Stapeldrucker
–   *small sheet-fed offset press*
71 das Farbwerk
–   *inking unit (inker unit)*
72 der Sauganleger
–   *suction feeder*
73 die Stapelanlage
–   *pile feeder*
74 das Armaturenbrett (Schaltbrett)
    mit Zähler *m*, Manometer *n*, Luft-
    regler *m* und Schalter *m* für die
    Papierzuführung
–   *instrument panel (control panel) with*
    counter, pressure gauge (Am. gage),
    air regulator, and control switch for
    the sheet feeder (feeder)
75 die Flachoffsetmaschine (Mailänder
    Andruckpresse)
–   *flat-bed offset press (offset machine)*
    ('Mailänder' proofing press, proof
    press)
76 das Farbwerk
–   *inking unit (inker unit)*
77 die Farbwalzen *f*
–   *inking rollers (ink rollers, inkers)*
78 das Druckfundament
–   *bed (press bed, type bed, forme bed,*
    Am. form bed)
79 der Zylinder mit Gummidrucktuch *n*
–   *cylinder with rubber blanket*
80 der Hebel, für das An- und Abstellen
    des Druckwerkes *n*
–   *starting and stopping lever for the*
    printing unit
81 die Druckeinstellung
–   *impression-setting wheel*
    (impression-adjusting wheel)

181 Buchdruck

1-65 Maschinen *f* **der Buchdruckerei**
- *presses (machines) for letterpress printing (letterpress printing machines)*
1 die Zweitouren-Schnellpresse
- *two-revolution flat-bed cylinder press*
2 der Druckzylinder
- *impression cylinder*
3 der Hebel zur Zylinderhebung und -senkung
- *lever for raising or lowering the cylinder*
4 der Anlagetisch
- *feed table (feed board)*
5 der automatische Bogenanleger [mit Saug- und Druckluft *f* betätigt]
- *automatic sheet feeder (feeder) [operated by vacuum and air blasts]*
6 die Luftpumpe, für Bogenan- und -ablage *f*
- *air pump for the feeder and delivery*
7 das Zylinderfarbwerk, mit Verreib- und Auftrag[s]walzen *f*
- *inking unit (inker unit) with distributing rollers (distributor rollers, distributors) and forme rollers (Am. form rollers)*
8 das Tischfarbwerk
- *ink slab (ink plate) inking unit (inker unit)*
9 der Papierablagestapel, für bedrucktes Papier *n*
- *delivery pile for printed paper*
10 der Spritzapparat, zum Bestäuben *n* der Drucke *m*
- *sprayer (anti set-off apparatus, anti set-off spray) for dusting the printed sheets*
11 die Einschießvorrichtung
- *interleaving device*
12 das Pedal, zur Druckan- und -abstellung
- *foot pedal for starting and stopping the press*
13 die Tiegeldruckpresse [Schnitt]
- *platen press (platen machine, platen) [in section]*
14 die Papieran- und -ablage
- *paper feed and delivery (paper feeding and delivery unit)*
15 der Drucktiegel
- *platen*
16 der Kniehebelantrieb
- *toggle action (toggle-joint action)*
17 das Schriftfundament
- *bed (type bed, press bed, forme bed, Am. form bed)*
18 die Farbauftrag[s]walzen *f*
- *forme rollers (Am. form rollers) (forme-inking, Am. form-inking, rollers)*
19 das Farbwerk, zum Verreiben *n* der Druckfarbe
- *inking unit (inker unit) for distributing the ink (printing ink)*

20 die Stoppzylinderpresse (Halt-zylinderpresse)
- *stop-cylinder press (stop-cylinder machine)*
21 der Anlagetisch
- *feed table (feed board)*
22 der Anlageapparat
- *feeder mechanism (feeding apparatus, feeder)*
23 der Papierstapel (mit unbedrucktem Papier)
- *pile of unprinted paper (blank paper, unprinted sheets, blank sheets)*
24 das Schutzgitter, für die Papieranlage
- *guard for the sheet feeder (feeder)*
25 der Papierstapel (mit bedrucktem Papier)
- *pile of printed paper (printed sheets)*
26 der Schaltmechanismus
- *control mechanism*
27 die Farbauftrag[s]walzen *f*
- *forme rollers (Am. form rollers) (forme-inking, Am. form-inking, rollers)*
28 das Farbwerk
- *inking unit (inker unit)*
29 die Tiegeldruckpresse [Heidelberger]
- *[Heidelberg] platen press (platen machine, platen)*
30 der Anlagetisch, mit dem unbedruckten Papier *n*
- *feed table (feed board) with pile of unprinted paper (blank paper, unprinted sheets, blank sheets)*
31 der Ablagetisch
- *delivery table*
32 der Druckansteller und Druck-absteller
- *starting and stopping lever*
33 der Ablagebläser
- *delivery blower*
34 die Spritzpistole
- *spray gun (sprayer)*
35 die Luftpumpe, für Saug- und Blasluft *f*
- *air pump for vacuum and air blasts*
36 die geschlossene Form (Satzform)
- *locked-up forme (Am. form)*
37 der Satz
- *type (type matter, matter)*
38 der Schließrahmen
- *chase*
39 das Schließzeug
- *quoin*
40 der Steg
- *length of furniture*
41 die Hochdruck-Rotationsmaschine für Zeitungen *f* bis 16 Seiten *f*
- *rotary letterpress press (rotary letterpress machine, web-fed letterpress machine) for newspapers of up to 16 pages*
42 die Schneidrollen *f*, zum Längs-schneiden *n* der Papierbahn
- *slitters for dividing the width of the web*

43 die Papierbahn
- *web*
44 der Druckzylinder
- *impression cylinder*
45 die Pendelwalze
- *jockey roller (compensating roller, compensator, tension roller)*
46 die Papierrolle
- *roll of paper*
47 die automatische Papierrollenbremse
- *automatic brake*
48 das Schöndruckwerk
- *first printing unit*
49 das Widerdruckwerk
- *perfecting unit*
50 das Farbwerk
- *inking unit (inker unit)*
51 der Formzylinder
- *plate cylinder*
52 das Buntdruckwerk
- *second printing unit*
53 der Falztrichter
- *former*
54 das (der) Tachometer, mit Bogenzähler *m*
- *tachometer with sheet counter*
55 der Falzapparat
- *folder (folder unit)*
56 die gefaltete Zeitung
- *folded newspaper*
57 das Farbwerk für die Rotations-maschine [Schnitt]
- *inking unit (inker unit) for the rotary press (web-fed press) [in section]*
58 die Papierbahn
- *web*
59 der Druckzylinder
- *impression cylinder*
60 der Plattenzylinder
- *plate cylinder*
61 die Farbauftrag[s]walzen *f*
- *forme rollers (Am. form rollers) (forme-inking, Am. form-inking, rollers)*
62 der Farbverreibzylinder
- *distributing rollers (distributor rollers, distributors)*
63 die Farbhebewalze
- *lifter roller (ductor, ductor roller)*
64 die Duktorwalze
- *duct roller (fountain roller, ink fountain roller)*
65 der Farbkasten
- *ink duct (ink fountain)*

1 die Belichtung des Pigmentpapiers *n*
– *exposure of the carbon tissue (pigment paper)*
2 der Vakuumrahmen
– *vacuum frame*
3 die Belichtungslampe, eine Metall-halogen-Flächenleuchte
– *exposing lamp, a bank of quartz-halogen lamps*
4 die Punktlichtlampe
– *point source lamp*
5 der Wärmekamin
– *heat extractor*
6 die Pigmentpapierübertragungs-maschine
– *carbon tissue transfer machine (laydown machine, laying machine)*
7 der polierte Kupferzylinder
– *polished copper cylinder*
8 die Gummiwalze zum Andrücken *n* des kopierten Pigmentpapiers *n*
– *rubber roller for pressing on the printed carbon tissue (pigment paper)*
9 die Walzenentwicklungsmaschine
– *cylinder-processing machine*
10 die mit Pigmentpapier *n* beschichtete Tiefdruckwalze
– *gravure cylinder coated with carbon tissue (pigment paper)*
11 die Entwicklungswanne
– *developing tank*
12 die Walzenkorrektur
– *staging*
13 die entwickelte Walze
– *developed cylinder*
14 der Retuscheur beim Abdecken *n*
– *retoucher painting out (stopping out)*
15 die Ätzmaschine
– *etching machine*
16 der Ätztrog mit der Ätzflüssigkeit
– *etching tank with etching solution (etchant, mordant)*
17 die kopierte Tiefdruckwalze
– *printed gravure cylinder*
18 der Tiefdruckätzer
– *gravure etcher*
19 die Rechenscheibe
– *calculator dial*
20 die Kontrolluhr
– *timer*
21 die Ätzkorrektur
– *revising (correcting) the cylinder*
22 der geätzte Tiefdruckzylinder
– *etched gravure cylinder*
23 die Korrekturleiste
– *ledge*
24 die Mehrfarben-Rollentiefdruck-maschine
– *multicolour (Am. multicolor) rotogravure press*
25 das Abzugsrohr für Lösungsmittel-dämpfe *m*
– *exhaust pipe for solvent fumes*
26 das umsteuerbare Druckwerk
– *reversible printing unit*
27 der Falzapparat
– *folder (folder unit)*

28 das Bedienungs- und Steuerpult
– *control desk*
29 die Zeitungsaustragvorrichtung
– *newspaper delivery unit*
30 das Förderband
– *conveyor belt (conveyor)*
31 der abgepackte Zeitungsstapel
– *bundled stack of newspapers*

1-35 die Handbuchbinderei
- *hand bookbindery (hand bindery)*
1 das Vergolden des Buchrückens *m* (die Rückenvergoldung)
- *gilding the spine of the book*
2 der Goldschnittmacher, ein Buchbinder *m*
- *gold finisher (gilder), a bookbinder*
3 die Filete (Philete)
- *fillet*
4 der Spannrahmen
- *holding press (finishing press)*
5 das Blattgold
- *gold leaf*
6 das Goldkissen
- *gold cushion*
7 das Goldmesser
- *gold knife*
8 das Heften
- *sewing (stitching)*
9 die Heftlade
- *sewing frame*
10 die Heftschnur
- *sewing cord*
11 der (das) Garnknäuel
- *ball of thread (sewing thread)*
12 die Heftlage
- *section (signature)*

13 das Buchbindermesser (der Kneif)
- *bookbinder's knife*
14 die Rückenleimung
- *gluing the spine*
15 der Leimkessel
- *glue pot*
16 die Pappschere
- *board cutter (guillotine)*
17 die Anlegeeinrichtung
- *back gauge (Am. gage)*
18 die Preßeinrichtung, mit Fußtritthebel *m*
- *clamp with foot pedal*
19 das Obermesser
- *cutting blade*
20 die Stockpresse, eine Glätt- u. Packpresse
- *standing press, a nipping press*
21 das Kopfstück
- *head piece (head beam)*
22 die Spindel
- *spindle*
23 das Schlagrad
- *handwheel*
24 die Preßplatte
- *platen*
25 das Fußstück
- *bed (base)*

26 die Vergolde- und Prägepresse, eine Handhebelpresse; ähnl.: Kniehebelpresse
- *gilding (gold blocking) and embossing press, a hand-lever press; sim.: toggle-joint press (toggle-lever press)*
27 der Heizkasten
- *heating box*
28 die ausschiebbare Aushängeplatte
- *sliding plate*
29 der Prägetiegel
- *embossing platen*
30 das Kniehebelsystem
- *toggle action (toggle-joint action)*
31 der Handhebel
- *hand lever*
32 das auf Gaze *f* geheftete Buch (der Buchblock)
- *book sewn on gauze (mull, scrim) (book block)*
33 die Heftgaze
- *gauze (mull, scrim)*
34 die Heftung
- *sewing (stitching)*
35 das Kapitalband (Kaptalband)
- *headband*

1-23 **Buchbindereimaschinen** *f*
- *bookbinding machines*
1 **der Klebebinder** (die Klebemaschine)
    für Kleinauflagen *f*
- *adhesive binder (perfect binder) for*
    short runs
2 die Handeinlegestation
- *manual feed station*
3 die Fräs- und Aufrauhstation
- *cutoff knife and roughing station*
4 das Leimwerk
- *gluing mechanism*
5 die Kastenauslage
- *delivery (book delivery)*
6 **die Buchdeckenmaschine**
- *case maker (case-making machine)*
7 die Magazine *n* für Pappdeckel *m*
- *board feed hoppers*
8 die Pappenzieher *m*
- *pick-up suckers*
9 der Leimkasten
- *glue tank*
10 der Nutzenzylinder
- *cover cylinder*
11 der Saugarm
- *picker head*
12 der Stapelplatz für Überzugnutzen *n*
    [Leinen *n*, Papier *n*, Leder *n*]
- *feed table for covering materials*
    [linen, paper, leather]

13 die Preßeinrichtung
- *pressing mechanism*
14 der Ablegetisch
- *delivery table*
15 **der Sammelhefter** (die Sammeldraht-
    heftmaschine)
- *gang stitcher (gathering and*
    wire-stitching machine, gatherer and
    wire stitcher)
16 der Bogenanleger
- *sheet feeder (sheet-feeding station)*
17 der Falzanleger
- *folder-feeding station*
18 die Heftdrahtabspulvorrichtung
- *stitching wire feed mechanism*
19 der Ausleger
- *delivery table*
20 **die Kreispappschere**
- *rotary board cutter (rotary*
    board-cutting machine)
21 der Anlegetisch, mit Aussparung *f*
- *feed table with cut-out section*
22 das Kreismesser
- *rotary cutter*
23 das Einführlineal
- *feed guide*

1-35 Buchbindereimaschinen *f*
- *bookbinding machines*
1 der Papierschneideautomat
- *guillotine (guillotine cutter, automatic guillotine cutter)*
2 das Schaltpult
- *control panel*
3 der Preßbalken
- *clamp*
4 der Vorschubsattel
- *back gauge (Am. gage)*
5 die Preßdruckskala
- *calibrated pressure adjustment [to clamp]*
6 die optische Maßanzeige
- *illuminated cutting scale*
7 die Einhandbedienung für den Sattel
- *single-hand control for the back gauge (Am. gage)*
8 die kombinierte Stauch- u. Messer-falzmaschine
- *combined buckle and knife folding machine (combined buckle and knife folder)*
9 der Bogenzuführtisch
- *feed table (feed board)*
10 die Falztaschen *f*
- *fold plates*
11 der Bogenanschlag, zur Bildung der Stauchfalte
- *stop for making the buckle fold*
12 die Kreuzbruchfalzmesser *n*
- *cross fold knives*
13 der Gurtausleger, für Parallel-falzungen *f*
- *belt delivery for parallel-folded signatures*
14 das Dreibruchfalzwerk
- *third cross fold unit*
15 die Dreibruchauslage
- *delivery tray for cross-folded signatures*
16 die Fadenheftmaschine
- *sewing machine (book-sewing machine)*
17 der Spulenhalter
- *spool holder*
18 der Fadenkops (die Fadenspule)
- *thread cop (thread spool)*
19 der Gazerollenhalter
- *gauze roll holder (mull roll holder, scrim roll holder)*
20 die Gaze (Heftgaze)
- *gauze (mull, scrim)*
21 die Körper *m* mit den Heftnadeln *f*
- *needle cylinders with sewing needles*
22 der geheftete Buchblock
- *sewn book*
23 die Auslage
- *delivery*
24 der schwingende Heftsattel
- *reciprocating saddle*
25 der Anleger (Bogenanleger)
- *sheet feeder (feeder)*
26 das Anlegermagazin
- *feed hopper*

27 die Bucheinhängemaschine
- *casing-in machine*
28 der Falzleimapparat
- *joint and side pasting attachment*
29 das Schwert
- *blade*
30 die Vorwärmheizung
- *preheater unit*
31 die Anleimmaschine, für Voll-, Fasson-, Rand- und Streifen-beleimung *f*
- *gluing machine for whole-surface, stencil, edge, and strip gluing*
32 der Leimkessel
- *glue tank*
33 die Leimwalze
- *glue roller*
34 der Einfuhrtisch
- *feed table*
35 die Abtransportvorrichtung
- *delivery*
36 **das Buch**
- **book**
37 der Schutzumschlag, ein Werbe-umschlag *m*
- *dust jacket (dust cover, book jacket, wrapper), a publisher's wrapper*
38 die Umschlagklappe
- *jacket flap*
39 der Klappentext (Waschzettel)
- *blurb*
40-42 der Bucheinband (Einband)
- *binding*
40 die Einbanddecke (Buchdecke, der Buchdeckel)
- *cover (book cover, case)*
41 der Buchrücken
- *spine (backbone, back)*
42 das Kapitalband
- *tailband (footband)*
43-47 die Titelei
- *preliminary matter (prelims, front matter)*
43 das Schmutztitelblatt
- *half-title*
44 der Schmutztitel (Vortitel)
- *half-title (bastard title, fly title)*
45 das Titelblatt (Haupttitelblatt, die Titelseite, der Innentitel)
- *title page*
46 der Haupttitel
- *full title (main title)*
47 der Untertitel
- *subtitle*
48 das Verlagssignet (Signet, Verlags-zeichen, Verlegerzeichen)
- *publisher's imprint (imprint)*
49 das Vorsatzpapier (der *od.* das Vorsatz)
- *fly leaf (endpaper, endleaf)*
50 die handschriftliche Widmung
- *handwritten dedication*
51 das Exlibris (Bucheignerzeichen)
- *bookplate (ex libris)*
52 das aufgeschlagene Buch
- *open book*

53 die Buchseite (Seite)
- *page*
54 der Falz
- *fold*
55-58 der Papierrand
- *margin*
55 der Bundsteg
- *back margin (inside margin, gutter)*
56 der Kopfsteg
- *head margin (upper margin)*
57 der Außensteg
- *fore edge margin (outside margin, fore edge)*
58 der Fußsteg
- *tail margin (foot margin, tail, foot)*
59 der Satzspiegel
- *type area*
60 die Kapitelüberschrift
- *chapter heading*
61 das Sternchen
- *asterisk*
62 die Fußnote, eine Anmerkung
- *footnote, a note*
63 die Seitenziffer
- *page number*
64 der zweispaltige Satz
- *double-column page*
65 die Spalte (Kolumne)
- *column*
66 der Kolumnentitel
- *running title (running head)*
67 der Zwischentitel
- *caption*
68 die Marginalie (Randbemerkung)
- *marginal note (side note)*
69 die Bogennorm (Norm)
- *signature (signature code)*
70 das feste Lesezeichen
- *attached bookmark (attached bookmarker)*
71 das lose Lesezeichen
- *loose bookmark (loose bookmarker)*

1-54 Wagen *m* (Fahrzeuge *n*,
Gefährte, Fuhrwerke)
- *carriages (horse-drawn vehicles)*
1-3, 26-39, 45, 51-54 Kutschen *f*
(Kutschwagen *m*)
- *carriages and coaches (coach
wagons)*
1 die Berline
- *berlin*
2 der (das) Break
- *wagonette; larger: brake (break)*
3 das Coupé (Kupee)
- *coupé; sim.: brougham*
4 das Vorderrad
- *front wheel*
5 der Wagenkasten
- *coach body*
6 das Spritzbrett
- *dashboard (splashboard)*
7 die Fußstütze
- *footboard*
8 der Kutschbock (Bock, Bocksitz,
Kutschersitz)
- *coach box (box, coachman's seat,
driver's seat)*
9 die Laterne
- *lamp (lantern)*
10 das Fenster
- *window*
11 die Tür (der Wagenschlag,
Kutschenschlag)
- *door (coach door)*
12 der Türgriff (Griff)
- *door handle (handle)*
13 der Fußtritt (Tritt)
- *footboard (carriage step, coach step,
step, footpiece)*
14 das feste Verdeck
- *fixed top*
15 die Feder
- *spring*
16 die Bremse (der Bremsklotz)
- *brake (brake block)*
17 das Hinterrad
- *back wheel (rear wheel)*
18 der Dogcart, ein Einspänner *m*
- *dogcart, a one-horse carriage*
19 die Deichsel
- *shafts (thills, poles)*
20 der Lakai (Diener)
- *lackey (lacquey, footman)*
21 der Dieneranzug (die Livree)
- *livery*
22 der Tressenkragen (betreßte Kragen)
- *braided (gallooned) collar*
23 der Tressenrock (betreßte Rock)
- *braided (gallooned) coat*
24 der Tressenärmel (betreßte Ärmel)
- *braided (gallooned) sleeve*
25 der hohe Hut (Zylinderhut)
- *top hat*
26 die Droschke (Pferdedroschke, der
Fiaker, die Lohnkutsche, der Mietwagen)
- *hackney carriage (hackney coach,
cab, growler, Am. hack)*
27 der Stallknecht (Groom)
- *stableman (groom)*

28 das Kutschpferd (Deichselpferd)
- *coach horse (carriage horse, cab horse,
thill horse, thiller)*
29 der Hansom (das Hansomcab), ein
Kabriolett *n*, ein Einspänner *m*
- *hansom cab (hansom), a cabriolet, a
one-horse chaise (one-horse carriage)*
30 die Gabeldeichsel (Deichsel, Gabel,
Schere)
- *shafts (thills, poles)*
31 der Zügel
- *reins (rein, Am. line)*
32 der Kutscher, mit Havelock *m*
- *coachman (driver) with inverness*
33 der Kremser, ein Gesellschafts-
wagen *m*
- *covered char-a-banc (brake, break),
a pleasure vehicle*
34 das Cab
- *gig (chaise)*
35 die Kalesche
- *barouche*
36 der Landauer, ein Zweispänner *m*;
ähnl.: das Landaulett
- *landau, a two-horse carriage; sim.:
landaulet, landaulette*
37 der Omnibus (Pferdeomnibus, Stell-
wagen)
- *omnibus (horse-drawn omnibus)*
38 der Phaeton (Phaethon)
- *phaeton*
39 die Postkutsche (der Postwagen, die
Diligence); zugleich: Reisewagen *m*
- *Continental stagecoach (mailcoach,
diligence); also: road coach*
40 der Postillion (Postillon, Post-
kutscher)
- *mailcoach driver*
41 das Posthorn
- *posthorn*
42 das Schutzdach
- *hood*
43 die Postpferde *n* (Relaispferde)
- *post horses (relay horses, relays)*
44 der Tilbury
- *tilbury*
45 die Troika (das russische Drei-
gespann)
- *troika (Russian three-horse carriage)*
46 das Stangenpferd
- *leader*
47 das Seitenpferd
- *wheeler (wheelhorse, pole horse)*
48 der englische Buggy
- *English buggy*
49 der amerikanische Buggy
- *American buggy*
50 das Tandem
- *tandem*
51 der Vis-à-vis-Wagen
- *vis-à-vis*
52 das Klappverdeck
- *collapsible hood (collapsible top)*
53 die Mailcoach (englische Postkutsche)
- *mailcoach (English stagecoach)*
54 die Chaise
- *covered (closed) chaise*

1 das Fahrrad (Rad, Zweirad, *schweiz.*
  Velo, Veloziped), ein Herrenfahr-
  rad *n*, ein Tourenrad *n*
– *bicycle (cycle,* coll. *bike,* Am. *wheel),*
  a gent's bicycle, a touring bicycle
  (touring cycle, roadster)
2 der Lenker (die Lenkstange), ein
  Tourenlenker *m*
– *handlebar (handlebars), a touring*
  cycle handlebar
3 der Handgriff (Griff)
– *handlebar grip (handgrip, grip)*
4 die Fahrradglocke (Fahrradklingel)
– *bicycle bell*
5 die Handbremse (Vorderradbremse,
  eine Felgenbremse)
– *hand brake (front brake, a rim brake)*
6 der Scheinwerferhalter
– *lamp bracket*
7 der Scheinwerfer (die Fahrradlampe)
– *headlamp (bicycle lamp)*
8 der Dynamo (die Lichtmaschine)
– *dynamo*
9 das Laufrädchen
– *pulley*
10-12 die Vorderradgabel
– *front forks*
10 der Gabelschaft (Lenkstangenschaft,
  das Gabelschaftrohr)
– *handlebar stem*
11 der Gabelkopf
– *steering head*
12 die Gabelscheiden *f*
– *fork blades (fork ends)*
13 das vordere Schutzblech
– *front mudguard* (Am. *front fender)*
14-20 der Fahrradrahmen (das Fahrrad-
  gestell)
– *bicycle frame*
14 das Steuerrohr (Steuerkopfrohr)
– *steering tube (fork column)*
15 das Markenschild
– *head badge*

16 das obere Rahmenrohr (Oberrohr,
  Scheitelrohr)
– *crossbar (top tube)*
17 das untere Rahmenrohr (Unterrohr)
– *down tube*
18 das Sattelstützrohr (Sitzrohr)
– *seat tube*
19 die oberen Hinterradstreben *f*
– *seat stays*
20 die unteren Hinterradstreben *f* (die
  Hinterradgabel)
– *chain stays*
21 der Kindersitz
– *child's seat (child carrier seat)*
22 der Fahrradsattel (Elastiksattel)
– *bicycle saddle*
23 die Sattelfedern *f*
– *saddle springs*
24 die Sattelstütze
– *seat pillar*
25 die Satteltasche (Werkzeugtasche)
– *tool bag*
26-32 das Rad (Vorderrad)
– *wheel (front wheel)*
26 die Nabe
– *hub*
27 die Speiche
– *spoke*
28 die Felge
– *rim (wheel rim)*
29 der Speichennippel
– *spoke nipple (spoke flange,*
  spoke end)
30 die Bereifung (der Reifen,
  Luftreifen, die Pneumatik, der
  Hochdruckreifen, Preßluftreifen);
  innen: der Schlauch (Luftschlauch),
  außen: der Mantel (Laufmantel,
  die Decke)
– *tyre* (Am. *tire) (pneumatic tyre,*
  high-pressure tyre); inside: *tube*
  (inner tube); outside: *tyre (outer*
  case, cover)

31 das Ventil, ein Schlauchventil *n*, mit
  Ventilschlauch *m* oder ein Patent-
  ventil *n* mit Kugel *f*
– *valve, a tube valve with valve tube or a*
  patent valve with ball
32 die Ventilklappe
– *valve sealing cap*
33 das Fahrradtachometer, mit Kilometerzähler *m*
– *bicycle speedometer with milometer*
34 der Fahrradkippständer
– *kick stand (prop stand)*
35-42 der Fahrradantrieb (Kettenantrieb)
– *bicycle drive (chain drive)*
35-39 der Kettentrieb
– *chain transmission*
35 das Kettenrad (das vordere Zahnrad)
– *chain wheel*
36 die Kette, eine Rollenkette
– *chain, a roller chain*
37 der Kettenschutz (das Kettenschutz-
  blech)
– *chain guard*
38 das hintere Kettenzahnrad (der
  Kettenzahnkranz, Zahnkranz)
– *sprocket wheel (sprocket)*
39 die Flügelmutter
– *wing nut (fly nut, butterfly nut)*
40 das Pedal
– *pedal*
41 die Tretkurbel
– *crank*
42 das Tretkurbellager (Tretlager)
– *bottom bracket bearing*
43 das hintere Schutzblech (der Kot-
  schützer)
– *rear mudguard* (Am. *rear fender)*
44 der Gepäckträger
– *luggage carrier (carrier)*
45 der Rückstrahler (*ugs.* das Katzen-
  auge)
– *reflector*

46 das elektr. Rücklicht
– rear light (rear lamp)
47 die Fußraste
– footrest
48 die Fahrradpumpe (Luftpumpe)
– bicycle pump
49 das Fahrradschloß, ein Speichen-
schloß n
– bicycle lock, a wheel lock
50 der Patentschlüssel
– patent key
51 die Fahrradnummer
(Fabriknummer,
Rahmennummer)
– cycle serial number (factory number,
frame number)
52 die Vorderradnabe
– front hub (front hub assembly)
53 die Mutter
– wheel nut
54 die Kontermutter, mit Stern-
prägung f
– locknut (locking nut)
55 die Nasenscheibe
– washer (slotted cone adjusting washer)
56 die Kugel
– ball bearing
57 die Staubkappe
– dust cap
58 der Konus
– cone (adjusting cone)
59 die Tülle
– centre (Am. center) hub
60 das Rohr
– spindle
61 die Achse
– axle
62 der Ölerklipp
– clip covering lubrication hole
(lubricator)

63 die Freilaufnabe, mit Rücktritt-
bremse f
– free-wheel hub with back-pedal brake
(with coaster brake)
64 die Sicherungsmutter
– safety nut
65 der Helmöler (Öler)
– lubricator
66 der Bremshebel
– brake arm
67 der Hebelkonus
– brake arm cone
68 der Kugelring, mit Kugeln f im
Kugellager n
– bearing cup with ball bearings in
ball race
69 die Nabenhülse
– hub shell (hub body,
hub barrel)
70 der Bremsmantel
– brake casing
71 der Bremskonus
– brake cone
72 der Walzenführungsring
– driver
73 die Antriebswalze
– driving barrel
74 der Zahnkranz
– sprocket
75 der Gewindekopf
– thread head
76 die Achse
– axle
77 die Bandage
– bracket
78 das Fahrradpedal (Pedal, Rück-
strahlpedal, Leuchtpedal,
Reflektorpedal)
– bicycle pedal (pedal, reflector
pedal)

79 die Tülle
– cup
80 das Pedalrohr
– spindle
81 die Pedalachse
– axle
82 die Staubkappe
– dust cap
83 der Pedalrahmen
– pedal frame
84 der Gummistift
– rubber stud
85 der Gummiblock
– rubber block (rubber tread)
86 das Rückstrahlglas
– glass reflector

1 das Klapprad
– *folding bicycle*
2 das Klappscharnier (*auch:* der
Steckverschluß)
– *hinge* (also: *locking lever*)
3 der höhenverstellbare Lenker
– *adjustable handlebar (handlebars)*
4 der höhenverstellbare Sattel
– *adjustable saddle*
5 die Lernstützräder *n*
– *stabilizers*
6 das Mofa
– *motor-assisted bicycle*
7 der Zweitaktmotor mit Fahrtwind-
kühlung *f*
– *air-cooled two-stroke engine*
8 die Teleskopgabel (Telegabel)
– *telescopic forks*
9 der Rohrrahmen
– *tubular frame*
10 der Treibstofftank
– *fuel tank (petrol tank, Am. gasoline
tank)*
11 der hochgezogene Lenker
– *semi-rise handlebars*
12 die Zweigangschaltung
– *two-speed gear-change (gearshift)*
13 der Formsitz
– *high-back polo saddle*
14 die Hinterradschwinge
– *swinging-arm rear fork*
15 der hochgezogene Auspuff
– *upswept exhaust*
16 der Wärmeschutz
– *heat shield*
17 die Antriebskette
– *drive chain*
18 der Sturzbügel
– *crash bar (roll bar)*
19 das (der) Tachometer (der Tacho)
– *speedometer* (coll. *speedo*)
20 das City-Bike (Akku-Bike, ein
Elektrofahrzeug *n*)
– *battery-powered moped, an
electrically-powered vehicle*
21 der Schwingsattel
– *swivel saddle*
22 der Akkubehälter
– *battery compartment*
23 der Drahtkorb
– *wire basket*
24 das Tourenmoped (Moped)
– *touring moped (moped)*
25 die Tretkurbel (der Tretantrieb, das
Startpedal)
– *pedal crank (pedal drive, starter
pedal)*
26 der Zweitakt-Einzylindermotor
– *single-cylinder two-stroke engine*
27 der Kerzenstecker
– *spark-plug cap*
28 der Treibstofftank (Gemischtank)
– *fuel tank (petrol tank, Am. gasoline
tank)*
29 die Mopedleuchte
– *moped headlamp (front lamp)*

30-35 die Lenkerarmaturen
– *handlebar fittings*
30 der Drehgasgriff (Gasgriff)
– *twist grip throttle control (throttle
twist grip)*
31 der Schaltdrehgriff (die Gangschaltung)
– *twist grip (gear-change, gearshift)*
32 der Kupplungshebel
– *clutch lever*
33 der Handbremshebel
– *hand brake lever*
34 das (*ugs.* der) Tachometer
(der Tacho)
– *speedometer* (coll. *speedo*)
35 der Rückspiegel
– *rear-view mirror (mirror)*
36 die Vorderrad-Trommelbremse
(Trommelbremse)
– *front wheel drum brake (drum
brake)*
37 die Bowdenzüge *m*
– *Bowden cables (brake cables)*
38 die Brems- und Rücklichteinheit
– *stop and tail light unit*
39 das Mokick
– *light motorcycle with kickstarter*
40 das Cockpit mit Tachometer *n* und
elektronischem Drehzahlmesser *m*
– *housing for instruments with
speedometer and electronic rev
counter (revolution counter)*
41 die Telegabel mit Faltenbalg *m*
– *telescopic shock absorber*
42 die Doppelsitzbank
– *twin seat*
43 der Kickstarter
– *kickstarter*
44 die Soziusfußraste, eine Fußraste
– *pillion footrest, a footrest*
45 der Sportlenker
– *handlebar (handlebars)*
46 der geschlossene Kettenkasten
– *chain guard*
47 der Motorroller
– *motor scooter (scooter)*
48 die abnehmbare Seitenschale
– *removable side panel*
49 der Rohrrahmen
– *tubular frame*
50 die Blechverkleidung
– *metal fairings*
51 die Raststütze
– *prop stand (stand)*
52 die Fußbremse
– *foot brake*
53 das Signalhorn
– *horn (hooter)*
54 der Haken für Handtasche *f* oder
Mappe *f*
– *hook for handbag or briefcase*
55 die Fußschaltung
– *foot gear-change control (foot
gearshift control)*
56 der High-riser
– *high-riser;* sim.: *Chopper*

57 der zweigeteilte Lenker
– *high-rise handlebar (handlebars)*
58 die imitierte Motorradgabel
– *imitation motorcycle fork*
59 der Banksattel (Bananensattel)
– *banana saddle*
60 der Chrombügel
– *chrome bracket*

1 das Kleinmotorrad (Kleinkraftrad)
[50 cm³]
- *lightweight motorcycle (light
motorcycle) [50 cc]*
2 der Kraftstofftank
- *fuel tank (petrol tank, Am. gasoline
tank)*
3 der fahrtwindgekühlte Einzylinder-
Viertaktmotor (mit obenliegender
Nockenwelle)
- *air-cooled single-cylinder four-stroke
engine (with overhead camshaft)*
4 der Vergaser
- *carburettor (Am. carburetor)*
5 das Ansaugrohr
- *intake pipe*
6 das Fünfganggetriebe
- *five-speed gearbox*
7 die Hinterradschwinge
- *swinging-arm rear fork*
8 das polizeiliche Kennzeichen
- *number plate (Am. license plate)*
9 das Rück- und Bremslicht
- *stop and tail light (rear light)*
10 der Scheinwerfer
- *headlight (headlamp)*
11 die vordere Trommelbremse
- *front drum brake*
12 das Bremsseil, ein Bowdenzug *m*
- *brake cable (brake line), a Bowden
cable*
13 die hintere Trommelbremse
- *rear drum brake*
14 die Sportsitzbank
- *racing-style twin seat*
15 der hochgezogene Auspuff
- *upswept exhaust*
16 die Geländemaschine [125 cm³] (das
Geländesportmotorrad, ein leichtes
Motorrad)
- *scrambling motorcycle (cross-country
motorcycle) [125 cc], a light
motorcycle*
17 der Doppelschleifenrahmen
- *lightweight cradle frame*
18 das Startnummernschild
- *number disc (disk)*
19 die Einmannsitzbank
- *solo seat*
20 die Kühlrippen *f*
- *cooling ribs*
21 der Motorradständer
- *motorcycle stand*
22 die Motorradkette
- *motorcycle chain*
23 die Teleskopfedergabel
- *telescopic shock absorber*
24 die Speichen *f*
- *spokes*
25 die Felge
- *rim (wheel rim)*
26 der Motorradreifen
- *motorcycle tyre (Am. tire)*
27 das Reifenprofil
- *tyre (Am. tire) tread*
28 der Gangschaltungshebel
- *gear-change lever (gearshift lever)*

29 der Gasdrehgriff
- *twist grip throttle control (throttle
twist grip)*
30 der Rückspiegel
- *rear-view mirror (mirror)*
31-58 schwere Motorräder *n*
- *heavy (heavyweight, large-capacity)
motorcycles*
31 das Schwerkraftrad mit wasser-
gekühltem Motor *m*
- *heavyweight motorcycle with
water-cooled engine*
32 die vordere Scheibenbremse
- *front disc (disk) brake*
33 der Scheibenbremssattel
- *disc (disk) brake calliper (caliper)*
34 die Steckachse
- *floating axle*
35 der Wasserkühler
- *water cooler*
36 der Treibstofftank
- *fuel tank (petrol tank, Am. gasoline
tank)*
37 das Blinklicht (der Richtungs-
anzeiger)
- *indicator (indicator light, turn
indicator light)*
38 der Kickstarter
- *kickstarter*
39 der wassergekühlte Motor
- *water-cooled engine*
40 der (das) Tachometer
- *speedometer*
41 der Drehzahlmesser
- *rev counter (revolution counter)*
42 das hintere Blinklicht
- *rear indicator (indicator light)*
43 die verkleidete schwere Maschine
[1000 cm³]
- *heavy (heavyweight, high-
performance) machine with fairing
[1000 cc]*
44 das Integral-Cockpit, eine integrierte
Verkleidung
- *integrated streamlining, an integrated
fairing*
45 die Blinkleuchte
- *indicator (indicator light, turn
indicator light)*
46 die Klarsichtscheibe
- *anti-mist windscreen (Am. windshield)*
47 der Zweizylinderboxermotor mit
Kardanantrieb *m*
- *horizontally-opposed twin engine with
cardan transmission*
48 das Leichtmetallgußrad
- *light alloy wheel*
49 die Vierzylindermaschine [400 cm³]
- *four-cylinder machine [400 cc]*
50 der fahrtwindgekühlte Vierzylinder-
Viertaktmotor
- *air-cooled four-cylinder four-stroke
engine*
51 das Vier-in-einem-Auspuffrohr
- *four-pipe megaphone exhaust pipe*
52 der elektrische Anlasser
- *electric starter button*

53 die Beiwagenmaschine
- *sidecar machine*
54 das Beiwagenschiff
- *sidecar body*
55 die Beiwagenstoßstange
- *sidecar crash bar*
56 die Begrenzungsleuchte
- *sidelight (Am. sidemarker lamp)*
57 das Beiwagenrad
- *sidecar wheel*
58 die Beiwagenwindschutzscheibe
- *sidecar windscreen (Am. windshield)*

1 der Acht-Zylinder-V-Ottomotor mit Benzineinspritzung *f* im Längsschnitt *m*
 - *eight-cylinder V (vee) fuel-injection spark-ignition engine (Otto-cycle engine)*
2 der Ottomotor im Querschnitt *m*
 - *cross-section of spark-ignition engine (Otto-cycle internal combustion engine)*
3 der Fünf-Zylinder-Reihen-Dieselmotor im Längsschnitt *m*
 - *sectional view of five-cylinder in-line diesel engine*
4 der Dieselmotor im Querschnitt *m*
 - *cross-section of diesel engine*
5 der Zwei-Scheiben-Wankelmotor (Rotationskolbenmotor)
 - *two-rotor Wankel engine (rotary engine)*
6 der Ein-Zylinder-Zweitakt-Ottomotor
 - *single-cylinder two-stroke internal combustion engine*
7 der Lüfter
 - *fan*
8 die Viskoselüfterkupplung
 - *fan clutch for viscous drive*
9 der Zündverteiler mit Unterdruckdose *f* für die Zündverstellung
 - *ignition distributor (distributor) with vacuum timing control*
10 die Zweifach-Rollenkette
 - *double roller chain*
11 das Nockenwellenlager
 - *camshaft bearing*
12 die Entlüftungsleitung
 - *air-bleed duct*
13 das Ölrohr zur Nockenwellenschmierung *f*
 - *oil pipe for camshaft lubrication*
14 die Nockenwelle, eine obenliegende Nockenwelle
 - *camshaft, an overhead camshaft*
15 der Klappenstutzen
 - *venturi throat*
16 der Sauggeräuschdämpfer (Ansauggeräuschdämpfer)
 - *intake silencer (absorption silencer, Am. absorption muffler)*
17 der Kraftstoffdruckregler
 - *fuel pressure regulator*
18 das Saugrohr (Ansaugrohr)
 - *inlet manifold*
19 das Zylinderkurbelgehäuse
 - *cylinder crankcase*
20 das Schwungrad
 - *flywheel*
21 die Pleuelstange
 - *connecting rod (piston rod)*
22 der Kurbelwellenlagerdeckel
 - *cover of crankshaft bearing*
23 die Kurbelwelle
 - *crankshaft*
24 die Ölablaßschraube
 - *oil bleeder screw (oil drain plug)*
25 die Rollenkette des Ölpumpenantriebs *m*
 - *roller chain of oil pump drive*
26 der Schwingungsdämpfer
 - *vibration damper*

27 die Antriebswelle für den Zündverteiler
 - *distributor shaft for the ignition distributor (distributor)*
28 der Öleinfüllstutzen
 - *oil filler neck*
29 der Filtereinsatz
 - *diaphragm spring*
30 das Reguliergestänge
 - *control linkage*
31 die Kraftstoffringleitung
 - *fuel supply pipe (Am. fuel line)*
32 das Einspritzventil
 - *fuel injector (injection nozzle)*
33 der Schwinghebel
 - *rocker arm*
34 die Schwinghebellagerung
 - *rocker arm mounting*
35 die Zündkerze mit Entstörstecker *m*
 - *spark plug (sparking plug) with suppressor*
36 der Auspuffkrümmer
 - *exhaust manifold*
37 der Kolben mit Kolbenringen *m* und Ölabstreifring *m*
 - *piston with piston rings and oil scraper ring*
38 der Motorträger
 - *engine mounting*
39 der Zwischenflansch
 - *dog flange (dog)*
40 das Ölwannenoberteil
 - *crankcase*
41 das Ölwannenunterteil
 - *oil sump (sump)*
42 die Ölpumpe
 - *oil pump*
43 das (der) Ölfilter
 - *oil filter*
44 der Anlasser
 - *starter motor (starting motor)*
45 der Zylinderkopf
 - *cylinder head*
46 das Auslaßventil
 - *exhaust valve*
47 der Ölmeßstab (Ölpeilstab)
 - *dipstick*
48 die Zylinderkopfhaube
 - *cylinder head cover*
49 die Zweifach-Hülsenkette
 - *double bushing chain*
50 der Temperaturgeber
 - *warm-up regulator*
51 der Drahtzug der Leerlaufverstellung
 - *tapered needle for idling adjustment*
52 die Kraftstoffdruckleitung
 - *fuel pressure pipe (fuel pressure line)*
53 die Kraftstoffleckleitung
 - *fuel leak line (drip fuel line)*
54 die Einspritzdüse
 - *injection nozzle (spray nozzle)*
55 der Heizungsanschluß
 - *heater plug*
56 die Auswuchtscheibe
 - *thrust washer*
57 die Zwischenradwelle für den Einspritzpumpenantrieb
 - *intermediate gear shaft for the injection pump drive*
58 der Spritzversteller (Einspritzversteller)
 - *injection timer unit*

59 die Unterdruckpumpe
 - *vacuum pump (low-pressure regulator)*
60 die Kurvenscheibe für die Unterdruckpumpe
 - *cam for vacuum pump*
61 die Wasserpumpe (Kühlwasserpumpe)
 - *water pump (coolant pump)*
62 der Kühlwasserthermostat
 - *cooling water thermostat*
63 der Thermoschalter
 - *thermo time switch*
64 die Kraftstoff-Handpumpe
 - *fuel hand pump*
65 die Einspritzpumpe
 - *injection pump*
66 die Glühkerze
 - *glow plug*
67 das Öldruckventil
 - *oil pressure limiting valve*
68 die Wankelscheibe (der Rotationskolben)
 - *rotor*
69 die Dichtleiste
 - *seal*
70 der Drehmomentwandler (Föttinger-Wandler)
 - *torque converter*
71 die Einscheibenkupplung
 - *single-plate clutch*
72 das Mehrganggetriebe (Mehrstufengetriebe)
 - *multi-speed gearing (multi-step gearing)*
73 die Portliner *m* im Auspuffkrümmer *m* zur Verbesserung der Abgasentgiftung
 - *port liners in the exhaust manifold for emission control*
74 die Scheibenbremse
 - *disc (disk) brake*
75 das Achsdifferentialgetriebe
 - *differential gear (differential)*
76 die Lichtmaschine
 - *generator*
77 die Fußschaltung
 - *foot gear-change control (foot gearshift control)*
78 die Mehrscheiben-Trockenkupplung
 - *dry multi-plate clutch*
79 der Flachstromvergaser
 - *cross-draught (Am. cross-draft) carburettor (Am. carburetor)*
80 die Kühlrippen *f*
 - *cooling ribs*
81 der Keilriemen
 - *V-belt (fan belt)*

1-56 das Automobil (Auto, Kraftfahrzeug, Kfz, der Kraftwagen, Wagen),
ein Personenwagen (Personen-
fahrzeug n)
– motor car (car, Am. automobile, auto),
a passenger vehicle
1 die selbsttragende Karosserie
– monocoque body (unitary body)
2 das Fahrgestell (Chassis), die Boden-
gruppe der Karosserie
– chassis, the understructure of the body
3 der vordere Kotflügel
– front wing (Am. front fender)
4 die Autotür (Wagentür)
– car door
5 der Türgriff
– door handle
6 das Türschloß
– door lock
7 der Kofferraumdeckel (die Heckklappe)
– boot lid (Am. trunk lid)
8 die Motorhaube
– bonnet (Am. hood)
9 der Kühler
– radiator
10 die Kühlwasserleitung
– cooling water pipe
11 der Kühlergrill
– radiator grill
12 das Markenzeichen
(die Automarke)
– badging
13 die vordere Stoßstange, mit Gummi-
auflage f
– rubber-covered front bumper (Am.
front fender)
14 das Autorad (Wagenrad), ein
Scheibenrad n
– car wheel, a disc (disk) wheel
15 der Autoreifen
– car tyre (Am. automobile tire)
16 die Felge
– rim (wheel rim)

17-18 die Scheibenbremse
– disc (disk) brake
17 die Bremsscheibe
– brake disc (disk) (braking disc)
18 der Bremssattel
– calliper (caliper)
19 der vordere Blinker
– front indicator light (front turn
indicator light)
20 der Scheinwerfer mit Fernlicht n,
Abblendlicht, Standlicht
(Begrenzungsleuchte f)
– headlight (headlamp) with main beam
(high beam), dipped beam (low beam),
sidelight (side lamp, Am. sidemarker
lamp)
21 die Windschutzscheibe, eine
Panoramascheibe
– windscreen (Am. windshield), a
panoramic windscreen
22 das versenkbare Türfenster
– crank-operated car window
23 das ausstellbare Fondfenster
– quarter light (quarter vent)
24 der Kofferraum
– boot (Am. trunk)
25 das Reserverad
– spare wheel
26 der Stoßdämpfer
– damper (shock absorber)
27 der Längslenker
– trailing arm
28 die Schraubenfeder
– coil spring
29 der Auspufftopf
– silencer (Am. muffler)
30 die Zwangsentlüftung
– automatic ventilation system
31 die Fondsitze m
– rear seats
32 die Heckscheibe
– rear window
33 die verstellbare Kopfstütze
– adjustable headrest (head restraint)

34 der Fahrersitz, ein Liegesitz m
– driver's seat, a reclining seat
35 die umlegbare Rückenlehne
– reclining backrest
36 der Beifahrersitz
– passenger seat
37 das Lenkrad (Volant [auch m],
Steuerrad)
– steering wheel
38 das Cockpit mit Tachometer n
(ugs. Tacho m), Drehzahlmesser m,
Zeituhr f, Benzinuhr, Kühlmitteltemperaturanzeige, Öltemperaturanzeige
– centre (Am. center) console containing
speedometer (coll. speedo), revolution
counter (rev counter, tachometer), clock,
fuel gauge (Am. gage), water
temperature gauge, oil temperature
gauge
39 der Innenrückspiegel
– inside rear-view mirror
40 der linke Außenspiegel
– left-hand wing mirror
41 der Scheibenwischer
– windscreen wiper (Am. windshield
wiper)
42 die Defrosterdüsen f
– defroster vents
43 der Bodenteppich
– carpeting
44 das Kupplungspedal (ugs. die
Kupplung)
– clutch pedal (coll. clutch)
45 das Bremspedal (ugs. die Bremse)
– brake pedal (coll. brake)
46 das Gaspedal (ugs. das Gas)
– accelerator pedal (coll. accelerator)
47 der Lufteinlaßschlitz
– inlet vent
48 das Luftgebläse für die Belüftung
– blower fan

49 der Bremsflüssigkeitsbehälter
 – *brake fluid reservoir*
50 die Batterie
 – *battery*
51 die Auspuffleitung
 – *exhaust pipe*
52 das Vorderradfahrwerk, mit Vorder-
   radantrieb *m*
 – *front running gear with front wheel
   drive*
53 der Motorträger
 – *engine mounting*
54 der Ansauggeräuschdämpfer
 – *intake silencer* (Am. *intake muffler*)
55 der (das) Luftfilter
 – *air filter (air cleaner)*
56 der rechte Außenspiegel
 – *right-hand wing mirror*
57-90 das Armaturenbrett
 – *dashboard (fascia panel)*
57 die Lenkradnabe, als Pralltopf *m*
   (Aufprallschutz) ausgebildet
 – *controlled-collapse steering column*
58 die Lenkradspeiche
 – *steering wheel spoke*
59 der Blink- und Abblendschalter
 – *indicator and dimming switch*
60 der Wisch-Wasch- und Hupschalter
 – *wiper/washer switch and horn*
61 die Mischdüse für das Seitenfenster
 – *side window blower*
62 der Standlicht-, Scheinwerfer- und
   Parkleuchtenschalter
 – *sidelight, headlight, and parking light
   switch*
63 die Nebellichtkontrolle
 – *fog lamp warning light*
64 der Schalter für die Nebel-
   scheinwerfer *m* und das
   Nebelschlußlicht
 – *fog headlamp and rear lamp switch*
65 die Kraftstoffanzeige (Benzinuhr)
 – *fuel gauge* (Am. *gage)*

66 die Kühlmitteltemperaturanzeige
 – *water temperature gauge* (Am. *gage)*
67 die Kontrolle für die Nebelschluß-
   leuchte
 – *warning light for rear fog lamp*
68 der Warnlichtschalter
 – *hazard flasher switch*
69 die Fernlichtkontrolle
 – *main beam warning light*
70 der elektrische Drehzahlmesser
 – *electric rev counter (revolution counter)*
71 die Kraftstoffkontrollampe
 – *fuel warning light*
72 die Kontrolleuchte für die Handbremse und die Zweikreisbremsanlage
 – *warning light for the hand brake and
   dual-circuit brake system*
73 die Öldruckkontrolleuchte
 – *oil pressure warning light*
74 das (*ugs.* der) Tachometer mit
   Tageskilometerzähler *m*
 – *speedometer* (coll. *speedo) with trip
   mileage recorder*
75 das Zünd- und Lenkradschloß
 – *starter and steering lock*
76 die Blinker- und Warnlichtkontrolle
 – *warning lights for turn indicators and
   hazard flashers*
77 der Regler für die Innenbeleuchtung
   und Rücksteller *m* für den Tageskilometerzähler
 – *switch for the courtesy light and reset
   button for the trip mileage recorder*
78 die Ladestromkontrolle
 – *ammeter* .
79 die elektrische Zeituhr
 – *electric clock*
80 die Kontrolleuchte für die Heck-
   scheibenheizung
 – *warning light for heated
   rear window*
81 der Schalter für die Fußraumbelüftung
 – *switch for the leg space ventilation*

82 der Schalter für die heizbare Heckscheibe
 – *rear window heating switch*
83 der Hebel für die Gebläseeinstellung
 – *ventilation switch*
84 der Hebel für die Temperaturdosie-
   rung
 – *temperature regulator*
85 der umstellbare Frischluftausströmer
 – *fresh-air inlet and control*
86 der Hebel für die Frischluftregulierung
 – *fresh-air regulator*
87 der Hebel für die Warmluftverteilung
 – *warm-air regulator*
88 der Zigarrenanzünder
 – *cigar lighter*
89 das Handschuhkastenschloß
 – *glove compartment (glove box) lock*
90 das Autoradio
 – *car radio*
91 der Schalthebel (Schaltknüppel, die
   Knüppelschaltung)
 – *gear lever (gearshift lever), a floor-type
   gear-change*
92 die Ledermanschette
 – *leather gaiter*
93 der Handbremshebel
 – *hand brake lever*
94 der Gashebel (das Gaspedal)
 – *accelerator pedal*
95 das Bremspedal
 – *brake pedal*
96 das Kupplungspedal
 – *clutch pedal*
97 der Sicherheitsgurt
 – *seat belt (safety belt)*

1-15 der Vergaser, ein Fallstrom-
vergaser *m*
- **carburettor** (Am. *carburetor*), *a
down-draught* (Am. *down-draft*)
carburettor
1 die Leerlaufdüse
- *idling jet (slow-running jet)*
2 die Leerlaufluftdüse
- *idling air jet (idle air bleed)*
3 die Luftkorrekturdüse
- *air correction jet*
4 die Ausgleichsluft
- *compensating airstream*
5 die Hauptluft
- *main airstream*
6 die Starterklappe (Vordrossel)
- *choke flap*
7 der Austrittsarm
- *plunger*
8 der Lufttrichter
- *venturi*
9 die Drosselklappe
- *throttle valve (butterfly valve)*
10 das Mischrohr
- *emulsion tube*
11 die Leerlaufgemischregulierschraube
- *idle mixture adjustment screw*
12 die Hauptdüse
- *main jet*
13 der Kraftstoffzufluß
- *fuel inlet* (Am. *gasoline inlet) (inlet
manifold)*
14 die Schwimmerkammer
- *float chamber*
15 der Schwimmer
- *float*
16-27 die Druckumlaufschmierung
- **pressure-feed lubricating system**
16 die Ölpumpe
- *oil pump*
17 der Ölvorrat (Ölsumpf)
- *oil sump*
18 das (der) Ölgrobfilter
- *sump filter*
19 der Ölkühler
- *oil cooler*
20 das (der) Feinfilter
- *oil filter*
21 die Hauptölbohrung
- *main oil gallery (drilled gallery)*
22 die Stichleitung
- *crankshaft drilling (crankshaft
tributary, crankshaft bleed)*
23 das Kurbelwellenlager
- *crankshaft bearing (main bearing)*
24 das Nockenwellenlager
- *camshaft bearing*
25 das Pleuellager
- *connecting-rod bearing*
26 die Kurbelzapfenbohrung
- *gudgeon pin (piston pin)*
27 die Nebenleitung
- *bleed*
28-47 das Viergang-Synchrongetriebe
- **four-speed synchromesh gearbox**
28 der Kupplungsfußhebel
- *clutch pedal*
29 die Kurbelwelle
- *crankshaft*
30 die Antriebswelle
- *drive shaft (propeller shaft)*

31 der Anlaßzahnkranz
- *starting gear ring*
32 die Schiebemuffe für den 3. und
4. Gang
- *sliding sleeve for 3rd and 4th gear*
33 der Synchronkegel
(Gleichlaufkegel)
- *synchronizing cone*
34 das Schraubenrad für den 3. Gang
- *helical gear wheel for 3rd gear*
35 die Schiebemuffe für den 1. und
2. Gang
- *sliding sleeve for 1st and 2nd gear*
36 das Schraubenrad für den
1. Gang
- *helical gear wheel for 1st gear*
37 die Vorlegewelle
- *lay shaft*
38 der Tachometerantrieb
- *speedometer drive*
39 das Schraubenrad für den
Tachometerantrieb
- *helical gear wheel for speedometer
drive*
40 die Hauptwelle
- *main shaft*
41 die Schaltstangen *f*
- *gearshift rods*
42 die Schaltgabel für den 1. und
2. Gang
- *selector fork for 1st and 2nd gear*
43 das Schraubenrad für den 2. Gang
- *helical gear wheel for 2nd gear*
44 der Schaltkopf, mit Rückwärts-
gang *m*
- *selector head with reverse gear*
45 die Schaltgabel für den 3. und
4. Gang
- *selector fork for 3rd and 4th gear*
46 der Schalthebel (Schaltknüppel)
- *gear lever (gearshift lever)*
47 das Schaltschema
- *gear-change pattern (gearshift
pattern, shift pattern)*
48-55 die Scheibenbremse
- **disc (disk) brake [assembly]**
48 die Bremsscheibe
- *brake disc (disk) (braking disc)*
49 der Bremssattel, ein Festsattel *m*,
mit den Bremsklötzen *m*
- *calliper (caliper), a fixed calliper
with friction pads*
50 die Servobremstrommel
(Handbremstrommel)
- *servo cylinder (servo unit)*
51 die Bremsbacken *f*
- *brake shoes*
52 der Bremsbelag
- *brake lining*
53 der Bremsleitungsanschluß
- *outlet to brake line*
54 der Radzylinder
- *wheel cylinder*
55 die Rückholfeder
- *return spring*
**56-59 das Lenkgetriebe (die Schnecken-
lenkung)**
- **steering gear** *(worm-and-nut steering
gear)*
56 die Lenksäule
- *steering column*

57 das Schneckenradsegment
- *worm gear sector*
58 der Lenkstockhebel
- *steering drop arm*
59 das Schneckengewinde
- *worm*
**60-64 die wasserseitig regulierte Heiz-
anlage** (Wagenheizung)
- **water-controlled heater**
60 der Frischlufteintritt
- *air intake*
61 der Wärmetauscher
- *heat exchanger (heater box)*
62 das Heizgebläse
- *blower fan*
63 die Regulierklappe
- *flap valve*
64 die Defrosterdüse
- *defroster vent*
65-71 die Starrachse
- *live axle (rigid axle)*
65 das Reaktionsrohr
- *propeller shaft*
66 der Längslenker
- *trailing arm*
67 das Gummilager
- *rubber bush*
68 die Schraubenfeder
- *coil spring*
69 der Stoßdämpfer
- *damper (shock absorber)*
70 der Panhardstab
- *Panhard rod*
71 der Stabilisator
- *stabilizer bar*
72-84 das McPherson-Federbein
- *MacPherson strut unit*
72 die Karosserieabstützung
- *body-fixing plate*
73 das Federbeinstützlager
- *upper bearing*
74 die Schraubenfeder
- *suspension spring*
75 die Kolbenstange
- *piston rod*
76 der Federbeinstoßdämpfer
- *suspension damper*
77 die Felge
- *rim (wheel rim)*
78 der Achszapfen
- *stub axle*
79 der Spurstangenhebel
- *steering arm*
80 das Führungsgelenk
- *track-rod ball-joint*
81 die Zugstrebe
- *trailing link arm*
82 das Gummilager
- *bump rubber (rubber bonding)*
83 das Achslager
- *lower bearing*
84 der Vorderachsträger
- *lower suspension arm*

1-36 Autotypen *m* (Personenwagen-
    typen)
– *car models* (Am. *automobile models)*
1 die viertürige Reiselimousine
    (Limousine) der Obermittelklasse
– *four-door touring saloon* (Am.
    *four-door sedan) in the upper-middle
    range*
2 die Fahrertür
– *driver's door*
3 die Fondtür
– *rear door*
4-10 die viertürigen Limousinen *f* der
    Mittelklasse (Mittelklassewagen *m*)
– *four-door saloon* (Am. *four-door
    sedan) and four-door hatchback in
    the middle range*
4 die Stufenhecklimousine
– *saloon* (Am. *sedan)*
5 die Kopfstützen *f*
– *headrests (head restraints)*
6 der Vordersitz
– *front seat*
7 der Rücksitz (Hintersitz)
– *rear seat (back seat)*
8 die Fließhecklimousine (Stummel-
    hecklimousine)
– *fastback saloon* (Am. *fastback sedan)
    (stubback saloon,* Am. *stubback
    sedan)*
9 die Heckklappe
– *tailgate*
10 das Fließheck (Stummelheck)
– *fastback (stubback)*
11 der Geländewagen (das Geländefahr-
    zeug) mit Allradantrieb *m* (Vierrad-
    antrieb)
– *cross-country vehicle with all-wheel
    drive (four-wheel drive)*
12 das Reserverad
– *spare wheel*
13 der Überrollbügel
– *roll bar*
14 das Kabriosportcoupé (der Kabrio-
    sportwagen)
– *cabriolet sports coupé (cabriolet sports
    car)*
15 der Integralsitz
– *integral seat*
16 das automatische Verdeck
– *automatic hood* (Am. *top)
    (power-operated hood,* Am. *top)*
17 der Kombiwagen (das Kombifahr-
    zeug, der Kombinationskraftwagen,
    Break, Station wagon, *ugs.* Kombi)
– *estate car (estate, shooting brake,*
    Am. *station wagon)*
18 der Laderaum (das Heckabteil)
– *boot space (luggage compartment)*
19 der Kleinwagen (*ugs.* Mini), ein
    Dreitürer *m*
– *small three-door car*
20 die Hecktür
– *back (tailgate)*
21 die Ladekante
– *sill*

22 die umlegbare Rücksitzbank
– *folding back seat*
23 der Kofferraum
– *boot (luggage compartment,*
    Am. *trunk)*
24 das Schiebedach (Stahlschiebedach)
– *(sliding) sunroof (steel sliding sunroof)*
25 die dreitürige Kombilimousine
– *three-door hatchback*
26 der Roadster (das Sportkabrio,
    Sportkabriolett, Sportcabrio, Sport-
    cabriolet), ein Zweisitzer *m*
– *roadster (sports cabrio, sports
    cabriolet), a two-seater*
27 das Hardtop
– *hard top*
28 das Sportcoupé, ein 2 + 2-Sitzer *m*
    (Zweisitzer *m* mit Notsitzen *m*)
– *sports coupé, a two-plus-two
    (two-seater with occasional seats)*
29 das Fließheck
– *fastback*
30 der Notsitz
– *occasional seat*
31 der Breitreifen
– *low-profile tyre* (Am. *tire) (wide
    wheel)*
32 der Grand-Tourisme-Wagen
    (GT-Wagen)
– *gran turismo car (GT car)*
33 die integrierte Stoßstange
– *integral bumper* (Am. *integral fender)*
34 der Heckspoiler
– *rear spoiler*
35 die Heckpartie
– *back*
36 der Frontspoiler
– *front spoiler*

1 der geländegängige Kleinlaster mit
  Allradantrieb *m* (Vierradantrieb)
– *light cross-country lorry (light truck,*
  pick-up truck) with all-wheel drive
  (four-wheel drive)
2 das Fahrerhaus
– *cab (driver's cab)*
3 die Ladepritsche
– *loading platform (body)*
4 der Ersatzreifen (Reservereifen), ein
  Geländereifen *m*
– *spare tyre (Am. spare tire), a*
  cross-country tyre
5 der Kleinlasttransporter
– *light lorry (light truck, pick-up truck)*
6 die Pritschenausführung (der
  Pritschenwagen)
– *platform truck*
7 die Kastenausführung (der Kasten-
  wagen)
– *medium van*
8 die seitliche Schiebetür (Ladetür)
– *sliding side door [for loading and*
  unloading]
9 der Kleinbus
– *minibus*
10 das Faltschiebedach
– *folding top (sliding roof)*
11 die Hecktür
– *rear door*
12 die seitliche Klapptür
– *hinged side door*
13 der Gepäckraum
– *luggage compartment*
14 der Fahrgastsitz
– *passenger seat*
15 die Fahrerkabine
– *cab (driver's cab)*
16 der Luftschlitz
– *air inlet*
17 der Reiseomnibus (Autobus, Bus,
  schweiz. Autocar)
– *motor coach (coach, bus)*
18 das Gepäckfach
– *luggage locker*
19 das Handgepäck (der Koffer)
– *hand luggage (suitcase, case)*
20 der Schwerlastzug
– *heavy lorry (heavy truck, heavy motor*
  truck)
21 das Zugfahrzeug
– *tractive unit (tractor, towing vehicle)*
22 der Anhänger
– *trailer (drawbar trailer)*
23 die Wechselpritsche
– *swop platform (body)*
24 der Dreiseitenkipper
– *three-way tipper (three-way dump*
  truck)
25 die Kipppritsche
– *tipping body (dump body)*
26 der Hydraulikzylinder
– *hydraulic cylinder*
27 die aufgeständerte Containerpalette
– *supported container platform*
28 der Sattelschlepper, ein Tankzug *m*
– *articulated vehicle, a vehicle tanker*

29 die Sattelzugmaschine
– *tractive unit (tractor, towing vehicle)*
30-33 der Tankauflieger
– *semi-trailer (skeletal)*
30 der Tank
– *tank*
31 das Drehgelenk
– *turntable*
32 das Hilfsfahrwerk
– *undercarriage*
33 das Reserverad
– *spare wheel*
34 der kleine Reise- und Linienbus in
  Cityversion *f*
– *midi bus [for short-route town*
  operations]
35 die Außenschwingtür
– *outward-opening doors*
36 der Doppeldeckbus (Doppeldeck-
  omnibus, Oberdeckomnibus)
– *double-deck bus (double-decker bus)*
37 das Unterdeck
– *lower deck (lower saloon)*
38 das Oberdeck
– *upper deck (upper saloon)*
39 der Aufstieg
– *boarding platform*
40 der Oberleitungsbus (Trolleybus,
  Obus, Oberleitungsomnibus)
– *trolley bus*
41 der Stromabnehmer (Kontaktarm)
– *current collector*
42 die Kontaktrolle (der Trolley)
– *trolley (trolley shoe)*
43 die Zweidrahtoberleitung (Doppel-
  oberleitung)
– *overhead wires*
44 der Trolleybusanhänger
– *trolley bus trailer*
45 der Gummiwulstübergang
– *pneumatically sprung rubber*
  connection

1-55 die Spezialwerkstatt (Vertrags-
werkstatt)
- **agent's garage** *(distributor's garage,
Am. specialty shop)*
1-23 der Diagnosestand
- *diagnostic test bay*
1 das Diagnosegerät
- *computer*
2 der Diagnosestecker (Zentralstecker)
- *main computer socket*
3 das Diagnosekabel
- *computer harness (computer cable)*
4 der Umschalter für automatischen
oder manuellen Meßbetrieb
- *switch from automatic to manual*
5 der Programmkarteneinschub
- *slot for program cards*
6 der Drucker
- *printout machine (printer)*
7 das Diagnoseberichtformular
- *condition report, a data printout*
8 das Handsteuergerät
- *master selector (hand control)*
9 die Bewertungslampen *f* [grün: in
Ordnung; rot: nicht in Ordnung]
- *light read-out [green: OK; red:
not OK]*
10 der Aufbewahrungskasten für die
Programmkarten *f*
- *rack for program cards*

11 die Netztaste
- *mains button*
12 die Schnellprogrammtaste
- *switch for fast readout*
13 der Zündwinkeleinschub
- *firing sequence insert*
14 das Ablagefach
- *shelf for used cards*
15 der Kabelgalgen
- *cable boom*
16 das Öltemperaturmeßkabel
- *oil temperature sensor*
17 das Prüfgerät für die Spur- und
Sturzmessung
- *test equipment for wheel and steering
alignment*
18 die Optikplatte rechts
- *right-hand optic plate*
19 die Auslösetransistoren *m*
- *actuating transistors*
20 der Projektorschalter
- *projector switch*
21 die Photoleiste für die Sturzmessung
- *check light for wheel alignment, a row
of photocells*
22 die Photoleiste für die Spurmessung
- *check light for steering alignment, a
row of photocells*
23 der elektrische Schraubendreher
- *power screwdriver*

24 das Prüfgerät für die Scheinwerfer-
einstellung
- *beam setter*
25 die hydraulische Hebebühne
- *hydraulic lift*
26 der verstellbare Hebebühnenarm
- *adjustable arm of hydraulic lift*
27 der Hebebühnenstempel
- *hydraulic lift pad*
28 die Radmulde
- *excavation*
29 der Druckluftmesser
- *pressure gauge (Am. gage)*
30 die Abschmierpresse
- *grease gun*
31 der Kleinteilekasten
- *storage box for small parts*
32 die Ersatzteilliste
- *wall chart [of spare parts]*

33 die automatische Diagnose
– *automatic computer test*
34 das Kraftfahrzeug (Auto), ein
Personenwagen *m*
– *motor car (car, Am. automobile,*
auto), a passenger vehicle
35 der Motorraum
– *engine compartment*
36 die Motorhaube
– *bonnet (Am. hood)*
37 die Motorhaubenstange
– *bonnet support (Am. hood support)*
38 das Diagnosekabel
– *computer harness (computer cable)*
39 die Diagnosesteckbuchse (Zentral-
steckbuchse)
– *main computer socket*
40 das Öltemperaturfühlerkabel
– *oil temperature sensor*
41 der Radspiegel für die optische Spur-
und Sturzmessung
– *wheel mirror for visual wheel and*
steering alignment
42 der Werkzeugwagen
– *tool trolley*
43 das Werkzeug
– *tools*
44 der Schraubenschlüssel
– *impact wrench*

45 der Drehmomentschlüssel
– *torque wrench*
46 der Ausbeulhammer
– *body hammer (roughing-out hammer)*
47 das Reparaturfahrzeug, ein
Kleinbus *m*
– *vehicle under repair, a minibus*
48 die Reparaturnummer
– *car location number*
49 der Heckmotor
– *rear engine*
50 die Heckmotorklappe
– *tailgate*
51 das Auspuffsystem
– *exhaust system*
52 die Auspuffreparatur
– *exhaust repair*
53 der Kfz-Schlosser (Kraftfahrzeug-
schlosser, Kraftfahrzeugmechaniker)
– *motor car mechanic (motor vehicle*
mechanic, Am. automotive mechanic)
54 der Druckluftschlauch
– *air hose*
55 das Durchsagegerät
– *intercom*

1-29 die Tankstelle, eine Selbstbedie-
nungstankstelle (Selfservice-Station)
– *service station (petrol station, filling
station,* Am. *gasoline station, gas
station), a self-service station*
1 die Zapfsäule (Tanksäule, *veraltet:*
Benzinpumpe, Rechenkopfsäule) für
bleifreies Super- und Normalbenzin n (*ähnl.:* für Dieselkraftstoff *m*)
– *petrol (*Am. *gasoline) pump (blending
pump) for lead-free premium grade
and regular petrol (*Am. *gasoline)
(sim.: for derv)*
2 der Zapfschlauch
– *hose (petrol pump,* Am. *gasoline
pump, hose)*
3 der Zapfhahn (die Zapfpistole)
– *nozzle*
4 der angezeigte Geldbetrag
– *cash readout*
5 die Füllmengenanzeige
– *volume readout*
6 die Preisangabe
– *price display*
7 das Leuchtzeichen
– *indicator light*
8 der Autofahrer bei der Selbst-
bedienung
– *driver using self-service petrol pump
(*Am. *gasoline pump)*
9 der Feuerlöscher
– *fire extinguisher*

10 der Papiertuchspender
– *paper-towel dispenser*
11 das Papiertuch (Papierhandtuch)
– *paper towel*
12 der Abfallbehälter
– *litter receptacle*
13 der Zweitaktgemischbehälter
– *two-stroke blending pump*
14 das Meßglas
– *meter*
15 das Motoröl
– *engine oil*
16 die Motorölkanne
– *oil can*
17 der Reifendruckprüfer
– *tyre pressure gauge (*Am. *tire
pressure gage)*
18 die Druckluftleitung
– *air hose*
19 der Luftbehälter
– *static air tank*
20 das Manometer (der Reifenfüll-
messer)
– *pressure gauge (*Am. *gage)
(manometer)*
21 der Luftfüllstutzen
– *air filler neck*
22 die Autobox (Reparaturbox)
– *repair bay (repair shop)*
23 der Waschschlauch, ein Wasserschlauch *m*
– *car-wash hose, a hose (hosepipe)*

24 der Autoshop
– *accessory shop*
25 der Benzinkanister
– *petrol can (*Am. *gasoline can)*
26 der Regenumhang
– *rain cape*
27 die Autoreifen *m*
– *car tyres (*Am. *automobile tires)*
28 das Autozubehör
– *car accessories*
29 die Kasse
– *cash desk (console)*

1 der zwölfachsige Gelenktriebwagen für den Überlandbetrieb
– *twelve-axle articulated railcar for interurban rail service*
2 der Stromabnehmer
– *current collector*
3 der Wagenbug
– *head of the railcar*
4 das Wagenheck
– *rear of the railcar*
5 das A-Wagenteil mit Fahrmotor *m*
– *carriage A containing the motor*
6 das B-Wagenteil (*auch:* C-, D-Wagenteil)
– *carriage B (also: carriages C and D)*
7 das E-Wagenteil mit Fahrmotor *m*
– *carriage E containing the motor*
8 der Heckfahrschalter
– *rear controller*
9 das Triebdrehgestell
– *driving bogie*
10 das Laufdrehgestell
– *carrying bogie*
11 der Radschutz (Bahnräumer)
– *wheel guard*
12 die Rammbohle
– *bumper (Am. fender)*
13 der sechsachsige Gelenktriebwagen Typ „Mannheim" für Straßenbahn- und Stadtbahnbetrieb *m*
– *six-axle articulated railcar ('Mannheim' type) for tram (Am. streetcar, trolley) and urban rail services*
14 die Ein- und Ausstiegtür, eine Doppelfalttür
– *entrance and exit door, a double folding door*
15 die Trittstufe
– *step*

16 der Fahrscheinentwerter
– *ticket-cancelling machine*
17 der Einzelsitzplatz
– *single seat*
18 der Stehplatzraum
– *standing room portion*
19 der Doppelsitzplatz
– *double seat*
20 das Linien- und Zielschild
– *route (number) and destination sign*
21 das Linienschild
– *route sign (number sign)*
22 der Fahrtrichtungsanzeiger (Blinker)
– *indicator (indicator light)*
23 der Scherenstromabnehmer
– *pantograph (current collector)*
24 die Schleifstücke, aus Kohle *f* oder Aluminiumlegierung *f*
– *carbon or aluminium (Am. aluminum) alloy trolley shoes*
25 der Fahrerstand
– *driver's position*
26 das Mikrophon
– *microphone*
27 der Sollwertgeber (Fahrschalter)
– *controller*
28 das Funkgerät
– *radio equipment (radio communication set)*
29 die Armaturentafel
– *dashboard*
30 die Armaturentafelbeleuchtung
– *dashboard lighting*
31 der Geschwindigkeitsanzeiger
– *speedometer*
32 die Taster für Türenöffnen *n*, Scheibenwischer *m*, Innen- und Außenbeleuchtung *f*
– *buttons controlling doors, windscreen wipers, internal and external lighting*

33 der Zahltisch mit Geldwechsler *m*
– *ticket counter with change machine*
34 die Funkantenne
– *radio antenna*
35 die Haltestelleninsel
– *tram stop (Am. streetcar stop, trolley stop)*
36 das Haltestellenschild
– *tram stop sign (Am. streetcar stop sign, trolley stop sign)*
37 die elektrische Weichenanlage
– *electric change points*
38 das Weichenschaltsignal
– *points signal (switch signal)*
39 der Weichensignalgeber (die Richtungsanzeige)
– *points change indicator*
40 der Fahrleitungskontakt
– *trolley wire contact point*
41 der Fahrdraht
– *trolley wire (overhead contact wire)*
42 die Fahrleitungsquerverspannung
– *overhead cross wire*
43 das elektromagnetische (*auch:* elektrohydraulische, elektromotorische) chenantrieb
– *electric (also: electrohydraulic, electromechanical) points mechanism*

347

1-5 die Fahrbahnschichten *f*
- *road layers*
1 die Frostschutzschicht
- *anti-frost layer*
2 die bituminöse Tragschicht
- *bituminous sub-base course*
3 die untere Binderschicht
- *base course*
4 die obere Binderschicht
- *binder course*
5 die bituminöse Deckschicht (Fahrbahndecke)
- *bituminous surface*
6 die Bordsteinkante
- *kerb (curb)*
7 der Hochbordstein
- *kerbstone (curbstone)*
8 das Gehwegpflaster
- *paving (pavement)*
9 der Bürgersteig (Gehsteig, Gehweg)
- *pavement (Am. sidewalk, walkway)*
10 der Rinnstein
- *gutter*
11 der Fußgängerüberweg (Zebrastreifen)
- *pedestrian crossing (zebra crossing, Am. crosswalk)*
12 die Straßenecke
- *street corner*
13 der Fahrdamm
- *street*

14 die Stromversorgungskabel
- *electricity cables*
15 die Postkabel (Telefonkabel)
- *telephone cables*
16 die Postkabeldurchgangsleitung
- *telephone cable pipeline*
17 der Kabelschacht mit Abdeckung
- *cable manhole with cover (with manhole cover)*
18 der Lichtmast mit der Leuchte
- *lamp post with lamp*
19 das Stromkabel für technische Anlagen *f*
- *electricity cables for technical installations*
20 die Telefonhausanschlußleitung
- *subscribers' (Am. customers') telephone lines*
21 die Gasleitung
- *gas main*
22 die Trinkwasserleitung
- *water main*
23 der Sinkkasten
- *drain*
24 der Ablaufrost
- *drain cover*
25 die Sinkkastenanschlußleitung
- *drain pipe*
26 die Schmutzwasser-Hausanschlußleitung
- *waste pipe*

27 der Mischwasserkanal
- *combined sewer*
28 die Fernheizleitung
- *district heating main*
29 der U-Bahn-Tunnel
- *underground tunnel*

1 der Müllwagen (Müllabfuhrwagen, das Müllauto, *ugs.* die Müllabfuhr, *schweiz.* der Kehrichtabfuhrwagen), ein Preßmüllfahrzeug *n*
– refuse collection vehicle (Am. garbage truck)
2 die Mülltonnenkippvorrichtung, ein staubfreies Umleersystem
– dustbin-tipping device (Am. garbage can dumping device), a dust-free emptying system
3 die Mülltonne (Abfalltonne)
– dustbin (Am. garbage can, trash can)
4 der Müllcontainer
– refuse container (Am. garbage container)
5 der Straßenkehrer
– road sweeper (Am. street sweeper)
6 der Straßenbesen
– broom
7 die Verkehrsschutzarmbinde
– fluorescent armband
8 die Mütze mit Verkehrsschutz-markierung *f*
– cap with fluorescent band
9 der Straßenkehrwagen
– road sweeper's (Am. street sweeper's) barrow
10 die geordnete Deponie (Mülldeponie)
– controlled tip (Am. sanitary landfill, sanitary fill)
11 der Sichtschutz
– screen
12 die Eingangskontrolle
– weigh office
13 der Wildzaun
– fence

14 die Grubenwand
– embankment
15 die Zufahrtsrampe
– access ramp
16 die Planierraupe
– bulldozer
17 der frische Müll (*schweiz.* Kehricht)
– refuse (Am. garbage)
18 der Deponieverdichter
– bulldozer for dumping and compacting
19 der Pumpenschacht
– pump shaft
20 die Abwasserpumpe
– waste water pump
21 die poröse Abdeckung
– porous cover
22 der verdichtete und verrottete Müll
– compacted and decomposed refuse
23 die Kiesfilterschicht
– gravel filter layer
24 die Moränenfilterschicht
– morainic filter layer
25 die Drainschicht
– drainage layer
26 die Abwasserleitung
– drain pipe
27 der Abwassersammeltank
– water tank
28 die Müllverbrennungsanlage
– refuse (Am. garbage) incineration unit
29 der Kessel
– furnace
30 die Ölfeuerung
– oil-firing system
31 der Staubabscheider
– separation plant

32 der Saugzugventilator
– extraction fan
33 der Unterwindventilator für den Rost
– low-pressure fan for the grate
34 der Wanderrost
– continuous feed grate
35 die Ölfeuerungsgebläse
– fan for the oil-firing system
36 Transporteinrichtung für Spezial-verbrennungsgüter *n*
– conveyor for separately incinerated material
37 die Kohlenbeschickungsanlage
– coal feed conveyor
38 der Transportwagen für Bleicherde *f*
– truck for carrying fuller's earth
39 die Straßenkehrmaschine
– mechanical sweeper
40 die Tellerbürste
– circular broom
41 das Kehrfahrzeug
– road-sweeping lorry (street-cleaning lorry, street cleaner)
42 die Kehrwalze
– cylinder broom
43 der Saugmund
– suction port
44 der Zubringerbesen
– feeder broom
45 die Luftführung
– air flow
46 der Ventilator
– fan
47 der Schmutzbehälter
– dust collector

1-54 Straßenbaumaschinen *f*
- *road-building machinery*
1 der Hochlöffelbagger
- *shovel (power shovel, excavator)*
2 das Maschinenhaus
- *machine housing*
3 das Raupenfahrwerk
- *caterpillar mounting (Am. caterpillar tractor)*
4 der Baggerausleger
- *digging bucket arm (dipper stick)*
5 der Baggerlöffel
- *digging bucket (bucket)*
6 die Reißzähne *m* (Grabzähne)
- *digging bucket (bucket) teeth*
7 der Hinterkipper, ein Schwer-lastwagen *m*
- *tipper (dump truck), a heavy lorry (Am. truck)*
8 die Stahlblechmulde
- *tipping body (Am. dump body)*
9 die Verstärkungsrippe
- *reinforcing rib*
10 die verlängerte Stirnwand
- *extended front*
11 das Fahrerhaus
- *cab (driver's cab)*
12 das Schüttgut
- *bulk material*
13 die Schrapperanlage, ein Mischgut-schrapper *m*
- *concrete scraper, an aggregate scraper*
14 der Aufzugkasten
- *skip hoist*
15 der Betonmischer, eine Mischanlage
- *mixing drum (mixer drum), a mixing machine*
16 die Schürfkübelraupe
- *caterpillar hauling scraper*
17 der Schürfkübel
- *scraper blade*
18 das Planierschild
- *levelling (Am. leveling) blade (smoothing blade)*
19 der Straßenhobel; *auch:* Erdhobel
- *grader (motor grader)*
20 der Straßenaufreißer (Aufreißer)
- *scarifier (ripper, road ripper, rooter)*
21 die Hobelschar
- *grader levelling (Am. leveling) blade (grader ploughshare, Am. plowshare)*
22 der Schardrehkranz
- *blade-slewing gear (slew turntable)*
23 die Feldbahn
- *light railway (narrow-gauge, Am. narrow-gage, railway)*
24 die Feldbahndiesellokomotive, eine Schmalspurlokomotive
- *light railway (narrow-gauge, Am. narrow-gage) diesel locomotive*
25 die Anhängerlore (Lore)
- *trailer wagon (wagon truck, skip)*

26 die Explosionsramme, ein Boden-stampfer *m; schwerer:* der Benzin-frosch (Explosionsstampfer)
- *tamper (rammer) [with internal combustion engine]; heavier: frog (frog-type jumping rammer)*
27 das Führungsgestänge
- *guide rods*
28 die Planierraupe
- *bulldozer*
29 das Planierschild
- *bulldozer blade*
30 der Schubrahmen
- *pushing frame*
31 der Schotterverteiler
- *road-metal spreading machine (macadam spreader, stone spreader)*
32 die Schlagbohle
- *tamping beam*
33 die Gleitschuhe *m*
- *sole-plate*
34 das Begrenzungsblech
- *side stop*
35 die Seitenwand des Vorratskübels *m*
- *side of storage bin*
36 die Motordreiradwalze, eine Straßenwalze
- *three-wheeled roller, a road roller*
37 die Walze
- *roller*
38 das Allwetterdach
- *all-weather roof*
39 der Dieselkompressorschlepper
- *mobile diesel-powered air compressor*
40 die Sauerstoffflasche
- *oxygen cylinder*
41 der selbstfahrende Splittstreuer
- *self-propelled gritter*
42 die Streuklappe
- *spreading flap*
43 der Schwarzdeckenfertiger
- *surface finisher*
44 das Begrenzungsblech
- *side stop*
45 der Materialbehälter
- *bin*
46 die Teerspritzmaschine, mit Teer- und Bitumenkocher *m*
- *tar-spraying machine (bituminous distributor) with tar and bitumen heater*
47 der Teerkessel
- *tar storage tank*
48 die vollautomatische Walzasphalt-Trocken-und-Misch-Anlage
- *fully automatic asphalt drying and mixing plant*
49 das Aufnahmebecherwerk
- *bucket elevator (elevating conveyor)*
50 die Asphaltmischtrommel
- *asphalt-mixing drum (asphalt mixer drum)*
51 der Fülleraufzug
- *filler hoist*
52 die Füllerzugabe
- *filler opening*

53 die Bindemitteleinspritzung
- *binder injector*
54 der Mischasphaltauslauf
- *mixed asphalt outlet*
55 der Regelquerschnitt einer Straße
- *typical cross-section of a bituminous road*
56 das Rasenbankett
- *grass verge*
57 die Querneigung
- *crossfall*
58 die Asphaltdecke
- *asphalt surface (bituminous layer, bituminous coating)*
59 der Unterbau
- *base (base course)*
60 die Packlage *od.* Kiesbettung, eine Frostschutzschicht
- *hardcore sub-base course (Telford base) or gravel sub-base course, an anti-frost layer*
61 die Tiefensickerungsanlage
- *sub-drainage*
62 das gelochte Zementrohr
- *perforated cement pipe*
63 die Entwässerungsrinne
- *drainage ditch*
64 die Humusandeckung
- *soil covering*

1-24 **Betonstraßenbau** *m*
(Autobahnbau)
− **concrete road construction** *(highway construction)*
1 der Planumfertiger, eine Straßenbaumaschine
− *subgrade grader, a road-building machine*
2 die Stampfbohle
− *tamping beam (consolidating beam)*
3 die Abgleichbohle (Nivellierbohle)
− *levelling (Am. leveling) beam*
4 die Rollenführung zur Abgleichbohle
− *roller guides for the levelling (Am. leveling) beam*
5 der Betonverteilerwagen
− *concrete spreader*
6 der Betonverteilerkübel
− *concrete spreader box*
7 die Seilführung
− *cable guides*
8 die Steuerhebel *m*
− *control levers*
9 das Handrad zum Entleeren *n* der Kübel *m*
− *handwheel for emptying the boxes*
10 der Vibrationsfertiger
− *concrete-vibrating compactor*
11 das Getriebe
− *gearing (gears)*
12 die Bedienungshebel *m*
− *control levers (operating levers)*

13 die Antriebswelle zu den Vibratoren *m* des Vibrationsbalkens *m*
− *axle drive shaft to vibrators (tampers) of vibrating beam*
14 der Glättbalken (die Glättbohle)
− *screeding board (screeding beam)*
15 die Laufschienenträger *m*
− *road form*
16 das Fugenschneidgerät (der Fugenschneider)
− *joint cutter*
17 das Fugenschneidmesser (Fugenmesser)
− *joint-cutting blade*
18 die Handkurbel zum Fahrantrieb *m*
− *crank for propelling machine*
19 die Betonmischanlage, eine zentrale Mischstation, eine automatische Verwiege- u. Mischanlage
− *concrete-mixing plant, a stationary central mixing plant, an automatic batching and mixing plant*
20 die Sammelmulde
− *collecting bin*
21 das Aufnahmebecherwerk
− *bucket elevator*
22 der (das) Zementsilo
− *cement store*
23 der Zwangsmischer
− *concrete mixer*
24 der Betonkübel
− *concrete pump hopper*

1-38 **das Gleis**
- **line** *(track)*
1 die Schiene
　(Eisenbahnschiene)
- *rail*
2 der Schienenkopf
- *rail head*
3 der Schienensteg
- *web (rail web)*
4 der Schienenfuß
- *rail foot (rail bottom)*
5 die Unterlagsplatte
- *sole-plate (base plate)*
6 die Zwischenlage
- *cushion*
7 die Schwellenschraube
- *coach screw (coach bolt)*
8 die Federringe *m*
- *lock washers (spring washers)*
9 die Klemmplatte
- *rail clip (clip)*
0 die Hakenschraube
- *T-head bolt*
1 der Schienenstoß
- *rail joint (joint)*
2 die Schienenlasche
- *fishplate*
3 der Laschenbolzen
- *fishbolt*
4 die Kuppelschwelle
- *coupled sleeper (Am. coupled tie,
  coupled crosstie)*
5 die Kuppelschraube
- *coupling bolt*
6 die Handweiche
- *manually-operated points
  (manually-operated switch)*
7 der Handstellbock
- *switch stand*
8 das Stellgewicht
- *weight*

19 das Weichensignal (die Weichen-
　laterne)
- *points signal (switch signal, points
  signal lamp, switch signal lamp)*
20 die Stellstange
- *pull rod*
21 die Weichenzunge
- *switch blade (switch tongue)*
22 der Gleitstuhl
- *slide chair*
23 der Radlenker
- *check rail (guard rail)*
24 das Herzstück
- *frog*
25 die Flügelschiene
- *wing rail*
26 die Zwischenschiene
- *closure rail*
27 die fernbediente Weiche
- *remote-controlled points
  (remote-controlled switch)*
28 der Weichenspitzenverschluß
- *point lock (switch lock)*
29 der Abstützstempel
- *stretcher bar*
30 der Drahtzug
- *point wire*
31 das Spannschloß
- *turnbuckle*
32 der Kanal
- *channel*
33 das elektrisch beleuchtete Weichen-
　signal
- *electrically illuminated points signal
  (switch signal)*
34 der Weichentrog
- *trough*
35 der Weichenantrieb mit Schutz-
　kasten *m*
- *points motor with protective
  casing*

36 die Eisenschwelle
- *steel sleeper (Am. steel tie, steel crosstie)*
37 die Betonschwelle
- *concrete sleeper (Am. concrete tie,
  concrete crosstie)*
38 die Kuppelschwelle
- *coupled sleeper (Am. coupled tie,
  coupled crosstie)*
39-50 **Bahnübergänge**
- **level crossings** *(Am. grade crossings)*
39 der schienengleiche gesicherte Bahn-
　übergang
- *protected level crossing (Am. protected
  grade crossing)*
40 die Bahnschranke
- *barrier (gate)*
41 das Warnkreuz (Andreaskreuz)
- *warning cross (Am. crossbuck)*
42 der Schrankenwärter
- *crossing keeper (Am. gateman)*
43 der Schrankenposten
- *crossing keeper's box (Am. gateman's
  box)*
44 der Streckenwärter
- *linesman (Am. trackwalker)*
45 die Halbschrankenanlage
- *half-barrier crossing*
46 das Blinklicht
- *warning light*
47 die Anrufschranke
- *intercom-controlled crossing; sim.:
  telephone-controlled crossing*
48 die Wechselsprechanlage
- *intercom system*
49 der technisch nicht gesicherte
　Bahnübergang (unbeschrankte
　Bahnübergang)
- *unprotected level crossing
  (Am. unprotected grade crossing)*
50 das Blinklicht
- *warning light*

1-6 Hauptsignale *n*
- **stop signals** *(main signals)*
1 das Hauptsignal, ein Formsignal *n* auf „Zughalt" *m*
- *stop signal (main signal), a semaphore signal in 'stop' position*
2 der Signalarm
- *signal arm (semaphore arm)*
3 das elektrische Hauptsignal (Licht-signal) auf „Zughalt" *m*
- *electric stop signal (colour light, Am. color light, signal) at 'stop'*
4 die Signalstellung „Langsamfahrt" *f*
- *signal position: 'proceed at low speed'*
5 die Signalstellung „Fahrt" *f*
- *signal position: 'proceed'*
6 das Ersatzsignal
- *substitute signal*
7-24 Vorsignale *n*
- **distant signals**
7 das Formsignal auf „Zughalt erwarten"
- *semaphore signal at 'be prepared to stop at next signal'*
8 der Zusatzflügel
- *supplementary semaphore arm*
9 das Lichtvorsignal auf „Zughalt erwarten"
- *colour light (Am. color light) distant signal at 'be prepared to stop at next signal'*
10 die Signalstellung „Langsamfahrt erwarten"
- *signal position: 'be prepared to proceed at low speed'*
11 die Signalstellung „Fahrt erwarten"
- *signal position: 'proceed main signal ahead'*
12 das Formvorsignal mit Zusatztafel *f* für Bremswegverkürzung *f* um mehr als 5 %
- *semaphore signal with indicator plate showing a reduction in braking distance of more than 5%*
13 die Dreiecktafel
- *triangle (triangle sign)*
14 das Lichtvorsignal mit Zusatzlicht *n* für Bremswegverkürzung *f*
- *colour light (Am. color light) distant signal with indicator light for showing reduced braking distance*
15 das weiße Zusatzlicht
- *supplementary white light*
16 die Vorsignalanzeige „Halt erwarten" (Notgelb *n*)
- *distant signal indicating 'be prepared to stop at next signal' (yellow light)*
17 der Vorsignalwiederholer (das Vorsignal mit Zusatzlicht *n*, ohne Tafel *f*)
- *second distant signal (distant signal with supplementary light, without indicator plate)*
18 das Vorsignal mit Geschwindigkeits-anzeige *f*
- *distant signal with speed indicator*
19 der Geschwindigkeitsvoranzeiger
- *distant speed indicator*
20 das Vorsignal mit Richtungs-voranzeige *f*
- *distant signal with route indicator*
21 der Richtungsvoranzeiger
- *route indicator*
22 das Vorsignal ohne Zusatzflügel *m* in Stellung *f* „Zughalt erwarten"
- *distant signal without supplementary arm in position: 'be prepared to stop at next signal'*

23 das Vorsignal ohne Zusatzflügel *m* in Stellung *f* „Fahrt erwarten"
- *distant signal without supplementary arm in 'be prepared to proceed' position*
24 die Vorsignaltafel
- *distant signal identification plate*
25-44 Zusatzsignale *n*
- **supplementary signals**
25 die Trapeztafel zur Kennzeichnung des Haltepunkts *m* vor einer Betriebsstelle
- *stop board for indicating the stopping point at a control point*
26-29 die Vorsignalbaken *f*
- **approach signs**
26 die Vorsignalbake in 100 m Entfernung *f* vom Vorsignal *n*
- *approach sign 100 m from distant signal*
27 die Vorsignalbake in 175 m Entfernung *f*
- *approach sign 175 m from distant signal*
28 die Vorsignalbake in 250 m Entfernung *f*
- *approach sign 250 m from distant signal*
29 die Vorsignalbake in einer um 5 % geringeren Entfernung *f* als der Bremsweg der Strecke
- *approach sign at a distance of 5% less than the braking distance on the section*
30 die Schachbretttafel zur Kennzeich-nung von Hauptsignalen *n*, die nicht unmittelbar rechts oder über dem Gleis *n* stehen
- *chequered sign indicating stop signals (main signals) not positioned immediately to the right of or over the line (track)*
31 *u.* **32** die Haltetafeln *f* zur Kennzeich-nung des Halteplatzes *m* der Zugspitze
- *stop boards to indicate the stopping point of the front of the train*
33 die Haltepunkttafel (ein Haltepunkt *m* ist zu erwarten)
- *stop board indicating 'be prepared to stop'*
34 *u.* **35** die Schneepflugtafeln *f*
- *snow plough (Am. snowplow) signs*
34 die Tafel „Pflugschar heben"
- *'raise snow plough (Am. snowplow)' sign*
35 die Tafel „Pflugschar senken"
- *'lower snow plough (Am. snowplow)' sign*
36-44 Langsamfahrsignale *n*
- **speed restriction signs**
36-38 die Langsamfahrscheibe [Höchstge-schwindigkeit *f* 3 x 10 = 30 km/h]
- **speed restriction sign** *[maximum speed 3 x 10 = 30 kph]*
36 das Tageszeichen
- *sign for day running*
37 die Geschwindigkeitskennziffer
- *speed code number*
38 das Nachtzeichen
- *illuminated sign for night running*
39 der Anfang der vorübergehenden Langsamfahrstelle
- *commencement of temporary speed restriction*
40 das Ende der vorübergehenden Lang-samfahrstelle
- *termination of temporary speed restriction*
41 die Geschwindigkeit für eine ständige Langsamfahrstelle [Höchst-geschwindigkeit *f* 5 × 10 = 50 km/h]

- *speed restriction sign for a section with a permanent speed restriction [maximum speed 5 x 10 = 50 kph]*
42 der Anfang der ständigen Langsam-fahrstelle
- *commencement of permanent speed restriction*
43 die Geschwindigkeitsankündetafel [nur auf Hauptbahnen *f*]
- *speed restriction warning sign [only on main lines]*
44 das Geschwindigkeitssignal [nur auf Hauptbahnen *f*]
- *speed restriction sign [only on main lines]*
45-52 Weichensignale *n*
- **point signals** *(switch signals)*
45-48 einfache Weichen *f*
- **single points** *(single switches)*
45 der gerade Zweig
- *route straight ahead (main line)*
46 der gebogene Zweig [rechts]
- *[right] branch*
47 der gebogene Zweig [links]
- *[left] branch*
48 der gebogene Zweig [vom Herzstück *n* aus gesehen]
- *branch [seen from the frog]*
49-52 doppelte Kreuzungsweichen *f*
- **double crossover**
49 die Gerade von links nach rechts
- *route straight ahead from left to right*
50 die Gerade von rechts nach links
- *route straight ahead from right to left*
51 der Bogen von links nach links
- *turnout to the left from the left*
52 der Bogen von rechts nach rechts
- *turnout to the right from the right*
53 das mechanische Stellwerk
- **manually-operated signal box** *(Am. signal tower, switch tower)*
54 das Hebelwerk
- *lever mechanism*
55 der Weichenhebel [blau], ein Riegel-hebel *m*
- *points lever (switch lever) [blue], a lock lever*
56 der Signalhebel [rot]
- *signal lever [red]*
57 die Handfalle
- *catch*
58 der Fahrstraßenhebel
- *route lever*
59 der Streckenblock
- *block instruments*
60 das Blockfeld
- *block section box*
61 das elektrische Stellwerk
- *electrically-operated signal box (Am. signal tower, switch tower)*
62 die Weichen- und Signalhebel *m*
- *points (switch) and signal knobs*
63 das Verschlußregister
- *lock indicator panel*
64 das Überwachungsfeld
- *track and signal indicator*
65 das Gleisbildstellwerk
- *track diagram control layout*
66 der Gleisbildstelltisch
- *track diagram control panel (domino panel)*
67 die Drucktasten *f*
- *push buttons*
68 die Fahrstraßen *f*
- *routes*
69 die Wechselsprechanlage
- *intercom system*

1 die Expreßgutabfertigung (Expreß-
gutannahme und -ausgabe)
- *parcels office*
2 das Expreßgut
- *parcels*
3 der Schließkorb
- *basket [with lock]*
4 die Gepäckabfertigung
- *luggage counter*
5 die automatische Zeigerwaage
- *platform scale with dial*
6 der Koffer
- *suitcase (case)*
7 der Gepäckaufkleber
- *luggage sticker*
8 der Gepäckschein
- *luggage receipt*
9 der Abfertigungsbeamte
- *luggage clerk*
10 das Werbeplakat
- *poster (advertisement)*
11 der Bahnhofsbriefkasten
- *station post box* (Am. *station mailbox*)
12 die Orientierungstafel
- *station guide*
13 das Bahnhofsrestaurant (die
Bahnhofsgaststätte)
- *station restaurant*
14 der Warteraum (Wartesaal)
- *waiting room*
15 der Stadtplan
- *map of the town (street map)*

16 die Kursbuchtafeln *f*
- *timetable* (Am. *schedule*)
17 der Fahrausweisautomat
(Fahrkartenautomat)
- *ticket machine*
18 der Wandfahrplan
- *arrivals and departures board*
(timetable)
19 die Ankunftstafel
- *arrival timetable* (Am. *arrival*
schedule)
20 die Abfahrtstafel
- *departure timetable* (Am. *departure*
schedule)
21 die Gepäckschließfächer *n*
- *left luggage lockers*

22 der Geldwechselautomat (Geldwechsler)
 – *change machine*
23 der Bahnsteigtunnel
 – *tunnel to the platforms*
24 die Reisenden *m u. f*
 – *passengers*
25 der Bahnsteigaufgang
 – *steps to the platforms*
26 die Bahnhofsbuchhandlung (*auch:*
   das Zeitschriftenkiosk)
 – *station bookstall (Am. station
   bookstand) (also: magazine kiosk)*
27 die Handgepäckaufbewahrung
 – *left luggage office (left luggage)*
28 das Reisebüro; *auch:* der Hotel- und
   Zimmernachweis
 – *travel centre (Am. center); also:
   accommodation bureau*
29 die Auskunft
 – *information office (Am. information
   bureau)*
30 die Bahnhofsuhr
 – *station clock*
31 die Bankfiliale, mit Wechselstelle *f*
 – *bank branch with foreign exchange
   counter*
32 die Geldkurstabelle (Währungs-
   tabelle)
 – *indicator board showing exchange
   rates*
33 der Streckennetzplan
 – *railway map (Am. railroad map)*

34 die Fahrkartenausgabe
   (Fahrausweisausgabe)
 – *ticket office*
35 der Fahrkartenschalter
   (Fahrausweisschalter)
 – *ticket counter*
36 die Fahrkarte (der Fahrausweis)
 – *ticket*
37 der Drehteller
 – *revolving tray*
38 die Sprechmembran
 – *grill*
39 der Schalterbeamte (Fahrkarten-
   verkäufer)
 – *ticket clerk (Am. ticket agent)*
40 die Glasscheibe
 – *pane of glass (window)*
41 der Taschenfahrplan
 – *pocket timetable (Am. pocket train
   schedule)*
42 die Gepäckbank
 – *luggage rest*
43 die Sanitätswache
 – *first aid station*
44 die Bahnhofsmission
 – *Travellers' (Am. Travelers') Aid*
45 der Auskunftsbeamte (Bahn-
   angestellte, *hier:* der Schaffner,
   Zugführer)
 – *railway (Am. railroad) information
   clerk (railway [Am. railroad]
   employee; here: the guard,
   conductor)*

46 das amtliche Kursbuch
 – *official timetable (official railway
   guide, Am. train schedule)*

1 der Bahnsteig
– platform
2 die Bahnsteigtreppe
– steps to the platform
3 die Bahnsteigüberführung
– bridge
4 die Bahnsteignummer
– platform number
5 die Bahnsteigüberdachung
– platform roofing
6 die Reisenden m u. f
– passengers
7-12 das Reisegepäck
– luggage
7 der Handkoffer
– suitcase (case)
8 der Kofferanhänger
– luggage label
9 der Hotelaufkleber m
– hotel sticker
10 die Reisetasche
– travelling (Am. traveling) bag
11 die Hutschachtel
– hat box
12 der Schirm (Regenschirm), ein
Stockschirm m
– umbrella, a walking-stick umbrella
13 das Empfangsgebäude (Dienst-
gebäude)
– main building (offices)
14 der Hausbahnsteig
– platform
15 der Gleisüberweg
– crossing

16 der fahrbare Zeitungsständer
– news trolley
17 der Zeitungsverkäufer
– news vendor (Am. news dealer)
18 die Reiselektüre
– reading matter for the
journey
19 die Bahnsteigkante
– edge of the platform
20 der Bahnpolizist
– railway policeman (Am. railroad
policeman)
21 der Fahrtrichtungsanzeiger
– destination board
22 das Feld für den Zielbahnhof
– destination indicator
23 das Feld für die planmäßige
Abfahrtszeit
– departure time indicator
24 das Feld für die Zugverspätung
– delay indicator
25 der S-Bahn-Zug, ein Triebwagenzug m
– suburban train, a railcar
26 das Sonderabteil
– special compartment
27 der Bahnsteiglautsprecher
– platform loudspeaker
28 das Stationsschild
– station sign
29 der Elektrokarren
– electric trolley (electric truck)
30 der Ladeschaffner
– loading foreman

31 der Gepäckträger
– porter (Am. redcap)
32 der Gepäckschiebekarren
– barrow
33 der Trinkbrunnen
– drinking fountain
34 der elektrische EC-Zug (Eurocity-
Zug), auch: IC-Zug (Intercity-Zug)
– electric Eurocity express; also: IC
express (Intercity express)
35 die E-Lok, eine elektrische Schnell-
zugslokomotive
– electric locomotive, an express
locomotive
36 der Stromabnehmerbügel
– collector bow (sliding bow)

37 das Zugsekretariat
– *secretarial compartment*
38 das Richtungsschild
– *destination board*
39 der Wagenmeister
– *wheel tapper*
40 der Radprüfhammer
– *wheel-tapping hammer*
41 der Aufsichtsbeamte
– *station foreman*
42 der Befehlsstab
– *signal*
43 die rote Mütze
– *red cap*
44 der Auskunftsbeamte
– *inspector*
45 der Taschenfahrplan
– *pocket timetable (*Am. *pocket train
schedule)*
46 die Bahnsteiguhr
– *platform clock*
47 das Abfahrtssignal
– *starting signal*
48 die Bahnsteigbeleuchtung
– *platform lighting*
49 der Bahnsteigkiosk für
Erfrischungen *f* und
Reiseverpflegung *f*
– *refreshment kiosk*
50 die Bierflasche
– *beer bottle*
51 die Zeitung
– *newspaper*
52 der Abschiedskuß
– *parting kiss*

53 die Umarmung
– *embrace*
54 die Wartebank
– *platform seat*
55 der Abfallkorb
– *litter bin (*Am. *litter basket)*
56 der Bahnsteigbriefkasten
– *platform post box (*Am. *platform
mailbox)*
57 das Bahnsteigtelefon (der Bahnsteig-
fernsprecher)
– *platform telephone*
58 der Fahrdraht
– *trolley wire (overhead contact wire)*
59-61 das Gleis
– *track*
59 die Schiene
– *rail*
60 die Schwelle
– *sleeper (*Am. *tie, crosstie)*
61 der Schotter (das Schotterbett)
– *ballast (bed)*

1 die Auffahrtsrampe (Fahrzeug-
rampe); *ähnl.:* die Viehrampe
– *ramp (vehicle ramp);* sim.: *livestock
ramp*
2 der Elektroschlepper
– *electric truck*
3 der Förderwagen
– *trailer*
4 die Stückgüter *n* (Einzelgüter, Kolli);
im Sammelverkehr: Sammelgut *n* in
Sammelladungen *f*
– *part loads* (Am. *package freight,
less-than-carload freight);* in general
traffic: *general goods in general
consignments (in mixed consignments)*
5 die Lattenkiste
– *crate*
6 der Stückgutwagen
– *goods van* (Am. *freight car)*
7 die Güterhalle (der Güterschuppen)
– *goods shed* (Am. *freight house)*
8 die Ladestraße
– *loading strip*
9 die Hallenrampe (Laderampe)
– *loading dock*
10 der Torfballen
– *bale of peat*
11 der Leinwandballen
– *bale of linen (of linen cloth)*
12 die Verschnürung
– *fastening (cord)*
13 die Korbflasche
– *wicker bottle (wickered bottle,
demijohn)*
14 der Sack- oder Stechkarren
– *trolley*
15 der Stückgut-Lkw
– *goods lorry* (Am. *freight truck)*
16 der Gabelstapler
– *forklift truck (fork truck, forklift)*
17 das Ladegleis
– *loading siding*
18 das Sperrgut
– *bulky goods*
19 der bahneigene Kleinbehälter
(Kleincontainer)
– *small railway-owned
(Am. railroad-owned) container*
20 der Schaustellerwagen *(ähnl.:*
Zirkuswagen)
– *showman's caravan* (sim. *circus
caravan)*
21 der Flachwagen
– *flat wagon* (Am. *flat freight car)*
22 das Lademaß
– *loading gauge* (Am. *gage)*
23 der Strohballen
– *bale of straw*
24 der Rungenwagen
– *flat wagon* (Am. *flatcar) with side
stakes*
25 der Wagenpark
– *fleet of lorries* (Am. *trucks)*
26-39 der Güterboden
– ***goods shed*** (Am. *freight house)*
26 die Frachtgutannahme (Güter-
abfertigung)
– *goods office (forwarding office,
Am. freight office)*

27 das Stückgut
– *part-load goods* (Am. *package freight)*
28 der Stückgutunternehmer
– *forwarding agent* (Am. *freight agent,
shipper)*
29 der Lademeister
– *loading foreman*
30 der Frachtbrief
– *consignment note (waybill)*
31 die Stückgutwaage
– *weighing machine*
32 die Palette
– *pallet*
33 der Güterbodenarbeiter
– *porter*
34 der Elektrowagen
– *electric cart (electric truck)*
35 der Förderwagen
– *trailer*
36 der Abfertigungsbeamte (die Lade-
aufsicht)
– *loading supervisor*
37 das Hallentor
– *goods shed door* (Am. *freight house
door)*
38 die Laufschiene
– *rail (slide rail)*
39 die Laufrolle
– *roller*
40 das Wiegehäuschen
– *weighbridge office*
41 die Gleiswaage
– *weighbridge*
42 der Rangierbahnhof
– *marshalling yard* (Am. *classification
yard, switch yard)*
43 die Rangierlok
– *shunting engine (shunting locomotive,
shunter,* Am. *switch engine, switcher)*
44 das Rangierstellwerk
– *marshalling yard signal box
(Am. classification yard switch tower)*
45 der Rangiermeister
– *yardmaster*
46 der Ablaufberg
– *hump*
47 das Rangiergleis
– *sorting siding (classification siding,
classification track)*
48 die Gleisbremse
– *rail brake (retarder)*
49 der Gleishemmschuh
– *slipper brake (slipper)*
50 das Abstellgleis
– *storage siding (siding)*
51 der Prellbock
– *buffer (buffers,* Am. *bumper)*
52 die Wagenladung
– *wagon load* (Am. *carload)*
53 das Lagerhaus
– *warehouse*
54 der Containerbahnhof
– *container station*
55 der Portalkran
– *gantry crane*
56 das Hubwerk
– *lifting gear (hoisting gear)*
57 der Container
– *container*

58 der Containertragwagen
– *container wagon* (Am. *container car)*
59 der Sattelanhänger
– *semi-trailer*

1-21 der Schnellzugwagen (D-Zug-Wagen), ein Reisezugwagen
– *express train coach (express train carriage, express train car, corridor compartment coach), a passenger coach*
1 die Seitenansicht
– *side elevation (side view)*
2 der Wagenkasten
– *coach body*
3 das Untergestell
– *underframe (frame)*
4 das Drehgestell mit Stahlgummi-federung *f* und Stoßdämpfern *m*
– *bogie (truck) with steel and rubber suspension and shock absorbers*
5 die Batteriebehälter *m*
– *battery containers (battery boxes)*
6 der Dampf- und Elektrowärme-tauscher für die Heizung
– *steam and electric heat exchanger for the heating system*
7 das Übersetzfenster
– *sliding window*
8 die Gummiwulstdichtung
– *rubber connecting seal*
9 der statische Entlüfter
– *ventilator*
10-21 der Grundriß
– *plan*
10 der Zweite-Klasse-Teil
– *second-class section*
11 der Seitengang
– *corridor*
12 der Klappsitz
– *folding seat (tip-up seat)*
13 das Fahrgastabteil (Abteil)
– *passenger compartment (compartment)*
14 die Abteiltür
– *compartment door*
15 der Waschraum
– *washroom*
16 der Abortraum
– *toilet (lavatory, WC)*
17 der Erste-Klasse-Teil
– *first-class section*
18 die Pendeltür
– *swing door*
19 die Stirnwandschiebetür
– *sliding connecting door*
20 die Einstiegstür
– *door*
21 der Vorraum
– *vestibule*
22-32 der Speisewagen
– *dining car (restaurant car, diner)*
22-25 die Seitenansicht
– *side elevation (side view)*
22 die Einstiegstür
– *door*
23 die Ladetür
– *loading door*
24 der Stromabnehmer für die Energie-versorgung bei Stillstand *m*
– *current collector for supplying power during stops*
25 die Batterietröge *m*
– *battery boxes (battery containers)*

26-32 der Grundriß
– *plan*
26 der Personalwaschraum
– *staff washroom*
27 der Abstellraum
– *storage cupboard*
28 der Spülraum
– *washing-up area*
29 die Küche
– *kitchen*
30 der Acht-Platten-Elektroherd
– *electric oven with eight hotplates*
31 das Büfett
– *counter*
32 der Speiseraum
– *dining compartment*
33 die Speisewagenküche
– *dining car kitchen*
34 der Küchenmeister (Zugkoch)
– *chef (head cook)*
35 die Anrichte
– *kitchen cabinet*
36 der Schlafwagen
– *sleeping car (sleeper)*
37 die Seitenansicht
– *side elevation (side view)*
38-42 der Grundriß
– *plan*
38 das Zwei-Platz-zwei-Bett-Abteil
– *two-seat twin-berth compartment (two-seat two-berth compartment, Am. bedroom)*
39 die Drehfalttür
– *folding doors*
40 der Waschtisch
– *washstand*
41 der Dienstraum
– *office*
42 der Abortraum
– *toilet (lavatory, WC)*
43 das Schnellzugabteil
– *express train compartment*
44 der Ausziehpolstersitz
– *upholstered reclining seat*
45 die Armlehne
– *armrest*
46 der Armlehnenascher
– *ashtray in the armrest*
47 das verstellbare Kopfpolster
– *adjustable headrest*
48 der Leinenbezug
– *antimacassar*
49 der Spiegel
– *mirror*
50 der Kleiderhaken (Mantelhaken)
– *coat hook*
51 die Gepäckablage
– *luggage rack*
52 das Abteilfenster
– *compartment window*
53 das Klapptischchen
– *fold-away table (pull-down table)*
54 die Heizungsregulierung
– *heating regulator*
55 der Abfallbehälter
– *litter receptacle*
56 der Schleudervorhang
– *curtain*

57 die Fußstütze
– *footrest*
58 der Eckplatz
– *corner seat*
59 der Großraumwagen
– *open car*
60 die Seitenansicht
– *side elevation (side view)*
61-72 der Grundriß
– *plan*
61 das Großraumabteil
– *open carriage*
62 die Einzelsitzreihe
– *row of single seats*
63 die Doppelsitzreihe
– *row of double seats*
64 der Drehliegesitz
– *reclining seat*
65 das Sitzpolster
– *seat upholstery*
66 die Rückenlehne
– *backrest*
67 der (das) Kopfteil
– *headrest*
68 das Daunenkissen mit Nylonbezug *m*
– *down-filled headrest cushion with nylon cover*
69 die Armlehne, mit Ascher *m*
– *armrest with ashtray*
70 der Garderobenraum
– *cloakroom*
71 der Kofferraum
– *luggage compartment*
72 der WC-Raum
– *toilet (lavatory, WC)*
73 der Quick-Pick-Wagen, ein Selbst-bedienungsspeisewagen *m*
– *buffet car (quick-service buffet car), a self-service restaurant car*
74 die Seitenansicht
– *side elevation (side view)*
75 der Stromabnehmer für die Stand-versorgung
– *current collector for supplying power during stops*
76 der Grundriß
– *plan*
77 der Speiseraum
– *dining compartment*
78-79 der Angebotsraum
– *buffet (buffet compartment)*
78 die Gastseite
– *customer area*
79 die Bedienerseite
– *serving area*
80 die Küche
– *kitchen*
81 der Personalraum
– *staff compartment*
82 das Personal-WC
– *staff toilet (staff lavatory, staff WC)*
83 die Speisengefache *n*
– *food compartments*
84 die Teller *m*
– *plates*
85 das Besteck
– *cutlery*
86 die Kasse
– *till (cash register)*

1-30 der Nahverkehr
– *local train service*
1-12 der Nahverkehrszug
– *local train (short-distance train)*
1 die elektrische Lokomotive
– *electric locomotive*
2 der Stromabnehmer
– *current collector*
3 der vierachsige Nahverkehrswagen, ein Reisezugwagen *m*
– *four-axled coach (four-axled car) for short-distance routes, a passenger coach (passenger car)*
4 das Drehgestell [mit Scheibenbremsen *f*]
– *bogie (truck) [with disc (disk) brakes]*
5 das Untergestell
– *underframe (frame)*
6 der Wagenkasten mit der Beblechung
– *coach body with metal panelling (Am. paneling)*
7 die Doppeldrehfalttür
– *double folding doors*
8 das Abteilfenster
– *compartment window*
9 der Großraum
– *open carriage*
10 der Einstieg (Einstiegsraum)
– *entrance*

11 der Übergang
– *connecting corridor*
12 die Gummiwulstabdichtung
– *rubber connecting seal*
13 der Leichttriebwagen, ein Nahverkehrstriebwagen *m*
– *light railcar, a short-distance railcar*
14 der Triebwagenführerstand
– *cab (driver's cab, Am. engineer's cab)*
15 die Wagentür
– *carriage door*
16 die Leitungs- und Wagenkupplung
– *connecting hoses and coupling*
17 der Kupplungsbügel
– *coupling link*
18 die Spannvorrichtung (die Kupplungsspindel mit dem Kupplungsschwengel *m*)
– *tensioning device (coupling screw with tensioning lever)*
19 die nicht eingesenkte Kupplung
– *unlinked coupling*
20 der Heizkupplungsschlauch der Heizleitung
– *heating coupling hose (steam coupling hose)*
21 der Bremskupplungsschlauch der Bremsluftleitung
– *coupling hose (connecting hose) for the compressed-air braking system*

22 der Fahrgastraum 2. Klasse *f*
– *second-class section*
23 der Mittelgang
– *central gangway*
24 das Abteil
– *compartment*
25 die Polsterbank
– *upholstered seat*
26 die Armstütze
– *armrest*
27 die Gepäckablage
– *luggage rack*
28 die Hut- und Kleingepäckablage
– *hat and light luggage rack*
29 der Kippaschenbecher
– *ashtray*
30 der Reisende (Fahrgast)
– *passenger*

1-19 der ICE-Zug (Intercity Express,
  früher: Intercity Experimental)
- *Intercity Express (*formerly: *Intercity
  Experimental)*
1 der Triebzug (Triebwagenzug) der
  Deutschen Bundesbahn (DB)
- *German Federal Railway trainset*
2 der Triebkopf (Triebwagen)
- *driving unit (power car)*
3 der Triebradsatz mit den Fahr-
  motoren *m*
- *driving bogie with traction motors*
4 der Führerstand
- *cab (driver's cab,* Am. *engineer's cab)*
5 die Einspeisung (das Netzfilter)
- *power supply (traction current filter)*
6 der Schütz (Wandler, die Drossel)
- *contactors (converters, inductance)*
7 die Fahrmotorbelüftung
- *traction motor blower*
8 der Drosselschütz (Wandler)
- *inductance protection (converter)*
9 die Ölkühlanlage
- *oil-cooling plant*
10 der Hilfsbetriebeumrichter
- *converter for the auxiliaries*
11 die Elektronik
- *electronics*
12 das Steuerstromgerät
- *control current equipment*

13 die Hilfsbetriebe *m* (Schaltgeräte *n*)
- *auxiliaries (switchgear)*
14 die Druckluftausrüstung
- *pneumatic equipment*
15 die Klimaanlage
- *air-conditioning plant*
16 die Hauptstromumrichter
- *main current converters*
17 die Meßtechnik (Diagnose)
- *measuring equipment (diagnosis)*
18 die LZB (Linienzugbeeinflussung)
- *continuous automatic train-running
  control*
19 der Transformator
- *transformer*
20 der TGV (Train à Grande Vitesse)
  der Société Nationale des Chemins
  de Fer Français (SNCF)
- *TGV (Train à Grande Vitesse) of the
  Société Nationale des Chemins de Fer
  Français (SNCF)*

210 Eisenbahnfahrzeuge (Schienenfahrzeuge) IV

1-69 **Dampflokomotiven** *f* (Dampfloks)
– *steam locomotives*
2-37 **der Lokomotivkessel und das Loktriebwerk**
– *locomotive boiler and driving gear*
2 die Tenderbrücke, mit Kupplung *f*
– *tender platform with coupling*
3 das Sicherheitsventil, für Dampfüberdruck *m*
– *safety valve for excess boiler pressure*
4 die Feuerbüchse
– *firebox*
5 der Kipprost
– *drop grate*
6 der Aschkasten, mit Luftklappen *f*
– *ashpan with damper doors*
7 die Aschkastenbodenklappe
– *bottom door of the ashpan*
8 die Rauchrohre *n*
– *smoke tubes (flue tubes)*
9 die Speisewasserpumpe
– *feed pump*
10 das Achslager
– *axle bearing*
11 die Kuppelstange
– *connecting rod*
12 der Dampfdom
– *steam dome*
13 das Reglerventil
– *regulator valve (regulator main valve)*
14 der Sanddom
– *sand dome*

15 die Sandabfallrohre *n*
– *sand pipes (sand tubes)*
16 der Langkessel
– *boiler (boiler barrel)*
17 die Heiz- oder Siederohre *n*
– *fire tubes or steam tubes*
18 die Steuerung
– *reversing gear (steam reversing gear)*
19 die Sandstreuerrohre *n*
– *sand pipes*
20 das Speiseventil
– *feed valve*
21 der Dampfsammelkasten
– *steam collector*
22 der Schornstein (Rauchaustritt und Abdampfauspuff)
– *chimney (smokestack, smoke outlet and waste steam exhaust)*
23 der Speisewasservorwärmer (Oberflächenvorwärmer)
– *feedwater preheater (feedwater heater, economizer)*
24 der Funkenfänger
– *spark arrester*
25 das Blasrohr
– *blast pipe*
26 die Rauchkammertür
– *smokebox door*
27 der Kreuzkopf
– *cross head*
28 der Schlammsammler
– *mud drum*

29 das Rieselblech
– *top feedwater tray*
30 die Schieberstange
– *combination lever*
31 der Schieberkasten
– *steam chest*
32 der Dampfzylinder
– *cylinder*
33 die Kolbenstange mit Stopfbuchse *f*
– *piston rod with stuffing box (packing box)*
34 der Bahnräumer (Gleisräumer, Schienenräumer)
– *guard iron (rail guard, Am. pilot, cowcatcher)*
35 die Laufachse
– *carrying axle (running axle, dead axle)*
36 die Kuppelachse
– *coupled axle*
37 die Treibachse
– *driving axle*
38 die Schlepptender-Schnellzuglokomotive
– *express locomotive with tender*

366

39-63 der Dampflokführerstand
– *cab (driver's cab,* Am. *engineer's cab)*
39 der Heizersitz
– *fireman's seat*
40 die Kipprostkurbel
– *drop grate lever*
41 die Strahlpumpe
– *line steam injector*
42 die automatische Schmierpumpe
– *automatic lubricant pump (automatic lubricator)*
43 der Vorwärmerdruckmesser
– *preheater pressure gauge* (Am. *gage)*
44 der Heizdruckmesser
– *carriage heating pressure gauge* (Am. *gage)*
45 der Wasserstandsanzeiger
– *water gauge* (Am. *gage)*
46 die Beleuchtung
– *light*
47 der Kesseldruckmesser
– *boiler pressure gauge* (Am. *gage)*
48 das Fernthermometer
– *distant-reading temperature gauge* (Am. *gage)*
49 das Lokführerhaus
– *cab (driver's cab,* Am. *engineer's cab)*
50 der Bremsdruckmesser
– *brake pressure gauge* (Am. *gage)*

51 der Hebel der Dampfpfeife
– *whistle valve handle*
52 der Buchfahrplan
– *driver's timetable* (Am. *engineer's schedule)*
53 das Führerbremsventil
– *driver's brake valve* (Am. *engineer's brake valve)*
54 der Geschwindigkeitsschreiber (Tachograph)
– *speed recorder (tachograph)*
55 der Hahn zum Sandstreuer *m*
– *sanding valve*
56 das Steuerrad
– *reversing wheel*
57 das Notbremsventil
– *emergency brake valve*
58 das Auslöseventil
– *release valve*
59 der Lokführersitz
– *driver's seat* (Am. *engineer's seat)*
60 der Blendschutz
– *firehole shield*
61 die Feuertür
– *firehole door*
62 der Stehkessel
– *vertical boiler*
63 der Handgriff des Feuertüröffners *m*
– *firedoor handle handgrip*

64 die Gelenklokomotive (Garratt-lokomotive)
– *articulated locomotive (Garratt locomotive)*
65 die Tenderlok
– *tank locomotive*
66 der Wasserkasten
– *water tank*
67 der Brennstofftender
– *fuel tender*
68 die Dampfspeicherlokomotive (feuerlose Lokomotive)
– *steam storage locomotive (fireless locomotive)*
69 die Kondensationslokomotive
– *condensing locomotive (locomotive with condensing tender)*

211 Eisenbahnfahrzeuge (Schienenfahrzeuge) V

1 **die elektrische Lokomotive**
  (E-Lok, Ellok)
- *electric locomotive*
2 der Stromabnehmer
- *current collector*
3 der Hauptschalter
- *main switch*
4 der Oberspannungswandler
- *high-tension transformer*
5 die Dachleitung
- *roof cable*
6 der Fahrmotor
- *traction motor*
7 die induktive Zugbeeinflussung
  (Indusi)
- *inductive train control system*
8 die Hauptluftbehälter *m*
- *main air reservoir*
9 das Pfeifsignalinstrument
- *whistle*
10-18 der Grundriß der Lok
- *plan of locomotive*
10 der Transformator mit dem
  Schaltwerk *n*
- *transformer with tap changer*
11 der Ölkühler mit dem Lüfter *m*
- *oil cooler with blower*
12 die Ölumlaufpumpe
- *oil-circulating pump*
13 der Schaltwerkantrieb
- *tap changer driving mechanism*
14 der Luftkompressor (Luftpresser)
- *air compressor*
15 der Fahrmotorlüfter
- *traction motor blower*
16 der Klemmenschrank
- *terminal box*
17 Kondensatoren *m* für
  Hilfsmotoren *m*
- *capacitors for auxiliary motors*
18 die Kommutatorklappe
- *commutator cover*
19 **der Führerstand** (Führerraum)
- *cab (driver's cab,* Am. *engineer's
  cab)*
20 das Fahrschalterhandrad
- *controller handwheel*
21 der Sicherheitsfahrschalter (Sifa)
- *dead man's handle*
22 das Führerbremsventil
- *driver's brake valve (*Am. *engineer's
  brake valve)*
23 das Zusatzbremsventil
- *ancillary brake valve (auxiliary
  brake valve)*
24 die Luftdruckanzeige
- *pressure gauge (*Am. *gage)*
25 der Überbrückungsschalter der Sifa
- *bypass switch for the dead man's
  handle*
26 die Zugkraftanzeige
- *tractive effort indicator*
27 die Heizspannungsanzeige
- *train heating voltage indicator*
28 die Fahrdrahtspannungsanzeige
- *contact wire voltage indicator
  (overhead wire voltage indicator)*

29 die Oberstromspannungsanzeige
- *high-tension voltage indicator*
30 der Auf-und-ab-Schalter für den
  Stromabnehmer
- *on/off switch for the current collector*
31 der Hauptschalter
- *main switch*
32 der Sandschalter
- *sander switch (sander control)*
33 der Schalter für die
  Schleuderschutzbremse
- *anti-skid brake switch*
34 die optische Anzeige für die
  Hilfsbetriebe *m*
- *visual display for the ancillary systems*
35 die Geschwindigkeitsanzeige
- *speedometer*
36 die Fahrstufenanzeige
- *running step indicator*
37 die Zeituhr
- *clock*
38 die Bedienung der Indusi
- *controls for the inductive train control
  system*
39 der Schalter für die
  Führerstandsheizung
- *cab heating switch*
40 der Hebel für das Pfeifsignal
- *whistle lever*
41 **der Fahrleitungsunterhaltungs-
  triebwagen** (Regelturmtriebwagen),
  ein Dieseltriebwagen *m*
- *contact wire maintenance vehicle
  (overhead wire maintenance vehicle),
  a diesel railcar*
42 die Arbeitsbühne
- *work platform (working platform)*
43 die Leiter
- *ladder*
**44-54 die Maschinenanlage des Fahr-
  leitungsunterhaltungstriebwagens** *m*
- *mechanical equipment of the contact
  wire maintenance vehicle*
44 der Luftkompressor (Luftpresser)
- *air compressor*
45 die Lüfterölpumpe
- *blower oil pump*
46 die Lichtmaschine
- *generator*
47 der Dieselmotor
- *diesel engine*
48 die Einspritzpumpe
- *injection pump*
49 der Schalldämpfer
- *silencer (*Am. *muffler)*
50 das Schaltgetriebe
- *change-speed gear*
51 die Gelenkwelle
- *cardan shaft*
52 die Spurkranzschmierung
- *wheel flange lubricator*
53 das Achswendegetriebe
- *reversing gear*
54 die Drehmomentenstütze
- *torque converter bearing*
55 **der Akkumulatortriebwagen**
- *accumulator railcar (battery railcar)*

56 der Batterieraum (Batterietrog)
- *battery box (battery container)*
57 der Führerstand
- *cab (driver's cab,* Am. *engineer's cab)*
58 die Sitzanordnung der zweiten
  Klasse
- *second-class seating arrangement*
59 die Toilette
- *toilet (lavatory, WC)*
60 **der elektrische Schnelltriebzug**
- *fast electric multiple-unit train*
61 der Endtriebwagen
- *front railcar*
62 der Mitteltriebwagen
- *driving trailer car*

212 Eisenbahnfahrzeuge (Schienenfahrzeuge) VI

1-84 Dieselloks *f*
– *diesel locomotives*

1 die dieselhydraulische Lokomotive,
eine Streckendiesellokomotive
(Diesellok) für den mittelschweren
Reisezug- und Güterzugdienst
– *diesel-hydraulic locomotive, a*
mainline locomotive (diesel
locomotive) for medium passenger
and goods service (freight service)

2 das Drehgestell
– *bogie (truck)*

3 der Radsatz
– *wheel and axle set*

4 der Kraftstoffhauptbehälter
– *main fuel tank*

5 der Führerstand einer Diesellok
– *cab (driver's cab, Am. engineer's cab)*
of a diesel locomotive

6 das Manometer für die
Hauptluftleitung
– *main air pressure gauge*
(Am. gage)

7 die Bremszylinderdruckanzeige
– *brake cylinder pressure gauge*
(Am. gage)

8 die Hauptluftbehälter-Druckanzeige
– *main air reservoir pressure gauge*
(Am. gage)

9 der Geschwindigkeitsmesser
– *speedometer*

10 die Zusatzbremse
– *auxiliary brake*

11 das Führerbremsventil
– *driver's brake valve (Am. engineer's*
brake valve)

12 das Fahrschalterhandrad
– *controller handwheel*

13 der Sicherheitsfahrschalter (Sifa)
– *dead man's handle*

14 die induktive Zugsicherung (Indusi)
– *inductive train control system*

15 der Leuchtmelder *m*
– *signal lights*

16 die Zeituhr
– *clock*

17 der Heizspannungsmesser
– *voltage meter for the train heating*
system

18 der Heizstrommesser
– *current meter for the train heating*
system

19 der Motoröltemperaturmesser
– *engine oil temperature gauge*
(Am. gage)

20 der Getriebeöltemperaturmesser
– *transmission oil temperature gauge*
(Am. gage)

21 der Kühlwassertemperaturmesser
– *cooling water temperature gauge*
(Am. gage)

22 der Motordrehzahlmesser
– *revolution counter (rev counter,*
tachometer)

23 das Zugbahnfunkgerät
– *radio telephone*

24 die dieselhydraulische Lokomotive
[in Grund- und Aufriß]
– *diesel-hydraulic locomotive [plan and*
elevation]

25 der Dieselmotor
– *diesel engine*

26 die Kühlanlage
– *cooling unit*

27 das Flüssigkeitsgetriebe
– *fluid transmission*

28 das Radsatzgetriebe
– *wheel and axle drive*

29 die Gelenkwelle
– *cardan shaft*

30 die Lichtanlaßmaschine
– *starter motor*

31 der Gerätetisch
– *instrument panel*

32 das Führerpult
– *driver's control desk (Am. engineer's*
control desk)

33 die Handbremse
– *hand brake*

34 der Luftpresser mit E-Motor *m*
(Elektromotor)
– *air compressor with electric motor*

35 der Apparateschrank
– *equipment locker*

36 der Wärmetauscher für das
Getriebeöl
– *heat exchanger for transmission oil*

37 der Maschinenraumlüfter
– *engine room ventilator*

38 der Indusi-Fahrzeugmagnet
– *magnet for the inductive train control*
system

39 der Heizgenerator
– *train heating generator*

40 der Heizumrichterschrank
– *casing of the train heating system*
transformer

41 das Vorwärmgerät
– *preheater*

42 der Abgasschalldämpfer
– *exhaust silencer (Am. exhaust*
muffler)

43 der Zusatzwärmetauscher für das
Getriebeöl
– *auxiliary heat exchanger for the*
transmission oil

44 die hydraulische Bremse
– *hydraulic brake*

45 der Werkzeugkasten
– *tool box*

46 die Anlaßbatterie
– *starter battery*

47 die dieselhydraulische Lokomotive für
den leichten und mittleren
Rangierdienst
– *diesel-hydraulic locomotive for light*
and medium shunting service

48 der Abgasschalldämpfer
– *exhaust silencer (Am. exhaust*
muffler)

49 das Läutwerk und die Pfeife
– *bell and whistle*

50 das Rangierfunkgerät
– *yard radio*

51-67 der Aufriß der Lok
– *elevation of locomotive*

51 der Dieselmotor mit Aufladeturbine *f*
– *diesel engine with supercharged*
turbine

52 das Flüssigkeitsgetriebe
– *fluid transmission*

53 das Nachschaltgetriebe
– *output gear box*

54 der Kühler
– *radiator*

55 der Wärmetauscher für das
Motorschmieröl
– *heat exchanger for the engine*
lubricating oil

56 der Kraftstoffbehälter
– *fuel tank*

57 die Hauptluftbehälter *m*
– *main air reservoir*

58 der Luftpresser
– *air compressor*

59 die Sandkästen *m*
– *sand boxes*

60 der Kraftstoffreservebehälter
– *reserve fuel tank*

61 der Hilfsluftbehälter
– *auxiliary air reservoir*

62 der hydrostatische Lüfterantrieb
– *hydrostatic fan drive*

63 die Sitzbank mit Kleiderkasten *m*
– *seat with clothes compartment*

64 das Handbremsrad
– *hand brake wheel*

65 der Kühlwasserausgleichsbehälter
– *cooling water*

66 der Ausgleichsballast
– *ballast*

67 das Bedienungshandrad für die
Motor- und Getrieberegulierung
– *engine and transmission control wheel*

68 die Dieselkleinlokomotive für den
Rangierdienst
– *small diesel locomotive for shunting*
service

69 der Auspuffendtopf
– *exhaust casing*

70 das Signalhorn (Makrophon)
– *horn*

71 der Hauptluftbehälter
– *main air reservoir*

72 der Luftpresser
– *air compressor*

73 der Acht-Zylinder-Dieselmotor
– *eight-cylinder diesel engine*

74 das Voith-Getriebe mit
Wendegetriebe *n*
– *Voith transmission with reversing gear*

75 der Heizölbehälter
– *heating oil tank (fuel oil tank)*

76 der Sandkasten
– *sand box*

77 die Kühlanlage
– *cooling unit*

78 der Ausgleichsbehälter für das
Kühlwasser
– *header tank for the cooling water*

79 das Ölbadluftfilter
– *oil bath air cleaner (oil bath air filter)*

80 das Handbremsrad
– *hand brake wheel*

81 das Bedienungshandrad
– *control wheel*

82 die Kupplung
– *coupling*

83 die Gelenkwelle
– *cardan shaft*

84 die Klappenjalousie
– *louvred shutter*

1 die dieselhydraulische Lokomotive
– *diesel-hydraulic locomotive*
2 der Führerstand
– *cab (driver's cab,* Am. *engineer's cab)*
3 der Radsatz
– *wheel and axle set*
4 die Antenne für die
Rangierfunkanlage
– *aerial for the yard radio*
5 der Flachwagen in Regelbauart *f*
– *standard flat wagon* (Am. *standard
flatcar)*
6 die abklappbare Stahlrunge (Runge)
– *hinged steel stanchion (stanchion)*
7 die Puffer *m*
– *buffers*
8 der offene Güterwagen in
Regelbauart *f*
– *standard open goods wagon*
(Am. *standard open freight car)*
9 die Seitenwanddrehtüren *f*
– *revolving side doors*
10 die abklappbare Stirnwand
– *hinged front*
11 der Drehgestellflachwagen in
Regelbauart *f*
– *standard flat wagon* (Am. *standard
flatcar)* with bogies
12 die Längsträgerverstärkung
– *sole bar reinforcement*

13 das Drehgestell
– *bogie (truck)*
14 der gedeckte Güterwagen
– *covered goods van (covered goods
wagon,* Am. *boxcar)*
15 die Schiebetür
– *sliding door*
16 die Lüftungsklappe
– *ventilation flap*
17 die Schneeschleuder, eine Schienen-
räummaschine
– *snow blower (rotary snow plough,*
Am. *snowplow), a track-clearing
vehicle*
18 der Wagen für Druckluftentladung *f*
– *wagon* (Am. *car) with pneumatic
discharge*
19 die Einfüllöffnung
– *filler hole*
20 der Druckluftanschluß
– *compressed-air supply*
21 der Entleerungsanschluß
– *discharge connection valve*
22 der Schiebedachwagen
– *goods van* (Am. *boxcar) with sliding
roof*
23 die Dachöffnung
– *roof opening*

24 der offene Drehgestell-Selbstentlade-
wagen
– *bogie open self-discharge wagon
(Am. bogie open self-discharge freight
car)*
25 die Entladeklappe
– *discharge flap (discharge door)*

26 der Drehgestell-Schwenkdachwagen
– *bogie wagon with swivelling (Am. swiveling) roof*
27 das Schwenkdach
– *swivelling (Am. swiveling) roof*
28 der großräumige Verschlagwagen für die Beförderung von Kleinvieh *n*
– *large-capacity wagon (Am. large-capacity car) for small livestock*
29 die luftdurchlässige Seitenwand (Lattenwand)
– *sidewall with ventilation flaps (slatted wall)*
30 die Lüftungsklappe
– *ventilation flap*
31 der Kesselwagen
– *tank wagon (Am. tank car)*
32 der Gleiskraftwagen
– *track inspection railcar*
33 die Spezialflachwagen *m*
– *open special wagons (Am. open special freight cars)*
34 der Lastzug
– *lorry (Am. truck) with trailer*
35 der Doppelstockwagen, für den Autotransport
– *two-tier car carrier (double-deck car carrier)*
36 die Auffahrmulde
– *hinged upper deck*

37 der Muldenkippwagen
– *tipper wagon (Am. dump car) with skips*
38 die Kippmulde
– *skip*
39 der Universalkühlwagen
– *general-purpose refrigerator wagon (refrigerator van, Am. refrigerator car)*
40 die Wechselaufbauten *m* für Flachwagen *m*
– *interchangeable bodies for flat wagons (Am. flatcars)*

1-14 **Schienenbergbahnen** *f*
- **mountain railways** (Am. *mountain railroads*)
1 der Triebwagen, mit forcierter Adhäsion
- *adhesion railcar*
2 der Antrieb
- *drive*
3 die Notbremse
- *emergency brake*
4 u. 5 die Zahnradbergbahn
- *rack mountain railway (rack-and-pinion railway, cog railway, Am. cog railroad, rack railroad)*
4 die elektrische Zahnradlokomotive
- *electric rack railway locomotive (Am. electric rack railroad locomotive)*
5 der Zahnradbahnanhänger
- *rack railway coach (rack railway trailer, Am. rack railroad car)*
6 der Tunnel
- *tunnel*
7-11 Zahnstangenbahnen *f* [Systeme]
- *rack railways (rack-and-pinion railways, Am. rack railroads) [systems]*
7 das Laufrad
- *running wheel (carrying wheel)*
8 das Triebzahnrad
- *driving pinion*

9 die Sprossenzahnstange
- *rack [with teeth machined on top edge]*
10 die Schiene
- *rail*
11 die Doppelleiterzahnstange
- *rack [with teeth on both outer edges]*
12 die Standseilbahn
- *funicular railway (funicular, cable railway)*
13 der Standseilbahnwagen
- *funicular railway car*
14 das Zugseil
- *haulage cable*
15-38 **Seilschwebebahnen** *f* (Schwebebahnen, Drahtseilbahnen, Seilbahnen)
- **cableways** (*ropeways, cable suspension lines*)
15-24 Einseilbahnen *f*, Umlaufbahnen *f*
- *single-cable ropeways (single-cable suspension lines), endless cableways, endless ropeways*
15 der Skischlepplift
- *drag lift*
16-18 der Sessellift
- *chair lift*
16 der Liftsessel, ein Einmannsessel *m*
- *lift chair, a single chair*
17 der Doppelliftsessel, ein Zweimannsessel *m*
- *double lift chair, a two-seater chair*

18 der kuppelbare Doppelsessel
- *double chair (two-seater chair) with coupling*
19 die Kleinkabinenbahn, eine Umlaufbahn
- *gondola cableway, an endless cableway*
20 die Kleinkabine (Umlaufkabine)
- *gondola (cabin)*
21 das Umlaufseil, ein Trag- und Zugseil *n*
- *endless cable, a suspension (supporting) and haulage cable*
22 die Umführungsschiene
- *U-rail*
23 die Einmaststütze
- *single-pylon support*
24 die Torstütze
- *gantry support*
25 die Zweiseilbahn, eine Pendelbahn
- *double-cable ropeway (double-cable suspension line), a suspension line with balancing cabins*
26 das Zugseil
- *haulage cable*
27 das Tragseil
- *suspension cable (supporting cable)*
28 die Fahrgastkabine
- *cabin*
29 die Zwischenstütze
- *intermediate support*

30 die Seilschwebebahn, eine
    Zweiseilbahn
– *cableway (ropeway, suspension
    line), a double-cable ropeway
    (double-cable suspension line)*
31 die Gitterstütze
– *pylon*
32 die Zugseilrolle
– *haulage cable roller*
33 der Seilschuh (das Tragseil-
    lauflager)
– *cable guide rail (suspension cable
    bearing)*
34 der Wagenkasten, ein
    Kippkasten *m*
– *skip, a tipping bucket
    (Am. dumping bucket)*
35 der Kippanschlag
– *stop*
36 das Laufwerk
– *pulley cradle*
37 das Zugseil
– *haulage cable*
38 das Tragseil
– *suspension cable (supporting cable)*
39 die Talstation
– *valley station (lower station)*
40 der Spanngewichtschacht
    (Spannschacht)
– *tension weight shaft*
41 das Tragseilspanngewicht
– *tension weight for the suspension
    cable (supporting cable)*
42 das Zugseilspanngewicht
– *tension weight for the haulage
    cable*
43 die Spannseilscheibe
– *tension cable pulley*
44 das Tragseil
– *suspension cable (supporting cable)*
45 das Zugseil
– *haulage cable*
46 das Gegenseil (Unterseil)
– *balance cable (lower cable)*
47 das Hilfsseil
– *auxiliary cable (emergency cable)*
48 die Hilfsseilspannvorrichtung
– *auxiliary-cable tensioning
    mechanism (emergency-cable
    tensioning mechanism)*
49 die Zugseiltragrollen *f*
– *haulage cable rollers*
50 die Anfahrfederung (der
    Federpuffer)
– *spring buffer (Am. spring bumper)*
51 der Talstationsbahnsteig
– *valley station platform (lower
    station platform)*
52 die Fahrgastkabine (Seilbahn-
    gondel), eine Großkabine
    (Großraumkabine)
– *cabin (cableway gondola, ropeway
    gondola, suspension line gondola),
    a large-capacity cabin*
53 das Laufwerk
– *pulley cradle*
54 das Gehänge
– *suspension gear*
55 der Schwingungsdämpfer
– *stabilizer*
56 der Abweiser (Abweisbalken)
– *guide rail*

57 **die Bergstation**
– **top station** *(upper station)*
58 der Tragseilschuh
– *suspension cable guide (supporting
    cable guide)*
59 der Tragseilverankerungspoller
– *suspension cable anchorage
    (supporting cable anchorage)*
60 die Zugseilrollenbatterie
– *haulage cable rollers*
61 die Zugseilumlenkscheibe
– *haulage cable guide wheel*
62 die Zugseilantriebsscheibe
– *haulage cable driving pulley*
63 der Hauptantrieb
– *main drive*
64 der Reserveantrieb
– *standby drive*
65 der Führerstand
– *control room*
66 **das Kabinenlaufwerk**
– **cabin pulley cradle**
67 der Laufwerkhauptträger
– *main pulley cradle*
68 die Doppelwiege
– *double cradle*
69 die Zweiradwiege
– *two-wheel cradle*
70 die Laufwerkrollen *f*
– *running wheels*
71 die Tragseilbremse, eine Not-
    bremse bei Zugseilbruch *m*
– *suspension cable brake (supporting
    cable brake), an emergency brake
    in case of haulage cable failure*
72 der Gehängebolzen
– *suspension gear bolt*
73 die Zugseilmuffe
– *haulage cable sleeve*
74 die Gegenseilmuffe
– *balance cable sleeve (lower cable
    sleeve)*
75 der Entgleisungsschutz
– *derailment guard*
76 **Seilbahnstützen** *f*
    (Zwischenstützen)
– *cable supports (ropeway supports,
    suspension line supports,
    intermediate supports)*
77 der Stahlgittermast, eine
    Fachwerkstütze
– *pylon, a framework support*
78 der Stahlrohrmast, eine
    Stahlrohrstütze
– *tubular steel pylon, a tubular steel
    support*
79 der Tragseilschuh (Stützenschuh)
– *suspension cable guide rail
    (supporting cable guide rail,
    support guide rail)*
80 der Stützengalgen, ein Montage-
    gerät *n* für Seilarbeiten *f*
– *support truss, a frame for work on
    the cable*
81 das Stützenfundament
– *base of the support*

1 der Brückenquerschnitt
- *cross-section of a bridge*
2 die orthogonal anisotrope
(orthotrope) Fahrbahnplatte
- *orthotropic roadway (orthotropic deck)*
3 das Sprengwerk
- *truss (bracing)*
4 die Verstrebung
- *diagonal brace (diagonal strut)*
5 der Hohlkasten
- *hollow tubular section*
6 das Fahrbahnblech
- *deck slab*
7 die Balkenbrücke
- *solid-web girder bridge (beam bridge)*
8 die Fahrbahnoberkante
- *road surface*
9 der Obergurt
- *top flange*
10 der Untergurt
- *bottom flange*
11 das feste Lager
- *fixed bearing*
12 das bewegliche Lager
- *movable bearing*
13 die lichte Weite
- *clear span*
14 die Spannweite (Stützweite)
- *span*
15 der Hängesteg (die primitive
Hängebrücke)
- *rope bridge (primitive suspension
bridge)*
16 das Tragseil
- *carrying rope*
17 das Hängeseil
- *suspension rope*
18 der geflochtene Steg
- *woven deck (woven decking)*
19 die steinerne Bogenbrücke
(Steinbrücke), eine Massivbrücke
- *stone arch bridge, a solid bridge*
20 der Brückenbogen (das Brückenjoch)
- *arch*
21 der Brückenpfeiler (Strompfeiler)
- *pier*
22 die Brückenfigur (der
Brückenheilige)
- *statue of saint on bridge*
23 die Fachwerkbogenbrücke
- *trussed arch bridge*
24 das Fachwerkelement
- *truss element*
25 der Fachwerkbogen
- *trussed arch*
26 die Bogenspannweite
- *arch span*
27 der Landpfeiler
- *abutment (end pier)*
28 die aufgeständerte Bogenbrücke
- *spandrel-braced arch bridge*
29 der Bogenkämpfer (das Widerlager)
- *abutment (abutment pier)*
30 der Brückenständer
- *bridge strut*
31 der Bogenscheitel
- *crown*

32 die mittelalterliche Hausbrücke
(der *Ponte Vecchio* in *Florenz*)
- *covered bridge of the Middle Ages
(the* Ponte Vecchio *in Florence)*
33 die Goldschmiedeläden *m*
- *goldsmiths' shops*
34 die Stahlgitterbrücke
- *steel lattice bridge*
35 die Diagonale (Brückenstrebe)
- *counterbrace (crossbrace, diagonal
member)*
36 der Brückenpfosten (die Vertikale)
- *vertical member*
37 der Fachwerkknoten
- *truss joint*
38 das Endportal (Windportal)
- *portal frame*
39 die Hängebrücke
- *suspension bridge*
40 das Tragkabel
- *suspension cable*
41 der Hänger
- *suspender (hanger)*
42 der Pylon (das Brückenportal)
- *tower*
43 die Tragkabelverankerung
- *suspension cable anchorage*
44 das Zugband [mit der Fahrbahn]
- *tied beam [with roadway]*
45 das Brückenwiderlager
- *abutment*
46 die Schrägseilbrücke
(Zügelgurtbrücke)
- *cable-stayed bridge*
47 das Abspannseil (Schrägseil)
- *inclined tension cable*
48 die Schrägseilverankerung
- *inclined cable anchorage*
49 die Stahlbetonbrücke
- *reinforced concrete bridge*
50 der Stahlbetonbogen
- *reinforced concrete arch*
51 das Schrägseilsystem (Vielseilsystem)
- *inclined cable system (multiple cable
system)*
52 die Flachbrücke, eine
Vollwandbrücke
- *flat bridge, a plate girder bridge*
53 die Queraussteifung
- *stiffener*
54 der Strompfeiler
- *pier*
55 das Auflager (Brückenlager)
- *bridge bearing*
56 der Eisbrecher
- *cutwater*
57 die Sundbrücke, eine Brücke aus
Fertigbauteilen *m od. n*
- *straits bridge, a bridge built of precast
elements*
58 das Fertigbauteil (Fertigbauelement)
- *precast construction unit*
59 die Hochstraße (aufgeständerte
Straße)
- *viaduct*
60 die Talsohle
- *valley bottom*

61 der Stahlbetonständer
- *reinforced concrete pier*
62 das Vorbaugerüst
- *scaffolding*
63 die Gitterdrehbrücke
- *lattice swing bridge*
64 der Drehkranz
- *turntable*
65 der Drehpfeiler
- *pivot pier*
66 die drehbare Brückenhälfte
(Halbbrücke)
- *pivoting half (pivoting section,
pivoting span, movable half)
of bridge*
67 die Flachdrehbrücke
- *flat swing bridge*
68 das Mittelteil
- *middle section*
69 der Drehzapfen
- *pivot*
70 das Brückengeländer
- *parapet (handrailing)*

1 die Gierfähre (*mit eigenem Antrieb:* Seilfähre; *auch:* Kettenfähre), eine Personenfähre
– *cable ferry (also: chain ferry), a passenger ferry*
2 das Fährseil
– *ferry rope (ferry cable)*
3 der Flußarm
– *river branch (river arm)*
4 die Flußinsel (Strominsel)
– *river island (river islet)*
5 der Uferabbruch am Flußufer *n*, ein Hochwasserschaden *m*
– *collapsed section of riverbank, flood damage*
6 die Motorfähre
– *motor ferry*
7 der Fährsteg (Motorbootsteg)
– *ferry landing stage (motorboat landing stage)*
8 die Pfahlgründung
– *pile foundations*
9 die Strömung (der Stromstrich, Stromschlauch, Strömungsverlauf)
– *current (flow, course)*
10 die Pendelfähre (fliegende Fähre, Flußfähre, Stromfähre), eine Wagenfähre
– *flying ferry (river ferry), a car ferry*
11 das Fährboot
– *ferry boat*
12 der Schwimmer
– *buoy (float)*
13 die Verankerung
– *anchorage*
14 der Liegehafen (Schutzhafen, Winterhafen)
– *harbour (Am. harbor) for laying up river craft*
15 die Stakfähre, eine Kahnfähre
– *ferry boat (punt)*
16 die Stake
– *pole (punt pole, quant pole)*
17 der Fährmann
– *ferryman*
18 der Altarm (tote Flußarm)
– *blind river branch (blind river arm)*
19 die Buhne
– *groyne (Am. groin)*
20 der Buhnenkopf
– *groyne (Am. groin) head*
21 die Fahrrinne (Teil *m* des Fahrwassers *n*)
– *fairway (navigable part of river)*
22 der Schleppzug
– *train of barges*
23 der Flußschleppdampfer (*österr.* Remorqueur)
– *river tug*
24 die Schlepptrosse (das Schleppseil)
– *tow rope (tow line, towing hawser)*
25 der Schleppkahn (Frachtkahn, Lastkahn, *md.* die Zille)
– *barge (freight barge, cargo barge, lighter)*
26 der Schleppschiffer
– *bargeman (bargee, lighterman)*

27 das Treideln (der Leinzug)
– *towing (hauling, haulage)*
28 der Treidelmast
– *towing mast*
29 der Treidelmotor
– *towing engine*
30 das Treidelgleis; *früh.:* der Leinpfad
– *towing track; form.: tow path (towing path)*
31 der Fluß, nach der Flußregelung
– *river after river training*
32 der Hochwasserdeich (Winterdeich)
– *dike (dyke, main dike, flood wall, winter dike)*
33 der Entwässerungsgraben
– *drainage ditch*
34 das Deichsiel (die Deichschleuse)
– *dike (dyke) drainage sluice*
35 die Flügelmauer
– *wing wall*
36 der Vorfluter
– *outfall*
37 der Seitengraben (die Sickerwasserableitung)
– *drain (infiltration drain)*
38 die Berme (der Deichabsatz)
– *berm (berme)*
39 die Deichkrone
– *top of dike (dyke)*
40 die Deichböschung
– *dike (dyke) batter (dike slope)*
41 das Hochwasserbett
– *flood bed (inundation area)*
42 der Überschwemmungsraum
– *flood containment area*
43 der Strömungsweiser
– *current meter*
44 die Kilometertafel
– *kilometre (Am. kilometer) sign*
45 das Deichwärterhaus; *auch:* Fährhaus
– *dikereeve's (dykereeve's) house (dikereeve's cottage); also: ferryman's house (cottage)*
46 der Deichwärter
– *dikereeve (dykereeve)*
47 die Deichrampe
– *dike (dyke) ramp*
48 der Sommerdeich
– *summer dike (summer dyke)*
49 der Flußdamm (Uferdamm)
– *levee (embankment)*
50 die Sandsäcke *m*
– *sandbags*
51-55 die Uferbefestigung
– *bank protection (bank stabilization, revetment)*
51 die Steinschüttung
– *riprap*
52 die Anlandung (Sandablagerung)
– *alluvial deposit (sand deposit)*
53 die Faschine (das Zweigbündel)
– *fascine (bundle of wooden sticks)*
54 die Flechtzäune *m*
– *wicker fences*
55 die Steinpackung
– *stone pitching*

56 der Schwimmbagger, ein Eimerkettenbagger *m*
– *floating dredging machine (dredger), a multi-bucket ladder dredge*
57 die Eimerkette (das Paternosterwerk)
– *bucket elevator chain*
58 der Fördereimer
– *dredging bucket*
59 der Saugbagger, mit Schleppkopf- oder Schutensauger *m*
– *suction dredger (hydraulic dredger) with trailing suction pipe or barge sucker*
60 die Treibwasserpumpe
– *centrifugal pump*
61 der Rückspülschieber
– *back scouring valve*
62 die Saugpumpe, eine Düsenpumpe mit Spüldüsen *f*
– *suction pump, a jet pump with scouring nozzles*

1-14 die Kaimauer
- *quay wall*
1 die Straßendecke
- *road surface*
2 der Mauerkörper
- *body of wall*
3 die Stahlschwelle
- *steel sleeper*
4 der Stahlpfahl
- *steel pile*
5 die Spundwand
- *sheet pile wall (sheet pile bulkhead, sheet piling)*
6 die Spundbohle
- *box pile*
7 die Hinterfüllung
- *backfilling (filling)*
8 die Steigeleiter
- *ladder*
9 der Fender
- *fender (fender pile)*
10 der Nischenpoller
- *recessed bollard*
11 der Doppelpoller
- *double bollard*
12 der Poller
- *bollard*
13 der Kreuzpoller
- *cross-shaped bollard (cross-shaped mooring bitt)*
14 der Doppelkreuzpoller
- *double cross-shaped bollard (double cross-shaped mooring bitt)*
15-28 der Kanal
- *canal*

15 u. 16 die Kanaleinfahrt (Einfahrt)
- *canal entrance*
15 die Mole
- *mole*
16 der Wellenbrecher
- *breakwater*
17-25 die Koppelschleuse
- *staircase of locks*
17 das Unterhaupt
- *lower level*
18 das Schleusentor, ein Schiebetor *n*
- *lock gate, a sliding gate*
19 das Stemmtor
- *mitre (Am. miter) gate*
20 die Schleuse (Schleusenkammer)
- *lock (lock chamber)*
21 das Maschinenhaus
- *power house*
22 das Verholspill, ein Spill *n*
- *warping capstan (hauling capstan), a capstan*
23 die Verholtrosse, eine Trosse
- *warp*
24 die Behörde (z. B. die Kanal-verwaltung, die Wasserschutz-polizei, das Zollamt)
- *offices (e.g. canal administration, river police, customs)*
25 das Oberhaupt
- *upper level (head)*
26 der Schleusenvorhafen
- *lock approach*
27 die Kanalweiche (Weiche, Ausweichstelle)
- *lay-by*

28 die Uferböschung
- *bank slope*
29-38 das Schiffshebewerk
- *boat lift (Am. boat elevator)*
29 die untere Kanalhaltung
- *lower pound (lower reach)*
30 die Kanalsohle
- *canal bed*
31 das Haltungstor, ein Hubtor *n*
- *pound lock gate, a vertical gate*
32 das Trogtor
- *lock gate*
33 der Schiffstrog
- *boat tank (caisson)*
34 der Schwimmer, ein Auftriebskörper *m*
- *float*
35 der Schwimmerschacht
- *float shaft*
36 die Hubspindel
- *lifting spindle*
37 die obere Kanalhaltung
- *upper pound (upper reach)*
38 das Hubtor
- *vertical gate*
39-46 das Pumpspeicherwerk
- *pumping plant and reservoir*
39 das Staubecken
- *forebay*
40 das Entnahmebauwerk
- *surge tank*
41 die Druckrohrleitung
- *pressure pipeline*
42 das Schieberhaus
- *valve house (valve control house)*

43 das Turbinenhaus (Pumpenhaus)
– *turbine house (pumping station)*
44 das Auslaufbauwerk
– *discharge structure (outlet structure)*
45 das Schalthaus
– *control station*
46 die Umspannanlage
– *transformer station*
47-52 **die Flügelradpumpe** (Propellerpumpe)
– **axial-flow pump** *(propeller pump)*
47 der Antriebsmotor
– *drive motor*
48 das Getriebe
– *gear*
49 die Antriebswelle
– *drive shaft*
50 das Druckrohr
– *pressure pipe*
51 der Ansaugtrichter
– *suction head*
52 das Flügelrad
– *impeller wheel*
53-56 **der Schieber** (Absperrschieber)
– **sluice valve** *(sluice gate)*
53 der Kurbelantrieb
– *crank drive*
54 das Schiebergehäuse
– *valve housing*
55 der Schieber
– *sliding valve (sliding gate)*
56 die Durchflußöffnung
– *discharge opening*
57-64 **die Talsperre**
– **dam** *(barrage)*

57 der Stausee
– *reservoir (storage reservoir, impounding reservoir, impounded reservoir)*
58 die Staumauer
– *masonry dam*
59 die Mauerkrone
– *crest of dam*
60 der Überfall (die Hochwasser-entlastungsanlage)
– *spillway (overflow spillway)*
61 das Tosbecken
– *stilling basin (stilling box, stilling pool)*
62 der Grundablaß
– *scouring tunnel (outlet tunnel, waste water outlet)*
63 das Schieberhaus
– *valve house (valve control house)*
64 das Krafthaus
– *power station*
65-72 **das Walzenwehr** (Wehr), eine Staustufe; *anderes System:* Klappwehr
– **rolling dam** *(weir), a barrage;* other system: *shutter weir*
65 die Walze, ein Staukörper *m*
– *roller, a barrier*
66 die Walzenkrone
– *roller top*
67 der Seitenschild
– *flange*
68 die Versenkwalze
– *submersible roller*
69 die Zahnstange
– *rack track*
70 die Nische
– *recess*

71 das Windwerkshaus
– *hoisting gear cabin*
72 der Bedienungssteg
– *service bridge (walkway)*
73-80 **das Schützenwehr**
– **sluice dam**
73 die Windwerksbrücke
– *hoisting gear bridge*
74 das Windwerk
– *hoisting gear (winding gear)*
75 die Führungsnut
– *guide groove*
76 das Gegengewicht
– *counterweight (counterpoise)*
77 das Schütz (die Falle)
– *sluice gate (floodgate)*
78 die Verstärkungsrippe
– *reinforcing rib*
79 die Wehrsohle
– *dam sill (weir sill)*
80 die Wangenmauer
– *wing wall*

1-6 germanisches Ruderschiff [etwa 400 n. Chr.]; das Nydamschiff
- *Germanic rowing boat [ca. AD 400]; the Nydam boat*
1 der Achtersteven
- *stern post*
2 der Steuermann
- *steersman*
3 die Ruderer *m*
- *oarsman*
4 der Vorsteven
- *stem post (stem)*
5 der Riemen zum Rudern *n*
- *oar, for rowing*
6 das Ruder, ein Seitenruder *n* zum Steuern *n*
- *rudder (steering oar), a side rudder, for steering*
7 **der Einbaum,** ein ausgehöhlter Baumstamm *m*
- *dugout, a hollowed-out tree trunk*
8 das Stechpaddel (die Pagaie)
- *paddle*
9-12 **die Trireme,** ein römisches Kriegsschiff *n*
- *trireme, a Roman warship*
9 der Rammsporn
- *ram*
10 das Kastell
- *forecastle (fo'c'sle)*
11 der Enterbalken, zum Festhalten *n* des Feindschiffs *n*
- *grapple (grapnel, grappling iron), for fastening the enemy ship alongside*
12 die drei Ruderreihen *f*
- *three banks (tiers) of oars*
13-17 **das Wikingerschiff** (der Wikingerdrache, das Drachenschiff, der Seedrache, das Wogenroß) [altnordisch]
- *Viking ship (longship, dragon ship) [Norse]*
13 der Helm (Helmstock)
- *helm (tiller)*
14 die Zeltschere, mit geschnitzten Pferdeköpfen *m*
- *awning crutch with carved horses' heads*
15 das Zelt
- *awning*
16 der Drachenkopf
- *dragon figurehead*
17 der Schutzschild (Schild)
- *shield*
18-26 **die Kogge** (Hansekogge)
- *cog (Hansa cog, Hansa ship)*
18 das Ankerkabel (Ankertau)
- *anchor cable (anchor rope, anchor hawser)*
19 das Vorderkastell
- *forecastle (fo'c'sle)*
20 der Bugspriet
- *bowsprit*
21 das aufgegeite Rahsegel
- *furled (brailed-up) square sail*
22 das Städtebanner
- *town banner (city banner)*

23 das Achterkastell
- *aftercastle (sterncastle)*
24 das Ruder, ein Stevenruder *n*
- *rudder, a stern rudder*
25 das Rundgattheck
- *elliptical stern (round stern)*
26 der Holzfender
- *wooden fender*
27-43 **die Karavelle** [„Santa Maria" 1492]
- *caravel (carvel) ['Santa Maria' 1492]*
27 die Admiralskajüte
- *admiral's cabin*
28 der Besanausleger
- *spanker boom*
29 der Besan, ein Lateinersegel *n*
- *mizzen (mizen, mutton spanker, lateen spanker), a lateen sail*
30 die Besanrute
- *lateen yard*
31 der Besanmast
- *mizzen (mizen) mast*
32 die Lasching (Laschung)
- *lashing*
33 das Großsegel, ein Rahsegel *n*
- *mainsail (main course), a square sail*
34 das Bonnet, ein abnehmbarer Segelstreifen *m*
- *bonnet, a removable strip of canvas*
35 die Buline (Bulin, Bulien, Buleine)
- *bowline*
36 die Martnets *n* (Seitengordings *f*)
- *bunt line (martinet)*
37 die Großrah
- *main yard*
38 das Marssegel
- *main topsail*
39 die Marsrah
- *main topsail yard*
40 der Großmast
- *mainmast*
41 das Focksegel
- *foresail (fore course)*
42 der Fockmast
- *foremast*
43 die Blinde
- *spritsail*
44-50 **die Galeere** [15.-18.Jh.], eine Sklavengaleere
- *galley [15th to 18th century], a slave galley*
44 die Laterne
- *lantern*
45 die Kajüte
- *cabin*
46 der Mittelgang
- *central gangway*
47 der Sklavenaufseher, mit Peitsche *f*
- *slave driver with whip*
48 die Galeerensklaven *m* (Rudersklaven, Galeerensträflinge)
- *galley slaves*
49 die Rambate, eine gedeckte Plattform auf dem Vorschiff *n*
- *covered platform in the forepart of the ship*

50 das Geschütz
- *gun*
51-60 **das Linienschiff** [18./19.Jh.], ein Dreidecker *m*
- *ship of the line (line-of-battle ship) [18th to 19th century], a three-decker*
51 der Klüverbaum
- *jib boom*
52 das Vorbramsegel
- *fore topgallant sail*
53 das Großbramsegel
- *main topgallant sail*
54 das Kreuzbramsegel
- *mizzen (mizen) topgallant sail*
55-57 das Prunkheck
- *gilded stern*
55 der Bovenspiegel
- *upper stern*
56 die Heckgalerie
- *stern gallery*
57 die Tasche, ein Ausbau *m* mit verzierten Seitenfenstern *n*
- *quarter gallery, a projecting balcony with ornamental portholes*
58 der Unterspiegel (Spiegel)
- *lower stern*
59 die Geschützpforten *f,* für Breitseitenfeuer *n*
- *gunports for broadside fire*
60 der Pfortendeckel
- *gunport shutter*

1-72 die Takelung und Besegelung einer Bark
- *rigging (rig, tackle) and sails of a bark (barque)*

1-9 die Masten *m*
- *masts*

1 das Bugspriet mit dem Klüverbaum *m*
- *bowsprit with jib boom*

2-4 der Fockmast
- *foremast*

2 der Fockuntermast
- *lower foremast*

3 die Vorstenge (Vormarsstenge)
- *fore topmast*

4 die Vorbramstenge
- *fore topgallant mast*

5-7 der Großmast
- *mainmast*

5 der Großuntermast
- *lower mainmast*

6 die Großstenge (Großmarsstenge)
- *main topmast*

7 die Großbramstenge
- *main topgallant mast*

8 u. 9 der Besanmast
- *mizzen (mizen) mast*

8 der Besanuntermast
- *lower mizzen (lower mizen)*

9 die Besanstenge
- *mizzen (mizen) topmast*

10-19 das stehende Gut
- *standing rigging*

10 das Stag
- *forestay, mizzen (mizen) stay, mainstay*

11 das Stengestag
- *fore topmast stay, main topmast stay, mizzen (mizen) topmast stay*

12 das Bramstengestag (Bramstag)
- *fore topgallant stay, mizzen (mizen) topgallant stay, main topgallant stay*

13 das Royalstengestag (Royalstag)
- *fore royal stay (main royal stay)*

14 der Klüverleiter
- *jib stay*

15 das Wasserstag
- *bobstay*

16 die Wanten *f*
- *shrouds*

17 die Stengewanten *f*
- *fore topmast rigging (main topmast rigging, mizzen (mizen) topmast rigging)*

18 die Bramstengewanten *f*
- *fore topgallant rigging (main topgallant rigging)*

19 die Pardunen *f*
- *backstays*

20-31 die Schratsegel
- *fore-and-aft sails*

20 das Vor-Stengestagsegel
- *fore topmast staysail*

21 der Binnenklüver
- *inner jib*

22 der Klüver
- *outer jib*

23 der Außenklüver
- *flying jib*

24 das Groß-Stengestagsegel
- *main topmast staysail*

25 das Groß-Bramstagsegel (Bramstengestagsegel)
- *main topgallant staysail*

26 das Groß-Royalstagsegel (Royalstengestagsegel)
- *main royal staysail*

27 das Besanstagsegel
- *mizzen (mizen) staysail*

28 das Besan-Stengestagsegel
- *mizzen (mizen) topmast staysail*

29 das Besan-Bramstagsegel (Bramstengestagsegel)
- *mizzen (mizen) topgallant staysail*

30 das Besansegel (der Besan)
- *mizzen (mizen, spanker, driver)*

31 das Gaffeltoppsegel
- *gaff topsail*

32-45 die Rundhölzer *n*
- *spars*

32 die Fockrah
- *foreyard*

33 die Vor-Untermarsrah
- *lower fore topsail yard*

34 die Vor-Obermarsrah
- *upper fore topsail yard*

35 die Vor-Unterbramrah
- *lower fore topgallant yard*

36 die Vor-Oberbramrah
- *upper fore topgallant yard*

37 die Vor-Royalrah
- *fore royal yard*

38 die Großrah
- *main yard*

39 die Groß-Untermarsrah
- *lower main topsail yard*

40 die Groß-Obermarsrah
- *upper main topsail yard*

41 die Groß-Unterbramrah
- *lower main topgallant yard*

42 die Groß-Oberbramrah
- *upper main topgallant yard*

43 die Groß-Royalrah
- *main royal yard*

44 der Besanbaum (Großbaum)
- *spanker boom*

45 die Gaffel
- *spanker gaff*

46 das Fußpferd (Peerd; *pl:* die Peerden)
- *footrope*

47 die Toppnanten *f*
- *lifts*

48 die Dirk (Besandirk)
- *spanker boom topping lift*

49 der Gaffelstander (Pickstander)
- *spanker peak halyard*

50 die Vor-Marssaling
- *foretop*

51 die Vor-Bramsaling
- *fore topmast crosstrees*

52 die Groß-Marssaling
- *maintop*

53 die Groß-Bramsaling
- *main topmast crosstrees*

54 die Besansaling
- *mizzen (mizen) top*

55-66 die Rahsegel *n*
- *square sails*

55 das Focksegel
- *foresail (fore course)*

56 das Vor-Untermarssegel
- *lower fore topsail*

57 das Vor-Obermarssegel
- *upper fore topsail*

58 das Vor-Unterbramsegel
- *lower fore topgallant sail*

59 das Vor-Oberbramsegel
- *upper fore topgallant sail*

60 das Vor-Royalsegel
- *fore royal*

61 das Großsegel
- *mainsail (main course)*

62 das Groß-Untermarssegel
- *lower main topsail*

63 das Groß-Obermarssegel
- *upper main topsail*

64 das Groß-Unterbramsegel
- *lower main topgallant sail*

65 das Groß-Oberbramsegel
- *upper main topgallant sail*

66 das Groß-Royalsegel
- *main royal sail*

67-71 das laufende Gut
- *running rigging*

67 die Brassen [*pl; sg:* die Braß]
- *braces*

68 die Schoten [*pl; sg:* die Schot]
- *sheets*

69 die Besanschot
- *spanker sheet*

70 die Gaffelgeer [*pl:* die Gaffelgeerden]
- *spanker vangs*

71 die Gordings [*pl; sg.:* die Gording]
- *bunt line*

72 das Reff
- *reef*

1-5 **Segelformen** *f*
– **sail shapes**
1 das Gaffelsegel
– *gaffsail (small: trysail, spencer)*
2 das Stagsegel
– *jib*
3 das Lateinersegel
– *lateen sail*
4 das Luggersegel
– *lugsail*
5 das Sprietsegel
– *spritsail*
6-8 **Einmaster** *m*
– **single-masted sailing boats**
(Am. *sailboats)*
6 die Tjalk
– *tjalk*
7 das Schwert (Seitenschwert)
– *leeboard*
8 der Kutter
– *cutter*
9 *u.* 10 **Eineinhalbmaster** *m*
(Anderthalbmaster)
– **mizzen (mizen) masted sailing boats**
(Am. *sailboats)*
9 der Ewer (Ever)
– *ketch-rigged sailing barge*
10 der kurische Reisekahn
– *yawl*
11-17 **Zweimaster** *m*
– **two-masted sailing boats**
(Am. *sailboats)*
11-13 der Toppsegelschoner
– *topsail schooner*
11 das Großsegel
– *mainsail*
12 das Schonersegel
– *boom foresail*
13 die Breitfock
– *square foresail*
14 die Schonerbrigg
– *brigantine*
15 der Schonermast mit Schratsegeln *n*
– *half-rigged mast with fore-and-aft sails*
16 der voll getakelte Mast mit Rahsegeln *n*
– *full-rigged mast with square sails*
17 die Brigg
– *brig*
18-27 **Dreimaster** *m*
– **three-masted sailing vessels**
(three-masters)
18 der Dreimast-Gaffelschoner
– *three-masted schooner*
19 der Dreimast-Toppsegelschoner
– *three-masted topsail schooner*
20 der Dreimast-Marssegelschoner
– *bark (barque) schooner*
21-23 die Bark [vgl. Takel- und Segelriß Tafel 219]
– *bark (barque) [cf. illustration of rigging and sails in plate 219]*
21 der Fockmast
– *foremast*
22 der Großmast
– *mainmast*

23 der Besanmast
– *mizzen (mizen) mast*
24-27 das Vollschiff (Schiff)
– *full-rigged ship*
24 der Kreuzmast
– *mizzen (mizen) mast*
25 die Bagienrah (Begienrah)
– *crossjack yard (crojack yard)*
26 das Bagiensegel (Kreuzsegel)
– *crossjack (crojack)*
27 das Portenband (Pfortenband)
– *ports*
28-31 **Viermaster** *m*
– **four-masted sailing ships**
(four-masters)
28 der Viermast-Gaffelschoner
– *four-masted schooner*
29 die Viermastbark
– *four-masted bark (barque)*
30 der Kreuzmast
– *mizzen (mizen) mast*
31 das Viermastvollschiff
– *four-masted full-rigged ship*
32-34 **die Fünfmastbark**
– **five-masted bark** *(barque)*
32 das Skysegel (Skeisel, Skeusel)
– *skysail*
33 der Mittelmast
– *middle mast*
34 der Achtermast
– *mizzen (mizen) mast*
35-37 **Entwicklung des Segelschiffes** *n* in 400 Jahren
– **development of sailing ships** *over 400 years*
35 das Fünfmastvollschiff „Preußen", 1902-1910
– *five-masted full-rigged ship 'Preussen' 1902-10*
36 der engl. Klipper „Spindrift", 1867
– *English clipper ship 'Spindrift' 1867*
37 die Karavelle „Santa Maria", 1492
– *caravel (carvel) 'Santa Maria' 1492*

1 **der Mammuttanker** (ULCC, Ultra large crudeoil carrier) vom „All-aft-Typ" *m*
– *ULCC (ultra-large crude carrier) of the 'all-aft' type*
2 der vordere Mast
– *foremast*
3 der Laufsteg mit den Rohrleitungen *f*
– *catwalk with the pipes*
4 die Feuerlöschkanone (der Feuerlöschmotor)
– *fire gun (fire nozzle)*
5 der Deckskran
– *deck crane*
6 das Deckshaus mit der Brücke
– *deckhouse with the bridge*
7 der achtere Signal- und Radarmast
– *aft signal (signalling) and radar mast*
8 der Schornstein
– *funnel*
9 **das Kernenergieforschungsschiff** „Otto Hahn", ein Bulkfrachter *m*
– **nuclear research ship** *'Otto Hahn', a bulk carrier*
10 der achtere Aufbau (das Maschinenhaus)
– *aft superstructure (engine room)*
11 die Ladeluke für Schüttgut *n*
– *cargo hatchway for bulk goods (bulk cargoes)*
12 die Brücke
– *bridge*
13 die Back
– *forecastle (fo'c'sle)*
14 der Steven
– *stem*
15 **das Seebäderschiff**
– **seaside pleasure boat**
16 der blinde Schornstein
– *dummy funnel*
17 der Abgasmast (Abgaspfosten)
– *exhaust mast*
18 **der Seenotrettungskreuzer**
– **rescue cruiser**
19 die Hubschrauberplattform (das Arbeitsdeck)
– *helicopter platform (working deck)*
20 der Rettungshubschrauber
– *rescue helicopter*
21 **das Vollcontainerschiff**
– **all-container ship**

22 die Containerdecksladung
– *containers stowed on deck*
23 **der Schwerstgutfrachter**
– **cargo ship**
24-29 das Ladegeschirr
– *cargo gear (cargo-handling gear)*
24 der Schwergutpfosten
– *bipod mast*
25 der Schwergutbaum
– *jumbo derrick boom (heavy-lift derrick boom)*
26 der Ladebaum
– *derrick boom (cargo boom)*
27 die Talje (der Flaschenzug)
– *tackle*
28 der Block
– *block*
29 das Widerlager
– *thrust bearing*
30 das Bugtor
– *bow doors*
31 die Heckladeklappe
– *stern loading door*
32 **der Offshore** (Bohrinselversorger)
– **offshore drilling rig supply vessel**
33 der Kompaktaufbau
– *compact superstructure*
34 das Ladedeck (Arbeitsdeck)
– *loading deck (working deck)*
35 **der Flüssiggastanker**
– **liquefied-gas tanker**
36 der Kugeltank
– *spherical tank*
37 der Navigationsfernsehmast
– *navigational television receiver mast*
38 der Abblasemast
– *vent mast*
39 das Deckshaus
– *deckhouse*
40 der Schornstein
– *funnel*
41 der Lüfter
– *ventilator*
42 das Spiegelheck (der Heckspiegel)
– *transom stern (transom)*
43 das Ruderblatt
– *rudder blade (rudder)*
44 die Schiffsschraube
– *ship's propeller (ship's screw)*

45 der Bugwulst (Bulbsteven)
– *bulbous bow*
46 der Fischdampfer (Seitentrawler)
– *steam trawler*
47 **das Feuerschiff**
– **lightship** *(light vessel)*
48 die Laterne
– *lantern (characteristic light)*
49 der Motorfischkutter
– *smack*
50 **der Eisbrecher**
– **ice breaker**
51 der Turmmast
– *steaming light mast*
52 der Hubschrauberhangar
– *helicopter hangar*
53 die Heckführungsrinne zum Aufnehmen *n* des Bugs *m* geleiteter Schiffe *n*
– *stern towing point, for gripping the bow of ships in tow*
54 **die Ro-ro-Trailerfähre** (der Roll-on-roll-off Trailer, Roro-Trailer)
– **roll-on-roll-off (ro-ro) trailer ferry**
55 die Heckpforte mit Auffahrrampe *f*
– *stern port (stern opening) with ramp*
56 die Lkw-Fahrstühle
– *heavy vehicle lifts (Am. heavy vehicle elevators)*
57 **der Mehrzweckfrachter**
– **multi-purpose freighter**
58 der Lade- und Lüfterpfosten
– *ventilator-type samson (sampson) post (ventilator-type king post)*
59 der Ladebaum (das Ladegeschirr)
– *derrick boom (cargo boom, cargo gear, cargo-handling gear)*
60 der Lademast
– *derrick mast*
61 der Deckskran
– *deck crane*
62 der Schwergutbaum
– *jumbo derrick boom (heavy-lift derrick boom)*
63 die Ladeluke
– *cargo hatchway*
64 **die halbtauchende Bohrinsel**
– **semisubmersible drilling vessel**
65 der Schwimmer mit der Maschinenanlage
– *floating vessel with machinery*

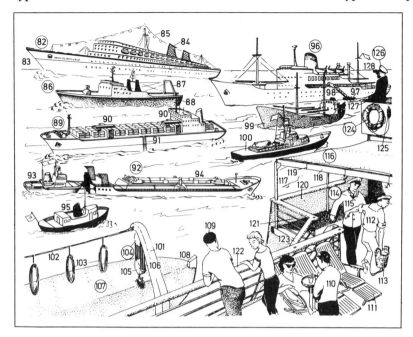

66 die Arbeitsplattform
 – *drilling platform*
67 der Bohrturm
 – *derrick*
68 **der Viehtransporter** (Livestock-Carrier)
 – **cattleship** *(cattle vessel)*
69 der Aufbau für den Tiertransport
 – *superstructure for transporting livestock*
70 die Frischwassertanks *m*
 – *fresh water tanks*
71 der Treiböltank
 – *fuel tank*
72 der Dungtank
 – *dung tank*
73 die Futtertanks *m*
 – *fodder tanks*
74 **die Eisenbahnfähre** (das Trajekt [im Querschnitt])
 – **train ferry** *[cross section]*
75 der Schornstein
 – *funnel*
76 die Rauchzüge *m* (Abgasleitungen *f*)
 – *exhaust pipes*
77 der Mast
 – *mast*
78 das Rettungsboot im Patentdavit *m*
 – *ship's lifeboat hanging at the davit*
79 das Autodeck
 – *car deck*
80 das Eisenbahndeck
 – *main deck (train deck)*
81 die Hauptmotoren *m*
 – *main engines*
82 **der Passagierdampfer** (Liner, Ocean Liner)
 – **passenger liner** *(liner, ocean liner)*
83 der Atlantiksteven
 – *stem*
84 der Gittermantelschornstein
 – *funnel with lattice casing*
85 die Flaggengala (der Flaggenschmuck; über die Toppen *m* geflaggt, z. B. auf der Jungfernfahrt)
 – *flag dressing (rainbow dressing, string of flags extending over mastheads, e.g., on the maiden voyage)*
86 **der Hecktrawler,** ein Fischfang- und Verarbeitungsschiff *n*
 – **trawler,** *a factory ship*

87 der Heckgalgen
 – *gallows*
88 die Heckaufschleppe
 – *stern ramp*
89 **das Containerschiff**
 – **container ship**
90 die Verladebrücke
 – *loading bridge (loading platform)*
91 das Seefallreep (die Jakobsleiter, Strickleiter)
 – *sea ladder (jacob's ladder, rope ladder)*
92 **der Schubverband,** zwei Binnenwasserfahrzeuge *n*
 – **barge and push tug assembly**
93 der Schubschlepper (Schubtrecker)
 – *push tug*
94 der Schubleichter (Schubkahn), ein Gastankleichter *m*
 – *tug-pushed dumb barge (tug-pushed lighter)*
95 das Lotsenboot
 – *pilot boat*
96 **das kombinierte Fracht-Fahrgast-Schiff** in Linienfahrt *f* (Kombischiff, der Linienfrachter)
 – **combined cargo and passenger liner**
97 das Ausbooten des Passagiere *m*
 – *passengers disembarking by boat*
98 das Fallreep
 – *accommodation ladder*
99 das Küstenmotorschiff (Kümo)
 – *coaster (coasting vessel)*
100 der Zoll- oder Polizeikreuzer
 – *customs or police launch*
101-128 **der Ausflugsdampfer** (das Bäderschiff)
 – **excursion steamer** *(pleasure steamer)*
101-106 die Rettungsbootsaufhängung
 – *lifeboat launching gear*
101 der Davit
 – *davit*
102 der Mittelstander
 – *wire rope span*
103 das Manntau
 – *lifeline*
104 die Talje
 – *tackle*
105 der Block
 – *block*
106 der Taljenläufer
 – *fall*

107 das Rettungsboot (die Pinasse) mit der Persenning
 – *ship's lifeboat (ship's boat) covered with tarpaulin*
108 der Steven
 – *stem*
109 der Passagier (Fahrgast)
 – *passenger*
110 der Stewart
 – *steward*
111 der Deckstuhl (Liegestuhl)
 – *deck-chair*
112 der Schiffsjunge (*seem.* Moses)
 – *deck hand*
113 der Eimer (*seem.* die Pütz)
 – *deck bucket*
114 der Bootsmann
 – *boatswain (bo's'n, bo'sun, bosun)*
115 die Litewka
 – *tunic*
116 das Sonnensegel
 – *awning*
117 die Sonnensegelstütze
 – *stanchion*
118 die Sonnensegellatte
 – *ridge rope (jackstay)*
119 das Bändsel
 – *lashing*
120 das Schanzkleid
 – *bulwark*
121 die Reling
 – *guard rail*
122 der Handläufer
 – *handrail (top rail)*
123 der Niedergang
 – *companion ladder (companionway)*
124 der Rettungsring (die Rettungsboje)
 – *lifebelt (lifebuoy)*
125 das Nachtrettungslicht (Wasserlicht)
 – *lifebuoy light (lifebelt light, signal light)*
126 der wachhabende Offizier (Wachhabende)
 – *officer of the watch (watchkeeper)*
127 der Bordjackett
 – *reefer (Am. pea jacket)*
128 das Fernglas
 – *binoculars*

1-43 die Schiffswerft (Werft)
- *shipyard (shipbuilding yard, dockyard, Am. navy yard)*
1 das Verwaltungsgebäude
- *administrative offices*
2 das Konstruktionsbüro
- *ship-drawing office*
3 u. 4 die Schiffbauhalle
- *shipbuilding sheds*
3 der Schnürboden
- *mould (Am. mold) loft*
4 die Werkhalle
- *erection shop*
5-9 der Ausrüstungskai
- *fitting-out quay*
5 der Kai
- *quay*
6 der Dreibeinkran
- *tripod crane*
7 der Hammerkran
- *hammer-headed crane*
8 die Maschinenbauhalle
- *engineering workshop*
9 die Kesselschmiede
- *boiler shop*
10 der Reparaturkai
- *repair quay*
11-26 die Hellinganlagen f (Hellingen f, Helgen m)
- *slipways (slips, building berths, building slips, stocks)*
11-18 die Kabelkranhelling (Portalhelling), eine Helling (ein Helgen m)
- *cable crane berth, a slipway (building berth)*
11 das Hellingportal (Portal)
- *slipway portal*

12 die Portalstütze
- *bridge support*
13 das Krankabel
- *crane cable*
14 die Laufkatze
- *crab (jenny)*
15 die Traverse
- *cross piece*
16 das Kranführerhaus
- *crane driver's cabin (crane driver's cage)*
17 die Hellingsohle
- *slipway floor*
18 die Stelling, ein Baugerüst n
- *staging, a scaffold*
19-21 die Gerüsthelling
- *frame slipway*
19 das Hellinggerüst
- *slipway frame*
20 der Deckenkran
- *overhead travelling (Am. traveling) crane (gantry crane)*
21 die Drehlaufkatze
- *slewing crab*
22 der gestreckte Kiel
- *keel in position*
23 der Drehwippkran, ein Hellingkran m
- *luffing jib crane, a slipway crane*
24 die Kranbahn
- *crane rails (crane track)*
25 der Portalkran
- *gantry crane*
26 die Kranbrücke
- *gantry (bridge)*
27 der Brückenträger
- *trestles (supports)*

28 die Laufkatze (der Laufkran)
- *crab (jenny)*
29 das Schiff in Spanten n
- *hull frames in position*
30 der Schiffsneubau
- *ship under construction*
31-33 das Trockendock
- *dry dock*
31 die Docksohle
- *dock floor (dock bottom)*
32 das Docktor (der Dockponton, Verschlußponton)
- *dock gates (caisson)*
33 das Pumpenhaus (Maschinenhaus)
- *pumping station (power house)*
34-43 das Schwimmdock
- *floating dock (pontoon dock)*
34 der Dockkran, ein Torkran m
- *dock crane (dockside crane), a jib crane*
35 die Streichdalben m (Leitdalben)
- *fender pile*
36-43 der Dockbetrieb
- *working of docks*
36 die Dockgrube
- *dock basin*
37 u. 38 der Dockkörper
- *dock structure*
37 der Seitentank
- *side tank (side wall)*
38 der Bodentank
- *bottom tank (bottom pontoon)*
39 der Kielpallen (Kielstapel), ein Dockstapel m
- *keel block*
40 der Kimmpallen (Kimmstapel)
- *bilge block (bilge shore, side support)*

41-43 das Eindocken (Docken) eines
   Schiffes *n*
– *docking a ship*
41 das geflutete (gefüllte) Schwimmdock
– *flooded floating dock*
42 der Schlepper beim Bugsieren *n*
   (Schleppen)
– *tug towing the ship*
43 das gelenzte (leergepumpte)
   Dock
– *emptied (pumped-out) dock*
44-61 die Konstruktionselemente *n*
– ***structural parts of the ship***
44-56 der Längsverband
– *longitudinal structure*
44-49 die Außenhaut
– *shell (shell plating, skin)*
44 der Schergang
– *sheer strake*
45 der Seitengang
– *side strake*
46 der Kimmgang
– *bilge strake*
47 der Schlingerkiel (Kimmkiel)
– *bilge keel*
48 der Bodengang
– *bottom plating*
49 der Flachkiel
– *flat plate keel (keel plate)*
50 der Stringer
– *stringer (side stringer)*
51 die Tankrandplatte
   (Randplatte)
– *tank margin plate*
52 der Seitenträger
– *longitudinal side girder*

53 der Mittelträger
– *centre (Am. center) plate girder
   (centre girder, kelson, keelson,
   vertical keel)*
54 die Tankdecke
– *tank top plating (tank top, inner
   bottom plating)*
55 die Mitteldecke
– *centre (Am. center) strake*
56 die Deckplatte
– *deck plating*
57 der Deckbalken
– *deck beam*
58 das Spant
– *frame (rib)*
59 die Bodenwrange
– *floor plate*
60 der Doppelboden
– *cellular double bottom*
61 die Raumstütze
– *hold pillar (pillar)*
62 *u.* **63** die Garnierung
– *dunnage*
62 die Seitenwegerung
– *side battens (side ceiling, spar ceiling)*
63 die Bodenwegerung
– *ceiling (floor ceiling)*
64 *u.* **65** die Luke
– *hatchway*
64 das Lukensüll
– *hatch coaming*
65 der Lukendeckel
– *hatch cover (hatchboard)*
66-72 das Heck
– *stern*
66 die offene Reling
– *guard rail*

67 das Schanzkleid
– *bulwark*
68 der Ruderschaft
– *rudder stock*
69 *u.* **70** das Oertz-Ruder
– *Oertz rudder*
69 das Ruderblatt
– *rudder blade (rudder)*
70 *u.* **71** der Achtersteven
   (Hintersteven)
– *stern frame*
70 der Rudersteven (Leitsteven)
– *rudder post*
71 der Schraubensteven
– *propeller post (screw post)*
72 die Schiffsschraube
– *ship's propeller (ship's screw)*
73 die Ahming (Tiefgangsmarke)
– *draught (draft) marks*
74-79 der Bug
– *bow*
74 der Vorsteven, ein Wulststeven *m*
   (Wulstbug)
– *stem, a bulbous stem (bulbous bow)*
75 die Ankertasche (Ankernische)
– *hawse*
76 die Ankerklüse
– *hawse pipe*
77 die Ankerkette
– *anchor cable (chain cable)*
78 der Patentanker
– *stockless anchor (patent anchor)*
79 der Stockanker
– *stocked anchor*

1-71 **das kombinierte Fracht-Fahrgast-Schiff** [älteren Typs]
- **combined cargo and passenger ship** [of the older type]
1 der Schornstein
- *funnel*
2 die Schornsteinmarke (Schornstein-farben *f*)
- *funnel marking*
3 die Sirene (das Typhon)
- *siren (fog horn)*
4-11 **das Peildeck**
- **compass platform** (compass bridge, compass flat, monkey bridge)
4 die Antennenniederführung
- *antenna lead-in (antenna down-lead)*
5 die Funkpeilerrahmenantenne (Peilantenne)
- *radio direction finder (RDF) antenna (direction finder antenna, rotatable loop antenna, aural null loop antenna)*
6 der Magnetkompaß
- *magnetic compass (mariner's compass)*
7 die Morselampe
- *morse lamp (signalling,* Am. *signaling, lamp)*
8 die Radarantenne
- *radar antenna (radar scanner)*
9 das Flaggensignal
- *code flag signal*
10 die Signalleine
- *code flag halyards*
11 das Signalstag
- *triatic stay (signal stay)*

12-18 **das Brückendeck** (die Kommandobrücke, Brücke)
- **bridge deck** *(bridge)*
12 der Funkraum
- *radio room*
13 die Kapitänskajüte
- *captain's cabin*
14 der Navigationsraum
- *navigating bridge*
15 die Steuerbord-Seitenlampe [grün; die Backbord-Seitenlampe rot]
- *starboard sidelight [green; port sidelight red]*
16 die Brückennock (Nock)
- *wing of bridge*
17 das Schanzkleid (der Windschutz)
- *shelter (weather cloth, dodger)*
18 das Steuerhaus
- *wheelhouse*
19-21 **das Bootsdeck**
- **boat deck**
19 das Rettungsboot
- *ship's lifeboat*
20 der Davit (Bootskran)
- *davit*
21 die Offizierskajüte (Offiziers-kammer)
- *officer's cabin*
22-27 **das Promenadendeck**
- **promenade deck**
22 das Sonnendeck (Lidodeck)
- *sun deck (lido deck)*
23 das Schwimmbad
- *swimming pool*

24 der Aufgang (Niedergang)
- *companion ladder (companionway)*
25 die Bibliothek
- *library (ship's library)*
26 der Gesellschaftsraum (Salon)
- *lounge*
27 die Promenade
- *promenade*
28-30 **das A-Deck**
- **A-deck**
28 das halboffene Deck
- *semi-enclosed deck space*
29 die Zweibettkabine, eine Kabine
- *double-berth cabin, a cabin*
30 die Luxuskabine
- *de luxe cabin*
31 der Heckflaggenstock
- *ensign staff*
32-47 **das B-Deck** (Hauptdeck)
- **B-deck** *(main deck)*
32 das Achterdeck
- *after deck*
33 die Hütte
- *poop*
34 das Deckshaus
- *deckhouse*
35 der Ladepfosten
- *samson (sampson) post (king post)*
36 der Ladebaum
- *derrick boom (cargo boom)*
37 die Saling
- *crosstrees (spreader)*
38 der Mastkorb (die Ausgucktonne)
- *crow's nest*

39 die Stenge
– *topmast*
40 das vordere Dampferlicht
– *forward steaming light*
41 der Lüfterkopf
– *ventilator lead*
42 die Kombüse (Schiffsküche)
– *galley (caboose, cookroom, ship's kitchen)*
43 die Pantry (Anrichte)
– *ship's pantry*
44 der Speisesaal
– *dining room*
45 das Zahlmeisterbüro
– *purser's office*
46 die Einbettkabine
– *single-berth cabin*
47 das Vordeck
– *foredeck*
48 die Back
– *forecastle (fo'c'sle)*
49-51 das Ankergeschirr
– ***ground tackle***
49 die Ankerwinde
– *windlass*
50 die Ankerkette
– *anchor cable (chain cable)*
51 der Kettenstopper
– *compressor (chain compressor)*
52 der Anker
– *anchor*
53 der Göschstock
– *jackstaff*
54 die Gösch
– *jack*

55 die hinteren (achteren)
Laderäume *m*
– *after holds*
56 der Kühlraum
– *cold storage room (insulated hold)*
57 der Proviantraum
– *store room*
58 das Schraubenwasser (Kielwasser)
– *wake*
59 die Wellenhose
– *shell bossing (shaft bossing)*
60 die Schwanzwelle
– *tail shaft (tail end shaft)*
61 der Wellenbock
– *shaft strut (strut, spectacle frame, propeller strut, propeller bracket)*
62 die dreiflügelige Schiffsschraube
– *three-blade ship's propeller (ship's screw)*
63 das Ruderblatt
– *rudder blade (rudder)*
64 die Stopfbüchse
– *stuffing box*
65 die Schraubenwelle
– *propeller shaft*
66 der Wellentunnel
– *shaft alley (shaft tunnel)*
67 das Drucklager
– *thrust block*
68-74 der dieselelektrische Antrieb
– ***diesel-electric drive***
68 der E-Maschinenraum
– *electric engine room*
69 der E-Motor
– *electric motor*

70 der Hilfsmaschinenraum
– *auxiliary engine room*
71 die Hilfsmaschinen *f*
– *auxiliary engines*
72 der Hauptmaschinenraum
– *main engine room*
73 die Hauptmaschine, ein Dieselmotor *m*
– *main engine, a diesel engine*
74 der Generator
– *generator*
75 die vorderen Laderäume *m*
– *forward holds*
76 das Zwischendeck
– *tween deck*
77 die Ladung
– *cargo*
78 der Ballasttank, für den
Wasserballast
– *ballast tank (deep tank) for water ballast*
79 der Frischwassertank
– *fresh water tank*
80 der Treiböltank
– *fuel tank*
81 die Bugwelle
– *bow wave*

1 der **Sextant**
– *sextant*
2 der Gradbogen
– *graduated arc*
3 die Alhidade
– *index bar (index arm)*
4 die Meßtrommel
– *decimal micrometer*
5 der Nonius
– *vernier*
6 der große Spiegel
– *index mirror*
7 der kleine Spiegel
– *horizon glass (horizon mirror)*
8 das Fernrohr
– *telescope*
9 der Handgriff
– *grip (handgrip)*
10-13 das **Radargerät** (Radar *m od. n*)
– **radar equipment** *(radar apparatus)*
10 der Radarmast
– *radar pedestal*
11 die drehbare Reflektorantenne
– *revolving radar reflector*
12 das Radarsichtgerät
– *radar display unit (radar screen)*
13 das Radarbild
– *radar image (radar picture)*
14-38 das **Steuerhaus** (Ruderhaus)
– **wheelhouse**
14 der Fahr- und Kommandostand
– *steering and control position*
15 das Steuerrad für die Ruderanlage
– *ship's wheel for controlling the rudder mechanism*
16 der Rudergänger
– *helmsman (Am. wheelsman)*
17 der Ruderlagenanzeiger
– *rudder angle indicator*
18 der Sollkurseinsteller
– *automatic pilot (autopilot)*
19 der Betätigungshebel für die Verstellpropeller *m*
– *control lever for the variable-pitch propeller (reversible propeller, feathering propeller, feathering screw)*

20 das Anzeigegerät für die Propellersteigung
– *propeller pitch indicator*
21 die Umdrehungsanzeige der Hauptmotoren *m*
– *main engine revolution indicator*
22 die Anzeige der Schiffsgeschwindigkeit
– *ship's speedometer (log)*
23 der Steuerschalter für das Bugstrahlruder
– *control switch for bow thruster (bow-manoeuvring, Am. maneuvering, propeller)*
24 das Echolotanzeigegerät (der Echograph)
– *echo recorder (depth recorder, echograph)*
25 der Doppelmaschinentelegraph
– *engine telegraph (engine order telegraph)*
26 die Steuer- und Kontrollgeräte *n* für die Schlingerdämpfungsanlage
– *controls for the anti-rolling system (for the stabilizers)*
27 das OB-Telefon (Ortsbatterietelefon)
– *local-battery telephone*
28 das Telefon der Schiffsverkehrs-Fernsprechanlage
– *shipping traffic radio telephone*
29 das Positionslampentableau
– *navigation light indicator panel (running light indicator panel)*
30 die Sprechstelle für die Ruf- und Kommandoanlage
– *microphone for ship's address system*
31 der Kreiselkompaß, ein Tochterkompaß
– *gyro compass (gyroscopic compass), a compass repeater*
32 der Betätigungsknopf für die Schiffssirene
– *control button for the ship's siren (ship's fog horn)*
33 die Überlastkontrolle der Hauptmotoren *m*
– *main engine overload indicator*
34 das Decca-Gerät zur Positionsbestimmung (der Decca-Navigator)
– *Decca position-finder (Decca Navigator)*
35 die Abstimmgrobanzeige
– *rough focusing indicator*
36 die Abstimmfeinanzeige
– *fine focusing indicator*
37 der Navigationsoffizier
– *navigating officer*

38 der Kapitän
– *captain*
39 das **Decca-Navigator-System**
– **Decca navigation system**
40 die Hauptstation
– *master station*
41 die Nebenstation
– *slave station*
42 die Nullhyperbel
– *null hyperbola*
43 die Hyperbelstandlinie 1
– *hyperbolic position line 1*
44 die Hyperbelstandlinie 2
– *hyperbolic position line 2*
45 der Standort
– *position (fix, ship fix)*
46-53 **Kompasse** *m*
– **compasses**
46 der Fluidkompaß, ein Magnetkompaß
– *liquid compass (fluid compass, spirit compass, wet compass), a magnetic compass*
47 die Kompaßrose
– *compass card*
48 der Steuerstrich
– *lubber's line (lubber's mark, lubber's point)*
49 der Kompaßkessel
– *compass bowl*
50 die kardanische Aufhängung
– *gimbal ring*
51-53 der Kreiselkompaß (die Kreiselkompaßanlage)
– *gyro compass (gyroscopic compass, gyro compass unit)*
51 der Mutterkompaß
– *master compass (master gyro compass)*
52 der Tochterkompaß
– *compass repeater (gyro repeater)*
53 der Tochterkompaß mit Peilaufsatz *m*
– *compass repeater with pelorus*
54 das **Patentlog**, ein Log *n* (eine Logge)
– **patent log** *(screw log, mechanical log, towing log, taffrail log, speedometer), a log*
55 der Logpropeller
– *rotator*
56 der Schwungradregulator
– *governor*

Navigation

57 das Zählwerk (die Loguhr)
– log clock
58-67 **Lote** n
– **leads**
58 das Handlot
– hand lead
59 der Lotkörper
– lead (lead sinker)
60 die Lotleine
– leadline
61-67 das Echolot
– echo sounder (echo sounding machine)
61 der Schallsender
– sound transmitter
62 der Schallwellenimpuls
– sound wave (sound impulse)
63 das Echo
– echo (sound echo, echo signal)
64 der Echoempfänger
– echo receiver (hydrophone)
65 der Echograph (der Echoschreiber)
– echograph (echo sounding machine recorder)
66 die Tiefenskala
– depth scale
67 das Echobild
– echogram (depth recording, depth reading)
68-108 **Seezeichen** n, zur Betonnung und Befeuerung
– **sea marks** (floating navigational marks) for buoyage and lighting systems
68-83 Fahrwasserzeichen n
– fairway marks (channel marks)
68 die Leuchtheultonne
– light and whistle buoy
69 die Laterne
– light (warning light)
70 der Heulapparat
– whistle
71 der Schwimmkörper
– buoy
72 die Ankerkette
– mooring chain
73 der Tonnenstein (Tonnenanker)
– sinker (mooring sinker)

74 die Leuchtglockentonne
– light and bell buoy
75 die Glocke
– bell
76 die Spitztonne
– conical buoy
77 die Stumpftonne
– can buoy
78 das Toppzeichen (das Stundenglaszeichen)
– topmark
79 die Spierentonne
– spar buoy
80 das Bakentonne
– topmark buoy
81 das Feuerschiff
– lightship (light vessel)
82 der Feuerturm (Laternenträger)
– lantern mast (lantern tower)
83 das Leuchtfeuer
– beam of light
84-102 die Fahrwasserbezeichnung
– fairway markings (channel markings) [German type]
84 Wrack n [grüne Betonnung]
– wreck [green buoys]
85 Wrack n an Steuerbord n des Fahrwassers n
– wreck to starboard
86 Wrack n an Backbord n des Fahrwassers n
– wreck to port
87 Untiefe f
– shoals (shallows, shallow water, Am. flats)
88 Mittelgrund m an Backbord n des Hauptfahrwassers n
– middle ground to port
89 Spaltung f [der Beginn des Mittelgrundes m; Toppzeichen n: roter Zylinder m über rotem Ball m]
– division (bifurcation) [beginning of the middle ground; topmark: red cylinder above red ball]
90 Vereinigung f [das Ende des Mittelgrundes m; Toppzeichen n: rotes Antoniuskreuz über rotem Ball m]
– convergence (confluence) [end of the middle ground; topmark: red St. Antony's cross above red ball]

91 Mittelgrund m
– middle ground
92 das Hauptfahrwasser
– main fairway (main navigable channel)
93 das Nebenfahrwasser
– secondary fairway (secondary navigable channel)
94 die Faßtonne
– can buoy
95 Backbordtonnen [rot] f
– port hand buoys (port hand marks) [red]
96 Steuerbordtonnen [schwarz] f
– starboard hand buoys (starboard hand marks) [black]
97 Untiefe f außerhalb des Fahrwassers n
– shoals (shallows, shallow water, Am. flats) outside the fairway
98 Fahrwassermitte f [Toppzeichen n: Doppelkreuz]
– middle of the fairway (mid-channel)
99 Steuerbordstangen f [Besen m abwärts]
– starboard markers [inverted broom]
100 Backbordstangen f [Besen m aufwärts]
– port markers [upward-pointing broom]
101 u. 102 Richtfeuer n (Leitfeuer)
– range lights (leading lights)
101 das Unterfeuer
– lower range light (lower leading light)
102 das Oberfeuer
– higher range light (higher leading light)
103 der Leuchtturm
– lighthouse
104 die Radarantenne
– radar antenna (radar scanner)
105 die Laterne
– lantern (characteristic light)
106 die Richtfunkantenne
– radio direction finder (RDF) antenna
107 das Maschinen- und Aufenthaltsdeck
– machinery and observation platform (machinery and observation deck)
108 die Wohnräume m
– living quarters

1 das Hafenviertel
– *dock area*
2 der Freihafen
– *free port (foreign trade zone)*
3 die Freihafengrenze (das Zollgitter)
– *free zone frontier (free zone enclosure)*
4 die Zollschranke
– *customs barrier*
5 der Zolldurchlaß
– *customs entrance*
6 das Zollhaus (Hafenzollamt)
– *port custom house*
7 der Speicher
– *entrepôt*
8 die Schute
– *barge (dumb barge, lighter)*
9 der Stückgutschuppen
– *break-bulk cargo transit shed (general cargo transit shed, package cargo transit shed)*
10 der Schwimmkran
– *floating crane*
11 die Hafenfähre (das Fährboot)
– *harbour (Am. harbor) ferry (ferryboat)*
12 die Dalbe (der Dalben, Duckdalben)
– *fender (dolphin)*
13 das Bunkerboot
– *bunkering boat*
14 der Stückgutfrachter
– *break-bulk carrier (general cargo ship)*

15 der Bugsierschlepper
– *tug*
16 das Schwimmdock
– *floating dock (pontoon dock)*
17 das Trockendock
– *dry dock*
18 der Kohlenhafen
– *coal wharf*
19 das Kohlenlager
– *coal bunker*
20 die Verladebrücke
– *transporter loading bridge*
21 die Hafenbahn
– *quayside railway*
22 der Wiegebunker
– *weighing bunker*
23 der Werftschuppen
– *warehouse*
24 der Werftkran
– *quayside crane*
25 die Barkasse mit Leichter *m*
– *launch and lighter*
26 das Hafenkrankenhaus
– *port hospital*
27 die Quarantänestation
– *quarantine wing*
28 das Tropeninstitut (Institut für Tropenmedizin *f*)
– *Institute of Tropical Medicine*
29 der Ausflugsdampfer
– *excursion steamer (pleasure steamer)*

30 die Landungsbrücke
– *jetty*
31 die Fahrgastanlage
– *passenger terminal*
32 das Linienschiff (der Passagierdampfer, Liner, Ocean Liner)
– *liner (passenger liner, ocean liner)*
33 das Meteorologische Amt, eine Wetterwarte
– *meteorological office, a weather station*
34 der Signalmast
– *signal mast (signalling mast)*
35 der Sturmball
– *storm signal*
36 das Hafenamt
– *port administration offices*
37 der Wasserstandsanzeiger
– *tide level indicator*
38 die Kaistraße
– *quayside road (quayside roadway)*

1 der (das) Containerterminal, eine
moderne Güterumschlaganlage
– *container terminal (container berth),
a modern cargo-handling berth*
2 die Containerbrücke (Ladebrücke),
ähnl.: der Transtainerkran
– *transporter container-loading bridge
(loading bridge); sim.: transtainer
crane (transtainer)*
3 der Container
– *container*
4 der Portalstapler
– *truck (carrier)*
5 das Vollcontainerschiff
– *all-container ship*
6 die Containerdecksladung
– *containers stowed on deck*
7 das Truck-to-truck-handling (der
horizontale rampenlose Güter-
umschlag mit Paletten *f*)
– *truck-to-truck handling (horizontal
cargo handling with pallets)*
8 der Hubstapler (Truck)
– *forklift truck (fork truck, forklift)*
9 die unitisierte folienverpackte
Ladung (das Unitload)
– *unitized foil-wrapped load (unit load)*
10 die Flachpalette, eine Normpalette
– *flat pallet, a standard pallet*
11 das unitisierte Stückgut
– *unitized break-bulk cargo*

12 der Folienschrumpfofen
– *heat sealing machine*
13 der Stückgutfrachter
– *break-bulk carrier (general cargo ship)*
14 die Ladeluke
– *cargo hatchway*
15 der übernehmende Schiffsstapler
– *receiving truck on board ship*
16 der (das) Allroundterminal
– *multi-purpose terminal*
17 das Roll-on-roll-off-Schiff (Ro-ro-
Schiff, Roro-Schiff)
– *roll-on roll-off ship (ro-ro-ship)*
18 die Heckpforte
– *stern port (stern opening)*
19 die selbstfahrende Ladung, ein
Lastkraftwagen *m*
– *driven load, a lorry (Am. truck)*
20 die Ro-ro-Abfertigungsanlage
(Ro-ro-Spezialanlage, Roro-Anlage)
– *ro-ro depot*
21 das unitisierte Packstück
– *unitized load (unitized package)*
22 die Bananenumschlaganlage [Schnitt]
– *banana-handling terminal [section]*
23 der wasserseitige Turas
– *seaward tumbler*
24 der Ausleger
– *jib*
25 die Elevatorbrücke
– *elevator bridge*

26 das Kettengehänge
– *chain sling*
27 die Leuchtwarte
– *lighting station*
28 der landseitige Turas [für Bahn- und
Lkw-Beladung *f*]
– *shore-side tumbler [for loading trains
and lorries (Am. trucks)]*
29 der Schütt- und Sauggutumschlag
(Massengutumschlag)
– *bulk cargo handling*
30 der Bulkfrachter (Bulkcarrier,
Schüttgutfrachter)
– *bulk carrier*
31 der Schwimmheber
– *floating bulk-cargo elevator*
32 die Saugrohrleitungen *f*
– *suction pipes*

33 der Rezipient
– *receiver*
34 das Verladerohr
– *delivery pipe*
35 die Massengutschute
– *bulk transporter barge*
36 die Ramme
– *floating pile driver*
37 das Rammgerüst
– *pile driver frame*
38 der Bär (Rammbär, das
   Rammgewicht)
– *pile hammer*
39 die Gleitschiene
– *driving guide rail*
40 das Kipplager
– *pile*
41 der Eimerbagger, ein Bagger *m*
– *bucket dredger, a dredger*
42 die Eimerkette
– *bucket chain*
43 die Eimerleiter
– *bucket ladder*
44 der Baggereimer
– *dredger bucket*
45 die Schütte (Rutsche)
– *chute*
46 die Baggerschute
– *hopper barge*
47 das Baggergut
– *spoil*

48 der Schwimmkran
– *floating crane*
49 der Ausleger
– *jib (boom)*
50 das Gegengewicht
– *counterweight (counterpoise)*
51 die Verstellspindel
– *adjusting spindle*
52 der Führerstand (das
   Kranführerhaus)
– *crane driver's cabin
   (crane driver's cage)*
53 das Krangestell
– *crane framework*
54 das Windenhaus
– *winch house*
55 die Kommandobrücke
– *control platform*
56 die Drehscheibe
– *turntable*
57 der Ponton, ein Prahm *m*
– *pontoon, a pram*
58 der Motorenaufbau
– *engine superstructure (engine
   mounting)*

1 die Bergung eines aufgelaufenen
   Schiffes *n*
 – *salvaging (salving) of a ship run
   aground*
2 das aufgelaufene Schiff (der
   Havarist)
 – *ship run aground (damaged vessel)*
3 die Schlickbank; *auch:* der Mahlsand
 – *sandbank; also: quicksand*
4 das offene Wasser
 – *open sea*
5 der Schlepper
 – *tug (salvage tug)*
6-15 Schleppgeschirre *n*
 – *towing gear*
6 das Schleppgeschirr für die See-
   verschleppung
 – *towing gear for towing at sea*
7 die Schleppwinde
 – *towing winch (towing machine,
   towing engine)*
8 die Schlepptrosse (Trosse)
 – *tow rope (tow line, towing hawser)*
9 das Schleppkäpsel
 – *tow rope guide*
10 der Kreuzpoller
 – *cross-shaped bollard*
11 die Schleppklüse
 – *hawse hole*

12 die Ankerkette
 – *anchor cable (chain cable)*
13 das Schleppgeschirr für den
   Hafenbetrieb
 – *towing gear for work in harbours
   (Am. harbors)*
14 der Beistopper
 – *guest rope*
15 die Trossenrichtung bei Bruch *m*
   des Beistoppers *m*
 – *position of the tow rope (tow line,
   towing hawser)*
16 der Schlepper (Bugsierschlepper)
   [Aufriß]
 – *tug (salvage tug) [vertical elevation]*
17 der Bugfender
 – *bow fender (pudding fender)*
18 die Vorpiek
 – *forepeak*
19 die Wohnräume *m*
 – *living quarters*
20 der Schottel-Propeller
 – *Schottel propeller*
21 die Kort-Düse
 – *Kort vent*
22 der Maschinen- und Propellerraum
 – *engine and propeller room*
23 die Schaltkupplung
 – *clutch coupling*

24 das Peildeck
 – *compass platform (compass bridge,
   compass flat, monkey bridge)*
25 die Feuerlöscheinrichtung
 – *fire-fighting equipment*
26 der Stauraum
 – *stowage*
27 der Schlepphaken
 – *tow hook*
28 die Achterpiek
 – *afterpeak*
29 der Heckfender (die „Maus")
 – *stern fender*
30 der Manövrierkiel
 – *main manoeuvring
   (Am. maneuvering) keel*

1 der Raketenapparat
 – rocket apparatus (rocket gun, line-throwing gun)
2 die Rakete
 – life rocket (rocket)
3 die Rettungsleine (Schießleine)
 – rocket line (whip line)
4 das Ölzeug
 – oilskins
5 der Südwester
 – sou'wester (southwester)
6 die Öljacke
 – oilskin jacket
7 der Ölmantel
 – oilskin coat
8 die aufblasbare Schwimmweste
 – inflatable life jacket
9 die Korkschwimmweste
 – cork life jacket (cork life preserver)
10 das gestrandete Schiff (der Havarist)
 – stranded ship (damaged vessel)
11 der Ölbeutel, zum Aufträufeln n von Öl n auf die Wasseroberfläche
 – oil bag, for trickling oil on the water surface
12 das Rettungstau
 – lifeline
13 die Hosenboje
 – breeches buoy

14 der Seenotkreuzer
 – rescue cruiser
15 das Hubschrauberarbeitsdeck
 – helicopter landing deck
16 der Rettungshubschrauber
 – rescue helicopter
17 das Tochterboot
 – daughter boat
18 das Schlauchboot
 – inflatable boat (inflatable dinghy)
19 die Rettungsinsel
 – life raft
20 die Feuerlöschanlage zur Bekämpfung von Schiffsbränden m
 – fire-fighting equipment for fires at sea
21 das Hospital mit Operationskoje f und Unterkühlungsbadewanne f
 – hospital unit with operating cabin and exposure bath
22 der Navigationsraum
 – navigating bridge
23 der obere Fahrstand
 – upper tier of navigating bridge
24 der untere Fahrstand
 – lower tier of navigating bridge
25 die Messe
 – messroom
26 die Ruder- und Propelleranlage
 – rudders and propeller (screw)

27 der Stauraum
 – stowage
28 der Feuerlöschschaumtank
 – foam can
29 die Seitenmotoren m
 – side engines
30 die Dusche
 – shower
31 die Vormannkabine
 – coxswain's cabin
32 die Mannschaftseinzelkabine
 – crew member's single-berth cabin
33 die Bugschraube
 – bow propeller

1-14 die Tragflächenanordnung
(Flügelanordnung)
- **wing configurations**
1 der Hochdecker
- *high-wing monoplane (high-wing plane)*
2 die Spannweite (Flügelspannweite)
- *span (wing span)*
3 der Schulterdecker
- *shoulder-wing monoplane (shoulder-wing plane)*
4 der Mitteldecker
- *midwing monoplane (midwing plane)*
5 der Tiefdecker
- *low-wing monoplane (low-wing plane)*
6 der Dreidecker
- *triplane*
7 der Oberflügel
- *upper wing*
8 der Mittelflügel
- *middle wing (central wing)*
9 der Unterflügel
- *lower wing*
10 der Doppeldecker
- *biplane*
11 der Stiel
- *strut*
12 die Verspannung
- *cross bracing wires*
13 der Anderthalbdecker
- *sesquiplane*
14 der Tiefdecker mit Knickflügeln *m*
- *low-wing monoplane (low-wing plane) with cranked wings (inverted gull wings)*
15-22 Tragflächenformen *f* (Flügelformen)
- **wing shapes**
15 der Ellipsenflügel (elliptische Flügel)
- *elliptical wing*
16 der Rechteckflügel
- *rectangular wing*
17 der Trapezflügel
- *tapered wing*
18 der Sichelflügel
- *crescent wing*
19 der Deltaflügel
- *delta wing*
20 der Pfeilflügel mit schwacher positiver Pfeilung
- *swept-back wing with semi-positive sweepback*
21 der Pfeilflügel mit starker positiver Pfeilung
- *swept-back wing with positive sweepback*
22 der Ogivalflügel (Ogeeflügel)
- *ogival wing (ogee wing)*
23-36 die Leitwerksformen *f*
- **tail shapes** *(tail unit shapes, empennage shapes)*
23 das Normalleitwerk
- *normal tail (normal tail unit)*
24 *u.* **25** das Seitenleitwerk
- *vertical tail (vertical stabilizer and rudder)*

24 die Seitenflosse
- *vertical stabilizer (vertical fin, tail fin)*
25 das Seitenruder
- *rudder*
26 *u.* **27** das Höhenleitwerk
- *horizontal tail*
26 die Höhenflosse
- *tailplane (horizontal stabilizer)*
27 das Höhenruder
- *elevator*
28 das Kreuzleitwerk
- *cruciform tail (cruciform tail unit)*
29 das T-Leitwerk
- *T-tail (T-tail unit)*
30 der Verdrängerkörper (die Wirbelkeule)
- *lobe*
31 das V-Leitwerk
- *V-tail (vee-tail, butterfly tail)*
32 das Doppelleitwerk
- *double tail unit (twin tail unit)*
33 die Endscheibe (Seitenscheibe)
- *end plate*
34 das Doppelleitwerk eines Doppelrumpfflugzeugs
- *double tail unit (twin tail unit) of a twin-boom aircraft*
35 das Doppelleitwerk mit hochgestelltem Höhenleitwerk
- *raised horizontal tail with double booms*
36 das Dreifachleitwerk
- *triple tail unit*
37 das Klappensystem
- **system of flaps**
38 der ausfahrbare Vorflügel (Slat)
- *extensible slat*
39 die Störklappe (der Spoiler)
- *spoiler*
40 die Doppelspalt-Fowler-Klappe
- *double-slotted Fowler flap*
41 das äußere Querruder (Langsamflug-Querruder, Low speed aileron)
- *outer aileron (low-speed aileron)*
42 die innere Störklappe *f* (der Landespoiler, Lift dump)
- *inner spoiler (landing flap, lift dump)*
43 das innere Querruder (Allgeschwindigkeits-Querruder, All speed aileron)
- *inner aileron (all-speed aileron)*
44 die Bremsklappe (Luftbremse, Air brakes)
- *brake flap (air brake)*
45 das Grundprofil
- *basic profile*
46-48 die Wölbungsklappen *f*
- *plain flaps (simple flaps)*
46 die Normalklappe
- *normal flap*
47 die Spaltklappe
- *slotted flap*
48 die Doppelspaltklappe
- *double-slotted flap*
49 *u.* **50** die Spreizklappen *f*
- *split flaps*

49 die einfache Spreizklappe
- *plain split flap (simple split flap)*
50 die Zap-Klappe
- *zap flap*
51 der Doppelflügel
- *extending flap*
52 die Fowler-Klappe
- *Fowler flap*
53 der Vorflügel
- *slat*
54 die profilierte Nasenklappe
- *profiled leading-edge flap (droop flap)*
55 die Krüger-Klappe
- *Krüger flap*

1-31 das Cockpit eines einmotorigen Sport- und Reiseflugzeugs *n*
– *cockpit of a single-engine (single-engined) racing and passenger aircraft (racing and passenger plane)*
1 das Instrumentenbrett (Panel)
– *instrument panel*
2 der Fahrtmesser (Geschwindigkeitsmesser)
– *air-speed (Am. airspeed) indicator*
3 der künstliche Horizont (Horizontkreisel, Kreiselhorizont)
– *artificial horizon (gyro horizon)*
4 der Höhenmesser
– *altimeter*
5 der Funkkompaß (das automatische Peilgerät)
– *radio compass (automatic direction finder)*
6 der Magnetkompaß
– *magnetic compass*
7 der Ladedruckmesser
– *boost gauge* (Am. *gage)*
8 der Drehzahlmesser
– *tachometer (rev counter, revolution counter)*
9 die Zylindertemperaturanzeige
– *cylinder temperature gauge* (Am. *gage)*
10 der Beschleunigungsmesser
– *accelerometer*
11 die Borduhr
– *chronometer*
12 der Wendezeiger mit Kugellibelle *f*
– *turn indicator with ball*
13 der Kurskreisel
– *directional gyro*
14 das Variometer
– *vertical speed indicator (rate-of-climb indicator, variometer)*
15 der VOR-Leitkursanzeiger *[VOR: Very high frequency omnidirectional range]*
– *VOR radio direction finder* [VOR: very high frequency omnidirectional range]
16 die Kraftstoffanzeige für den linken Tank
– *left tank fuel gauge* (Am. *gage)*
17 die Kraftstoffanzeige für den rechten Tank
– *right tank fuel gauge* (Am. *gage)*
18 das Amperemeter
– *ammeter*
19 der Kraftstoffdruckmesser
– *fuel pressure gauge* (Am. *gage)*
20 der Öldruckmesser
– *oil pressure gauge* (Am. *gage)*
21 die Öltemperaturanzeige
– *oil temperature gauge* (Am. *gage)*
22 das Sprechfunk- und Funknavigationsgerät
– *radio and radio navigation equipment*
23 die Kartenbeleuchtung
– *map light*

24 das Handrad (der Steuergriff, Steuerknüppel) zur Betätigung der Quer- und Höhenruder *n*
– *wheel (control column, control stick) for operating the ailerons and elevators*
25 das Handrad für den Kopiloten
– *co-pilot's wheel*
26 die Schaltarmaturen *f*
– *switches*
27 die Seitenruderpedale *n*
– *rudder pedals*
28 die Seitenruderpedale *n* für den Kopiloten
– *co-pilot's rudder pedals*
29 das Mikrophon für den Sprechfunkverkehr
– *microphone for the radio*
30 der Gashebel
– *throttle lever (throttle control)*
31 der Gemischregler (Gemischhebel)
– *mixture control*
32-66 das einmotorige Sport- und Reiseflugzeug
– *single-engine (single-engined) racing and passenger aircraft (racing and passenger plane)*
32 der Propeller (die Luftschraube)
– *propeller (airscrew)*
33 die Propellernabenhaube (der Spinner)
– *spinner*
34 der Vierzylinder-Boxermotor
– *flat four engine*
35 das Cockpit
– *cockpit*
36 der Pilotensitz
– *pilot's seat*
37 der Kopilotensitz
– *co-pilot's seat*
38 die Passagiersitze *m*
– *passenger seats*
39 die Haube (Kanzelhaube)
– *hood (canopy, cockpit hood, cockpit canopy)*
40 das lenkbare Bugrad
– *steerable nose wheel*
41 das Hauptfahrwerk
– *main undercarriage unit (main landing gear unit)*
42 die Einstiegstufe
– *step*
43 die Tragfläche (der Flügel)
– *wing*
44 das rechte Positionslicht
– *right navigation light (right position light)*
45 der Holm
– *spar*
46 die Rippe
– *rib*
47 der Stringer (die Längsversteifung)
– *stringer (longitudinal reinforcing member)*
48 der Kraftstofftank
– *fuel tank*

49 der Landescheinwerfer
– *landing light*
50 das linke Positionslicht
– *left navigation light (left position light)*
51 der elektrostatische Ableiter
– *electrostatic conductor*
52 das Querruder
– *aileron*
53 die Landeklappe
– *landing flap*
54 der Rumpf
– *fuselage (body)*
55 der Spant
– *frame (former)*
56 der Gurt
– *chord*
57 der Stringer (die Längsversteifung)
– *stringer (longitudinal reinforcing member)*
58 das Seitenleitwerk
– *vertical tail (vertical stabilizer and rudder)*
59 die Seitenflosse
– *vertical stabilizer (vertical fin, tail fin)*
60 das Seitenruder
– *rudder*
61 das Höhenleitwerk
– *horizontal tail*
62 die Höhenflosse
– *tailplane (horizontal stabilizer)*
63 das Höhenruder
– *elevator*
64 das Warnblinklicht
– *warning light (anticollision light)*
65 die Dipolantenne
– *dipole antenna*
66 die Langdrahtantenne
– *long-wire antenna (long-conductor antenna)*
67-72 die Hauptbewegungen *f* des Flugzeugs *n*
– *principal manoeuvres* (Am. *maneuvers) of the aircraft (aeroplane, plane, Am. airplane)*
67 das Nicken
– *pitching*
68 die Querachse
– *lateral axis*
69 das Gieren
– *yawing*
70 die Hochachse
– *vertical axis (normal axis)*
71 das Rollen
– *rolling*
72 die Längsachse
– *longitudinal axis*

1-33 Flugzeugtypen *m*
- *types of aircraft (aeroplanes, planes,*
  Am. *airplanes)*

1-6 Propellerflugzeuge *n*
- *propeller-driven aircraft (aeroplanes,*
  planes, Am. *airplanes)*

1 das einmotorige Sport- und Reiseflugzeug, ein Tiefdecker *m*
- *single-engine (single-engined) racing*
  and passenger aircraft (racing and
  passenger plane), a low-wing
  monoplane (low-wing plane)

2 das einmotorige Reiseflugzeug, ein
  Hochdecker *m*
- *single-engine (single-engined)*
  passenger aircraft, a high-wing
  monoplane (high-wing plane)

3 das zweimotorige Geschäfts- und
  Reiseflugzeug
- *twin-engine (twin-engined) business*
  and passenger aircraft (business and
  passenger plane)

4 das Kurz- und Mittelstrecken-
  verkehrsflugzeug, ein Turboprop-
  flugzeug *n* (Turbinen-Propeller-
  Flugzeug, Propeller-Turbinen-
  Flugzeug)
- *short/medium haul airliner, a*
  turboprop plane (turbopropeller plane,
  propeller-turbine plane)

5 das Turboproptriebwerk
- *turboprop engine (turbopropeller*
  engine)

6 die Kielflosse
- *vertical stabilizer (vertical fin, tail fin)*

7-33 Strahlflugzeuge *n* (Düsen-
  flugzeuge, Jets *m*)
- *jet planes (jet aeroplanes, jets,*
  Am. *jet airplanes)*

7 das zweistrahlige Geschäfts- und
  Reiseflugzeug
- *twin-jet business and passenger*
  aircraft (business and passenger
  plane)

8 der Grenzschichtzaun
- *fence*

9 der Flügelspitzentank (Tiptank)
- *wing-tip tank (tip tank)*

10 das Hecktriebwerk
- *rear engine*

11 das zweistrahlige Kurz- und Mittel-
  streckenverkehrsflugzeug
- *twin-jet short/medium haul airliner*

12 das dreistrahlige Mittelstrecken-
  verkehrsflugzeug
- *tri-jet medium haul airliner*

13 das vierstrahlige Langstrecken-
  verkehrsflugzeug
- *four-jet long haul airliner*

14 das Großraum-Langstrecken-
  verkehrsflugzeug (der Jumbo-Jet)
- *wide-body long haul airliner (jumbo*
  jet)

15 das Überschallverkehrsflugzeug
  [Typ *m* Concorde *f*]
- *supersonic airliner* [Concorde]

16 die absenkbare Rumpfnase
- *droop nose*

17 das zweistrahlige Großraumflugzeug
  für Kurz- und Mittelstrecken *f* (der
  Airbus)
- *twin-jet wide-body airliner for*
  short/medium haul routes (airbus)

18 der Radarbug (die Radarnase, das
  Radom), mit der Wetterradar-
  antenne
- *radar nose (radome, radar dome) with*
  weather radar antenna

19 das Cockpit (die Pilotenkanzel)
- *cockpit*

20 die Bordküche
- *galley*

21 der Frachtraum (Unterflurstauraum)
- *cargo hold (hold, underfloor hold)*

22 der Passagierraum (Fluggastraum)
  mit Passagiersitzen *m*
- *passenger cabin with passenger seats*

23 das einziehbare Bugfahrwerk
- *retractable nose undercarriage unit*
  (retractable nose landing gear unit)

24 die Bugfahrwerksklappe
- *nose undercarriage flap (nose gear*
  flap)

25 die mittlere Passagiertür
- *centre (Am. center) passenger door*

26 die Triebwerksgondel mit dem Triebwerk *n* (Turboluftstrahltriebwerk,
  Turbinenluftstrahltriebwerk, Düsen-
  triebwerk, die Strahlturbine)
- *engine pod with engine (turbojet*
  engine, jet turbine engine, jet engine,
  jet turbine)

27 die elektrostatischen Ableiter *m*
- *electrostatic conductors*

28 das einziehbare Hauptfahrwerk
- *retractable main undercarriage unit*
  (retractable main landing gear unit)

29 das Seitenfenster
- *side window*

30 die hintere Passagiertür
- *rear passenger door*

31 die Toilette
- *toilet (lavatory, WC)*

32 das Druckschott
- *pressure bulkhead*

33 das Hilfstriebwerk (die Hilfsgas-
  turbine), für das Stromaggregat
- *auxiliary engine (auxiliary gas*
  turbine) for the generator unit

1 **das Flugboot,** ein Wasserflugzeug n
– *flying boat, a seaplane*
2 der Bootsrumpf
– *hull*
3 der Flossenstummel
– *stub wing (sea wing)*
4 die Leitwerkverstrebung
– *tail bracing wires*
5 das Schwimmerflugzeug, ein
   Wasserflugzeug n
– *floatplane (float seaplane),
   a seaplane*
6 der Schwimmer
– *float*
7 die Kielflosse
– *vertical stabilizer (vertical fin,
   tail fin)*
8 **das Amphibienflugzeug**
– **amphibian** *(amphibian flying boat)*
9 der Bootsrumpf
– *hull*
10 das einziehbare Fahrwerk
– *retractable undercarriage
   (retractable landing gear)*
11-25 **Hubschrauber** m
– **helicopters**
11 der leichte Mehrzweck-
   hubschrauber
– *light multirole helicopter*
12 u. 13 der Hauptrotor
– *main rotor*
12 der Drehflügel
– *rotary wing (rotor blade)*
13 der Rotorkopf
– *rotor head*
14 der Heckrotor (Ausgleichsrotor,
   die Steuerschraube)
– *tail rotor (anti-torque rotor)*
15 die Landekufen f
– *landing skids*
16 der Kranhubschrauber
– *flying crane*
17 die Turbinentriebwerke n
– *turbine engines*
18 das Portalfahrwerk
– *lifting undercarriage*
19 die Lastplattform
– *lifting platform*
20 der Zusatztank
– *reserve tank*
21 der Transporthubschrauber
– *transport helicopter*
22 die Rotoren m in Tandem-
   anordnung f
– *rotors in tandem*
23 der Rotorträger
– *rotor pylon*
24 das Turbinentriebwerk
– *turbine engine*
25 die Heckladepforte
– *tail loading gate*
26-32 **die VSTOL-Flugzeuge** n
   (Vertical/Short-Take-off-and-
   Landing-Flugzeuge)
– **V/STOL aircraft** *(vertical/short
   take-off and landing aircraft)*

26 das Kippflügelflugzeug, ein VTOL-
   Flugzeug n (Vertical-Take-off-and-
   Landing-Flugzeug, Senkrecht-
   starter m)
– *tilt-wing aircraft, a VTOL aircraft
   (vertical take-off and landing aircraft)*
27 der Kippflügel in Vertikalstellung f
– *tilt wing in vertical position*
28 die gegenläufigen Heckpropeller m
– *contrarotating tail propellers*
29 der Kombinationsflugschrauber
– *gyrodyne*
30 das Turboproptriebwerk
– *turboprop engine (turbopropeller
   engine)*
31 das Kipprotorflugzeug
– *convertiplane*
32 der Kipprotor in Vertikalstellung f
– *tilting rotor in vertical position*
33-60 **Flugzeugtriebwerke** n
– **aircraft engines** *(aero engines)*
33-50 Luftstrahltriebwerke n (Düsen-
   triebwerke, Turboluftstrahltrieb-
   werke, Turbinenluftstrahltriebwerke,
   Strahlturbinen f)
– *jet engines (turbojet engines, jet
   turbine engines, jet turbines)*
33 das Front-Fan-Triebwerk (Front-
   gebläsetriebwerk)
– *front fan-jet*
34 der Fan (das Gebläse, der Bläser)
– *fan*
35 der Niederdruckverdichter
– *low-pressure compressor*
36 der Hochdruckverdichter
– *high-pressure compressor*
37 die Brennkammer
– *combustion chamber*
38 die Fan-Antriebsturbine
– *fan-jet turbine*
39 die Düse (Schubdüse)
– *nozzle (propelling nozzle, propulsion
   nozzle)*
40 die Turbinen f
– *turbines*
41 der Sekundärstromkanal
– *bypass duct*
42 das Aft-Fan-Triebwerk (Heck-
   gebläsetriebwerk)
– *aft fan-jet*
43 der Fan
– *fan*
44 der Sekundärstromkanal
– *bypass duct*
45 die Düse (Schubdüse)
– *nozzle (propelling nozzle, propulsion
   nozzle)*
46 das Mantelstromtriebwerk
– *bypass engine*
47 die Turbinen f
– *turbines*
48 der Mischer
– *mixer*
49 die Düse (Schubdüse)
– *nozzle (propelling nozzle, propulsion
   nozzle)*

50 der Sekundärstrom (Mantelstrom,
   Nebenstrom)
– *secondary air flow (bypass air flow)*
51 das Turboproptriebwerk, ein Zwei-
   wellentriebwerk n
– *turboprop engine (turbopropeller
   engine), a twin-shaft engine*
52 der ringförmige Lufteinlauf
– *annular air intake*
53 die Hochdruckturbine
– *high-pressure turbine*
54 die Niederdruck- und Nutzturbine
– *low-pressure turbine*
55 die Düse (Schubdüse)
– *nozzle (propelling nozzle, propulsion
   nozzle)*
56 die Kupplungswelle
– *shaft*
57 die Zwischenwelle
– *intermediate shaft*
58 die Getriebeeingangswelle
– *gear shaft*
59 das Untersetzungsgetriebe
– *reduction gear*
60 die Luftschraubenwelle
– *propeller shaft*

1 die Startbahn (Start-und-Lande-Bahn, Piste, der *od.* die Runway)
– *runway*
2 die Rollbahn (der Rollweg, Taxiway)
– *taxiway*
3 das Vorfeld (Abfertigungsfeld)
– *apron*
4 die Vorfeldstraße
– *apron taxiway*
5 die Gepäckhalle
– *baggage terminal*
6 die Gepäcktunneleinfahrt
– *tunnel entrance to the baggage terminal*
7 die Flughafenfeuerwehr
– *airport fire service*
8 die Gerätehalle
– *fire appliance building*
9 die Fracht- und Posthalle
– *mail and cargo terminal*
10 der Frachthof
– *cargo warehouse*
11 der Flugplatzsammelraum
– *assembly point*
12 der Flugsteig (Fingerflugsteig)
– *pier*
13 der Fingerkopf
– *pierhead*
14 die Fluggastbrücke
– *airbridge*
15 die Abflughalle (das Abfertigungsgebäude, der *od.* das Terminal)
– *departure building (terminal)*
16 das Verwaltungsgebäude
– *administration building*
17 der Kontrollturm (Tower)
– *control tower (tower)*
18 die Wartehalle (Lounge)
– *waiting room (lounge)*
19 das Flughafenrestaurant
– *airport restaurant*
20 die Besucherterrasse
– *spectators' terrace*

21 das Flugzeug in Abfertigungsposition *f,* einer Nose-in-Position
– *aircraft in loading position (nosed in)*
22 Wartungs- und Abfertigungsfahrzeuge *n,* z. B. Gepäckbandwagen *m,* Frischwasserwagen, Küchenwagen, Toilettenwagen, Bodenstromgerät *n,* Tankwagen *m*
– *service vehicles, e.g. baggage loaders, water tankers, galley loaders, toilet-cleaning vehicles, ground power units, tankers*
23 der Flugzeugschlepper
– *aircraft tractor (aircraft tug)*
24-53 die Hinweisschilder *n* (Piktogramme) für den Flughafenbetrieb
– *airport information symbols (pictographs)*
24 „Flughafen" *m*
– *'airport'*
25 „Abflug" *m*
– *'departures'*
26 „Ankunft" *f*
– *'arrivals'*
27 „Umsteiger" *m*
– *'transit passengers'*
28 „Wartehalle" *f*
– *'waiting room' ('lounge')*
29 „Treffpunkt" *m*
– *'assembly point' ('meeting point', 'rendezvous point')*
30 „Besucherterrasse" *f*
– *'spectators' terrace'*
31 „Information" *f*
– *'information'*
32 „Taxi" *n*
– *'taxis'*
33 „Mietwagen" *m*
– *'car hire'*
34 „Bahn" *f*
– *'trains'*
35 „Bus" *m*
– *'buses'*

36 „Eingang" *m*
– *'entrance'*
37 „Ausgang" *m*
– *'exit'*
38 „Gepäckausgabe" *f*
– *'baggage reclaim'*
39 „Gepäckaufbewahrung" *f*
– *'luggage lockers'*
40 „Notruf" *m*
– *'telephone – emergency calls only'*
41 „Fluchtweg" *m*
– *'emergency exit'*
42 „Paßkontrolle" *f*
– *'passport check'*
43 „Pressezentrum" *n*
– *'press facilities'*
44 „Arzt" *m*
– *'doctor'*
45 „Apotheke" *f*
– *'chemist' (Am. 'druggist')*
46 „Duschen" *f*
– *'showers'*
47 „Herrentoilette" *f*
– *'gentlemen's toilet' ('gentlemen')*
48 „Damentoilette" *f*
– *'ladies toilet' ('ladies')*
49 „Andachtsraum" *m*
– *'chapel'*
50 „Restaurant" *n*
– *'restaurant'*
51 „Geldwechsel" *m*
– *'change'*
52 „zollfreier Einkauf"
– *'duty free shop'*
53 „Friseur" *m*
– *'hairdresser'*

1 die Saturn-V-Trägerrakete „Apollo"
[Gesamtansicht]
- *Saturn V 'Apollo' booster (booster rocket) [overall view]*
2 die Saturn-V-Trägerrakete „Apollo"
[Gesamtschnitt]
- *Saturn V 'Apollo' booster (booster rocket) [overall sectional view]*
3 die erste Raketenstufe S-I C
- *first rocket stage (S-IC)*
4 F-1-Triebwerke n
- *F-1 engines*
5 der Wärmeschutzschild
- *heat shield (thermal protection shield)*
6 die aerodynamische Triebwerks-
verkleidung
- *aerodynamic engine fairings*
7 aerodynamische Stabilisierungsflossen f
- *aerodynamic stabilizing fins*
8 Stufentrenn-Retroraketen f,
8 Raketen f zu 4 Paaren n
- *stage separation retro-rockets,
8 rockets arranged in 4 pairs*
9 der Kerosin-(RP-1-)Tank [811 000 l]
- *kerosene (RP-1) tank [capacity:
811,000 litres]*
10 Flüssigsauerstoff-Förderleitungen f
insgesamt 5
- *liquid oxygen (LOX, LO₂) supply
lines, total of 5*
11 das Antivortexsystem (Vorrichtung f
zur Verhinderung einer Wirbel-
bildung im Treibstoff m)
- *anti-vortex system (device for
preventing the formation of vortices
in the fuel)*
12 der Flüssigsauerstofftank
[1 315 000 l]
- *liquid oxygen (LOX, LO₂) tank
[capacity: 1,315,000 litres]*
13 die Schwappdämpfung
- *anti-slosh baffles*
14 Druckflaschen für Helium n
- *compressed-helium bottles (helium
pressure bottles)*
15 der Diffusor für gasförmigen
Sauerstoff
- *diffuser for gaseous oxygen*
16 das Tankzwischenstück
- *inter-tank connector (inter-tank
section)*
17 Instrumente n und System-
überwachung f
- *instruments and system-monitoring
devices*
18 die zweite Raketenstufe S-II
- *second rocket stage (S-II)*
19 J-2-Triebwerke n
- *J-2 engines*
20 der Wärmeschutzschild
- *heat shield (thermal protection
shield)*
21 das Triebwerkswiderlager und
Schubgerüst
- *engine mounts and thrust structure*

22 Beschleunigungsraketen f zum
Treibstoffsammeln n
- *acceleration rockets for fuel
acquisition*
23 die Flüssigwasserstoff-Saugleitung
- *liquid hydrogen (LH₂) suction line*
24 der Flüssigsauerstofftank
[1 315 000 l]
- *liquid oxygen (LOX, LO₂) tank
[capacity: 1,315,000 litres]*
25 das Standrohr
- *standpipe*
26 der Flüssigwasserstofftank
[1 020 000 l]
- *liquid hydrogen (LH₂) tank [capacity:
1,020,000 litres]*
27 der Treibstoffstandsensor
- *fuel level sensor*
28 die Arbeitsbühne
- *work platform (working platform)*
29 der Kabelschacht
- *cable duct*
30 das Mannloch
- *manhole*
31 die S-IC/S-II-Zwischenzelle
- *S-IC/S-II inter-stage connector
(inter-stage section)*
32 der Druckgasbehälter
- *compressed-gas container (gas
pressure vessel)*
33 die dritte Raketenstufe S-IV B
- *third rocket stage (S-IVB)*
34 das J-2-Triebwerk
- *J-2 engine*
35 der Schubkonus
- *nozzle (thrust nozzle)*
36 die S-II/S-IVB-Zwischenzelle
- *S-II/S-IVB inter-stage connector
(inter-stage section)*
37 Stufentrenn-Retroraketen f für S-II,
4 Raketen f
- *four second-stage (S-II) separation
retro-rockets*
38 Lageregelungsraketen f
- *attitude control rockets*
39 der Flüssigsauerstofftank [77 200 l]
- *liquid oxygen (LOX, LO₂) tank
[capacity: 77,200 litres]*
40 der Leitungsschacht
- *fuel line duct*
41 der Flüssigwasserstofftank
[253 000 l]
- *liquid hydrogen (LH₂) tank [capacity:
253,000 litres]*
42 Meßsonden f
- *measuring probes*
43 Helium-Druckgastanks m
- *compressed-helium tanks (helium
pressure vessels)*
44 die Tankentlüftung
- *tank vent*
45 der vordere Zellenring
- *forward frame section*
46 die Arbeitsbühne
- *work platform (working platform)*
47 der Kabelschacht
- *cable duct*

48 Beschleunigungsraketen f zum
Treibstoffsammeln n
- *acceleration rockets for fuel
acquisition*
49 der hintere Zellenring
- *aft frame section*
50 Helium-Druckgastanks m
- *compressed-helium tanks (helium
pressure vessels)*
51 die Flüssigwasserstoffleitung
- *liquid hydrogen (LH₂) line*
52 die Flüssigsauerstoffleitung
- *liquid oxygen (LOX, LO₂) line*
53 die Instrumenteneinheit mit 24
Paneelen n
- *24-panel instrument unit*
54 der LM-Hangar
- *LM hangar (lunar module hangar)*
55 das LM (Lunarmodul, die
Mondlandeeinheit)
- *LM (lunar module)*
56 das Apollo-SM (Servicemodul), eine
Versorgungs- und Geräte-Baugruppe
- *Apollo SM (service module),
containing supplies and equipment*
57 das SM-Haupttriebwerk
- *SM (service module) main engine*
58 der Treibstofftank
- *fuel tank*
59 der Stickstofftetroxidtank
- *nitrogen tetroxide tank*
60 das Druckgasfördersystem
- *pressurized gas delivery system*
61 Sauerstofftanks m
- *oxygen tanks*
62 Brennstoffzellen f
- *fuel cells*
63 Steuerraketengruppen f
- *manoeuvring (Am. maneuvering)
rocket assembly*
64 die Richtantennengruppe
- *directional antenna assembly*
65 die Raumkapsel (das
Kommandoteil)
- *space capsule (command section)*
66 der Rettungsturm für die Startphase
- *launch phase escape tower*

1-45 der Spaceshuttle-Orbiter (die Weltraumfähre, Raumfähre)
- *Space Shuttle-Orbiter*
1 die zweiholmige Seitenflosse
- *twin-spar (two-spar, double-spar) vertical fin*
2 die Triebwerkraumstruktur
- *engine compartment structure*
3 der Seitenholm
- *fin post*
4 der Rumpfverbindungsbeschlag
- *fuselage attachment [of payload bay doors]*
5 das obere Schubträgergerüst
- *upper thrust mount*
6 das untere Schubträgergerüst
- *lower thrust mount*
7 der Kielträger
- *keel*
8 der Hitzeschild
- *heat shield*
9 der Mittelrumpflängsträger
- *waist longeron*
10 der integral gefräste Hauptspant
- *integrally machined (integrally milled) main rib*
11 die integral versteifte Leichtmetallbeplankung
- *integrally stiffened light alloy skin*
12 die Gitterträger *m*
- *lattice girder*
13 die Isolationsverkleidung des Nutzlastraums *m*
- *payload bay insulation*
14 die Nutzlastraumluke
- *payload bay door*
15 die Kühlschutzverkleidung
- *low-temperature surface insulation*
16 der Besatzungsraum
- *flight deck (crew compartment)*
17 der Sitz des Kommandanten *m*
- *captain's seat (commander's seat)*
18 der Sitz des Piloten *m*
- *pilot's seat (co-pilot's seat)*
19 der vordere Druckspant
- *forward pressure bulkhead*
20 die Rumpfspitze, eine kohlefaserverstärkte Bugklappe
- *nose-section fairings, carbon fibre reinforced nose cone*
21 die vorderen Krafstofftanks *m*
- *forward fuel tanks*
22 die Avionikkonsolen *f*
- *avionics consoles*
23 das Gerätebrett für die automatische Flugsteuerung
- *automatic flight control panel*
24 die oberen Beobachtungsfenster *n*
- *upward observation windows*
25 die vorderen Beobachtungsfenster *n*
- *forward observation windows*
26 die Einstiegsluke zum Nutzlastraum *m*
- *entry hatch to payload bay*
27 die Luftschleuse
- *air lock*

28 die Leiter zum Unterdeck *n*
- *ladder to lower deck*
29 das Nutzlastbedienungsgerät
- *payload manipulator arm*
30 die hydraulisch steuerbare Bugradeinheit
- *hydraulically steerable nose wheel*
31 das hydraulisch betätigte Hauptfahrwerk
- *hydraulically operated main landing gear*
32 das kohlefaserverstärkte, abnehmbare Flügelnasenteil
- *removable (reusable) carbon fibre reinforced leading edge [of wing]*
33 die beweglichen Elevonteile *n*
- *movable elevon sections*
34 die hitzebeständige Elevonstruktur
- *heat-resistant elevon structure*
35 die Wasserstoffhauptzufuhr
- *main liquid hydrogen (LH_2) supply*
36 der Flüssigkeitsraketen-Hauptmotor
- *main liquid-fuelled rocket engine*
37 die Schubdüse
- *nozzle (thrust nozzle)*
38 die Kühlleitung
- *coolant feed line*
39 das Motorsteuerungsgerät
- *engine control system*
40 der Hitzeschild
- *heat shield*
41 die Hochdruck-Wasserstoffpumpe
- *high-pressure liquid hydrogen (LH_2) pump*
42 die Hochdruck-Sauerstoffpumpe
- *high-pressure liquid oxygen (LOX, LO_2) pump*
43 das Schubsteuerungssystem
- *thrust vector control system*
44 das elektromechanisch steuerbare Raummanöver-Haupttriebwerk
- *electromechanically controlled orbital manoeuvring (Am. maneuvering) main engine*
45 die Schubdüsen-Krafstofftanks *m*
- *nozzle fuel tanks (thrust nozzle fuel tanks)*
46 **der abwerfbare Wasserstoff- und Sauerstoffbehälter** (Treibstoffbehälter)
- *jettisonable liquid hydrogen and liquid oxygen tank (fuel tank)*
47 der integral versteifte Ringspant
- *integrally stiffened annular rib (annular frame)*
48 der Halbkugelendspant
- *hemispherical end rib (end frame)*
49 die hintere Verbindungsbrücke zum Orbiter *m*
- *aft attachment to Orbiter*
50 die Wasserstoffleitung
- *liquid hydrogen (LH_2) line*
51 die Sauerstoffleitung
- *liquid oxygen (LOX, LO_2) line*
52 das Mannloch
- *manhole*

53 das Dämpfungssystem
- *surge baffle system (slosh baffle system)*
54 die Druckleitung zum Wasserstofftank
- *pressure line to liquid hydrogen tank*
55 die Elektriksammelleitung
- *electrical system bus*
56 die Sauerstoffumlaufleitung
- *liquid oxygen (LOX, LO_2) line*
57 die Druckleitung zum Sauerstofftank
- *pressure line to liquid oxygen tank*
58 **der wiedergewinnbare Feststoff-Raketenmotor**
- *recoverable solid-fuel rocket (solid rocket booster)*
59 der Raum für die Hilfsfallschirme *m*
- *auxiliary parachute bay*
60 der Raum für die Rettungsfallschirme *m* und die vorderen Raketentrennmotoren *m*
- *compartment housing the recovery parachutes and the forward separation rocket motors*
61 der Kabelschacht
- *cable duct*
62 die hinteren Raketentrennmotoren *m*
- *aft separation rocket motors*
63 der hintere Verkleidungskonus
- *aft skirt*
64 die schwenkbare Schubdüse
- *swivel nozzle (swivelling, Am. swiveling, nozzle)*
65 **das Spacelab** (Raumlaboratorium, die Raumstation)
- *Spacelab (space laboratory, space station)*
66 das Allzwecklabor
- *multi-purpose laboratory (orbital workshop)*
67 der Astronaut
- *astronaut*
68 das kardanisch gelagerte Teleskop
- *gimbal-mounted telescope*
69 die Meßgeräteplattform
- *measuring instrument platform*
70 das Raumfahrtmodul
- *spaceflight module*
71 der Schleusentunnel
- *crew entry tunnel*

1-30 die Schalterhalle
- *main hall*
1 der Paketschalter (die Paket-
  annahme)
- *parcels counter*
2 die Paketwaage
- *parcels scales*
3 das Paket
- *parcel*
4 die Aufklebeadresse, mit dem
  Paketnummernzettel *m*
- *stick-on address label with parcel
  registration slip*
5 der Leimtopf
- *glue pot*
6 das Päckchen
- *small parcel*
7 die Postfreistempelmaschine für
  Paketkarten *f*
- *franking machine (Am. postage
  meter) for parcel registration cards*
8 die Telefonzelle (Telefonkabine,
  Fernsprechkabine)
- *telephone box (telephone booth,
  telephone kiosk, call box)*
9 der Münzfernsprecher
- *coin-box telephone (pay phone,
  public telephone)*
10 das Fernsprechbuchgestell
- *telephone directory rack*
11 die Buchschwinge
- *directory holder*
12 das Fernsprechbuch
- *telephone directory (telephone book)*
13 die Postfachanlage
- *post office boxes*
14 das Postfach
- *post office box*
15 der Postwertzeichenschalter
  (Briefmarkenschalter)
- *stamp counter*
16 der Annahmebeamte
- *counter clerk (counter officer)*
17 der Geschäftsbote
- *company messenger*
18 das Posteinlieferungsbuch
- *record of posting book*
19 der Schalter-Wertzeichengeber
- *counter stamp machine*
20 die Wertzeichenmappe
- *stamp book*
21 der Wertzeichenbogen
  (Briefmarkenbogen)
- *sheet of stamps*
22 das Wertgelaß
- *security drawer*
23 die Wechselgeldkasse
- *change rack*
24 die Briefwaage
- *letter scales*
25 der Einzahlungs-, Postspar- und
  Rentenauszahlschalter
- *paying-in (Am. deposit), post
  office savings, and pensions
  counter*
26 die Buchungsmaschine
- *accounting machine*

27 die Stempelmaschine für Post-
  anweisungen *f* und Zahlkarten *f*
- *franking machine for money orders
  and paying-in slips (Am. deposit slips)*
28 der Rückgeldgeber
- *change machine (Am. changemaker)*
29 der Quittungsstempel
- *receipt stamp*
30 die Durchreiche
- *hatch*
31-44 die Briefverteilanlage
- *letter-sorting installation*
31 die Stoffeingabe
- *letter feed*
32 die gestapelten Briefbehälter *m*
- *stacked letter containers*
33 die Stoffzuführungsstrecke
- *feed conveyor*
34 die Aufstellmaschine
- *intermediate stacker*
35 der Codierplatz
- *coding station*
36 die Grobverteilrinne
- *pre-distributor channel*
37 der Prozeßrechner
- *process control computer*
38 die Briefverteilmaschine
- *distributing machine*
39 der Videocodierplatz
- *video coding station*
40 der Bildschirm
- *screen*
41 das Anschriftenbild
- *address display*
42 die Anschrift
- *address*
43 die Postleitzahl
- *post code (postal code, Am. zip code)*
44 die Tastatur
- *keyboard*
45 der Fauststempel
- *handstamp*
46 der Handrollstempel
- *roller stamp*
47 die Stempelmaschine
- *franking machine*
48 die Anlegevorrichtung
- *feed mechanism*
49 die Ablegevorrichtung
- *delivery mechanism*
**50-55 die Briefkastenleerung und Post-
  zustellung *f***
- *postal collection and and delivery*
50 der Briefkasten
- *postbox (Am. mailbox)*
51 die Briefsammeltasche
- *collection bag*
52 der Postkraftwagen
- *post office van (mail van)*
53 der Zusteller (Briefträger, Postbote)
- *postman (Am. mail carrier, letter
  carrier, mailman)*
54 die Zustelltasche
- *delivery pouch (postman's bag,
  mailbag)*
55 die Briefsendung
- *letter-rate item*

56-60 die Stempelbilder *n*
- *postmarks*
56 der Werbestempelabdruck
- *postmark advertisement*
57 der Tagesstempelabdruck
- *date stamp postmark*
58 der Gebührenstempelabdruck
- *charge postmark*
59 der Sonderstempelabdruck
- *special postmark*
60 der Handrollstempelabdruck
- *roller postmark*
61 die Briefmarke
- *stamp (postage stamp)*
62 die Zähnung
- *perforations*

1-41 das Telefon (der Fernsprecher, Fernsprechapparat)
- *telephone*
1 das Wählscheibentelefon
- *dial telephone*
2 der Handapparat (Telefonhörer)
- *handset (telephone receiver)*
3 die Telefonhörerschnur
- *receiver cord (handset cord)*
4 die Telefonschnur
- *telephone cable (telephone cord)*
5 das Telefongehäuse
- *telephone casing (telephone cover)*
6 die Notrufnummern *f*
- *emergency numbers*
7 die Apparatrufnummer
- *line number*
8 die Wählscheibe (Nummernscheibe)
- *dial*
9 das Kompakttelefon, ein Komforttelefon
- *compact telephone (slimline telephone), an added-feature telephone*
10 der Hörer (Fernhörer)
- *earpiece (receiver)*
11 das Tastenfeld mit Ziffern- und Funktionstasten *f*
- *keypad with number and function keys (feature keys)*
12 die Wahlwiederholungstaste
- *last number redial button*
13 die Kurzwahltaste
- *abbreviated dialling key*
14 die Lautsprechertaste
- *speaker key (loudspeaker key)*
15 das Mikrophon
- *mouthpiece*
16 die Taste für die Leitungsfreigabe
- *line reset button*
17 der Lautsprecher
- *speaker (loudspeaker)*
18 die optische Anrufanzeige
- *call indicator*
19 das Tastentelefon, ein Komforttelefon
- *push-button telephone, an added-feature telephone*
20 das Anzeigenfeld (Display)
- *display*
21 das Sperrschloß
- *lock*
22 das Designtelefon, ein Komforttelefon
- *novelty telephone, an added-feature telephone*
23 die Telefongabel
- *(telephone) cradle*
24 die Handkurbel (*hier nur Attrappe*)
- *dummy crank*
25 die ausklappbare Konsole mit dem Tastenfeld *n*
- *detachable keypad*
26 das schnurlose Telefon (Funktelefon, Mobiltelefon)
- *cordless (tele)phone (radiophone, mobile phone)*
27 die Antenne
- *aerial*
28 die Batteriekontrolleuchte
- *battery strength light*
29 die Warnleuchte für die Reichweitenüberschreitung
- *out of signal-range indicator*
30 der Hauptschalter
- *power switch*

31 das Kartentelefon
- *cardphone*
32 das zweizeilige Anzeigenfeld (Display) für die Gesprächsgebühren *f*
- *split display showing call charges*
33 die Sprachenwahltaste für das Display
- *language select button for the display*
34 die Taste für Seriengespräche *pl*
- *follow-on call button*
35 der Telefonkartenschlitz
- *phonecard slot*
36 die Telefonkarte (*hier:* die Tele-Karte)
- *phonecard (here: telephone credit card)*
37 das Kartentelefonsymbol
- *phonecard symbol*
38 der Benutzername
- *cardholder's name*
39 die Kartennummer
- *card number*
40 die Einschieberichtung
- *arrow indicating direction of insertion*
41 die Chipplatinen *f*
- *chips*
42-62 das ISDN (dienstintegrierende digitale Fernmeldenetz)
- *ISDN (Integrated Services Digital Network)*
42 das multifunktionale Telekommunikationsterminal (der ISDN-Arbeitsplatz)
- *multifunction telecommunications terminal (ISDN workstation)*
43 der Bildschirm (Monitor) für Bildschirmtext *m* (Btx *n*), Bildtelefon *n* und Teletex *n*
- *screen (monitor) for viewdata, video telephone, and Teletex*
44 die Rechen- und Speichereinheit
- *central processing and memory unit*
45 die Telefaxeinheit (das Telefax, der Fernkopierer)
- *fax unit (fax)*
46 das Eingabegerät (die Tastatur)
- *input device (keyboard)*
47 der Telefonhörer (die Verbindung zum Fernmeldenetz *n*)
- *telephone receiver (link to the telephone network)*
48 der Akustikkoppler (*auch:* der (das) Modem)
- *acoustic coupler (modem)*
49 das Fernwirknetz (TEMEX-Netz)
- *telecontrol network (TEMEX network)*
50 das Fernsprechwählnetz
- *public telephone network (switched telephone network)*
51 die Fernwirkleitstellen *f*
- *telecontrol centres*
52 die TEMEX-Hauptzentrale
- *TEMEX main control centre*
53 die TEMEX-Übertragungseinrichtung
- *TEMEX transmission equipment*
54 die Fernmeldeleitung (Telefonleitung)
- *telecommunications line (telephone line)*
55 der TEMEX-Netzabschluß
- *TEMEX network termination*
56 die Unterstation
- *slave station*
57 die Fernwirkendgeräte *n*
- *telecontrol terminal equipment*

58 die Fernwirkendeinrichtungen *f* (de Meßfühler, Sensor *od.* die Regeleinrichtung)
- *telecontrol terminal equipment (detector, sensor, or control equipment)*
59 der Glasbruchmelder
- *glass-break detector*
60 der Temperaturregler
- *temperature controller*
61 der Notruf
- *emergency call*
62 der Zähler (Stromzähler)
- *meter (electricity meter)*
63 der Kommunikationssatellit (Nachrichtensatellit)
- *communications satellite*
64 der Sonnenflügel (Solarzellenflügel, Solargenerator)
- *solar panel (solar paddle, solar array, solar generator)*
65 das Antennenmodul
- *antenna module*
66 die Empfangsantenne für Steuerbefehle *m*
- *receiving antenna for control commands*
67 die Parabolantennen *f*
- *parabolic antennas*
68 das Nachrichtenmodul
- *communications module*
69 das Antriebsmodul
- *propulsion module*
70 der Rundfunksatellit (Fernsehsatelli
- *broadcasting satellite (television satellite)*
71 das Versorgungsmodul
- *service module*
72 die Treibstofftanks *m*
- *fuel tanks*
73 die Steuerdüsen *f*
- *control jets*
74 die Erd[e]funkstelle
- *earth station*
75 die Parabolantenne
- *parabolic antenna*
76 der Hauptreflektor
- *main reflector*
77 der Fangreflektor
- *feed antenna*
78 die Funkstrahlen *m*
- *radio beams*
79 der Satellitenfunk, das Satellitenfernsehen und das Kabelfernsehen
- *satellite broadcasting, satellite television, and cable television*
80 der Rundfunksatellit
- *broadcasting satellite*
81 das Fernsehstudio
- *television studio*
82 der Fernsehturm
- *television tower*
83 die Kabelkopfstation
- *cablehead station*
84 der Rundfunk
- *terrestrial broadcasting*
85 der Satellitenfunk
- *satellite broadcasting*
86 der Richtfunk
- *line-of-sight link (microwave link)*
87 das Kabelnetz
- *cable network*
88 die Kabelanschlüsse *m*
- *cable connections*

1-6 der zentrale Tonträgerraum beim Hörfunk *m*
- *central recording channel of a radio station*
1 das Kontroll- und Monitorfeld
- *monitoring and control panel*
2 das Datensichtgerät (der Video-monitor) zur optischen Anzeige *f* des rechnergesteuerten Programms *n*
- *data display terminal (video data terminal, video monitor) for visual display of computer-controlled programmes (Am. programs)*
3 der Verstärker- und Netzgeräteträger
- *amplifier and mains power unit*
4 das Magnetton-Aufnahme- und -Wiedergabelaufwerk für Viertelzoll-magnetband *n*
- *magnetic sound recording and playback deck for* $1/4''$ *magnetic tape*
5 das Magnetband, ein Viertelzoll-band *n*
- *magnetic tape, a* $1/4''$ *tape*
6 der Filmspulenhalter
- *film spool holder*
7-15 der Betriebsraum des Hörfunk-sternpunkts *m*
- *radio switching centre (Am. center) control room*
7 das Kontroll- und Monitorfeld
- *monitoring and control panel*
8 der Kommandolautsprecher
- *talkback speaker*
9 das Ortsbatterietelefon (OB-Telefon)
- *local-battery telephone*
10 das Kommandomikrophon
- *talkback microphone*
11 das Datensichtgerät
- *data display terminal (video data terminal)*
12 der Fernschreiber
- *teleprinter*
13 die Eingabetastatur für Rechner-daten *pl*
- *input keyboard for computer data*
14 die Tastatur für die Betriebs-fernsprechanlage
- *telephone switchboard panel*
15 der Abhörlautsprecher *m*
- *monitoring speaker (control speaker)*
16-26 der Rundfunksendekomplex
- *broadcasting centre (Am. center)*
16 der Tonträgerraum
- *recording room*
17 der Regieraum
- *production control room (control room)*
18 der Sprecherraum
- *studio*
19 der Toningenieur
- *sound engineer (sound control engineer)*
20 das Tonregiepult
- *sound control desk (sound control console)*
21 der Nachrichtensprecher
- *newsreader (newscaster)*

22 der Sendeleiter
- *duty presentation officer*
23 das Reportagetelefon
- *telephone for phoned reports*
24 die Schallplatten-Abspielapparatur
- *record turntable*
25 das Mischpult des Tonträger-raumes *m*
- *recording room mixing console (mixing desk, mixer)*
26 die Tontechnikerin
- *sound technician (sound mixer, sound recordist)*
27-53 das Nachsynchronisierstudio beim Fernsehen *n*
- *television post-sync studio*
27 der Tonregieraum
- *sound production control room (sound control room)*
28 das Synchronstudio
- *dubbing studio (dubbing theatre, Am. theater)*
29 der Sprechertisch
- *studio table*
30 die optische Signalanzeige
- *visual signal*
31 die elektronische Stoppuhr
- *electronic stopclock*
32 die Projektionsleinwand
- *projection screen*
33 der Bildmonitor
- *monitor*
34 das Sprechermikrophon
- *studio microphone*
35 die Geräuschorgel
- *sound effects box*
36 die Mikrophonanschlußtafel
- *microphone socket panel*
37 der Einspiellautsprecher
- *recording speaker (recording loudspeaker)*
38 das Regiefenster
- *control room window (studio window)*
39 das Kommandomikrophon für den Produzenten
- *producer's talkback microphone*
40 das Ortsbatterietelefon (OB-Telefon)
- *local-battery telephone*
41 das Tonregiepult
- *sound control desk (sound control console)*
42 die Gruppenschalter *m*
- *group selector switch*
43 das Lichtzeigerinstrument
- *visual display*
44 das Begrenzerinstrument
- *limiter display (clipper display)*
45 die Schalt- und Regelkassetten *f*
- *control modules*
46 die Vorhörtasten *f*
- *pre-listening buttons*
47 der Flachbahnregler
- *slide control*
48 die Universalentzerrer *m*
- *universal equalizer (universal corrector)*

49 die Eingangswahlschalter *m*
- *input selector switches*
50 der Vorhörlautsprecher
- *pre-listening speaker*
51 der Pegeltongenerator
- *tone generator*
52 der Kommandolautsprecher
- *talkback speaker*
53 das Kommandomikrophon
- *talkback microphone*
54-59 der Vormischraum für Überspielungen *f* und Mischungen *f* von perforierten Magnetfilmen *m* 16 mm, 17,5 mm, 35 mm
- *pre-mixing room for transferring and mixing 16 mm, 17,5 mm, 35 mm perforated magnetic film*
54 das Tonregiepult
- *sound control desk (sound control console)*
55 die Magnetton-Aufnahme- und -Wiedergabe-Kompaktanlage
- *compact magnetic tape recording and playback equipment*
56 das Einzellaufwerk für die Wiedergabe
- *single playback deck*
57 das zentrale Antriebsgerät
- *central drive unit*
58 das Einzellaufwerk für Aufnahme *f* und Wiedergabe *f*
- *single recording and playback deck*
59 der Umrolltisch
- *rewind bench*
60-65 der Bildendkontrollraum
- *final picture quality checking room*
60 der Vorschaumonitor
- *preview monitor*
61 der Programmonitor
- *programme (Am. program) monitor*
62 die Stoppuhr
- *stopclock*
63 das Bildmischpult
- *vision mixer (vision-mixing console, vision-mixing desk)*
64 die Kommandoanlage
- *talkback system (talkback equipment)*
65 der Kameramonitor
- *camera monitor (picture monitor)*

1-15 der Ü-Wagen (Fernsehüber-
tragungswagen; *auch:* Tonreportage-
wagen *m*)
– *outside broadcast (OB) vehicle
(television OB van; also: sound OB
van, radio OB van)*
**1-4 die Heckeinrichtung des
Ü-Wagens** *m*
– *rear equipment section of the OB
vehicle*
2 die Kamerakabel *n*
– *camera cable*
3 die Kabelanschlußtafel
– *cable connection panel*
4 die Fernsehempfangsantenne für das
erste Programm
– *television (TV) reception aerial
(receiving aerial) for Channel I*
5 die Fernsehantenne für das zweite
Programm
– *television (TV) reception aerial
(receiving aerial) for Channel II*
6 die Inneneinrichtung des
Ü-Wagens *m*
– *interior equipment (on-board
equipment) of the OB vehicle*
7 der Tonregieraum
– *sound production control room
(sound control room)*

8 das Tonregiepult
– *sound control desk (sound control
console)*
9 der Kontrollautsprecher
– *monitoring loudspeaker*
10 der Bildregieraum
– *vision control room (video control
room)*
11 die Videotechnikerin
– *video controller (vision controller)*
12 der Kameramonitor
– *camera monitor (picture monitor)*
13 das Bordtelefon
– *on-board telephone
(intercommunication telephone)*
14 die Mikrophonkabel *n*
– *microphone cables*
15 die Klimaanlage
– *air-conditioning plant*

1 **der Farbfernsehempfänger** (Farb-
fernseher, das Farbfernsehgerät) in
Modulbauweise *f*
– **colour** (Am. *color*) **television** (TV)
receiver *(colour television set) of
modular design*
2 das Fernsehergehäuse
– *television cabinet*
3 die Fernsehröhre
– *television tube (picture tube)*
4 der ZF-Verstärkermodul
– *IF (intermediate frequency)
amplifier module*
5 der Farbdecodermodul
– *colour* (Am. *color*) *decoder
module*
6 der VHF- und UHF-Tuner *m*
– *VHF and UHF tuner*
7 der Horizontalsynchronmodul
– *horizontal synchronizing module*
8 der Vertikalablenkmodul
– *vertical deflection module*
9 der Ost-West-Modul
– *horizontal linearity control module*
10 der Horizontalablenkmodul
– *horizontal deflection module*
11 der Regelmodul
– *control module*
12 der Konvergenzmodul
– *convergence module*

13 der Farbendstufenmodul
– *colour (Am. color) output stage
module*
14 der Tonmodul
– *sound module*
15 der Farbbildschirm
– *colour (Am. color) picture tube*
16 die Elektronenstrahlen *m*
– *electron beams*
17 die Maske mit Langlöchern *n*
– *shadow mask with elongated holes*
18 die Leuchtstoffstreifen *m*
– *strip of fluorescent (luminescent,
phosphorescent) material*
19 die Leuchtstoffschicht
– *coating (film) of fluorescent material*
20 die innere magnetische Abschirmung
– *inner magnetic screen (screening)*
21 das Vakuum
– *vacuum*
22 die temperaturkompensierte
Maskenaufhängung
– *temperature-compensated shadow
mask mount*
23 der Zentrierring für die Ablenk-
einheit
– *centring (Am. centering) ring for the
deflection system*
24 die Elektronenstrahlsysteme *n*
– *electron gun assembly*

25 die Schnellheizkathode
– *rapid heat-up cathode*
26 **die Fernsehkamera**
– *television (TV) camera*
27 der Kamerakopf
– *camera head*
28 der Kameramonitor
– *camera monitor*
29 der Führungshebel
– *control arm (control lever)*
30 die Scharfeinstellung
– *focusing adjustment*
31 die Bedienungstafel
– *control panel*
32 die Kontrastregelung
– *contrast control*
33 die Helligkeitsregelung
– *brightness control*
34 das Zoomobjektiv
– *zoom lens*
35 das Strahlenteilungsprisma
(der Strahlenteiler)
– *beam-splitting prism (beam splitter)*
36 die Aufnahmeeinheit (Farbröhre)
– *pick-up unit (colour, Am. color,
pick-up tube)*

1-17 die Stereoanlage (HiFi-Anlage),
  eine Midianlage
- *stereo system (hi-fi system),*
  a midi system
1 der HiFi-Turm (HiFi-Tower)
- *hi-fi stack*
2 die Rackabdeckhaube (der Gehäusedeckel)
- *rack lid (rack dust cover, [housing] lid)*
3 das Rack (Anlagengehäuse) mit der
  Frontglastür
- *rack (housing) with glass door*
4 der Schallplattenspieler
  (Analogplattenspieler, Plattenspieler)
- *record player (record deck, analogue*
  [Am. analog] record player)
5 der Tuner (Empfänger, Radio-
  empfänger, das Radioteil, die
  Abstimmeinrichtung)
- *tuner (receiver, radio tuner)*
6 der Verstärker (Leistungsverstärker,
  Vollverstärker, Amplifier)
- *amplifier (power amplifier)*
7 das Duokassettendeck (Doppelkassettentonbandgerät, der Doppelkassettenrecorder)
- *double cassette deck (double cassette*
  recorder)
8 der CD-Spieler (CD-Player, Compact-
  Disc-Player, Compact-Disc-Spieler;
  auch: der CD-Wechsler)
- *CD player (compact disc player)*
**9 das Ablagefach für die Audio-
  kassetten** f (Kassetten)
- *cassette rack*
10 das Ablagefach für die Schallplatten f
  und die Compact Discs f
- *record and compact disc rack*
11 die Laufrolle
- *castor*
12 die Lautsprecherbox (Box), eine Drei-
  wege- und Baßreflexbox
- *speaker (loudspeaker), a three-way bass*
  reflex speaker
13 der Hochtöner (Tweeter, das Hochton-
  system), ein Kalotten- od. Piezohochtöner
- *tweeter, a dome tweeter or piezo tweeter*
14 der Mitteltöner (das Mitteltonsystem)
- *mid-range speaker (squawker)*
15 der Tieftöner (Baßlautsprecher,
  Woofer, das Tieftonsystem)
- *bass speaker (woofer)*
16 das Resonatorloch
- *port*
17 das Infrarot-Fernbedienungsgerät
  (die IR-Fernbedienung)
- *infrared remote control [unit]*
  (IR remote control [unit])
18 der Schallplattenspieler (Analogplattenspieler, Plattenspieler)
- *record player (record deck, analogue*
  [Am. analog] record player)
19 der Plattenteller mit Direktantrieb m
  (Direct Drive) od. Riemenantrieb
  (Belt Drive)
- *turntable with direct drive or belt drive*
20 das Leuchtstroboskop
- *strobe light (strobe speed control)*
21 die Tonhöhenabstimmung („Pitch")
- *pitch control*
22 die Drehzahlanzeige
- *rpm display*
23 die Stopptaste
- *stop button*

24 die Starttaste der Startautomatik
- *auto-return button*
**25 die Wahltaste für die Plattenteller-
  drehzahl**
- *rpm selector (speed selector)*
26 die Tonarmabsenktaste
- *cue button (down)*
27 die Tonarmanhebetaste (der Lift)
- *cue button (up)*
28 die Abtastnadel (Nadel)
- *stylus (needle)*
29 das Tonabnehmersystem (der
  Tonabnehmer)
- *pick-up*
**30 der Wahlschalter für den Schallplatten-
  durchmesser**
- *size selector (record size selector)*
31 der Tonarm
- *tone arm (pick-up arm)*
32 die Tonarmstütze
- *tone arm support (pick-up arm support)*
33 die Tonarm-Auflagekrafteinstellung
- *stylus pressure control*
34 die Antiskatingeinstellung
- *anti-skate control*
35 das Tonarm-Balancegewicht
- *tone arm counterweight (pick-up arm*
  counterweight)
36 die Abdeckhaube
- *lid (dust cover)*
37 der Tuner (Empfänger, Radio-
  empfänger, das Radioteil, die
  Abstimmeinrichtung)
- *tuner (receiver, radio tuner)*
38 der Netzschalter („Power")
- *power switch*
39 die Sendersuchlauftaste (der Sender-
  suchlauf)
- *tuning button (tuning control)*
**40 die Wahltaste für manuelle Sender-
  abstimmung** f und automatischen
  Suchlauf m mit Stummabstimmung f
  (Muting n)
- *manual and automatic tuning selection*
  button with muting
**41 die Wahltaste für Stereo- und Mono-
  betrieb** m
- *stereo/mono selection button*
42 die Feldstärkeanzeigetaste
- *strength-of-signal display button*
43 die Speichertaste
- *memory button*
44 die Stationstasten f
- *station selection buttons*
45 die Frequenzbandwahltasten f
  (Bereichswahltasten)
- *frequency selection buttons ([wave]band*
  selection buttons)
46 die Stationsleuchtanzeige
- *station select display*
47 die digitale Fluoreszenzanzeige (das
  Display) für Frequenzband f,
  Frequenz f und Feldstärke f
- *fluorescent digital display indicating*
  wave band, frequency, and strength of
  signal
48 die Leuchtdiodenanzeige (LED-
  Anzeige) für Stereosendung f, Monobetrieb m und automatischen Sender-
  suchlauf m
- *LED indicator for stereo and mono*
  mode and automatic tuning
49 der Verstärker (Leistungsverstärker,
  Vollverstärker, Amplifier)
- *amplifier (power amplifier)*

50 die Funktionswahltasten f für den
  Betrieb von Plattenspieler m, Tuner m,
  Kassettendeck n, CD-Spieler m und
  Monitor m
- *function select buttons for the turntable,*
  tuner, cassette deck (tape deck), CD
  player, and monitor (tape monitor)
51 die Filtertasten f (die Höhen- und
  Tiefenfiltertaste)
- *filter buttons (high and low filter*
  buttons)
52 die Tiefenregler (Regler für die
  Bässe m)
- *bass control*
53 der Höhenregler
- *treble control*
54 der Balanceregler
- *balance control*
55 die Loudnesstaste
- *loudness button*
56 der Lautstärkeregler („Volume")
- *volume control*
57 die Kopfhöreranschlußbuchse
- *headphone socket*
58 die Lautsprecherwahltasten f
- *speaker select buttons*
59 die Leuchtdiodenanzeige (LED-
  Anzeige) für den Pegel
- *LED display, a multifunction display*
60 die Piktogramme n der Funktionen f
- *function display*
61 der Receiver (das Steuergerät), eine
  Kombination von Empfänger m und
  Verstärker m
- *receiver, a combined tuner-amp[lifier]*
62 die Anzeigewahltaste (Display-
  wahltaste)
- *display select button*
63 die Flüssigkristallanzeige (LCD-
  Anzeige), eine Multifunktionsanzeige
- *liquid crystal display (LCD), a*
  multifunction display
64 der Equalizer, ein
  2 × 7-Band-Frequenzentzerrer m
- *[graphic] equalizer, a 2 × 7 band*
  [graphic] equalizer
65 die Frequenzbandschieberegler m
- *equalizer slide controls*
66 die Leuchtdiodenanzeige (LED-
  Anzeige) für die Frequenzband-
  signalstärke
- *LED-display spectrum analyser*
67 der Kopfhörer (Stereokopfhörer)
- *headphones (stereo headphones)*
68 die gepolsterten Ohrmuscheln f
- *ear pads (ear cushions)*
69 u. 70 die Mikrophone n
- *microphones*
69 das Richtmikrophon (Stereoricht-
  mikrophon)
- *directional microphone (stereo*
  directional microphone)
70 das Elektretkondensatormikrophon
  mit Kugelcharakteristik f
- *electret condenser microphone with*
  omnidirectional pick-up characteristic

1 **das Kassettendeck** (Kassettentonbandgerät, der Kassettenrecorder)
– *cassette deck (cassette recorder)*
2 der Netzschalter („Power")
– *power switch*
3 die Taste für automatisches Abschalten *n* der Funktionen *f* bei Kassettenentnahme *f*
– *[stop and] eject button*
4 das Kassettenfach (Kassettenlaufwerk, Laufwerk)
– *cassette holder (cassette drive, cassette transport)*
5 die Staubschutzhaube
– *dust cover*
6 der Zähler (Counter, das Bandzählwerk, Zählwerk)
– *counter (tape counter)*
7-12 **die Bandtransporttasten** *f*
– *transport buttons*
7 die Stopptaste („Stop")
– *stop button*
8 die Schnellrücklauftaste („Review")
– *rewind button*
9 die Wiedergabetasten *f* („Play") für beide Laufrichtungen *f*
– *play buttons for both directions (bi-directional play buttons)*
10 die Schnellvorlauftaste („Cue")
– *fast forward button*
11 die Aufnahmetaste („Record")
– *record button*
12 die Pausetaste („Pause")
– *pause button*
13 die Zählwerk-Rückstelltaste („Reset")
– *counter reset button*
14 die Rauschunterdrückungstasten *f* (Dolbywahltasten)
– *noise reduction buttons (Dolby select buttons)*
15 die Autoreversetasten *f* für das Dauerabspielen (Longplay)
– *auto-reverse buttons*
16 der Aussteuerungsregler (Aufnahmepegel, „Record Level")
– *recording level control*
17 die Mikrophonanschlußbuchsen *f*
– *microphone sockets*
18 die Kopfhöreranschlußbuchse
– *headphone socket*
19 die Aussteuerungsanzeige, eine Leuchtdiodenanzeige (LED-Anzeige)
– *level indicator display (VU meter), an LED display*
20 die Bandsortenanzeige, eine Leuchtdiodenanzeige (LED-Anzeige)
– *tape type indicator (tape-bias indicator), an LED display*
21 **das Duokassettendeck** (Doppelkassettentonbandgerät, der Doppelkassettenrecorder)
– *double cassette deck (double cassette recorder)*
22 die Wiedergabetaste („Play")
– *play button*
23 die Stopp- und Kassettenauswurftaste („Eject")
– *[stop and] eject button*
24 die Schnellkopiertaste (das High-Speed-Dubbing)
– *high-speed dubbing button*
25 die Funktionswahltaste
– *function select button*
26 die Aufnahmeanzeigeleuchte
– *recording indicator light*
27 die Betriebsanzeigeleuchte
– *on-off light (power indicator light)*

28 **der CD-Player** (Compact-Disc-Player, CD-Spieler, Compact-Disc-Spieler, Digitalplattenspieler, *auch:* CD-Wechsler)
– *CD player (compact disc player, digital compact disc player)*
29 das CD-Fach (die CD-Schublade)
– *CD drawer*
30 die Funktionstaste für das Öffnen und Schließen des CD-Faches *n*
– *open/close button for the CD drawer*
31 die Suchlauf- und Indexsuchlaufwahltaste
– *search button and index search button*
32 die Titelsprungtasten *f*
– *skip buttons (skip-track buttons)*
33 der Lautstärkeregler für den Kopfhörer
– *headphone volume control*
34 die Funktionswahltasten *f*
– *function select buttons*
35 die Funktionsanzeigeleuchten *f* für Programmierung *f*, Wiederholung *f*, Wiedergabe *f* und Pause *f*
– *programming, track and disc repeat, and pause indicators*
36 die Leuchtdiodenanzeige (LED-Anzeige, das Display)
– *LED display*
37 die Funktionsanzeigeleuchten *f* für Restzeit *f* und Titelindex *m*
– *remaining time and track-index indicators*
38 **der tragbare Radiorecorder** mit integriertem CD-Player *m*
– *portable radio recorder with integral CD player*
39 der Tragebügel
– *handle*
40 der Receiver (das Steuergerät, der Empfänger- und Verstärkerteil)
– *[radio] receiver (receiver and amplifier)*
41 der CD-Player
– *CD player*
42 die Quarzuhr mit Digitalanzeige *f* und Timer *m* (Schaltuhr)
– *quartz clock with digital display and timer*
43 der Doppelkassettenrecorder
– *double cassette recorder*
44 der Lautsprecher
– *loudspeaker*
45-49 **die Audiokassette** (Kassette)
– *audio-cassette (cassette)*
45-47 die Bandsorten *f*
– *types of tape*
45 die Ferrokassette (Eisendioxidkassette, Normalkassette)
– *ferric cassette (iron oxide cassette, normal cassette)*
46 die Chromdioxidkassette
– *chrome dioxide cassette (chrome cassette)*
47 die Metallkassette (Metalloxidkassette)
– *metal cassette (metal oxide cassette)*
48 die Bandsortenmarkierung (Kennaussparung)
– *tape type indication (indicating hole)*
49 die löschgeschützten Kassetten *f*
– *record-protected cassettes*
50 **der Weltempfänger** (World Receiver) für den Empfang von Ultrakurz- (UKW), Mittel- (MW), Lang- (LW) und Kurzwellen (KW) *f*
– *world receiver for receiving ultra-short wave (USW), medium wave (MW), long wave (LW), and short wave (SW)*
51 die Antenne (Stabantenne), eine Teleskopantenne
– *aerial (rod aerial), a telescopic aerial*

52 die Funktionstasten *f*
– *function buttons*
53 die Stationstasten *f*
– *station select buttons*
54 der Drehregler für manuelle Senderabstimmung *f*
– *manual tuning knob*
55 die Flüssigkristallanzeige (LCD-Anzeige, das Display) für Frequenzbereich *m*, Frequenz *f* und Speicherplatz *m*
– *liquid crystal display (LCD) showing waveband, frequency, and memory number*
56 der Lautstärkeschieberegler
– *(sliding) volume control*
57 **der Kassettenabspieler** (Walkman®) mit Radioteil *m*
– *cassette player (Walkman® with radio)*
58 der Kopfhörer
– *headphones*
59 der Equalizer, ein 3-Band-Equalizer
– *equalizer, a 3-band equalizer*
60 **der tragbare CD-Player** (Discman®)
– *portable CD player (Discman®)*
61 die Compact Disc (CD)
– *compact disc (CD)*
62 der Gehäusedeckel
– *lid*
63 das Gehäuse mit Laufwerk *n*, Verstärker *m*, Display *n* und Funktionstasten *f*
– *casing with transport, amplifier, display, and function buttons*
64 **die HiFi-Kompaktanlage** (Stereokompaktanlage)
– *compact hi-fi system (compact stereo system)*
65 der Verstärkerteil
– *amplifier section*
66 **der DAT-Recorder** (Digitalkassettenrecorder; DAT = Digital Audio Tape)
– *DAT recorder (digital cassette recorder) (DAT = Digital Audio Tape)*
67 der Infrarotsensor (IR-Sensor) für die Fernbedienung
– *infrared sensor (IR sensor) for the remote control*
68 die Eingangssignalwahltasten *f* für Mono-, Analog- und Digitalbetrieb *m*
– *input selection buttons for mono, analogue (Am. analog), and digital signals*
69 die Titel- und Programmspeichertasten *f*
– *index and program selection buttons*
70 die Titelnummeranzeige
– *index number display*
71 die Scantaste (Anspielautomatik)
– *auto-scan button*
72 die Freistellensuchtaste
– *end-record search button*

1 der Camcorder (der Kamera-
recorder), *früher:* die Zwei-
komponentenanlage (Kamera *f*
und Recorder *m* getrennt)
- *camcorder (camera recorder),*
form: *two-component system*
(separate camera and recorder)
2 der Pocket-Camcorder, ein
Video-8-Gerät *n*
- *pocket camcorder, a video-8*
camcorder
3 das Objektiv, ein Sechsfachzoom-
objektiv (11–66 mm)
- *lens, a x6 zoom lens (11–66 mm)*
4 das Okular
- *viewfinder (ocular)*
5 der CCD-Bildwandler und High-
Speed-Shutter, ein Halbzollchip *m*
mit Verschlußfunktion *f*
- *CCD image converter (image sensor)*
and high-speed shutter, a half-inch
chip with shutter functions
6 die Videokassette
- *video cassette*
7 das Videoband
- *videotape*
8 die Kopftrommel
- *head drum*
9 der Autofokusstellmotor
- *autofocus motor*
10 das integrierte Mikrophon
- *built-in microphone (integral*
microphone)
11 die VHS-Kopftrommel (VHS: Video
Home System)
- *VHS head drum (VHS: Video Home*
System)
12 der Löschkopf
- *erase head*
13 der Führungsstift
- *guide pin*
14 das Bandlineal
- *tape guide*
15 die Tonwelle
- *capstan*
16 der Audiosynchronkopf
- *audio sync head*
17 die Andruckrolle
- *pinch roller*
18 der Videokopf
- *video head*
19 die Riefen *f* in der Kopftrommel-
wand *f* für die Luftpolsterbildung
- *grooves in the wall of the head drum*
to promote air cushion formation
20 das VHS-Spurschema
- *VHS track format*
21 die Bandlaufrichtung
- *direction of tape movement*
22 die Aufnahmerichtung
- *direction of recording*
23 die Videospur, eine Schrägspur (nur
wenige Spuren *f* eingezeichnet)
- *video track, a slant track (only a few*
tracks shown)
24 die Tonspur
- *sound track (audio track)*

25 die Synchronspur
- *sync track*
26 der Synchronkopf
- *sync head*
27 der Tonkopf
- *sound head (audio head)*
28 der Videokopf
- *video head*
29 der Videorecorder
- *video recorder*
30 das Infrarot-Fernbedienungsgerät
- *infrared remote control*
31 die Programmskala, ein
Multidisplay *n*
- *program scale (program dial), a*
multidisplay
32 das Kassettenfach
- *cassette compartment*
33 der Jog Shuttle zum Vorwärts- oder
Rückwärtsbewegen *n* des Video-
bildes *n*
- *jog shuttle knob for forward or reverse*
movement of the [video] picture
34 der Multi-Disk-Player
- *multidisc player*
35 das Infrarot-Fernbedienungsgerät
- *infrared remote control*
36 die Diskschublade (Disketten-
schublade)
- *disc drawer*
37-41 die Diskformate *n* (Disketten-
formate)
- *disc formats*
37 die Single-Compact-Disc (die Single-
CD)
- *single compact disc (single CD)*
38 die Audio-CD
- *audio CD*
39 die Video-CD
- *video CD*
40 die kleine Laserdisk (Laserdiskette;
20 cm ∅)
- *small laser disc (20 cm)*
41 die große Laserdisk (Laserdiskette;
30 cm ∅)
- *large laser disc (30 cm)*
42 das Laserabtastsystem
- *laser scanning system*
43 die Diskachse (Diskettenachse)
- *[disc] spindle*
44 die Vorschubachse für den Laserkopf
- *laser-head tracing spindle*
45 der Laserkopf (das Laseraggregat)
- *laser head (laser unit)*

1 **der Personalcomputer** (PC; *ähnlich:*
   der Laptop)
 – ***personal computer*** *(PC; sim.: laptop)*
2 der Netzschalter
 – *power switch*
3 das Netzteil
 – *power supply (power pack)*
4 das Gehäuse
 – *housing*
5 die Festplattenanzeigeleuchte
 – *fixed-disk access light*
6 der Arbeitsspeicher
 – *main memory*
7 der Koprozessorsockel
 – *coprocessor socket*
8 die Zentraleinheit (CPU, Central
   Processing Unit), ein Mikro-
   prozessor *m*
 – *central processing unit
   (CPU), a microprocessor*
9 der Cache-Speicher (Cache-
   Controller)
 – *cache memory (cache controller)*
10 der Steckplatz (Slot) für die Speicher-
   erweiterungskarte
 – *expansion memory slot*
11 der Steckplatz (Slot) für die
   Graphikkarte
 – *graphics card slot*
12 der Kombicontroller für Laufwerke *n*
   und Festplatten *f*
 – *combined fixed and floppy disk
   controller*
13 die Steckkarte für serielle und
   parallele Schnittstellen *f*
 – *serial and parallel communication
   card*
14 **der PC-Turm** (Tower) *in
   Innenansicht*
 – *PC tower* interior view
15-67 **die Peripheriegeräte** *n*
 – ***peripherals***
15-32 **die Eingabegeräte** *n*
 – ***built-in devices***
15 **die Tastatur**
 – *keyboard*

16 die Funktionstasten *f*
 – *function keys*
17 die Buchstaben- und Zifferntasten *f*
 – *letter keys and number keys (numeric
   keys)*
18 die Eingabetaste (Returntaste)
 – *enter key (return key)*
19 die Cursorpositionstasten *f*
 – *cursor keys*
20 der Numerikblock
 – *number [key]pad (numeric [key]pad)*
21 **die Maus**
 – ***mouse***
22 die Maustasten *f*
 – *mouse buttons*
23 **der Trackball**
 – ***trackerball*** *(trackball)*
24 die Handauflage
 – *handrest*
25 die Rollkugel
 – *roller ball*
26 **das Digitalisiertablett** (der Digitizer,
   auch: das Graphiktablett)
 – ***digitizing tablet*** *(digitizer, also:
   graphics tablet)*
27 das Graphikfeld
 – *graphics area*
28 das Fadenkreuz
 – *cross hairs*
29 die Funktionsfelder *n*
 – *receiving grids*
30 **der Scanner**
 – ***scanner***
31 das Bedienungsfeld mit Funktionstasten *f*
 – *control panel with function keys*
32 die Vorlagenauflagescheibe
 – *scanning surface*
33-59 **die Massenspeichergeräte** *n*
   (Magnetspeicher *m*)
 – ***mass storage devices*** *(magnetic stores,
   magnetic memories)*
33-44 **die Diskettenlaufwerke** *n* (Laufwerke, Floppylaufwerke)
 – ***disk drives*** *(drives, floppy disk
   drives)*

33 das Minidisklaufwerk (5¼-Zoll-
   Laufwerk)
 – *minifloppy disk drive (5¼ inch [floppy]
   disk drive)*
34 der Verschlußhebel
 – *latch*
35 das Mikrodisklaufwerk (3½-Zoll-
   Laufwerk)
 – *microfloppy disk drive (3½ inch [floppy]
   disk drive)*
36-44 **die Disketten** *f* (Floppy disks *f*,
   Floppies *f*, Einzahl: Floppy *f*)
 – ***diskettes*** *(disks, floppy disks, floppies)*
36 die Minidiskette (Minidisk, 5¼-Zoll-
   Diskette, Flexy disk)
 – *minifloppy (minifloppy disk, 5¼ inch
   disk, flexible disk)*
37 das Beschriftungsfeld
 – *label*
38 die Schreibschutzkerbe
 – *write-protect notch*
39 das Einspannloch für den Antrieb
 – *hole for engaging the drive hub*
40 das Indexloch
 – *registration hole*
41 die Diskettenhülle
 – *disk cover (envelope)*
42 die Abtastöffnung für den Schreib-
   Lese-Kopf
 – *access slot for the read-write head*
43 die Mikrodiskette (Mikrodisk,
   3½-Zoll-Diskette)
 – *microfloppy (3½ inch [floppy] disk)*
44 die verschiebbare Schutzplatte
 – *sliding shutter*
45 **das Festplattenlaufwerk** (die Festplatte,
   Hard disk)
 – ***fixed-disk drive*** *(fixed disk, hard disk)*
46 die Grundplatte
 – *base plate*
47 der Zugriffsarm (Actuator)
 – *access arm (actuator)*
48 der Schreib-Lese-Kopf
 – *read-write head*

49–67 → S. 431

Büro I

Büro I   *Office I* 245

zu Tafel 244:

49 der Antriebsmotor für die
Aluminiumplatten *f*, ein Spindel-
motor
– *drive motor for the aluminium*
(Am. aluminum) platters,
a spindle drive motor
50 die magnetisch beschichteten
Aluminiumplatten *f*
– *magnetic-coated aluminium*
(Am. aluminum) platters
51 der Antriebsmotor für den Schreib-
Lese-Kopf, ein Linear- *od.* Schritt-
motor (Steppermotor)
– *read-write head drive motor, a linear*
motor or stepping motor (stepper
motor)
52 der Daten-, Adreß- und Steuerbus
(die Steuerleitung)
– *data, address, and control bus*
53 der Magnetbandspeicher (Streamer)
– **magnetic tape unit** *(magnetic tape*
drive, streamer)
54 das Magnetband
– *magnetic tape*
55 die Magnetbandspule
– *magnetic tape reel*
56 die Magnetbandkassette
– *magnetic tape cassette (magnetic*
tape cartridge)
57 der Bandantrieb
– *drive post*
58 der Antriebsriemen
– *drive band*
59 der Antriebsmotor
– *drive motor*
60-65 die Ausgabegeräte *n*
– **output devices**
60 der Bildschirm (Monitor, das
Display), ein hochauflösender
Farbmonitor *m*
– **screen** *(monitor, display) a high-*
resolution colour (Am. color) monitor
61 der Drucker (Printer), ein Matrix-
drucker (*hier:* Laserdrucker, Laserprinter; *auch:* Tintenstrahldrucker,
Nadeldrucker)
– **printer,** *a dot-matrix printer (here:*
laser printer; also: inkjet printer,
needle printer)
62 das Bedienungsfeld mit Funktionstasten *f* und Display *n*
– *control panel with function keys and*
display
63 der Papierbehälter
– *paper tray (paper cassette)*
64 der Papiereinzugsschacht
– *paper feed path*
65 der Papierauswurf
– *paper output tray*
66 *u.* **67** Geräte *n* zur Daten-
fernübertragung (DFÜ)
– **devices for long-distance data**
transmission
66 der Akustikkoppler
– *acoustic coupler*
67 der *od.* das Modem
– *modem*

1-33 das Vorzimmer (Sekretärinnen-
zimmer)
– **receptionists office**
(secretary's office)
1 das Telekopiersystem
(der Faksimiletransceiver)
– *fax machine*
2 die Telekopie (Empfangskopie)
– *transmitted or received copy*
3 der Wandkalender
– *wall calendar*
4 der Aktenschrank
– *filing cabinet*
5 die Rolltür
– *tambour door (roll-up door)*
6 der Aktenordner
– *file (document file)*
7 die Umdruck-Adressiermaschine
– *transfer-type addressing machine*
8 der Schablonenaufnahmeschacht
– *vertical stencil magazine*
9 die Schablonenablage
– *stencil ejection*
10 die Schablonenaufbewahrungslade
– *stencil storage drawer*
11 die Papierzuführung
– *paper feed*
12 der Briefpapiervorrat
– *stock of notepaper*
13 die Hauszentrale (Telefonzentrale)
– *switchboard (internal telephone*
exchange)
14 das Drucktastenfeld für die Haus-
anschlüsse *m*
– *push-button keyboard for internal*
connections
15 der Hörer
– *handset*
16 die Wählscheibe
– *dial*

17 das Hausanschlußverzeichnis
– *internal telephone list*
18 die Normaluhr
– *master clock (main clock)*
19 die Unterschriftenmappe
– *folder containing documents,*
correspondence, etc. for signing
(to be signed)
20 die Sprechanlage
– *intercom (office intercom)*
21 der Schreibstift
– *pen*
22 die Schreibschale
– *pen and pencil tray*
23 der Zettelkasten
– *card index*
24 der Formularstoß
– *stack (set) of forms*
25 der Schreibmaschinentisch
– *typing desk*
26 die elektronische Speicher-
schreibmaschine
– *electronic memory typewriter*
27 das Schreibtastenfeld (Typenfeld, die
Tastatur)
– *keyboard*
28 die Funktionstasten *f*
– *function keys*
29 der Stenoblock
(Stenogrammblock)
– *shorthand pad*
(Am. steno pad)
30 das Ablagekörbchen
– *letter tray*
31 der Bürorechner
– *office calculator*
32 das Druckwerk
– *printer*
33 der Geschäftsbrief
– *business letter*

431

1-44 Büromaterial *n*
– **office equipment** *(office supplies, office materials)*
1 die Büroklammer (Briefklammer)
– *[small] paper clip*
2 die Aktenklammer
– *[large] paper clip*
3 der Locher
– *punch*
4 der Hefter (die Büroheftmaschine)
– *stapler (stapling machine)*
5 die Matrize
– *anvil*
6 der Ladeschieber
– *spring-loaded magazine*
7 die Reinigungsbürste für Schreibmaschinentypen *f*
– *type-cleaning brush*
8 die Typenreiniger *m*
– *type cleaner (type-cleaning kit)*
9 der Flüssigkeitsbehälter
– *fluid container (fluid reservoir)*
10 die Reinigungsbürste
– *cleaning brush*
11 der Filzschreiber (Filzstift)
– *felt tip pen*
12 das Tippfehlerkorrekturblatt
– *correcting paper [for typing errors]*
13 die Tippfehlerkorrekturflüssigkeit
– *correcting fluid [for typing errors]*
14 der elektronische Taschenrechner
– *electronic pocket calculator*
15 die achtstellige Leuchtanzeige
– *eight-digit fluorescent display*
16 der Ein-/Ausschalter
– *on/off switch*

17 die Funktionstasten *f*
– *function keys*
18 die Zifferntasten
– *number keys*
19 die Kommataste
– *decimal key*
20 die Ist-gleich-Taste
– *'equals' key*
21 die Vorschriftstasten *f* (Rechenbefehlstasten)
– *instruction keys (command keys)*
22 die Speichertasten *f*
– *memory keys*
23 die Prozentrechnungstaste
– *percent key (percentage key)*
24 die π-Taste für Kreisberechnungen *f*
– *π-key (pi-key) for mensuration of circles*
25 der Bleistiftspitzer
– *pencil sharpener*
26 der Schreibmaschinenradiergummi (Maschinengummi)
– *typewriter rubber*
27 der Klebestreifenspender
– *adhesive tape dispenser*
28 der Klebestreifenhalter
– *adhesive tape holder (roller-type adhesive tape dispenser)*
29 die Klebestreifenrolle
– *roll of adhesive tape*
30 die Abreißkante
– *tear-off edge*
31 der Anfeuchter
– *moistener*
32 der Tischkalender
– *desk diary*

33 das Datumsblatt (Kalenderblatt)
– *date sheet (calendar sheet)*
34 das Notizblatt (Vormerkblatt)
– *memo sheet*
35 das Lineal
– *ruler*
36 die Zentimeter- und Millimeterteilung
– *centimetre and millimetre (Am. centimeter and millimeter) graduations*
37 der Aktenordner
– *file (document file)*
38 das Rückenschild
– *spine label (spine tag)*
39 das Griffloch
– *finger hole*
40 der Belegordner
– *arch board file*
41 die Ordnermechanik
– *arch unit*
42 der Griffhebel
– *release lever (locking lever, release/lock lever)*
43 der Klemmbügel
– *compressor*
44 der Kontoauszug
– *bank statement (statement of account)*

1-48 das Großraumbüro
- **open plan office**
1 die Trennwand
- *partition wall (partition screen)*
2 die Registraturtheke mit der Hängetrogregistratur
- *filing drawer with suspension file system*
3 die Behältertasche (der Hängeordner)
- *suspension file*
4 der Kartenreiter
- *file tab*
5 der Aktenordner
- *file (document file)*
6 die Archivkraft
- *filing clerk*
7 die Sachbearbeiterin
- *clerical assistant*
8 die Aktennotiz
- *note for the files*
9 das Telefon
- *telephone*
10 das Aktenregal
- *filing shelves*
11 der Sachbearbeitertisch
- *clerical assistant's desk*
12 der Büroschrank
- *office cupboard*
13 die Pflanzengondel
- *plant stand (planter)*

14 die Zimmerpflanzen *f*
- *indoor plants (houseplants)*
15 die Programmiererin
- *programmer*
16 das Datensichtgerät
- *data display terminal (visual display unit)*
17 der Kundendienstsachbearbeiter
- *customer service representative*
18 der Kunde
- *customer*
19 die Computergraphik
- *computer-generated design*
20 die Schallschlucktrennwand
- *sound-absorbing partition*
21 die Schreibkraft
- *typist*
22 die Schreibmaschine
- *typewriter*
23 die Karteiwanne
- *filing drawer*
24 die Kundenkartei
- *customer card index*
25 der Bürostuhl, ein Drehstuhl *m*
- *office chair, a swivel chair*
26 der Maschinentisch
- *typing desk*
27 der Karteikasten
- *card index box*
28 das Vielzweckregal
- *multi-purpose shelving*

29 der Chef
– *proprietor*
30 der Geschäftsbrief
– *business letter*
31 die Chefsekretärin
– *proprietor's secretary*
32 der Stenogrammblock
– *shorthand pad (Am. steno pad)*
33 die Phonotypistin
– *audio typist*
34 das Diktiergerät
– *dictating machine*
35 der Ohrhörer
[in der Ohrmuschel]
– *earphone*
36 das statistische Schaubild
(die Statistik)
– *statistics chart*
37 der Schreibtischunterschrank
– *pedestal containing a cupboard or drawers*
38 der Schiebetürenschrank
– *sliding-door cupboard*
39 die Büroelemente *n* in
Winkelbauweise *f*
– *office furniture arranged in an angular configuration*
40 das Hängeregal
– *wall-mounted shelf*
41 der Ablagekorb
– *letter tray*

42 der Wandkalender
– *wall calendar*
43 die Datenzentrale
– *data centre (Am. center)*
44 der Informationsabruf vom
Datensichtgerät *n*
– *calling up information on the data display terminal (visual display unit)*
45 der Papierkorb
– *waste paper basket*
46 die Umsatzstatistik
– *sales statistics*
47 das EDV-Blatt (die ausgedruckten
Daten *pl*), ein Leporello *m*
– *EDP print-out, a continuous fan-fold sheet*
48 das Verbindungselement
– *connecting element*

1 **die elektrische Schreibmaschine,** eine
Kugelkopfschreibmaschine
- *electric typewriter, a golf ball
typewriter*
2-6 das Blocktastenfeld (die Tastatur)
- *keyboard*
2 die Leertaste
- *space bar*
3 die Umschalttaste für die Groß-
buchstaben *m*
- *shift key*
4 der Zeilenschalter
- *line space and carrier return key*
5 der Umschaltfeststeller
- *shift lock*
6 die Randlösetaste
- *margin release key*
7 die Tabulatortaste
- *tabulator key*
8 die Tabulatorlöschtaste
- *tabulator clear key*
9 der Ein-/Ausschalter
- *on/off switch*
10 der Anschlagstärkeeinsteller
- *striking force control (impression
control)*
11 der Farbbandwähler
- *ribbon selector*
12 die Randeinstellung
- *margin scale*
13 der vordere (linke) Randsteller
- *left margin stop*
14 der hintere (rechte) Randsteller
- *right margin stop*
15 der Kugelkopf (Schreibkopf) mit
den Typen *f*
- *golf ball (spherical typing element)
bearing the types*
16 die Farbbandkassette
- *ribbon cassette*
17 der Papierhalter mit den Führungs-
rollen *f*
- *paper bail with rollers*
18 die Schreibwalze
- *platen*
19 das Schreibfenster
- *typing opening (typing window)*
20 der Papiereinwerfer
- *paper release lever*
21 die Schreibwerkrückführung
(Schlittenrückführung)
- *carrier return lever*
22 der Walzendrehknopf
- *platen knob*
23 der Zeileneinsteller
- *line space adjuster*
24 der Walzenlöser
- *variable platen action lever*
25 der Walzenstechknopf
- *push-in platen variable*
26 die Radierauflage
- *erasing table*
27 die transparente Gehäuseabdeckung
- *transparent cover*
28 der Austauschkugelkopf
- *exchange golf ball (exchange typing
element)*

29 die Type
- *type*
30 der Schreibkopfdeckel
- *golf ball cap (cap of typing element)*
31 die Zahnsegmente *n*
- *teeth*
32 **der Kopierautomat** (Kopierer, das
Kopiergerät)
- *photocopier (copier, photocopying
machine)*
33 die Originalabdeckung mit
Einzelkopieauswurf *m*
- *copyboard cover with single-copy
(single-sheet) delivery tray*
34 die Universalpapierkassette
- *universal paper cassette*
35 die einstellbaren Papierkassetten *f*
- *adjustable paper cassettes*
36 die vordere Verkleidungsklappe
- *front door*
37 der Duplexeinheit für den vertikalen
Transport
- *dual vertical transport unit*
38 die Sortiereinheit (der Sorter)
- *sorter*
39 die Kopienablage
- *copy delivery bins*
40-43 die Bedienungsfelder *n* und
-tasten *f*
- *control panel displays and
control keys*
40 die Wahltasten *f* für Vergrößerung *f*,
Verkleinerung *f* und Programme *n*
- *enlargement, reduction, and program
selection keys*
41 die Wahltasten *f* für Sortierfunk-
tion *f* und beidseitige Kopien *f*
- *sort mode and two-sided copy keys*
42 das Anzeigenfeld (Display) mit
Wahltasten *f* für Farbe *f*,
Belichtung *f*, Papiergröße *f*
(Format *n*) und Kopienanzahl *f*
(Kopienvorwahl *f*)
- *display with colour, exposure,
format, and copy number
selection keys*
43 die Kopiertaste
- *start key (copy start key)*
44 **die Brieffaltmaschine**
- *letter-folding machine*
45 die Papiereingabe
- *paper feed*
46 die Falteinrichtung
- *folding mechanism*
47 der Auffangtisch
- *receiving tray*
48 **der Kleinoffsetdrucker**
- *small offset press*
49 die Papieranlage
- *paper feed*
50 der Hebel für die Druckplatten-
einfärbung
- *lever for inking the plate cylinder*
51 *u.* 52 das Farbwerk
- *inking unit (inker unit)*
51 der Verreiber
- *distributing roller (distributor)*

52 die Auftrag[s]walze
- *ink roller (inking roller,
fountain roller)*
53 die Druckhöhenverstellung
- *pressure adjustment*
54 die Papierablage
- *sheet delivery (receiving table)*
55 die Druckgeschwindigkeits-
einstellung
- *printing speed adjustment*
56 der Rüttler zum Glattstoßen *n* der
Papierstapel *m*
- *jogger for aligning the piles of sheets*
57 der Papierstapel
- *pile of paper (pile of sheets)*
58 **die Falzmaschine**
- *folding machine*
59 die Bogenzusammentragemaschine
für Kleinauflagen *f*
- *gathering machine (collating machine,
assembling machine) for short runs*
60 die Zusammentragestation
- *gathering station (collating station,
assembling station)*
61 **der Klebebinder** für die Thermo-
bindung
- *adhesive binder (perfect binder) for
hot adhesives*
62 **das Magnetband-Diktiergerät**
- *magnetic tape dictating machine*
63 der Kopfhörer (Ohrhörer)
- *headphones (headset, earphones)*
64 der Ein-/Ausschalter
- *on/off switch*
65 der Mikrophonbügel
- *microphone cradle*
66 die Fußschalterbuchse
- *foot control socket*
67 die Telefonbuchse
- *telephone adapter socket*
68 die Kopfhörerbuchse
- *headphone socket (earphone socket,
headset socket)*
69 die Mikrophonbuchse
- *microphone socket*
70 der eingebaute Lautsprecher
- *built-in loudspeaker*
71 die Kontrollampe
- *indicator lamp (indicator light)*
72 das Kassettenfach
- *cassette compartment*
73 die Vorlauf-, Rücklauf- und
Stopptasten *f*
- *forward wind, rewind, and stop
buttons*
74 die Zeitskala mit Indexstreifen *m*
- *time scale with indexing marks*
75 der Zeitskalastopp
- *time scale stop*

1-11 die Kundenhalle
- *main hall*

1 die Kasse
- *cashier's desk (cashier's counter)*

2 der Kassierer
- *teller (cashier)*

3 das schußsichere Panzerglas
- *bullet-proof glass*

4 die Servicegruppe (Bedienung f und Beratung f für Sparkonten n, Privat- und Firmenkonten n, persönliche Kredite m)
- *service counters (for service and advice on savings accounts, private and company accounts, personal loans)*

5 die Bankangestellte
- *bank clerk*

6 die Bankkundin
- *customer*

7 die Prospektfaltblätter m
- *brochures*

8 der Kurszettel
- *stock list (price list, list of quotations)*

9 der Informationsstand
- *information counter*

10 der Geldwechselschalter
- *foreign exchange counter*

11 der Durchgang zum Tresorraum m
- *entrance to strong room*

12 der Wechsel; hier: ein gezogener Wechsel m (Tratte f), ein angenommener Wechsel m (das Akzept)
- *bill of exchange (bill); here: a draft, an acceptance (bank acceptance)*

13 der Ausstellungsort
- *place of issue*

in Britain:

£ 75.-   (12)

London,
182, High Holborn, W.C.1.

Thirty days after sight of this Sole of Exchange pay to our Order the sum of *Twenty Five pounds*

(payable at current rate of exchange for the Bank's sight drafts on London together with commission stamps and postage) for value received.

p.p. GEORGE G. HARRAP & COMPANY LTD.

Accountant.

14 der Ausstellungstag
- *date of issue*

15 der Zahlungsort
- *place of payment*

16 der Verfalltag
- *date of maturity (due date)*

17 die Wechselklausel (Bezeichnung der Urkunde als Wechsel m)
- *bill clause (draft clause)*

18 die Wechselsumme (der Wechselbetrag)
- *value*

19 die Order (der Wechselnehmer, Remittent)
- *payee (remittee)*

20 der Bezogene (Adressat, Trassat)
- *drawee (payer)*

21 der Aussteller (Trassant)
- *drawer*

22 der Domizilvermerk (die Zahlstelle)
- *domicilation (paying agent)*

23 der Annahmevermerk (das Akzept)
- *acceptance*

24 die Eurochequekarte
- *Eurocheque card*

25 die ausgebende Bank
- *issuing bank (drawee bank)*

26 die Kontonummer
- *account number*

27 die Kartennummer
- *card number*

28 das Hologramm, ein Weißlichthologramm (Regenbogenhologramm)
- *hologram, a white light hologram (rainbow hologram)*

29 *(rückseitig:)* der Magnetstreifen
- *(on the back:) magnetic strip*

1-10 **die Börse** (Effekten-, Wertpapier-
oder Fondsbörse)
– **stock exchange**
1 der Börsensaal
– *exchange hall (exchange floor)*
2 der Markt für Wertpapiere *n*
– *market for securities*
3 die Maklerschranke (der Ring)
– *broker's post*
4 der vereidigte Kursmakler (Börsen-
makler, Effektenmakler, Sensal), ein
Handelsmakler *m*
– *sworn stockbroker (exchange broker,
stockbroker,* Am. *specialist), an
inside broker*
5 der freie Kursmakler (Agent), für
Freiverkehr *m*
– *kerbstone broker (kerbstoner,
curbstone broker, curbstoner, outside
broker), a commercial broker dealing
in unlisted securities*
6 das Börsenmitglied, ein zum Börsen-
handel *m* zugelassener Privater *m*
– *member of the stock exchange
(stockjobber,* Am. *floor trader, room
trader)*
7 der Börsenvertreter (Effekten-
händler), ein Bankangestellter *m*
– *stock exchange agent (boardman),
a bank employee*

8 die Kursmaklertafel (Kurstafel,
Maklertafel, der Kursanzeiger)
– *quotation board*
9 die Indexkurve
– *index curve*
10 die Telefonzelle (Fernsprechkabine)
– *telephone box (telephone booth,
telephone kiosk, call box)*
11-19 **Wertpapiere** *n* (Effekten *pl*):
Arten: Aktie *f*, festverzinsliches
Wertpapier, Rente *f*, Anleihe *f*,
Pfandbrief *m*, Kommunal-
obligation *f*, Industrieobligation *f*,
Wandelschuldverschreibung *f*
– **securities;** *kinds: share (*Am. *stock),
fixed-income security, annuity, bond,
debenture bond, municipal bond
(corporation stock), industrial bond,
convertible bond*
11 die Aktienurkunde (der Mantel);
hier: die Inhaberaktie
– *share certificate (*Am. *stock
certificate);* here: *bearer share
(share warrant)*
12 der Nennwert der Aktie
– *par (par value, nominal par, face par)
of the share*
13 die laufende Nummer
– *serial number*

14 die Seitennummer der Eintragung im
Aktienbuch *n* der Bank
– *page number of entry in bank's share
register (bank's stock ledger)*
15 die Unterschrift des Aufsichtsrats-
vorsitzenden *m*
– *signature of the chairman of the board
of governors*
16 die Unterschrift des Vorstands-
vorsitzenden *m*
– *signature of the chairman of the board
of directors*
17 der Bogen (Kuponbogen)
– *sheet of coupons (coupon sheet,
dividend coupon sheet)*
18 der Dividendenschein (Gewinn-
anteilschein)
– *dividend warrant (dividend coupon)*
19 der Erneuerungsschein (Talon)
– *talon*

252 Geld (Münzen und Scheine)   *Money (Coins and Notes, Am. Coins and Bills)*

1-29 Münzen *f* (Geldstücke *n*, Hartgeld; *Arten:* Gold-, Silber-, Nickel-, Kupfer- od. Aluminiummünzen *f*)
- *coins (coin, coinage, metal money, specie, Am. hard money); kinds: gold, silver, nickel, copper, or aluminium, Am. aluminum, coins*
1 Athen: Tetradrachme *f*
- *Athens: tetradrachm (tetradrachmon, tetradrachma)*
2 die Eule (der Stadtvogel von Athen)
- *the owl, emblem of the city of Athens*
3 Aureus *m* Konstantins des Großen
- *aureus of Constantine the Great*
4 Brakteat *m* Kaiser Friedrichs I. Barbarossa
- *bracteate of Emperor Frederick I Barbarossa*
5 Frankreich: Louisdor *m* Ludwigs XIV.
- *Louis XIV louis-d'or*
6 Preußen: 1 Reichstaler *m* Friedrichs des Großen
- *Prussia: 1 reichstaler (speciestaler) of Frederick the Great*
7 Bundesrepublik Deutschland: 5 Deutsche Mark *f* (DM); 1 DM *f* = 100 Pfennige *m*
- *Federal Republic of Germany: 5 Deutschmarks (DM); 1 DM = 100 pfennigs*
8 die Vorderseite (der Avers)
- *obverse*
9 die Rückseite (der Revers)
- *reverse (subordinate side)*
10 das Münzzeichen (der Münzbuchstabe)
- *mint mark (mintage, exergue)*
11 die Randinschrift
- *legend (inscription on the edge of a coin)*
12 das Münzbild, ein Landeswappen *n*
- *device (type), a provincial coat of arms*
13 Österreich: 25 Schilling *m;* 1 Sch. *m* = 100 Groschen *m*
- *Austria: 25 schillings; 1 sch = 100 groschen*
14 die Länderwappen *n*
- *provincial coats of arms*
15 Schweiz: 5 Franken *m;* 1 Franken *m* (franc, franco) = 100 Rappen *m* (Centimes, centimes)
- *Switzerland: 5 francs; 1 franc = 100 centimes*
16 Frankreich: 1 Franc *m* (franc) = 100 Centimes *m* (centimes)
- *France: 1 franc = 100 centimes*
17 Belgien: 100 Francs *m* (francs)
- *Belgium: 100 francs*
18 Luxemburg: 1 Franc *m* (franc)
- *Luxembourg (Luxemburg): 1 franc*
19 Niederlande: 2½ Gulden *m;* 1 Gulden *m* (florin) = 100 Cents *m* (cents)
- *Netherlands: 2½ guilders; 1 guilder (florin, gulden) = 100 cents*

20 Italien: 200 Lire *f* (lire, *sg* Lira)
- *Italy: 200 lire (sg. lira)*
21 Vatikanstaat: 100 Lire *f* (lire, *sg* Lira)
- *Vatican City: 100 lire (sg. lira)*
22 Spanien: 1 Peseta *f* (peseta) = 100 Céntimos *m* (céntimos)
- *Spain: 1 peseta = 100 céntimos*
23 Portugal: 1 Escudo *m* (escudo) = 100 Centavos *m* (centavos)
- *Portugal: 1 escudo = 100 centavos*
24 Dänemark: 1 Krone *f* (krone) = 100 Öre *n* (øre)
- *Denmark: 1 krone = 100 öre*
25 Schweden: 1 Krone *f* (krona) = 100 Öre *n* (öre)
- *Sweden: 1 krona = 100 öre*
26 Norwegen: 1 Krone *f* (krone) = 100 Öre *n* (øre)
- *Norway: 1 krone = 100 öre*
27 Tschechoslowakei: 100 Kronen *f;* 1 Krone *f* (koruna) = 100 Halèř *m* (halèřu)
- *Czechoslovakia: 1 koruna = 100 heller*
28 Jugoslawien: 1 Dinar *m* (dinar) = 100 Para *m* (para)
- *Yugoslavia: 1 dinar = 100 paras*
29 Vereinigtes Königreich Großbritannien und Nordirland: 1 Pfund Sterling *m* (£) = 100 New Pence *m* (new pence, p; *sg* New Penny)
- *United Kingdom of Great Britain and Northern Ireland: 1 pound sterling (£1) = 100 new pence (100 p) (sg. new penny, new p)*

30-39 Banknoten *f* (Papiergeld *n*, Noten *f*, Geldscheine *m*, Scheine)
- *banknotes (Am. bills) (paper money, notes, treasury notes)*
30 Bundesrepublik Deutschland: 100 DM *f*
- *Federal Republic of Germany: 100 DM*
31 die Notenbank
- *bank of issue (bank of circulation)*
32 das Porträtwasserzeichen
- *watermark [a portrait]*
33 die Wertbezeichnung
- *denomination*
34 USA: 1 Dollar *m* (dollar, $) = 100 Cents *m* (cents)
- *USA: 1 dollar ($1) = 100 cents*
35 die Faksimileunterschriften *f*
- *facsimile signatures*
36 der Kontrollstempel
- *impressed stamp*
37 die Reihenbezeichnung
- *serial number*
38 Griechenland: 1 000 Drachmen *f* (drachmai); 1 Drachme *f* = 100 Lepta *n* (lepta; *sg* Lepton)
- *Greece: 1,000 drachmas (drachmae); 1 drachma = 100 lepta (sg. lepton)*
39 das Porträt
- *portrait*

40-44 die Münzprägung
- *striking of coins (coinage, mintage)*
40 u. 41 die Prägestempel *m*
- *coining dies (minting dies)*
40 der Oberstempel
- *upper die*
41 der Unterstempel
- *lower die*
42 der Prägering
- *collar*
43 das Münzplättchen (Platte, Ronde)
- *coin disc (flan, planchet, blank)*
44 der Prägetisch
- *coining press (minting press)*

1-3 die Flagge der Vereinten Nationen *f*
- *flag of the United Nations*
1 der Flaggenstock (Flaggenmast) mit dem Flaggenknopf *m*
- *flagpole (flagstaff) with truck*
2 die Flaggenleine (Flaggleine)
- *halyard (halliard, haulyard)*
3 das Flaggentuch
- *bunting*
4 die Flagge des Europarates *m* (Europaflagge)
- *flag of the Council of Europe*
5 die Olympiaflagge
- *Olympic flag*
6 die Flagge halbstock[s] (halbmast) [zur Trauer]
- *flag at half-mast (Am. at half-staff) [as a token of mourning]*
7-11 die Fahne
- *flag*
7 der Fahnenschaft
- *flagpole (flagstaff)*
8 der Fahnennagel
- *ornamental stud*
9 das Fahnenband
- *streamer*
10 die Fahnenspitze
- *pointed tip of the flagpole*
11 das Fahnentuch
- *bunting*
12 das Banner
- *banner (gonfalon)*
13 die Reiterstandarte (das Feldzeichen der Kavallerie)
- *cavalry standard (flag of the cavalry)*
14 die Standarte des dt. Bundespräsidenten [das Abzeichen eines Staatsoberhaupts *n*]
- *standard of the German Federal President [ensign of head of state]*

15-21 Nationalflaggen *f*
- *national flags*
15 der Union Jack (Großbritannien)
- *the Union Jack (Great Britain)*
16 die Trikolore (Frankreich)
- *the Tricolour (Am. Tricolor) (France)*
17 der Danebrog (Dänemark)
- *the Danebrog (Dannebrog) (Denmark)*
18 das Sternenbanner (USA)
- *the Stars and Stripes (Star-Spangled Banner) (USA)*
19 der Halbmond (Türkei)
- *the Crescent (Turkey)*
20 das Sonnenbanner (Japan)
- *the Rising Sun (Japan)*
21 Hammer und Sichel (UdSSR)
- *the Hammer and Sickle (USSR)*
22-34 Signalflaggen *f*, ein Stell *n* Flaggen *f*
- *signal flags, a hoist*
22-28 Buchstabenflaggen *f*
- *letter flags*
22 Buchstabe A, ein gezackter Stander
- *letter A, a burgee (swallow-tailed flag)*
23 G, das Lotsenrufsignal
- *G, pilot flag*
24 H („Lotse ist an Bord")
- *H ('pilot on board')*
25 L („Stop, wichtige Mitteilung")
- *L ('you should stop, I have something important to communicate')*
26 P, der Blaue Peter, ein Abfahrtssignal *n*
- *P, the Blue Peter ('about to set sail')*
27 W („benötige ärztliche Hilfe")
- *W ('I require medical assistance')*
28 Z, ein rechteckiger Stander
- *Z, an oblong pennant (oblong pendant)*

29 der Signalbuchwimpel, ein Wimpel *m* des internat. Signalbuchs *n*
- *code pennant (code pendant), used in the International Signals Code*
30-32 Hilfsstander *m*, dreieckige Stander
- *substitute flags (repeaters), triangular flags (pennants, pendants)*
33 u. 34 Zahlenwimpel *m*
- *numeral pennants (numeral pendants)*
33 die Zahl 1
- *number 1*
34 die Zahl 0
- *number 0*
35-38 Zollflaggen *f*
- *customs flags*
35 der Zollstander von Zollbooten *n*
- *customs boat pennant (customs boat pendant)*
36 „Schiff zollamtlich abgefertigt"
- *'ship cleared through customs'*
37 das Zollrufsignal
- *customs signal flag*
38 die Pulverflagge [„feuergefährliche Ladung"]
- *powder flag ['inflammable (flammable) cargo']*

1-36 Heraldik *f* (Wappenkunde)
- *heraldry (blazonry)*
1, 11, 30-36 Helmzier *f* (Helmzeichen *n*, Helmkleinod, Zimier)
- *crests*
1-6 das Wappen
- *coat-of-arms (achievement of arms, hatchment, achievement)*
1 die Helmzier
- *crest*
2 der Wulst
- *wreath of the colours (Am. colors)*
3 die Decke (Helmdecke)
- *mantle (mantling)*
4, 7-9 Helme *m*
- *helmets (helms)*
4 der Stechhelm
- *tilting helmet (jousting helmet)*
5 der Wappenschild
- *shield*
6 der schräglinke Wellenbalken
- *bend sinister wavy*
7 der Kübelhelm
- *pot-helmet (pot-helm, heaume)*
8 der Spangenhelm
- *barred helmet (grilled helmet)*
9 der offene Helm
- *helmet affronty with visor open*
10-13 das Ehewappen (Allianzwappen, Doppelwappen)
- *marital achievement (marshalled, Am. marshaled, coat-of-arms)*
10 das Wappen des Mannes *m*
- *arms of the baron (of the husband)*
11-13 das Wappen der Frau
- *arms of the family of the femme (of the wife)*
11 der Menschenrumpf
- *demi-man; also: demi-woman*
12 die Laubkrone (Helmkrone)
- *crest coronet*
13 die Lilie
- *fleur-de-lis*

14 das Wappenzelt (der Wappenmantel)
- *heraldic tent (mantling)*
15 u. 16 Schildhalter *m*, Wappentiere *n*
- *supporters (heraldic beasts)*
15 der Stier
- *bull*
16 das Einhorn
- *unicorn*
17-23 die Wappenbeschreibung (Blasonierung, Wappenfeld-ordnung)
- *blazon*
17 das Herzschild
- *inescutcheon (heart-shield)*
18-23 erstes bis sechstes Feld (Wappenfeld)
- *quarterings one to six*
18, 20, 22 vorn, rechts
- *dexter (right)*
18 u. 19 oben
- *chief*
19, 21, 23 hinten, links
- *sinister (left)*
22 u. 23 unten
- *base*
24-29 die Tinkturen *f*
- *tinctures*
24 u. 25 Metalle *n*
- *metals*
24 Gold *n* [gelb]
- *or (gold) [yellow]*
25 Silber *n* [weiß]
- *argent (silver) [white]*
26 schwarz
- *sable*
27 rot
- *gules*
28 blau
- *azure*
29 grün
- *vert*
30 die Straußenfedern *f*
- *ostrich feathers (treble plume)*

31 der Kürißprügel
- *truncheon*
32 der wachsende Bock
- *demi-goat*
33 die Turnierfähnchen *n*
- *tournament pennons*
34 die Büffelhörner *pl*
- *buffalo horns*
35 die Harpyie
- *harpy*
36 der Pfauenbusch
- *plume of peacock's feathers*
37, 38, 42-46 Kronen *f*
- *crowns ans coronets [continental type]*
37 die Tiara
- *tiara (papal tiara)*
38 die Kaiserkrone [dt. bis 1806]
- *Imperial Crown [German, until 1806]*
39 der Herzogshut
- *ducal coronet (duke's coronet)*
40 der Fürstenhut
- *prince's coronet*
41 der Kurfürstenhut (Kurhut)
- *elector's coronet*
42 die engl. Königskrone
- *English Royal Crown*
43-45 Rangkronen *f*
- *coronets of rank*
43 die Adelskrone
- *baronet's coronet*
44 die Freiherrnkrone
- *baron's coronet (baronial coronet)*
45 die Grafenkrone
- *count's coronet*
46 die Mauerkrone eines Stadtwappens *n*
- *mauerkrone (mural crown) of a city crest*

1-96 **die Bewaffnung** des Heeres *n*
- *army* **armament** *(army weaponry)*
1-28 **Handwaffen** *f*
- **hand weapons**
1 **die Pistole** P1
- *P1* **pistol**
2 das Rohr (der Lauf)
- *barrel*
3 das Korn
- *front sight (foresight)*
4 der Schlaghebel
- *hammer*
5 der Abzug
- *trigger*
6 das Griffstück
- *pistol grip*
7 der Magazinhalter
- *magazine holder*
8 **die Maschinenpistole** MP2
- **MP2** *submachine gun*
9 die Schulterstütze
- *shoulder rest (butt)*
10 das Gehäuse
- *casing (mechanism casing)*
11 die Rohrhaltemutter
- *barrel clamp (barrel-clamping nut)*
12 der Spannschieber
- *cocking lever (cocking handle)*
13 der Handschutz
- *palm rest*
14 die Handballensicherung
- *safety catch*
15 das Magazin
- *magazine*
16 **das Gewehr** G3-A3
- *G3-A3* **self-loading rifle**
17 der Mündungsfeuerdämpfer
- *flash hider (flash eliminator)*
18 die Abzugsvorrichtung
- *trigger mechanism*
19 die Kimme (das Visier)
- *notch (sighting notch, rear sight)*
20 der Kornhalter mit Korn *n*
- *front sight block (foresight block) with front sight (foresight)*
21 der Gewehrkolben (Kolben)
- *rifle butt (butt)*
22 **die leichte Panzerfaust** 44 2A1
- *44 2A1* **light anti-tank rocket launcher**
23 die Granate
- *rocket (projectile)*
24 das Zielfernrohr
- *telescopic sight (telescope sight)*
25 der Wangenschutz
- *cheek rest*
26 **das Maschinengewehr** MG3
- *MG3* **machine gun** *(Spandau)*
27 der Rückstoßverstärker
- *recoil booster*
28 die Rohrwechselklappe
- *belt-changing flap*
29-61 **Artilleriewaffen** *f* auf Selbstfahrlafetten *f*
- **artillery weapons** *mounted on self-propelled gun carriages*
29 **die Haubitze** SF M 100 A2
- *SFM 110 A2* **self-propelled howitzer**
30-32 das Fahrgestell
- *gun carriage*
30 das Antriebsrad
- *drive wheel*
31 die Kette
- *track*
32 die Laufrolle
- *road wheel*
33 die Wanne
- *hull*
34 der Schaufelsporn
- *spade*

35 der Schaufelzylinder
- *spade piston*
36 die Hydraulikanlage
- *hydraulic system*
37 der Hubzylinder
- *elevating piston*
38 das Bodenstück
- *breech ring*
39 das Rohr
- *barrel*
40 die Mündungsbremse
- *muzzle*
41 die Rohrbremse
- *buffer (buffer recuperator)*
42 **die Panzerhaubitze** M 109 A3 G
- *M 109 A3 G* **self-propelled howitzer**
43 der Panzerturm
- *amoured* (Am. *armored) turret*
44 der Kampfraum
- *fighting compartment*
45 die Rohrstütze
- *barrel clamp*
46 der Rauchabsauger
- *fume extractor*
47 der Rohrvorholer
- *barrel recuperator*
48 das Fliegerabwehr-Maschinengewehr (Fla-MG)
- *light anti-aircraft (AA) machine gun*
49 **das Raketenwerfersystem** (der Raketenwerfer) SF Lance
- *SF Lance* **missile launch system** *(missile launcher)*
50 die Kettenschürze (Kettenblende)
- *skirt*
51 das Kettenfahrzeug
- *tracked vehicle*
52 die Rakete (Lenkrakete)
- *missile (guided missile)*
53 die Höhenrichteinrichtung
- *elevating gear*
54 die Startrampe
- *launching ramp*
55 **der Raketenwerfer** 110 SF 2
- *110 SF 2* **rocket launcher**
56 die Zielzeigereinrichtung
- *fire control system*
57 die Raketenrohre *n*
- *launching tubes*
58 die Rohrpanzerung
- *tube bins*
59 die Drehringlafette
- *turntable*
60 die Fahrzeugstütze
- *jack*
61 das Führerhaus
- *driver's cab*
62-87 **Panzer** *m*
- **armoured** (Am. *armored)* **vehicles**
62 **der Kampfpanzer** Leopard 2
- *Leopard 2* **tank**
63 die Glattrohrkanone
- *smooth-barrelled gun*
64 die Fahrerluke
- *driver's hatch*
65 das Kommandantenperiskop
- *commander's periscope*
66 der Nebelwurfbecher
- *smoke canister (smoke dispenser)*
67 **der Spähpanzer** Luchs, ein Amphibienfahrzeug *n*
- *Luchs* **armoured** (Am. *armored)* **reconnaissance vehicle,** *an amphibious vehicle*
68 die Bordmaschinenkanone (BMK)
- *cannon*
69 die Luke
- *hatch*

70 die Antenne
- *antenna*
71 der Propeller (für Fahrt *f* im Wasser *f*)
- *propeller (for propulsion in water)*
72 **der Jagdpanzer** Jaguar 1 (HOT)
- **Jagdpanzer** *Jaguar 1* **ATGW vehicle** *(HOT)*
73 die Lenkeinrichtung (oberer Teil) mit Richtkopf *m*
- *guidance system (upper part) with guidance unit*
74 das Startrohr für Lenkflugkörper *m* HOT
- *HOT guided-missile launcher*
75 die Abfeuerungseinrichtung (oberer Teil)
- *firing mechanism (upper part)*
76 die Kommandantenkuppel
- *commander's cupola*
77 **der Schützenpanzer** Marder
- *Marder* **armoured** (Am. *armored)* **personnel carrier**
78 der Scheinwerfer
- *searchlight*
79 das Panzerabwehr-Lenkwaffensystem MILAN
- *MILAN anti-tank guided-missile system*
80 **der Transportpanzer** Fuchs, ein Amphibienfahrzeug *n*
- *Fuchs* **armoured** (Am. *armored)* **personnel and load carrier,** *an amphibious vehicle*
81 die Hecktür
- *rear door*
82 **der Fliegerabwehrkanonen-Panzer** (Flak-Panzer) Gepard
- *Gepard* **anti-aircraft tank**
83 der od. das Rundsuchradar
- *surveillance radar*
84 der od. das Zielfolgeradar für die Feuerleitung
- *tracking radar for fire control*
85 die Zwillingsmaschinenkanone
- *twin 35 mm cannon*
86 **der Mannschaftstransportwagen** (MTW) M 113 A1 G
- *M113 A1 G* **armoured** (Am. *armored)* **personnel carrier**
87 das Maschinengewehr (MG) auf Drehringlafette *f*
- *machine gun on a traversing mount*
88-96 **Hubschrauber** *m*
- **helicopters**
88 **der Transporthubschrauber** CH-53 G
- *CH-53 G* **transport helicopter**
89 der Einzelrotor
- *single rotor*
90 die Turbine
- *turbine*
91 die Ausgleichsschraube
- *stabilizing tail rotor*
92 der Rumpf
- *fuselage*
93 die Kanzel
- *cockpit*
94 **der Panzerabwehrhubschrauber** BO-105P
- *BO-105P* **anti-tank helicopter**
95 die Kufe
- *skid*
96 das Rohr für die Panzerabwehr-Lenkrakete HOT
- *HOT anti-tank guided-missile launcher*

1 der **Abfangjäger und Jagdbomber**
McDonnell-Douglas F-4F Phantom II
– McDonnell-Douglas F-4F Phantom
II *interceptor and fighter-bomber*
2 das Geschwaderabzeichen
– *squadron marking*
3 die Bordkanone
– *aircraft cannon*
4 der Flügeltank (Unterflügeltank)
– *wing tank (underwing tank)*
5 der Lufteinlaß
– *air intake*
6 die Grenzschichtschneide
– *boundary layer control flap*
7 der Flugbetankungsstutzen
– *in-flight refuelling (Am. refueling)
probe (flight refuelling probe, air
refuelling probe)*
8 das **Mehrzweckkampfflugzeug**
(MRCA, Multirole Combat Aircraft)
Panavia 200 Tornado
– Panavia 2000 Tornado *multirole
combat aircraft (MRCA)*
9 die schwenkbare Tragfläche (der
Schwenkflügel)
– *swing wing*
10 die Radarnase (der Radarbug, das
Radom)
– *radar nose (radome, radar dome)*
11 das Staurohr
– *pitot-static tube (pitot tube)*
12 die Bremsklappe (Luftbremse)
– *brake flap (air brake)*

13 die Nachbrennerdüsen *f* der
Triebwerke *n*
– *afterburner exhaust nozzles of the
engines*
14 das **Mittelstreckentransportflugzeug**
C 160 Transall
– C160 Transall *medium-range
transport aircraft*
15 die Fahrwerkgondel
– *undercarriage housing (landing gear
housing)*
16 das Propeller-Turbinen-Triebwerk
(Turboproptriebwerk)
– *propeller-turbine engine (turboprop
engine)*
17 die Antenne
– *antenna*
18 der **leichte Transport- und
Rettungshubschrauber** *Bell
UH-1D Iroquois*
– Bell UH-ID Iroquois *light transport
and rescue helicopter*
19 der Hauptrotor
– *main rotor*
20 der Heckrotor (die Steuerschraube)
– *tail rotor*
21 die Landekufen
– *landing skids*
22 die Stabilisierungsflossen *f*
– *stabilizing fins (stabilizing surfaces,
stabilizers)*
23 der Sporn
– *tail skid*

24 das **STOL-Transport- und
Verbindungsflugzeug** *Dornier
DO 28 D-2 Skyservant*
– Dornier DO 28 D-2 Skyservant
*transport and communications
aircraft*
25 die Triebwerksgondel
– *engine pod*
26 das Hauptfahrwerk
– *main undercarriage unit
(main landing gear unit)*
27 das Spornrad
– *tail wheel*
28 die Schwertantenne
– *sword antenna*

1-41 der deutsch-französische Strahl-
trainer *Dornier-Dassault-Breguet Alpha
Jet*
– Dornier-Dassault-Breguet Alpha Jet
Franco-German jet trainer
1 das Staurohr
– *pitot-static tube (pitot tube)*
2 der Sauerstoffbehälter
– *oxygen tank*
3 das vorwärts einfahrende Bugrad
– *forward-retracting nose wheel*
4 die Kabinenhaube
– *cockpit canopy (cockpit hood)*
5 der Haubenzylinder
– *canopy jack*
6 der Flugzeugführersitz (Schülersitz),
ein Schleudersitz *m*
– *pilot's seat (student pilot's seat),
an ejector seat (ejection seat)*
7 der Kampfbeobachtersitz (Lehrersitz),
ein Schleudersitz *m*
– *observer's seat (instructor's seat),
an ejector seat (ejection seat)*
8 der Steuerknüppel
– *control column (control stick)*
9 die Leistungshebel *m*
– *thrust lever*
10 die Seitenruderpedale *n* mit Bremsen *f*
– *rudder pedals with brakes*
11 der Frontavionikraum
– *front avionics bay*
12 der Triebwerksluftlufteinlauf
– *air intake to the engine*
13 die Grenzschicht-Trennzunge
– *boundary layer control flap*
14 der Lufteinlaufkanal
– *air intake duct*

15 das Turbinentriebwerk
– *turbine engine*
16 der Hydraulikspeicher
– *reservoir for the hydraulic system*
17 der Batterieraum
– *battery housing*
18 der Heckavionikraum
– *rear avionics bay*
19 der Gepäckraum
– *baggage compartment*
20 der dreiholmige Leitwerkaufbau
– *triple-spar tail construction*
21 das Höhenleitwerk
– *horizontal tail*
22 die Höhenleitwerk-Rudermaschine
– *servo-actuating mechanism for
the elevator*
23 die Seitenrudermaschine
– *servo-actuating mechanism for
the rudder*
24 der Bremsschirmkasten
– *brake chute housing (drag chute
housing)*
25 die VHF-Antenne (UKW-Antenne)
[VHF: Very high frequency]
– *VHF (very high frequency) antenna
(UHF antenna)*
26 die VOR-Antenne *[VOR: Very high
frequency omnidirectional range]*
– *VOR (very high frequency
omnidirectional range) antenna*
27 der zweiholmige Tragflächenaufbau
– *twin-spar wing construction*
28 die holmintegrierte Beplankung
– *former with integral spars*
29 die Integralflächentanks *m*
– *integral wing tanks*

30 der Rumpfzentraltank
– *centre-section* (Am. *center-section)
fuel tank*
31 die Rumpftanks *m*
– *fuselage tanks*
32 der Schwerkraftfüllstutzen
– *gravity fuelling* (Am. *fueling) point*
33 der Druckbetankungsanschluß
– *pressure fuelling* (Am. *fueling) point*
34 die innere Flügelaufhängung
– *inner wing suspension*
35 die äußere Flügelaufhängung
– *outer wing suspension*
36 die Positionsleuchten *f*
– *navigation lights (position lights)*
37 die Landescheinwerfer *m*
– *landing lights*
38 die Landeklappe
– *landing flap*
39 die Querruderbetätigung
– *aileron actuator*
40 das vorwärts einfahrende
Hauptfahrwerk
– *forward-retracting main undercarriage
unit (main landing gear unit)*
41 der Fahrwerk-Ausfahrzylinder
– *undercarriage hydraulic cylinder
(landing gear hydraulic cylinder)*

1 **der Raketenzerstörer** der
  „Hamburg"-Klasse
 – *Hamburg class* **guided-missile destroyer**
2 der Glattdecksrumpf (Flushdecksrumpf)
 – *hull of flush-deck vessel*
3 der Bug (Steven)
 – *bow (stem)*
4 der Flaggenstock (Göschstock)
 – *flagstaff (jackstaff)*
5 der Anker, ein Patentanker *m*
 – *anchor, a stockless anchor (patent
  anchor)*
6 das Ankerspill
 – *anchor capstan (windlass)*
7 der Wellenbrecher
 – *breakwater (Am. manger board)*
8 das (auch: der) Knickspant
 – *chine strake*
9 das Hauptdeck
 – *main deck*
10-28 die Aufbauten *pl*
 – *superstructures*
10 das Aufbaudeck
 – *superstructure deck*
11 die Rettungsinseln *f*
 – *life rafts*
12 der Kutter (das Beiboot)
 – *cutter (ship's boat)*
13 der Davit (Bootsaussetzkran)
 – *davit (boat-launching crane)*
14 die Brücke (Kommandobrücke, der
  Brückenaufbau)
 – *bridge (bridge superstructure)*
15 die Positionsseitenlampe
 – *side navigation light (side running light)*
16 die Antenne
 – *antenna*
17 der Funkpeilrahmen
 – *radio direction finder (RDF) frame*
18 der Gittermast
 – *lattice mast*
19 der vordere Schornstein
 – *forward funnel*
20 der achtere (hintere) Schornstein
 – *aft funnel*
21 die Schornsteinkappe
 – *cowl*
22 der achtere (hintere) Aufbau (die
  Hütte)
 – *aft superstructure (poop)*
23 das Spill
 – *capstan*
24 der Niedergang (das Luk)
 – *companion ladder (companionway,
  companion hatch)*
25 der Heckflaggenstock
 – *ensign staff*
26 das Heck, ein Spiegelheck *n*
 – *stern, a transom stern*
27 die Wasserlinie
 – *waterline*
28 der Scheinwerfer
 – *searchlight*
29-37 die Bewaffnung
 – *armament*
29 der Geschützturm (Turm) 100 mm
 – *100 mm gun turret*
30 der U-Boot-Abwehr-Raketenwerfer,
  ein Vierling *m*
 – *four-barrel anti-submarine rocket
  launcher (missile launcher)*
31 die Zwillingsflak 40 mm
 – *40 mm twin anti-aircraft (AA) gun*
32 der Flugabwehrraketenstarter MM 38,
  im Abschußcontainer *m*
 – *MM 38 anti-aircraft (AA) rocket
  launcher (missile launcher) in
  launching container*

33 das U-Boot-Jagd-Torpedorohr
 – *anti-submarine torpedo tube*
34 die Wasserbombenablaufbühne
 – *depth-charge thrower*
35 der Waffenleitradar
 – *weapon system radar*
36 die Radarantenne
 – *radar antenna (radar scanner)*
37 der optische Entfernungsmesser
 – *optical rangefinder*
38 **der Raketenzerstörer** der „Lütjens"-
  Klasse
 – *Lütjens class* **guided-missile destroyer**
39 der Buganker
 – *bower anchor*
40 der Schraubenschutz
 – *propeller guard*
41 der Dreibeingittermast
 – *tripod lattice mast*
42 der Pfahlmast
 – *pole mast*
43 die Lüfteröffnungen *f*
 – *ventilator openings (ventilator grill)*
44 das Rauchabzugsrohr
 – *exhaust pipe*
45 der Pinaß
 – *ship's boat*
46 die Antenne
 – *antenna*
47 die radargesteuerte Allzielkanone
  127 mm im Geschützturm *m*
 – *radar-controlled 127 mm all-purpose
  gun in turret*
48 das Allzielgeschütz 127 mm
 – *127 mm all-purpose gun*
49 der Raketenstarter für Tartar-
  Flugkörper *m*
 – *launcher for Tartar missiles*
50 der Asroc-Starter (U-Boot-
  Abwehr-Raketenwerfer)
 – *anti-submarine rocket (ASROC)
  launcher (missile launcher)*
51 die Feuerleitradar-Antennen *f*
 – *fire control radar antennas*
52 das Radom (der Radardom)
 – *radome (radar dome)*
53 **die Fregatte** der „Bremen"-Klasse
 – *Bremen class* **frigate**
54 die radargesteuerte Schnellfeuer-
  kanone 76 mm
 – *radar-controlled 76 mm rapid-fire gun*
55 die Schiff-Luft-Raketen *f*
  „Sea Sparrow"
 – *Sea Sparrow surface-to-air missiles*
56 die Radar- und Waffenleitanlage
 – *radar and fire control system*
57 die Schiff-Schiff-Raketen *f* „Harpoon"
 – *Harpoon surface-to-surface missiles*
58 der Schornstein
 – *funnel*
59 der Rauchabweiser (die Schornsteinkappe)
 – *cowl*
60 der *od.* das Luftraum-Rundsuchradar
 – *air/surface search radar*
61 der Kutter
 – *cutter*
62 die Schiff-Luft-Raketen *f* für den
  Nächstbereich
 – *close-range surface-to-air missiles*
63 das Hubschrauberdeck
 – *helicopter deck*
64 **das Unterseeboot** (U-Boot) der Klasse
  206
 – *type 206* **submarine**
65 die durchflutete Back
 – *flooded foredeck*
66 der Druckkörper
 – *pressure hull*

67 der Turm
 – *turret*
68 die Ausfahrgeräte *n*
 – *retractable instruments*
69 **das Flugkörperschnellboot** der Klasse
  148
 – *type 148* **missile-firing fast attack craft**
70 das Allzielgeschütz 76 mm mit
  Turm *m*
 – *76 mm all-purpose gun with turret*
71 der Flugkörperstartcontainer
 – *missile-launching housing*
72 das Deckshaus
 – *deckhouse*
73 die Fla-Kanone 40 mm
 – *40 mm anti-aircraft (AA) gun*
74 die Schraubenschutzleiste
 – *propeller guard moulding
  (Am. molding)*
75 **das Flugkörperschnellboot** der Klasse
  143
 – *type 143* **missile-firing fast attack craft**
76 der Wellenbrecher
 – *breakwater (Am. manger board)*
77 das Radom (der Radardom)
 – *radome (radar dome)*
78 das Torpedorohr
 – *torpedo tube*
79 die Abgasöffnung
 – *exhaust escape flue*
80 **das Minenjagdboot** der Klasse 331
 – *type 331* **mine hunter**
81 die Scheuerleiste, mit Verstärkungen *f*
 – *reinforced rubbing strake*
82 das Schlauchboot
 – *inflatable boat (inflatable dinghy)*
83 der Bootsdavit
 – *davit*
84 **das Schnelle Minensuchboot** der
  Klasse 341
 – *type 341* **minesweeper**
85 die Kabeltrommelwinde
 – *cable winch*
86 die Schleppwinde (Winsch)
 – *towing winch (towing machine, towing
  engine)*
87 das Minenräumgerät (die Ottern *m*,
  Schwimmer)
 – *mine-sweeping gear (paravanes)*
88 der Kran
 – *crane (davit)*
89 **das Landungsboot** der „Barbe"-Klasse
 – *Barbe class* **landing craft**
90 die Bugrampe
 – *bow ramp*
91 die Heckrampe
 – *stern ramp*
92 **der Tender** der „Rhein"-Klasse
 – *Rhein class* **tender**
93 **der Versorger** der „Lüneburg"-Klasse
 – *Lüneburg class* **support ship**
94 **der Minentransporter** der
  „Sachsenwald"-Klasse
 – *Sachsenwald class* **mine transport**
95 **der Bergungsschlepper** der
  „Helgoland"-Klasse
 – *Helgoland class* **salvage tug**
96 **der Betriebsstofftanker** „Eifel"
 – **replenishment tanker** *'Eifel'*

259 Kriegsschiffe II (moderne Kampfschiffe) *Warships II (Modern Fighting Ships)*

1 **der atomgetriebene Flugzeugträger**
   Nimitz ICVN 68 (USA)
 – **nuclear-powered aircraft carrier** Nimitz
   ICVN68 *(USA)*
2-11 der Seitenriß
 – *body plan*
2 das Flugdeck
 – *flight deck*
3 die Insel (Kommandobrücke)
 – *island (bridge)*
4 der Flugzeugaufzug
 – *aircraft lift* (Am. *aircraft elevator)*
5 der Achtfach-Flarak-Starter
 – *eight-barrel anti-aircraft (AA) rocket
   launcher (missile launcher)*
6 der Pfahlmast (Antennenträger)
 – *pole mast (antenna mast)*
7 die Antenne
 – *antenna*
8 die Radarantenne
 – *radar antenna (radar scanner)*
9 der vollgeschlossene Orkanbug
 – *fully enclosed bow*
10 der Bordkran
 – *deck crane*
11 das Spiegelheck
 – *transom stern*
12-20 der Decksplan
 – *deck plan*
12 das Winkeldeck (Flugdeck)
 – *angle deck (flight deck)*
13 der Flugzeugaufzug
 – *aircraft lift* (Am. *aircraft elevator)*
14 das Doppelstartkatapult
 – *twin launching catapult*
15 die versenkbare Flammenschutzwand
 – *hinged (movable) baffle board*
16 das Landefangseil (Bremsseil)
 – *arrester wire*
17 die Barriere (das Notauffangnetz)
 – *emergency crash barrier*
18 der Catgang
 – *safety net*
19 das Schwalbennest
 – *caisson (cofferdam)*
20 der Achtfach-Flarak-Starter
 – *eight-barrel anti-aircraft (AA) rocket
   launcher (missile launcher)*
21 **der Raketenkreuzer** der „Kara"-Klasse
   (UdSSR)
 – Kara class **rocket cruiser** *(missile
   cruiser) (USSR)*
22 der Glattdecksrumpf
 – *hull of flush-deck vessel*
23 der Decksprung
 – *sheer*
24 der U-Jagdraketensalvenwerfer, ein
   Zwölfling *m*
 – *twelve-barrel underwater salvo rocket
   launcher (missile launcher)*
25 der Flugabwehrraketenstarter, ein
   Zwilling *m*
 – *twin anti-aircraft (AA) rocket launcher
   (missile launcher)*
26 der Startbehälter für 4 Kurzstrecken-
   raketen *f*
 – *launching housing for 4 short-range
   rockets (missiles)*
27 die Flammenschutzwand
 – *baffle board*
28 die Brücke
 – *bridge*
29 die Radarantenne
 – *radar antenna (radar scanner)*
30 der Fla-Zwillingsturm 76 mm
 – *twin 76 mm anti-aircraft (AA) gun
   turret*

31 der Gefechtsturm
 – *turret*
32 der Schornstein
 – *funnel*
33 der Fla-Raketenstarterzwilling
 – *twin anti-aircraft (AA) rocket launcher
   (missile launcher)*
34 die Fla-Maschinenkanone
 – *automatic anti-aircraft (AA) gun*
35 das Beiboot
 – *ship's boat*
36 der U-Jagdtorpedofünflingssatz
 – *underwater 5-torpedo housing*
37 der U-Jagdraketensalvenwerfer, ein
   Sechsling *m*
 – *underwater 6-salvo rocket launcher
   (missile launcher)*
38 der Hubschrauberhangar
 – *helicopter hangar*
39 die Hubschrauberlandeplattform
 – *helicopter landing platform*
40 das tiefenveränderbare Sonargerät
   (VDS)
 – *variable depth sonar (VDS)*
41 **der atomgetriebene Raketenkreuzer**
   der „California"-Klasse (USA)
 – California class **rocket cruiser** *(missile
   cruiser) (USA)*
42 der Rumpf
 – *hull*
43 der vordere Gefechtsturm
 – *forward turret*
44 der achtere (hintere) Gefechtsturm
 – *aft turret*
45 der Backsaufbau
 – *forward superstructure*
46 die Landungsboote
 – *landing craft*
47 die Antenne
 – *antenna*
48 die Radarantenne
 – *radar antenna (radar scanner)*
49 das Radom (das Radardom)
 – *radome (radar dome)*
50 der Luftzielraketenstarter
 – *surface-to-air rocket launcher (missile
   launcher)*
51 der U-Jagdraketentorpedostarter
 – *underwater rocket launcher (missile
   launcher)*
52 das Geschütz 127 mm mit Geschützturm *m*
 – *127 mm gun with turret*
53 die Hubschrauberlandeplattform
 – *helicopter landing platform*
54 **das U-Jagd-Atom-U-Boot**
   (der Subsubkiller)
 – **nuclear-powered fleet submarine**
55-74 die Mittelschiffssektion
   [schematisch]
 – *middle section [diagram]*
55 der Druckkörper
 – *pressure hull*
56 der Hilfsmaschinenraum
 – *auxiliary engine room*
57 die Kreiselturbopumpe
 – *rotary turbine pump*
58 der Dampfturbinengenerator
 – *steam turbine generator*
59 die Schraubenwelle
 – *propeller shaft*
60 das Drucklager
 – *thrust block*
61 das Untersetzungsgetriebe
 – *reduction gear*
62 die Hoch- und Niederdruck-
   turbine
 – *high and low pressure turbine*

63 das Hochdruckdampfrohr des
   Sekundärkreislaufs *m*
 – *high-pressure steam pipe for the
   secondary water circuit (auxiliary
   water circuit)*
64 der Kondensator
 – *condenser*
65 der Primärkreislauf
 – *primary water circuit*
66 der Wärmetauscher
 – *heat exchanger*
67 der Atomreaktormantel
 – *nuclear reactor casing (atomic pile
   casing)*
68 der Reaktorkern
 – *reactor core*
69 die Steuerelemente *n*
 – *control rods*
70 die Bleiabschirmung
 – *lead screen*
71 der Turm
 – *turret*
72 der Schnorchel
 – *snorkel (schnorkel)*
73 die Lufteintrittsöffnung
 – *air inlet*
74 die Ausfahrgeräte *n*
 – *retractable instruments*
75 **das Einhüllen-Küsten-U-Boot** mit
   konventionellem (dieselelektrischem)
   Antrieb *m*
 – **patrol submarine** with conventional
   (diesel-electric) drive
76 der Druckkörper
 – *pressure hull*
77 die durchflutete Back
 – *flooded foredeck*
78 die Mündungsklappe
 – *outer flap (outer doors) [for torpedoes]*
79 das Torpedorohr
 – *torpedo tube*
80 die Bugraumbilge
 – *bow bilge*
81 der Anker
 – *anchor*
82 die Ankerwinsch
 – *anchor winch*
83 die Batterie
 – *battery*
84 Wohnräume *m* mit Klappkojen *f*
 – *living quarters with folding bunks*
85 der Kommandantenraum (das
   Kommandantenschapp)
 – *commanding officer's cabin*
86 das Zentralluk
 – *main hatchway*
87 der Flaggenstock
 – *flagstaff*
88-91 die Ausfahrgeräte *n*
 – *retractable instruments*
88 das A-Sehrohr (Angriffssehrohr)
 – *attack periscope*
89 die Antenne
 – *antenna*
90 der Schnorchel
 – *snorkel (schnorkel)*
91 die Radarantenne
 – *radar antenna (radar scanner)*
92 die Abgaslippen *f*
 – *exhaust outlet*
93 der Wintergarten
 – *heat space (hot-pipe space)*
94 das Dieselaggregat
 – *diesel generators*
95 das hintere Tiefen- und Seitenruder
 – *aft diving plane and vertical rudder*
96 das vordere Tiefenruder
 – *forward vertical rudder*

1-85 die Grund- und Hauptschule
(ugs. Volksschule)
– *primary school*
1-45 das Klassenzimmer (der
Klassenraum)
– *classroom*
1 die Tischaufstellung in Hufeisen-
form *f*
– *arrangement of desks in a
horseshoe*
2 der Doppeltisch
– *double desk*
3 die Schüler *m* in Gruppen-
anordnung *f*
– *pupils (children) in a group (sitting in
a group)*
4 das Übungsheft
– *exercise book*
5 der Bleistift (Zeichenstift)
– *pencil*
6 der Wachsmalstift
– *wax crayon*
7 die Schultasche (Schulmappe)
– *school bag*
8 der Traggriff (Griff, Henkel)
– *handle*
9 der Schulranzen (Ranzen)
– *school satchel (satchel)*
10 das Vorfach
– *front pocket*
11 der Tragriemen (Schulterriemen)
– *strap (shoulder strap)*
12 das Federmäppchen (die Feder-
mappe)
– *pen and pencil case*
13 der Reißverschluß
– *zip (Am. zipper)*
14 der Füllfederhalter (Füllhalter,
Füller)
– *fountain pen (pen)*
15 das Ringbuch (der Ringhefter)
– *loose-leaf file (ring file)*
16 das Lesebuch
– *reader*
17 das Rechtschreibungsbuch
– *spelling book*
18 das Schreibheft
– *exercise book (notebook)*
19 der Filzstift
– *felt tip pen*
20 das Melden (Handheben)
– *raising the hand*
21 der Lehrer
– *teacher*
22 der Lehrertisch
– *teacher's desk*
23 das Klassenbuch
– *register*
24 die Schreibschale
– *pen and pencil tray*
25 die Schreibunterlage
– *desk mat (blotter)*
26 die Fenstermalerei mit Finger-
farben *f* (die Fingermalerei *f*)
– *window painting with finger paints
(finger painting)*
27 die Schüleraquarelle *n*
– *pupils' (children's) paintings
(watercolours, Am. watercolors)*
28 das Kreuz
– *cross*

29 die dreiflügelige Tafel (Schultafel,
Wandtafel)
– *three-part blackboard*
30 der Kartenhalter
– *bracket for holding charts*
31 die Kreideablage
– *chalk ledge*
32 die [weiße] Kreide
– *chalk*
33 die Tafelzeichnung
– *blackboard drawing*
34 die Schemazeichnung
– *diagram*
35 die umklappbare Seitentafel
– *reversible side blackboard*
36 die Projektionsfläche (Projektionswand)
– *projection screen*
37 das Winkellineal
– *triangle*
38 der Winkelmesser
– *protractor*
39 die Gradeinteilung
– *divisions*
40 der Tafelzirkel (Kreidezirkel)
– *blackboard compass*
41 die Schwammschale
– *sponge tray*
42 der Tafelschwamm (Schwamm)
– *blackboard sponge (sponge)*
43 der Klassenschrank
– *classroom cupboard*
44 die Landkarte (Wandkarte)
– *map (wall map)*
45 die Backsteinwand
– *brick wall*
46-85 der Werkraum
– *craft room*
46 der Werktisch
– *workbench*
47 die Schraubzwinge
– *vice (Am. vise)*
48 der Zwingenknebel
– *vice (Am. vise) bar*
49 die Schere
– *scissors*
50-52 die Klebearbeit
– *working with glue (sticking paper,
cardboard, etc.)*
50 die Klebefläche
– *surface to be glued*
51 die Klebstofftube (ugs. der
Alleskleber)
– *tube of glue*
52 der Tubenverschluß
– *tube cap*
53 die Laubsäge
– *fretsaw*
54 das Laubsägeblatt (Sägeblatt)
– *fretsaw blade (saw blade)*
55 die Holzraspel (Raspel)
– *wood rasp (rasp)*
56 das eingespannte Holzstück
– *piece of wood held in the vice
(Am. vise)*
57 der Leimtopf
– *glue pot*
58 der Hocker
– *stool*
59 der Kehrbesen
– *brush*

60 die Kehrschaufel
– *pan (dustpan)*
61 die Scherben *f*
– *broken china*
62 die Emailarbeit (Emaillearbeit)
– *enamelling (Am. enameling)*
63 der elektrische Emaillierofen
– *electric enamelling (Am. enameling)
stove*
64 der Kupferrohling
– *unworked copper*
65 das Emailpulver
– *enamel powder*
66 das Haarsieb
– *hair sieve*
67-80 die Schülerarbeiten *f*
– *pupils' (children's) work*
67 die Tonplastiken *f* (Formarbeiten)
– *clay models (models)*
68 der Fensterschmuck aus farbigem
Glas *n*
– *window decoration of coloured
(Am. colored) glass*
69 das Glasmosaikbild
– *glass mosaic picture (glass mosaic)*
70 das Mobile
– *mobile*
71 der Papierdrachen (Drachen, Flug-
drachen)
– *paper kite (kite)*
72 die Holzkonstruktion
– *wooden construction*
73 der Polyeder
– *polyhedron*
74 die Kasperlefiguren *f*
– *hand puppets*
75 die Tonmasken *f*
– *clay masks*
76 die gegossenen Kerzen *f* (Wachs-
kerzen)
– *cast candles (wax candles)*
77 die Holzschnitzerei
– *wood carving*
78 der Tonkrug
– *clay jug*
79 die geometrischen Formen *f* aus
Ton *m*
– *geometrical shapes made of clay*
80 das Holzspielzeug
– *wooden toys*
81 das Arbeitsmaterial
– *materials*
82 der Holzvorrat
– *stock of wood*
83 die Druckfarben *f*, für Holz-
schnitte *m*
– *inks for wood cuts*
84 die Malpinsel *m*
– *paintbrushes*
85 der Gipssack
– *bag of plaster of Paris*

1-45 das Gymnasium, *auch:* der
Gymnasialzweig einer Gesamtschule
– **grammar school;** also: *upper band of
a comprehensive school*
(Am. *alternative school*)
1-13 der Chemieunterricht
– *chemistry*
1 der Chemiesaal mit ansteigenden
Sitzreihen *f*
– *chemistry lab (chemistry laboratory)
with tiered rows of seats*
2 der Chemielehrer
– *chemistry teacher*
3 der Experimentiertisch
– *demonstration bench (teacher's bench)*
4 der Wasseranschluß
– *water pipe*
5 die gekachelte Arbeitsfläche
– *tiled working surface*
6 das Ausgußbecken
– *sink*
7 der Videomonitor, ein Bildschirm *m*
für Lehrprogramme *n*
– *television monitor, a screen for
educational programmes (Am.
programs)*
8 der Overheadprojektor (Arbeits-
projektor)
– *overhead projector*
9 die Auflagefläche für die
Transparente *n*
– *projector top for skins*
10 die Projektionsoptik, mit
Winkelspiegel *m*
– *projection lens with right-angle mirror*
11 der Schülertisch mit Experimentier-
einrichtung *f*
– *pupils' (Am. students') bench with
experimental apparatus*
12 der Stromanschluß (die Steckdose)
– *electrical point (socket)*
13 der Projektionstisch
– *projection table*
**14-34 der Vorbereitungsraum für den
Biologieunterricht**
– *biology preparation room (biology
prep room)*
14 das Skelett (Gerippe)
– *skeleton*
15 die Schädelsammlung, Nachbildun-
gen *f* (Abgüsse *m*) von Schädeln *m*
– *collection of skulls, models (casts) of
skulls*
16 die Kalotte (das Schädeldach) des
Pithecanthropus erectus *m*
– *calvarium of Pithecanthropus erectus*
17 der Schädel des Homo
steinheimensis *m*
– *skull of Steinheim man*
18 die Kalotte (das Schädeldach) des
Sinanthropus *m*
– *calvarium of Peking man (of
Sinanthropus)*
19 der Neanderthalerschädel, ein
Altmenschenschädel *m*
– *skull of Neanderthal man, a skull of
primitive man*

20 der Australopithecusschädel
– *Australopithecine skull (skull of
Australopithecus)*
21 der Schädel des Jetztmenschen *m*
– *skull of present-day man*
22 der Präpariertisch
– *dissecting bench*
23 die Chemikalienflaschen *f*
– *chemical bottles*
24 der Gasanschluß
– *gas tap*
25 die Petrischale
– *petri dish*
26 der Meßzylinder
– *measuring cylinder*
27 die Arbeitsbogen *m* (das Lehr-
material)
– *work folder containing teaching
material*
28 das Lehrbuch
– *textbook*
29 die bakteriologischen Kulturen *f*
– *bacteriological cultures*
30 der Brutschrank
– *incubator*
31 der Probierglastrockner
– *test tube rack*
32 die Gaswaschflasche
– *washing bottle*
33 die Wasserschale
– *water tank*
34 der Ausguß
– *sink*
35 das Sprachlabor
– **language laboratory**
36 die Wandtafel
– *blackboard*
37 die Lehrereinheit (das zentrale
Schaltpult)
– *console*
38 der Kopfhörer
– *headphones (headset)*
39 das Mikrophon
– *microphone*
40 die Ohrmuschel
– *earcup*
41 der gepolsterte Kopfhörerbügel
– *padded headband (padded headpiece)*
42 der Programmrecorder, ein
Kassettenrecorder *m*
– *programme (Am. program) recorder,
a cassette recorder*
43 der Lautstärkeregler für die Schüler-
stimme
– *pupil's (Am. student's) volume control*
44 der Programmlautstärkeregler
– *master volume control*
45 die Bedienungstasten *f*
– *control buttons (operating keys)*

1-28 die Universität (Hochschule; *stud.*
Uni)
- *university (college)*
1 die Vorlesung (das Kolleg)
- *lecture*
2 der Hörsaal (das Auditorium)
- *lecture room (lecture theatre,
Am. theater)*
3 der Dozent (Hochschullehrer), ein
Universitätsprofessor *m,* Privat-
dozent oder Lektor
- *lecturer (university lecturer, college
lecturer, Am. assistant professor),
a university professor or assistant
lecturer*
4 das (der) Katheder (das
Vortragspult)
- *lectern*
5 das Mikrophon
- *microphone*
6 die Tafel mit automatischer
Steuerung *f*
- *remote-controlled blackboard*
7 der Overheadprojektor
- *overhead projector*
8 die Projektionswand für die
Projektion von Bildern *n* durch
einen Film- oder Diaprojektor oder
durch ein Episkop (Epidiaskop)
- *projection screen for projecting
pictures by means of a film
projector, slide projector, or an
epidiascope*

9 der Student
- *student*
10 die Studentin
- *student*
11-28 die Universitätsbibliothek; *ähnl.:*
Staatsbibliothek, wissenschaftliche
Landes- oder Stadtbibliothek
- *university library;* sim.: *national
library, regional or municipal
scientific library*
11 das Büchermagazin, mit den Bücher-
beständen *m*
- *stack (book stack) with the stock of
books*
12 das Bücherregal, ein Stahlregal *n*
- *bookshelf, a steel shelf*
13 der Lesesaal
- *reading room*
14 die Aufsicht, eine Bibliothekarin
- *member of the reading room staff, a
librarian*
15 das Zeitschriftenregal, mit Zeitschriften *f*
- *periodicals rack with periodicals*
16 das Zeitungsregal
- *newspaper shelf*
17 die Präsenzbibliothek (Hand-
bibliothek), mit Nachschlage-
werken *n* (Handbüchern, Lexika,
Enzyklopädien *f,* Wörterbüchern *n*)
- *reference library with reference books
(handbooks, encyclopedias,
dictionaries)*

18 die Bücherausleihe (der Ausleihsaal)
und der Katalograum
- *lending library and catalogue
(Am. catalog) room*
19 der Bibliothekar
- *librarian*
20 das Ausleihpult
- *issue desk*
21 der Hauptkatalog
- *main catalogue (Am. catalog)*
22 der Karteischrank
- *card catalogue (Am. catalog)*
23 der Karteikasten
- *card catalogue (Am. catalog) drawer*
24 der Bibliotheksbenutzer
- *library user*
25 der Leihschein
- *borrower's ticket (library ticket)*
26 das Ausleihterminal
- *issue terminal*
27 das (der) Mikrofiche (Fiche)
- *microfiche (fiche)*
28 das Mikrofichelesegerät
- *microfiche reader*

1-15 die Wahlversammlung (Wähler-
versammlung), eine Massen-
versammlung
– *election meeting, a public meeting*
1 u. 2 der Vorstand
– *committee*
1 der Versammlungsleiter
– *chairman*
2 der Beisitzer
– *committee member*
3 der Vorstandstisch
– *committee table*
4 das Flugblatt
– *pamphlet*
5 der Wahlredner
– *election speaker (speaker)*
6 das Rednerpult
– *rostrum*
7 das Mikrophon
– *microphone*
8 die Versammlung (Zuhörer m)
– *meeting (audience)*
9 der Flugblattverteiler
– *man distributing leaflets*
0 die Ordner m
– *stewards*
1 die Armbinde
– *armband (armlet)*
2 das Spruchband
– *banner*

13 das Wahlschild
– *placard*
14 der Aufruf
– *proclamation*
15 der Zwischenrufer
– *heckler*
16-29 die Wahl
– *election*
16 das Wahllokal (der Wahlraum)
– *polling station*
(polling place)
17 die Wahlhelfer m
– *polling officers*
18 die Wählerliste
– *electoral list*
19 die Wählerkarte, mit der Wahl-
nummer
– *polling card with registration number*
(polling number)
20 der Stimmzettel, mit den
Namen m der Parteien f und
Parteikandidaten m
– *ballot paper with the names of the*
parties and candidates
21 der Abstimmungsumschlag
– *ballot envelope*
22 die Wählerin
– *voter*
23 die Wahlzelle (Wahlkabine)
– *polling booth*

24 der Wähler mit Stimmrecht n (Wahl-
berechtigte m, Stimmberechtigte m)
– *elector (qualified voter)*
25 die Wahlordnung
– *election regulations*
26 die Wählerkartei (Wahlkartei)
– *electoral register*
27 der Wahlvorsteher (Abstimmungs-
leiter)
– *election supervisor*
28 die Wahlurne
– *ballot box*
29 der Urnenschlitz
– *slot*

1-33 der Polizeivollzugsdienst
- *police duties*
1 der Polizeihubschrauber (Verkehrs-hubschrauber), zur Verkehrs-überwachung aus der Luft
- *police helicopter (traffic helicopter) for controlling traffic from the air*
2 die Pilotenkanzel
- *cockpit*
3 der Rotor (Hauptrotor)
- *rotor (main rotor)*
4 der Heckrotor
- *tail rotor*
5 der Polizeihundeeinsatz
- *use of police dogs*
6 der Polizeihund
- *police dog*
7 die Uniform (Dienstkleidung)
- *uniform*
8 die Dienstmütze, eine Schirmmütze mit Kokarde *f*
- *uniform cap, a peaked cap with cockade*
9 die Verkehrskontrolle einer motorisierten Verkehrsstreife
- *traffic control by a mobile traffic patrol*
10 der Streifenwagen
- *patrol car*
11 das Blaulicht
- *blue light*

12 der Lautsprecher
- *loud hailer (loudspeaker)*
13 der Streifenbeamte
- *patrolman (police patrolman)*
14 die Polizeikelle
- *police signalling (Am. signaling) disc (disk)*
15 der Demonstrationseinsatz
- *riot duty*
16 der Sonderwagen
- *special armoured (Am. armored) car*
17 das Räumgitter
- *barricade*
18 der Polizeibeamte in Schutz-kleidung *f*
- *policeman (police officer) in riot gear*
19 die Hiebwaffe (ugs. der Gummi-knüppel)
- *truncheon (baton)*
20 der Schutzschild
- *riot shield*
21 der Schutzhelm
- *protective helmet (helmet)*
22 die Dienstpistole
- *service pistol*
23 der Pistolengriff
- *pistol grip*
24 das Schnellziehholster (die Pistolentasche)
- *quick-draw holster*
25 das Pistolenmagazin
- *magazine*

26 die Dienstmarke der Kriminal-polizei *f*
- *police identification disc (disk)*
27 der Polizeistern
- *police badge*
28 der Fingerabdruckvergleich (die Daktyloskopie)
- *fingerprint identification (dactyloscopy)*
29 der Fingerabdruck
- *fingerprint*
30 die Leuchttafel
- *illuminated screen*
31 die körperliche Durchsuchung (Leibesvisitation)
- *search*
32 der Verdächtige
- *suspect*
33 der Kriminalbeamte in Zivil-kleidung *f*
- *detective (plainclothes policeman)*
34 der englische Bobby
- *English policeman*
35 der Helm
- *helmet*
36 das Notizbuch
- *pocket book*
37 die Polizistin
- *policewoman*
38 der Polizeiwagen
- *police van*

1-31 das Café (Kaffee, Kaffeehaus) mit Konditorei *f; ähnl.:* das Espresso, die Teestube, das Eiscafé, die Eisdiele
- **café,** *serving cakes and pastries; sim.: espresso bar, tea room, ice-cream parlour (Am. parlor)*

1 das Büfett (Kuchenbüfett, Konditoreibüfett, *österr.* Büffet)
- *counter (cake counter)*

2 die Großkaffeemaschine, der Kaffeeautomat
- *coffee urn, coffee machine*

3 der Zahlteller
- *tray for the money*

4 die Torte
- *gateau*

5 das Baiser (*obd. und österr.* die Meringe, *schweiz.* Meringue), ein Zuckerschaumgebäck *n* mit Schlagsahne *f* (Schlagrahm *m, bayr.-österr.* Schlagobers *n,* Obers)
- *meringue with whipped cream*

6 der Auszubildende (Azubi); *früh.:* Konditoreilehrling
- *trainee pastry cook*

7 das Büfettfräulein (die Büfettdame, *österr.* Büffetdame)
- *girl (lady) at the counter*

8 der Zeitungsschrank (das Zeitungsregal)
- *newspaper shelves (newspaper rack)*

9 die Wandleuchte
- *wall lamp*

10 die Eckbank, eine Polsterbank
- *corner seat, an upholstered seat*

11 der Kaffeehaustisch
- *café table*

12 die Marmorplatte
- *marble top*

13 die Serviererin, die Bedienung
- *waitress*

14 das Tablett (Auftragetablett, Serviertablett, Servierbrett)
- *tray*

15 die Limonadenflasche
- *bottle of lemonade*

16 das Limonadenglas
- *lemonade glass*

17 die Schachspieler *m* bei der Schachpartie (Partie Schach *n*)
- *chess players playing a game of chess*

18 das Kaffeegedeck
- *coffee set*

19 die Tasse Kaffee *m*
- *cup of coffee*

20 das Zuckerschälchen
- *small sugar bowl*

21 das Sahnekännchen (der Sahnegießer)
- *cream jug (Am. creamer)*

22-24 Cafégäste *m* (Kaffeehausgäste, Kaffeehausbesucher)
- *café customers*

22 der Herr
- *gentleman*

23 die Dame
- *lady*

24 der Zeitungsleser
- *man reading a newspaper*

25 die Zeitung
- *newspaper*

26 der Zeitungshalter
- *newspaper holder*

27 der Espresso
- *espresso*

28 das gemischte Eis (Speiseeis)
- *ice cream in assorted flavours (Am. flavors)*

29 der Eisbecher
- *ice-cream dish (sundae dish)*

30 der Eiskaffee
- *iced coffee*

31 der Trinkhalm
- *(drinking) straw*

1-27 das Restaurant (*veraltet:* die
Restauration; *weniger anspruchsvoll:*
die Wirtschaft, Trinkstube, Kneipe;
das Lokal, Gasthaus)
- *restaurant*
1-11 der Ausschank (die Theke, das
Büfett, *österr.* Büffet)
- *bar (counter)*
1 der Bierdruckapparat (Selbst-
schenker)
- *beer pump (beerpull)*
2 die Tropfplatte
- *drip tray*
3 der Bierbecher, ein Becherglas *n*
- *beer glass, a tumbler*
4 der Bierschaum (die Blume)
- *froth (head)*
5 die Aschenkugel für Tabakasche *f*
- *spherical ashtray for cigarette and
cigar ash*
6 das Bierglas (der Bierkrug)
- *beer glass (beer mug)*
7 der Bierwärmer
- *beer warmer*
8 der Büfettier (*österr.* Büffetier)
- *bartender (barman,* Am. *barkeeper,
barkeep)*
9 das Gläserregal
- *shelf for glasses*
10 das Flaschenregal
- *shelf for bottles*
11 der Tellerstapel (Geschirrstapel)
- *stack of plates*

12 der Kleiderständer (Garderoben-
ständer)
- *coat stand*
13 der Huthaken
- *hat peg*
14 der Kleiderhaken
- *coat hook*
15 der Wandventilator (Wandlüfter)
- *wall ventilator*
16 die Flasche
- *bottle*
17 das Tellergericht
- *complete meal*
18 die Bedienung (Kellnerin,
Serviererin, *schweiz.* Saaltochter)
- *waitress*
19 das Tablett
- *tray*
20 das Dessert (der Nachtisch, die
Nachspeise), ein Stück *n* Kuchen *m*
- *dessert, a slice of cake*
21 die Speisekarte (Tageskarte, Menü-
karte, *schweiz.* Menukarte)
- *menu (menu card)*
22 die Menage
- *cruet stand*
23 der Zahnstocherbehälter
- *toothpick holder*
24 der Streichholzständer (Zündholz-
ständer)
- *matchbox holder*
25 der Gast
- *customer*

26 der Bieruntersetzer (Bierdeckel)
- *beer mat*
27 das Gedeck
- *meal of the day*
28-44 die Weinstube (das Weinlokal,
Weinrestaurant)
- *wine restaurant (wine bar)*
28 die Tischdecke, das Tischtuch
- *tablecloth*
29 das Glas Wasser
- *glass of water*
30 der Weinkellner, ein Oberkellner *m*
(*ugs.* Ober)
- *wine waiter, a head waiter*
31 die Weinkarte
- *wine list*
32 die Weinkaraffe
- *wine carafe*
33 das Weinglas
- *wineglass*
34 der Kachelofen
- *tiled stove*
35 die Ofenkachel
- *stove tile*
36 die Ofenbank
- *stove bench*
37 das Holzpaneel (Paneel)
- *wooden panelling (*Am. *paneling)*
38 die Eckbank
- *corner seat*
39 der Stammtisch
- *table reserved for regular
customers*

40 der Stammgast	54 das belegte Brötchen	70 die Kassiererin
– *regular customer*	– *filled roll*	– *cashier*
41 die Besteckkommode (Kommode)	55 das Fleischgericht mit	71 der Besitzer (Chef)
– *cutlery chest*	Beilagen *f*	– *proprietor*
42 der Weinkühler	– *meat dish with trimmings*	72 die Barriere
– *wine cooler*	56 das halbe Hähnchen	– *rail*
43 die Weinflasche	– *half chicken*	73 der Speiseraum
– *bottle of wine*	57 der Früchtekorb	– *dining area*
44 die Eisstückchen *n*	– *basket of fruit*	74 der Eßtisch
– *ice cubes (ice, lumps of ice)*	58 der Fruchtsaft	– *table*
45-78 das Selbstbedienungsrestaurant	– *fruit juice*	75 das Käsebrot
(SB-Restaurant, die Selbst-	59 das Getränkefach	– *open sandwich*
bedienungsgaststätte, SB-Gaststätte,	– *drinks shelf*	76 der Eisbecher
Cafeteria)	60 die Milchflasche	– *ice-cream sundae*
– ***self-service restaurant*** *(cafeteria)*	– *bottle of milk*	77 die Salz- und Pfefferstreuer *m*
45 der Tablettstapel	61 die Mineralwasserflasche	– *salt cellar and pepper pot*
– *stack of trays*	– *bottle of mineral water*	78 der Tischschmuck (Blumenschmuck)
46 die Trinkhalme *m*	62 das Rohkostmenü (Diätmenü)	– *table decoration (flower arrangement)*
– *drinking straws (straws)*	– *vegetarian meal (diet meal)*	
47 die Servietten *f*	63 das Tablett	
– *serviettes (napkins)*	– *tray*	
48 die Besteckentnahmefächer *n*	64 die Tablettablage	
– *cutlery holders*	– *tray counter*	
49 der Kühltresen für kalte Gerichte *n*	65 die Speisenübersicht	
– *cool shelf*	– *food price list*	
50 das Honigmelonenstück	66 die Küchendurchreiche	
– *slice of honeydew melon*	– *serving hatch*	
51 der Salatteller	67 das warme Gericht	
– *plate of salad*	– *hot meal*	
52 der Käseteller	68 der Bierzapfapparat	
– *plate of cheeses*	– *beer pump (beerpull)*	
53 das Fischgericht	69 die Kasse	
– *fish dish*	– *cash desk*	

1-26 das **Vestibül** (der Empfangsraum,
  Anmelderaum)
- **vestibule** *(foyer, reception hall)*
1 der Portier
- *doorman (commissionaire)*
2 die Postablage, mit den Post-
  fächern *n*
- *letter rack with pigeon holes*
3 das Schlüsselbrett
- *key rack*
4 die Kugelleuchte, eine Mattglaskugel
- *globe lamp, a frosted glass globe*
5 der Nummernkasten (Klappen-
  kasten)
- *indicator board*
6 das Lichtrufsignal
- *indicator light*
7 der Empfangschef (Geschäftsführer)
- *chief receptionist*
8 das Fremdenbuch
- *register (hotel register)*
9 der Zimmerschlüssel
- *room key*
10 das Nummernschild, mit der
  Zimmernummer
- *number tag (number tab) showing
  room number*
11 die Hotelrechnung
- *hotel bill*
12 der Anmeldeblock, mit Melde-
  zetteln *m* (Anmeldeformularen *n*)
- *block of registration forms*

13 der Reisepaß
- *passport*
14 der Hotelgast
- *hotel guest*
15 der Luftkoffer, ein Leichtkoffer *m*
  für Flugreisen *f*
- *lightweight suitcase [for air
  travel]*
16 das Wandschreibpult (Wandpult)
- *wall desk*
17 der Hausdiener (Hausknecht)
- *porter (Am. baggage man)*
18-26 die Halle (Hotelhalle)
- *lobby (hotel lobby)*
18 der Hotelboy (Hotelpage, Boy,
  Page)
- *page (pageboy, Am. bell boy)*
19 der Hoteldirektor
- *hotel manager*
20 der Speisesaal (das Hotelrestaurant)
- *dining room (hotel restaurant)*
21 der Kronleuchter, eine mehr-
  flammige Leuchte
- *chandelier*
22 die Kaminecke
- *fireside*
23 der Kamin
- *fireplace*
24 der (das) Kaminsims
- *mantelpiece (mantelshelf)*
25 das offene Feuer
- *fire*

26 der Klubsessel
- *armchair*
27-38 das **Hotelzimmer,** ein Doppel-
  zimmer *n* mit Bad *n*
- **hotel room,** *a double room
  with bath*
27 die Doppeltür
- *double door*
28 die Klingeltafel
- *service bell panel*
29 der Kleiderschrank
- *wardrobe (Am. clothes closet)*
30 das Kleiderabteil
- *clothes compartment*
31 das Wäscheabteil
- *linen compartment*
32 das Doppelwaschbecken
- *double washbasin*
33 der Zimmerkellner
- *room waiter*
34 das Zimmertelefon
- *room telephone*
35 der Veloursteppich
- *velour (velours) carpet*
36 der Blumenschemel
- *flower stand*
37 das Blumenarrangement
- *flower arrangement*
38 das Doppelbett
- *double bed*
39 der **Gesellschaftssaal** (Festsaal)
- **function room** *(banqueting hall)*

40-43 die Tischgesellschaft (geschlos-
    sene Gesellschaft) beim Festessen *n*
    (Mahl, Bankett)
– *party (private party) at table (at a*
    banquet)
40 der Festredner, beim Trinkspruch *m*
    (Toast)
– *speaker proposing a toast*
41 der Tischnachbar von 42
– *42's neighbour (Am. neighbor)*
42 der Tischherr von 43
– *43's partner*
43 die Tischdame von 42
– *42's partner*
44 das Bartrio (die Barband)
– *bar trio*
45 der Stehgeiger
– *violinist*
46 das Paar beim Tanzen *n* (Tanzpaar)
– *couple dancing (dancing couple)*
47 der Ober (Kellner)
– *waiter*
48 das Serviertuch
– *napkin*
49 die Zigarette
– *cigarette*
50 der Aschenbecher
– *ashtray*
51 **die Hotelbar**
– **hotel bar**
52 die Fußleiste
– *foot rail*

53 der Barhocker
– *bar stool*
54 die Bartheke (Theke)
– *bar*
55 der Bargast
– *bar customer*
56 das Cocktailglas
– *cocktail glass*
    (Am. *highball glass)*
57 das Whiskyglas
– *whisky (whiskey) glass*
58 der Sektkorken
– *champagne cork*
59 der Sektkübel (Sektkühler)
– *champagne bucket (champagne*
    cooler)
60 das Meßglas
– *measuring beaker (measure)*
61 der Cocktailshaker
    (Mixbecher)
– *cocktail shaker*
62 der Mixer (Barmixer)
– *bartender (barman, Am.*
    barkeeper, barkeep)
63 die Bardame
– *barmaid*
64 das Flaschenbord
– *shelf for bottles*
65 das Gläserregal
– *shelf for glasses*
66 die Spiegelverkleidung
– *mirrored panel*

67 der Eisbehälter
– *ice bucket*
68 das Hotelfoyer
– *hotel foyer*

1 die Parkuhr (das Parkometer)
- *parking meter*
2 der Stadtplan
- *map of the town (street map)*
3 die beleuchtete Schautafel
- *illuminated board*
4 die Legende
- *key*
5 der Abfallkorb (Abfallbehälter, Papierkorb)
- *litter bin (Am. litter basket)*
6 die Straßenlaterne (Straßenleuchte, Straßenlampe)
- *street lamp (street light)*
7 das Straßenschild mit dem Straßennamen *m*
- *street sign showing the name of the street*
8 der Gully
- *drain*
9 das Textilgeschäft (der Modesalon)
- *clothes shop (fashion house)*
10 das Schaufenster
- *shop window*
11 die Schaufensterauslage
- *window display (shop window display)*
12 die Schaufensterdekoration
- *window decoration (shop window decoration)*
13 der Eingang
- *entrance*

14 das Fenster
- *window*
15 der Blumenkasten
- *window box*
16 die Leuchtreklame
- *neon sign*
17 die Schneiderwerkstatt
- *tailor's workroom*
18 der Passant
- *pedestrian*
19 die Einkaufstasche
- *shopping bag*
20 der Straßenkehrer
- *road sweeper (Am. street sweeper)*
21 der Straßenbesen (Kehrbesen)
- *broom*
22 der Abfall (Straßenschmutz, Kehricht)
- *rubbish (litter)*
23 die Straßenbahnschienen
- *tramlines (Am. streetcar tracks)*
24 der Fußgängerüberweg (ugs. der Zebrastreifen)
- *pedestrian crossing (zebra crossing, Am. crosswalk)*
25 die Straßenbahnhaltestelle
- *tram stop (Am. streetcar stop, trolley stop)*
26 das Haltestellenschild
- *tram stop sign (Am. streetcar stop sign, trolley stop sign)*

27 der Straßenbahnfahrplan
- *tram timetable (Am. streetcar schedule, trolley schedule)*
28 der Fahrscheinautomat
- *ticket machine*
29 das Hinweiszeichen „Fußgängerüberweg" *m*
- *'pedestrian crossing' sign*
30 der Verkehrspolizist bei der Verkehrsregelung
- *traffic policeman on traffic duty (point duty)*
31 der weiße Ärmel
- *traffic control cuff*
32 die weiße Mütze
- *white cap*
33 das Handzeichen
- *hand signal*
34 der Motorradfahrer
- *motorcyclist*
35 das Motorrad
- *motorcycle*
36 die Beifahrerin (Sozia)
- *pillion passenger (pillion rider)*
37 die Buchhandlung
- *bookshop*
38 das Hutgeschäft
- *hat shop (hatter's shop); for ladies' hats: milliner's shop*
39 das Ladenschild
- *shop sign*

40 das Versicherungsbüro
– *insurance company office*
41 das Kaufhaus (Warenhaus, Magazin)
– *department store*
42 die Schaufensterfront
– *shop front*
43 die Reklametafel
– *advertisement*
44 die Beflaggung
– *flags*
45 die Dachreklame aus Leucht-
buchstaben *m*
– *illuminated letters*
46 der Straßenbahnzug
– *tram (Am. streetcar, trolley)*
47 der Möbelwagen
– *furniture lorry (Am. furniture truck)*
48 die Straßenüberführung
– *flyover*
49 die Straßenbeleuchtung, eine
Mittenleuchte
– *suspended street lamp*
50 die Haltlinie
– *stop line*
51 die Fußgängerwegmarkierung
– *pedestrian crossing (Am. crosswalk)*
52 die Verkehrsampel
– *traffic lights*
53 der Ampelmast
– *traffic light post*
54 die Lichtzeichenanlage
– *set of lights*

55 die Fußgängerlichtzeichen *n*
– *pedestrian lights*
56 die Telefonzelle
– *telephone box (telephone booth,
telephone kiosk, call box)*
57 das Kinoplakat
– *cinema (Am. movie) advertisement
(film poster, Am. movie poster)*
58 die Fußgängerzone
– *pedestrian precinct (paved zone)*
59 das Straßencafé
– *street café*
60 die Sitzgruppe
– *group seated (sitting) at a table*
61 der Sonnenschirm
– *sunshade*
62 der Niedergang zu den Toiletten *f*
– *steps to the public lavatories (public
conveniences)*
63 der Taxistand (Taxenstand)
– *taxi rank (taxi stand)*
64 das Taxi (die Taxe, *schweiz.* der Taxi)
– *taxi (taxicab, cab)*
65 das Taxischild
– *taxi sign*
66 das Verkehrszeichen „Taxenstand" *m*
– *'taxi rank' ('taxi stand') sign*
67 das Taxentelefon
– *taxi telephone*
68 das Postamt
– *post office*

69 der Zigarettenautomat
– *cigarette machine*
70 die Litfaßsäule
– *advertising pillar*
71 das Werbeplakat
– *poster (advertisement)*
72 die Fahrbahnbegrenzung
– *white line*
73 der Einordnungspfeil „links
abbiegen"
– *lane arrow for turning left*
74 der Einordnungspfeil „geradeaus"
– *lane arrow for going straight ahead*
75 der Zeitungsverkäufer
– *news vendor (Am. news dealer)*

1-66 die Trinkwasserversorgung
- *drinking water supply*
1 der Grundwasserspiegel
- *water table (groundwater level)*
2 die wasserführende Schicht
- *water-bearing stratum (aquifer, aquafer)*
3 der Grundwasserstrom
- *groundwater stream (underground stream)*
4 der Sammelbrunnen für das Rohwasser
- *collector well for raw water*
5 die Saugleitung
- *suction pipe*
6 der Saugkorb mit Fußventil n
- *pump strainer with foot valve*
7 die Schöpfpumpe mit Motor m
- *bucket pump with motor*
8 die Vakuumpumpe mit Motor m
- *vacuum pump with motor*
9 die Schnellfilteranlage
- *rapid-filter plant*
10 der Filterkies
- *filter gravel (filter bed)*
11 der Filterboden, ein Rost m
- *filter bottom, a grid*
12 die Ablaufleitung für filtriertes Wasser n
- *filtered water outlet*

13 der Reinwasserbehälter
- *purified water tank*
14 die Saugleitung mit Saugkorb m und Fußventil n
- *suction pipe with pump strainer and foot valve*
15 die Hauptpumpe mit Motor m
- *main pump with motor*
16 die Druckleitung
- *delivery pipe*
17 der Windkessel
- *compressed-air vessel (air vessel, air receiver)*
18 der Wasserturm (Wasserhochbehälter, das Wasserhochreservoir)
- *water tower*
19 die Steigleitung
- *riser pipe (riser)*
20 die Überlaufleitung
- *overflow pipe*
21 die Falleitung
- *outlet*
22 die Leitung in das Verteilungsnetz
- *distribution main*
23 der Abwasserkanal
- *excess water conduit*
24-39 die Fassung einer Quelle
- *tapping a spring*
24 die Quellstube
- *chamber*

25 der Sandfang
- *chamber wall*
26 der Einsteigschacht
- *manhole*
27 der Entlüfter
- *ventilator*
28 die Steigeisen n
- *step irons*
29 die Ausschüttung
- *filling (backing)*
30 das Absperrventil
- *outlet control valve*
31 der Entleerungsschieber
- *outlet valve*
32 der Seiher
- *strainer*
33 der Überlauf
- *overflow pipe (overflow)*
34 der Grundablaß
- *bottom outlet*
35 die Tonrohre n
- *earthenware pipes*
36 die wasserundurchlässige Schicht
- *impervious stratum (impermeable stratum)*
37 vorgelagerte Feldsteine m
- *rough rubble*
38 die wasserführende Schicht
- *water-bearing stratum (aquifer, aquafer)*

39 die Stampflehmpackung
– loam seal (clay seal)
40-52 die Einzelwasserversorgung
– individual water supply
40 der Brunnen
– well
41 die Saugleitung
– suction pipe
42 der Grundwasserspiegel
– water table (groundwater level)
43 der Saugkorb mit Fußventil n
– pump strainer with foot valve
44 die Kreiselpumpe
– centrifugal pump
45 der Motor
– motor
46 der Motorschaltschutz
– motor safety switch
47 der Druckwächter, ein Schaltgerät n
– manostat, a switching device
48 der Absperrschieber
– stop valve
49 die Druckleitung
– delivery pipe
50 der Windkessel
– compressed-air vessel (air vessel, air receiver)
51 das Mannloch
– manhole
52 die Leitung zum Verbraucher m
– delivery pipe

53 die Wasseruhr (der Wasserzähler, Wassermesser), ein Flügelrad-wasserzähler m
– water meter, a rotary meter
54 der Wasserzufluß
– water inlet
55 das Zählwerk
– counter gear assembly
56 die Haube mit Glasdeckel m
– cover with glass lid
57 der Wasserabfluß
– water outlet
58 das Zifferblatt des Wasserzählers m
– water-meter dial
59 das Zählwerk
– counters
60 der Rammbrunnen
– driven well (tube well, drive well)
61 die Rammspitze
– pile shoe
62 das (der) Filter
– filter
63 der Grundwasserspiegel
– water table (groundwater level)
64 das Brunnenrohr (Mantelrohr)
– well casing
65 die Brunnenumrandung
– well head
66 die Handpumpe
– hand pump

5 der Überflurhydrant	**47** der Kranwagen	**60** die Lufteintrittsöffnung
– *surface hydrant (fire plug)*	– *breakdown lorry (Am. crane truck,*	– *air inlet*
6 der Brandmeister	*wrecking crane)*	**61** der Handfeuerlöscher
– *officer in charge*	**48** der Bergungskran	– *portable fire extinguisher*
7 der Feuerwehrmann	– *lifting crane*	**62** das Betätigungsventil
– *fireman (Am. firefighter)*	**49** der Zughaken	– *operating valve*
8 der Feuerschutzhelm, mit dem	– *load hook (draw hook, Am. drag*	**63** der Schlauch mit Spritzdüse f
Nackenschutz m	*hook)*	– *hose with spray nozzle*
– *helmet (fireman's helmet, Am. fire*	**50** die Stützrolle	**64** der Luftschaum- und Wasserwerfer
hat) with neck guard (neck flap)	– *support roll*	– *foam-making branch (Am. foam gun)*
9 das Atemschutzgerät	**51** das Tanklöschfahrzeug (der Tank-	**65** das Feuerlöschboot
– *breathing apparatus*	löschwagen), ein Großlöschfahrzeug	– *fireboat*
0 die Gasmaske	– *water tender, a large fire engine*	**66** die Wasserkanone
– *face mask*	**52** die Tragkraftspritze	– *monitor (water cannon)*
1 das tragbare Funksprechgerät	– *portable pump*	**67** der Saugschlauch
– *walkie-talkie set*	**53** der Schlauch- und Gerätewagen	– *suction hose*
2 der Handscheinwerfer	– *hose layer*	
– *hand lamp*	**54** die Rollschläuche m	
3 das Feuerwehrbeil	– *flaked lengths of hose*	
– *small axe (Am. ax, pompier*	**55** die Kabeltrommel	
hatchet)	– *cable drum*	
4 der Hakengurt	**56** das Spill	
– *hook belt*	– *winch*	
5 die Fangleine (Rettungsleine)	**57** der (das) Gasmaskenfilter	
– *beltline*	– *face mask filter*	
6 die Schutzkleidung (Wärmeschutz-	**58** die Aktivkohle	
kleidung) aus Asbest m (Asbest-	– *active carbon (activated carbon,*	
anzug) oder Metallstoff m	*activated charcoal)*	
– *protective clothing of asbestos*	**59** der (das) Staubfilter	
(asbestos suit) or of metallic fabric	– *dust filter*	

<table>
<tr><td>

1 die Kassiererin
- *cashier*
2 die elektronische Registrierkasse (Ladenkasse, Tageskasse, Scannerkasse)
- *electronic cash register (till) (scanner till)*
3 die Zifferntasten *f*
- *number keys*
4 der Scanner (Lichtstift, Lichtgriffel)
- *scanner (light pen)*
5 der Geldschub (Geldkasten)
- *cash drawer (till)*
6 die Geldfächer *n*, für Hartgeld *n* und Banknoten *f*
- *compartments (money compartments) for coins and notes (Am. bills)*
7 der Kassenzettel (Kassenbon, Bon)
- *receipt (sales check)*
8 die Zahlung (registrierte Summe)
- *amount [to be paid]*
9 die Funktionstasten *f*
- *function keys*
10 die Ware
- *goods*
11 der Lichthof
- *glass-roofed well*
12 die Herrenartikelabteilung
- *men's wear department*

</td><td>

13 die Schauvitrine (Innenauslage)
- *showcase (display case, indoor display window)*
14 die Warenausgabe
- *wrapping counter*
15 das Warenkörbchen
- *tray for purchases*
16 die Kundin (Käuferin)
- *customer*
17 die Strumpfwarenabteilung
- *hosiery department*
18 die Verkäuferin
- *shop assistant (Am. salesgirl, saleslady)*
19 das Preisschild
- *price card*
20 der Handschuhständer
- *glove stand*
21 der Dufflecoat, ein dreiviertellanger Mantel
- *duffle coat, a three-quarter length coat*
22 die Rolltreppe
- *escalator*
23 die Leuchtstoffröhre (Leuchtstofflampe)
- *fluorescent light (fluorescent lamp)*
24 das Büro (z. B. Kreditbüro, Reisebüro, Direktionsbüro)
- *office (e.g. customer accounts office, travel agency, manager's office)*
25 das Werbeplakat
- *poster (advertisement)*

</td><td>

26 die Theater- und Konzertkartenverkaufsstelle (Kartenvorverkaufsstelle)
- *theatre (Am. theater) and concert booking office (advance booking office)*
27 das Regal
- *shelves*
28 die Damenkonfektionsabteilung (Abteilung für Damenkleidung)
- *ladies' wear department*
29 das Konfektionskleid (ugs. Kleid von der Stange)
- *ready-made dress (ready-to-wear dress, coll. off-the-peg dress)*
30 der Staubschutz
- *dust cover*
31 die Kleiderstange
- *clothes rack*
32 die Ankleidekabine (Ankleidezelle, der Anproberaum)
- *changing booth (fitting booth)*
33 der Spiegel
- *mirror*
34 die Modepuppe
- *dummy*
35 der Sessel
- *seat (chair)*
36 das Modejournal (die Modezeitschrift)
- *fashion journal (fashion magazine)*
37 der Schneider, beim Abstecken *n*
- *tailor marking a hemline*

</td></tr>
</table>

8 das Metermaß (Bandmaß)
- *measuring tape (tape measure)*

9 die Schneiderkreide
- *tailor's chalk (French chalk)*

0 der Rocklängenmesser (Rockrunder)
- *hemline marker*

1 der lose Mantel
- *loose-fitting coat*

2 das Verkaufskarree
- *sales counter*

3 der Warmluftvorhang
- *warm-air curtain*

4 die Treppe
- *stairs*

5 der Personenaufzug (Lift)
- *lift (Am. elevator)*

6 der Fahrstuhl (die Fahrkabine)
- *lift cage (lift car, Am. elevator car)*

7 die Anzeigepfeile *m* für die Fahrtrichtung
- *direction indicators*

8 die Steuerung
- *controls (lift controls, Am. elevator controls)*

9 der Stockwerkanzeiger
- *floor indicator*

0 die Schiebetür
- *sliding door*

1 der Aufzugschacht
- *lift shaft (Am. elevator shaft)*

2 das Tragseil
- *bearer cable*

53 das Steuerseil
- *control cable*

54 die Führungsschiene
- *guide rail*

55 der Kunde (Käufer)
- *customer*

56 die Wirkwaren *pl*
- *hosiery*

57 die Weißwaren *pl* (Tischwäsche *f* und Bettwäsche *f*)
- *linen goods (table linen and bed linen)*

58 das Stofflager (die Stoffabteilung)
- *fabric department*

59 der Stoffballen (Tuchballen)
- *roll of fabric (roll of material, roll of cloth)*

60 der Abteilungsleiter (Rayonchef)
- *head of department (department manager)*

61 die Verkaufstheke
- *sales counter*

62 die Bijouteriewarenabteilung (Galanteriewarenabteilung)
- *jewellery (Am. jewelry) department*

63 die Kundenberaterin
- *customer assistant*

64 der Sondertisch
- *special counter (extra counter)*

65 das Plakat mit dem Sonderangebot *n*
- *placard advertising special offers*

66 die Gardinenabteilung
- *curtain department*

67 die Rampendekoration
- *display on top of the shelves*

1-40 der französische Park (Barock-
park), ein Schloßpark *m*
- *formal garden (French Baroque
  garden), palace gardens*
1 die Grotte
- *grotto (cavern)*
2 die Steinfigur, eine Quellnymphe
- *stone statue, a river nymph*
3 die Orangerie
- *orangery (orangerie)*
4 das Boskett
- *boscage (boskage)*
5 der Irrgarten (das Labyrinth aus
Heckengängen *m*)
- *maze (labyrinth of paths and
  hedges)*
6 das Naturtheater
- *open-air theatre (Am. theater)*
7 das Barockschloß
- *Baroque palace*
8 die Wasserspiele *n* (Wasserkünste *f*)
- *fountains*
9 die Kaskade (der stufenförmige
künstliche Wasserfall)
- *cascade (broken artificial waterfall,
  artificial falls)*
10 das Standbild (die Statue), ein
Denkmal *n*
- *statue, a monument*
11 der Denkmalsockel
- *pedestal*

12 der Kugelbaum
- *globe-shaped tree*
13 der Kegelbaum
- *conical tree*
14 der Zierstrauch
- *ornamental shrub*
15 der Wandbrunnen
- *wall fountain*
16 die Parkbank
- *park bench*
17 die Pergola (der Laubengang)
- *pergola (bower, arbour, Am. arbor)*
18 der Kiesweg
- *gravel path (gravel walk)*
19 der Pyramidenbaum
- *pyramid tree (pyramidal tree)*
20 die Amorette
- *cupid (cherub, amoretto, amorino)*
21 der Springbrunnen
- *fountain*
22 die Fontäne (der Wasserstrahl)
- *fountain (jet of water)*
23 das Überlaufbecken
- *overflow basin*
24 das Bassin
- *basin*
25 der Brunnenrand
(die Ummauerung)
- *kerb (curb)*
26 der Spaziergänger
- *man out for a walk*

27 die Fremdenführerin (Hostess)
- *tourist guide*
28 die Touristengruppe
- *group of tourists*
29 die Parkordnung
- *park by-laws (bye-laws)*
30 der Parkwächter
- *park keeper*
31 das Parktor (Gittertor), ein
schmiedeeisernes Tor *n*
- *garden gates made of wrought iron*
32 der Parkeingang
- *park entrance*
33 das Parkgitter
- *park railings*
34 der Gitterstab
- *railing (bar)*
35 die Steinvase
- *stone vase*
36 die Rasenfläche (Grünfläche, der
Rasen)
- *lawn*
37 die Wegeinfassung, eine beschnittene
Hecke
- *border, a trimmed (clipped) hedge*
38 der Parkweg
- *park path*
39 die Parterreanlage
- *parterre*
40 die Birke
- *birch (birch tree)*

41-72 der englische Park (englische
Garten, Landschaftspark)
- **landscaped park** (jardin anglais)
41 die Blumenrabatte
- flower bed
42 die Gartenbank
- park bench (garden seat)
43 der Abfallkorb
- litter bin (Am. litter basket)
44 die Spielwiese
- play area
45 der Wasserlauf
- stream
46 der Steg
- jetty
47 die Brücke
- bridge
48 der bewegliche Parkstuhl
- park chair
49 das Wildgehege (Tiergehege)
- animal enclosure
50 der Teich
- pond
51-54 das Wassergeflügel
- waterfowl
51 die Wildente mit Jungen n
- wild duck with young
52 die Gans
- goose
53 der Flamingo
- flamingo

54 der Schwan
- swan
55 die Insel
- island
56 die Seerose
- water lily
57 das Terrassencafé
- open-air café
58 der Sonnenschirm
- sunshade
59 der Parkbaum
- park tree (tree)
60 die Baumkrone
- treetop (crown)
61 die Baumgruppe
- group of trees
62 die Wasserfontäne
- fountain
63 die Trauerweide
- weeping willow
64 die moderne Plastik
- modern sculpture
65 das Tropengewächshaus
(Pflanzenschauhaus)
- hothouse
66 der Parkgärtner
- park gardener
67 der Laubbesen
- broom
68 die Minigolfanlage
- minigolf course

69 der Minigolfspieler
- minigolf player
70 die Minigolfbahn
- minigolf hole
71 die Mutter mit Kinderwagen m
- mother with pram (baby carriage)
72 das Liebespaar (Pärchen)
- courting couple (young couple)

1 das Tischtennisspiel
– *table tennis game*
2 der Tisch
– *table*
3 das Tischtennisnetz
– *table tennis net*
4 der Tischtennisschläger
– *table tennis racket (raquet) (table tennis bat)*
5 der Tischtennisball
– *table tennis ball*
6 das Federballspiel
– *badminton game (shuttlecock game)*
7 der Federball
– *shuttlecock*
8 der Rundlaufpilz
– *maypole swing*
9 das Kinderfahrrad
– *child's bicycle*
10 das Fußballspiel
– *football game (soccer game)*
11 das Fußballtor
– *goal (goalposts)*
12 der Fußball
– *football*
13 der Torschütze
– *goal scorer*
14 der Torwart
– *goalkeeper*

15 das Seilhüpfen (Seilspringen)
– *skipping (Am. jumping rope)*
16 das Hüpfseil (Springseil)
– *skipping rope (Am. skip rope, jump rope, jumping rope)*
17 der Kletterturm
– *climbing tower*
18 die Reifenschaukel
– *rubber tyre (Am. tire) swing*
19 der Lkw-Reifen
– *lorry tyre (Am. truck tire)*
20 der Hüpfball
– *bouncing ball*
21 der Abenteuerspielplatz
– *adventure playground*
22 die Rundholzleiter
– *log ladder*
23 der Ausguck
– *lookout platform*
24 die Rutschbahn
– *slide*
25 der Abfallkorb
– *litter bin (Am. litter basket)*
26 der Teddybär
– *teddy bear*
27 die Holzeisenbahn
– *wooden train set*
28 das Planschbecken
– *paddling pool*

29 das Segelboot
– *sailing boat (yacht, Am. sailboat)*
30 die Spielzeugente
– *toy duck*
31 der Kinderwagen
– *pram (baby carriage)*
32 das Reck
– *high bar (bar)*
33 das Go-Kart (die Seifenkiste)
– *go-cart (soap box)*
34 die Starterflagge
– *starter's flag*
35 die Wippe
– *seesaw*
36 der Roboter
– *robot*

37 der Modellflug
– *flying model aeroplanes*
  (Am. airplanes)
38 das Modellflugzeug
– *model aeroplane (Am. airplane)*
39 die Doppelschaukel
– *double swing*
40 der Schaukelsitz (das Schaukelbrett)
– *swing seat*
41 das Drachensteigenlassen
– *flying kites*
42 der Drachen
– *kite*
43 der Drachenschwanz
– *tail of the kite*
44 die Drachenschnur
– *kite string*
45 die Lauftrommel
– *revolving drum*
46 das Spinnennetz
– *spider's web*
47 das Klettergerüst
– *climbing frame*
48 das Kletterseil
– *climbing rope*
49 die Strickleiter
– *rope ladder*
50 das Kletternetz
– *climbing net*
51 das Rollbrett (Skateboard)
– *skateboard*

52 die Berg-und-Tal-Rutschbahn
– *up-and-down slide*
53 die Reifendrahtseilbahn
– *rubber tyre (Am. tire) cable car*
54 der Sitzreifen
– *rubber tyre (Am. tire)*
55 der Traktor, ein Tretauto *n*
– *tractor, a pedal car*
56 das Aufbauhäuschen
– *den*
57 die Steckbretter *n*
– *presawn boards*
58 die Bank
– *seat (bench)*
59 die Winnetouhütte
– *Indian hut*
60 das Kletterdach
– *climbing roof*
61 die Fahnenstange
– *flagpole (flagstaff)*
62 das Spielzeugauto
– *toy lorry (Am. toy truck)*
63 die Laufpuppe
– *walking doll*
64 der Sandkasten
– *sandpit (Am. sandbox)*
65 der Spielzeugbagger
– *toy excavator (toy digger)*
66 der Sandberg
– *sandhill*

1-21 der Kurpark
– *spa gardens*
1-7 die Saline
– *salina (salt works)*
1 das Gradierwerk (Rieselwerk)
– *thorn house (graduation house)*
2 das Dornreisig
– *thorns (brushwood)*
3 die Verteilungsrinne für die Sole
– *brine channels*
4 die Solezuleitung vom Pumpwerk
– *brine pipe from the pumping station*
5 der Gradierwärter
– *salt works attendant*
6 u. **7** die Inhalationskur
– *inhalational therapy*
6 das Freiinhalatorium
– *open-air inhalatorium (outdoor inhalatorium)*
7 der Kranke, beim Inhalieren *n* (bei der Inhalation)
– *patient inhaling (taking an inhalation)*
8 das Kurhaus, mit dem Kursaal *m* (Kasino *n*)
– *hydropathic (pump room) with kursaal (casino)*
9 die Wandelhalle (der Säulengang, die Kolonnade)
– *colonnade*
10 die Kurpromenade
– *spa promenade*
11 die Brunnenallee
– *avenue leading to the mineral spring*
12-14 die Liegekur
– *rest cure*
12 die Liegewiese
– *sunbathing area (lawn)*
13 der Liegestuhl
– *deck-chair*
14 das Sonnendach
– *sun canopy*
15 der Brunnenpavillon (das Brunnenhaus, der Quellpavillon)
– *pump room*
16 der Gläserstand
– *rack for glasses*
17 die Zapfstelle
– *tap*
18 der Kurgast (Badegast), bei der Trinkkur
– *patient taking the waters*
19 der Konzertpavillon
– *bandstand*
20 die Kurkapelle, beim Kurkonzert *n*
– *spa orchestra giving a concert*
21 der Kapellmeister (Dirigent)
– *conductor*

1-33 das Roulett (Roulette), ein
Glücksspiel *n* (Hasardspiel)
- *roulette,* a game of chance (gambling
  game)
1 der Roulettspielsaal (Spielsaal), in
  der Spielbank (im Spielkasino *n*)
- *gaming room in the casino (in the
  gambling casino)*
2 die Kasse
- *cash desk*
3 der Spielleiter (Chef de partie)
- *tourneur (dealer)*
4 der Handcroupier (Croupier)
- *croupier*
5 das Rateau (die Geldharke)
- *rake*
6 der Kopfcroupier
- *head croupier*
7 der Saalchef
- *hall manager*
8 der Roulettspieltisch
- *roulette table (gaming table, gambling
  table)*
9 das Tableau (der Spielplan)
- *roulette layout*
10 die Roulettmaschine
- *roulette wheel*
11 die Tischkasse (Bank)
- *bank*
12 der Jeton (die Plaque, Spielmarke,
  das Stück)
- *chip (check, plaque)*
13 der Einsatz
- *stake*
14 der Kasinoausweis
- *membership card*
15 der Roulettspieler
- *roulette player*
16 der Privatdetektiv (Hausdetektiv)
- *private detective (house detective)*
17 der Roulettspielplan
- *roulette layout*
18 die (das) Zero (Null *f*, 0)
- *zero (nought, O)*
19 das Passe (Groß) [Zahlen von
  19-36]
- *passe (high) [numbers 19 to 36]*
20 das Pair [gerade Zahlen]
- *pair (even numbers)*
21 das Noir (Schwarz)
- *noir (black)*
22 das Manque (Klein) [Zahlen von
  1-18]
- *manque (low) [numbers 1 to 18]*
23 das Impair [ungerade Zahlen]
- *impair [odd numbers]*
24 das Rouge (Rot)
- *rouge (red)*
25 das Douze premier (erstes Dutzend)
  [Zahlen von 1 bis 12]
- *douze premier (first dozen) [numbers
  1 to 12]*
26 das Douze milieu (mittleres
  Dutzend) [Zahlen von 13 bis 24]
- *douze milieu (second dozen) [numbers
  13 to 24]*
27 das Douze dernier (letztes Dutzend)
  [Zahlen von 25 bis 36]
- *douze dernier (third dozen) [numbers
  25 to 36]*
28 die Roulettmaschine (das Roulett)
- *roulette wheel (roulette)*
29 der Roulettkessel
- *roulette bowl*
30 das Hindernis
- *fret (separator)*
31 die Drehscheibe, mit den
  Nummern *f* 0 bis 36
- *revolving disc (disk) showing numbers
  0 to 36*
32 das Drehkreuz
- *spin*
33 die Roulettkugel
- *roulette ball*

Board Games and Party Games

1-16 das Schachspiel (Schach, königliche Spiel), ein Kombinationsspiel *n* oder Positionsspiel *n*
– **chess**, *a game involving combinations of moves, a positional game*
1 das Schachbrett (Spielbrett), mit den Figuren *f* in der Ausgangsstellung
– *chessboard (board) with the men (chessmen) in position*
2 das weiße Feld (Schachbrettfeld, Schachfeld)
– *white square (chessboard square)*
3 das schwarze Feld
– *black square*
4 die weißen Schachfiguren *f* (Figuren, die Weißen) als Schachfiguren- symbole *n* [weiß = W]
– *white chessmen (white pieces) [white = W]*
5 die schwarzen Schachfiguren *f* (die Schwarzen) als Schachfiguren- symbole *n* [schwarz = S]
– *black chessmen (black pieces) [black = B]*
6 die Buchstaben *m* und Zahlen *f* zur Schachfelderbezeichnung, bei der Niederschrift (Notation) von Schachpartien *f* (Zügen *m*) und Schachproblemen *n*
– *letters and numbers for designating chess squares in the notation of chess moves and chess problems*
7 die einzelnen Schachfiguren *f* (Steine *m*)
– *individual chessmen (individual pieces)*
8 der König
– *king*
9 die Dame (Königin)
– *queen*
10 der Läufer
– *bishop*
11 der Springer
– *knight*
12 der Turm
– *rook (castle)*
13 der Bauer
– *pawn*
14 die Gangarten *f* (Züge *m*) der einzelnen Figuren *f*
– *moves of the individual pieces*
15 das Matt (Schachmatt), ein Springer- matt *n* [S f3 ≠]
– *mate (checkmate), a mate by knight [kt f3 ≠]*
16 die Schachuhr, eine Doppeluhr für Schachturniere *n* (Schachmeister- schaften *f*)
– *chess clock, a double clock for chess matches (chess championships)*
17-19 das Damespiel (Damspiel)
– **draughts** *(Am. checkers)*
17 das Damebrett
– *draughtboard (Am. checkerboard)*

18 der weiße Damestein; *auch:* Spiel- stein *m* für Puff- und Mühlespiel *n*
– *white draughtsman (Am. checker, checkerman); also: piece for backgammon and nine men's morris*
19 der schwarze Damestein
– *black draughtsman (Am. checker, checkerman)*
20 das Saltaspiel (Salta)
– **salta**
21 der Saltastein
– *salta piece*
22 das Spielbrett, für das **Puffspiel** (Puff, Tricktrack)
– **backgammon** *board*
23-25 das Mühlespiel
– **nine men's morris**
23 das Mühlebrett
– *nine men's morris board*
24 die Mühle
– *mill*
25 die Zwickmühle (Doppelmühle)
– *double mill*
26-28 das Halmaspiel
– **halma**
26 das Halmabrett
– *halma board*
27 der Hof
– *yard (camp, corner)*
28 die verschiedenfarbigen Halma- figuren *f* (Halmasteine *m*)
– *halma pieces (halma men) of various colours (Am. colors)*
29 das Würfelspiel (Würfeln, Knobeln)
– **dice** *(dicing)*
30 der Würfelbecher (Knobelbecher)
– *dice cup*
31 die Würfel *m* (*landsch.* Knobel)
– *dice*
32 die Augen *n*
– *spots (pips)*
33 das Dominospiel (Domino)
– **dominoes**
34 der Dominostein
– *domino (tile)*
35 der Pasch
– *double*
36 Spielkarten *f*
– **playing cards**
37 die französische Spielkarte (das Kartenblatt)
– *French playing card (card)*
38-45 die Farben *f* (Serienzeichen *n*)
– *suits*
38 Kreuz *n* (Treff)
– *clubs*
39 Pik *n* (Pique, Schippen *n*)
– *spades*
40 Herz *n* (Cœur)
– *hearts*
41 Karo *n* (Eckstein *m*)
– *diamonds*
42-45 die deutschen Farben *f*
– *German suits*
42 Eichel *f* (Ecker)
– *acorns*

43 Grün *n* (Blatt, Gras, Grasen)
– *leaves*
44 Rot *n* (Herz)
– *hearts*
45 Schellen *n*
– *bells (hawkbells)*

1-19 das Billard (Billardspiel)
– billiards
1 die Billardkugel (der Billardball),
eine Elfenbein- oder Kunststoffkugel
– billiard ball, an ivory or plastic ball
2-6 Billardstöße m
– billiard strokes
2 der Mittelstoß (Horizontalstoß)
– plain stroke (hitting the cue ball dead
centre, Am. center)
3 der Hochstoß [ergibt Nachläufer m]
– top stroke [promotes extra forward
rotation]
4 der Tiefstoß [ergibt Rückzieher m]
– screw-back [imparts a direct recoil or
backward motion]
5 der Effetstoß
– side (running side, Am. English)
6 der Kontereffetstoß
– check side
7-19 das Billardzimmer
– billiard room (Am. billiard parlor,
billiard saloon, poolroom)
7 das französische Billard
(Karambolagebillard); ähnl.: das
deutsche oder englische Billard
(Lochbillard)
– French billiards (carom billiards,
carrom billiards); sim.: German or
English billiards (pocket billiards,
Am. pool billiards)
8 der Billardspieler
– billiard player

9 das Queue (der Billardstock)
– cue (billiard cue, billiard stick)
10 die Queuekuppe, eine Lederkuppe
– leather cue tip
11 der weiße Stoßball
– white cue ball
12 der rote Spielball
– red object ball
13 der weiße Punktball
– white spot ball (white dot ball)
14 der Billardtisch (das Brett)
– billiard table
15 die Spielfläche mit grüner Tuch-
bespannung f
– table bed with green cloth (billiard
cloth, green baize covering)
16 die Bande (Gummibande)
– cushions (rubber cushions, cushioned
ledge)
17 das Billardtaxi, eine Kontrolluhr
– billiard clock, a timer
18 die Anschreibetafel
– billiard marker
19 der Queueständer
– cue rack

1-59 der Campingplatz
- *camp site (camping site, Am. campground)*
1 die Rezeption (Anmeldung, das Büro)
- *reception (office)*
2 der Campingplatzwart
- *site warden*
3 der Klappwohnwagen (Klappanhänger, Klappcaravan, Faltwohnwagen, Faltcaravan)
- *folding trailer (collapsible caravan, collapsible trailer)*
4 die Hängematte
- *hammock*
5 u. 6 der Sanitärtrakt (die Sanitäranlagen *pl*)
- *washing and toilet facilities*
5 die Toiletten *f* und Waschräume *m*
- *toilets and washrooms (Am. lavatories)*
6 die Wasch- und Spülbecken *n*
- *washbasins and sinks*
7 der Bungalow (*schweiz.* das Chalet)
- *bungalow (chalet)*
8-11 das Pfadfinderlager (Pfadfindertreffen, Jamboree)
- *scout camp*
8 das Rundzelt
- *bell tent*
9 der Fahrtenwimpel
- *pennon*
10 das Lagerfeuer
- *camp fire*
11 der Pfadfinder (Boy-Scout)
- *boy scout (scout)*
12 das Segelboot (die Segeljolle, Jolle)
- *sailing boat (yacht, Am. sailboat)*
13 der Landungssteg (Landesteg)
- *landing stage (jetty)*
14 das Sportschlauchboot, ein Schlauchboot *n*
- *inflatable boat (inflatable dinghy)*
15 der Außenbordmotor (Außenborder)
- *outboard motor (outboard)*
16 der Trimaran (das Dreirumpfboot)
- *trimaran*
17 die Ducht (das Sitzbrett)
- *thwart (oarsman's bench)*

18 die Dolle
- *rowlock (oarlock)*
19 der Riemen (das Ruder)
- *oar*
20 der Bootsanhänger (Bootswagen, Boottransporter, Trailer)
- *boat trailer (boat carriage)*
21 das Hauszelt
- *ridge tent*
22 das Überdach
- *flysheet*
23 die Zeltspannleine (Zeltleine)
- *guy line (guy)*
24 der Zeltpflock (Hering, Zelthering)
- *tent peg (peg)*
25 der Zeltpflockhammer (Heringshammer)
- *mallet*
26 der Zeltspannring
- *groundsheet ring*
27 die Apsis (Zeltapsis, Gepäckapsis)
- *bell end*
28 das ausgestellte Vordach
- *erected awning*
29 die Zeltlampe, eine Petroleumlampe
- *storm lantern, a paraffin lamp*
30 der Schlafsack
- *sleeping bag*
31 die Luftmatratze (aufblasbare Liegematratze)
- *air mattress (inflatable air-bed)*
32 der Wassersack (Trinkwassersack)
- *water carrier (drinking water carrier)*
33 der zweiflammige Gaskocher für Propangas *n* oder Butangas *n*
- *double-burner gas cooker for propane gas or butane gas*
34 die Propan-(Butan-)Gasflasche
- *propane or butane gas bottle*
35 der Dampfkochtopf
- *pressure cooker*
36 der Bungalowzelt (Steilwandzelt)
- *frame tent*
37 das Vordach
- *awning*
38 die Zeltstange
- *tent pole*

39 der Rundbogeneingang
- *wheelarch doorway*
40 das Lüftungsfenster
- *mesh ventilator*
41 das Klarsichtfenster
- *transparent window*
42 die Platznummer
- *pitch number*
43 der Campingstuhl, ein Klappstuhl *m*
- *folding camp chair*
44 der Campingtisch, ein Klapptisch *m*
- *folding camp table*
45 das Campinggeschirr
- *camping eating utensils*
46 der Camper
- *camper*
47 der Holzkohlengrill
- *charcoal grill (barbecue)*
48 die Holzkohle
- *charcoal*
49 der Blasebalg
- *bellows*
50 der Dachgepäckträger
- *roof rack*
51 die Gepäckspinne
- *roof lashing*
52 der Wohnwagen (Wohnanhänger, Caravan)
- *caravan (Am. trailer)*
53 der Gasflaschenkasten (Deichselkasten)
- *box for gas bottle*
54 das Buglaufrad
- *jockey wheel*
55 die Anhängekupplung
- *drawbar coupling*
56 der Dachlüfter
- *roof ventilator*
57 das Wohnwagenvorzelt
- *caravan awning*
58 das aufblasbare Igluzelt
- *inflatable igloo tent*
59 die Campingliege
- *camp bed (Am. camp cot)*

481

1-6 das Surfing (Wellenreiten,
Brandungsreiten)
– *surf riding (surfing)*
1 das Surfbrett (Surfboard) in der
Draufsicht
– *plan view of surfboard*
2 das Surfbrett (Surfboard) im
Schnitt *m*
– *section of surfboard*
3 das Schwert
– *skeg (stabilizing fin)*
4 das Big-wave-riding (Reiten in der
Superbrandung)
– *big wave riding*
5 der Surfer
– *surfboarder (surfer)*
6 die Brandungswelle
– *breaker*
7-27 das Tauchen
– *skin diving (underwater swimming)*
7 der Taucher
– *skin diver (underwater swimmer)*
8-22 die Taucherausrüstung
– *underwater swimming set*
8 das Tauchermesser
– *knife*
9 der Neopren-Tauchanzug, ein
Kälteschutzanzug *m*
– *neoprene wetsuit*
10 die Tauchmaske (Tauchermaske,
Maske), eine Druckausgleichsmaske
– *diving mask (face mask, mask), a
pressure-equalizing mask*

11 der Schnorchel
– *snorkel (schnorkel)*
12 die Bebänderung des Preßluft-
tauchgeräts *n*
– *harness of diving apparatus*
13 der Druckmesser für den
Flascheninhalt
– *compressed-air pressure gauge
(Am. gage)*
14 der Bleigürtel
– *weight belt*
15 der Tiefenmesser
– *depth gauge (Am. gage)*
16 die Taucheruhr zur Tauchzeit-
überwachung
– *waterproof watch for checking
duration of dive*
17 das Dekometer zur Anzeige der
Auftauchstufen *f* (Dekompressions-
stufen)
– *decometer for measuring stages of
ascent*
18 die Schwimmflosse
– *fin (flipper)*
19 das Tauchgerät (*auch:* die Aqua-
lunge), ein Zweiflaschengerät
– *diving apparatus (aqualung, scuba)
with two cylinders (bottles)*
20 der Zweischlauch-Lungenautomat
– *two-tube demand regulator*
21 die Preßluftflasche
– *compressed-air cylinder
(compressed-air bottle)*

22 das Flaschenventil
– *on/off valve*
23 die Unterwasserfotografie
– *underwater photography*
24 das Unterwassergehäuse für die
Kamera (*ähnl.:* die Unterwasser-
kamera)
– *underwater camera housing
(underwater camera case); sim.:
underwater camera*
25 das Unterwasserblitzgerät
– *underwater flashlight*
26 die Ausatmungsluft
– *exhaust bubbles*
27 das Schlauchboot
– *inflatable boat (inflatable dinghy)*

1 der Badewärter
– *lifesaver (lifeguard)*
2 das Rettungsseil
– *lifeline*
3 der Rettungsring
– *lifebelt (lifebuoy)*
4 der Sturmball
– *storm signal*
5 der Zeitball
– *time ball*
6 die Warnungstafel
– *warning sign*
7 die Gezeitentafel, eine Anzeigetafel für Ebbe *f* und Flut *f*
– *tide table, a notice board showing times of low tide and high tide*
8 die Tafel, mit Wasser- und Lufttemperaturangabe *f*
– *board showing water and air temperature*
9 der Badesteg
– *bathing platform*
10 der Wimpelmast
– *pennon staff*
11 der Wimpel
– *pennon*
12 das Wasservelo (Wassertretrad, Wasserfahrrad, Pedalo)
– *paddle boat (pedal boat)*
13 das Surfbrettfahren, hinter dem Motorboot *n*
– *surf riding (surfing) behind motorboat*
14 der Surfer
– *surfboarder (surfer)*
15 das Surfbrett
– *surfboard*
16 der Wasserski
– *water ski*

17 die Schwimmatratze
– *inflatable beach mattress*
18 der Wasserball
– *beach ball*
19-23 Strandkleidung *f*
– *beachwear*
19 der Strandanzug
– *beach suit*
20 der Strandhut
– *beach hat*
21 die Strandjacke
– *beach jacket*
22 die Strandhose
– *beach trousers*
23 der Strandschuh (Badeschuh)
– *beach shoe (bathing shoe)*
24 die Strandtasche (Badetasche)
– *beach bag*
25 der Bademantel
– *bathing gown (bathing wrap)*
26 der Bikini (zweiteilige Damen-badeanzug)
– *bikini (ladies' two-piece bathing suit)*
27 das Badehöschen
– *bikini bottom*
28 der Büstenhalter
– *bikini top*
29 die Badehaube (Bademütze, Schwimmkappe)
– *bathing cap (swimming cap)*
30 der Badegast
– *bather*
31 das Ringtennis
– *deck tennis (quoits)*
32 der Gummiring
– *rubber ring (quoit)*

33 das Schwimmtier, ein Aufblasartikel *m*
– *inflatable rubber animal*
34 der Strandwärter
– *beach attendant*
35 die Sandburg (Strandburg)
– *sand den [built as a wind-break]*
36 der Strandkorb
– *roofed wicker beach chair*
37 der Unterwasserjäger
– *underwater swimmer*
38 die Tauchbrille
– *diving goggles*
39 der Schnorchel
– *snorkel (schnorkel)*
40 die Handharpune (der Fischspeer)
– *hand harpoon (fish spear, fish lance)*
41 die Tauchflosse (Schwimmflosse), zum Sporttauchen *n*
– *fin (flipper) for diving (for underwater swimming)*
42 der Badeanzug (Schwimmanzug)
– *bathing suit (swimsuit)*
43 die Badehose (Schwimmhose)
– *bathing trunks (swimming trunks)*
44 die Badekappe (Schwimmkappe)
– *bathing cap (swimming cap)*
45 das Strandzelt, ein Hauszelt *n*
– *beach tent, a ridge tent*
46 die Rettungsstation
– *lifeguard station*

1-9 das Brandungsbad (Wellenbad),
ein Hallenbad *n*
- *wave pool, an indoor pool*
1 die künstliche Brandung
- *artificial waves*
2 die Strandzone
- *beach area*
3 der Beckenrand
- *edge of the pool*
4 der Bademeister
- *swimming pool attendant (pool
attendant, swimming bath attendant)*
5 der Liegesessel
- *sun bed*
6 der Schwimmring
- *lifebelt*
7 die Schwimmanschetten *f*
- *water wings*
8 die Badehaube
- *bathing cap*
9 die Schleuse zum Sprudelbad *n* im
Freien *n*
- *channel to outdoor mineral bath*
10 das Solarium (künstliche Sonnenbad)
- *solarium*
11 die Liegefläche
- *sunbathing area*
12 die Sonnenbadende
- *sunbather*
13 die künstliche Sonne
- *sun ray lamp*
14 das Badetuch
- *bathing towel*
15 das Freikörperkulturgelände
(FKK-Gelände, Nudistengelände,
ugs. „Abessinien")
- *nudist sunbathing area*
16 der Nudist (Freund textilfreier
Lebensart)
- *nudist (naturist)*
17 der Sichtschutzraum
- *screen (fence)*
18 die Sauna (finnische Sauna, das
finnische Heißluftbad), eine
Gemeinschaftssauna
- *mixed sauna*
19 die Holzauskleidung
- *wood panelling (Am. paneling)*
20 die Sitz- und Liegestufen *f*
- *tiered benches*
21 der Saunaofen
- *sauna stove*
22 die Feldsteine *m*
- *stones*
23 das Hygrometer (der Feuchtigkeitsmesser)
- *hygrometer*
24 das Thermometer
- *thermometer*
25 das Sitztuch
- *towel*
26 der Bottich für die Befeuchtung der
Ofensteine *m*
- *water tub for moistening the stones
in the stove*

27 die Birkenruten *f* zum Schlagen *n*
der Haut
- *birch rods (birches) for beating the
skin*
28 der Abkühlungsraum, zur
Abkühlung nach der Sauna
- *cooling room for cooling off (cooling
down) after the sauna*
29 die temperierte Dusche
- *lukewarm shower*
30 das Kaltwasserbecken
- *cold bath*
31 der Hot-Whirl-Pool (das
Unterwassermassagebad)
- *hot whirlpool (underwater massage
bath)*
32 die Einstiegstufe
- *step into the bath*
33 das Massagebad
- *massage bath*
34 das Jetgebläse
- *jet blower*
35 der Hot-Whirl-Pool [Schema]
- *hot whirlpool [diagram]*
36 der Beckenquerschnitt
- *section of the bath*
37 der Einstieg
- *step*
38 die umlaufende Sitzbank
- *circular seat*
39 die Wasserabsaugung
- *water extractor*
40 der Wasserdüsenkanal
- *water jet pipe*
41 der Luftdüsenkanal
- *air jet pipe*

1-32 die Badeanstalt (Schwimmanstalt, das Schwimmbad, die Schwimm-anlage), ein Freibad *n*
– *swimming pool, an open-air swimming pool*
1 die Badezelle (Zelle, Badekabine, Kabine)
– *changing cubicle*
2 die Dusche (Brause)
– *shower (shower bath)*
3 der Umkleideraum
– *changing room*
4 das Sonnenbad *od.* Luftbad
– *sunbathing area*
5-10 die Sprunganlage
– *diving boards (diving apparatus)*
5 der Turmspringer
– *diver (highboard diver)*
6 der Sprungturm
– *diving platform*
7 die Zehnmeterplattform
– *ten-metre* (Am. *ten-meter) platform*
8 die Fünfmeterplattform
– *five-metre* (Am. *five-meter) platform*
9 das Dreimeterbrett (Sprungbrett)
– *three-metre* (Am. *three-meter) springboard (diving board)*
10 das Einmeterbrett
– *one-metre* (Am. *one-meter) springboard*
11 das Sprungbecken
– *diving pool*
12 der gestreckte Kopfsprung
– *straight header*
13 der Fußsprung
– *feet-first jump*
14 der Paketsprung
– *tuck jump (haunch jump)*
15 der Bademeister
– *swimming pool attendant (pool attendant, swimming bath attendant)*
16-20 der Schwimmunterricht
– *swimming instruction*
16 der Schwimmlehrer (Schwimmeister)
– *swimming instructor (swimming teacher)*
17 der Schwimmschüler, beim Schwimmen *n*
– *learner-swimmer*
18 das Schwimmkissen
– *float;* sim.: *water wings*
19 der Schwimmgürtel (Korkgürtel, Tragegürtel, die Korkweste)
– *swimming belt (cork jacket)*
20 das Trockenschwimmen
– *land drill*
21 das Nichtschwimmerbecken
– *non-swimmers' pool*
22 die Laufrinne
– *footbath*
23 das Schwimmerbecken
– *swimmers' pool*
24-32 das Freistilwettschwimmen einer Schwimmstaffel
– *freestyle relay race*
24 der Zeitnehmer
– *timekeeper (lane timekeeper)*

25 der Zielrichter
– *placing judge*
26 der Wenderichter
– *turning judge*
27 der Startblock (Startsockel)
– *starting block (starting place)*
28 der Anschlag eines Wett-schwimmers *m*
– *competitor touching the finishing line*
29 der Startsprung
– *starting dive (racing dive)*
30 der Starter
– *starter*
31 die Schwimmbahn
– *swimming lane*
32 die Korkleine
– *rope with cork floats*
33-39 die Schwimmarten *f* (Schwimmstile *m*, Schwimmlagen *f*, Stilarten *f*)
– *swimming strokes*
33 das Brustschwimmen
– *breaststroke*
34 das Schmetterlingsschwimmen (Butterfly)
– *butterfly stroke*
35 das Delphinschwimmen
– *dolphin butterfly stroke*
36 das Seitenschwimmen
– *side stroke*
37 das Kraulschwimmen (Crawlen, Kraulen, Kriechstoßschwimmen); *ähnl.:* das Handüberhand-schwimmen
– *crawl stroke (crawl);* sim.: *trudgen stroke (trudgen, double overarm stroke)*
38 das Tauchen (Unterwasser-schwimmen)
– *diving (underwater swimming)*
39 das Wassertreten
– *treading water*
40-45 das Wasserspringen (Wasser-kunstspringen, Turmspringen, Kunstspringen, die Wasser-sprünge *m*)
– *diving (acrobatic diving, fancy diving, competitive diving, highboard diving)*
40 der Hechtsprung aus dem Stand *m*
– *standing take-off pike dive*
41 der Auerbachsprung vorwärts
– *one-half twist isander (reverse dive)*
42 der Salto (Doppelsalto) rückwärts
– *backward somersault (double backward somersault)*
43 die Schraube mit Anlauf *m*
– *running take-off twist dive*
44 der Bohrer
– *screw dive*
45 der Handstandsprung
– *armstand dive (handstand dive)*
46-50 das Wasserballspiel
– *water polo*
46 das Wasserballtor
– *goal*
47 der Tormann
– *goalkeeper*

48 der Wasserball
– *water polo ball*
49 der Verteidiger
– *back*
50 der Stürmer
– *forward*

1-18 die Auffahrt zur Regatta (Ruder-
  regatta, zum Wettrudern *n*)
 – *taking up positions for the regatta*
1 der Stechkahn, ein Vergnügungs-
  boot *n*
 – *punt, a pleasure boat*
2 das Motorboot
 – *motorboat*
3 der Kanadier, ein Kanu *n*
 – *Canadian canoe*
4 der (das) Kajak (der Grönländer),
  ein Paddelboot *n*
 – *kayak (Alaskan canoe, slalom canoe),
  a canoe*
5 der (das) Doppelkajak
 – *tandem kayak*
6 das Außenbordmotorboot
 – *outboard motorboat (outboard
  speedboat, outboard)*
7 der Außenbordmotor
 – *outboard motor (outboard)*
8 die Plicht (das Kockpit, Cockpit, der
  Sitzraum)
 – *cockpit*
9-16 Rennboote *n* (Sportboote,
  Auslegerboote)
 – *racing boats (sportsboats, outriggers)*
9-15 Riemenboote *n*
 – *shells (rowing boats,* Am. *rowboats)*
9 der Vierer ohne Steuermann *m*
  (Vierer ohne), ein Kraweelboot *n*
 – *coxless four, a carvel-built boat*

10 der Achter (Rennachter)
 – *eight (eight-oared racing shell)*
11 der Steuermann
 – *cox*
12 der Schlagmann, ein Ruderer *m*
 – *stroke, an oarsman*
13 der Bugmann (die „Nummer Eins")
 – *bow ('number one')*
14 der Riemen
 – *oar*
15 der Zweier (Riemenzweier)
 – *coxless pair*
16 der Einer (Renneiner, das Skiff)
 – *single sculler (single skuller, racing
  sculler, racing skuller, skiff)*
17 das Skull
 – *scull (skull)*
18 der Einer mit Steuermann *m*,
  ein Klinkereiner *m*
 – *coxed single, a clinker-built single*
19 der Steg (Bootssteg, Landungssteg,
  Anlegesteg)
 – *jetty (landing stage)*
20 der Rudertrainer
 – *rowing coach*
21 das Megaphon (Sprachrohr,
  scherzh.: die Flüstertüte)
 – *megaphone*
22 die Bootstreppe
 – *quayside steps*
23 das Bootshaus (Klubhaus)
 – *clubhouse (club)*

24 der Bootsschuppen
 – *boathouse*
25 die Klubflagge (der Klubstander)
 – *club's flag*
26-33 der Gigvierer, ein Gigboot *n*
  (Dollenboot, Tourenboot)
 – *four-oared gig, a touring boat*
26 das Ruder (Steuer)
 – *oar*
27 der Steuersitz
 – *cox's seat*
28 die Ducht (Ruderbank)
 – *thwart (seat)*
29 die Dolle (Riemenauflage)
 – *rowlock (oarlock)*
30 der Dollbord
 – *gunwale (gunnel)*
31 der Duchtweger
 – *rising*
32 der Kiel (Außenkiel)
 – *keel*
33 die Außenhaut [geklinkert]
 – *skin (shell, outer skin) [clinker-built]*
34 die einfache Paddel (Stechpaddel,
  die Pagaie)
 – *single-bladed paddle (paddle)*
35-38 der Riemen (das Skull)
 – *oar (scull, skull)*
35 der Holm (Riemenholm)
 – *grip*
36 die Belederung
 – *leather sheath*

37 der Riemenhals
 – shaft (neck)
38 das Blatt (Riemenblatt)
 – blade
39 das Doppelpaddel
 – double-bladed paddle (double-ended paddle)
40 der Tropfring
 – drip ring
41-50 der Rollsitz (Rudersitz)
 – sliding seat
41 die Dolle (Drehdolle)
 – rowlock (oarlock)
42 der Ausleger
 – outrigger
43 das Spülbord
 – saxboard
44 der Rollsitz
 – sliding seat
45 die Rollschiene (Rollbahn)
 – runner
46 die Versteifung
 – strut
47 das Stemmbrett
 – stretcher
48 die Außenhaut
 – skin (shell, outer skin)
49 der (das) Spant
 – frame (rib)
50 der Kiel (Innenkiel)
 – kelson (keelson)

51-53 das Ruder (Steuer)
 – rudder (steering rudder)
51 das Ruderjoch (Steuerjoch)
 – yoke
52 die Steuerleine
 – lines (steering lines)
53 das Blatt (Ruderblatt, Steuerblatt)
 – blade (rudder blade, rudder)
54-66 Faltboote n
 – folding boats (foldboats, canoes)
54 der Faltbooteiner, ein Sporteiner m
 – one-man kayak
55 der Faltbootfahrer
 – canoeist
56 die Spritzdecke
 – spraydeck
57 das Verdeck
 – deck
58 die Gummihaut (Außenhaut, Bootshaut)
 – rubber-covered canvas hull
59 der Süllrand
 – cockpit coaming (coaming)
60 die Floßgasse am Wehr n
 – channel for rafts alongside weir
61 der Faltbootzweier, ein Tourenzweier m (Wanderzweier)
 – two-seater folding kayak, a touring kayak
62 das Faltbootsegel
 – sail of folding kayak

63 das Seitenschwert
 – leeboard
64 die Stabtasche
 – bag for the rods
65 der Bootsrucksack
 – rucksack
66 der Bootswagen
 – boat trailer (boat carriage)
67 das Faltbootgerüst
 – frame of folding kayak
68-70 Kajaks m od. n
 – kayaks
68 der (das) Eskimokajak
 – Eskimo kayak
69 der (das) Wildwasser-Rennkajak
 – wild-water racing kayak
70 der (das) Wanderkajak
 – touring kayak

1-9 das Windsurfing
- *windsurfing*
1 der Windsurfer
- *windsurfer*
2 das Segel
- *sail*
3 das Klarsichtfenster
- *transparent window (window)*
4 der Mast
- *mast*
5 das Surfbrett
- *surfboard*
6 das bewegliche Lager für die Mast-
neigung und die Steuerung
- *universal joint (movable bearing) for
adjusting the angle of the mast and
for steering*
7 der Gabelbaum
- *wishbone*
8 das (einholbare) Hauptschwert
- *retractable centreboard
(Am. centerboard)*
9 das Hilfsschwert (die Finne)
- *rudder*
10-48 das Segelboot
- *yacht (sailing boat, Am. sailboat)*
10 das Vordeck
- *foredeck*
11 der Mast
- *mast*
12 der Trapezdraht
- *trapeze*
13 die Saling
- *crosstrees (spreader)*
14 der Wanthänger
- *hound*
15 das Vorstag
- *forestay*
16 die Fock (Genua)
- *jib (Genoa jib)*
17 der Fockniederholer
- *jib downhaul*
18 die Want
- *side stay (shroud)*
19 der Wantenspanner
- *lanyard (also: turnbuckle)*
20 der Mastfuß
- *foot of the mast*
21 der Baumniederholer
- *kicking strap (vang)*
22 die Fockschotklemme
- *jam cleat*
23 die Fockschot
- *foresheet (jib sheet)*
24 der Schwertkasten
- *centreboard (Am. centerboard)
case*
25 der Knarrpoller
- *bitt*
26 das Schwert
- *centreboard (Am. centerboard)*
27 der Traveller
- *traveller (Am. traveler)*
28 die Großschot
- *mainsheet*
29 die Fockschotleitschiene
- *foresheet fairlead (jib fairlead)*

30 die Ausreitgurte *m*
- *toestraps (hiking straps)*
31 der Pinnenausleger
- *tiller extension (hiking stick)*
32 die Pinne
- *tiller*
33 der Ruderkopf
- *rudderhead (rudder stock)*
34 das Ruderblatt
- *rudder blade (rudder)*
35 der Spiegel (das
Spiegelheck)
- *transom*
36 das Lenzloch
- *drain plug*
37 der Großsegelhals
- *gooseneck*
38 das Segelfenster
- *window*
39 der Baum
- *boom*
40 das Unterliek
- *foot*
41 das Schothorn
- *clew*
42 das Vorliek
- *luff (leading edge)*
43 die Lattentasche
- *leech pocket (batten cleat, batten
pocket)*
44 die Latte
- *batten*
45 das Achterliek
- *leech (trailing edge)*
46 das Großsegel
- *mainsail*
47 der Großsegelkopf
- *headboard*
48 der Verklicker
- *racing flag (burgee)*
49-65 die Bootsklassen *f*
- *yacht classes*
49 der Flying Dutchman
- *Flying Dutchman*
50 die Olympiajolle
- *O-Joller*
51 das Finndingi
- *Finn dinghy (Finn)*
52 der Pirat
- *pirate*
53 das 12-m²-Sharpie
- *12.00 m² sharpie*
54 das Tempest
- *tempest*
55 der Star
- *star*
56 das (der) Soling
- *soling*
57 der Drachen
- *dragon*
58 die 5,5-m-Klasse
- *5.5-metre (Am. 5.5-meter) class*
59 die 6-m-R-Klasse
- *6-metre (Am. 6-meter) R-class*
60 der 30-m²-Schärenkreuzer
- *30.00 m² cruising yacht (coastal
cruiser)*

61 der 30-m²-Jollenkreuzer
- *30.00 m² dinghy cruiser*
62 die 25-m²-Einheitskieljacht
- *25.00 m² one-design keelboat*
63 die KR-Klasse
- *KR-class*
64 der Katamaran
- *catamaran*
65 der Doppelrumpf
- *twin hull*

1-13 Segelstellungen *f* und Wind-
richtungen *f*
- *points of sailing and wind directions*
1 das Segeln vor dem Wind *m*
- *sailing downwind (running)*
2 das Großsegel
- *mainsail*
3 die Fock
- *jib*
4 die Schmetterlingsstellung der
Segel *n*
- *sails set goose-winged*
5 die Mittschiffslinie
- *centre (Am. center) line*
6 die Windrichtung
- *wind direction*
7 das Boot ohne Fahrt *f*
- *yacht stopped head to wind*
8 das killende Segel
- *sail, shivering*
9 das Segeln am Wind *m*
luven)
- *luffing*
10 das Segeln hart (hoch) am Wind *m*
- *sailing close-hauled*
11 das Segeln mit halbem Wind *m*
- *sailing with wind abeam*
12 das Segeln mit raumem Wind *m*
- *sailing with free wind*
13 die Backstagsbrise
- *quartering wind (quarter wind)*
14-24 der Regattakurs
- ***regatta course***
14 die Start- und Zieltonne (Start- und
Zielboje)
- *starting and finishing buoy*
15 das Startschiff
- *committee boat*
16 der Dreieckskurs (die Regatta-
strecke)
- *triangular course (regatta course)*
17 die Wendeboje (Wendemarke)
- *buoy (mark) to be rounded*
18 die Kursboje
- *buoy to be passed*
19 der erste Umlauf
- *first leg*
20 der zweite Umlauf
- *second leg*
21 der dritte Umlauf
- *third leg*
22 die Kreuzstrecke
- *windward leg*
23 die Vormwindstrecke
- *downwind leg*
24 die Umwindstrecke
- *reaching leg*
25-28 das Kreuzen
- ***tacking***
25 die Kreuzstrecke
- *tack*
26 das Halsen
- *gybing (jibing)*
27 das Wenden
- *going about*
28 der Verlust an Höhe *f* beim Halsen *n*
- *loss of distance during the gybe (jibe)*

29-41 Rumpfformen *f* von Segelbooten *n*
- *types of yacht hull*
29-34 die Fahrtenkieljacht
- *cruiser keelboat*
29 das Heck
- *stern*
30 der Löffelbug
- *spoon bow*
31 die Wasserlinie
- *waterline*
32 der Kiel (Ballastkiel)
- *keel (ballast keel)*
33 der Ballast
- *ballast*
34 das Ruder
- *rudder*
35 die Rennkieljacht
- *racing keelboat*
36 der Bleikiel
- *lead keel*
37-41 die Jolle, eine Schwertjacht
- *keel-centreboard (Am. centerboard)
yawl*
37 das aufholbare Ruder
- *retractable rudder*
38 die Plicht (das Cockpit)
- *cockpit*
39 der Kajütenaufbau (die Kajüte)
- *cabin superstructure (cabin)*
40 der gerade Steven (Auf-und-nieder-
Steven)
- *straight stem*
41 das aufholbare Schwert
- *retractable centreboard
(Am. centerboard)*
42-49 Heckformen *f* von Segelbooten *n*
- ***types of yacht stern***
42 das Jachtheck
- *yacht stern*
43 der Jachtspiegel
- *square stern*
44 das Kanuheck
- *canoe stern*
45 das Spitzgattheck
- *cruiser stern*
46 das Namensschild
- *name plate*
47 das Totholz
- *deadwood*
48 das Spiegelheck
- *transom stern*
49 der Spiegel
- *transom*
50-57 die Beplankung von Holzbooten *n*
- ***timber planking***
50-52 die Klinkerbeplankung
- *clinker planking (clench planking)*
50 die Außenhautplanke
- *outside strake*
51 das Spant, ein Querspant *n*
- *frame (rib)*
52 der Klinknagel
- *clenched nail (riveted nail)*
53 die Kraweelbeplankung
- *carvel planking*
54 der Nahtspantenbau
- *ribband-carvel construction*

55 der Nahtspant, ein Längsspant *n*
- *ribband, a stringer*
56 die Diagonalkraweelbeplankung
- *diagonal carvel planking*
57 die innere Beplankung
- *inner planking*

1-5 Motorboote *n* (Sportboote)
- *motorboats (powerboats, sportsboats)*
1 das Sportschlauchboot mit Außenbordmotor *m*
- *inflatable sportsboat with outboard motor (outboard inflatable)*
2 das Inbord-Sportboot [mit Z-Antrieb *m*]
- *Z-drive motorboat (outdrive motorboat)*
3 das Kajütboot
- *cabin cruiser*
4 der Motorkreuzer
- *motor cruiser*
5 die 30-m-Hochseejacht
- *30-metre (Am. 30-meter) ocean-going cruiser*
6 die Verbandsflagge
- *association flag*
7 der Bootsname (*oder:* die Zertifikatsnummer)
- *name of craft (or: registration number)*
8 die Clubzugehörigkeit und der Heimathafen
- *club membership and port of registry (Am. home port)*
9 die Verbandsflagge an der Steuerbordsaling
- *association flag on the starboard crosstrees*
10-14 die Lichterführung auf Sportbooten *n* für Küsten- und Seegewässer *n* (die Positionslaternen *f*)
- *navigation lights of sportsboats in coastal and inshore waters*
10 das weiße Topplicht
- *white top light*
11 das grüne Steuerbordlicht (die Steuerbordlaterne)
- *green starboard sidelight*
12 das rote Backbordlicht (die Backbordlaterne)
- *red port sidelight*
13 das grünrote Buglicht
- *green and red bow light (combined lantern)*
14 das weiße Hecklicht
- *white stern light*
15-18 Anker *m*
- *anchors*
15 der Stockanker (Admiralitätsanker), ein Schwergewichtsanker *m*
- *stocked anchor (Admiralty anchor), a bower anchor*
16-18 Leichtgewichtsanker *m*
- *lightweight anchor*
16 der Pflugscharanker
- *CQR anchor (plough, Am. plow, anchor)*
17 der Patentanker
- *stockless anchor (patent anchor)*
18 der Danforth-Anker
- *Danforth anchor*
19 die Rettungsinsel (das Rettungsfloß)
- *life raft*

20 die Schwimmweste
- *life jacket*
21-44 Motorbootrennen *n*
- *powerboat racing*
21 der Außenbordkatamaran
- *catamaran with outboard motor*
22 das Hydroplane-Rennboot
- *hydroplane*
23 der Rennaußenbordmotor
- *racing outboard motor*
24 die Ruderpinne
- *tiller*
25 die Benzinleitung
- *fuel pipe*
26 der Heckspiegel (das Heckbrett)
- *transom*
27 der Tragschlauch
- *buoyancy tube*
28 Start *m* und Ziel *n*
- *start and finish*
29 die Startzone
- *start*
30 die Start- und Ziellinie
- *starting and finishing line*
31 die Wendeboje
- *buoy to be rounded*
32-37 Verdrängungsboote *n*
- *displacement boats*
32-34 das Rundspantboot
- *round-bilge boat*
32 die Bodenansicht
- *view of hull bottom*
33 der Vorschiffquerschnitt
- *section of fore ship*
34 der Achterschiffquerschnitt
- *section of aft ship*
35-37 das V-Boden-Boot
- *V-bottom boat (vee-bottom boat)*
35 die Bodenansicht
- *view of hull bottom*
36 der Vorschiffquerschnitt
- *section of fore ship*
37 der Achterschiffquerschnitt
- *section of aft ship*
38-44 Gleitboote *n*
- *planing boats (surface skimmers, skimmers)*
38-41 das Stufenboot
- *stepped hydroplane (stepped skimmer)*
38 die Seitenansicht
- *side view*
39 die Bodenansicht
- *view of hull bottom*
40 der Vorschiffquerschnitt
- *section of fore ship*
41 der Achterschiffquerschnitt
- *section of aft ship*
42 das Dreipunktboot
- *three-point hydroplane*
43 die Flosse
- *fin*
44 die Tatze
- *float*
45-62 Wasserski *m*
- *water skiing*
45 die Wasserskiläuferin
- *water skier*

46 der Tiefwasserstart
- *deep-water start*
47 das Seil (Schleppseil)
- *tow line (towing line)*
48 die Hantel
- *handle*
49-55 die Wasserskisprache (die Handzeichen *n* des Wasserskiläufers *m*)
- *water-ski signalling (code of hand signals from skier to boat driver)*
49 das Zeichen „Schneller"
- *signal for 'faster'*
50 das Zeichen „Langsamer"
- *signal for 'slower' ('slow down')*
51 das Zeichen „Tempo in Ordnung"
- *signal for 'speed OK'*
52 das Zeichen „Wenden"
- *signal for 'turn'*
53 das Zeichen „Halt"
- *signal for 'stop'*
54 das Zeichen „Motor abstellen"
- *signal for 'cut motor'*
55 der Wink „Zurück zum Liegeplatz"
- *signal for 'return to jetty' ('back to dock')*
56-62 Wasserski *m*
- *types of water ski*
56 der Figurenski, ein Monoski *m*
- *trick ski (figure ski), a monoski*
57 u. 58 die Gummibindung
- *rubber binding*
57 der Vorfußgummi
- *front foot binding*
58 der Fersengummi
- *heel flap*
59 die Stegschlaufe für den zweiten Fuß
- *strap support for second foot*
60 der Slalomski
- *slalom ski*
61 der Kiel (die Flosse)
- *skeg (fixed fin, fin)*
62 der Sprungski
- *jump ski*
63 das Luftkissenfahrzeug
- *hovercraft (air-cushion vehicle)*
64 die Luftschraube
- *propeller*
65 das angeblasene Ruder
- *rudder*
66 das Luftkissen (Luftpolster)
- *skirt enclosing air cushion*

1 der Flugzeugschleppstart (Flugzeug-
schlepp, Schleppflug, Schleppstart)
– *aeroplane (Am. airplane) tow launch*
  (aerotowing)
2 das Schleppflugzeug, ein
Motorflugzeug *n*
– *tug (towing plane)*
3 das geschleppte Segelflugzeug
(Segelflugzeug im Schlepp *m*)
– *towed glider (towed sailplane)*
4 das Schleppseil
– *tow rope*
5 der Windenstart
– *winched launch*
6 die Motorwinde
– *motor winch*
7 der Seilfallschirm
– *cable parachute*
8 der Motorsegler
– *motorized glider (powered glider)*
9 das Hochleistungssegelflugzeug
– *high-performance glider*
  (high-performance sailplane)
10 das T-Leitwerk
– *T-tail (T-tail unit)*
11 der Windsack
– *wind sock (wind cone)*
12 der Kontrollturm
– *control tower (tower)*
13 das Segelfluggelände
– *glider field*
14 die Flugzeughalle (der Hangar)
– *hangar*
15 die Start- und Landebahn für
Motorflugzeuge *n*
– *runway for aeroplanes*
  (Am. airplanes)
16 das Wellensegeln
– *wave soaring*
17 die Leewellen *f* (Föhnwellen)
– *lee waves (waves, wave system)*
18 der Rotor
– *rotor*
19 die Lentikulariswolken *f*
– *lenticular clouds (lenticulars)*
20 das Thermiksegeln
– *thermal soaring*
21 der Aufwindschlauch
(Thermikschlauch, thermische
Aufwind, „Bart")
– *thermal*
22 die Kumuluswolke (Haufenwolke,
Quellwolke, der Kumulus)
– *cumulus cloud (heap cloud, cumulus,*
  woolpack cloud)
23 das Frontsegeln (Frontensegeln,
Gewittersegeln)
– *storm-front soaring*
24 die Gewitterfront
– *storm front*
25 der Frontaufwind
– *frontal upcurrent*
26 die Kumulonimbuswolke
(der Kumulonimbus)
– *cumulonimbus cloud (cumulonimbus)*
27 das Hangsegeln
– *slope soaring*

28 der Hangaufwind
– *hill upcurrent (orographic lift)*
29 der Holmflügel, eine Tragfläche
– *multispar wing, a wing*
30 der Hauptholm, ein Kastenholm
– *main spar, a box spar*
31 der Anschlußbeschlag
– *connector fitting*
32 die Wurzelrippe
– *anchor rib*
33 der Schrägholm
– *diagonal spar*
34 die Nasenleiste
– *leading edge*
35 die Hauptrippe
– *main rib*
36 die Hilfsrippe
– *nose rib (false rib)*
37 die Endleiste
– *trailing edge*
38 die Bremsklappe (Störklappe,
Sturzflugbremse)
– *brake flap (spoiler)*
39 die Torsionsnase
– *torsional clamp*
40 die Bespannung
– *covering (skin)*
41 das Querruder
– *aileron*
42 der Randbogen
– *wing tip*
43 das Drachenfliegen
– *hang gliding*
44 der Drachen (Hanggleiter,
Deltagleiter)
– *hang glider*
45 der Drachenflieger
– *hang glider pilot*
46 die Haltestange
– *control frame*

1-9 der Kunstflug
(die Kunstflugfiguren *f*)
– **aerobatics** *(aerobatic manoeuvres,*
Am. *maneuvers)*
1 der Looping
– *loop*
2 die liegende Loopingacht
– *horizontal eight*
3 der Rollenkreis
– *rolling circle*
4 der Turn
– *stall turn (hammer head)*
5 das Männchen
– *tail slide (whip stall)*
6 die Schraube
– *vertical flick spin*
7 das Trudeln
– *spin*
8 die Rolle
– *horizontal slow roll*
9 der Rückenflug
– *inverted flight (negative flight)*
10 das Cockpit
– *cockpit*
11 das Instrumentenbrett
– *instrument panel*
12 der Kompaß
– *compass*
13 die Funk- und Navigationseinrichtung
– *radio and navigation equipment*
14 der Steuerknüppel
– *control column (control stick)*
15 der Gashebel
– *throttle lever (throttle control)*
16 der Gemischregulierhebel
– *mixture control*
17 das Funksprechgerät
– *radio equipment*
18 der Sport- und Kunstflugzweisitzer
– **two-seater plane for racing and**
aerobatics
19 die Kabine
– *cabin*
20 die Antenne
– *antenna*
21 die Seitenflosse
– *vertical stabilizer (vertical fin, tail fin)*
22 das Seitenruder
– *rudder*
23 die Höhenflosse
– *tailplane (horizontal stabilizer)*
24 das Höhenruder
– *elevator*
25 die Trimmklappe
– *trim tab (trimming tab)*
26 der Rumpf
– *fuselage (body)*
27 der Tragflügel (die Tragfläche)
– *wing*
28 das Querruder
– *aileron*
29 die Landeklappe
– *landing flap*
30 die Trimmklappe
– *trim tab (trimming tab)*
31 die Positionslampe [rot]
– *navigation light (position light) [red]*
32 der Landescheinwerfer
– *landing light*
33 das Hauptfahrwerk
– *main undercarriage unit (main landing gear unit)*
34 das Bugrad
– *nose wheel*
35 das Triebwerk
– *engine*

36 der Propeller (die Luftschraube)
– *propeller (airscrew)*
37-62 das Fallschirmspringen
(der Fallschirmsport, das
Fallschirmsportspringen)
– **parachuting** *(sport parachuting)*
37 der Fallschirm (Sprungfallschirm)
– *parachute*
38 die Schirmkappe
– *canopy*
39 der Hilfsschirm
– *pilot chute*
40 die Fangleinen *f*
– *suspension lines*
41 die Steuerleine
– *steering line*
42 der Haupttragegurt
– *riser*
43 das Gurtzeug
– *harness*
44 der Verpackungssack
– *pack*
45 das Schlitzsystem des
Sportfallschirms *m*
– *system of slots of the sports parachute*
46 die Steuerschlitze *m*
– *turn slots*
47 der Scheitel
– *apex*
48 die Basis
– *skirt*
49 das Stabilisierungspaneel
– *stabilizing panel*
50 *u.* 51 das Stilspringen
– *style jump*
50 das Rückwärtssalto
– *back loop*
51 die Spirale (Drehung)
– *spiral*
52-54 die ausgelegten Sichtsignale *n*
– *ground signals*
52 das Zeichen „Sprungerlaubnis" *f*
(das Zielkreuz)
– *signal for 'permission to jump'*
('conditions are safe') (target cross)
53 das Zeichen „Sprungverbot *n* – neuer
Anflug" *m*
– *signal for 'parachuting suspended –*
repeat flight'
54 das Zeichen „Sprungverbot *n* – sofort
landen"
– *signal for 'parachuting suspended –*
aircraft must land'
55 der Zielsprung
– *accuracy jump*
56 das Zielkreuz
– *target cross*
57 der innere Zielkreis [Radius *m* 25 m]
– *inner circle [radius 25 m]*
58 der mittlere Zielkreis [Radius *m* 50 m]
– *middle circle [radius 50 m]*
59 der äußere Zielkreis [Radius *m* 100 m]
– *outer circle [radius 100 m]*
60-62 Freifallhaltungen *f*
– *free-fall positions*
60 die X-Lage
– *full spread position*
61 die Froschlage
– *frog position*
62 die T-Lage
– *T position*
63-84 das Ballonfahren
(Freiballonfahren)
– **ballooning**
63 der Gasballon
– *gas balloon*

64 die Gondel (der Ballonkorb)
– *gondola (balloon basket)*
65 der Ballast (die Sandsäcke)
– *ballast (sandbags)*
66 die Halteleine (das Halteseil)
– *mooring line*
67 der Korbring
– *hoop*
68 die Bordinstrumente *n*
– *flight instruments (instruments)*
69 das Schlepptau
– *trail rope*
70 der Füllansatz
– *mouth (neck)*
71 die Füllansatzleinen *f*
– *neck line*
72 die Notreißbahn
– *emergency rip panel*
73 die Notreißleine
– *emergency ripping line*
74 die Gänsefüße *m*
– *network (net)*
75 die Reißbahn
– *rip panel*
76 die Reißleine (Reißbahnleine)
– *ripping line*
77 das Ventil
– *valve*
78 die Ventilleine
– *valve line*
79 der Heißluftballon
– *hot-air balloon*
80 die Brennerplattform
– *burner platform*
81 die Füllöffnung
– *mouth*
82 das Ventil
– *vent*
83 die Reißbahn
– *rip panel*
84 der Ballonaufstieg (Ballonstart)
– *balloon take-off*
85-91 der Modellflugsport
– **flying model aeroplanes**
(Am. *airplanes)*
85 der funkferngesteuerte Modellflug
– *radio-controlled model flight*
86 das ferngesteuerte Freiflugmodell
– *remote-controlled free flight model*
87 die Funkfernsteuerung
(das Fernsteuerfunkgerät)
– *remote control radio*
88 die Antenne (Sendeantenne)
– *antenna (transmitting antenna)*
89 das Fesselflugmodell
– *control line model*
90 die Eindrahtfesselflugsteuerung
– *mono-line control system*
91 die fliegende Hundehütte, ein
Groteskflugmodell *n*
– *flying kennel, a K9-class model*

1-7 das Dressurreiten
- *dressage*
1 das Dressurviereck
- *arena (dressage arena)*
2 die Bande
- *rail*
3 das Dressurpferd
- *school horse*
4 der dunkle Reitfrack (*od.* schwarze Rock)
- *dark coat (black coat)*
5 die weiße Stiefelhose
- *white breeches*
6 der Zylinder (*od.* runde Hut)
- *top hat*
7 die Gangart (*auch:* die Hufschlagfigur)
- *gait (also: school figure)*
8-14 das Springreiten (Jagdspringen)
- ***show jumping***
8 das Hindernis (Gatter), ein halbfestes Hindernis; *ähnl.:* das Rick, das Koppelrick, die Palisade, der Oxer, die Hürde, der Wall, die Mauer
- *obstacle (fence), an almost-fixed obstacle;* sim.: *gate, gate and rails, palisade, oxer, mound, wall*
9 das Springpferd
- *jumper*
10 der Springsattel
- *jumping saddle*
11 der Sattelgurt
- *girth*
12 die Trense
- *snaffle*
13 der rote (*auch:* schwarze) Rock
- *red coat (hunting pink, pink;* also: *dark coat)*
14 die Jagdkappe
- *hunting cap (riding cap)*
15 die Bandage
- *bandage*
16-19 die Military
- ***three-day event***
16 der Geländeritt
- *endurance competition*
17 die Querfeldeinstrecke
- *cross-country*
18 der Sturzhelm (*auch:* die verstärkte Reitkappe)
- *helmet (*also: *hard hat, hard hunting cap)*
19 die Streckenmarkierung
- *course markings*
20-22 das Hindernisrennen (Jagdrennen)
- ***steeplechase***
20 die Hecke (mit Wassergraben *m*), ein festes Hindernis
- *water jump, a fixed obstacle*
21 der Sprung
- *jump*
22 die Reitgerte
- *riding switch*
23-40 das Trabrennen
- ***harness racing** (harness horse racing)*

23 die Trabrennbahn (Traberbahn, der Track, das Geläuf)
- *harness racing track (track)*
24 der Sulky
- *sulky*
25 das Speichenrad mit Plastikscheibenschutz *m*
- *spoke wheel (spoked wheel) with plastic wheel disc (disk)*
26 der Fahrer, im Trabdreß *m*
- *driver in trotting silks*
27 die Fahrleine
- *rein*
28 das Traberpferd (der Traber)
- *trotter*
29 der Scheck
- *piebald horse*
30 der Bodenblender
- *shadow roll*
31 die Kniegamasche
- *elbow boot*
32 der Gummischutz
- *rubber boot*
33 die Startnummer
- *number*
34 die verglaste Tribüne mit den Totalisatorschaltern *m* (Totokassen *f*)
- *glass-covered grandstand with totalizator windows (tote windows) inside*
35 die Totalisatoranzeigetafel (Totoanzeigetafel)
- *totalizator (tote)*
36 die Starternummer
- *number [of each runner]*
37 die Eventualquote
- *odds (price, starting price, price offered)*
38 die Siegeranzeige
- *winners' table*
39 die Siegquote
- *winner's price*
40 die Zeitanzeige
- *time indicator*
41-49 das Jagdreiten, eine Schleppjagd; *ähnl.:* Fuchsjagd *f*, Schnitzeljagd
- ***hunt, a drag hunt;*** sim.: *fox hunt, paper chase (paper hunt, hare-and-hounds)*
41 das Feld (die Gruppe)
- *field*
42 der rote Jagdrock
- *hunting pink*
43 der Piqueur
- *whipper-in (whip)*
44 das Jagdhorn (Hifthorn)
- *hunting horn*
45 der Master
- *Master (Master of foxhounds, MFH)*
46 die Hundemeute (Meute, Koppel)
- *pack of hounds (pack)*
47 der Hirschhund
- *staghound*
48 der „Fuchs"
- *drag*

49 die Schleppe (künstliche Fährte)
- *scented trail (artificial scent)*
50 das Galopprennen
- ***horse racing** (racing)*
51 das Feld (die Rennpferde *n*)
- *field (racehorses)*
52 der Favorit
- *favourite (Am. favorite)*
53 der Outsider (Außenseiter)
- *outsider*

1-23 Radsport *m*
- **cycle racing**
1 die Radrennbahn; *hier:* Hallenbahn *f*
- *cycling track (cycle track); here: indoor track*
2-7 das Sechstagerennen
- *six-day race*
2 der Sechstagefahrer, ein Bahnrennfahrer *m* im Feld *n*
- *six-day racer, a track racer (track rider) on the track*
3 der Sturzhelm
- *crash hat*
4 die Rennleitung
- *stewards*
5 der Zielrichter
- *judge*
6 der Rundenzähler
- *lap scorer*
7 die Rennfahrerkabine
- *rider's box (racer's box)*
8-10 das Straßenrennen
- *road race*
8 der Straßenfahrer, ein Radrennfahrer *m*
- *road racer, a racing cyclist*
9 das Rennfahrertrikot
- *racing jersey*
10 die Trinkflasche
- *water bottle*
11-15 das Steherrennen (Dauerrennen)
- *motor-paced racing (long-distance racing)*
11 der Schrittmacher, ein Motorradfahrer *m*
- *pacer, a motorcyclist*
12 die Schrittmachermaschine (das Schrittmachermotorrad)
- *pacer's motorcycle*
13 die Rolle, eine Schutzvorrichtung
- *roller, a safety device*
14 der Steher (Dauerfahrer)
- *stayer (motor-paced track rider)*
15 die Stehermaschine, ein Rennrad *n*
- *motor-paced cycle, a racing cycle*
16 das Rennrad (die Rennmaschine) für Straßenrennen *n*
- *racing cycle (racing bicycle) for road racing (road race bicycle)*
17 der Rennsattel, ein ungefederter Sattel
- *racing saddle, an unsprung saddle*
18 der Rennlenker
- *racing handlebars (racing handlebar)*
19 der Schlauchreifen (Rennreifen)
- *tubular tyre (Am. tire) (racing tyre)*
20 die Schaltungskette
- *chain*
21 der Rennhaken
- *toe clip (racing toe clip)*
22 der Riemen
- *strap*
23 der Ersatzschlauchreifen
- *spare tubular tyre (Am. tire)*
24-38 Motorsport *m*
- **motorsports**

24-28 das Motorradrennen; *Disziplinen:* Grasbahnrennen *n*, Straßenrennen, Sandbahnrennen, Zementbahnrennen, Aschenbahnrennen, Bergrennen, Eisrennen (ein Speedway *n*), Geländesport *m*, Trial *n*, Moto-Cross
- *motorcycle racing; disciplines: grasstrack racing, road racing, sand track racing, cement track racing, speedway [on ash or shale tracks], mountain racing, ice racing (ice speedway), scramble racing, trial, moto cross*
24 die Sandbahn
- *sand track*
25 der Motorradrennfahrer
- *racing motorcyclist (rider)*
26 die Lederschutzkleidung
- *leather overalls (leathers)*
27 die Rennmaschine, eine Solomaschine
- *racing motorcycle, a solo machine*
28 die Startnummer
- *number (number plate)*
29 das Seitenwagengespann, in der Kurve
- *sidecar combination on the bend*
30 der Seitenwagen
- *sidecar*
31 die verkleidete Rennmaschine [500 cm³]
- *streamlined racing motorcycle [500 cc.]*
32 das Gymkhana, ein Geschicklichkeitswettbewerb *m; hier:* der Motorradfahrer beim Sprung *m*
- *gymkhana, a competition of skill; here: motorcyclist performing a jump*
33 die Geländefahrt, eine Leistungsprüfung
- *cross-country race, a test in performance*
34-38 Rennwagen *m*
- *racing cars*
34 der Formel-1-Rennwagen (ein Monoposto *m*)
- *Formula One racing car (a mono posto)*
35 der Heckspoiler
- *rear spoiler (aerofoil, Am. airfoil)*
36 der Formel-2-Rennwagen (ein Rennsportwagen *m*)
- *Formula Two racing car (a racing car)*
37 der Super-V-Rennsportwagen
- *Super-Vee racing car*
38 der Prototyp, ein Sportwagen *m*
- *prototype, a racing car*

1-16 der Fußballplatz
- *football pitch*
1 das Spielfeld
- *field (park)*
2 der Mittelkreis
- *centre (Am. center) circle*
3 die Mittellinie
- *half-way line*
4 der Strafraum (Sechzehnmeterraum)
- *penalty area*
5 der Torraum
- *goal area*
6 der Elfmeterpunkt (die Strafstoßmarke)
- *penalty spot*
7 die Torlinie
- *goal line (by-line)*
8 die Eckfahne
- *corner flag*
9 die Seitenlinie
- *touch line*
10 der Tormann (Torwart)
- *goalkeeper*
11 der Libero
- *sweeper (libero)*
12 der Vorstopper
- *inside defender*
13 der Außenverteidiger
- *outside defender*
14 die Mittelfeldspieler *m*
- *midfield players*
15 der Innenstürmer
- *inside forward (striker)*
16 der Außenstürmer
- *outside forward (winger)*
17 der Fußball
- *football*
18 das Ventil
- *valve*
19 die Torwarthandschuhe *m*
- *goalkeeper's gloves*
20 die Schaumstoffauflage
- *foam rubber padding*
21 der Fußballschuh
- *football boot*
22 das Lederfutter
- *leather lining*
23 die Hinterkappe
- *counter*
24 die Schaumstoffzunge
- *foam rubber tongue*
25 die Gelenkzugriemen *m*
- *bands*
26 der Oberlederschaft
- *shaft*
27 die Einlegesohle
- *insole*
28 der Schraubstollen
- *screw-in stud*
29 die Gelenkrille
- *groove*
30 die Nylonsohle
- *nylon sole*
31 die Brandsohle
- *inner sole*
32 der Schnürsenkel
- *lace (bootlace)*

33 die Beinschiene mit
  Knöchelschutz *m*
 – *football pad with ankle guard*
34 der Schienbeinschutz
 – *shin guard*
35 das Tor
 – *goal*
36 die Querlatte (Latte)
 – *crossbar*
37 der Pfosten (Torpfosten)
 – *post (goalpost)*
38 der Abstoß
 – *goal kick*
39 die Faustabwehr
 – *save with the fists*
40 der Strafstoß (*ugs.* Elfmeter)
 – *penalty (penalty kick)*
41 der Eckstoß (Eckball)
 – *corner (corner kick)*
42 das Abseits
 – *offside*
43 der Freistoß
 – *free kick*
44 die Mauer
 – *wall*
45 der Fallrückzieher
 – *bicycle kick*
   (overhead bicycle kick)
46 der Kopfball (Kopfstoß)
 – *header*

47 die Ballabgabe
 – *pass (passing the ball)*
48 die Ballannahme
 – *receiving the ball (taking a pass)*
49 der Kurzpaß (Doppelpaß)
 – *short pass (one-two)*
50 das Foul (die Regelwidrigkeit)
 – *foul (infringement)*
51 das Sperren
 – *obstruction*
52 das Dribbling (der Durchbruch)
 – *dribble*
53 der Einwurf
 – *throw-in*
54 der Ersatzspieler
 – *substitute*
55 der Trainer
 – *coach*
56 das Trikot
 – *shirt (jersey)*
57 die Sporthose
 – *shorts*
58 der Sportstrumpf
 – *sock (football sock)*
59 der Linienrichter
 – *linesman*
60 die Handflagge
 – *linesman's flag*
61 der Platzverweis
 – *sending-off*

62 der Schiedsrichter (Unparteiische)
 – *referee*
63 die Verweiskarte (rote Karte; zur
  Verwarnung *auch:* die gelbe Karte)
 – *red card; as a caution* also: *yellow
  card*
64 die Mittelfahne
 – *centre* (Am. *center) flag*

1 **der Handball** (Hallenhandball, das
  Handballspiel, Hallenhandballspiel)
- **handball** *(indoor handball)*
2 der Handballspieler, ein
  Feldspieler *m*
- *handball player, a field player*
3 der Kreisspieler, beim Sprungwurf *m*
- *attacker, making a jump throw*
4 der Abwehrspieler
- *defender*
5 die Freiwurflinie
- *penalty line*
6 **das Hockey** (Hockeyspiel)
- *hockey*
7 das Hockeytor
- *goal*
8 der Tormann
- *goalkeeper*
9 der Beinschutz (Schienbein-,
  Knieschutz)
- *pad (shin pad, knee pad)*
10 der Kickschuh
- *kicker*
11 die Gesichtsmaske
- *face guard*
12 der Handschuh
- *glove*
13 der Hockeyschläger (Hockeystock)
- *hockey stick*
14 der Hockeyball
- *hockey ball*
15 der Hockeyspieler
- *hockey player*
16 der Schußkreis
- *striking circle*
17 die Seitenlinie
- *sideline*
18 die Ecke
- *corner*
19 **das Rugby** (Rugbyspiel)
- **rugby** *(rugby football)*
20 das Gedränge
- *scrum (scrummage)*
21 der Rugbyball
- *rugby ball*
22 **der Football** (das Footballspiel)
- **American football** *(Am. football)*
23 der Ballträger, ein Footballspieler *m*
- *player carrying the ball, a football
  player*
24 der Helm
- *helmet*
25 der Gesichtsschutz
- *face guard*
26 die gepolsterte Jacke
- *padded jersey*
27 der Ball
- *ball (pigskin)*
28 **der Basketball** (Korbball, das
  Basketballspiel, Korbballspiel)
- **basketball**
29 der Basketball
- *basketball*
30 das Korbbrett (Spielbrett)
- *backboard*
31 der Korbständer
- *backboard support*

32 der Korb
- *basket*
33 der Korbring
- *basket ring*
34 die Zielmarkierung
- *target rectangle*
35 der Korbleger, ein
  Basketballspieler *m*
- *basketball player shooting*
36 die Endlinie
- *end line*
37 der Freiwurfraum
- *restricted area*
38 die Freiwurflinie
- *free-throw line*
39 die Auswechselspieler *m*
- *substitute*
40-69 **der Baseball**
  (das Baseballspiel)
- **baseball**
40-58 das Spielfeld
- *field (park)*
40 die Zuschauergrenze
- *spectator barrier*
41 der Außenfeldspieler
- *outfielder*
42 der Halbspieler
- *short stop*
43 das zweite Mal
- *second base*
44 der Malspieler
- *baseman*
45 der Läufer
- *runner*
46 das erste Mal
- *first base*
47 das dritte Mal
- *third base*
48 die Foullinie (Fehllinie)
- *foul line (base line)*
49 das Wurfmal
- *pitcher's mound*
50 der Werfer (Pitcher)
- *pitcher*
51 das Schlägerfeld (die Home base)
- *batter's position*
52 der Schlagmann (Batter)
- *batter*
53 das Schlagmal
- *home base (home plate)*
54 der Fänger (Catcher)
- *catcher*
55 der Chefschiedsrichter
- *umpire*
56 die Coach-box
- *coach's box*
57 der Coach (Mannschaftsbetreuer,
  Trainer)
- *coach*
58 die nachfolgenden Schlagmänner *m*
- *batting order*
59 *u.* 60 Baseballhandschuhe *m*
- *baseball gloves (baseball mitts)*
59 der Handschuh des Feldspielers *m*
- *fielder's glove (fielder's mitt)*
60 der Handschuh des Fängers *m*
- *catcher's glove (catcher's mitt)*

61 der Baseball
- *baseball*
62 die Schlagkeule
- *bat*
63 der Schlagmann beim
  Schlagversuch *m*
- *batter at bat*
64 der Fänger
- *catcher*
65 der Schiedsrichter
- *umpire*
66 der Läufer
- *runner*
67 das Malkissen
- *base plate*
68 der Werfer
- *pitcher*
69 die Werferplatte
- *pitcher's mound*
70-76 **das Kricket** (Kricketspiel,
  Cricket)
- **cricket**
70 das Kricktor (Mal) mit dem
  Querstab *m*
- *wicket with bails*
71 die Abwurflinie
- *bowling crease*
72 die Schlagmallinie
- *popping crease*
73 der Torwächter der Fangpartei
- *wicket keeper of the fielding side*
74 der Schlagmann
- *batsman*
75 das Schlagholz
- *bat (cricket bat)*
76 der Außenspieler (Werfer)
- *fielder (bowler)*
77-82 **das Krocket** (Krocketspiel,
  Croquet)
- **croquet**
77 der Zielpfahl
- *winning peg*
78 das Krockettor
- *hoop*
79 der Wendepfahl
- *corner peg*
80 der Krocketspieler
- *croquet player*
81 der Krockethammer
- *croquet mallet*
82 die Krocketkugel
- *croquet ball*

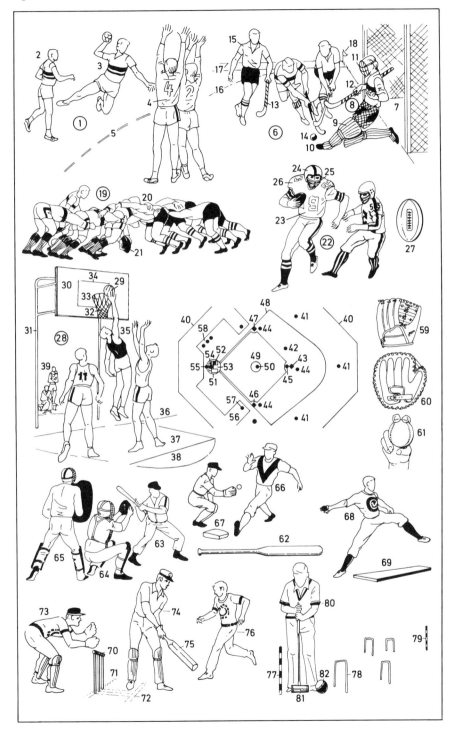

1-42 das Tennis (Tennisspiel)
– **tennis**
1 der Tennisplatz
– *tennis court*
2 *bis* 3 die Seitenlinie für das Doppel-
spiel (Doppel; Herrendoppel,
Damendoppel, gemischte Doppel)
– *sideline for doubles match (doubles;*
men's doubles, women's doubles,
mixed doubles) (doubles sideline)
3 *bis* 10 die Grundlinie
– *base line*
4 *bis* 5 die Seitenlinie für das
Einzelspiel (Einzel; Herreneinzel,
Dameneinzel)
– *sideline for singles match (singles;*
men's singles, women's singles)
(singles sideline)
6 *bis* 7 die Aufschlaglinie
– *service line*
8 *bis* 9 die Mittellinie
– *centre (Am. center) line*
11 das Mittelzeichen
– *centre (Am. center) mark*
12 das Aufschlagfeld
– *service court*
13 das Netz (Tennisnetz)
– *net (tennis net)*
14 der Netzhalter
– *net strap*
15 der Netzpfosten
– *net post*
16 der Tennisspieler
– *tennis player*
17 der Schmetterball
– *smash*
18 der Partner
– *opponent*
19 der Schiedsrichter
– *umpire*
20 der Schiedsrichterstuhl
– *umpire's chair*
21 das Schiedsrichtermikrophon
– *umpire's microphone*
22 der Balljunge
– *ball boy*
23 der Netzrichter
– *net-cord judge*
24 der Seitenlinienrichter
– *foot-fault judge*
25 der Mittellinienrichter
– *centre (Am. center) line judge*
26 der Grundlinienrichter
– *base line judge*
27 der Aufschlaglinienrichter
– *service line judge*
28 der Tennisball
– *tennis ball*
29 der Tennisschläger (Schläger,
das Racket)
– *tennis racket (tennis racquet, racket,*
racquet)
30 der Schlägerschaft (Racketschaft)
– *racket handle (racquet handle)*
31 die Saitenbespannung (Schlagfläche)
– *strings (striking surface)*
32 der Spanner
– *press (racket press, racquet press)*
33 die Spannschraube
– *tightening screw*
34 die Anzeigetafel
– *scoreboard*

35 die Spielerergebnisse *n*
– *results of sets*
36 der Spielername
– *player's name*
37 die Zahl der Sätze *m*
– *number of sets*
38 der Spielstand
– *state of play*
39 der Rückhandschlag
– *backhand stroke*
40 der Vorhandschlag
– *forehand stroke*
41 der Flugball (normalhohe
Vorhandflugball)
– *volley (forehand volley at normal*
height)
42 der Aufschlag
– *service*
43 *u.* 44 das Federballspiel (Badminton)
– **badminton**
43 der Federballschläger (Badminton-
schläger)
– *badminton racket (badminton*
racquet)
44 der Federball
– *shuttle (shuttlecock)*
45-55 das Tischtennis (Tischtennisspiel)
– **table tennis**
45 der Tischtennisschläger
– *table tennis racket (racquet) (table*
tennis bat)
46 der Schlägergriff
– *racket (racquet) handle (bat handle)*
47 die Auflage der Schlagfläche
– *blade covering*
48 der Tischtennisball
– *table tennis ball*
49 die Tischtennisspieler *m; hier:* das
gemischte Doppel (Mixed)
– *table tennis players; here: mixed*
doubles
50 der Rückschläger
– *receiver*
51 der Aufschläger
– *server*
52 der Tischtennistisch
– *table tennis table*
53 das Tischtennisnetz
– *table tennis net*
54 die Mittellinie
– *centre (Am. center) line*
55 die Seitenlinie
– *sideline*
56-71 das Volleyballspiel
– **volleyball**
56 *u.* 57 die richtige Haltung der
Hände *f*
– *correct placing of the hands*
58 der Volleyball
– *volleyball*
59 das Servieren des Volleyballs *m*
– *serving the volleyball*
60 der Grundspieler (Abwehrspieler)
– *blocker*
61 der Aufgaberaum
– *service area*
62 der Aufgeber
– *server*
63 der Netzspieler (Angriffsspieler)
– *front-line player*
64 die Angriffszone
– *attack area*

65 die Angriffslinie
– *attack line*
66 die Verteidigungszone
– *defence (Am. defense) area*
67 der erste Schiedsrichter
– *referee*
68 der zweite Schiedsrichter
– *umpire*
69 der Linienrichter
– *linesman*
70 die Anzeigetafel
– *scoreboard*
71 der Anschreiber
– *scorer*
72-78 das Faustballspiel
– **faustball**
72 die Angabelinie
– *base line*
73 die Leine
– *tape*
74 der Faustball
– *faustball*
75 der Schlagmann (Angriffsspieler,
Vorderspieler, Überschläger)
– *forward*
76 der Mittelspieler (Mittelmann)
– *centre (Am. center)*
77 der Hintermann (Abwehrspieler,
Hinterspieler)
– *back*
78 der Hammerschlag
– *hammer blow*
79-93 das Golfspiel (Golf)
– **golf**
79-82 die Spielbahn (die Löcher *n*)
– *course (holes)*
79 der Abschlag (Abschlagplatz)
– *teeing ground*
80 das Rough
– *rough*
81 der Bunker (die Sandgrube)
– *bunker (Am. sand trap)*
82 das Grün (Green, Golfgrün,
Puttergrün)
– *green (putting green)*
83 der Golfspieler, beim Treibschlag *m*
(Weitschlag)
– *golfer, driving*
84 der Durchschwung
– *follow-through*
85 der Golfwagen (Caddywagen)
– *golf trolley*
86 das Einlochen (Putten)
– *putting (holing out)*
87 das Loch (Hole)
– *hole*
88 die Flagge
– *pin (flagstick)*
89 der Golfball
– *golf ball*
90 der Aufsatz
– *tee*
91 der (bleigefüllte) Holzschläger
(das Holz, Wood), ein Treiber *m*
(Driver); *ähnl.:* der Brassie
– *wood, a driver; sim.: brassie (brassy,*
brassey)
92 der Eisenschläger (das Eisen, Iron)
– *iron*
93 der Putter
– *putter*

1-33 **das Sportfechten**
- **fencing** *(modern fencing)*
1-18 das Florettfechten
- *foil*
1 der Fechtmeister
- *fencing master (fencing instructor)*
2 die Fechtbahn (Kampfbahn, Piste, Planche)
- *piste*
3 die Startlinie
- *on guard line*
4 die Mittellinie
- *centre (Am. center) line*
5 u. 6 die Fechter m (Florettfechter) beim Freigefecht n (Assaut m od. n)
- *fencers (foil fencers, foilsmen, foilists) in a bout*
5 der Angreifer in der Ausfallstellung (im Ausfall m)
- *attacker (attacking fencer) in lunging position (lunging)*
6 der Angegriffene in der Parade (Abwehr, Deckung)
- *defender (defending fencer), parrying*
7 der gerade Stoß (Coup droit, die Botta dritta), eine Fechtaktion
- *straight thrust, a fencing movement*
8 die Terz- bzw. Sixtdeckung (Terz-, Sixtparade)
- *parry of the tierce*
9 die Gefechtslinie
- *line of fencing*
10 die drei Fechtabstände m zum Gegner m (weiter, mittlerer, naher Abstand)
- *the three fencing measures (short, medium, and long measure)*
11 das Florett, eine Stoßwaffe
- *foil, a thrust weapon*
12 der Fechthandschuh
- *fencing glove*
13 die Fechtmaske
- *fencing mask (foil mask)*
14 der Halsschutz an der Fechtmaske
- *neck flap (neck guard) on the fencing mask*
15 die Metallweste
- *metallic jacket*
16 die Fechtjacke
- *fencing jacket*
17 die absatzlosen Fechtschuhe m
- *heelless fencing shoes*
18 die Grundstellung zum Fechtergruß m und zur Fechtstellung
- *first position for fencer's salute (initial position, on guard position)*
19-24 das Säbelfechten
- *sabre (Am. saber) fencing*
19 der Säbelfechter
- *sabreurs (sabre fencers, Am. saber fencers)*
20 der (leichte) Säbel
- *(light) sabre (Am. saber)*
21 der Säbelhandschuh
- *sabre (Am. saber) glove (sabre gauntlet)*

22 die Säbelmaske
- *sabre (Am. saber) mask*
23 der Kopfhieb
- *cut at head*
24 die Quintparade
- *parry of the fifth (quinte)*
25-33 das Degenfechten mit elektrischer Trefferanzeige
- *épée, with electrical scoring equipment*
25 der Degenfechter
- *épéeist*
26 der Elektrodegen; auch: das Elektroflorett
- *electric épée; also: electric foil*
27 die Degenspitze
- *épée point*
28 die optische Trefferanzeige
- *scoring lights*
29 die Laufrolle (Kabelrolle)
- *spring-loaded wire spool*
30 die Anzeigelampe
- *indicator light*
31 das Rollenkabel
- *wire*
32 das Anzeigegerät (der Meldeapparat)
- *electronic scoring equipment*
33 die Auslage
- *on guard position*
34-45 **die Fechtwaffen** f
- **fencing weapons**
34 der leichte Säbel (Sportsäbel), eine Hieb- und Stoßwaffe
- *light sabre (Am. saber), a cut and thrust weapon*
35 die Glocke
- *guard*
36 der Degen, eine Stoßwaffe
- *épée, a thrust weapon*
37 das französische Florett, eine Stoßwaffe
- *French foil, a thrust weapon*
38 die Glocke
- *guard (coquille)*
39 das italienische Florett
- *Italian foil*
40 der Florettknauf
- *foil pommel*
41 der Griff
- *handle*
42 die Parierstange
- *cross piece (quillons)*
43 die Glocke
- *guard (coquille)*
44 die Klinge
- *blade*
45 die Spitze
- *button*
46 die Klingenbindungen f
- *engagements*
47 die Quartbindung
- *quarte (carte) engagement*
48 die Terzbindung (auch: Sixtbindung)
- *tierce engagement (also: sixte engagement)*
49 die Cerclebindung
- *circling engagement*

50 die Sekondbindung (auch: Oktavbindung)
- *seconde engagement (also: octave engagement)*
51-53 die gültigen Trefflächen f
- *target areas*
51 der gesamte Körper beim Degenfechten n (Herren m)
- *the whole body in épée fencing (men)*
52 Kopf m und Oberkörper m bis zu den Leistenfurchen f beim Säbelfechten n (Herren m)
- *head and upper body down to the groin in sabre (Am. saber) fencing (men)*
53 der Rumpf vom Hals m bis zu den Leistenfurchen f beim Florettfechten n (Damen f u. Herren m)
- *trunk from the neck to the groin in foil fencing (ladies and men)*

1 die Grundstellung
- *basic position (starting position)*
2 die Laufstellung
- *running posture*
3 die Seitgrätschstellung
- *side straddle*
4 die Quergrätschstellung
- *straddle (forward straddle)*
5 der Ballenstand
- *toe stand*
6 der Hockstand
- *crouch*
7 der Kniestand
- *upright kneeling position*
8 der Fersensitz
- *kneeling position, seat on heels*
9 der Hocksitz
- *squat*
10 der Strecksitz
- *L seat (long sitting)*
11 der Schneidersitz
- *tailor seat (sitting tailor-style)*
12 der Hürdensitz
- *hurdle (hurdle position)*
13 der Spitzwinkelsitz
- *V-seat*
14 der Seitspagat
- *side split*
15 der Querspagat
- *forward split*
16 der Winkelstütz
- *L-support*
17 der Spitzwinkelstütz
- *V-support*
18 der Grätschwinkelstütz
- *straddle seat*
19 die Brücke
- *bridge*
20 die Bank (der Knieliegestütz)
- *kneeling front support*
21 der Liegestütz vorlings
- *front support*
22 der Liegestütz rücklings
- *back support*
23 der Hockliegestütz
- *crouch with front support*
24 der Winkelliegestütz
- *arched front support*
25 der Liegestütz seitlings
- *side support*
26 der Unterarmstand
- *forearm stand (forearm balance)*
27 der Handstand
- *handstand*
28 der Kopfstand
- *headstand*
29 der Nackenstand (die Kerze)
- *shoulder stand (shoulder balance)*
30 die Waage vorlings
- *forward horizontal stand (arabesque)*
31 die Waage rücklings
- *rearward horizontal stand*
32 die Rumpfbeuge seitwärts
- *trunk-bending sideways*
33 die Rumpfbeuge vorwärts
- *trunk-bending forwards*

34 die Rumpfbeuge rückwärts
- *arch*
35 der Strecksprung
- *astride jump (butterfly)*
36 der Hocksprung
- *tuck jump*
37 der Grätschsprung
- *astride jump*
38 der Winkelsprung
- *pike*
39 der Schersprung
- *scissor jump*
40 der Rehsprung
- *stag jump (stag leap)*
41 der Laufschritt
- *running step*
42 der Ausfallschritt
- *lunge*
43 der Nachstellschritt
- *forward pace*
44 die Rückenlage
- *lying on back*
45 die Bauchlage
- *prone position*
46 die Seitlage (Flankenlage)
- *lying on side*
47 die Tiefhalte der Arme *m*
- *holding arms downwards*
48 die Seithalte der Arme *m*
- *holding (extending) arms sideways*
49 die Hochhalte der Arme *m*
- *holding arms raised upward*
50 die Vorhalte der Arme *m*
- *holding (extending) arms forward*
51 die Rückhalte der Arme *m*
- *arms held (extended) backward*
52 die Nackenhalte der Arme *m*
- *hands clasped behind the head*

1-11 die Turngeräte *n* im olympischen Turnen *n* der Männer *m*
- *gymnastics apparatus in men's Olympic gymnastics*
1 das Langpferd ohne Pauschen *f* (das Sprungpferd)
- *long horse (horse, vaulting horse)*
2 der Barren
- *parallel bars*
3 der Barrenholm
- *bar*
4 die Ringe
- *rings (stationary rings)*
5 das Seitpferd mit Pauschen *f* (das Pauschenpferd)
- *pommel horse (side horse)*
6 die Pausche
- *pommel*
7 das Reck (Spannreck)
- *horizontal bar (high bar)*
8 die Reckstange
- *bar*
9 die Recksäule
- *upright*
10 die Verspannung
- *stay wires*
11 der Boden (die 12 × 12-m-Bodenfläche)
- *floor (12 m × 12 m floor area)*
12-21 Hilfsgeräte *n* **und Geräte** *n* **des Schul- und Vereinsturnens** *n*
- *auxiliary apparatus and apparatus for school and club gymnastics*
12 das Sprungbrett (Reutherbrett)
- *springboard (Reuther board)*
13 die Niedersprungmatte
- *landing mat*
14 die Bank
- *bench*
15 der Sprungkasten
- *box*
16 der kleine Sprungkasten
- *small box*
17 der Bock
- *buck*
18 die Weichbodenmatte
- *mattress*
19 das Klettertau
- *climbing rope (rope)*
20 die Sprossenwand
- *wall bars*
21 die Gitterleiter
- *window ladder*
22-39 das Verhalten zum Gerät *n* (die Haltungen *f*, Positionen)
- *positions in relation to the apparatus*
22 der Seitstand vorlings
- *side, facing*
23 der Seitstand rücklings
- *side, facing away*
24 der Querstand vorlings
- *end, facing*
25 der Querstand rücklings
- *end, facing away*
26 der Außenseitstand vorlings
- *outside, facing*

27 der Innenquerstand
- *inside, facing*
28 der Stütz vorlings
- *front support*
29 der Stütz rücklings
- *back support*
30 der Grätschsitz
- *straddle position*
31 der Außenseitsitz
- *seated position outside*
32 der Außenquersitz
- *riding seat outside*
33 der Streckhang vorlings
- *hang*
34 der Streckhang rücklings
- *reverse hang*
35 der Beugehang
- *hang with elbows bent*
36 der Sturzhang
- *piked reverse hang*
37 der Sturzhang gestreckt
- *straight inverted hang*
38 der Streckstütz
- *straight hang*
39 der Beugestütz
- *bent hang*
40-46 die Griffarten *f*
- *grasps (kinds of grasp)*
40 der Ristgriff am Reck *n*
- *overgrasp on the horizontal bar*
41 der Kammgriff am Reck *n*
- *undergrasp on the horizontal bar*
42 der Zwiegriff am Reck *n*
- *combined grasp on the horizontal bar*
43 der Kreuzgriff am Reck *n*
- *cross grasp on the horizontal bar*
44 der Ellgriff am Reck *n*
- *rotated grasp on the horizontal bar*
45 der Speichgriff am Barren *m*
- *outside grip on the parallel bars*
46 der Ellgriff am Barren *m*
- *rotated grasp on the parallel bars*
47 der lederne Reckriemen
- *leather handstrap*
48-60 Übungen *f* **an den Geräten** *n*
- *(apparatus) exercises*
48 der Hechtsprung am Sprungpferd *n*
- *long-fly on the horse*
49 das Übergrätschen am Barren *m*
- *rise to straddle on the parallel bars*
50 der Seitspannhang (Kreuzhang) an den Ringen *m*
- *crucifix on the rings*
51 die Schere am Pauschenpferd *n*
- *scissors (scissors movement) on the pommel horse*
52 das Heben in den Handstand am Boden *m*
- *legs raising into a handstand on the floor*
53 die Hocke am Sprungpferd *n*
- *squat vault on the horse*
54 die Kreisflanke am Pauschenpferd *n*
- *double leg circle on the pommel horse*
55 das Schleudern (der Überschlag rückwärts) an den Ringen *m*
- *hip circle backwards on the rings*

56 die Hangwaage vorlings an den Ringen *m*
- *lever hang on the rings*
57 die Schwungstemme rückwärts am Barren *m*
- *rearward swing on the parallel bars*
58 die Oberarmkippe am Barren *m*
- *forward kip into upper arm hang on the parallel bars*
59 der Unterschwung vorlings rückwärts am Reck *n*
- *backward underswing on the horizontal bar*
60 die Riesenfelge vorlings rückwärts am Reck *n*
- *backward grand circle on the horizontal bar*
61-63 die Turnkleidung
- *gymnastics kit*
61 das Turnhemd
- *singlet (vest, Am. undershirt)*
62 die Turnhose
- *gym trousers*
63 die Turnschuhe *m* (Gymnastikschuhe)
- *gym shoes*
64 die Bandage
- *wristband*

1-6 die Turngeräte *n* im olympischen Turnen *n* der Frauen *f*
- *gymnastics apparatus in women's Olympic gymnastics*
1 das Seitpferd ohne Pauschen *f* (das Sprungpferd)
- *horse (vaulting horse)*
2 der Schwebebalken
- *beam*
3 der Stufenbarren (das Doppelreck, der Spannbarren)
- *asymmetric bars (uneven bars)*
4 der Barrenholm
- *bar*
5 die Verspannung
- *stay wires*
6 der Boden (die 12 × 12-m-Bodenfläche)
- *floor (12 m × 12 m floor area)*
7-14 Hilfsgeräte *n* und Geräte *n* des Schul- und Vereinsturnens
- *auxiliary apparatus and apparatus for school and club gymnastics*
7 die Niedersprungmatte
- *landing mat*
8 das Sprungbrett (Reutherbrett)
- *springboard (Reuther board)*
9 der kleine Sprungkasten
- *small box*
10 das Trampolin
- *trampoline*
11 das Sprungtuch
- *sheet (web)*
12 der Rahmen
- *frame*
13 die Gummizüge
- *rubber springs*
14 das Absprungtrampolin
- *springboard trampoline*
15-32 Übungen *f* an den Geräten *n*
- *apparatus exercises*
15 der Salto rückwärts gehockt
- *backward somersault*
16 die Hilfestellung
- *spotting position (standing-in position)*
17 der Salto rückwärts gestreckt am Trampolin *n*
- *vertical backward somersault on the trampoline*
18 der Salto vorwärts gehockt am Absprungtrampolin *n*
- *forward somersault on the springboard trampoline*
19 die Rolle vorwärts am Boden *m*
- *forward roll on the floor*
20 die Hechtrolle am Boden *m*
- *long-fly to forward roll on the floor*
21 das Rad (der Überschlag seitwärts) am Schwebebalken *m*
- *cartwheel on the beam*
22 der Handstandüberschlag vorwärts am Sprungpferd *n*
- *handspring on the horse*
23 der Bogengang rückwärts am Boden *m*
- *backward walkover*

24 der Flickflack (Handstandüberschlag rückwärts) am Boden *m*
- *back flip (flik-flak) on the floor*
25 der Schmetterling (freie Überschlag vorwärts) am Boden *m*
- *free walkover forward on the floor*
26 der Schrittüberschlag vorwärts am Boden *m*
- *forward walkover on the floor*
27 die Kopfkippe (der Kopfüberschlag) am Boden *m*
- *headspring on the floor*
28 die Schwebekippe am Stufenbarren *m*
- *upstart on the asymmetric bars*
29 die freie Felge am Stufenbarren *m*
- *free backward circle on the asymmetric bars*
30 die Wende am Sprungpferd *n*
- *face vault over the horse*
31 die Flanke am Sprungpferd *n*
- *flank vault over the horse*
32 die Kehre am Sprungpferd *n*
- *back vault (rear vault) over the horse*
33-50 Gymnastik *f* mit Handgerät *n*
- *gymnastics with hand apparatus*
33 der Bogenwurf
- *hand-to-hand throw*
34 der Gymnastikball
- *gymnastic ball*
35 der Hochwurf
- *high toss*
36 das Prellen
- *bounce*
37 das Handkreisen mit zwei Keulen *f*
- *hand circling with two clubs*
38 die Gymnastikkeule
- *gymnastic club*
39 das Schwingen
- *swing*
40 der Schlußhocksprung
- *tuck jump*
41 der Gymnastikstab
- *bar*
42 der Durchschlag
- *skip*
43 das Sprungseil
- *rope (skipping rope)*
44 der Kreuzdurchschlag
- *criss-cross skip*
45 das Springen mit Durchschlag
- *skip through the hoop*
46 der Gymnastikreifen
- *gymnastic hoop*
47 das Handumkreisen
- *hand circle*
48 die Schlange
- *serpent*
49 das Gymnastikband
- *gymnastic ribbon*
50 die Spirale
- *spiral*
51 *u.* **52** die Turnkleidung (Gymnastikkleidung)
- *gymnastics kit*

51 der Turnanzug (Gymnastikanzug)
- *leotard*
52 die Turnschuhe *m* (Gymnastikschuhe)
- *gym shoes*

1-8 das Laufen
– running
1-6 der Start
– start
1 der Startblock
– starting block
2 die verstellbare Fußstütze
– adjustable block (pedal)
3 der Startplatz
– start
4 der Tiefstart
– crouch start
5 der Läufer, ein Sprinter *m* (Kurz-
streckenläufer); *auch:* Mittelstrecken-
läufer *m* (Mittelstreckler), Lang-
streckenläufer (Langstreckler)
– runner, a sprinter; also:
middle-distance runner, long-distance
runner
6 die Laufbahn, eine Aschenbahn *f*
od. Kunststoffbahn *f*
– running track (track), a cinder track
or synthetic track
7 *u.* **8** das Hürdenlaufen (der
Hürdenlauf); *ähnl.:* das
Hindernislaufen (der Hindernislauf)
– hurdles (hurdle racing); sim.:
steeplechase
7 das Überlaufen
– clearing the hurdle
8 die Hürde
– hurdle
9-41 das Springen
– jumping and vaulting
9-27 der Hochsprung
– high jump
9 der Fosbury-Flop
– Fosbury flop (Fosbury, flop)
10 der Hochspringer
– high jumper
11 die Drehung um die Körperlängs-
und -querachse
– body rotation (rotation on the body's
longitudinal and latitudinal axes)
12 die Schulterlandung
– shoulder landing
13 der Sprungständer
– upright
14 die Sprunglatte (Latte)
– bar (crossbar)
15 der Parallelrückenrollsprung
– Eastern roll
16 der Rückenrollsprung
– Western roll
17 der Rollsprung
– roll
18 die Rolltechnik
– rotation
19 die Landung
– landing
20 die Höhenmarkierung
– height scale
21 die Scher-Kehr-Technik
– Eastern cut-off
22 der Schersprung
– scissors (scissor jump)

23 der Wälzsprung
– straddle (straddle jump)
24 die Wälztechnik
– turn
25 die Sechsuhrstellung
– vertical free leg
26 der Absprung
– take-off
27 das Schwungbein
– free leg
28-36 der Stabhochsprung
– pole vault
28 der Sprungstab
(Stabhochsprungstab)
– pole (vaulting pole)
29 der Stabhochspringer in der
Aufschwungphase
– pole vaulter (vaulter) in the pull-up
phase
30 die Schwungtechnik (das Flyaway)
– swing
31 das Überqueren der Latte
– crossing the bar
32 die Hochsprunganlage
– high jump apparatus (high jump
equipment)
33 der Sprungständer
– upright
34 die Sprunglatte
– bar (crossbar)
35 der Einstichkasten
– box
36 der Sprunghügel (das Sprungkissen)
– landing area (landing pad)
37-41 der Weitsprung
– long jump
37 der Absprung
– take-off
38 der Absprungbalken
– take-off board
39 die Sprunggrube
– landing area
40 die Laufsprungtechnik
– hitch-kick
41 die Hangtechnik
– hang
42-47 der Hammerwurf
– hammer throw
42 der Hammer
– hammer
43 der Hammerkopf
– hammer head
44 der Verbindungsdraht
– handle
45 der Hammergriff
– grip
46 die Hammergriffhaltung
– holding the grip
47 der Handschuh
– glove
48 das Kugelstoßen
– shot put
49 die Kugel
– shot (weight)
50 die O'Brien-Technik
– O'Brien technique

51-53 der Speerwurf
– javelin throw
51 der Daumenzeigefingergriff
– grip with thumb and index finger
52 der Daumenmittelfingergriff
– grip with thumb and middle finger
53 der Zangengriff
– horseshoe grip
54 die Wicklung
– binding

1-5 das Gewichtheben
- *weightlifting*
1 das Hockereißen
- *squat-style snatch*
2 der Gewichtheber
- *weightlifter*
3 die Scheibenhantel
- *disc (disk) barbell*
4 das Stoßen mit Ausfallschritt *m*
- *jerk with split*
5 die fixierte Last
- *maintained lift*
6-12 das Ringen (der Ringkampf)
- *wrestling*
6-9 der griechisch-römische Ringkampf
- *Greco-Roman wrestling*
6 der Standkampf
- *standing wrestling (wrestling in standing position)*
7 der Ringer (Ringkämpfer)
- *wrestler*
8 der Bodenkampf (*hier:* der Ansatz zum Aufreißen *n*)
- *on-the-ground wrestling (here: the referee's position)*
9 die Brücke
- *bridge*
10-12 das Freistilringen
- *freestyle wrestling*
10 der seitliche Armhebel mit Einsteigen *n*
- *bar arm (arm bar) with grapevine*
11 der Beinsteller
- *double leg lock*
12 die Ringmatte (Matte)
- *wrestling mat (mat)*
13-17 das Judo (*ähnl.:* das Jiu-Jitsu)
- *judo* (sim.: *ju-jitsu, jiu-jitsu, ju-jutsu*)
13 das Gleichgewichtsbrechen nach rechts vorn
- *drawing the opponent off balance to the right and forward*
14 der Judoka
- *judoka (judoist)*
15 der farbige Gürtel, als Abzeichen *n* für den Dan-Grad
- *coloured* (Am. *colored*) *belt, as a symbol of Dan grade*
16 der Unparteiische
- *referee*
17 der Judowurf
- *judo throw*
18 *u.* 19 das Karate
- *karate*
18 der Karateka
- *karateka*
19 der Seitfußstoß, eine Fußtechnik
- *side thrust kick, a kicking technique*
20-50 das Boxen (der Boxkampf, Faustkampf, das *od.* der Boxmatch)
- *boxing (boxing match)*
20-24 die Trainingsgeräte *n*
- *training apparatus (training equipment)*
20 der Doppelendball
- *[spring-supported] punch ball*

21 der Sandsack
- *punch bag (Am. punching bag)*
22 der Punktball
- *speed ball*
23 die Maisbirne (Boxbirne)
- *[suspended] punch ball*
24 der Plattformball (Birnball, Punchingball)
- *punch ball*
25 der Boxer, ein Amateurboxer *m* (kämpft mit Trikot *n*), od. ein Berufsboxer *m* (Professional; kämpft ohne Trikot *n*)
- *boxer, an amateur boxer (boxes in a singlet, vest, Am. undershirt) or a professional boxer (boxes without singlet)*
26 der Boxhandschuh
- *boxing glove*
27 der Sparringspartner (Trainingspartner)
- *sparring partner*
28 der gerade Stoß (die Gerade)
- *straight punch (straight blow)*
29 das Abducken und Seitneigen *n*
- *ducking and sidestepping*
30 der Kopfschutz
- *headguard*
31 der Nahkampf; *hier:* der Clinch
- *infighting; here: clinch*
32 der Haken (Aufwärtshaken)
- *uppercut*
33 der Kopfhaken (Seitwärtshaken)
- *hook to the head (hook, left hook or right hook)*
34 der Tiefschlag, ein verbotener Schlag *m*
- *punch below the belt, a foul punch (illegal punch, foul)*
35-50 die Boxveranstaltung, ein Titelkampf *m*
- *boxing match (boxing contest), a title fight (title bout)*
35 der Boxring (Ring, Kampfring)
- *boxing ring (ring)*
36 die Seile *n*
- *ropes*
37 die Seilverspannung
- *stay wire (stay rope)*
38 die neutrale Ecke
- *neutral corner*
39 der Sieger
- *winner*
40 der durch Niederschlag *m* (Knockout, k.o.) Besiegte (k.o.-geschlagene Gegner)
- *loser by a knockout*
41 der Ringrichter
- *referee*
42 das Auszählen
- *counting out*
43 der Punktrichter
- *judge*
44 der Sekundant (Helfer)
- *second*

45 der Manager (Veranstalter, Boxmanager)
- *manager*
46 der Gong
- *gong*
47 der Zeitnehmer
- *timekeeper*
48 der Protokollführer
- *record keeper*
49 der Pressefotograf
- *press photographer*
50 der Sportreporter (Reporter)
- *sports reporter (reporter)*

1-57 das Bergsteigen (Bergwandern, der Hochtourismus)
- **mountaineering** *(mountain climbing, Alpinism)*
1 das Unterkunftshaus (die Alpenvereinshütte, Schutzhütte, Berghütte, der Stützpunkt)
- *hut (Alpine Club hut, mountain hut, base)*
2-13 das Klettern (Felsgehen, Klettern im Fels *m*) [Felstechnik *f*, Klettertechnik]
- **climbing** *(rock climbing) [rock climbing technique]*
2 die Wand (Felswand, Steilstufe)
- *rock face (rock wall)*
3 der Riß (Längs-, Quer- od. Diagonalriß)
- *fissure, (vertical, horizontal, or diagonal fissure)*
4 das Band (Fels-, Gras-, Geröll-, Schnee- od. Eisband)
- *ledge (rock ledge, grass ledge, scree ledge, snow ledge, ice ledge)*
5 der Bergsteiger (Kletterer, Felsgeher, Alpinist, Hochtourist)
- *mountaineer (climber, mountain climber, Alpinist)*
6 der Anorak (Hochtourenanorak, das Schneehemd, die Daunenjacke)
- *anorak (high-altitude anorak, snowshirt, padded jacket)*
7 die Bundhose (Kletterhose)
- *breeches (climbing breeches)*
8 der Kamin
- *chimney*
9 der Felskopf
- *belay (spike, rock spike)*
10 die Selbstsicherung
- *belay*
11 die Seilschlinge (Schlinge)
- *rope sling (sling)*
12 das Bergseil (Seil)
- *rope*
13 die Leiste
- *spur*
14-21 das Eisgehen (Klettern im Eis *n*) [Eistechnik *f*]
- **snow and ice climbing** *[snow and ice climbing technique]*
14 die Eiswand (der Firnhang)
- *ice slope (firn slope)*
15 der Eisgeher
- *snow and ice climber*
16 der Pickel
- *ice axe (Am. ax)*
17 die Stufe (der Tritt im Eis *n*)
- *step (ice step)*
18 die Gletscherbrille (Schneebrille)
- *snow goggles*
19 die Kapuze (Anorakkapuze)
- *hood (anorak hood)*
20 die Wächte (Schneewächte, Firnwächte)
- *cornice (snow cornice)*
21 der Grat (Eisgrat, Firngrat)
- *ridge (ice ridge)*

22-27 die Seilschaft [das Gehen am Seil *n*]
- **rope** *(roped party) [roped trek]*
22 der Gletscher
- *glacier*
23 die Gletscherspalte
- *crevasse*
24 die Schneebrücke (Firnbrücke)
- *snow bridge*
25 der Seilerste
- *leader*
26 der Seilzweite
- *second man (belayer)*
27 der Seildritte (Schlußmann)
- *third man (non-belayer)*
28-30 das Abseilen
- **roping down** *(abseiling, rapelling)*
28 die Abseilschlinge
- *abseil sling*
29 der Karabinersitz
- *sling seat*
30 der Dülfersitz
- *Dülfer seat*
31-57 die Bergsteigerausrüstung (alpine Ausrüstung, hochalpine Ausrüstung, Kletterausrüstung, Eistourenausrüstung)
- **mountaineering equipment** *(climbing equipment, snow and ice climbing equipment)*
31 der Pickel
- *ice axe (Am. ax)*
32 der Handriemen
- *wrist sling*
33 die Haue
- *pick*
34 die Schaufel
- *adze (Am. adz)*
35 das Karabinerloch
- *karabiner hole*
36 das Eisbeil
- *short-shafted ice axe (Am. ax)*
37 der Eishammer (der Kombihammer für Eis *n* und Fels *m*, Hammer)
- *hammer axe (Am. ax)*
38 der Universalkletterhaken
- *general-purpose piton*
39 der Abseilhaken (Ringhaken)
- *abseil piton (ringed piton)*
40 die Eisschraube (Halbrohreisschraube)
- *ice piton (semi-tubular screw ice piton, corkscrew piton)*
41 die Eisspirale
- *drive-in ice piton*
42 der Bergschuh
- *mountaineering boot*
43 die Profilsohle
- *corrugated sole*
44 der Kletterschuh
- *climbing boot*
45 die aufgerauhte Hartgummikante
- *roughened stiff rubber upper*
46 der Karabiner
- *karabiner*
47 die Schraubsicherung
- *screwgate*

48 die Steigeisen *n* (Leichtsteigeisen, Zwölfzacker, Zehnzacker)
- *crampons (lightweight crampons, twelve-point crampons, ten-point crampons)*
49 die Frontalzacken
- *front points*
50 der Zackenschutz
- *point guards*
51 die Steigeisenriemen
- *crampon strap*
52 die Steigeisen-Kabelbindung
- *crampon cable fastener*
53 der Steinschlaghelm
- *safety helmet (protective helmet)*
54 die Stirnlampe
- *helmet lamp*
55 die Schneegamaschen *f*
- *snow gaiters*
56 der Klettergürtel
- *climbing harness*
57 der Sitzgurt
- *sit harness*

1-72 der Skisport (Skilauf, das Skilaufen, Skifahren)
- *skiing*
1 der Kompaktski
- *compact ski*
2 die Sicherheitsskibindung
- *safety binding (release binding)*
3 der Fangriemen
- *strap*
4 die Stahlkante
- *steel edge*
5 der Skistock
- *ski stick (ski pole)*
6 der Stockgriff
- *grip*
7 die Handschlaufe
- *loop*
8 der Stockteller
- *basket*
9 der einteilige Damenskianzug
- *ladies' one-piece ski suit*
10 die Skimütze
- *skiing cap (ski cap)*
11 die Skibrille
- *skiing goggles*
12 der Schalenskistiefel
- *cemented sole skiing boot*
13 der Skihelm
- *crash helmet*
14-20 die Langlaufausrüstung
- *cross-country equipment*
14 der Langlaufski
- *cross-country ski*
15 die Langlauf-Rattenfallbindung
- *cross-country rat trap binding*
16 der Langlaufschuh
- *cross-country boot*
17 der Langlaufanzug
- *cross-country gear*
18 die Schirmmütze
- *peaked cap*
19 die Sonnenbrille
- *sunglasses*
20 die Langlaufstöcke *m*, aus Tonkinrohr *n*
- *cross-country poles made of bamboo*
21-24 Skiwachsutensilien *pl*
- *ski-waxing equipment*
21 das Skiwachs
- *ski wax*
22 der Wachsbügler (die Lötlampe)
- *waxing iron (blowlamp, blowtorch)*
23 der Wachskorken
- *waxing cork*
24 das Wachskratzeisen
- *wax scraper*
25 der Rennstock
- *downhill racing pole*
26 der Grätenschritt, zur Ersteigung eines Hanges *m*
- *herringbone, for climbing a slope*
27 der Treppenschritt, zur Ersteigung eines Hanges *m*
- *sidestep, for climbing a slope*
28 die Hüfttasche
- *ski bag*

29 der Torlauf
- *slalom*
30 die Torstange
- *gate pole*
31 der Rennanzug
- *racing suit*
32 der Abfahrtslauf
- *downhill racing*
33 das „Ei", die Idealabfahrtshaltung
- *'egg' position, the ideal downhill racing position*
34 der Abfahrtsski
- *downhill ski*
35 der Sprunglauf
- *ski jumping*
36 der „Fisch", die Flughaltung
- *lean forward*
37 die Startnummer
- *number*
38 der Sprungski
- *ski jumping ski*
39 die Führungsrillen *f* (3 bis 5 Rillen *f*)
- *grooves (3 to 5 grooves)*
40 die Kabelbindung
- *cable binding*
41 der Sprungstiefel
- *ski jumping boots*
42 der Langlauf
- *cross-country*
43 der Rennoverall
- *cross-country stretch-suit*
44 die Loipe
- *course*
45 das Markierungsfähnchen (die Loipenmarkierung)
- *course-marking flag*
46 die Schichten *f* (Lamellen) eines modernen Skis *m*
- *layers of a modern ski*
47 der Spezialkern
- *special core*
48 die Laminate *n*
- *laminates*
49 die Dämpfungsschicht
- *stabilizing layer (stabilizer)*
50 die Stahlkante
- *steel edge*
51 die Aluoberkante (Aluminium-oberkante)
- *aluminium (Am. aluminum) upper edge*
52 die Kunststofflauffläche
- *synthetic bottom (artificial bottom)*
53 der Sicherheitsbügel
- *safety jet*
54-56 die Bindungselemente *n*
- *parts of the binding*
54 die Fersenautomatik
- *automatic heel unit*
55 der Backen
- *toe unit*
56 der Skistopper
- *ski stop*
57-63 der Skilift
- *ski lift*

57 der Doppelsessellift
- *double chair lift*
58 der Sicherheitsbügel, mit Fußstütze *f*
- *safety bar with footrest*
59 der Schlepplift
- *ski lift*
60 die Schleppspur
- *track*
61 der Schleppbügel
- *hook*
62 der Seilrollautomat
- *automatic cable pulley*
63 das Schleppseil
- *haulage cable*
64 der Slalomlauf
- *slalom*
65 das offene Tor
- *open gate*
66 das blinde vertikale Tor
- *closed vertical gate*
67 das offene vertikale Tor
- *open vertical gate*
68 das schräge Doppeltor
- *transversal chicane*
69 die Haarnadel
- *hairpin*
70 das versetzte vertikale Doppeltor
- *elbow*
71 der Korridor
- *corridor*
72 die Allais-Schikane (Chicane Allais)
- *Allais chicane*

1-26 das Eislaufen (Schlittschuhlaufen,
  der Eislauf)
− *ice skating*
1 die Eisläuferin (der Eisläufer, Schlitt-
  schuhläufer, ein Einzelläufer *m*)
− *ice skater, a solo skater*
2 das Standbein
− *tracing leg*
3 das Spielbein
− *free leg*
4 die Paarläufer *m*
− *pair skaters*
5 die Todesspirale
− *death spiral*
6 der Bogen
− *pivot*
7 der Rehsprung
− *stag jump (stag leap)*
8 die eingesprungene Sitzpirouette
− *jump-sit-spin*
9 die Standpirouette
− *upright spin*
10 das Fußanfassen
− *holding the foot*
11-19 die Pflichtfiguren *f*
− *compulsory figures*
11 der Bogenachter
− *curve eight*
12 der Schlangenbogen
− *change*
13 der Dreier
− *three*
14 der Doppeldreier
− *double-three*
15 die Schlinge
− *loop*
16 die Schlangenbogenschlinge
− *change loop*
17 der Gegendreier
− *bracket*
18 die Gegenwende
− *counter*
19 die Wende
− *rocker*
20-25 Schlittschuhe *m*
− *ice skates*
20 das Eisschnellaufcomplet (der
  Schnellaufschlittschuh)
− *speed skating set (speed skate)*
21 die Kante
− *edge*
22 der Hohlschliff
− *hollow grinding (hollow ridge, concave
  ridge)*
23 das Eishockeycomplet
− *ice hockey set (ice hockey skate)*
24 der Eislaufstiefel
− *ice skating boot*
25 der Schoner
− *skate guard*
26 der Eisschnelläufer
− *speed skater*
27 u. 28 das Schlittschuhsegeln
− *skate sailing*
27 der Schlittschuhsegler
− *skate sailor*

28 das Handsegel
− *hand sail*
29-37 das Eishockey
− *ice hockey*
29 der Eishockeyspieler
− *ice hockey player*
30 der Eishockeyschläger
  (Eishockeystock)
− *ice hockey stick*
31 der Schlägerschaft
− *stick handle*
32 das Schlägerblatt
− *stick blade*
33 der Schienbeinschutz
− *shin pad*
34 der Kopfschutz
− *headgear (protective helmet)*
35 die Eishockeyscheibe (der Puck, eine
  Hartgummischeibe)
− *puck, a vulcanized rubber disc (disk)*
36 der Torwart (der Tormann)
− *goalkeeper*
37 das Tor
− *goal*
38-40 das Eisstockschießen
− *ice-stick shooting (Bavarian curling)*
38 der Eisstockschütze
− *ice-stick shooter (Bavarian curler)*
39 der Eisstock
− *ice stick*
40 die Daube
− *block*
41-43 das Curling
− *curling*
41 der Curlingspieler
− *curler*
42 der Curlingstein
− *curling stone (granite)*
43 der Curlingbesen
− *curling brush (curling broom, besom)*
44-46 das Eissegeln
− *ice yachting (iceboating, ice sailing)*
44 die Eisjacht (das Eissegelboot)
− *ice yacht (iceboat)*
45 die Eiskufe
− *steering runner*
46 der Ausleger
− *outrigged runner*

1 der starre Schlitten (Volksrodel)
– *toboggan (sledge,* Am. *sled)*
2 der Volksrodel mit Gurtsitz *m*
– *toboggan (sledge,* Am. *sled) with
seat of plaid straps*
3 der Jugendrodel
– *junior luge toboggan (junior luge,
junior toboggan)*
4 der Lenkgurt
– *rein*
5 der Holm (die Spange)
– *bar (strut)*
6 der Sitz
– *seat*
7 das Kappenblech
– *bracket*
8 der Vorderfuß
– *front prop*
9 der Hinterfuß
– *rear prop*
10 die bewegliche Kufe
– *movable runner*
11 die Schiene
– *metal face*
12 der Rennrodler
– *luge tobboganer*
13 der Rennrodel
– *luge toboggan (luge, toboggan)*
14 der Sturzhelm
– *crash helmet*

15 die Rennbrille
– *goggles*
16 der Ellbogenschützer
– *elbow pad*
17 der Knieschützer
– *knee pad*
18 der Nansenschlitten, ein
Polarschlitten *m*
– *Nansen sledge, a polar sledge*
19-21 Bobsport *m*
– *bobsleigh (bobsledding)*
19 der Bobschlitten, ein Zweierbob *m*
– *bobsleigh (bobsled), a two-man
bobsleigh (a boblet)*
20 der Steuermann (Bobführer)
– *steersman*
21 der Bremser
– *brakeman*
22-24 das Skeletonfahren
– *skeleton tobogganing (Cresta
tobogganing)*
22 der Skeleton (Skeletonschlitten)
– *skeleton (skeleton toboggan)*
23 der Skeletonfahrer
– *skeleton rider*
24 das Kratzeisen, zum Lenken *n* und
Bremsen *n*
– *rake, for braking and steering*

1 die Schneelawine (Lawine); *Arten:*
 Staublawine *f*, Grundlawine
– *avalanche (snow avalanche,*
 Am. *snowslide);* kinds: *wind*
 avalanche, ground avalanche
2 der Lawinenbrecher, eine Ablenk-
 mauer; *ähnl.:* der Lawinenkeil
– *avalanche wall, a deflecting wall*
 (diverting wall); sim.: *avalanche*
 wedge
3 die Lawinengalerie
– *avalanche gallery*
4 das Schneetreiben
– *snowfall*
5 die Schneeverwehung (Schneewehe)
– *snowdrift*
6 der Schneezaun
– *snow fence*
7 der Bannwald
– *avalanche forest [planted as*
 protection against avalanches]
8 der Straßenreinigungswagen
– *street-cleaning lorry (street cleaner)*
9 der Vorbauschneepflug
 (Schneepflug)
– *snow plough (Am. snowplow)*
 attachment
10 die Schneekette (Gleitschutzkette)
– *snow chain (skid chain, tyre chain,*
 Am. *tire chain)*

11 die Kühlerhaube
– *radiator bonnet (Am. radiator hood)*
12 das Kühlerhaubenfenster und die
 Fensterklappe (Jalousie)
– *radiator shutter and shutter opening*
 (louvre shutter)
13 der Schneemann
– *snowman*
14 die Schneeballschlacht
– *snowball fight*
15 der Schneeball
– *snowball*
16 der Skibob
– *ski bob*
17 die Schlitterbahn (Schleife, *bayr.*
 Ranschel)
– *slide*
18 der Junge, beim Schlittern *n*
 (Schleifen, *bayr.* Ranscheln)
– *boy, sliding*
19 das Glatteis
– *icy surface (icy ground)*
20 die Schneedecke, auf dem Dach *n*
– *covering of snow, on the roof*
21 der Eiszapfen
– *icicle*
22 der Schneeschipper (Schnee-
 schaufler), beim Schippen *n* (Schnee-
 schippen, Schneeschaufeln)
– *man clearing snow*

23 die Schneeschippe (Schneeschaufel)
– *snow push (snow shovel)*
24 der Schneehaufen
– *heap of snow*
25 der Pferdeschlitten
– *horse-drawn sleigh (horse sleigh)*
26 die Schlittenschellen *f* (Schellen,
 das Schellengeläut)
– *sleigh bells (bells, set of bells)*
27 der Fußsack
– *foot muff (Am. foot bag)*
28 die Ohrenklappe
 (der Ohrenschützer)
– *earmuff*
29 der Stuhlschlitten (Stehschlitten,
 Tretschlitten); *ähnl.:* der
 Stoßschlitten (Schubschlitten)
– *handsledge (tread sledge);* sim.: *push*
 sledge
30 der Schneematsch (geschmolzene
 Schnee, Matschschnee)
– *slush*

1-13 **das Sportkegeln**
- *skittles*
1-11 die Kegelaufstellung (der Kegelstand)
- *skittle frame*
1 der Vordereckkegel (Erste)
- *front pin (front)*
2 der linke Vordergassenkegel, eine Dame
- *left front second pin (left front second)*
3 die linke Vordergasse
- *running three [left]*
4 der rechte Vordergassenkegel, eine Dame
- *right front second pin (right front second)*
5 die rechte Vordergasse
- *running three [right]*
6 der linke Eckkegel, ein Bauer *m* (copper)
- *left corner pin (left corner), a corner (copper)*
7 der König
- *landlord*
8 der rechte Eckkegel, ein Bauer *m* (copper)
- *right corner pin (right corner), a corner (copper)*
9 der linke Hintergassenkegel, eine Dame
- *back left second pin (back left second)*
10 der rechte Hintergassenkegel, eine Dame
- *back right second pin (back right second)*
11 der Hintereckkegel (Letzte)
- *back pin (back)*
12 der Kegel
- *pin*
13 der Kegelkönig (König)
- *landlord*
14-20 **das Bowling**
- **tenpin bowling**
14 die Bowlingaufstellung (der Bowlingstand)
- *frame*
15 die Bowlingkugel (Lochkugel)
- *bowling ball (ball with finger holes)*
16 das Griffloch
- *finger hole*
17-20 die Wurfarten *f*
- *deliveries*
17 der Straight-Ball (Straight)
- *straight ball*
18 der Hook-Ball (Hook, Hakenwurf)
- *hook ball (hook)*
19 der Curve-Ball (Bogenwurf)
- *curve*
20 der Back-up-Ball (Rückhandbogenwurf)
- *back-up ball (back-up)*
21 **das Boulespiel** (Cochonnet); ähnl.: das ital. Bocciaspiel (das *od.* die Boccia), das engl. Bowlspiel
- *boules; sim.: Italian game of boccie, green bowls (bowls)*
22 der Boulespieler
- *boules player*
23 der Malkugel (Zielkugel, der Pallino, Lecco)
- *jack (target jack)*
24 die gerillte Wurfkugel
- *grooved boule*
25 die Spielergruppe
- *group of players*
26 **das Gewehrschießen**
- **rifle shooting**
27-29 Anschlagsarten *f*
- *shooting positions*
27 der stehende Anschlag
- *standing position*
28 der knieende Anschlag
- *kneeling position*
29 der liegende Anschlag
- *prone position*
30-33 Schießscheiben *f* (Zielscheiben, Ringscheiben)
- *targets*

30 die Gewehrscheibe für 50 m Schußweite *f*
- *target for 50 m events (50 m target)*
31 der Ring
- *circle*
32 die Gewehrscheibe für 100 m Schußweite *f*
- *target for 100 m events (100 m target)*
33 die laufende Scheibe (der Keiler)
- *bobbing target (turning target, running-boar target)*
34-39 die Sportmunition
- *ammunition*
34 das Diabologeschoß für Luftgewehr *n*
- *air rifle cartridge*
35 die Randzünderpatrone für Zimmerstutzen *m*
- *rimfire cartridge for zimmerstutzen (indoor target rifle), a smallbore German single-shot rifle*
36 die Patronenhülse
- *case head*
37 die Rundkugel
- *caseless round*
38 die Patrone Kaliber *n* 22 *long rifle*
- *.22 long rifle cartridge*
39 die Patrone Kaliber *n* 222 *Remington*
- *.222 Remington cartridge*
40-49 Sportgewehre *n*
- *sporting rifles*
40 das Luftgewehr
- *air rifle*
41 der Diopter
- *optical sight*
42 das Korn
- *front sight (foresight)*
43 das Kleinkaliberstandardgewehr
- *smallbore standard rifle*
44 die internationale freie Kleinkaliberwaffe
- *international smallbore free rifle*
45 die Handstütze für den stehenden Anschlag
- *palm rest for standing position*
46 die Kolbenkappe mit Haken *m*
- *butt plate with hook*
47 der Lochschaft
- *butt with thumb hole*
48 das Kleinkalibergewehr für die laufende Scheibe
- *smallbore rifle for bobbing target (turning target)*
49 das Zielfernrohr
- *telescopic sight (riflescope, telescope sight)*
50 die Dioptervisierung mit Ringkorn *n*
- *optical ring sight*
51 die Dioptervisierung mit Balkenkorn *n*
- *optical ring and bead sight*
52-66 **das Bogenschießen**
- **archery** *(target archery)*
52 der Abschuß
- *shot*
53 der Bogenschütze
- *archer*
54 der Turnierbogen
- *competition bow*
55 der Wurfarm
- *riser*
56 das Visier
- *point-of-aim mark*
57 der Handgriff
- *grip (handle)*
58 der Stabilisator
- *stabilizer*
59 die Bogensehne (Sehne)
- *bow string (string)*
60 der Pfeil
- *arrow*
61 die Pfeilspitze
- *pile (point) of the arrow*

62 die Steuerfedern *f* (Truthahnfedern, die Befiederung)
- *fletching*
63 die Nocke
- *nock*
64 der Schaft
- *shaft*
65 das Schützenzeichen
- *cresting*
66 die Scheibe
- *target*
67 das bask. **Pelotaspiel** (die Jai alai)
- *Basque game of **pelota** (jai alai)*
68 der Pelotaspieler
- *pelota player*
69 der Schläger (die Cesta)
- *wicker basket (cesta)*
70-78 **das Skeet** (Skeetschießen), ein Wurftaubenschießen *n* (Tontaubenschießen)
- **skeet** *(skeet shooting), a kind of clay pigeon shooting*
70 die Skeet-Bockdoppelflinte
- *skeet over-and-under shotgun*
71 die Laufmündung mit Skeetbohrung *f*
- *muzzle with skeet choke*
72 der Gewehranschlag bei Abruf *m* (die Jagdstellung)
- *ready position on call*
73 der fertige Anschlag
- *firing position*
74 die Skeetanlage (Taubenwurfanlage)
- *shooting range*
75 das Hochhaus
- *high house*
76 das Niederhaus
- *low house*
77 die Wurfrichtung
- *target's path*
78 der Schützenstand
- *shooting station (shooting box)*
79 **das Rhönrad**
- **aero wheel**
80 der Griff
- *handle*
81 das Fußbrett
- *footrest*
82 **das Go-Karting**
- **go-karting** *(karting)*
83 das Go-Kart
- *go-kart (kart)*
84 die Startnummer
- *number plate (number)*
85 die Pedale *n*
- *pedals*
86 der profillose Reifen (Slick)
- *pneumatic tyre (Am. tire)*
87 der Benzintank
- *petrol tank (Am. gasoline tank)*
88 der Rahmen
- *frame*
89 das Lenkrad
- *steering wheel*
90 der Schalensitz
- *bucket seat*
91 die Feuerschutzwand
- *protective bulkhead*
92 der Zweitaktmotor
- *two-stroke engine*
93 der Schalldämpfer
- *silencer (Am. muffler)*

1-48 der Maskenball (das Maskenfest, Narrenfest, Kostümfest)
- **masked ball** *(masquerade, fancy-dress ball)*
1 der Ballsaal (Festsaal, Saal)
- *ballroom*
2 das Poporchester (die Popband), ein Tanzorchester *n*
- *pop group, a dance band*
3 der Popmusiker
- *pop musician*
4 der (das) Lampion (die Papierlaterne)
- *paper lantern*
5 die Girlande
- *festoon (string of decorations)*
6-48 die Maskierung (Verkleidung) bei der Maskerade
- *disguise (fancy dress) at the masquerade*
6 die Hexe
- *witch*
7 die Gesichtsmaske (Maske)
- *mask*
8 der Trapper (Pelzjäger)
- *fur trapper (trapper)*
9 das Apachenmädchen
- *Apache girl*
10 der Netzstrumpf
- *net stocking*

11 der Hauptgewinn der Tombola (Verlosung), ein Präsentkorb *m*
- *first prize in the tombola (raffle), a hamper*
12 die Pierrette
- *pierette*
13 die Larve
- *half mask (domino)*
14 der Teufel
- *devil*
15 der Domino
- *domino*
16 das Hawaiimädchen
- *hula-hula girl (Hawaii girl)*
17 die Blumenkette
- *garland*
18 der Bastrock
- *grass skirt (hula skirt)*
19 der Pierrot
- *pierrot*
20 die Halskrause
- *ruff*
21 die Midinette
- *midinette*
22 das Biedermeierkleid
- *Biedermeier dress*
23 der Schutenhut
- *poke bonnet*
24 das Dekolleté mit Schönheitspflästerchen *n* (Musche *f*, Mouche)
- *décolletage with beauty spot*

25 die Bajadere (indische Tänzerin)
- *bayadère (Hindu dancing girl)*
26 der Grande
- *grandee*
27 die Kolombine (Kolumbine)
- *Columbine*
28 der Maharadscha
- *maharaja (maharajah)*
29 der Mandarin, ein chines. Würdenträger
- *mandarin, a Chinese dignitary*
30 die Exotin
- *exotic girl (exotic)*
31 der Cowboy; *ähnl.:* Gaucho
- *cowboy; sim.: gaucho (vaquero)*
32 der Vamp, im Phantasiekostüm *n*
- *vamp, in fancy dress*
33 der Stutzer (Dandy, Geck, *österr. das* Gigerl), eine Charaktermaske
- *dandy (fop, beau), a disguise*
34 die Ballrosette (das Ballabzeichen)
- *rosette*
35 der Harlekin
- *harlequin*
36 die Zigeunerin
- *gipsy (gypsy) girl*
37 die Kokotte (Halbweltdame)
- *cocotte (demi-monde, demi-mondaine, demi-rep)*
38 der Eulenspiegel, ein Narr *m* (Schelm, Schalk, Possenreißer)
- *owl-glass, a fool (jester, buffoon)*

39 die Narrenkappe (Schellenkappe)
 – *foolscap (jester's cap and bells)*
40 die Rassel (Klapper)
 – *rattle*
41 die Odaliske (Orientalin), eine
 orientalische Haremssklavin
 – *odalisque, Eastern female slave in*
 Sultan's seraglio
42 die Pluderhose
 – *chalwar (pantaloons)*
43 der Seeräuber (Pirat)
 – *pirate (buccaneer)*
44 die Tätowierung
 – *tattoo*
45 die Papiermütze
 – *paper hat*
46 die Pappnase
 – *false nose*
47 die Knarre (Ratsche, Rätsche)
 – *clapper (rattle)*
48 die Pritsche (Narrenpritsche)
 – *slapstick*
49-54 **Feuerwerkskörper** *m*
 – *fireworks*
49 das Zündblättchen (Knallblättchen)
 – *percussion cap*
50 das (der) Knallbonbon
 – *cracker*
51 die Knallerbse
 – *banger*
52 der Knallfrosch
 – *jumping jack*

53 der Kanonenschlag
 – *cannon cracker (maroon, marroon)*
54 die Rakete
 – *rocket*
55 die Papierkugel
 – *paper ball*
56 der Schachterlteufel (Jack-in-the-box,
 ein Scherzartikel *m*)
 – *jack-in-the-box, a joke*
57-70 **der Karnevalszug** (Faschingszug)
 – *carnival procession*
57 der Karnevalswagen (Faschings-
 wagen)
 – *carnival float (carnival truck)*
58 der Karnevalsprinz (Prinz Karneval,
 Faschingsprinz)
 – *King Carnival*
59 das Narrenzepter
 – *bauble (fool's sceptre, Am. scepter)*
60 der Narrenorden (Karnevalsorden)
 – *fool's badge*
61 die Karnevalsprinzessin (Faschings-
 prinzessin)
 – *Queen Carnival*
62 das Konfetti
 – *confetti*
63 die Riesenfigur, eine Spottgestalt
 – *giant figure, a satirical figure*
64 die Schönheitskönigin
 – *beauty queen*
65 die Märchenfigur
 – *fairy-tale figure*

66 die Papierschlange
 – *paper streamer*
67 das Funkenmariechen
 – *majorette*
68 die Prinzengarde
 – *king's guard*
69 der Hanswurst, ein Spaßmacher *m*
 – *buffoon, a clown*
70 die Landsknechttrommel
 – *lansquenet's drum*

1-63 der Wanderzirkus
- *travelling (Am. traveling) circus*
1 das Zirkuszelt (Spielzelt,
Chapiteau), ein Viermastzelt n
- *circus tent (big top), a four-pole
tent*
2 der Zeltmast
- *tent pole*
3 der Scheinwerfer
- *spotlight*
4 der Beleuchter
- *lighting technician*
5 der Artistenstand
- *trapeze platform*
6 das Trapez (Schaukelreck)
- *trapeze*
7 der Luftakrobat (Trapezkünstler,
„fliegende Mensch")
- *trapeze artist*
8 die Strickleiter
- *rope ladder*
9 die Musikertribüne
(Orchestertribüne)
- *bandstand*
10 die Zirkuskapelle
- *circus band*
11 der Manegeneingang
- *ring entrance (arena entrance)*
12 der Sattelplatz (Aufsitzplatz)
- *wings*
13 die Stützstange (Zeltstütze)
- *tent prop (prop)*

14 das Sprungnetz, ein Sicherheitsnetz n
- *safety net*
15 der Zuschauerraum
- *seats for the spectators*
16 die Zirkusloge
- *circus box*
17 der Zirkusdirektor
- *circus manager*
18 der Artistenvermittler (Agent)
- *artiste agent (agent)*
19 der Eingang und Ausgang
- *entrance and exit*
20 der Aufgang
- *steps*
21 die Manege (Reitbahn)
- *ring (arena)*
22 die Bande (Piste)
- *ring fence*
23 der Musikclown
- *musical clown (clown)*
24 der Clown (Spaßmacher)
- *clown*
25 die „komische Nummer", eine
Zirkusnummer
- *comic turn (clown act), a circus act*
26 die Kunstreiter m
- *circus riders (bareback riders)*
27 der Manegendiener, ein
Zirkusdiener m
- *ring attendant, a circus attendant*
28 die Pyramide
- *pyramid*

29 der Untermann
- *support*
30 u. 31 die Freiheitsdressur
- *performance by liberty horses*
30 das Zirkuspferd in Levade f
- *circus horse, performing the levade
(pesade)*
31 der Dresseur, ein Stallmeister m
- *ringmaster, a trainer*
32 der Voltigereiter (Voltigeur)
- *vaulter*
33 der Notausgang
- *emergency exit*
34 der Wohnwagen (Zirkuswagen)
- *caravan (circus caravan, Am. trailer)*
35 der Schleuderakrobat
- *springboard acrobat (springboard
artist)*

6 das Schleuderbrett
– *springboard*
7 der Messerwerfer
– *knife thrower*
8 der Kunstschütze
– *circus marksman*
9 die Assistentin
– *assistant*
0 die Seiltänzerin
– *tightrope dancer*
1 das Drahtseil
– *tightrope*
2 die Balancierstange
(Gleichgewichtsstange)
– *balancing pole*
3 die Wurfnummer (Schleuder-
nummer)
– *throwing act*
4 der Balanceakt
– *balancing act*
5 der Untermann
– *support*
6 die Perche (Bambusstange)
– *pole (bamboo pole)*
7 der Akrobat
– *acrobat*
8 der Äquilibrist
– *equilibrist (balancer)*
9 der Raubtierkäfig, ein Rundkäfig *m*
– *wild animal cage, a round cage*
0 das Raubtiergitter
– *bars of the cage*

51 der Laufgang (Gittergang, Raubtier-
gang)
– *passage (barred passage, passage for
the wild animals)*
52 der Dompteur (Tierbändiger,
Tierlehrer)
– *tamer (wild animal tamer)*
53 die Bogenpeitsche (Peitsche)
– *whip*
54 die Schutzgabel
– *fork (protective fork)*
55 das Piedestal
– *pedestal*
56 das Raubtier (der Tiger, der Löwe)
– *wild animal (tiger, lion)*
57 das Setzstück
– *stand*
58 der Springreifen
– *hoop (jumping hoop)*
59 die Wippe
– *seesaw*
60 die Laufkugel
– *ball*
61 die Zeltstadt
– *camp*
62 der Käfigwagen
– *cage caravan*
63 die Tierschau
– *menagerie*

1-69 der Jahrmarkt (die Kirchweih,
nd. Kirmes, *südwestdt.* die Messe,
Kerwe, *bayr.* die Dult)
– *fair (annual fair)*
1 der Festplatz (die Festwiese, Wiese)
– *fairground*
2 das Kinderkarussell, ein Karussell *n*
(*österr.* ein Ringelspiel *n, md./
schweiz.* eine Reitschule)
– *children's merry-go-round, (whirligig),
a roundabout (Am. carousel)*
3 die Erfrischungsbude (Getränke-
bude, der Getränkeausschank)
– *refreshment stall (drinks stall)*
4 das Kettenkarussell
(der Kettenflieger)
– *chairoplane*
5 die Berg-und-Tal-Bahn
– *up-and-down roundabout*
6 die Schaubude
– *show booth (booth)*
7 die Kasse
– *box (box office)*
8 der Ausrufer (Ausschreier)
– *barker*
9 das Medium
– *medium*
10 der Schausteller
– *showman*
11 der Stärkemesser (Kraftmesser,
„Lukas")
– *try-your-strength machine*

12 der ambulante Händler
– *hawker*
13 der Luftballon
– *balloon*
14 die Luftschlange
– *paper serpent*
15 die Federmühle, ein Windrad *n*
– *windmill*
16 der Taschendieb (Dieb)
– *pickpocket (thief)*
17 der Verkäufer
– *vendor*
18 der türkische Honig
– *nougat*
19 die Geisterbahn
(das Gruselkabinett)
– *ghost train*
20 das Monster
– *monster*
21 der Drache
– *dragon*
22 das Ungeheuer
– *monster*
23 das Bierzelt
– *beer marquee*
24 die Schaustellerbude
(das Schaustellerzelt)
– *sideshow*
25-28 Artisten *m* (fahrende Leute *pl,*
Fahrende *m*)
– *travelling (Am. traveling) artistes
(travelling show people)*

25 der Feuerschlucker
– *fire eater*
26 der Schwertschlucker
– *sword swallower*
27 der Kraftmensch
– *strong man*
28 der Entfesselungskünstler
– *escapologist*
29 die Zuschauer *m*
– *spectators*
30 der Eisverkäufer (*ugs.* Eismann)
– *ice-cream vendor (ice-cream man)*
31 die Eiswaffel (Eistüte), mit Eis *n*
(Speiseeis)
– *ice-cream cornet, with ice cream*
32 der Bratwurststand
(die Würstchenbude)
– *sausage stand*
33 der Bratrost (Rost)
– *grill (Am. broiler)*
34 die Rostbratwurst (Bratwurst)
– *bratwurst (grilled sausage,
Am. broiled sausage)*
35 die Wurstzange
– *sausage tongs*
36 die Kartenlegerin, eine Wahrsagerin
– *fortune teller*
37 das Riesenrad
– *big wheel (Ferris wheel)*

38 die Kirmesorgel (automatische
Orgel), ein Musikwerk *n*
(Musikautomat *m*)
- *orchestrion (automatic organ), an*
automatic musical instrument
39 die Achterbahn (Gebirgsbahn)
- *scenic railway (switchback)*
40 die Turmrutschbahn (Rutschbahn)
- *toboggan slide (chute)*
41 die Schiff[s]schaukel (Luftschaukel)
- *swing boats*
42 die Überschlagschaukel
- *swing boat, turning full circle*
43 der Überschlag
- *full circle*
44 die Spielbude
- *lottery booth (tombola booth)*
45 das Glücksrad
- *wheel of fortune*
46 die Teufelsscheibe (das Taifunrad)
- *devil's wheel (typhoon wheel)*
47 der Wurfring
- *throwing ring (quoit)*
48 die Gewinne *m*
- *prizes*
49 der Stelzenläufer
- *sandwich man on stilts*
50 das Reklameplakat
- *sandwich board (placard)*
51 der Zigarettenverkäufer, ein
fliegender Händler
- *cigarette seller, an itinerant trader*
(a hawker)

52 der Bauchladen
- *tray*
53 der Obststand
- *fruit stall*
54 der Todesfahrer (Steilwandfahrer)
- *wall-of-death rider*
55 das Lachkabinett (Spiegelkabinett)
- *hall of mirrors*
56 der Konkavspiegel
- *concave mirror*
57 der Konvexspiegel
- *convex mirror*
58 die Schießbude
- *shooting gallery*
59 die Riesenschiff[s]schaukel
- *giant swing boat*
60 der Trödelmarkt (Altwarenmarkt)
- *junk stalls (second-hand stalls)*
61 das Sanitätszelt (die Sanitätswache)
- *first aid tent (first aid post)*
62 die Skooterbahn (das Autodrom)
- *dodgems (bumper cars)*
63 der Skooter (Autoskooter,
das Boxauto)
- *dodgem (bumper car)*
64-66 der Topfmarkt
- *pottery stand*
64 der Marktschreier
- *barker*
65 die Marktfrau
- *market woman*
66 die Töpferwaren *f*
- *pottery*

67 die Jahrmarktbummler *m*
- *visitors to the fair*
68 das Wachsfigurenkabinett
(Panoptikum)
- *waxworks*
69 die Wachsfigur (Wachspuppe)
- *wax figure*

1 die Tretnähmaschine
 – *treadle sewing machine*
2 die Blumenvase
 – *flower vase*
3 der Wandspiegel
 – *wall mirror*
4 der Kanonenofen
 – *cylindrical stove*
5 das Ofenrohr
 – *stovepipe*
6 der Ofenrohrkrümmer
 – *stovepipe elbow*
7 die Ofentür
 – *stove door*
8 der Ofenschirm
 – *stove screen*
9 der Kohlenfüller
 – *coal scuttle*
10 der Holzkorb
 – *firewood basket*
11 die Puppe
 – *doll*
12 der Teddybär
 – *teddy bear*
13 die Drehorgel
 – *barrel organ*
14 das Orchestrion
 (der Musikautomat)
 – *orchestrion*
15 die Metallscheibe
 (das Notenblatt)
 – *metal disc (disk)*

16 der Rundfunkempfänger (das Radio,
 Radiogerät, Rundfunkgerät, der
 Radioapparat, *scherzh.:* „Dampf-
 radio"), ein Superheterodyn-
 empfänger *m* (Superhet)
 – *radio (radio set, joc.: 'steam radio'),
 a superheterodyne (superhet)*
17 die Schallwand
 – *baffle board*
18 das „magische Auge", eine
 Abstimmanzeigeröhre
 – *'magic eye', a tuning indicator valve*
19 die Schallöffnung
 – *loudspeaker aperture*
20 die Stationstasten *f*
 – *station selector buttons (station preset
 buttons)*
21 der Abstimmungsknopf
 – *tuning knob*
22 die Frequenzeinstellskalen *f*
 – *frequency bands*
23 die Detektoranlage
 (der Detektorempfänger)
 – *crystal detector (crystal set)*
24 der Kopfhörer
 – *headphones (headset)*
25 die Balgenkamera (Klappkamera)
 – *folding camera*
26 der Balgen
 – *bellows*
27 der Klappdeckel
 – *hinged cover*
28 die Springspreizen *f*
 – *spring extension*
29 der Verkäufer
 – *salesman*

30 die Boxkamera (Box)
 – *box camera*
31 das Grammophon (der
 Grammophonapparat)
 – *gramophone*
32 die Schallplatte
 (Grammophonplatte)
 – *record (gramophone record)*
33 die Schalldose mit der
 Grammophonnadel
 – *needle head with gramophone
 needle*
34 der Schalltrichter
 – *horn*
35 das Grammophongehäuse
 – *gramophone box*
36 der Schallplattenständer
 – *record rack*
37 das Tonbandgerät, ein
 Tonbandkoffer *m*
 – *tape recorder, a portable tape
 recorder*
38 das Blitzlichtgerät (Blitzgerät)
 – *flashgun*
39 das Blitzbirnchen (die Blitzbirne)
 – *flash bulb*
40 u. 41 das Elektronenblitzgerät
 (Röhrenblitzgerät)
 – *electronic flash (electronic
 flashgun)*
40 der Lampenstab
 – *flash head*
41 der (das) Akkuteil
 – *accumulator*

42 der Diaprojektor
(Diapositivprojektor)
- *slide projector*
43 der Diaschieber
- *slide holder*
44 das Lampengehäuse
- *lamphouse*
45 der Leuchter
- *candlestick*
46 die Jakobsmuschel
(Pilgermuschel)
- *scallop shell*
47 das Besteck
- *cutlery*
48 der Souvenirteller
- *souvenir plate*
49 der Trockenständer für
Fotoplatten *f*
- *drying rack for photographic plates*
50 die Fotoplatte
- *photographic plate*
51 der Selbstauslöser
- *delayed-action release*
52 die Zinnsoldaten *m (ähnl.:*
Bleisoldaten *m)*
- *tin soldiers (*sim.: *lead soldiers)*
53 der Bierseidel
- *beer mug (stein)*
54 die Trompete
- *bugle*
55 die antiquarischen Bücher *n*
- *second-hand books*
56 die Standuhr
- *grandfather clock*
57 das Uhrengehäuse
- *clock case*

58 das Uhrenpendel (der *od.* das
Perpendikel)
- *pendulum*
59 das Ganggewicht
- *time weight*
60 das Schlaggewicht
- *striking weight*
61 der Schaukelstuhl
- *rocking chair*
62 der Matrosenanzug
- *sailor suit*
63 die Matrosenmütze
- *sailor's hat*
64 das Waschservice
- *washing set*
65 die Waschschüssel
- *washing basin*
66 die Wasserkanne
- *water jug*
67 der Waschständer
- *washstand*
68 der Wäschestampfer
- *dolly*
69 die Waschwanne
(Waschbütte)
- *washtub*
70 das Waschbrett
- *washboard*
71 der Brummkreisel
- *humming top*
72 die Schiefertafel
- *slate*
73 der Griffelkasten
- *pencil box*
74 die Addier- und Saldiermaschine
- *adding and subtracting machine*

75 die Papierrolle
- *paper roll*
76 die Zahlentasten *f*
- *number keys*
77 die Rechenmaschine
- *abacus*
78 das Tintenfaß, ein Klapptintenfaß *n*
- *inkwell, with lid*
79 die Schreibmaschine
- *typewriter*
80 die mechanische Rechenmaschine
- *[hand-operated] calculating machine (calculator)*
81 die Antriebskurbel
- *operating handle*
82 das Resultatwerk
- *result register (product register)*
83 das Umdrehungszählwerk
- *rotary counting mechanism (rotary counter)*
84 die Küchenwaage
- *kitchen scales*
85 der Pettycoat
- *waist slip (underskirt)*
86 der Leiterwagen
- *wooden handcart*
87 die Wanduhr
- *wall clock*
88 die Wärmflasche
- *bed warmer*
89 die Milchkanne
- *milk churn*

539

1-13 die Filmstadt
- *film studios (studio complex, Am. movie studios)*
1 das Freigelände (Außenbaugelände)
- *lot (studio lot)*
2 die Kopierwerke *n*
- *processing laboratories (film laboratories, motion picture laboratories)*
3 die Schneidehäuser *n*
- *cutting rooms*
4 das Verwaltungsgebäude
- *administration building (office building, offices)*
5 der Filmlagerbunker (das Film-archiv)
- *film (motion picture) storage vault (film library, motion picture library)*
6 die Werkstätten *f*
- *workshop*
7 die Filmbauten *m*
- *film set (Am. movie set)*
8 die Kraftstation
- *power house*
9 die technischen und Forschungslaboratorien *n*
- *technical and research laboratories*
10 die Filmateliergruppen *f*
- *groups of stages*
11 das Betonbassin für Wasseraufnahmen *f*
- *concrete tank for marine sequences*
12 der Rundhorizont
- *cyclorama*

13 der Horizonthügel
- *hill*
14-60 Filmaufnahmen *f*
- *shooting (filming)*
14 das Musikatelier
- *music recording studio (music recording theatre, Am. theater)*
15 die „akustische" Wandbekleidung
- *'acoustic' wall lining*
16 die Bildwand
- *screen (projection screen)*
17 das Filmorchester
- *film orchestra*
18 die Außenaufnahme (Freilichtaufnahme)
- *exterior shooting (outdoor shooting, exterior filming, outdoor filming)*
19 die quarzgesteuerte Synchron-kamera
- *camera with crystal-controlled drive*
20 der Kameramann
- *cameraman*
21 die Regieassistentin
- *assistant director*
22 der Mikrophonassistent (Mikromann)
- *boom operator (boom swinger)*
23 der Tonmeister
- *recording engineer (sound recordist)*
24 das tragbare quarzgesteuerte Tonaufnahmegerät
- *portable sound recorder with crystal-controlled drive*

25 der Mikrophongalgen
- *microphone boom*
26-60 die Atelieraufnahme im Tonfilmatelier *n* (Spielfilmatelier *n*, in der Aufnahmehalle)
- *shooting (filming) in the studio (on the sound stage, on the stage, in the filming hall)*
26 der Produktionsleiter
- *production manager*
27 die Hauptdarstellerin (Filmschauspielerin, der Filmstar, Filmstern, Star); *früh.:* die Diva (Filmdiva)
- *leading lady (film actress, film star, star)*
28 der Hauptdarsteller (Filmschauspieler, Filmheld, Held)
- *leading man (film actor, film star, star)*
29 der Filmkomparse (Filmstatist, Komparse, Statist)
- *film extra (extra)*
30 die Mikrophonanordnung für Stereo- und Effekttonaufnahme *f*
- *arrangement of microphones for stereo and sound effects*

31 das Ateliermikrophon
– *studio microphone*
32 das Mikrophonkabel
– *microphone cable*
33 die Filmkulisse und der Prospekt
(die Hintergrundkulisse)
– *side flats and background*
34 der Klappenmann
– *clapper boy*
35 die Synchronklappe, mit Tafel *f* für
Filmtitel *m*, Einstellungsnummer *f*
und Nummer *f* der Wiederholung
– *clapper board (clapper) with slates
(boards) for the film title, shot
number (scene number), and take
number*
36 der Maskenbildner (Filmfriseur)
– *make-up artist (hairstylist)*
37 der Beleuchter
– *lighting electrician (studio electrician,
lighting man, Am. gaffer)*
38 die Streuscheibe
– *diffusing screen*
39 das Skriptgirl (Scriptgirl, die Ateliersekretärin)
– *continuity girl (script girl)*
40 der Filmregisseur (Regisseur)
– *film director (director)*
41 der Kameramann
– *cameraman (first cameraman)*

42 der Schwenker (Kameraschwenker,
Kameraführer), ein Kameraassistent *m*
– *camera operator, an assistant
cameraman (camera assistant)*
43 der Filmarchitekt
– *set designer (art director)*
44 der Aufnahmeleiter
– *director of photography*
45 das Filmdrehbuch (Drehbuch,
Filmmanuskript, Manuskript,
Skript, Script)
– *filmscript (script, shooting script,
Am. movie script)*
46 der Regieassistent
– *assistant director*
47 die schalldichte Filmkamera
(Bildaufnahmekamera), eine
Breitbildkamera (Cinemascope-
Kamera)
– *soundproof film camera (soundproof
motion picture camera), a wide screen
camera (cinemascope camera)*
48 der Schallschutzkasten (Blimp)
– *soundproof housing (soundproof
cover, blimp)*
49 der Kamerakran (Dolly)
– *camera crane (dolly)*
50 das Pumpstativ
– *hydraulic stand*

51 die Abdeckblende, zum Abdecken *n*
von Fehllicht *n* (der Neger)
– *mask (screen) for protection from spill
light (gobo, nigger)*
52 der Stativscheinwerfer (Aufheller)
– *tripod spotlight (fill-in light, filler light,
fill light, filler)*
53 die Scheinwerferbrücke
– *spotlight catwalk*
54 der Tonmeisterraum
– *recording room*
55 der Tonmeister
– *recording engineer (sound recordist)*
56 das Mischpult
– *mixing console (mixing desk)*
57 der Tonassistent
– *sound assistant (assistant sound
engineer)*
58 das Magnettonaufzeichnungsgerät
– *magnetic sound recording equipment
(magnetic sound recorder)*
59 die Verstärker- und Trickeinrichtung,
z. B. für Nachhall *m* und
Effektton *m*
– *amplifier and special effects
equipment, e.g. for echo and sound
effects*
60 die Tonkamera (Lichttonkamera)
– *sound recording camera (optical
sound recorder)*

1-46 Tonaufzeichnung *f* und Kopie *f*
- sound recording and re-recording (dubbing)
1 das Magnettonaufzeichnungsgerät
- magnetic sound recording equipment (magnetic sound recorder)
2 die Magnetfilmspule
- magnetic film spool
3 der Magnetkopfträger
- magnetic head support assembly
4 das Schaltfeld
- control panel
5 der Magnetton-Aufnahme- und -Wiedergabeverstärker
- magnetic sound recording and playback amplifier
6 die Lichttonkamera (Tonkamera, das Lichttonaufnahmegerät)
- optical sound recorder (sound recording camera, optical sound recording equipment)
7 die Tageslichtfilmkassette
- daylight film magazine
8 das Steuer- und Kontrollfeld
- control and monitoring panel
9 das Okular zur optischen Kontrolle der Lichttonaufzeichnung
- eyepiece for visual control of optical sound recording
10 das Laufwerk
- deck

11 die Aufnahmeverstärker *m* und das (der) Netzteil
- recording amplifier and mains power unit
12 das Schalt- und Regelpult
- control desk (control console)
13 der Abhörlautsprecher
- monitoring loudspeaker (control loudspeaker)
14 die Aussteuerinstrumente *n*
- recording level indicators
15 die Kontrollinstrumente *n*
- monitoring instruments
16 das Klinkenfeld
- jack panel
17 das Schaltfeld
- control panel
18 der Flachbahnregler *m*
- sliding control
19 die Entzerrer *m*
- equalizer
20 das Magnettonlaufwerk
- magnetic sound deck
21 die Mischanlage für Magnetfilm *m*
- mixer for magnetic film
22 der Filmprojektor
- film projector
23 das Aufnahme- und Wiedergabegerät
- recording and playback equipment
24 die Filmspule
- film reel (film spool)

25 der Kopfträger für den Aufnahme-, den Wiedergabe- und den Löschkopf
- head support assembly for the recording head, playback head, and erase head
26 der Filmantrieb
- film transport mechanism
27 der (das) Gleichlauffilter
- synchronizing filter
28 die Magnettonverstärker *m*
- magnetic sound amplifier
29 das Steuerfeld
- control panel
30 die Filmentwicklungsmaschinen *f* im Kopierwerk *n*
- film-processing machines (film-developing machines) in the processing laboratory (film laboratory, motion picture laboratory)
31 der Hallraum
- echo chamber
32 der Hallraumlautsprecher
- echo chamber loudspeaker
33 das Hallraummikrophon
- echo chamber microphone

34-36 die Tonmischung (Mischung
mehrerer Tonstreifen *m*)
– *sound mixing (sound dubbing,
mixing of several sound tracks)*
34 das Mischatelier
– *mixing room (dubbing room)*
35 das Mischpult, für Einkanalton *m*
oder Stereoton *m*
– *mixing console (mixing desk) for
mono or stereo sound*
36 die Mischtonmeister *m* (Tonmeister), bei der Mischarbeit
– *dubbing mixers (recording engineers,
sound recordists) dubbing (mixing)*
37-41 die Synchronisation (Nach-
synchronisierung)
– *synchronization (syncing, dubbing,
post-synchronization, post-syncing)*
37 das Synchronisierungsatelier
– *dubbing studio (dubbing theatre,
Am. theater)*
38 der Synchronregisseur
– *dubbing director*
39 die Synchronsprecherin
– *dubbing speaker (dubbing actress)*
40 das Galgenmikrophon
– *boom microphone*
41 das Tonkabel
– *microphone cable*
42-46 der Schnitt
– *cutting (editing)*

42 der Schneidetisch
– *cutting table (editing table, cutting
bench)*
43 der Schnittmeister (Cutter)
– *film editor (cutter)*
44 die Filmteller *m* für die Bild- und
Tonstreifen *m*
– *film turntables for picture and
sound tracks*
45 die Bildprojektion
– *projection of the picture*
46 der Lautsprecher
– *loudspeaker*

1-23 die Filmvorführung
- *film projection (motion picture projection)*
1 das Lichtspielhaus (Lichtspieltheater, Filmtheater, Kino)
- *cinema (picture house, Am. movie theater, movie house)*
2 die Kinokasse
- *cinema box office (Am. movie theater box office)*
3 die Kinokarte
- *cinema ticket (Am. movie theater ticket)*
4 die Platzanweiserin
- *usherette*
5 die Kinobesucher *m* (das Filmpublikum)
- *cinemagoers (filmgoers, cinema audience, Am. moviegoers, movie audience)*
6 die Sicherheitsbeleuchtung (Notbeleuchtung)
- *safety lighting (emergency lighting)*
7 der Notausgang
- *emergency exit*
8 die Rampe (Bühne)
- *stage*
9 die Sitzreihen *f*
- *rows of seats (rows)*
10 der Bühnenvorhang (Bildwandvorhang)
- *stage curtain (screen curtain)*

11 die Bildwand (Projektionswand, „Leinwand")
- *screen (projection screen)*
12 der Bildwerferraum (Filmvorführraum, die Vorführkabine)
- *projection room (projection booth)*
13 die Linksmaschine
- *lefthand projector*
14 die Rechtsmaschine
- *righthand projector*
15 das Kabinenfenster, mit Projektions- und Schauöffnung *f*
- *projection room window with projection window and observation port*
16 die Filmtrommel
- *reel drum (spool box)*
17 der Saalverdunkler (Saalbeleuchtungsregler)
- *house light dimmers (auditorium lighting control)*
18 der Gleichrichter, ein Selen- oder Quecksilberdampfgleichrichter *m* für die Projektionslampen *f*
- *rectifier, a selenium or mercury vapour rectifier for the projection lamps*
19 der Verstärker
- *amplifier*
20 der Filmvorführer
- *projectionist*
21 der Umrolltisch, zur Filmumspulung
- *rewind bench for rewinding the film*

22 der Filmkitt
- *film cement (splicing cement)*
23 der Diaprojektor, für Werbediapositive *n*
- *slide projector for advertisements*
24-52 Filmprojektoren *m*
- *film projectors*
24 der Tonfilmprojektor (Filmbildwerfer, Kinoprojektor, Filmvorführungsapparat, die Theatermaschine, Kinomaschine)
- *sound projector (film projector, cinema projector, theatre projector, Am. movie projector)*
25-38 das Filmlaufwerk
- *projector mechanism*
25 die Feuerschutztrommeln *f* (Filmtrommeln), mit Umlaufölkühlung *f*
- *fireproof reel drums (spool boxes) with circulating oil cooling system*
26 die Vorwickel-Filmzahntrommel
- *feed sprocket (supply sprocket)*
27 die Nachwickel-Filmzahntrommel
- *take-up sprocket*
28 das Magnettonabnehmersystem
- *magnetic head cluster*

9 die Umlenkrolle, mit Bildstrich-
   verstellung *f*
– *guide roller (guiding roller) with*
   framing control
0 der Schleifenbildner, zur
   Filmvorberuhigung; *auch:* Filmriß-
   kontakt *m*
– *loop former for smoothing out the*
   intermittent movement; also: film
   break detector
1 die Filmgleitbahn
– *film path*
2 die Filmspule
– *film reel (film spool)*
3 die Filmrolle
– *reel of film*
4 das Bildfenster (Filmfenster), mit
   Filmkühlgebläse *n*
– *film gate (picture gate,*
   projector gate) with
   cooling fan
5 das Projektionsobjektiv
– *projection lens (projector lens)*
6 die Abwickelachse
– *feed spindle*
7 die Aufwickelfriktionsachse
– *take-up spindle with friction drive*
8 das Malteserkreuzgetriebe
– *maltese cross mechanism*
   (maltese cross movement,
   Geneva movement)
9-44 das Lampenhaus
– *lamphouse*

39 die Spiegelbogenlampe, mit
   asphärischem Hohlspiegel *m*
   und Blasmagnet *m* zur Lichtbogen-
   stabilisierung (*auch:* die Xenon-
   Höchstdrucklampe)
– *mirror arc lamp, with aspherical*
   (non-spherical) concave mirror and
   blowout magnet for stabilizing the arc
   (also: high-pressure xenon arc lamp)
40 die Positivkohle
– *positive carbon (positive carbon rod)*
41 die Negativkohle
– *negative carbon (negative carbon rod)*
42 der Lichtbogen
– *arc*
43 der Kohlenhalter
– *carbon rod holder*
44 der Krater (Kohlenkrater)
– *crater (carbon crater)*
45 das Lichttongerät [auch für
   Mehrkanal-Lichtton-Stereophonie *f*
   und für Gegentaktspur *f* vorgesehen]
– *optical sound unit [also designed for*
   multi-channel optical stereophonic
   sound and for push-pull sound tracks]
46 die Lichttonoptik
– *sound optics*
47 der Tonkopf
– *sound head*
48 die Tonlampe, im Gehäuse *n*
– *exciter lamp in housing*
49 die Photozelle (in der Hohlachse)
– *photocell in hollow drum*

50 das Vierkanal-Magnettonzusatz-
   gerät (der Magnettonabtaster)
– *attachable four-track magnetic sound*
   unit (penthouse head, magnetic sound
   head)
51 der Vierfachmagnetkopf
– *four-track magnetic head*
52 die Schmalfilmtheatermaschine, für
   Wanderkino *n*
– *narrow-gauge (Am. narrow-gage)*
   cinema projector for mobile cinema

1-39 Filmkameras *f*
- *motion picture cameras (film cameras)*
1 die Normalfilmkamera (35-mm-Filmkamera)
- *standard-gauge (Am. standard-gage) motion picture camera (standard-gauge, Am. standard-gage, 35 mm camera)*
2 das Objektiv (die Aufnahmeoptik)
- *lens (object lens, taking lens)*
3 das Kompendium (die Sonnenblende), mit Filter- und Kaschbühne *f*
- *lens hood (sunshade) with matte box*
4 der Kasch
- *matte (mask)*
5 der Gegenlichttubus
- *lens hood barrel*
6 das Sucherokular
- *viewfinder eyepiece*
7 die Okulareinstellung
- *eyepiece control ring*
8 der Schließer für die Sektorenblende
- *opening control for the segment disc (disk) shutter*
9 das Filmkassettengehäuse
- *magazine housing*
10 die Kompendiumschiene
- *slide bar for the lens hood*
11 der Führungshebel
- *control arm (control lever)*
12 der Kinoneiger
- *pan and tilt head*
13 das Holzstativ
- *wooden tripod*
14 die Gradeinteilung
- *degree scale*

15 die schalldichte (geblimpte) Filmkamera
- *soundproof (blimped) motion picture camera (film camera)*
16-18 das Schallschutzgehäuse (der Blimp)
- *soundproof housing (blimp)*
16 das Schallschutzoberteil
- *upper section of the soundproof housing*
17 das Schallschutzunterteil
- *lower section of the soundproof housing*
18 die abgeklappte Schallschutzseitenwand
- *open sidewall of the soundproof housing*
19 das Kameraobjektiv
- *camera lens*
20 die leichte Bildkamera
- *lightweight professional motion picture camera*
21 der Handgriff
- *grip (handgrip)*
22 der Zoomverstellhebel
- *zooming lever*
23 das Zoomobjektiv (Varioobjektiv) mit stufenlos veränderlicher Brennweite
- *zoom lens (variable focus lens, varifocal lens) with infinitely variable focus*
24 der Auslösehandgriff
- *handgrip with shutter release*
25 die Kameratür
- *camera door*
26 die Bild-Ton-Kamera (Reportagekamera) für Bild- und Tonaufnahme *f*
- *sound camera (newsreel camera) for recording sound and picture*
27 das Schallschutzgehäuse (der Blimp)
- *soundproof housing (blimp)*

28 das Beobachtungsfenster für die Bildzähler *m* und Betriebsskalen *f*
- *window for the frame counters and indicator scales*
29 das Synchronkabel (Pilottonkabel)
- *pilot tone cable (sync pulse cable)*
30 der Pilottongeber
- *pilot tone generator (signal generator, pulse generator)*
31 die Schmalfilmkamera, eine 16-mm-Kamera
- *professional narrow-gauge (Am. narrow-gage) motion picture camera, a 16 mm camera*
32 der Objektivrevolver
- *lens turret (turret head)*
33 die Gehäuseverriegelung
- *housing lock*
34 die Okularmuschel
- *eyecup*
35 die Hochgeschwindigkeitskamera, eine Schmalfilmspezialkamera
- *high-speed camera, a special narrow-gauge (Am. narrow-gage) camera*
36 der Zoomhebel
- *zooming lever*
37 die Schulterstütze
- *rifle grip*
38 der Auslösehandgriff
- *handgrip with shutter release*
39 der Faltenbalg des Kompendiums *n*
- *lens hood bellows*

1-6 die fünf Positionen *f*
– *the five positions (ballet positions)*
1 die erste Position
– *first position*
2 die zweite Position
– *second position*
3 die dritte Position
– *third position*
4 die vierte Position [offen]
– *fourth position [open]*
5 die vierte Position [gekreuzt; weite
   fünfte Position]
– *fourth position [crossed; extended
   fifth position]*
6 die fünfte Position
– *fifth position*
7-10 die Ports de bras *n*
   (Armhaltungen *f*)
– *ports de bras (arm positions)*
7 das Port de bras à coté
– *port de bras à coté*
8 das Port de bras en bas
– *port de bras en bas*
9 das Port de bras en avant
– *port de bras en avant*
10 das Port de bras en haut
– *port de bras en haut*
11 das Degagé à la quatrième devant
– *dégagé à la quatrième devant*
12 das Degagé à la quatrième derrière
– *dégagé à la quatrième derrière*

13 das Effacé
– *effacé*
14 das Sur le cou-de-pied
– *sur le cou-de-pied*
15 das Ecarté
– *écarté*
16 das Croisé
– *croisé*
17 die Attitude
– *attitude*
18 die Arabeske
– *arabesque*
19 die ganze Spitze
– *à pointe (on full point)*
20 das (der) Spagat
– *splits*
21 die Kapriole
– *cabriole (capriole)*
22 das Entrechat (Entrechat quatre)
– *entrechat (entrechat quatre)*
23 die Préparation [z. B. zur Pirouette]
– *préparation [e.g. for a pirouette]*
24 die Pirouette
– *pirouette*
25 das Corps de ballet
   (die Balletttruppe)
– *corps de ballet*
26 die Ballettänzerin (Balletteuse)
– *ballet dancer (ballerina)*
27 u. 28 der Pas de trois
– *pas de trois*

27 die Primaballerina
– *prima ballerina*
28 der erste Solotänzer (erste Solist)
– *principal male dancer (leading soloist)*
29 das Tutu
– *tutu*
30 der Spitzenschuh, ein Ballettschuh *m*
– *point shoe, a ballet shoe (ballet slipper)*
31 der Ballerinenrock
– *ballet skirt*

1-4 die Vorhangzüge *m*
- *types of curtain operation*
1 der griechische Zug
- *draw curtain (side parting)*
2 der italienische Zug
- *tableau curtain (bunching up sideways)*
3 der deutsche Zug
- *fly curtain (vertical ascent)*
4 der kombinierte (griechisch-deutsche) Zug
- *combined fly and draw curtain*
5-11 die Garderobenhalle
- *cloakroom hall (Am. checkroom hall)*
5 die Garderobe (Kleiderablage)
- *cloakroom (Am. checkroom)*
6 die Garderobenfrau (Garderobiere)
- *cloakroom attendant (Am. checkroom attendant)*
7 die Garderobenmarke (Garderobennummer)
- *cloakroom ticket (Am. check)*
8 der Theaterbesucher
- *playgoer (theatregoer, Am. theatergoer)*
9 das Opernglas
- *opera glass (opera glasses)*
10 der Kontrolleur
- *commissionaire*
11 die Theaterkarte (das Theaterbillett), eine Einlaßkarte
- *theatre (Am. theater) ticket, an admission ticket*
12 *u.* **13 das Foyer** (die Wandelhalle, der Wandelgang)
- *foyer (lobby, crush room)*
12 der Platzanweiser; *früh.:* Logenschließer *m*
- *usher;* form.: *box attendant*
13 das Programmheft (Programm)
- *programme (Am. program)*
14-27 der Theaterraum
- *auditorium and stage*
14 die Bühne
- *stage*
15 das Proszenium
- *proscenium*
16-20 der Zuschauerraum
- *auditorium*
16 der dritte Rang (die Galerie)
- *gallery (balcony)*
17 der zweite Rang
- *upper circle*
18 der erste Rang
- *dress circle* (Am. *balcony, mezzanine*)
19 das Parkett
- *front stalls*
20 der Sitzplatz (Zuschauerplatz, Theaterplatz)
- *seat (theatre seat,* Am. *theater seat)*
21-27 die Probe (Theaterprobe)
- *rehearsal (stage rehearsal)*
21 der Theaterchor (Chor)
- *chorus*
22 der Sänger
- *singer*
23 die Sängerin
- *singer*
24 der Orchesterraum (die Orchesterversenkung)
- *orchestra pit*
25 das Orchester
- *orchestra*
26 der Dirigent
- *conductor*
27 der Taktstock (Dirigentenstab)
- *baton (conductor's baton)*
28-42 der Malersaal, eine Theaterwerkstatt
- *paint room, a workshop*
28 der Bühnenarbeiter
- *stagehand (scene shifter)*
29 die Arbeitsbrücke
- *catwalk (bridge)*
30 das Setzstück (Versatzstück)
- *set piece*
31 die Versteifung
- *reinforcing struts*
32 die Kaschierung
- *built piece (built unit)*
33 der Prospekt
- *backcloth (backdrop)*
34 der tragbare Malerkasten (die Handpalette)
- *portable box for paint containers*
35 der Bühnenmaler, ein Dekorationsmaler *m*
- *scene painter, a scenic artist*
36 die fahrbare Palette
- *paint trolley*
37 der Bühnenbildner
- *stage designer (set designer)*
38 der Kostümbildner
- *costume designer*
39 der Kostümentwurf
- *design for a costume*
40 die Figurine
- *sketch for a costume*
41 die Modellbühne
- *model stage*
42 das Bühnenbildmodell
- *model of the set*
43-52 die Schauspielergarderobe
- *dressing room*
43 der Schminkspiegel
- *dressing room mirror*
44 das Schminktuch
- *make-up gown*
45 der Schminktisch
- *make-up table*
46 der Schminkstift
- *greasepaint stick*
47 der Chefmaskenbildner
- *chief make-up artist (chief make-up man)*
48 der Maskenbildner (Theaterfriseur)
- *make-up artist (hairstylist)*
49 die Perücke
- *wig*
50 die Requisiten *n*
- *props (properties)*
51 das Theaterkostüm
- *theatrical costume*
52 die Signallampe (der Inspizientenruf)
- *call light*

1-60 das Bühnenhaus mit der Maschinerie (Ober- und Untermaschinerie)
- *stagehouse with machinery (machinery in the flies and below stage)*
1 die Stellwarte
- *control room*
2 das Steuerpult (die Lichtstellanlage) mit Speichereinrichtung *f* zur Speicherung der Lichtstimmung
- *control console (lighting console, lighting control console) with preset control for presetting lighting effects*
3 der Stellwartenzettel (die Kontente)
- *lighting plot (light plot)*
4 der Rollenboden
- *grid (gridiron)*
5 die Arbeitsgalerie (der Arbeitssteg)
- *fly floor (fly gallery)*
6 die Berieselungsanlage, zum Feuerschutz *m*
- *sprinkler system for fire prevention (for fire protection)*
7 der Schnürbodenmeister
- *fly man*
8 die Züge *m* (Prospektzüge)
- *fly lines (lines)*
9 der Rundhorizont (Bühnenhimmel)
- *cyclorama*
10 der Prospekt (Bühnenhintergrund, das Hinterhängestück)
- *backcloth (backdrop, background)*
11 der Bogen, ein Zwischenhängestück *n*
- *arch, a drop cloth*
12 die Soffitte (das Deckendekorationsstück)
- *border*
13 das Kastenoberlicht
- *compartment (compartment-type, compartmentalized) batten (Am. border light)*
14 die szenischen Beleuchtungskörper *m*
- *stage lighting units (stage lights)*
15 die Horizontbeleuchtung (Prospektbeleuchtung)
- *horizon lights (backdrop lights)*
16 die schwenkbaren Spielflächenscheinwerfer *m*
- *adjustable acting area lights (acting area spotlights)*
17 die Bühnenbildprojektionsapparate *m*
- *scenery projectors (projectors)*
18 die Wasserkanone (eine Sicherheitseinrichtung)
- *monitor (water cannon) (piece of safety equipment)*
19 die fahrbare Beleuchtungsbrücke
- *travelling (Am. traveling) lighting bridge (travelling lighting gallery)*
20 der Beleuchter
- *lighting operator (lighting man)*

21 der Portal-(Turm-)Scheinwerfer
- *portal spotlight (tower spotlight)*
22 der verstellbare Bühnenrahmen (das Portal, der Mantel)
- *adjustable proscenium*
23 der Vorhang (Theatervorhang)
- *curtain (theatrical curtain)*
24 der eiserne Vorhang
- *iron curtain (safety curtain, fire curtain)*
25 die Vorbühne (*ugs.* Rampe)
- *forestage (apron)*
26 das Rampenlicht (die Fußrampenleuchten *f*)
- *footlight (footlights, floats)*
27 der Souffleurkasten
- *prompt box*
28 die Souffleuse (*männl.:* der Souffleur, Vorsager)
- *prompter*
29 der Inspizientenstand
- *stage manager's desk*
30 der Spielwart (Inspizient)
- *stage director (stage manager)*
31 die Drehbühne
- *revolving stage*
32 die Versenköffnung
- *trap opening*
33 der Versenktisch
- *lift (Am. elevator)*
34 das Versenkpodium, ein Stockwerkpodium *n*
- *bridge (Am. elevator), a rostrum*
35 die Dekorationsstücke *n*
- *pieces of scenery*
36 die Szene (der Auftritt)
- *scene*
37 der Schauspieler (Darsteller)
- *actor*
38 die Schauspielerin (Darstellerin)
- *actress*
39 die Statisten *m*
- *extras (supers, supernumeraries)*
40 der Regisseur (Spielleiter)
- *director (producer)*
41 das Rollenheft
- *prompt book (prompt script)*
42 der Regietisch
- *director's table (producer's table)*
43 der Regieassistent
- *assistant director (assistant producer)*
44 das Regiebuch
- *director's script (producer's script)*
45 der Bühnenmeister
- *stage carpenter*
46 der Bühnenarbeiter
- *stagehand (scene shifter)*
47 das Setzstück (Versatzstück)
- *set piece*
48 der Spiegellinsenscheinwerfer
- *mirror spot (mirror spotlight)*
49 der Farbscheibenwechsler (mit Farbscheibe *f*)
- *automatic filter change (with colour filters, colour mediums, gelatines)*
50 die hydraulische Druckstation
- *hydraulic plant room*

51 der Wasserbehälter
- *water tank*
52 die Saugleitung
- *suction pipe*
53 die hydraulische Druckpumpe
- *hydraulic pump*
54 die Druckleitung
- *pressure pipe*
55 der Druckkessel (Akkumulator)
- *pressure tank (accumulator)*
56 das Kontaktmanometer
- *pressure gauge (Am. gage)*
57 der Flüssigkeitsstandanzeiger
- *level indicator (liquid level indicator)*
58 der Steuerhebel
- *control lever*
59 der Maschinenmeister
- *operator*
60 die Drucksäulen *f* (Plunger *m*)
- *rams*

1 die Bar	16 die Tanzfläche	29 die Deckenverkleidung
– *bar*	– *dance floor*	– *ceiling tiles*
2 die Bardame	17 *u.* 18 das Tanzpaar	30 die Belüftungsanlagen
– *barmaid*	– *dancing couple*	– *ventilators*
3 der Barhocker	17 die Tänzerin	31 die Toiletten *f*
– *bar stool*	– *dancer*	– *toilets (lavatories, WC)*
4 das Flaschenregal	18 der Tänzer	32 der Longdrink
– *shelf for bottles*	– *dancer*	– *long drink*
5 das Gläserregal	19 der Plattenspieler	33 der Cocktail
– *shelf for glasses*	– *record player*	– *cocktail* (Am. *highball)*
6 das Bierglas	20 das Mikrophon	
– *beer glass*	– *microphone*	
7 Wein- und Likörgläser *n*	21 das Tonbandgerät	
– *wine and liqueur glasses*	– *tape recorder*	
8 der Bierzapfhahn (Zapfhahn)	22 *u.* 23 die Stereoanlage	
– *beer tap (tap)*	– *stereo system (stereo equipment)*	
9 die Bartheke (Theke)	22 der Tuner	
– *bar*	– *tuner*	
10 der Kühlschrank	23 der Verstärker	
– *refrigerator (fridge,* Am. *icebox)*	– *amplifier*	
11 die Barlampen *f*	24 die Schallplatten	
– *bar lamps*	– *records (discs)*	
12 die indirekte Beleuchtung	25 der Diskjockey	
– *indirect lighting*	– *disc jockey*	
13 die Lichtorgel	26 das Mischpult	
– *colour* (Am. *color) organ (clavilux)*	– *mixing console (mixing desk, mixer)*	
14 die Tanzflächenbeleuchtung	27 das Tamburin	
– *dance floor lighting*	– *tambourine*	
15 die Lautsprecherbox	28 die Spiegelwand	
– *speaker (loudspeaker)*	– *mirrored wall*	

1-33 das Nachtlokal (der Nightclub,
Nachtklub)
- *nightclub (night spot)*
1 die Garderobe
- *cloakroom (Am. checkroom)*
2 die Garderobenfrau
- *cloakroom attendant (Am.
checkroom attendant)*
3 die Band (Combo)
- *band*
4 die Klarinette
- *clarinet*
5 der Klarinettist
- *clarinettist (Am. clarinetist)*
6 die Trompete
- *trumpet*
7 der Trompeter
- *trumpeter*
8 die Gitarre
- *guitar*
9 der Gitarrist (Gitarrenspieler)
- *guitarist (guitar player)*
10 das Schlagzeug
- *drums*
11 der Schlagzeuger
- *drummer*
12 die Lautsprecherbox
(der Lautsprecher)
- *speaker (loudspeaker)*

13 die Bar
- *bar*
14 die Bardame (Bedienung)
- *barmaid*
15 die Bartheke
- *bar*
16 der Barhocker
- *bar stool*
17 das Tonbandgerät
- *tape recorder*
18 der Receiver
- *receiver*
19 die Spirituosen *pl*
- *spirits*
20 der Schmalfilmprojektor für
Pornofilme *m* (Sexfilme)
- *cine projector for porno films
(sex films, blue movies)*
21 der Leinwandkasten mit der
Leinwand
- *box containing screen*
22 die Bühne
- *stage*
23 die Bühnenbeleuchtung
- *stage lighting*
24 der Bühnenscheinwerfer
- *spotlight*
25 die Soffittenbeleuchtung
- *festoon lighting*

26 die Soffittenlampe
- *festoon lamp (lamp, light bulb)*
27-32 der Striptease (die
Entkleidungsnummer)
- *striptease act (striptease number)*
27 die Stripteasetänzerin (Stripperin,
Stripteuse)
- *striptease artist (stripper)*
28 der Straps
- *suspender (Am. garter)*
29 der Büstenhalter
- *brassière (bra)*
30 die Pelzstola
- *fur stole*
31 die Handschuhe *m*
- *gloves*
32 der Strumpf
- *stocking*
33 die Animierdame
- *hostess*

1-33 **der Stierkampf** (die Corrida)
- *bullfight (corrida, corrida de toros)*
1 die Spielszene
- *mock bullfight*
2 der Nachwuchstorero (Novillero)
- *novice (aspirant matador, novillero)*
3 die Stierattrappe
- *mock bull (dummy bull)*
4 der Nachwuchsbanderillero
- *novice banderillero (apprentice banderillero)*
5 die Stierkampfarena (Plaza de toros) [Schema]
- *bullring (plaza de toros) [diagram]*
6 der Haupteingang
- *main entrance*
7 die Logen *f*
- *boxes*
8 die Sitzplätze *m*
- *stands*
9 die Arena (der Ruedo)
- *arena (ring)*
10 der Eingang der Stierkämpfer *m*
- *bullfighters' entrance*
11 der Einlaß der Stiere *m*
- *torril door*
12 die Abgangspforte für die getöteten Stiere *m*
- *exit gate for killed bulls*
13 die Schlachterei
- *slaughterhouse*
14 die Stierställe *m*
- *bull pens (corrals)*
15 der Pferdehof
- *paddock*
16 der Lanzenreiter (Picador)
- *lancer on horseback (picador)*
17 die Lanze
- *lance (pike pole, javelin)*
18 das gepanzerte Pferd
- *armoured (Am. armored) horse*
19 der stählerne Beinpanzer
- *leg armour (Am. armor)*
20 der runde Picadorhut
- *picador's round hat*
21 der Banderillero, ein Torero *m*
- *banderillero, a torero*
22 die Banderillas *f* (die Wurfpfeile *m*)
- *banderillas (barbed darts)*
23 die Leibbinde
- *shirtwaist*
24 der Stierkampf
- *bullfight*
25 der Matador, ein Torero *m*
- *matador (swordsman), a torero*
26 das Zöpfchen, ein Standesabzeichen *n* des Matadors *m*
- *queue, a distinguishing mark of the matador*
27 das rote Tuch (die Capa)
- *red cloak (capa)*
28 der Kampfstier (,,el toro'')
- *fighting bull*
29 der Stierkämpferhut
- *montera [hat made of tiny black silk chenille balls]*

30 das Töten des Stiers *m* (die Estocada)
- *killing the bull (kill, estocada)*
31 der Matador bei Wohltätigkeitsveranstaltungen *f* [ohne Tracht *f*]
- *matador in charity performances [without professional uniform]*
32 der Degen (die Espada, Estoque)
- *estoque (sword)*
33 die Muleta
- *muleta*
34 **das Rodeo**
- *rodeo*
35 der Jungstier
- *young bull*
36 der Cowboy
- *cowboy*
37 der Stetson (Stetsonhut)
- *stetson (stetson hat)*
38 das Halstuch
- *scarf (necktie)*
39 der Rodeoreiter
- *rodeo rider*
40 das Lasso
- *lasso*

1 *u.* 2 **mittelalterliche Noten** *f*
- *medieval (mediaeval) notes*
1 die Choralnotation (die
  Quadratnotation)
- *plainsong notation (neumes, neums,
  pneumes, square notation)*
2 die Mensuralnotation
- *mensural notation*
3-7 **die Musiknote** (Note)
- *musical note (note)*
3 der Notenkopf
- *note head*
4 der Notenhals
- *note stem (note tail)*
5 das Notenfähnchen
- *hook*
6 der Notenbalken
- *stroke*
7 der Verlängerungspunkt
- *dot indicating augmentation of
  note's value*
8-11 **die Notenschlüssel** *m*
- *clefs*
8 der Violinschlüssel (G-Schlüssel)
- *treble clef (G-clef, violin clef)*
9 der Baßschlüssel (F-Schlüssel)
- *bass clef (F-clef)*
10 der Altschlüssel (C-Schlüssel)
- *alto clef (C-clef)*
11 der Tenorschlüssel (C-Schlüssel)
- *tenor clef*
12-19 **die Notenwerte** *m*
- *note values*
12 die Doppelganze (*früh.:* Brevis)
- *breve (brevis, Am. double-whole
  note)*
13 die ganze Note (*früh.:* Semibrevis)
- *semibreve (Am. whole note)*
14 die halbe Note (*früh.:* Minima)
- *minim (Am. half note)*
15 die Viertelnote (*früh.:* Semiminima)
- *crotchet (Am. quarter note)*
16 die Achtelnote (*früh.:* Fusa)
- *quaver (Am. eighth note)*
17 die Sechzehntelnote (*früh.:*
  Semifusa)
- *semiquaver (Am. sixteenth note)*
18 die Zweiunddreißigstelnote
- *demisemiquaver (Am. thirty-second
  note)*
19 die Vierundsechzigstelnote
- *hemidemisemiquaver
  (Am. sixty-fourth note)*
20-27 **die Pausenzeichen** *n* (Pausen *f*)
- *rests*
20 die Pause für die Doppelganze
- *breve rest*
21 die ganze Pause
- *semibreve rest (Am. whole rest)*
22 die halbe Pause
- *minim rest (Am. half rest)*
23 die Viertelpause
- *crotchet rest (Am. quarter rest)*
24 die Achtelpause
- *quaver rest (Am. eighth rest)*
25 die Sechzehntelpause
- *semiquaver rest (Am. sixteenth rest)*

26 die Zweiunddreißigstelpause
- *demisemiquaver rest
  (Am. thirty-second rest)*
27 die Vierundsechzigstelpause
- *hemidemisemiquaver rest
  (Am. sixty-fourth rest)*
28-42 **der Takt** (die Taktart)
- *time (time signatures, measure,
  Am. meter)*
28 der Zweiachteltakt
- *two-eight time*
29 der Zweivierteltakt
- *two-four time*
30 der Zweihalbetakt
- *two-two time*
31 der Vierachteltakt
- *four-eight time*
32 der Viervierteltakt
- *four-four time (common time)*
33 der Vierhalbetakt
- *four-two time*
34 der Sechsachteltakt
- *six-eight time*
35 der Sechsvierteltakt
- *six-four time*
36 der Dreiachteltakt
- *three-eight time*
37 der Dreivierteltakt
- *three-four time*
38 der Dreihalbetakt
- *three-two time*
39 der Neunachteltakt
- *nine-eight time*
40 der Neunvierteltakt
- *nine-four time*
41 der Fünfvierteltakt
- *five-four time*
42 der Taktstrich
- *bar (bar line, measure line)*
43 *u.* 44 **das Liniensystem**
- *staff (stave)*
43 die Notenlinie
- *line of the staff*
44 der Zwischenraum
- *space*
45-49 **die Tonleitern** *f*
- *scales*
45 die C-Dur-Tonleiter Stammtöne:
  c, d, e, f, g, a, h, c
- *C major scale naturals:
  c, d, e, f, g, a, b, c*
46 die a-Moll-Tonleiter [natürlich]
  Stammtöne: a, h, c, d, e, f, g, a
- *A minor scale [natural] naturals:
  a, b, c, d, e, f, g, a*
47 die a-Moll-Tonleiter [harmonisch]
- *A minor scale [harmonic]*
48 die a-Moll-Tonleiter [melodisch]
- *A minor scale [melodic]*
49 die chromatische Tonleiter
- *chromatic scale*
50-54 **die Versetzungszeichen** *n*
  (die Vorzeichen)
- *accidentals (inflections, key
  signatures)*
50 *u.* 51 **die Erhöhungszeichen** *n*
- *signs indicating the raising of a note*

50 das Kreuz (die Halbtonerhöhung)
- *sharp (raising the note a semitone or
  half-step)*
51 das Doppelkreuz (die Erhöhung um
  2 Halbtöne *m*)
- *double sharp (raising the note a tone
  or full-step)*
52 *u.* 53 die Erniedrigungszeichen
- *signs indicating the lowering of a note*
52 das B (die Halbtonerniedrigung)
- *flat (lowering the note a semitone or
  half-step)*
53 das Doppel-B (die Erniedrigung um
  2 Halbtöne *m*)
- *double flat (lowering the note a tone
  or full-step)*
54 das Auflösungszeichen
- *natural*
55-68 **die Tonarten** (Durtonarten und
  die ihnen parallelen Molltonarten,
  jeweils mit gleichem Vorzeichen *n*)
- *keys (major keys and the related
  minor keys having the same
  signature)*
55 C-Dur (a-Moll)
- *C major (A minor)*
56 G-Dur (e-Moll)
- *G major (E minor)*
57 D-Dur (h-Moll)
- *D major (B minor)*
58 A-Dur (fis-Moll)
- *A major (F sharp minor)*
59 E-Dur (cis-Moll)
- *E major (C sharp minor)*
60 H-Dur (gis-Moll)
- *B major (G sharp minor)*
61 Fis-Dur (dis-Moll)
- *F sharp major (D sharp minor)*
62 C-Dur (a-Moll)
- *C major (A minor)*
63 F-Dur (d-Moll)
- *F major (D minor)*
64 B-Dur (g-Moll)
- *B flat major (G minor)*
65 Es-Dur (c-Moll)
- *E flat major (C minor)*
66 As-Dur (f-Moll)
- *A flat major (F minor)*
67 Des-Dur (b-Moll)
- *D flat major (B flat minor)*
68 Ges-Dur (es-Moll)
- *G flat major (E flat minor)*

321 Musiknotation II

Musical Notation II

1-5 der Akkord
- *chord*
1-4 Dreiklänge *m*
- *triad*
1 der Durdreiklang
- *major triad*
2 der Molldreiklang
- *minor triad*
3 der verminderte Dreiklang
- *diminished triad*
4 der übermäßige Dreiklang
- *augmented triad*
5 der Vierklang, ein Septimen-akkord *m*
- *chord of four notes, a chord of the seventh (seventh chord, dominant seventh chord)*
6-13 die Intervalle *n*
- *intervals*
6 die Prime (der Einklang)
- *unison (unison interval)*
7 die große Sekunde
- *major second*
8 die große Terz
- *major third*
9 die Quarte
- *perfect fourth*
10 die Quinte
- *perfect fifth*
11 die große Sexte
- *major sixth*
12 die große Septime
- *major seventh*
13 die Oktave
- *perfect octave*
14-22 die Verzierungen *f*
- *ornaments (graces, grace notes)*
14 der lange Vorschlag
- *long appoggiatura*
15 der kurze Vorschlag
- *acciaccatura (short appoggiatura)*
16 der Schleifer
- *slide*
17 der Triller ohne Nachschlag *m*
- *trill (shake) without turn*
18 der Triller mit Nachschlag *m*
- *trill (shake) with turn*
19 der Pralltriller
- *upper mordent (inverted mordent, pralltriller)*
20 der Mordent
- *lower mordent (mordent)*
21 der Doppelschlag
- *turn*
22 das Arpeggio
- *arpeggio*
23-26 andere Notationszeichen *n*
- *other signs in musical notation*
23 die Triole; *entspr.:* Duole, Quartole, Quintole, Sextole, Septole (Septimole)
- *triplet; corresponding groupings: duplet (couplet), quadruplet, quintuplet, sextolet (sextuplet), septolet (septuplet, septimole)*
24 der Bindebogen
- *tie (bind)*

25 die Fermate, ein Halte- und Ruhezeichen *n*
- *pause (pause sign)*
26 das Wiederholungszeichen
- *repeat mark*
27-41 Vortragsbezeichnungen *f*
- *expression marks (signs of relative intensity)*
27 marcato (markiert, betont)
- *marcato (marcando, markiert, attack, strong accent)*
28 presto (schnell)
- *presto (quick, fast)*
29 portato (getragen)
- *portato (lourer, mezzo staccato, carried)*
30 tenuto (gehalten)
- *tenuto (held)*
31 crescendo (anschwellend)
- *crescendo (increasing gradually in power)*
32 decrescendo (abschwellend)
- *decrescendo (diminuendo, decreasing or diminishing gradually in power)*
33 legato (gebunden)
- *legato (bound)*
34 staccato (abgestoßen)
- *staccato (detached)*
35 piano (leise)
- *piano (soft)*
36 pianissimo (sehr leise)
- *pianissimo (very soft)*
37 pianissimo piano (so leise wie möglich)
- *pianissimo piano (as soft as possible)*
38 forte (stark)
- *forte (loud)*
39 fortissimo (sehr stark)
- *fortissimo (very loud)*
40 forte fortissimo (so stark wie möglich)
- *forte fortissimo (double fortissimo, as loud as possible)*
41 fortepiano (stark ansetzend, leise weiterklingend)
- *forte piano (loud and immediately soft again)*
42-50 die Einteilung des Tonraums *m*
- *divisions of the compass*
42 die Subkontraoktave
- *subcontra octave (double contra octave)*
43 die Kontraoktave
- *contra octave*
44 die große Oktave
- *great octave*
45 die kleine Oktave
- *small octave*
46 die 1gestrichene Oktave
- *one-line octave*
47 die 2gestrichene Oktave
- *two-line octave*
48 die 3gestrichene Oktave
- *three-line octave*

49 die 4gestrichene Oktave
- *four-line octave*
50 die 5gestrichene Oktave
- *five-line octave*

1 die Lure, ein Bronzehorn *n*
– *lur, a bronze trumpet*
2 die Panflöte (Panpfeife, Syrinx)
– *panpipes (Pandean pipes, syrinx)*
3 der Diaulos, eine doppelte
Schalmei
– *aulos, a double shawm*
4 der Aulos
– *aulos pipe*
5 die Phorbeia (Mundbinde)
– *phorbeia (peristomion, capistrum, mouth band)*
6 das Krummhorn
– *crumhorn (crummhorn, cromorne, krumbhorn, krummhorn)*
7 die Blockflöte
– *recorder (fipple flute)*
8 die Sackpfeife (der Dudelsack); ähnl.: die Musette
– *bagpipe; sim.: musette*
9 der Windsack
– *bag*
10 die Melodiepfeife
– *chanter (melody pipe)*
11 der Stimmer (Brummer, Bordun)
– *drone (drone pipe)*
12 der krumme Zink
– *curved cornett (zink)*
13 der Serpent
– *serpent*
14 die Schalmei; *größer:* der Bomhart (Pommer, die Bombarde)
– *shawm (schalmeyes); larger: bombard (bombarde, pommer)*
15 die Kithara; *ähnl. u. kleiner:* die Lyra (Leier)
– *cythara (cithara); sim. and smaller: lyre*
16 der Jocharm
– *arm*
17 der Steg
– *bridge*
18 der Schallkasten
– *sound box (resonating chamber, resonator)*
19 das Plektron (Plektrum), ein Schlagstäbchen *n*
– *plectrum, a plucking device*
20 die Pochette (Taschengeige, Sackgeige, Stockgeige)
– *kit (pochette), a miniature violin*
21 die Sister (Cister), ein Zupfinstrument *n; ähnl.:* die Pandora
– *cittern (cithern, cither, cister, citole), a plucked instrument; sim.: pandora (bandora, bandore)*
22 das Schalloch
– *sound hole*
23 die Viola, eine Gambe; *größer:* die Viola da Gamba, der (die) Violone
– *viol (descant viol, treble viol, a viola da gamba; larger: tenor viol, bass viol (viola da gamba, gamba), violone (double bass viol)*
24 der Violenbogen
– *viol bow*

25 die Drehleier (Radleier, Bauernleier, Bettlerleier, Vielle, das Organistrum)
– *hurdy-gurdy (vielle à roue, symphonia, armonie, organistrum)*
26 das Streichrad
– *friction wheel*
27 der Schutzdeckel
– *wheel cover (wheel guard)*
28 die Klaviatur
– *keyboard (keys)*
29 der Resonanzkörper
– *resonating body (resonator, sound box)*
30 die Melodiesaiten *f*
– *melody strings*
31 die Bordunsaiten *f*
– *drone strings (drones, bourdons)*
32 das Hackbrett (Cimbalom, die Zimbal, Cimbal, Cymbal, Zymbal, Zimbel)
– *dulcimer*
33 die Zarge
– *rib (resonator wall)*
34 der Schlegel zum Walliser Hackbrett *n*
– *beater for the Valasian dulcimer*
35 die Rute zum Appenzeller Hackbrett *n*
– *hammer (stick) for the Appenzell dulcimer*
36 das Klavichord (Clavichord); *Arten:* das gebundene oder das bundfreie Klavichord
– *clavichord; kinds: fretted or unfretted clavichord*
37 die Klavichordmechanik
– *clavichord mechanism*
38 der Tastenhebel
– *key (key lever)*
39 der Waagebalken
– *balance rail*
40 das Führungsplättchen
– *guiding blade*
41 der Führungsschlitz
– *guiding slot*
42 das Auflager
– *resting rail*
43 die Tangente
– *tangent*
44 die Saite
– *string*
45 das Clavicembalo (Cembalo, Klavizimbel), ein Kielflügel *m; ähnl.:* das Spinett (Virginal)
– *harpsichord (clavicembalo, cembalo), a wing-shaped stringed keyboard instrument; sim.: spinet (virginal)*
46 das obere Manual
– *upper keyboard (upper manual)*
47 das untere Manual
– *lower keyboard (lower manual)*
48 die Cembalomechanik
– *harpsichord mechanism*
49 der Tastenhebel
– *key (key lever)*
50 die Docke (der Springer)
– *jack*

51 der Springerrechen (Rechen)
– *slide (register)*
52 die Zunge
– *tongue*
53 der Federkiel (Kiel)
– *quill plectrum*
54 der Dämpfer
– *damper*
55 die Saite
– *string*
56 das Portativ, eine tragbare Orgel; *größer:* das Positiv
– *portative organ, a portable organ; larger: positive organ (positive)*
57 die Pfeife
– *pipe (flue pipe)*
58 der Balg
– *bellows*

1-62 Orchesterinstrumente n
- *orchestral instruments*
1-27 Saiteninstrumente n,
Streichinstrumente
- *stringed instruments, bowed instruments*
1 die Violine (Geige, *früh.*: Fiedel *f*)
- *violin*
2 der Geigenhals (Hals)
- *neck of the violin*
3 der Resonanzkörper (Geigenkörper, Geigenkorpus)
- *resonating body (violin body, sound box of the violin)*
4 die Zarge
- *rib (side wall)*
5 der Geigensteg (Steg)
- *violin bridge*
6 das F-Loch, ein Schalloch *n*
- *F-hole, a sound hole*
7 der Saitenhalter
- *tailpiece*
8 die Kinnstütze
- *chin rest*
9 die Saiten *f* (Violinsaiten, der Bezug): die G-Saite, D-Saite, A-Saite, E-Saite
- *strings (violin strings, fiddle strings): G-string, D-string, A-string, E-string*
10 der Dämpfer (die Sordine)
- *mute (sordino)*
11 das Kolophonium
- *resin (rosin, colophony)*
12 der Violinbogen (Geigenbogen, Bogen, *früh.*: Fiedelbogen)
- *violin bow (bow)*
13 der Frosch
- *nut (frog)*
14 die Stange
- *stick (bow stick)*
15 der Geigenbogenbezug, ein Roßhaarbezug *m*
- *hair of the violin bow (horsehair)*
16 das Violoncello (Cello), eine Kniegeige
- *violoncello (cello), a member of the da gamba violin family*
17 die Schnecke
- *scroll*
18 der Wirbel
- *tuning peg (peg)*
19 der Wirbelkasten
- *pegbox*
20 der Sattel
- *nut*
21 das Griffbrett
- *fingerboard*
22 der Stachel
- *spike (tailpin)*
23 der Kontrabaß (die Baßgeige, Violone m od. *f*)
- *double bass (contrabass, violone, double bass viol, Am. bass)*
24 die Decke
- *belly (top, soundboard)*
25 die Zarge
- *rib (side wall)*

26 der Flödel (die Einlage)
- *purfling (inlay)*
27 die Bratsche
- *viola*
28-38 Holzblasinstrumente n
- *woodwind instruments (woodwinds)*
28 das Fagott; *größer:* das Kontrafagott
- *bassoon; larger: double bassoon (contrabassoon)*
29 das S-Rohr, mit dem Doppelrohrblatt *n*
- *tube with double reed*
30 die Pikkoloflöte (Piccoloflöte, kleine Flöte)
- *piccolo (small flute, piccolo flute, flauto piccolo)*
31 die große Flöte, eine Querflöte
- *flute (German flute), a cross flute (transverse flute, side-blown flute)*
32 die Klappe
- *key*
33 das Tonloch (Griffloch)
- *fingerhole*
34 die Klarinette; *größer:* die Baßklarinette
- *clarinet; larger: bass clarinet*
35 die Brille (Klappe)
- *key (brille)*
36 das Mundstück
- *mouthpiece*
37 das Schallstück (die Stürze)
- *bell*
38 die Oboe (Hoboe); *Arten:* Oboe d'amore; die Tenoroboen: Oboe da caccia, das Englischhorn; das Heckelphon (die Baritonoboe)
- *oboe (hautboy); kinds: oboe d'amore; tenor oboes: oboe da caccia, cor anglais; heckelphone (baritone oboe)*
39-48 Blechblasinstrumente n
- *brass instruments (brass)*
39 das Tenorhorn
- *tenor horn*
40 das Ventil
- *valve*
41 das Waldhorn (Horn), ein Ventilhorn *n*
- *French horn (horn, waldhorn), a valve horn*
42 der Schalltrichter (Schallbecher)
- *bell*
43 die Trompete; *größer:* die Baßtrompete; *kleiner:* das Kornett (Piston)
- *trumpet; larger: Bb cornet; smaller: cornet*
44 die Baßtuba (Tuba, das Bombardon); *ähnl.:* das Helikon (Pelitton), die Kontrabaßtuba
- *bass tuba (tuba, bombardon); sim.: helicon (pellitone), contrabass tuba*
45 der Daumenring
- *thumb hold*
46 die Zugposaune (Posaune, Trombone); *Arten:* Altposaune *f*, Tenorposaune, Baßposaune
- *trombone; kinds: alto trombone, tenor trombone, bass trombone*

47 der Posaunenzug (Zug, die Posaunenstangen *f*)
- *trombone slide (slide)*
48 das Schallstück
- *bell*
49-59 Schlaginstrumente n
- *percussion instruments*
49 der Triangel
- *triangle*
50 das Becken (die Tschinellen *f*, türkischen Teller *m*)
- *cymbals*
51-59 Membraphone n
- *membranophones*
51 die kleine Trommel (Wirbeltrommel)
- *side drum (snare drum)*
52 das Fell (Trommelfell, Schlagfell)
- *drum head (head, upper head, batter head, vellum)*
53 die Stellschraube (Spannschraube)
- *tensioning screw*
54 der Trommelschlegel (Trommelstock)
- *drumstick*
55 die große Trommel (türkische Trommel)
- *bass drum (Turkish drum)*
56 der Schlegel
- *stick (padded stick)*
57 die Pauke (Kesselpauke), eine Schraubenpauke; *ähnl.:* Maschinenpauke *f*
- *kettledrum (timpano), a screw-tensioned drum; sim.: machine drum (mechanically tuned drum)*
58 das Paukenfell
- *kettledrum skin (kettledrum vellum)*
59 die Stimmschraube
- *tuning screw*
60 die Harfe, eine Pedalharfe
- *harp, a pedal harp*
61 die Saiten *f*
- *strings*
62 das Pedal (Harfenpedal)
- *pedal*

1-46 Volksmusikinstrumente *n*
- *popular musical instruments*
  (folk instruments)
1-31 Saiteninstrumente *n*
- *stringed instruments*
1 die Laute; *größer:* die Theorbe,
  Chitarrone
- *lute; larger: theorbo, chitarrone*
2 der Schallkörper
- *resonating body (resonator)*
3 das Dach
- *soundboard (belly, table)*
4 der Querriegel (Saitenhalter)
- *string fastener (string holder)*
5 das Schalloch (die Schallrose)
- *sound hole (rose)*
6 die Saite, eine Darmsaite
- *string, a gut (catgut) string*
7 der Hals
- *neck*
8 das Griffbrett
- *fingerboard*
9 der Bund
- *fret*
10 der Kragen (Knickkragen,
   Wirbelkasten)
- *head (bent-back pegbox, swan-head*
  pegbox, pegbox)
11 der Wirbel
- *tuning peg (peg, lute pin)*
12 die Gitarre (Zupfgeige, Klampfe)
- *guitar*
13 der Saitenhalter
- *string holder*
14 die Saite, eine Darm- oder
   Perlonsaite
- *string, a gut (catgut) or nylon string*
15 der Schallkörper (Schallkasten)
- *resonating body (resonating chamber,*
  resonator, sound box)
16 die Mandoline
- *mandolin (mandoline)*
17 der Ärmelschoner
- *sleeve protector (cuff protector)*
18 der Hals
- *neck*
19 das Wirbelbrett
- *pegdisc*
20 das Spielplättchen (Plektron, die
   Penna)
- *plectrum*
21 die Zither (Schlagzither)
- *zither (plucked zither)*
22 der Stimmstock
- *pin block (wrest pin block, wrest*
  plank)
23 der Stimmnagel
- *tuning pin (wrest pin)*
24 die Begleitsaiten *f* (Baßsaiten,
   Freisaiten)
- *accompaniment strings (bass*
  strings, unfretted strings,
  open strings)
25 die Melodiesaiten *f* (Griffsaiten)
- *melody strings (fretted strings,*
  stopped strings)

26 die Ausbuchtung des
   Resonanzkastens *m*
- *semicircular projection of the*
  resonating sound box
  (resonating body)
27 der Schlagring
- *ring plectrum*
28 die Balalaika
- *balalaika*
29 das Banjo
- *banjo*
30 das Tamburin
- *tambourine-like body*
31 das Fell
- *parchment membrane*
32 die Okarina, eine Gefäßflöte
- *ocarina, a globular flute*
33 das Mundstück
- *mouthpiece*
34 das Tonloch (Griffloch)
- *fingerhole*
35 die Mundharmonika
- *mouth organ (harmonica)*
36 das Akkordeon (die
   Handharmonika, das Schifferklavier,
   Matrosenklavier); *ähnl.:* die
   Ziehharmonika, Konzertina, das
   Bandoneon, die Bandonika
- *accordion; sim.: piano accordion,*
  concertina, bandoneon
37 der Balg
- *bellows*
38 der Balgverschluß
- *bellows strap*
39 der Diskantteil (die Melodieseite)
- *melody side (keyboard side, melody*
  keys)
40 die Klaviatur
- *keyboard (keys)*
41 das Diskantregister
- *treble stop (treble coupler, treble*
  register)
42 die Registertaste
- *stop lever*
43 der Baßteil (die Begleitseite)
- *bass side (accompaniment side, bass*
  studs, bass press-studs, bass buttons)
44 das Baßregister
- *bass stop (bass coupler, bass register)*
45 das Schellentamburin (Tamburin)
- *tambourine*
46 die Kastagnetten *f*
- *castanets*
47-78 Jazzinstrumente *n*
- *jazz band instruments (dance band*
  instruments)
47-58 Schlaginstrumente *n*
- *percussion instruments*
47-54 die Jazzbatterie (das Schlagzeug)
- *drum kit (drum set, drums)*
47 die große Trommel
- *bass drum*
48 die kleine Trommel
- *small tom-tom*
49 das Tomtom
- *large tom-tom*

50 das Hi-Hat (High-Hat, Charleston),
   ein Becken *n*
- *high-hat cymbals (choke cymbals,*
  Charleston cymbals, cup cymbals)
51 das Becken (Cymbel)
- *cymbal*
52 der Beckenhalter
- *cymbal stand (cymbal holder)*
53 der Jazzbesen, ein Stahlbesen *m*
- *wire brush*
54 die Fußmaschine
- *pedal mechanism*
55 die Conga (Tumba)
- *conga drum (conga)*
56 der Spannreifen
- *tension hoop*
57 die Timbales *m*
- *timbales*
58 die Bongos *m*
- *bongo drums (bongos)*
59 die Maracas *f; ähnl.:* Rumbakugeln *f*
- *maracas; sim.: shakers*
60 der Guiro
- *guiro*
61 das Xylophon (die Holzharmonika);
   früh.: das Strohfiedel; *ähnl.:* das
   Marimbaphon, Tubaphon
- *xylophone; form.: straw fiddle; sim.:*
  marimbaphone (steel marimba),
  tubaphone
62 der Holzstab
- *wooden slab*
63 der Resonanzkasten
- *resonating chamber (sound box)*
64 der Klöppel
- *beater*
65 die Jazztrompete
- *jazz trumpet*
66 das Ventil
- *valve*
67 der Haltehaken
- *finger hook*
68 der Dämpfer
- *mute (sordino)*
69 das Saxophon
- *saxophone*
70 der Trichter
- *bell*
71 das Ansatzrohr
- *crook*
72 das Mundstück
- *mouthpiece*
73 die Schlaggitarre (Jazzgitarre)
- *struck guitar (jazz guitar)*
74 die Aufsatzseite
- *hollow to facilitate fingering*
75 das Vibraphon
- *vibraphone (Am. vibraharp)*
76 der Metallrahmen
- *metal frame*
77 die Metallplatte
- *metal bar*
78 die Metallröhre
- *tubular metal resonator*

Musikinstrumente III

1 **das Klavier** (Piano, Pianino, Pianoforte, Fortepiano), ein Tasteninstrument *n; niedere Form:* das Kleinklavier; *Vorformen:* das Pantaleon, das Hammerklavier; die Celesta, mit Stahlplättchen *n* an Stelle der Saiten *f*
– **piano** *(pianoforte, upright piano, upright, vertical piano, spinet piano, console piano), a keyboard instrument (keyed instrument);* smaller form: *cottage piano (pianino);* earlier forms: *pantaleon; celesta, with steel bars instead of strings*

2-18 die Pianomechanik (Klaviermechanik)
– *piano action (piano mechanism)*

2 der Eisenrahmen
– *iron frame*

3 der Hammer (Klavierhammer, Saitenhammer, Filzhammer); *alle:* das Hammerwerk
– *hammer;* collectively: *striking mechanism*

4 *u.* 5 die Klaviatur (die Klaviertasten *f*, Tasten, die Tastatur)
– *keyboard (piano keys)*

4 die weiße Taste (Elfenbeintaste)
– *white key (ivory key)*

5 die schwarze Taste (Ebenholztaste)
– *black key (ebony key)*

6 das Klaviergehäuse
– *piano case*

7 der Saitenbezug (die Klaviersaiten *f*)
– *strings (piano strings)*

8 *u.* 9 die Klavierpedale *n*
– *piano pedals*

8 das rechte Pedal (*ungenau:* Fortepedal), zur Aufhebung der Dämpfung
– *right pedal (sustaining pedal, damper pedal;* loosely: *forte pedal, loud pedal) for raising the dampers*

9 das linke Pedal (*ungenau:* Pianopedal), zur Verkürzung des Anschlagweges *m* der Hämmer *m*
– *left pedal (soft pedal;* loosely: *piano pedal) for reducing the striking distance of the hammers on the strings*

10 die Diskantsaiten *f*
– *treble strings*

11 der Diskantsteg
– *treble bridge (treble belly bridge)*

12 die Baßsaiten *f*
– *bass strings*

13 der Baßsteg
– *bass bridge (bass belly bridge)*

14 der Plattenstift
– *hitch pin*

15 die Hammerleiste
– *hammer rail*

16 die Mechanikbacke
– *brace*

17 der Stimmnagel (Stimmwirbel, Spannwirbel)
– *tuning pin (wrest pin, tuning peg)*

18 der Stimmstock
– *pin block (wrest pin block, wrest plank)*

19 das Metronom (der Taktmesser)
– *metronome*

20 der Stimmschlüssel (Stimmhammer)
– *tuning hammer (tuning key, wrest)*

21 der Stimmkeil
– *tuning wedge*

22-39 die Tastenmechanik
– *key action (key mechanism)*

22 der Mechanikbalken
– *beam*

23 die Abhebestange
– *damper-lifting lever*

24 der Hammerkopf (Hammerfilz)
– *felt-covered hammer head*

25 der Hammerstiel
– *hammer shank*

26 die Hammerleiste
– *hammer rail*

27 der Fanger
– *check (back check)*

28 der Fangerfilz
– *check felt (back check felt)*

29 der Fangerdraht
– *wire stem of the check (wire stem of the back check)*

30 die Stoßzunge (der Stößer)
– *sticker (hopper, hammer jack, hammer lever)*

31 der Gegenfanger
– *button*

32 das Hebeglied (die Wippe)
– *action lever*

33 die Pilote
– *pilot*

34 der Pilotendraht
– *pilot wire*

35 der Bändchendraht
– *tape wire*

36 das Bändchen (Litzenband)
– *tape*

37 die Dämpferpuppe (das Filzdöckchen, der Dämpfer, die Dämpfung)
– *damper (damper block)*

38 der Dämpferarm
– *damper lifter*

39 die Dämpferpralleiste
– *damper rest rail*

40 **der Flügel** (Konzertflügel für den Konzertsaal; *kleiner:* der Stutzflügel, Zimmerflügel; *Nebenform:* das Tafelklavier)
– **grand piano** *(horizontal piano, grand, concert grand, for the concert hall;* smaller: *baby grand piano, boudoir piano;* other form: *square piano, table piano)*

41 die Flügelpedale *n;* das rechte Pedal zur Aufhebung der Dämpfung; das linke Pedal zur Tondämpfung (Verschiebung der Klaviatur; nur eine Saite wird angeschlagen „una corda")
– *grand piano pedals; right pedal for raising the dampers; left pedal for softening the tone (shifting the keyboard so that only one string is struck 'una corda')*

42 der Pedalstock (die Lyrastütze, Lyra)
– *pedal bracket*

43 **das Harmonium**
– **harmonium** *(reed organ, melodium)*

44 der Registerzug
– *draw stop (stop, stop knob)*

45 der Kniehebel (Schweller)
– *knee lever (knee swell, swell)*

46 das Tretwerk (der Tretschemel, Bedienungstritt des Blasebalgs *m*)
– *pedal (bellows pedal)*

47 das Harmoniumgehäuse
– *harmonium case*

48 das Manual
– *harmonium keyboard (manual)*

1-52 **die Orgel** (Kirchenorgel)
– **organ** *(church organ)*
1-5 der Prospekt (Orgelprospekt, das
  Orgelgehäuse)
– *front view of organ (organ case) [built*
  according to classical principles]
1-3 die Prospektpfeifen *f*
– *display pipes (face pipes)*
1 das Hauptwerk
– *Hauptwerk (*approx. English
  equivalent: *great organ)*
2 das Oberwerk
– *Oberwerk (*approx. English
  equivalent: *swell organ)*
3 die Pedalpfeifen *f*
– *pedal pipes*
4 der Pedalturm
– *pedal tower*
5 das Rückpositiv
– *Rückpositiv (*approx. English
  equivalent: *choir organ)*
6-16 die mechanische Traktur
  (Spielmechanik); *andere Arten:* die
  pneumatische Traktur, elektr.
  Traktur)
– *tracker action (mechanical action);*
  other systems: *pneumatic action,*
  electric action
6 der Registerzug
– *draw stop (stop, stop knob)*
7 die Registerschleife
– *slider (slide)*

8 die Taste
– *key (key lever)*
9 die Abstrakte
– *sticker*
10 das Ventil (Spielventil)
– *pallet*
11 der Windkanal
– *wind trunk*
12-14 die Windlade, eine Schleiflade;
  andere Arten: Kastenlade *f,*
  Springlade, Kegellade,
  Membranenlade
– *wind chest, a slider wind chest;* other
  types: *sliderless wind chest (unit wind*
  chest), spring chest, kegellade chest
  (cone chest), diaphragm chest
12 die Windkammer
– *wind chest (wind chest box)*
13 die Kanzelle (Tonkanzelle)
– *groove*
14 die Windverführung
– *upper board groove*
15 der Pfeifenstock
– *upper board*
16 die Pfeife eines Registers *n*
– *pipe of a particular stop*
17-35 die Orgelpfeifen *f* (Pfeifen)
– *organ pipes (pipes)*
17-22 die Zungenpfeife (Zungenstimme)
  aus Metall *n,* eine Posaune
– *metal reed pipe (set of pipes: reed*
  stop), a posaune stop

17 der Stiefel
– *boot*
18 die Kehle
– *shallot*
19 die Zunge
– *tongue*
20 der Bleikopf
– *block*
21 die Stimmkrücke (Krücke)
– *tuning wire (tuning crook)*
22 der Schallbecher
– *tube*
23-30 die offene Lippenpfeife aus
  Metall *n,* ein Salicional *n*
– *open metal flue pipe, a salicional*
23 der Fuß
– *foot*
24 der Kernspalt
– *flue pipe windway (flue pipe duct)*
25 der Aufschnitt
– *mouth (cutup)*
26 die Unterlippe (das Unterlabium)
– *lower lip*
27 die Oberlippe (das Oberlabium)
– *upper lip*
28 der Kern
– *languid*

<table>
<tr><td>

29 der Pfeifenkörper (Körper)
  - *body of the pipe (pipe)*
30 die Stimmrolle (der Stimmlappen),
  eine Stimmvorrichtung
  - *tuning flap (tuning tongue), a tuning
  device*
31-33 die offene Lippenpfeife aus
  Holz n, ein Prinzipal n
  - *open wooden flue pipe (open wood),
  principal (diapason)*
31 der Vorschlag
  - *cap*
32 der Bart
  - *ear*
33 der Stimmschlitz, mit Schieber m
  - *tuning hole (tuning slot), with slide*
34 die gedackte (gedeckte) Lippenpfeife
  - *stopped flue pipe*
35 der Metallhut
  - *stopper*
36-52 der Orgelspieltisch (Spieltisch)
  einer elektrisch gesteuerten Orgel
  - *organ console (console) of an electric
  action organ*
36 das Notenpult
  - *music rest (music stand)*
37 die Kontrolluhr für die
  Walzenstellung
  - *crescendo roller indicator*
38 die Kontrolluhr für die
  Stromspannung
  - *voltmeter*

</td><td>

39 die Registertaste
  - *stop tab (rocker)*
40 die Taste für freie Kombination f
  - *free combination stud (free
  combination knob)*
41 die Absteller m für Zunge f,
  Koppel f usw.
  - *cancel buttons for reeds, couplers etc.*
42 das I. Manual, für das Rückpositiv
  - *manual I, for the Rückpositiv (choir
  organ)*
43 das II. Manual, für das Hauptwerk
  - *manual II, for the Hauptwerk (great
  organ)*
44 das III. Manual, für das Oberwerk
  - *manual III, for the Oberwerk (swell
  organ)*
45 das IV. Manual, für das Schwellwerk
  - *manual IV, for the Schwellwerk (solo
  organ)*
46 die Druckknöpfe m und
  Kombinationsknöpfe m, für die
  Handregistratur, freie, feste
  Kombinationen f und
  Setzerkombinationen f
  - *thumb pistons controlling the manual
  stops (free or fixed combinations) and
  buttons for setting the combinations*
47 die Schalter m, für Wind m und
  Strom m
  - *switches for current to blower and
  action*

</td><td>

48 der Fußtritt, für die Koppel
  - *toe piston, for the coupler*
49 der Rollschweller (Registerschweller)
  - *crescendo roller (general crescendo
  roller)*
50 der Jalousieschweller
  - *balanced swell pedal*
51 die Pedaluntertaste (Pedaltaste)
  - *pedal key [natural]*
52 die Pedalobertaste
  - *pedal key [sharp or flat]*
53 das Kabel
  - *cable (transmission cable)*

</td></tr>
</table>

1-61 Fabelwesen n (Fabeltiere),
mytholog. Tiere n und Figuren f
- **fabulous creatures** *(fabulous animals),*
mythical creatures
1 der Drache (Drachen, Wurm,
Lindwurm, Lintwurm, *bayr./österr.*
Tatzelwurm)
- *dragon*
2 der Schlangenleib
- *serpent's body*
3 die Klaue
- *claws (claw)*
4 der Fledermausflügel
- *bat's wing*
5 das doppelzüngige Maul
- *fork-tongued mouth*
6 die gespaltene Zunge
- *forked tongue*
7 das Einhorn [Symbol n der
Jungfräulichkeit]
- *unicorn [symbol of virginity]*
8 das gedrehte Horn
- *spirally twisted horn*
9 der Vogel Phönix (Phönix)
- *Phoenix*
10 die Flamme oder Asche der
Wiedergeburt
- *flames or ashes of resurrection*
11 der Greif
- *griffin (griffon, gryphon)*
12 der Adlerkopf
- *eagle's head*
13 die Greifenklaue
- *griffin's claws*
14 der Löwenleib
- *lion's body*
15 die Schwinge
- *wing*
16 die Chimära (Schimäre), ein
Ungeheuer n
- *chimera (chimaera), a monster*
17 der Löwenkopf
- *lion's head*
18 der Ziegenkopf
- *goat's head*
19 der Drachenleib
- *dragon's body*
20 die Sphinx, eine symbol. Gestalt
- *sphinx, a symbolic figure*
21 das Menschenhaupt
- *human head*
22 der Löwenrumpf
- *lion's body*
23 die Nixe (Wassernixe, das Meerweib,
die Meerfrau, Meerjungfrau, Meer-
jungfer, Meerfee, Seejungfer, das
Wasserweib, die Wasserfrau, Wasserjungfer, Wasserfee, Najade, Quellnymphe, Wassernymphe, Flußnixe);
ähnl.: Nereide f, Ozeanide (Meer-
gottheiten, Meergöttinnen); *männl.*
der Nix (Nickel, Nickelmann,
Wassermann)
- *mermaid (nix, nixie, water nixie, sea
maid, sea maiden, naiad, water
nymph, water elf, ocean nymph, sea
nymph, river nymph);* sim.: *Nereids,*

*Oceanids (sea divinities, sea deities,
sea goddesses);* male: *nix (merman,
seaman)*
24 der Mädchenleib
- *woman's trunk*
25 der Fischschwanz (Delphinschwanz)
- *fish's tail (dolphin's tail)*
26 der Pegasus (das Dichterroß, Musenroß, Flügelroß); *ähnl.:* der Hippogryph
- *Pegasus (favourite, Am. favorite,
steed of the Muses, winged horse);*
sim.: *hippogryph*
27 der Pferdeleib
- *horse's body*
28 die Flügel m
- *wings*
29 der Zerberus (Kerberos,
Höllenhund)
- *Cerberus (hellhound)*
30 der dreiköpfige Hundeleib
- *three-headed dog's body*
31 der Schlangenschweif
- *serpent's tail*
32 die Hydra von Lerna (Lernäische
Schlange)
- *Lernaean (Lernean) Hydra*
33 der neunköpfige Schlangenleib
- *nine-headed serpent's body*
34 der Basilisk
- *basilisk (cockatrice) [in English legend
usually with two legs]*
35 der Hahnenkopf
- *cock's head*
36 der Drachenleib
- *dragon's body*
37 der Gigant (Titan), ein Riese m
- *giant (titan)*
38 der Felsbrocken
- *rock*
39 der Schlangenfuß
- *serpent's foot*
40 der Triton, ein Meerwesen n
- *triton, a merman (demigod of
the sea)*
41 das Muschelhorn
- *conch shell trumpet*
42 der Pferdefuß
- *horse's hoof*
43 der Fischschwanz
- *fish's tail*
44 der Hippokamp (das Seepferd)
- *hippocampus*
45 der Pferderumpf
- *horse's trunk*
46 der Fischschwanz
- *fish's tail*
47 der Seestier, ein Seeungeheuer n
- *sea ox, a sea monster*
48 der Stierleib
- *monster's body*
49 der Fischschwanz
- *fish's tail*
50 der siebenköpfige Drache der
Offenbarung (Apokalypse)
- *seven-headed dragon of St. John's
Revelation (Revelations, Apocalypse)*

51 der Flügel
- *wing*
52 der Zentaur (Kentaur), ein
Mischwesen n
- *centaur (hippocentaur), half man and
half beast*
53 der Menschenleib mit Pfeil m und
Bogen m
- *man's body with bow and arrow*
54 der Pferdekörper
- *horse's body*
55 die Harpyie, ein Windgeist m
- *harpy, a winged monster*
56 der Frauenkopf
- *woman's head*
57 der Vogelleib
- *bird's body*
58 die Sirene, ein Dämon m
- *siren, a daemon*
59 der Mädchenleib
- *woman's body*
60 der Flügel
- *wing*
61 die Vogelklaue
- *bird's claw*

1-40 vorgeschichtliche (prähistorische)
Fundgegenstände *m* (Funde *m*)
– *prehistoric finds*
1-9 die Altsteinzeit (das Paläolithikum)
und **die Mittelsteinzeit**
(das Mesolithikum)
– *Old Stone Age (Palaeolithic,
Paleolithic, period) and* **Mesolithic
period**
1 der Faustkeil, aus Stein *m*
– *hand axe* (Am. *ax) (fist hatchet), a
stone tool*
2 die Geschoßspitze, aus Knochen *m*
– *head of throwing spear, made of bone*
3 die Harpune, aus Knochen *m*
– *bone harpoon*
4 die Spitze
– *head*
5 die Speerschleuder, aus der
Geweihstange des Rentiers *n*
– *harpoon thrower, made of reindeer
antler*
6 der bemalte Kieselstein
– *painted pebble*
7 der Kopf des Wildpferdes, eine
Schnitzerei
– *head of a wild horse, a carving*
8 das Steinzeitidol, eine Elfenbein-
statuette
– *Stone Age idol, an ivory statuette*
9 der Wisent, ein Felsbild *n* (Höhlen-
bild) [Höhlenmalerei *f*]
– *bison, a cave painting (rock painting)
[cave art, cave painting]*
10-20 die Jungsteinzeit
(das Neolithikum)
– *New Stone Age (Neolithic period)*
10 die Amphore [Schnurkeramik *f*]
– *amphora [corded ware]*
11 der Kumpf [Hinkelsteingruppe *f*]
– *bowl [menhir group]*
12 die Kragenflasche [Trichterbecher-
kultur *f*]
– *collared flask [Funnel-Beaker culture]*
13 das spiralverzierte Gefäß
[Bandkeramik *f*]
– *vessel with spiral pattern [spiral design
pottery]*
14 der Glockenbecher [Glocken-
becherkultur *f*]
– *bell beaker [bell beaker culture]*
15 das Pfahlhaus, ein Pfahlbau *m*
– *pile dwelling (lake dwelling, lacustrine
dwelling)*
16 der Dolmen, ein Megalithgrab *n*
(ugs. Hünengrab); *andere Arten:* das
Ganggrab, Galeriegrab; *mit Erde,
Kies, Steinen überdeckt:* der Tumulus
(das Hügelgrab)
– *dolmen (cromlech), a megalithic tomb
(coll.: giant's tomb); other kinds:
passage grave, gallery grave
(long cist); when covered with earth:
tumulus (barrow, mound)*
17 das Steinkistengrab mit
Hockerbestattung *f*
(ein Hockergrab *n*)
– *stone cist, a contracted burial*

18 der Menhir (*landsch.* Hinkelstein *m*,
ein Monolith *m*)
– *menhir (standing stone), a monolith*
19 die Bootaxt, eine Streitaxt aus
Stein *m*
– *boat axe* (Am. *ax), a stone battle axe*
20 die menschl. Figur aus gebranntem
Ton *m* (ein Idol *n*)
– *clay figurine, an idol*
21-40 die Bronzezeit und **die Eisenzeit;**
Epochen: die Hallstattzeit,
La-Tène-Zeit
– *Bronze Age and Iron Age;* epochs:
Hallstatt period, La Tène period
21 die bronzene Lanzenspitze
– *bronze spear head*
22 der Bronzedolch mit Vollgriff *m*
– *hafted bronze dagger*
23 das Tüllenbeil, eine Bronzeaxt mit
Ösenschäftung *f*
– *socketed axe* (Am. *ax), a bronze axe
with haft fastened to rings*
24 die Gürtelscheibe
– *girdle clasp*
25 der Halskragen
– *necklace (lunula)*
26 der goldene Halsring
– *gold neck ring*
27 die Violinbogenfibel, eine Fibel
(Bügelnadel)
– *violin-bow fibula (safety pin)*
28 die Schlangenfibel; *andere Arten:* die
Kahnfibel, die Armbrustfibel
– *serpentine fibula; other kinds: boat
fibula, arc fibula*
29 die Kugelkopfnadel, eine
Bronzenadel
– *bulb-head pin, a bronze pin*
30 die zweiteilige Doppelspiralfibel;
ähnl.: die Plattenfibel
– *two-piece spiral fibula; sim.: disc
(disk) fibula*
31 das Bronzemesser mit Vollgriff *m*
– *hafted bronze knife*
32 der eiserne Schlüssel
– *iron key*
33 die Pflugschar
– *ploughshare* (Am. *plowshare)*
34 die Situla aus Bronzeblech *n*, eine
Grabbeigabe *f*
– *sheet-bronze situla, a funerary vessel*
35 die Henkelkanne
[Kerbschnittkeramik *f*]
– *pitcher [chip-carved pottery]*
36 der Miniaturkultwagen (Kultwagen)
– *miniature ritual cart (miniature ritual
chariot)*
37 die keltische Silbermünze
– *Celtic silver coin*
38 die Gesichtsurne, eine Aschenurne;
andere Arten: die Hausurne, die
Buckelurne
– *face urn, a cinerary urn; other kinds:
domestic urn, embossed urn*
39 das Urnengrab in Steinpackung *f*
– *urn grave in stone chamber*
40 die Zylinderhalsurne
– *urn with cylindrical neck*

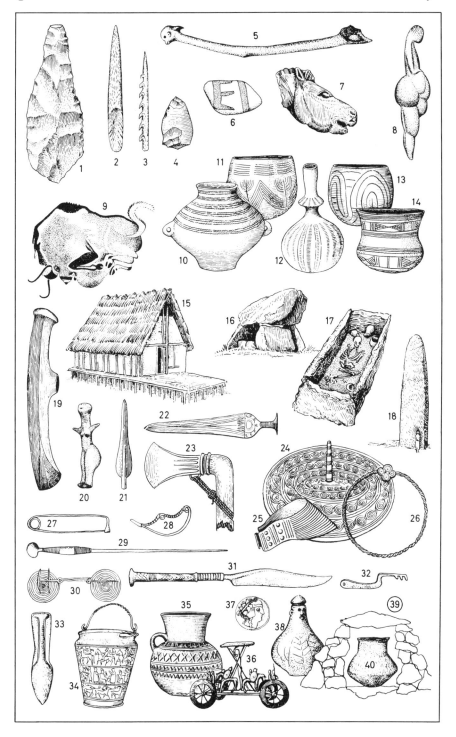

1 **die Ritterburg** (Burg, Feste, *früh.:*
   Veste, das Ritterschloß)
 – **knight's castle** *(castle)*
2 der Burghof
 – *inner ward (inner bailey)*
3 der Ziehbrunnen
 – *draw well*
4 der Bergfried (Hauptturm,
   Wachtturm, Wartturm)
 – *keep (donjon)*
5 das Verlies
 – *dungeon*
6 der Zinnenkranz
 – *battlements (crenellation)*
7 die Zinne
 – *merlon*
8 die Wehrplatte
 – *tower platform*
9 der Türmer
 – *watchman*
10 die Kemenate (das Frauenhaus)
 – *ladies' apartments (bowers)*
11 das Zwerchhaus
 – *dormer window (dormer)*
12 der Söller
 – *balcony*
13 das Vorratshaus (Mushaus)
 – *storehouse (magazine)*
14 der Eckturm (Mauerturm)
 – *angle tower*
15 die Ringmauer (Mantelmauer,
   der Zingel)
 – *curtain wall (curtains,
   enclosure wall)*
16 die Bastion
 – *bastion*
17 der Scharwachturm
 – *angle tower*
18 die Schießscharte
 – *crenel (embrasure)*
19 die Schildmauer
 – *inner wall*
20 der Wehrgang
 – *battlemented parapet*
21 die Brustwehr
 – *parapet (breastwork)*
22 das Torhaus
 – *gatehouse*
23 die Pechnase (der Gußerker)
 – *machicolation (machicoulis)*
24 das Fallgatter
 – *portcullis*
25 die Zugbrücke (Fallbrücke)
 – *drawbridge*
26 die Mauerstrebe (Mauerstütze)
 – *buttress*
27 das Wirtschaftsgebäude
 – *offices and service rooms*
28 das Mauertürmchen
 – *turret*
29 die Burgkapelle
 – *chapel*
30 der Palas (die Dürnitz)
 – *great hall*
31 der Zwinger
 – *outer ward (outer bailey)*
32 das Burgtor
 – *castle gate*

33 der Torgraben
 – *moat (ditch)*
34 die Zugangsstraße
 – *approach*
35 der Wartturm
 – *watchtower (turret)*
36 der Pfahlzaun (die Palisade)
 – *palisade (pallisade, palisading)*
37 der Ringgraben (Burggraben,
   Wallgraben)
 – *moat (ditch, fosse)*
38-65 die Ritterrüstung
 – *knight's armour* *(Am. armor)*
38 der Harnisch, ein Panzer *m*
 – *suit of armour (Am. armor)*
39-42 der Helm
 – *helmet*
39 die Helmglocke
 – *skull*
40 das Visier
 – *visor (vizor)*
41 das Kinnreff
 – *beaver*
42 das Kehlstück
 – *throat piece*
43 die Halsberge
 – *gorget*
44 der Brechrand (Stoßkragen)
 – *épaulière*
45 der Vorderflug
 – *pallette (pauldron, besageur)*
46 das Bruststück (der Brustharnisch)
 – *breastplate (cuirass)*
47 die Armberge (Ober- und Unterarm-
   schiene)
 – *brassard (rear brace and vambrace)*
48 die Armkachel
 – *cubitière (coudière, couter)*
49 der Bauchreifen
 – *tasse (tasset)*
50 der Panzerhandschuh (Gantelet)
 – *gauntlet*
51 der Panzerschurz
 – *habergeon (haubergeon)*
52 der Diechling
 – *cuisse (cuish, cuissard, cuissart)*
53 der Kniebuckel
 – *knee cap (knee piece, genouillère,
   poleyn)*
54 die Beinröhre
 – *jambeau (greave)*
55 der Bärlatsch
 – *solleret (sabaton, sabbaton)*
56 der Langschild
 – *pavis (pavise, pavais)*
57 der Rundschild
 – *buckler (round shield)*
58 der Schildbuckel (Schildstachel)
 – *boss (umbo)*
59 der Eisenhut
 – *iron hat*
60 die Sturmhaube
 – *morion*
61 die Kesselhaube (Hirnkappe)
 – *light casque*
62 Panzer *m*
 – *types of mail and armour
   (Am. armor)*

63 der Kettenpanzer (die Brünne)
 – *mail (chain mail, chain armour,
   Am. armor)*
64 der Schuppenpanzer
 – *scale armour (Am. armor)*
65 der Schildpanzer
 – *plate armour (Am. armor)*
66 **der Ritterschlag** (die Schwertleite)
 – *accolade (dubbing, knighting)*
67 der Burgherr, ein Ritter *m*
 – *liege lord, a knight*
68 der Knappe
 – *esquire*
69 der Mundschenk
 – *cup bearer*
70 der Minnesänger
 – *minstrel (minnesinger, troubadour)*
71 **das Turnier**
 – **tournament** *(tourney, joust, just, tilt)*
72 der Kreuzritter
 – *crusader*
73 der Tempelritter
 – *Knight Templar*
74 die Schabracke
 – *caparison (trappings)*
75 der Grießwärtel
 – *herald (marshal at tournament)*
76 das Stechzeug
 – *tilting armour (Am. armor)*
77 der Stechhelm
 – *tilting helmet (jousting helmet)*
78 der Federbusch
 – *panache (plume of feathers)*
79 die Stechtartsche
 – *tilting target (tilting shield)*
80 der Rüsthaken
 – *lance rest*
81 die Stechlanze (Lanze)
 – *tilting lance (lance)*
82 die Brechscheibe
 – *vamplate*
83-88 der Roßharnisch
 – *horse armour (Am. armor)*
83 das Halsstück (der Kanz)
 – *neck guard (neck piece)*
84 der Roßkopf
 – *chamfron (chaffron, chafron,
   chamfrain, chanfron)*
85 der Fürbug
 – *poitrel*
86 das Flankenblech
 – *flanchard (flancard)*
87 der Kürißsattel
 – *tournament saddle*
88 das Gelieger
 – *rump piece (quarter piece)*

330 Kirche I

1-30 die protestantische (evangelische) Kirche
- *Protestant church*

1 der Altarplatz
- *chancel*

2 das Lesepult
- *lectern*

3 der Altarteppich
- *altar carpet*

4 der Altar (Abendmahlstisch)
- *altar (communion table, Lord's table, holy table)*

5 die Altarstufen *f*
- *altar steps*

6 die Altardecke (Altarbekleidung)
- *altar cloth*

7 die Altarkerze
- *altar candle*

8 die Hostiendose (Pyxis)
- *pyx (pix)*

9 der Hostienteller (die Patene)
- *paten (patin, patine)*

10 der Kelch
- *chalice (communion cup)*

11 die Bibel (Heilige Schrift)
- *Bible (Holy Bible, Scriptures, Holy Scripture)*

12 das Altarkreuz
- *altar crucifix*

13 das Altarbild
- *altarpiece*

14 das Kirchenfenster
- *church window*

15 die Glasmalerei
- *stained glass*

16 der Wandleuchter
- *wall candelabrum*

17 die Sakristeitür
- *vestry door (sacristy door)*

18 die Kanzeltreppe
- *pulpit steps*

19 die Kanzel
- *pulpit*

20 das Antependium
- *antependium*

21 der Kanzeldeckel (Schalldeckel)
- *canopy, a soundboard (sounding board)*

22 der Prediger (Pastor, Pfarrer, Geistliche, Seelsorger) im Ornat *m*
- *preacher (pastor, vicar, clergyman, rector) in his robes (vestments, canonicals)*

23 die Kanzelbrüstung
- *pulpit balustrade*

24 die Nummerntafel mit den Liedernummern *f*
- *hymn board showing hymn numbers*

25 die Empore
- *gallery*

26 der Küster (Kirchendiener)
- *verger (sexton, sacristan)*

27 der Mittelgang
- *aisle*

28 die Kirchenbank (Bank); *insgesamt:* das Kirchengestühl (Gestühl)
- *pew; collectively: pews (seating)*

29 der Kirchenbesucher (Kirchgänger, Andächtige); *insgesamt:* die Gemeinde
- *churchgoer (worshipper); collectively: congregation*

30 das Gesangbuch
- *hymn book*

31-62 die katholische Kirche
- *Roman Catholic church*

31 die Altarstufen *f*
- *altar steps*

32 das Presbyterium (der Chor)
- *presbytery (choir, chancel, sacrarium, sanctuary)*

33 der Altar
- *altar*

34 die Altarkerzen *f*
- *altar candles*

35 das Altarkreuz
- *altar cross*

36 das Altartuch
- *altar cloth*

37 der Ambo (das Predigtpult)
- *lectern*

38 das Missale (Meßbuch)
- *missal (mass book)*

39 der Priester
- *priest*

40 der Ministrant (Meßdiener)
- *server*

41 die Sedilien *f* (Priestersitze *m*)
- *sedilia*

42 der Tabernakel
- *tabernacle*

43 die Stele
- *stele (stela)*

44 die Osterkerze
- *paschal candle (Easter candle)*

45 der Osterkerzenständer
- *paschal candlestick (Easter candlestick)*

46 die Sakristeiglocke
- *sanctus bell*

47 das Vortragkreuz
- *processional cross*

48 der Altarschmuck (Grünschmuck, Blumenschmuck)
- *altar decoration (foliage, flower arrangement)*

49 das Ewige Licht (die Ewige Lampe)
- *sanctuary lamp*

50 das Altarbild, ein Christusbild *n*
- *altarpiece, a picture of Christ*

51 die Madonnenstatue
- *Madonna (statue of the Virgin Mary)*

52 der Opferkerzentisch
- *pricket*

53 die Opferkerzen *f*
- *votive candles*

54 die Kreuzwegstation (Station des Kreuzwegs *m*)
- *station of the Cross*

55 der Opferstock
- *offertory box*

56 der Schriftenstand
- *literature stand*

57 die Schriften *f* (Traktate *n*)
- *literature (pamphlets, tracts)*

58 der Mesner (Sakristan)
- *verger (sexton, sacristan)*

59 der Klingelbeutel
- *offertory bag*

60 das Almosen (die Opfergabe)
- *offering*

61 der Gläubige (Betende)
- *Christian (man praying)*

62 das Gebetbuch
- *prayer book*

1 **die Kirche**
– *church*
2 der Kirchturm
– *steeple*
3 der Kirchturmhahn
– *weathercock*
4 die Wetterfahne (Windfahne)
– *weather vane (wind vane)*
5 der Turmknauf
– *spire ball*
6 die Kirchturmspitze
– *church spire (spire)*
7 die Kirchturmuhr
– *church clock (tower clock)*
8 das Schalloch
– *belfry window*
9 die elektrisch betriebene Glocke
– *electrically operated bell*
10 das Firstkreuz
– *ridge cross*
11 das Kirchendach
– *church roof*
12 die Gedenkkapelle (Gnadenkapelle)
– *memorial chapel*
13 die Sakristei, ein Anbau *m*
– *vestry (sacristy), an annexe (annex)*
14 die Gedenktafel (Gedenkplatte, der
Gedenkstein, das Epitaph)
– *memorial tablet (memorial plate, wall
memorial, wall stone)*
15 der Seiteneingang
– *side entrance*
16 das Kirchenportal (die Kirchentür)
– *church door (main door, portal)*
17 der Kirchgänger
– *churchgoer*
18 die Friedhofsmauer
(Kirchhofmauer)
– *graveyard wall (churchyard wall)*
19 das Friedhofstor (Kirchhoftor)
– *graveyard gate (churchyard gate,
lichgate, lychgate)*
20 das Pfarrhaus
– *vicarage (parsonage, rectory)*
21-41 **der Friedhof** (Kirchhof,
Gottesacker)
– **graveyard** *(churchyard, God's acre,
Am. burying ground)*
21 das Leichenhaus (die Leichenhalle,
Totenhalle, Leichenkapelle,
Parentationshalle)
– *mortuary*
22 der Totengräber
– *grave digger*
23 das Grab (die Grabstelle, Grabstätte,
Begräbnisstätte)
– *grave (tomb)*
24 der Grabhügel
– *grave mound*
25 das Grabkreuz
– *cross*
26 der Grabstein (Gedenkstein,
Leichenstein, das Grabmal)
– *gravestone (headstone, tombstone)*
27 das Familiengrab
(Familienbegräbnis)
– *family grave (family tomb)*

28 die Friedhofskapelle
– *graveyard chapel*
29 das Kindergrab
– *child's grave*
30 das Urnengrab
– *urn grave*
31 die Urne
– *urn*
32 das Soldatengrab
– *soldier's grave*
33-41 die Beerdigung (Beisetzung, das
Begräbnis, Leichenbegängnis)
– *funeral (burial)*
33 die Trauernden *m u. f*
(Trauergäste *m*)
– *mourners*
34 die Grube
– *grave*
35 der Sarg
– *coffin (Am. casket)*
36 die Sandschaufel
– *spade*
37 der Geistliche
– *clergyman*
38 die Hinterbliebenen *m u. f*
– *the bereaved*
39 der Witwenschleier, ein
Trauerschleier
– *widow's veil, a mourning veil*
40 die Sargträger *m*
– *pallbearers*
41 die Totenbahre
– *bier*
42-50 **die Prozession**
– **procession** *(religious procession)*
42 das Prozessionskreuz, ein
Tragkreuz *n*
– *processional crucifix*
43 der Kreuzträger
– *cross bearer (crucifer)*
44 die Prozessionsfahne, eine
Kirchenfahne
– *processional banner, a church banner*
45 der Ministrant
– *acolyte*
46 der Baldachinträger
– *canopy bearer*
47 der Priester
– *priest*
48 die Monstranz, mit dem
Allerheiligsten *n* (Sanktissimum)
– *monstrance with the Blessed
Sacrament (consecrated Host)*
49 der Traghimmel (Baldachin)
– *canopy (baldachin, baldaquin)*
50 die Nonnen *f*
– *nuns*
51 die Prozessionsteilnehmer *m*
– *participants in the procession*
52-58 **das Kloster**
– **monastery**
52 der Kreuzgang
– *cloister*
53 der Klosterhof (Klostergarten)
– *monastery garden*
54 der Mönch, ein Benediktiner *m*
– *monk, a Benedictine monk*

55 die Kutte
– *habit (monk's habit)*
56 die Kapuze
– *cowl (hood)*
57 die Tonsur
– *tonsure*
58 das Brevier
– *breviary*
59 **die Katakombe** (das Zömeterium),
eine unterirdische, altchristliche
Begräbnisstätte
– **catacomb**, *an early Christian
underground burial place*
60 die Grabnische (das Arkosolium)
– *niche (tomb recess, arcosolium)*
61 die Steinplatte
– *stone slab*

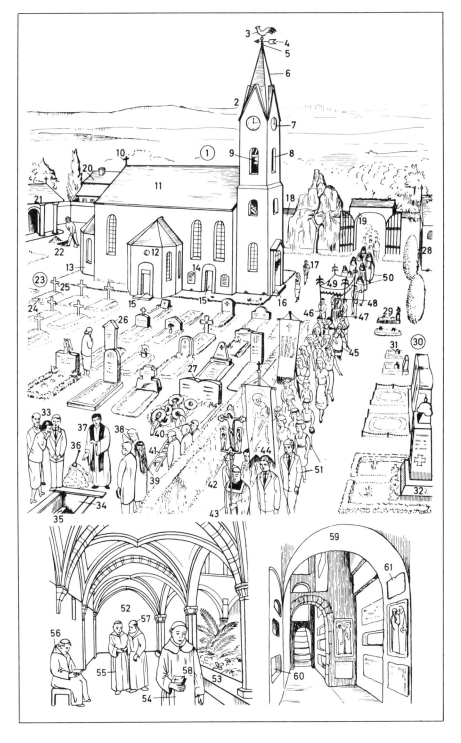

332 Kirche III

1 die christliche Taufe
 – *Christian baptism (christening)*
2 die Taufkapelle (das Baptisterium)
 – *baptistery (baptistry)*
3 der protestantische (evangelische) Geistliche
 – *Protestant clergyman*
4 der Talar (Ornat)
 – *robes (vestments, canonicals)*
5 das Beffchen
 – *bands*
6 der Halskragen
 – *collar*
7 der Täufling
 – *child to be baptized (christened)*
8 das Taufkleid
 – *christening robe (christening dress)*
9 der Taufschleier
 – *christening shawl*
10 der Taufstein
 – *font*
11 das Taufbecken
 – *font basin*
12 das Taufwasser
 – *baptismal water*
13 die Paten *m*
 – *godparents*
14 die kirchliche Trauung
 – *church wedding (wedding ceremony, marriage ceremony)*
15 u. 16 das Brautpaar
 – *bridal couple*
15 die Braut
 – *bride*
16 der Bräutigam
 – *bridegroom (groom)*
17 der Ring (Trauring, Ehering)
 – *ring (wedding ring)*
18 der Brautstrauß (das Brautbukett)
 – *bride's bouquet (bridal bouquet)*
19 der Brautkranz
 – *bridal wreath*
20 der Schleier (Brautschleier)
 – *veil (bridal veil)*
21 das Myrtensträußchen
 – *[myrtle] buttonhole*
22 der Geistliche
 – *clergyman*
23 die Trauzeugen *m*
 – *witnesses [to the marriage]*
24 die Brautjungfer
 – *bridesmaid*
25 die Kniebank
 – *kneeler*
26 das Abendmahl
 – *Holy Communion*
27 die Kommunizierenden *m u. f*
 – *communicants*
28 die Hostie (Oblate)
 – *Host (wafer)*
29 der Abendmahlskelch
 – *communion cup*
30 der Rosenkranz
 – *rosary*
31 die Vaterunserperle
 – *paternoster*

32 die Ave-Maria-Perle; *je 10:* ein Gesätz *n*
 – *Ave Maria;* set of 10: *decade*
33 das Kruzifix
 – *crucifix*
34-54 liturgische Geräte *n* (kirchliche Geräte)
 – *liturgical vessels (ecclesiastical vessels)*
34 die Monstranz
 – *monstrance*
35 die Hostie (große Hostie, das heilige Sakrament, Allerheiligste, Sanktissimum)
 – *Host (consecrated Host, Blessed Sacrament)*
36 die Lunula
 – *lunula (lunule)*
37 der Strahlenkranz
 – *rays*
38 die Rauchfaßgarnitur (das Weihrauchfaß, Räucherfaß, Rauchfaß) für liturgische Räucherungen *f* (Inzensationen)
 – *censer (thurible), for offering incense (for incensing)*
39 die Rauchfaßkette
 – *thurible chain*
40 der Rauchfaßdeckel
 – *thurible cover*
41 die Rauchfaßschale, ein Feuerbecken *n*
 – *thurible bowl*
42 das Weihrauchschiffchen
 – *incense boat*
43 der Weihrauchlöffel
 – *incense spoon*
44 die Meßgarnitur
 – *cruet set*
45 das Meßkännchen für Wasser *n*
 – *water cruet*
46 das Meßkännchen für Wein *m*
 – *wine cruet*
47 der Weihwasserkessel
 – *holy water basin*
48 das Ciborium (der Speisekelch) mit den kleinen Hostien *f*
 – *ciborium containing the sacred wafers*
49 der Kelch
 – *chalice*
50 die Hostienschale
 – *dish for communion wafers*
51 die Patene
 – *paten (patin, patine)*
52 die Altarschelle (die Glocken *f*)
 – *altar bells*
53 die Hostiendose (Pyxis)
 – *pyx (pix)*
54 das Aspergill (der Weihwedel)
 – *aspergillum*
55-72 christl. Kreuzformen *f*
 – *forms of Christian crosses*
55 das lateinische Kreuz (Passionskreuz)
 – *Latin cross (cross of the Passion)*
56 das griechische Kreuz
 – *Greek cross*

57 das russische Kreuz
 – *Russian cross*
58 das Petruskreuz
 – *St. Peter's cross*
59 das Antoniuskreuz (Taukreuz, ägyptisches Kreuz)
 – *St. Anthony's cross (tau cross)*
60 das Andreaskreuz (Schrägkreuz, der Schragen, das burgundische Kreuz)
 – *St. Andrew's cross (saltire cross)*
61 das Schächerkreuz (Gabelkreuz, Deichselkreuz)
 – *Y-cross*
62 das Lothringer Kreuz
 – *cross of Lorraine*
63 das Henkelkreuz
 – *ansate cross*
64 das Doppelkreuz (erzbischöfliches Kreuz)
 – *patriarchal cross*
65 das Kardinalkreuz (Patriarchenkreuz)
 – *cardinal's cross*
66 das päpstliche Kreuz (Papstkreuz)
 – *papal cross*
67 das konstantinische Kreuz, ein Christusmonogramm *n* (CHR)
 – *Constantinian cross, a monogram of Christ (CHR)*
68 das Wiederkreuz
 – *crosslet*
69 das Ankerkreuz
 – *cross moline*
70 das Krückenkreuz
 – *cross of Jerusalem*
71 das Kleeblattkreuz (Lazaruskreuz, Brabanter Kreuz)
 – *cross botonnée (cross treflée)*
72 das Jerusalemer Kreuz
 – *fivefold cross (quintuple cross)*
73 das Keltenkreuz
 – *Celtic cross*

1-18 **ägyptische Kunst** *f*
- *Egyptian art*
1 die Pyramide, eine Spitzpyramide,
  ein Königsgrab *n*
- *pyramid, a royal tomb*
2 die Königskammer
- *king's chamber*
3 die Königinnenkammer
- *queen's chamber*
4 der Luftkanal
- *air passage*
5 die Sargkammer
- *coffin chamber*
6 die Pyramidenanlage
- *pyramid site*
7 der Totentempel
- *funerary temple*
8 der Taltempel
- *valley temple*
9 der Pylon (Torbau)
- *pylon, a monumental gateway*
10 die Obelisken *m*
- *obelisks*
11 der ägyptische Sphinx
- *Egyptian sphinx*
12 die geflügelte Sonnenscheibe
- *winged sun disc (sun disk)*
13 die Lotossäule
- *lotus column*
14 das Knospenkapitell
- *knob-leaf capital (bud-shaped capital)*
15 die Papyrussäule
- *papyrus column*
16 das Kelchkapitell
- *bell-shaped capital*
17 die Palmensäule
- *palm column*
18 die Bildsäule
- *ornamented column*
19 u. 20 **babylonische Kunst** *f*
- *Babylonian art*
19 der babylonische Fries
- *Babylonian frieze*
20 der glasierte Reliefziegel
- *glazed relief tile*
21-28 **Kunst** *f* **der Perser** *m*
- *art of the Persians*
21 das Turmgrab
- *tower tomb*
22 die Stufenpyramide
- *stepped pyramid*
23 die Stiersäule
- *double bull column*
24 der Blattüberfall
- *projecting leaves*
25 das Palmettenkapitell
- *palm capital*
26 die Volute
- *volute (scroll)*
27 der Schaft
- *shaft*
28 das Stierkapitell
- *double bull capital*
29-36 **Kunst** *f* **der Assyrer** *m*
- *art of the Assyrians*
29 die Sargonsburg, eine Palastanlage
- *Sargon's Palace, palace buildings*

30 die Stadtmauer
- *city wall*
31 die Burgmauer
- *castle wall*
32 der Tempelturm (Zikkurat), ein
  Stufenturm *m*
- *temple tower (ziggurat), a stepped
  (terraced) tower*
33 die Freitreppe
- *outside staircase*
34 das Hauptportal
- *main portal*
35 die Portalbekleidung
- *portal relief*
36 die Portalfigur
- *portal figure*
37 **kleinasiatische Kunst** *f*
- *art of Asia Minor*
38 das Felsgrab
- *rock tomb*

1-48 griechische Kunst *f*
- *Greek art*
1-7 die Akropolis
- *the Acropolis*
1 der Parthenon, ein dorischer Tempel
- *the Parthenon, a Doric temple*
2 das Peristyl (der Säulenumgang)
- *peristyle*
3 der Aetos (das Giebeldreieck)
- *pediment*
4 das Krepidoma (der Unterbau)
- *crepidoma (stereobate)*
5 das Standbild
- *statue*
6 die Tempelmauer
- *temple wall*
7 die Propyläen *pl* (Torbauten *m*)
- *propylaea*
8 die dorische Säule
- *Doric column*
9 die ionische Säule
- *Ionic column*
10 die korinthische Säule
- *Corinthian column*
11-14 das Kranzgesims
- *cornice*
11 die Sima (Traufleiste)
- *cyma*
12 das Geison
- *corona*
13 der Mutulus (Dielenkopf)
- *mutule*
14 der Geisipodes (Zahnschnitt)
- *dentils*
15 die Triglyphe (der Dreischlitz)
- *triglyph*
16 die Metope, eine Friesverzierung
- *metope, a frieze decoration*
17 die Regula (Tropfenplatte)
- *regula*
18 das Epistyl (der Architrav)
- *epistyle (architrave)*
19 das Kyma (Kymation)
- *cyma (cymatium, kymation)*
20-25 das Kapitell (Kapitäl)
- *capital*
20 der Abakus
- *abacus*
21 der Echinus (Igelwulst)
- *echinus*
22 das Hypotrachelion (der Säulenhals)
- *hypotrachelium (gorgerin)*
23 die Volute
- *volute (scroll)*
24 das Volutenpolster
- *volute cushion*
25 der Blattkranz
- *acanthus*
26 der Säulenschaft
- *column shaft*
27 die Kannelierung
- *flutes (grooves, channels)*
28-31 die Basis (der Säulenfuß)
- *base*
28 der Toros (Torus, Wulst)
- *[upper] torus*

29 der Trochilus (die Hohlkehle)
- *trochilus (concave moulding, Am. molding)*
30 die Rundplatte
- *[lower] torus*
31 die Plinthe (der Säulensockel)
- *plinth*
32 der Stylobat
- *stylobate*
33 die Stele
- *stele (stela)*
34 das Akroterion; *am Giebel:* die Giebelverzierung
- *acroterion (acroterium, acroter)*
35 die Herme (der Büstenpfeiler)
- *herm (herma, hermes)*
36 die Karyatide; *männl.:* der Atlant
- *caryatid; male: Atlas*
37 die griech. Vase
- *Greek vase*
38-43 griech. Ornamente *n*
- *Greek ornamentation (Greek decoration, Greek decorative designs)*
38 die Perlschnur, ein Zierband *n*
- *bead-and-dart moulding (Am. molding), an ornamental band*
39 das Wellenband
- *running dog (Vitruvian scroll)*
40 das Blattornament
- *leaf ornament*
41 die Palmette
- *palmette*
42 das Eierstabkyma
- *egg and dart (egg and tongue, egg and anchor) cyma*
43 der Mäander
- *meander*
44 das griech. Theater (Theatron)
- *Greek theatre (Am. theater)*
45 die Skene (das Bühnengebäude)
- *scene*
46 das Proskenium (der Bühnenplan)
- *proscenium*
47 die Orchestra (der Tanzplatz)
- *orchestra*
48 die Thymele (der Opferstein)
- *thymele (altar)*
49-52 etruskische Kunst *f*
- *Etruscan art*
49 der etrusk. Tempel
- *Etruscan temple*
50 die Vorhalle
- *portico*
51 die Zella (der Hauptraum)
- *cella*
52 das Gebälk
- *entablature*
53-60 römische Kunst *f*
- *Roman art*
53 der Aquädukt
- *aqueduct*
54 der Wasserkanal
- *conduit (water channel)*
55 der Zentralbau
- *centrally-planned building (centralized building)*

56 der Portikus
- *portico*
57 das Gesimsband
- *reglet*
58 die Kuppel
- *cupola*
59 der Triumphbogen
- *triumphal arch*
60 die Attika
- *attic*
61-71 altchristl. Kunst *f*
- *Early Christian art*
61 die Basilika
- *basilica*
62 das Mittelschiff
- *nave*
63 das Seitenschiff
- *aisle*
64 die Apsis (Altarnische)
- *apse*
65 der Kampanile
- *campanile*
66 das Atrium
- *atrium*
67 der Säulengang
- *colonnade*
68 der Reinigungsbrunnen
- *fountain*
69 der Altar
- *altar*
70 der Lichtgaden
- *clerestory (clearstory)*
71 der Triumphbogen
- *triumphal arch*
72-75 byzantinische Kunst *f*
- *Byzantine art*
72 *u.* 73 das Kuppelsystem
- *dome system*
72 die Hauptkuppel
- *main dome*
73 die Halbkuppel
- *semidome*
74 der Hängezwickel (Pendentif)
- *pendentive*
75 das Auge, eine Lichtöffnung
- *eye, a lighting aperture*

1-21 **romanische Kunst** *f* (Romanik)
- **Romanesque art**
1-13 die romanische Kirche, ein
Dom *m*
- *Romanesque church, a cathedral*
1 das Mittelschiff
- *nave*
2 das Seitenschiff
- *aisle*
3 das Querschiff (Querhaus)
- *transept*
4 der Chor
- *choir (chancel)*
5 die Apsis (Chornische)
- *apse*
6 der Vierungsturm
- *central tower (Am. center tower)*
7 der Turmhelm
- *pyramidal tower roof*
8 die Zwergarkaden *f*
- *arcading*
9 der Rundbogenfries
- *frieze of round arcading*
10 die Blendarkade
- *blind arcade (blind arcading)*
11 die Lisene, ein senkrechter
Wandstreifen *m*
- *lesene, a pilaster strip*
12 das Rundfenster
- *circular window*
13 das Nebenportal (Seitenportal, die
Nebenpforte, Seitenpforte)
- *side entrance*
14-16 roman. Ornamente *n*
- *Romanesque ornamentation
(Romanesque decoration,
Romanesque decorative designs)*
14 das Schachbrettornament
- *chequered (Am. checkered) pattern
(chequered design)*
15 das Schuppenornament
- *imbrication (imbricated design)*
16 das Zackenornament
(Zickzackornament)
- *chevron design*
17 das roman. Wölbungssystem
- *Romanesque system of vaulting*
18 der Gurtbogen
- *transverse arch*
19 der Schildbogen
- *barrel vault (tunnel vault)*
20 der Pfeiler
- *pillar*
21 das Würfelkapitell
- *cushion capital*
22-41 **gotische Kunst** *f* (Gotik)
- **Gothic art**
22 die gotische Kirche [Westwerk *n*,
Westfassade *f*], ein Münster *n*
- *Gothic church [westwork, west end,
west façade], a cathedral*
23 die Rosette (Fensterrose)
- *rose window*
24 das Kirchenportal, ein
Gewändeportal *n*
- *church door (main door, portal), a
recessed portal*

25 die Archivolte
- *archivolt*
26 das Bogenfeld (Tympanon)
- *tympanum*
27-35 das got. Bausystem
- *Gothic structural system*
27 *u.* 28 das Strebewerk
- *buttresses*
27 der Strebepfeiler
- *buttress*
28 der Strebebogen (Schwibbogen)
- *flying buttress*
29 die Fiale (das Pinakel), ein
Pfeileraufsatz *m*
- *pinnacle*
30 der Wasserspeier
- *gargoyle*
31 *u.* 32 das Kreuzgewölbe
- *cross vault (groin vault)*
31 die Gewölberippen *f*
(Kreuzrippen)
- *ribs (cross ribs)*
32 der Schlußstein (Abhängling)
- *boss (pendant)*
33 das Triforium (der Laufgang)
- *triforium*
34 der Bündelpfeiler
- *clustered pier (compound pier)*
35 der Dienst
- *respond (engaged pillar)*
36 der Wimperg (Ziergiebel)
- *pediment*
37 die Kreuzblume
- *finial*
38 die Kriechblume (Krabbe)
- *crocket*
39-41 das Maßwerkfenster,
ein Lanzettfenster *n*
- *tracery window, a lancet window*
39 *u.* 40 das Maßwerk
- *tracery*
39 der Vierpaß
- *quatrefoil*
40 der Fünfpaß
- *cinquefoil*
41 das Stabwerk
- *mullions*
42-54 **Kunst** *f* **der Renaissance**
- **Renaissance art**
42 die Renaissancekirche
- *Renaissance church*
43 der Risalit, ein vorspringender
Gebäudeteil *m od. n*
- *projection, a projecting part of the
building*
44 die Trommel (der Tambour)
- *drum*
45 die Laterne
- *lantern*
46 der Pilaster (Halbpfeiler)
- *pilaster (engaged pillar)*
47 der Renaissancepalast
- *Renaissance palace*
48 das Kranzgesims
- *cornice*
49 das Giebelfenster
- *pedimental window*

50 das Segmentfenster
- *pedimental window [with round gable]*
51 das Bossenwerk (die Rustika)
- *rustication (rustic work)*
52 das Gurtgesims
- *string course*
53 der Sarkophag (die Tumba)
- *sarcophagus*
54 das Feston (die Girlande)
- *festoon (garland)*

1-8 Kunst *f* des Barocks *m* od. *n*
- *Baroque art*
1 die Barockkirche
- *Baroque church*
2 das Ochsenauge
- *bull's eye*
3 die welsche Haube
- *bulbous cupola*
4 die Dachgaube
- *dormer window (dormer)*
5 der Volutengiebel
- *curved gable*
6 die gekuppelte Säule
- *twin columns*
7 die Kartusche
- *cartouche*
8 das Rollwerk
- *scrollwork*
9-13 die Kunst *f* des Rokokos *n*
- *Rococo art*
9 die Rokokowand
- *Rococo wall*
10 die Volute, eine Hohlkehle
- *coving, a hollow moulding (Am. molding)*
11 das Rahmenwerk
- *framing*
12 die Sopraporte (Supraporte)
- *ornamental moulding (Am. molding)*
13 die Rocaille, ein Rokokoornament *n*
- *rocaille, a Rococo ornament*
14 der Tisch im Louis-seize-Stil *m*
- *table in Louis Seize style (Louis Seize table)*
15 das Bauwerk des Klassizismus *m* (im klassizistischen Stil *m*), ein Torbau *m*
- *neoclassical building (building in neoclassical style), a gateway*
16 der Empiretisch (Tisch im Empirestil *m*)
- *Empire table (table in the Empire style)*
17 das Biedermeiersofa (Sofa im Biedermeierstil *m*)
- *Biedermeier sofa (sofa in the Biedermeier style)*
18 der Lehnstuhl im Jugendstil *m*
- *Art Nouveau easy chair (easy chair in the Art Nouveau style)*
19-37 Bogenformen *f*
- *types of arch*
19 der Bogen (Mauerbogen)
- *arch*
20 das Widerlager
- *abutment*
21 der Kämpfer (Kämpferstein)
- *impost*
22 der Anfänger, ein Keilstein *m*
- *springer, a voussoir (wedge stone)*
23 der Schlußstein
- *keystone*
24 das Haupt (die Stirn)
- *face*
25 die Laibung (Leibung)
- *intrados*
26 der Rücken
- *extrados*

27 der Rundbogen
- *round arch*
28 der Flachbogen
- *segmental arch (basket handle)*
29 der Parabelbogen
- *parabolic arch*
30 der Hufeisenbogen
- *horseshoe arch*
31 der Spitzbogen
- *lancet arch*
32 der Dreipaßbogen (Kleeblattbogen)
- *trefoil arch*
33 der Schulterbogen
- *shouldered arch*
34 der Konvexbogen
- *convex arch*
35 der Vorhangbogen
- *tented arch*
36 der Kielbogen (Karniesbogen); ähnl.: Eselsrücken *m*
- *ogee arch (keel arch)*
37 der Tudorbogen
- *Tudor arch*
38-50 Gewölbeformen *f*
- *types of vault*
38 das Tonnengewölbe
- *barrel vault (tunnel vault)*
39 die Kappe
- *crown*
40 die Wange
- *side*
41 das Klostergewölbe
- *cloister vault (cloistered vault)*
42 das Kreuzgratgewölbe
- *groin vault (groined vault)*
43 das Kreuzrippengewölbe
- *rib vault (ribbed vault)*
44 das Sterngewölbe
- *stellar vault*
45 das Netzgewölbe
- *net vault*
46 das Fächergewölbe
- *fan vault*
47 das Muldengewölbe
- *trough vault*
48 die Mulde
- *trough*
49 das Spiegelgewölbe
- *cavetto vault*
50 der Spiegel
- *cavetto*

1-6 chinesische Kunst *f*
– *Chinese art*
1 die Pagode (Stockwerkpagode),
ein Tempelturm *m*
– *pagoda (multi-storey, multistory,*
pagoda), a temple tower
2 das Stufendach
– *storey (story) roof (roof of storey)*
3 der Pailou, ein Ehrentor *n*
– *pailou (pailoo), a memorial archway*
4 der Durchgang
– *archway*
5 die Porzellanvase
– *porcelain vase*
6 die geschnittene Lackarbeit
– *incised lacquered work*
7-11 japanische Kunst *f*
– *Japanese art*
7 der Tempel
– *temple*
8 der Glockenturm
– *bell tower*
9 das Traggebälk
– *supporting structure*
10 der Bodhisattwa, ein
buddhistischer Heiliger
– *bodhisattva (boddhisattva), a*
Buddhist saint
11 das Torii, ein Tor *n*
– *torii, a gateway*
12-18 islamische Kunst *f*
– *Islamic art*
12 die Moschee
– *mosque*
13 das Minarett, ein Gebetsturm *m*
– *minaret, a prayer tower*
14 der Mikrab (die Betnische)
– *mihrab*
15 der Mimbar (Predigtstuhl)
– *minbar (mimbar, pulpit)*
16 das Mausoleum, eine Grabstätte
– *mausoleum, a tomb*
17 das Stalaktitengewölbe
– *stalactite vault (stalactitic vault)*
18 das arabische Kapitell
– *Arabian capital*
19-28 indische Kunst *f*
– *Indian art*
19 der tanzende Schiwa, ein indischer
Gott
– *dancing Siva (Shiva), an Indian god*
20 die Buddhastatue
– *statue of Buddha*
21 der Stupa (die indische Pagode), ein
Kuppelbau *m*, ein buddhistischer
Sakralbau
– *stupa (Indian pagoda), a mound*
(dome), a Buddhist shrine
22 der Schirm
– *umbrella*
23 der Steinzaun
– *stone wall (Am. stone fence)*
24 das Eingangstor
– *gate*
25 die Tempelanlage
– *temple buildings*

26 der Schikhara (Tempelturm)
– *shikara (sikar, sikhara, temple*
tower)
27 die Tschaitjahalle
– *chaitya hall*
28 die Tschaitja, ein kleiner Stupa
– *chaitya, a small stupa*

1-43 das Atelier (Studio)
- *studio*
1 das Atelierfenster
- *studio skylight*
2 der Kunstmaler, ein Künstler *m*
- *painter, an artist*
3 die Atelierstaffelei
- *studio easel*
4 die Kreideskizze, mit dem
 Bildaufbau *m*
- *chalk sketch, with the composition
 (rough draft)*
5 der Kreidestift
- *crayon (piece of chalk)*
6-19 Malutensilien *n; meist pl*
 (Malgeräte *n*)
- *painting materials*
6 der Flachpinsel
- *flat brush*
7 der Haarpinsel
- *camel hair brush*
8 der Rundpinsel
- *round brush*
9 der Grundierpinsel
- *priming brush*
10 der Malkasten
- *box of paints (paintbox)*
11 die Farbtube mit Ölfarbe *f*
- *tube of oil paint*
12 der Firnis
- *varnish*
13 das Malmittel
- *thinner*
14 das Palettenmesser
- *palette knife*

15 der (die) Malspachtel
- *spatula*
16 der Kohlestift
- *charcoal pencil (charcoal, piece of
 charcoal)*
17 die Temperafarbe (Gouachefarbe)
- *tempera (gouache)*
18 die Aquarellfarbe (Wasserfarbe)
- *watercolour (Am. watercolor)*
19 der Pastellstift
- *pastel crayon*
20 der Keilrahmen (Blendrahmen)
- *wedged stretcher (canvas stretcher)*
21 die Leinwand (das Malleinen)
- *canvas*
22 die Malpappe, mit dem Malgrund *m*
- *piece of hardboard, with painting
 surface*
23 die Holzplatte
- *wooden board*
24 die Holzfaserplatte (Preßholz-
 platte)
- *fibreboard (Am. fiberboard)*
25 der Maltisch
- *painting table*
26 die Feldstaffelei
- *folding easel*
27 das Stilleben, ein Motiv *n*
- *still life group, a motif*
28 die Handpalette
- *palette*
29 der Palettenstecker
- *palette dipper*
30 das (der) Podest
- *platform*

31 die Gliederpuppe
- *lay figure (mannequin, manikin)*
32 das Aktmodell (Modell, der Akt)
- *nude model (model, nude)*
33 der Faltenwurf
- *drapery*
34 der Zeichenbock
- *drawing easel*
35 der Zeichenblock (Skizzenblock)
- *sketch pad*
36 die Ölstudie
- *study in oils*
37 das Mosaik
- *mosaic (tessellation)*
38 die Mosaikfigur
- *mosaic figure*
39 die Mosaiksteine *m*
- *tesserae*
40 das Fresko (Wandbild)
- *fresco (mural)*
41 das Sgraffito (die Kratzmalerei,
 der Kratzputz)
- *sgraffito*
42 der Putz
- *plaster*
43 der Entwurf
- *cartoon*

1-38 das Atelier
- *studio*
1 der Bildhauer
- *sculptor*
2 der Proportionszirkel
- *proportional dividers*
3 der Tastzirkel
- *calliper (caliper)*
4 das Gipsmodell, ein Gipsguß *m*
- *plaster model, a plaster cast*
5 der Steinblock (Rohstein)
- *block of stone (stone block)*
6 der Modelleur (Tonbildner)
- *modeller (Am. modeler)*
7 die Tonfigur, ein Torso *m*
- *clay figure, a torso*
8 die Tonrolle, eine Modelliermasse
- *roll of clay, a modelling
  (Am. modeling) substance*
9 der Modellierbock
- *modelling (Am. modeling) stand*
10 das Modellierholz
- *wooden modelling (Am. modeling)
  tool*
11 die Modellierschlinge
- *wire modelling (Am. modeling)
  tool*
12 das Schlagholz
- *beating wood*
13 das Zahneisen
- *claw chisel (toothed chisel,
  tooth chisel)*

14 das Schlageisen (der Kantenmeißel)
- *flat chisel*
15 das Punktiereisen
- *point (punch)*
16 der Eisenhammer (Handfäustel)
- *iron-headed hammer*
17 der Hohlbeitel
- *gouge (hollow chisel)*
18 das gekröpfte Eisen
- *spoon chisel*
19 der Kantbeitel, ein Stechbeitel *m*
- *wood chisel, a bevelled-edge chisel*
20 der Geißfuß
- *V-shaped gouge*
21 der Holzhammer (Schlegel)
- *mallet*
22 das Gerüst
- *framework*
23 die Fußplatte
- *baseboard*
24 das Gerüsteisen
- *armature support (metal rod)*
25 der Knebel (Reiter)
- *armature*
26 die Wachsplastik
- *wax model*
27 der Holzblock
- *block of wood*
28 der Holzbildhauer (Bildschnitzer)
- *wood carver (wood sculptor)*
29 der Sack mit Gipspulver *n* (Gips *m*)
- *sack of gypsum powder (gypsum)*

30 die Tonkiste
- *clay box*
31 der Modellierton (Ton)
- *modelling (Am. modeling) clay*
32 die Statue, eine Skulptur (Plastik)
- *statue, a sculpture*
33 das Flachrelief (Basrelief, Relief)
- *low relief (bas-relief)*
34 das Modellierbrett
- *modelling (Am. modeling) board*
35 das Drahtgerüst, ein Drahtgeflecht *n*
- *wire frame, wire netting*
36 das Rundmedaillon (Medaillon)
- *circular medallion (tondo)*
37 die Maske
- *mask*
38 die Plakette
- *plaque*

1-13 die Holzschneidekunst
(Xylographie, der Holzschnitt), ein
Hochdruckverfahren *n*
– **wood engraving** *(xylography), a relief
printing method (a letterpress printing
method)*
1 die Hirnholzplatte für Holzstich *m*, ein
Holzstock *m*
– *end-grain block for wood engravings, a
wooden block*
2 die Langholzplatte für Holzschnitt *m*,
eine Holzmodel
– *wooden plank for woodcutting, a relief
image carrier*
3 der Positivschnitt
– *positive cut*
4 der Langholzschnitt
– *plank cut*
5 der Konturenstichel (Linienstichel,
Spitzstichel)
– *burin (graver)*
6 das Rundeisen
– *U-shaped gouge*
7 das Flacheisen
– *scorper (scauper, scalper)*
8 das Hohleisen
– *scoop*
9 der Geißfuß
– *V-shaped gouge*
10 das Konturenmesser
– *contour knife*
11 die Handbürste
– *brush*
12 die Gelatinewalze
– *roller (brayer)*
13 der Reiber
– *pad (wiper)*
14-24 der Kupferstich
(die Chalkographie), ein
Tiefdruckverfahren *n;* Arten: die
Radierung, die Schabkunst (das
Mezzotinto), die Aquatinta,
die Kreidemanier (Krayonmanier)
– **copperplate engraving** *(chalcography),
an intaglio process;* kinds: *etching,
mezzotint, aquatint, crayon engraving*
14 der Punzenhammer
– *hammer*
15 die Punze
– *burin*
16 die Radiernadel (Graviernadel)
– *etching needle (engraver)*
17 der Polierstahl, mit dem Schaber *m*
– *scraper and burnisher*
18 das Kornroulett (Punktroulett, der
Punktroller)
– *roulette*
19 das Wiegemesser (Wiegeeisen, die
Wiege, der Granierstahl)
– *rocking tool (rocker)*
20 der Rundstichel (Boll-, Bolzstichel), e
Grabstichel *m*
– *round-headed graver, a graver (burin)*
21 der Ölstein
– *oilstone*
22 der Tampon (Einschwärzballen)
– *dabber (inking ball, ink ball)*
23 die Lederwalze
– *leather roller*
24 das Spritzsieb
– *sieve*
25 *u.* **26 die Lithographie** (der Stein-
druck), ein Flachdruckverfahren *n*
– **lithography** *(stone lithography), a
planographic printing method*

25 der Wasserschwamm (Schwamm),
  zum Anfeuchten *n* des
  Lithosteines *m*
  – *sponge for moistening the*
  lithographic stone
26 die Lithokreide (Fettkreide), eine
  Kreide
  – *lithographic crayons (greasy chalk)*
27-64 **die graphische Werkstatt,** eine
  Druckerei
  – *graphic art studio, a printing office*
  (Am. *printery)*
27 der Einblattdruck
  – *broadside (broadsheet, single sheet)*
28 der Mehrfarbendruck (Farbdruck, die
  Chromolithographie)
  – *full-colour* (Am. *full-color) print (colour*
  print, chromolithograph)
29 die Tiegeldruckpresse, eine
  Handpresse
  – *platen press, a hand press*
30 das Kniegelenk
  – *toggle*
31 der Tiegel, eine Preßplatte
  – *platen*
32 die Druckform
  – *type forme* (Am. *form)*
33 die Durchziehkurbel
  – *feed mechanism*
34 der Bengel
  – *bar (devil's tail)*
35 der Drucker
  – *pressman*
36 die Kupferdruckpresse
  – *copperplate press*

37 die Pappzwischenlage
  – *tympan*
38 der Druckregler
  – *pressure regulator*
39 das Sternrad
  – *star wheel*
40 die Walze
  – *cylinder*
41 der Drucktisch
  – *bed*
42 das Filztuch
  – *felt cloth*
43 der Probeabzug (Probedruck,
  Andruck)
  – *proof (pull)*
44 der Kupferstecher
  – *copperplate engraver*
45 der Lithograph, beim Steinschliff *m*
  – *lithographer (litho artist), grinding*
  the stone
46 die Schleifscheibe
  – *grinding disc (disk)*
47 die Körnung
  – *grain (granular texture)*
48 der Glassand
  – *pulverized glass*
49 die Gummilösung
  – *rubber solution*
50 die Greifzange
  – *tongs*
51 das Ätzbad, zum Ätzen *n* der
  Radierung
  – *etching bath for etching*
52 die Zinkplatte
  – *zinc plate*

53 die polierte Kupferplatte
  – *polished copperplate*
54 die Kreuzlage
  – *cross hatch*
55 der Ätzgrund
  – *etching ground*
56 der Deckgrund
  – *non-printing area*
57 der Lithostein
  – *lithographic stone*
58 die Paßzeichen *n* (Nadelzeichen)
  – *register marks*
59 die Bildplatte
  – *printing surface (printing image*
  carrier)
60 die Steindruckpresse
  – *lithographic press*
61 der Druckhebel
  – *lever*
62 die Reiberstellung
  – *scraper adjustment*
63 der Reiber
  – *scraper*
64 das Steinbett
  – *bed*

1-20 Schriften f **der Völker** n
- *scripts of various peoples*
1 altägyptische Hieroglyphen f, eine
  Bilderschrift
- *ancient Egyptian hieroglyphics,*
  a pictorial system of writing
2 arabisch
- *Arabic*
3 armenisch
- *Armenian*
4 georgisch
- *Georgian*
5 chinesisch
- *Chinese*
6 japanisch
- *Japanese*
7 hebräisch
- *Hebrew (Hebraic)*
8 Keilschrift f
- *cuneiform script*
9 Devanagari n (die Schrift des
  Sanskrit n)
- *Devanagari, script employed in*
  Sanskrit
10 siamesisch
- *Siamese*
11 tamulisch (Tamul n)
- *Tamil*
12 tibetisch
- *Tibetan*
13 Sinaischrift f
- *Sinaitic script*
14 phönizisch
- *Phoenician*
15 griechisch
- *Greek*
16 lateinische (romanische) Kapitalis f
  (Kapitalschrift)
- *Roman capitals*
17 Unzialis f (Unziale, Unzialschrift)
- *uncial (uncials, uncial script)*
18 karolingische Minuskel f
- *Carolingian (Carlovingian, Caroline)*
  minuscule
19 Runen f
- *runes*
20 kyrillisch
- *Cyrillic*
21-26 alte Schreibgeräte n
- *ancient* **writing implements**
21 indischer Stahlgriffel m, ein Ritzer m
  für Palmblattschrift f
- *Indian steel stylus for writing on palm*
  leaves
22 altägyptischer Schreibstempel m,
  eine Binsenrispe
- *ancient Egyptian reed pen*
23 Rohrfeder f
- *writing cane*
24 Schreibpinsel m
- *brush*
25 römische Metallfeder f (Stilus m)
- *Roman metal pen (stylus)*
26 Gänsefeder f
- *quill (quill pen)*

1

2

انصف بالشجاعة اما

3

4

圖書館
图书馆 } 5

新しい 6

7

8

9

10

11

12

13

14

Τῆς παρελθ ούσης νυκτὸ
15

IMPCAESARI·
16

ⱭIɴɪꙅuⱻɴɪⱻ
17

addiem feſtum
18

19

Кожух генератора и
20

21

22

23

24

25

26

1-15 Schriften *f*
– **types** *(type faces)*
1 die gotische Schrift
– *Gothic type (German black-letter type)*
2 die Schwabacher Schrift (Schwabacher)
– *Schwabacher type (German black-letter type)*
3 die Fraktur
– *Fraktur (German black-letter type)*
4 die Renaissanceantiqua (Mediaeval)
– *Humanist (Mediaeval)*
5 die vorklassizistische Antiqua (Barockantiqua)
– *Transitional*
6 die klassizistische Antiqua
– *Didone*
7 die Grotesk (Groteskschrift)
– *Sanserif (Sanserif type, Grotesque)*
8 die Egyptienne
– *Egyptian*
9 die Schreibmaschinenschrift
– *typescript (typewriting)*
10 die englische Schreibschrift
– *English hand (English handwriting, English writing)*
11 die deutsche Schreibschrift
– *German hand (German handwriting, German writing)*
12 die lateinische Schreibschrift
– *Latin script*
13 die Kurzschrift (Stenographie)
– *shorthand (shorthand writing, stenography)*
14 die Lautschrift (phonetische Umschrift)
– *phonetics (phonetic transcription)*
15 die Blindenschrift
– *Braille*
16-29 Satzzeichen *n*
– **punctuation marks** *(stops)*
16 der Punkt
– *full stop (period, full point)*
17 der Doppelpunkt (das Kolon)
– *colon*
18 das Komma
– *comma*
19 der Strichpunkt (das Semikolon)
– *semicolon*
20 das Fragezeichen
– *question mark (interrogation point, interrogation mark)*
21 das Ausrufezeichen
– *exclamation mark (Am. exclamation point)*
22 der Apostroph
– *apostrophe*
23 der Gedankenstrich
– *dash (em rule)*
24 die runden Klammern *f*
– *parentheses (round brackets)*
25 die eckigen Klammern *f*
– *square brackets*

26 das Anführungszeichen (die Anführungsstriche *m*, ugs. die Gänsefüßchen *n*)
– *quotation mark (double quotation marks, paired quotation marks, inverted commas)*
27 das französische Anführungszeichen
– *guillemet (French quotation mark)*
28 der Bindestrich
– *hyphen*
29 die Fortführungspunkte *m*
– *marks of omission (ellipsis)*
30-35 Akzente *m* **und Aussprachezeichen** *n*
– **accents and diacritical marks** *(diacritics)*
30 der Accent aigu (der Akut)
– *acute accent (acute)*
31 der Accent grave (der Gravis)
– *grave accent (grave)*
32 der Accent circonflexe (der Zirkumflex)
– *circumflex accent (circumflex)*
33 die Cedille [unter c]
– *cedilla [under c]*
34 das Trema [über e]
– *diaeresis (Am. dieresis) [over e]*
35 die Tilde [über n]
– *tilde [over n]*
36 das Paragraphenzeichen
– *section mark*
37-70 die Zeitung, eine überregionale Tageszeitung
– **newspaper,** *a national daily newspaper*
37 die Zeitungsseite
– *newspaper page*
38 die Frontseite
– *front page*
39 der Zeitungskopf
– *newspaper heading*
40 die Kopfleiste mit dem Impressum *n*
– *head rules and imprint*
41 der Untertitel
– *subheading*
42 das Ausgabedatum
– *date of publication*
43 die Postzeitungsnummer
– *Post Office registration number*
44 die Schlagzeile (Artikelüberschrift)
– *headline*
45 die Spalte
– *column*
46 die Spaltenüberschrift
– *column heading*
47 die Spaltenlinie
– *column rule*
48 der Leitartikel
– *leading article (leader, editorial)*
49 der Artikelhinweis
– *reference to related article*
50 die Kurznachricht
– *brief news item*

51 der politische Teil
– *political section*
52 die Seitenüberschrift
– *page heading*
53 die Karikatur
– *cartoon*
54 der Korrespondentenbericht
– *report by newspaper's own correspondent*
55 das Agentursignum
– *news agency's sign*
56 die Werbeanzeige (ugs. Reklame *f*)
– *advertisement (coll. ad)*
57 der Sportteil
– *sports section*
58 das Pressefoto
– *press photo*
59 die Bildunterschrift
– *caption*
60 der Sportbericht
– *sports report*
61 die Sportnachricht
– *sports news item*
62 der überregionale Teil
– *home and overseas news section*
63 die vermischten Nachrichten *f*
– *news in brief (miscellaneous news)*
64 das Fernsehprogramm (die Programmvorschau)
– *television programmes (Am. programs)*
65 der Wetterbericht
– *weather report*
66 die Wetterkarte
– *weather chart (weather map)*
67 der Feuilletonteil (das Feuilleton)
– *arts section (feuilleton)*
68 die Todesanzeige
– *death notice*
69 der Anzeigenteil (Annoncenteil)
– *advertisements (classified advertising)*
70 die Stellenanzeige, ein Stellenangebot *n*
– *job advertisement, a vacancy (a situation offered)*

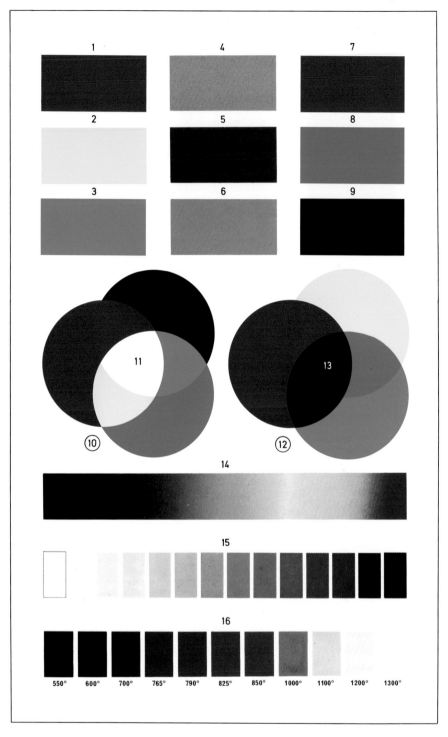

1 rot
– *red*
2 gelb
– *yellow*
3 blau
– *blue*
4 rosa
– *pink*
5 braun
– *brown*
6 himmelblau
– *azure (sky blue)*
7 orange
– *orange*
8 grün
– *green*
9 violett
– *violet*
10 die additive Farbmischung
– *additive mixture of colours*
  (Am. colors)
11 weiß
– *white*
12 die subtraktive Farbmischung
– *subtractive mixture of colours*
  (Am. colors)
13 schwarz
– *black*
14 das Sonnenspektrum
  (die Regenbogenfarben *f*)
– *solar spectrum (colours, Am. colors,*
  of the rainbow)
15 die Grauleiter (der Stufengraukeil)
– *grey (Am. gray) scale*
16 die Glühfarben *f*
– *heat colours (Am. colors)*

(1) I II III IV V VI VII VIII IX X

(2) 1 2 3 4 5 6 7 8 9 10

(1) XX XXX XL XLIX IL L LX LXX LXXX XC

(2) 20 30 40 49 50 60 70 80 90

(1) XCIX IC C CC CCC CD D DC DCC DCCC

(2) 99 100 200 300 400 500 600 700 800

(1) CM CMXC M

(2) 900 990 1000

(3) 9658 (4) 5 kg. (5) 2 (6) 2. (7) +5 (8) -5

1-26 **Arithmetik** *f*
– *arithmetic*
1-22 **die Zahl**
– *numbers*
1 die römischen Ziffern *f*
(Zahlzeichen *n*)
– *Roman numerals*
2 die arabischen Ziffern *f*
– *Arabic numerals*
3 die reine (unbenannte) Zahl,
eine vierstellige Zahl
[8: die Einerstelle, 5: die Zehnerstelle,
6: die Hunderterstelle,
9: die Tausenderstelle]
– *abstract number, a four-figure*
number [8: units; 5: tens;
6: hundreds; 9: thousands]
4 die benannte Zahl (physikalische
Größe, bestehend aus dem
Zahlenwert *m* und der Einheit *f*
bzw. dem Einheitenzeichen *n*)
– *concrete number (physical quantity*
consisting of the numerical value and
the unit or unit symbol)
5 die Grundzahl (Kardinalzahl)
– *cardinal number (cardinal)*
6 die Ordnungszahl (Ordinalzahl)
– *ordinal number (ordinal)*
7 die positive Zahl [mit dem positiven
Vorzeichen *n*]
– *positive number [with plus sign]*

8 die negative Zahl [mit dem negativen
Vorzeichen *n*]
– *negative number [with minus sign]*
9 allgemeine Zahlen *f*
– *algebraic symbols*
10 die gemischte Zahl [3: die ganze
Zahl, $\frac{1}{3}$ der Bruch (die Bruchzahl,
gebrochene Zahl, ein Zahlen-
bruch *m*)]
– *mixed number [3: whole number*
(integer); $\frac{1}{3}$: fraction]
11 gerade Zahlen *f*
– *even numbers*
12 ungerade Zahlen *f*
– *odd numbers*
13 Primzahlen *f*
– *prime numbers*
14 die komplexe Zahl [3: die reelle Zahl,
$2\sqrt{-1}$: die imaginäre Zahl]
– *complex number [3: real part;*
$2\sqrt{-1}$: imaginary part]
15 *u.* 16 gemeine Brüche *m*
– *vulgar fractions*
15 der echte Bruch [2: der Zähler, der
Bruchstrich, 3: der Nenner]
– *proper fraction [2: numerator,*
horizontal line; 3: denominator]
16 der unechte Bruch, zugleich der
Kehrwert (reziproke Wert) von 15
– *improper fraction, also the reciprocal*
of item 15

17 der Doppelbruch
– *compound fraction (complex fraction)*
18 der uneigentliche Bruch [ergibt beim
„Kürzen" *n* eine ganze Zahl]
– *improper fraction [when cancelled*
down produces a whole number]
19 ungleichnamige Brüche *m* [35: der
Hauptnenner (gemeinsame Nenner)]
– *fractions of different denominations*
[35: common denominator]
20 der endliche Dezimalbruch (Zehner-
bruch) mit Komma *n* und Dezimal-
stellen *f* [3: die Zehntel *n*, 5: die
Hundertstel, 7: die Tausendstel]
– *proper decimal fraction with decimal*
point [in German: comma] and
decimal places [3: tenths;
5: hundredths; 7: thousandths]

⑨ $a, b, c \ldots$ ⑩ $3\frac{1}{3}$ ⑪ $2, 4, 6, 8$ ⑫ $1, 3, 5, 7$

⑬ $3, 5, 7, 11$ ⑭ $3 + 2\sqrt{-1}$ ⑮ $\frac{2}{3}$ ⑯ $\frac{3}{2}$

⑰ $\dfrac{\frac{5}{6}}{\frac{3}{4}}$ ⑱ $\frac{12}{4}$ ⑲ $\frac{4}{5} + \frac{2}{7} = \frac{38}{35}$ ⑳ $0{,}357$

㉑ $0{,}6666\ldots = 0{,}\overline{6}$ ㉒   ㉓ $3 + 2 = 5$

㉔ $3 - 2 = 1$ ㉕ $3 \cdot 2 = 6$ ㉖ $6 : 2 = 3$

$3 \times 2 = 6$

in Britain:

⑥ 2nd   ⑳ $0{\cdot}357$ ㉑ $0{\cdot}6666\ldots = 0{\cdot}\overline{6}$ ㉒

㉖ $6 \div 2 = 3$

21 der unendliche periodische Dezimalbruch
– *recurring decimal*
22 die Periode
– *recurring decimal*
23-26 das Rechnen (die Grundrechnungsarten *f*)
– *fundamental arithmetical operations*
23 das Zusammenzählen (Addieren, die Addition); [3 u. 2: die Summanden *m*, +: das Pluszeichen, =: das Gleichheitszeichen, 5: die Summe (das Ergebnis, Resultat)]
– *addition (adding) [3 and 2: the terms of the sum; +: plus sign; =: equals sign; 5: the sum]*
24 das Abziehen (Subtrahieren, die Subtraktion); [3: der Minuend, −: das Minuszeichen, 2: der Subtrahend, 1: der Rest (die Differenz)]
– *subtraction (subtracting); [3: the minuend; −: minus sign; 2: the subtrahend; 1: the remainder (difference)]*
25 das Vervielfachen (Malnehmen, Multiplizieren, die Multiplikation); [3: der Multiplikand, · *od.* ×: das Malzeichen, 2: der Multiplikator, 2 u. 3: Faktoren *m*, 6: das Produkt]
– *multiplication (multiplying); [3: the multiplicand; × (in German ·): multiplication sign; 2: the multiplier; 2 and 3: factors; 6: the product]*

26 das Teilen (Dividieren, die Division); [6: der Dividend (die Teilungszahl), := das Divisionszeichen, 2: der Teiler (Divisor), 3: der Quotient (Teilwert)]
– *division (dividing); [6: the dividend; ÷ (in German:): division sign; 2: the divisor; 3: the quotient]*

① $3^2 = 9$ ② $\sqrt[3]{8} = 2$ ③ $\sqrt{4} = 2$

④ $3x + 2 = 12$

⑥

⑤ $4a + 6ab - 2ac = 2a(2 + 3b - c)$ $\log_{10} 3 = 0{,}4771$

oder $\lg 3 = 0{,}4771$

⑦ $\dfrac{k\lceil 1000\,DM\rceil \cdot p\lceil 5\%\rceil \cdot t\lceil 2\,Jahre\rceil}{100} = z\lceil 100\,DM\rceil$

in Britain:

⑥ $\log_{10} 3 = 0\cdot 4771$

1-24 Arithmetik f
– *arithmetic*
1-10 höhere Rechnungsarten f
– *advanced arithmetical operations*
1 die Potenzrechnung (das Potenzieren); [3 hoch 2: die Potenz, 3: die Basis, 2: der Exponent (die Hochzahl), 9: der Potenzwert]
– *raising to a power [three squared (3^2): the power; 3: the base; 2: the exponent (index); 9: value of the power]*
2 die Wurzelrechnung (das Radizieren, das Wurzelziehen); [3.Wurzel f aus 8: die Kubikwurzel, 8: der Radikand (die Grundzahl), 3: der Wurzelexponent (Wurzelgrad), $\sqrt{\ }$: das Wurzelzeichen, 2: der Wurzelwert]
– *evolution (extracting a root); [cube-root of 8: cube root; 8: the radical; 3: the index (degree) of the root; $\sqrt{\ }$: radical sign; 2: value of the root]*
3 die Quadratwurzel (Wurzel)
– *square root*
4 *u.* **5** die Buchstabenrechnung (Algebra)
– *algebra*
4 die Bestimmungsgleichung [3, 2: die Koeffizienten m, x: die Unbekannte]
– *simple equation [3, 2: the coefficients; x: the unknown quantity]*

5 die identische Gleichung (Identität, Formel); [a, b, c: die allgemeinen Zahlen f]
– *identical equation; [a, b, c: algebraic symbols]*
6 die Logarithmenrechnung (das Logarithmieren); [log: das Zeichen für den Logarithmus, lg: das Zeichen für den Zehnerlogarithmus, 3: der Numerus, 10: die Grundzahl (Basis), 0: die Kennziffer, 4771: die Mantisse, 0,4771: der Logarithmus]
– *logarithmic calculation (taking the logarithm, log); [log: logarithm sign; 3: number whose logarithm is required; 10: the base; 0: the characteristic; 4771: the mantissa; 0.4771: the logarithm]*
7 die Zinsrechnung; [k: das Kapital (der Grundwert), p: der Zinsfuß (Prozentsatz, Hundertsatz), t: die Zeit, z: die Zinsen m (Prozente n, der Zins, Gewinn), %: das Prozentzeichen]
– *simple interest formula; [P: the principal; R: rate of interest; T: time; I: interest (profit); %: percentage sign]*

8-10 die Schlußrechnung (Dreisatzrechnung, Regeldetri); [$\triangleq$: entspricht]
– *rule of three (rule-of-three sum, simple proportion)*
8 der Ansatz mit der Unbekannten x
– *statement with the unknown quantity x*
9 die Gleichung (Bestimmungsgleichung)
– *equation (conditional equation)*
10 die Lösung
– *solution*

⑧ $\dfrac{2\,\text{Jahre} \stackrel{\wedge}{=} 50\,\text{DM}}{4\,\text{Jahre} \stackrel{\wedge}{=}\ \ x\,\text{DM}}$

⑨ $2 : 50\ = 4 : x$

⑩ $x\ = 100\,\text{DM}$

⑪ $2 + 4 + 6 + 8\ \ldots.$

⑫ $2 + 4 + 8 + 16 + 32 \ldots.$

⑬ $\dfrac{dy}{dx}$

⑭ $\displaystyle\int a\,x\,dx = a\!\!\int x\,dx = \dfrac{a\,x^{2}}{2} + C$

⑮ ∞ ⑯ $\equiv$ ⑰ $\approx$ ⑱ $\neq$ ⑲ $>$

⑳ $<$ ㉑ $\parallel$ ㉒ $\sim$ ㉓ $\measuredangle$ ㉔ $\triangle$

in Britain:

⑦ $\dfrac{P\left[\text{\pounds}1000\right] \times R\left[5\%\right] \times T\left[2\,\text{years}\right]}{100} = I\left[\text{\pounds}100\right]$

㉓ $\measuredangle$

11-14 höhere Mathematik
- *higher mathematics*
11 die arithmetische Reihe mit den Gliedern n 2, 4, 6, 8
- *arithmetical series with the elements 2, 4, 6, 8*
12 die geometrische Reihe
- *geometrical series*
13 u. **14 die Infinitesimalrechnung**
- *infinitesimal calculus*
13 der Differentialquotient (die Ableitung); [dx, dy: die Differentiale n, d: das Differentialzeichen]
- *derivative [dx, dy: the differentials; d: differential sign]*
14 das Integral (die Integration); [x: die Veränderliche (der Integrand), C: die Integrationskonstante, $\int$: das Integralzeichen, dx: das Differential]
- *integral (integration); [x: the variable; C: constant of integration; $\int$: the integral sign; dx: the differential]*
15-24 mathematische Zeichen n
- *mathematical symbols*
15 unendlich
- *infinity*
16 identisch (das Identitätszeichen)
- *identically equal to (the sign of identity)*
17 annähernd gleich
- *approximately equal to*
18 ungleich (das Ungleichheitszeichen)
- *unequal to*

19 größer als
- *greater than*
20 kleiner als
- *less than*
21-24 geometrische Zeichen n
- *geometrical symbols*
21 parallel (das Parallelitätszeichen)
- *parallel (sign of parallelism)*
22 ähnlich (das Ähnlichkeitszeichen)
- *similar to (sign of similarity)*
23 das Winkelzeichen
- *angle symbol*
24 das Dreieckszeichen
- *triangle symbol*

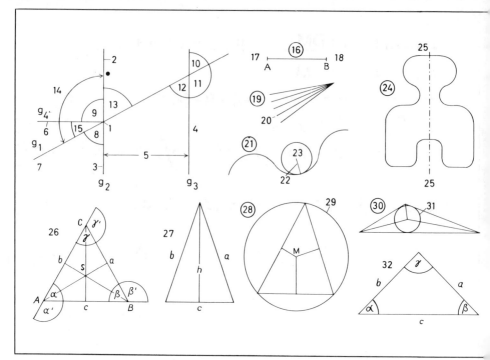

1-58 **die Planimetrie** (elementare,
euklidische Geometrie)
– *plane geometry (elementary
geometry, Euclidian geometry)*
1-23 **Punkt** *m,* **Linie** *f,* **Winkel** *m*
– *point, line, angle*
1 der Punkt [Schnittpunkt von g_1 und
g_2], der Scheitelpunkt von **8**
– *point [point of intersection of g_1
and g_2], the angular point of **8***
2 *u.* 3 die Gerade g_2
– *straight line g_2*
4 die Parallele zu g_2
– *the parallel to g_2*
5 der Abstand der Geraden *f* g_2 und g_3
– *distance between the straight lines g_2
and g_3*
6 die Senkrechte (g_4) auf g_2
– *perpendicular (g_4) on g_2*
7 *u.* 3 die Schenkel *m* von **8**
– *the arms of **8***
8 *u.* 13 Scheitelwinkel *m*
– *vertically opposite angles*
8 der Winkel
– *angle*
9 der rechte Winkel [90°]
– *right angle [90°]*
10, 11 *u.* 12 der überstumpfe Winkel
– *reflex angle*
10 der spitze Winkel, zugl.
Wechselwinkel zu **8**
– *acute angle, also the alternate
angle to **8***
11 der stumpfe Winkel
– *obtuse angle*

12 der Gegenwinkel zu **10**
– *corresponding angle to **10***
13, 9 *u.* 15 der gestreckte Winkel [180°]
– *straight angle [180°]*
14 der Nebenwinkel; *hier:*
Supplementwinkel *m* zu **13**
– *adjacent angle; here: supplementary
angle to **13***
15 der Komplementwinkel zu **8**
– *complementary angle to **8***
16 die Strecke AB
– *straight line AB*
17 der Endpunkt A
– *end A*
18 der Endpunkt B
– *end B*
19 das Strahlenbündel
– *pencil of rays*
20 der Strahl
– *ray*
21 die krumme (gekrümmte) Linie
– *curved line*
22 ein Krümmungshalbmesser *m*
– *radius of curvature*
23 ein Krümmungsmittelpunkt *m*
– *centre (Am. center)
of curvature*
24-58 **die ebenen Flächen** *f*
– *plane surfaces*
24 die symmetrische Figur
– *symmetrical figure*
25 die Symmetrieachse
– *axis of symmetry*
26-32 **Dreiecke** *n*
– *plane triangles*

26 das gleichseitige Dreieck; [A, B, C
die Eckpunkte *m;* a, b, c die Seiten *f;*
α (Alpha), β (Beta), γ (Gamma) die
Innenwinkel *m;* α', β', γ' die Außen-
winkel *m;* S der Schwerpunkt]
– *equilateral triangle; [A, B, C: the
vertices; a, b, c: the sides; α (alpha),
β (beta), γ (gamma): the interior
angles; α', β γ': the exterior angles;
S: the centre (Am. center)]*
27 das gleichschenklige Dreieck; [a, b
die Schenkel *m;* c die Basis (Grundlinie), h die Achse, eine Höhe]
– *isoceles triangle [a, b: the sides (legs);
c: the base; h: the perpendicular, an
altitude]*
28 das spitzwinklige Dreieck mit den
Mittelsenkrechten *f*
– *acute-angled triangle with
perpendicular bisectors of the sides*
29 der Umkreis
– *circumcircle (circumscribed circle)*

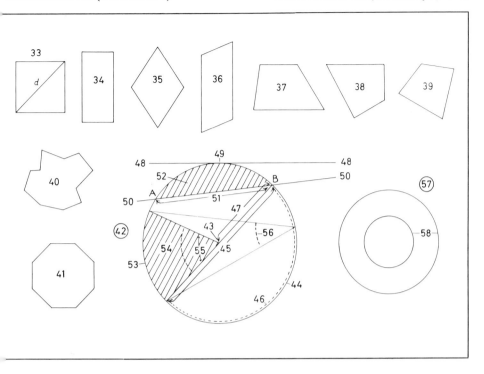

30 das stumpfwinklige Dreieck mit den Winkelhalbierenden *f*
 – *obtuse-angled triangle with bisectors of the angles*
31 der Inkreis
 – *inscribed circle*
32 das rechtwinklige Dreieck und die trigonometrischen Winkelfunktionen *f*; [a, b die Katheten *f*; c die Hypotenuse; γ der rechte Winkel; a : c = sin α (Sinus); b : c = cos α (Kosinus); a : b = tg α (Tangens); b : a = ctg α (Kotangens)]
 – *right-angled triangle and the trigonometrical functions of angles; [a, b: the catheti; c: the hypotenuse; γ: the right angle; $\frac{a}{c}$ = sin α (sine); $\frac{b}{c}$ = cos α (cosine); $\frac{a}{b}$ = tan α (tangent); $\frac{b}{a}$ = cot α (cotangent)*
33-39 Vierecke *n*
 – *quadrilaterals*
33-36 Parallelogramme *n*
 – *parallelograms*
33 das Quadrat [d: eine Diagonale]
 – *square [d: a diagonal]*
34 das Rechteck
 – *rectangle*
35 der Rhombus (die Raute)
 – *rhombus (rhomb, lozenge)*
36 das Rhomboid
 – *rhomboid*
37 das Trapez
 – *trapezium*
38 das Deltoid (der Drachen)
 – *deltoid (kite)*

39 das unregelmäßige Viereck
 – *irregular quadrilateral*
40 das Vieleck
 – *polygon*
41 das regelmäßige Vieleck
 – *regular polygon*
42 der Kreis
 – *circle*
43 der Mittelpunkt (das Zentrum)
 – *centre (Am. center)*
44 der Umfang (die Peripherie, Kreislinie)
 – *circumference (periphery)*
45 der Durchmesser
 – *diameter*
46 der Halbkreis
 – *semicircle*
47 der Halbmesser (Radius, r)
 – *radius (r)*
48 die Tangente
 – *tangent*
49 der Berührungspunkt (P)
 – *point of contact (P)*
50 die Sekante
 – *secant*
51 die Sehne AB
 – *the chord AB*
52 das Segment (der Kreisabschnitt)
 – *segment*
53 der Kreisbogen
 – *arc*
54 der Sektor (Kreisausschnitt)
 – *sector*

55 der Mittelpunktswinkel (Zentriwinkel)
 – *angle subtended by the arc at the centre (Am. center) (centre, Am. center, angle)*
56 der Umfangswinkel (Peripheriewinkel)
 – *circumferential angle*
57 der Kreisring
 – *ring (annulus)*
58 konzentrische Kreise *m*
 – *concentric circles*

1 das rechtwinklige Koordinatensystem
– *system of right-angled coordinates*
2 *u.* 3 das Achsenkreuz
– *axes of coordinates (coordinate axes)*
2 die Abszissenachse (x-Achse)
– *axis of abscissae (x-axis)*
3 die Ordinatenachse (y-Achse)
– *axis of ordinates (y-axis)*
4 der Koordinatennullpunkt
– *origin of ordinates*
5 der Quadrant [I-IV der 1. bis 4.
Quadrant]
– *quadrant [I - IV: 1st to 4th quadrant]*
6 die positive Richtung
– *positive direction*
7 die negative Richtung
– *negative direction*
8 die Punkte m [P_1 und P_2] im
Koordinatensystem n; x_1 und y_1
[bzw. x_2 und y_2] ihre Koordinaten f
– *points [P_1 and P_2] in the system of
coordinates; x_1 and y_1 [and x_2 and y_2
respectively] their coordinates*
9 der Abszissenwert [x_1 bzw. x_2]
(die Abszissen f)
– *values of the abscissae [x_1 and x_2] (the
abscissae)*
10 der Ordinatenwert [y_1 bzw. y_2]
(die Ordinaten f)
– *values of the ordinates [y_1 and y_2] (the
ordinates)*
11-29 **die Kegelschnitte** m
– *conic sections*
11 **die Kurven** f im
Koordinatensystem n
– *curves in the system of coordinates*
12 lineare Kurven f [a die Steigung der
Kurve, b der Ordinatendurchgang
der Kurve, c die Wurzel der Kurve]
– *plane curves [a: the gradient (slope) of
the curve; b: the ordinates' intersection
of the curve; c: the root of the curve]*
13 gekrümmte Kurven f
– *inflected curves*
14 **die Parabel,** eine Kurve zweiten
Grades m
– *parabola, a curve of the second degree*
15 die Äste m der Parabel
– *branches of the parabola*
16 der Scheitelpunkt (Scheitel) der
Parabel
– *vertex of the parabola*
17 die Achse der Parabel
– *axis of the parabola*
18 eine Kurve dritten Grades m
– *a curve of the third degree*
19 das Kurvenmaximum
– *maximum of the curve*
20 das Kurvenminimum
– *minimum of the curve*
21 der Wendepunkt
– *point of inflexion (of inflection)*
22 **die Ellipse**
– *ellipse*
23 die große Achse
– *transverse axis (major axis)*
24 die kleine Achse
– *conjugate axis (minor axis)*

25 die Brennpunkte m der Ellipse
[F_1 und F_2]
– *foci of the ellipse [F_1 and F_2]*
26 **die Hyperbel**
– *hyperbola*
27 die Brennpunkte m [F_1 u. F_2]
– *foci [F_1 and F_2]*
28 die Scheitelpunkte m [S_1 u. S_2]
– *vertices [S_1 and S_2]*
29 die Asymptoten f [a und b]
– *asymptotes [a and b]*
30-46 **geometrische Körper** m
– *solids*
30 der Würfel
– *cube*
31 das Quadrat, eine Fläche
– *square, a plane (plane surface)*
32 die Kante
– *edge*
33 die Ecke
– *corner*
34 die Säule (das quadratische Prisma)
– *quadratic prism*
35 die Grundfläche
– *base*
36 der Quader
– *parallelepiped*
37 das Dreikantprisma
– *triangular prism*
38 der Zylinder, ein gerader Zylinder
– *cylinder, a right cylinder*
39 die Grundfläche, eine Kreisfläche
– *base, a circular plane*
40 der Mantel
– *curved surface*
41 die Kugel
– *sphere*
42 das Rotationsellipsoid
– *ellipsoid of revolution*
43 der Kegel
– *cone*
44 die Kegelhöhe (Höhe des Kegels m)
– *height of the cone (cone height)*
45 der Kegelstumpf
– *truncated cone (frustum of a cone)*
46 die vierseitige Pyramide
– *quadrilateral pyramid*

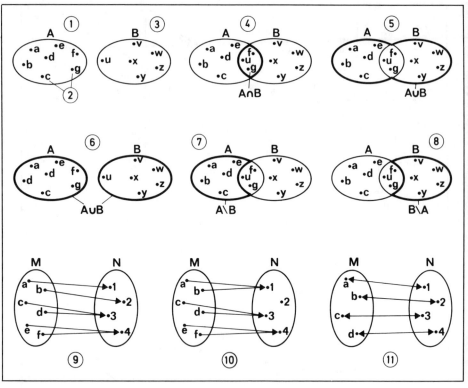

1 die Menge A, die Menge
{a,b,c,d,e,f,g}
– *the set A, the set {a, b, c, d, e, f, g}*
2 die Elemente *n* der Menge A
– *elements (members) of the set A*
3 die Menge B, die Menge {u,v,w,x,y,z}
– *the set B, the set {u, v, w, x, y, z}*
4 die Schnittmenge (der Durchschnitt,
die Durchschnittsmenge) A ∩ B =
{f,g,u}
– *intersection of the sets A and B,
A ∩ B = {f, g, u}*
5 *u.* 6 die Vereinigungsmenge
A ∪ B = {a,b,c,d,e,f,g,u,v,w,x,y,z}
– *union of the sets A and B, A ∪ B =
{a, b, c, d, e, f, g, u, v, w, x, y, z}*
7 die Differenzmenge (Restmenge)
A\B = {a,b,c,d,e}
– *complement of the set B, B' =
{a, b, c, d, e}*
8 die Differenzmenge B\A =
{v,w,x,y,z}
– *complement of the set A, A' =
{v, w, x, y, z}*
9-11 Abbildungen *f*
– *mappings*
9 die Abbildung der Menge M *auf* die
Menge N
– *mapping of the set M on to the set N*

10 die Abbildung der Menge M *in* die
Menge N
– *mapping of the set M into the set N*
11 die eineindeutige (umkehrbar
eindeutige) Abbildung der Menge M
auf die Menge N
– *one-to-one mapping of the set M on to
the set N*

1-38 die Laborgeräte *n*
- *laboratory apparatus (laboratory equipment)*
1 die Scheidtsche Kugel
- *Scheidt globe*
2 das U-Rohr
- *U-tube*
3 der Scheidetrichter (Tropftrichter)
- *separating funnel*
4 der Achtkantschliffstöpsel
- *octagonal ground-glass stopper*
5 der Hahn
- *tap (Am. faucet)*
6 der Schlangenkühler
- *coiled condenser*
7 das Sicherheitsrohr (der Gäraufsatz)
- *air lock*
8 die Spritzflasche
- *wash-bottle*
9 der Mörser
- *mortar*
10 das Pistill (der Stampfer, die Keule)
- *pestle*
11 die Nutsche (der Büchner-Trichter)
- *filter funnel (Büchner funnel)*
12 das Filtersieb (die Fritte)
- *filter (filter plate)*
13 die Retorte
- *retort*

14 das Wasserbad
- *water bath*
15 der Dreifuß
- *tripod*
16 der Wasserstandszeiger
- *water gauge (Am. gage)*
17 die Einlegeringe *m*
- *insertion rings*
18 der Rührer
- *stirrer*
19 das Über- und Unterdruck-manometer (Manometer)
- *manometer for measuring positive and negative pressures*
20 das Spiegelglasmanometer, für kleine Drücke *m*
- *mirror manometer for measuring small pressures*
21 die Ansaugleitung
- *inlet*
22 der Hahn
- *tap (Am. faucet)*
23 die verschiebbare Skala
- *sliding scale*
24 das Wägeglas
- *weighing bottle*
25 die Analysenwaage
- *analytical balance*
26 das Gehäuse
- *case*

27 die Vorderwand, zum Hochschieben *n*
- *sliding front panel*
28 die Dreipunktauflage
- *three-point support*
29 der Ständer
- *column (balance column)*
30 der Waagebalken
- *balance beam (beam)*
31 die Reiterschiene
- *rider bar*
32 die Reiterauflage
- *rider holder*
33 der Reiter
- *rider*
34 der Zeiger
- *pointer*
35 die Skala
- *scale*
36 die Wägeschale
- *scale pan*
37 die Arretierung
- *stop*
38 der Arretierungsknopf
- *stop knob*

1-63 die Laborgeräte *n*
- *laboratory apparatus (laboratory equipment)*
1 der Bunsenbrenner
- *Bunsen burner*
2 das Gaszuführungsrohr
- *gas inlet (gas inlet pipe)*
3 die Luftregulierung
- *air regulator*
4 der Teclu-Brenner
- *Teclu burner*
5 der Anschlußstutzen
- *pipe union*
6 die Gasregulierung
- *gas regulator*
7 der Kamin
- *stem*
8 die Luftregulierung
- *air regulator*
9 der Gebläsebrenner
- *bench torch*
10 der Mantel
- *casing*
11 die Sauerstoffzufuhr
- *oxygen inlet*
12 die Wasserstoffzufuhr
- *hydrogen inlet*
13 die Sauerstoffdüse
- *oxygen jet*
14 der Dreifuß
- *tripod*
15 der Ring
- *ring (retort ring)*
16 der Trichter
- *funnel*
17 das Tondreieck
- *pipe clay triangle*
18 das Drahtnetz
- *wire gauze*
19 das Asbestdrahtnetz
- *wire gauze with asbestos centre (Am. center)*
20 das Becherglas (der Kochbecher)
- *beaker*
21 die Bürette, zum Abmessen *n* von Flüssigkeit *f*
- *burette (for measuring the volume of liquids)*
22 das Bürettenstativ
- *burette stand*
23 die Bürettenklemme
- *burette clamp*
24 die Meßpipette
- *graduated pipette*
25 die Vollpipette (Pipette)
- *pipette*
26 der Meßzylinder (das Meßglas)
- *measuring cylinder (measuring glass)*
27 der Meßkolben
- *measuring flask*
28 der Mischzylinder
- *volumetric flask*
29 die Abdampfschale, aus Porzellan *n*
- *evaporating dish (evaporating basin), made of porcelain*

30 die Schlauchklemme (der Quetschhahn)
- *tube clamp (tube clip, pinchcock)*
31 der Tontiegel, mit Deckel *m*
- *clay crucible with lid*
32 die Tiegelzange
- *crucible tongs*
33 die Klemme (Klammer)
- *clamp*
34 das Reagenzglas (Probierglas)
- *test tube*
35 das Reagenzglasgestell (der Reagenzglashalter)
- *test tube rack*
36 der Stehkolben
- *flat-bottomed flask*
37 der Schliffansatz
- *ground glass neck*
38 der Rundkolben, mit langem Hals *m*
- *long-necked round-bottomed flask*
39 der Erlenmeyerkolben
- *Erlenmeyer flask (conical flask)*
40 die Filtrierflasche
- *filter flask*
41 der (das) Faltenfilter
- *fluted filter*
42 der Einweghahn
- *one-way tap*
43 die Chlorkalziumröhre
- *calcium chloride tube*
44 der Hahnstopfen
- *stopper with tap*
45 der Zylinder
- *cylinder*
46 der Destillierapparat
- *distillation apparatus (distilling apparatus)*
47 der Destillierkolben
- *distillation flask (distilling flask)*
48 der Kühler
- *condenser*
49 der Rücklaufhahn, ein Zweiwegehahn *m*
- *return tap, a two-way tap*
50 der Destillierkolben (Claisen-Kolben)
- *distillation flask (distilling flask, Claisen flask)*
51 der Exsikkator
- *desiccator*
52 der Tubusdeckel
- *lid with fitted tube*
53 der Schlußhahn
- *tap*
54 der Exsikkatoreneinsatz, aus Porzellan *n*
- *desiccator insert made of porcelain*
55 der Dreihalskolben
- *three-necked flask*
56 das Verbindungsstück
- *connecting piece (Y-tube)*
57 die Dreihalsflasche
- *three-necked bottle*
58 die Gaswaschflasche
- *gas-washing bottle*

59 der Gasentwicklungsapparat (Kippsche Apparat)
- *gas generator (Kipp's apparatus, Am. Kipp generator)*
60 der Überlaufbehälter
- *overflow container*
61 der Substanzbehälter
- *container for the solid*
62 der Säurebehälter
- *acid container*
63 die Gasentnahme
- *gas outlet*

1-26 Kristallgrundformen *f* und Kristallkombinationen *f*
(Kristallstruktur *f*, Kristallbau *m*)
- *basic crystal forms and crystal combinations [structure of crystals]*
1-17 das reguläre (kubische, tesserale, isometrische) **Kristallsystem**
- *regular (cubic, tesseral, isometric) crystal system*
1 das Tetraeder (der Vierflächner) [Fahlerz *n*]
- *tetrahedron (four-faced polyhedron) [tetrahedrite, fahlerz, fahl ore]*
2 das Hexaeder (der Würfel, Sechsflächner), ein Vollflächner *m* (Holoeder) [Steinsalz *n*]
- *hexahedron (cube, six-faced polyhedron), a holohedron [rock salt]*
3 das Symmetriezentrum (der Kristallmittelpunkt)
- *centre (Am. center) of symmetry (crystal centre)*
4 eine Symmetrieachse (Gyre)
- *axis of symmetry (rotation axis)*
5 eine Symmetrieebene
- *plane of symmetry*
6 das Oktaeder (der Achtflächner) [Gold *n*]
- *octahedron (eight-faced polyhedron) [gold]*
7 das Rhombendodekaeder (Granatoeder) [Granat *m*]
- *rhombic dodecahedron [garnet]*
8 das Pentagondodekaeder [Pyrit *m*]
- *pentagonal dodecahedron [pyrite, iron pyrites]*
9 ein Fünfeck *n* (Pentagon)
- *pentagon (five-sided polygon)*
10 das Pyramidenoktaeder [Diamant *m*]
- *triakis-octahedron [diamond]*
11 das Ikosaeder (der Zwanzigflächner), ein regelmäßiger Vielflächner
- *icosahedron (twenty-faced polyhedron), a regular polyhedron*
12 das Ikositetraeder (der Vierundzwanzigflächner) [Leuzit *m*]
- *icositetrahedron (twenty-four-faced polyhedron) [leucite]*
13 das Hexakisoktaeder (der Achtundvierzigflächner) [Diamant *m*]
- *hexakis-octahedron (hexoctahedron, forty-eight-faced polyhedron) [diamond]*
14 das Oktaeder mit Würfel *m* [Bleiglanz *m*]
- *octahedron with cube [galena]*
15 ein Hexagon *n* (Sechseck)
- *hexagon (six-sided polygon)*
16 der Würfel mit Oktaeder *n* [Flußspat *m*]
- *cube with octahedron [fluorite, fluorspar]*
17 ein Oktogon *n* (Achteck)
- *octagon (eight-sided polygon)*

18 *u*. 19 das tetragonale Kristallsystem
- *tetragonal crystal system*
18 die tetragonale Pyramide
- *tetragonal dipyramid (tetragonal bipyramid)*
19 das Protoprisma mit Protopyramide *f* [Zirkon *m*]
- *protoprism with protopyramid [zircon]*
20-22 das hexagonale Kristallsystem
- *hexagonal crystal system*
20 das Protoprisma mit Proto- und Deuteropyramide *f* und Basis *f* [Apatit *m*]
- *protoprism with protopyramid, deutero-pyramid and basal pinacoid [apatite]*
21 das hexagonale Prisma
- *hexagonal prism*
22 das hexagonale (ditrigonale) Prisma, mit Rhomboeder *n* [Kalkspat *m*]
- *hexagonal (ditrigonal) biprism with rhombohedron [calcite]*
23 die rhombische Pyramide (das rhombische Kristallsystem) [Schwefel *m*]
- *orthorhombic pyramid (rhombic crystal system) [sulphur, Am. sulfur]*
24 *u*. 25 das monokline Kristallsystem
- *monoclinic crystal system*
24 das monokline Prisma mit Klinopinakoid *n* und Hemipyramide *f* (Teilflach *n*, Hemieder *n*) [Gips *m*]
- *monoclinic prism with clinoprinacoid and hemipyramid (hemihedron) [gypsum]*
25 das Orthopinakoid (Schwalbenschwanz-Zwillingskristall *m*) [Gips *m*]
- *orthopinacoid (swallowtail twin crystal) [gypsum]*
26 trikline Pinakoiden (das trikline Kristallsystem) [Kupfersulfat *n*]
- *triclinic pinacoids (triclinic crystal system) [copper sulphate, Am. copper sulfate]*
27-33 Apparate *m* zur Kristallmessung (zur Kristallometrie)
- *apparatus for measuring crystals (for crystallometry)*
27 das Anlegegoniometer (Kontaktgoniometer)
- *contact goniometer*
28 das Reflexionsgoniometer
- *reflecting goniometer*
29 der Kristall
- *crystal*
30 der Kollimator
- *collimator*
31 das Beobachtungsfernrohr
- *observation telescope*
32 der Teilkreis
- *divided circle (graduated circle)*
33 die Lupe, zum Ablesen *n* des Drehungswinkels *m*
- *lens for reading the angle of rotation*

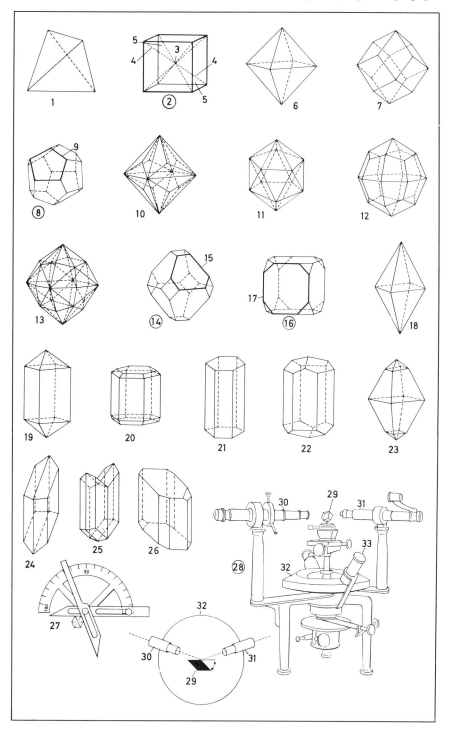

1 der Totempfahl (Wappenpfahl)
– *totem pole*
2 das Totem, eine geschnitzte u.
bemalte bildliche od. symbolische
Darstellung
– *totem, a carved and painted pictorial
or symbolic representation*
3 der Prärieindianer
– *plains Indian*
4 der Mustang, ein Steppenpferd *n*
– *mustang, a prairie horse*
5 der (das) Lasso, ein langer
Wurfriemen *m* mit leicht zusammen-
ziehbarer Schlinge
– *lasso, a long throwing-rope with
running noose*
6 die Friedenspfeife
– *pipe of peace*
7 das Tipi
– *wigwam (tepee, teepee)*
8 die Zeltstange
– *tent pole*
9 die Rauchklappe
– *smoke flap*
10 die Squaw, eine Indianerfrau
– *squaw, an Indian woman*
11 der Indianerhäuptling
– *Indian chief*
12 der Kopfschmuck, ein
Federschmuck *m*
– *headdress, an ornamental feather
headdress*
13 die Kriegsbemalung
– *war paint*
14 die Halskette, aus Bärenkrallen *f*
– *necklace of bear claws*
15 der Skalp (die abgezogene Kopfhaut
des Gegners *m*), ein Siegeszeichen *n*
– *scalp (cut from enemy's head), a
trophy*
16 der Tomahawk, eine Streitaxt
– *tomahawk, a battle axe (Am. ax)*
17 die Leggins *pl* (Leggings, Wildleder-
gamaschen *f*)
– *leggings*
18 der Mokassin, ein Halbschuh *m* (aus
Leder *n* und Bast *m*)
– *moccasin, a shoe of leather and bast*
19 das Kanu der Waldlandindianer *m*
– *canoe of the forest Indians*
20 der Mayatempel, eine
Stufenpyramide
– *Maya temple, a stepped pyramid*
21 die Mumie
– *mummy*
22 das Quipu (die Knotenschnur,
Knotenschrift der Inka *m*)
– *quipa (knotted threads, knotted code
of the Incas)*
23 der Indio (Indianer Mittel- u. Süd-
amerikas); *hier:* Hochlandindianer *m*
– *Indio (Indian of Central and South
America); here: highland Indian*

24 der Poncho, eine Decke mit
Halsschlitz *m* als ärmelloser,
mantelartiger Überwurf
– *poncho, a blanket with a head opening
used as an armless cloak-like wrap*
25 der Indianer der tropischen
Waldgebiete *n*
– *Indian of the tropical forest*
26 das Blasrohr
– *blowpipe*
27 der Köcher
– *quiver*
28 der Pfeil
– *dart*
29 die Pfeilspitze
– *dart point*
30 der Schrumpfkopf, eine
Siegestrophäe
– *shrunken head, a trophy*
31 die Bola, ein Wurf- und Fanggerät *n*
– *bola (bolas), a throwing and
entangling device*
32 die in Leder gehüllte Stein- od.
Metallkugel
– *leather-covered stone or metal ball*
33 die Pfahlbauhütte
– *pile dwelling*
34 der Dukduk-Tänzer, ein Mitglied *n*
eines Männergeheimbundes *m*
– *duk-duk dancer, a member of a
duk-duk (men's secret society)*
35 das Auslegerboot
– *outrigger canoe (canoe with outrigger)*
36 der Schwimmbalken
– *outrigger*
37 der eingeborene Australier
– *Australian aborigine*
38 der Gürtel aus Menschenhaar *n*
– *loincloth of human hair*
39 der Bumerang, ein Wurfholz *n*
– *boomerang, a wooden missile*
40 die Speerschleuder mit Speeren *m*
– *throwing stick (spear thrower) with
spears*

1 der Eskimo
– *Eskimo*
2 der Schlittenhund, ein Polarhund *m*
– *sledge dog (sled dog), a husky*
3 der Hundeschlitten
– *dog sledge (dog sled)*
4 der (das) Iglu, eine kuppelförmige Schneehütte
– *igloo, a dome-shaped snow hut*
5 der Schneeblock
– *block of snow*
6 der Eingangstunnel
– *entrance tunnel*
7 die Tranlampe
– *blubber-oil lamp*
8 das Wurfbrett
– *wooden missile*
9 die Stoßharpune
– *lance*
10 die einspitzige Harpune
– *harpoon*
11 der Luftsack
– *skin float*
12 der (das) Kajak, ein leichtes Einmannboot *n*
– *kayak, a light one-man canoe*
13 das fellbespannte Holz- oder Knochengerüst
– *skin-covered wooden or bone frame*
14 das Paddel
– *paddle*
15 das Rengespann
– *reindeer harness*
16 das Rentier
– *reindeer*
17 der Ostjake
– *Ostyak (Ostiak)*
18 der Ständerschlitten
– *passenger sledge*
19 die Jurte, ein Wohnzelt *n* der west- und zentralasiatischen Nomaden *m*
– *yurt (yurta), a dwelling tent of the western and central Asiatic nomads*
20 die Filzbedeckung
– *felt covering*
21 der Rauchabzug
– *smoke outlet*
22 der Kirgise
– *Kirghiz*
23 die Schaffellmütze
– *sheepskin cap*
24 der Schamane
– *shaman*
25 der Fransenschmuck
– *decorative fringe*
26 die Rahmentrommel
– *frame drum*
27 der Tibeter
– *Tibetan*
28 die Gabelflinte
– *flintlock with bayonets*
29 die Gebetsmühle
– *prayer wheel*
30 der Filzstiefel
– *felt boot*
31 das Hausboot (der Sampan)
– *houseboat (sampan)*

32 die Dschunke
– *junk*
33 das Mattensegel
– *mat sail*
34 die Rikscha
– *rickshaw (ricksha)*
35 der Rikschakuli
– *rickshaw coolie (cooly)*
36 der (das) Lampion
– *Chinese lantern*
37 der Samurai
– *samurai*
38 die wattierte Rüstung
– *padded armour (Am. armor)*
39 die Geisha
– *geisha*
40 der Kimono
– *kimono*
41 der Obi
– *obi*
42 der Fächer
– *fan*
43 der Kuli
– *coolie (cooly)*
44 der Kris, ein malaiischer Dolch
– *kris (creese, crease), a Malayan dagger*
45 der Schlangenbeschwörer
– *snake charmer*
46 der Turban
– *turban*
47 die Flöte
– *flute*
48 die tanzende Schlange
– *dancing snake*

1 die Kamelkarawane
- *camel caravan*
2 das Reittier
- *riding animal*
3 das Lasttier (Tragtier)
- *pack animal*
4 die Oase
- *oasis*
5 der Palmenhain
- *grove of palm trees*
6 der Beduine
- *bedouin (beduin)*
7 der Burnus
- *burnous*
8 der Massaikrieger
- *Masai warrior*
9 die Haartracht
- *headdress (hairdress)*
10 der Schild
- *shield*
11 die bemalte Rindshaut
- *painted ox hide*
12 die Lanze mit langer Klinge
- *long-bladed spear*
13 der Neger
- *negro*
14 die Tanztrommel
- *dance drum*
15 das Wurfmesser
- *throwing knife*
16 die Holzmaske
- *wooden mask*
17 die Ahnenfigur
- *figure of an ancestor*
18 die Signaltrommel
- *slit gong*
19 der Trommelstab
- *drumstick*
20 der Einbaum, ein aus einem
Baumstamm *m* ausgehöhltes Boot
- *dugout, a boat hollowed out of a
tree trunk*
21 die Negerhütte
- *negro hut*
22 die Negerin
- *negress*
23 die Lippenscheibe
- *lip plug (labret)*
24 der Mahlstein
- *grinding stone*
25 die Hererofrau
- *Herero woman*
26 die Lederhaube
- *leather cap*
27 die Kalebasse
- *calabash (gourd)*
28 die Bienenkorbhütte
- *beehive-shaped hut*
29 der Buschmann
- *bushman*
30 der Ohrpflock
- *earplug*
31 der Lendenschurz
- *loincloth*
32 der Bogen
- *bow*

33 der Kirri, eine Keule mit rundem,
verdicktem Kopf *m*
- *knobkerry (knobkerrie), a club with
round, knobbed end*
34 die Buschmannfrau beim
Feuerbohren *n*
- *bushman woman making a fire by
twirling a stick*
35 der Windschirm
- *windbreak*
36 der Zulu im Tanzschmuck *m*
- *Zulu in dance costume*
37 der Tanzstock
- *dancing stick*
38 der Beinring
- *bangle*
39 das Kriegshorn aus Elfenbein *n*
- *ivory war horn*
40 die Amulett-und-Würfel-Kette
- *string of amulets and bones*
41 der Pygmäe
- *pigmy*
42 die Zauberpfeife zur
Geisterbeschwörung
- *magic pipe for exorcising evil spirits*
43 der Fetisch
- *fetish*

355 Kostüme (Kleidermoden) *Historical Costumes*

1 Griechin *f*
- *Greek woman*
2 der Peplos
- *peplos*
3 Grieche *m*
- *Greek*
4 der Petasos (thessalische Hut)
- *petasus (Thessalonian hat)*
5 der Chiton, ein Leinenrock *m* als Untergewand *n*
- *chiton, a linen gown worn as a basic garment*
6 das Himation, ein wollener Überwurfmantel
- *himation, woollen* (Am. *woolen*) *cloak*
7 Römerin *f*
- *Roman woman*
8 das Stirntoupet
- *toupee wig (partial wig)*
9 die Stola
- *stola*
10 die Palla, ein farbiger Umwurf
- *palla, a coloured* (Am. *colored*) *wrap*
11 Römer *m*
- *Roman*
12 die Tunika
- *tunica (tunic)*
13 die Toga
- *toga*
14 der Purpursaum
- *purple border (purple band)*

15 byzantinische Kaiserin *f*
- *Byzantine empress*
16 das Perlendiadem
- *pearl diadem*
17 das Schmuckgehänge
- *jewels*
18 der Purpurmantel
- *purple cloak*
19 das Gewand
- *long tunic*
20 deutsche Fürstin *f* [13. Jh.]
- *German princess [13th cent.]*
21 das Diadem (der Schapel)
- *crown (diadem)*
22 das Kinnband (Gebände, Gebende)
- *chinband*
23 die Tassel
- *tassel*
24 die Mantelschnur
- *cloak cord*
25 das gegürtete Kleid
- *girt-up gown (girt-up surcoat, girt-up tunic)*
26 der Mantel
- *cloak*
27 Deutscher in spanischer Tracht *f* [um 1575]
- *German dressed in the Spanish style [ca. 1575]*
28 das Barett
- *wide-brimmed cap*

29 der kurze Mantel (die Kappe)
- *short cloak (Spanish cloak, short cape)*
30 das ausgestopfte Wams
- *padded doublet (stuffed doublet, peasecod)*
31 die gepolsterte Oberschenkelhose
- *stuffed trunk-hose*
32 Landsknecht *m* [um 1530]
- *lansquenet (German mercenary soldier) [ca. 1530]*
33 das Schlitzwams
- *slashed doublet (paned doublet)*
34 die Pluderhose
- *Pluderhose (loose breeches, paned trunk-hose, slops)*
35 Baslerin *f* [um 1525]
- *woman of Basle [ca. 1525]*
36 das Überkleid
- *overgown (gown)*
37 das Untergewand
- *undergown (petticoat)*
38 Nürnbergerin *f* [um 1500]
- *woman of Nuremberg [ca. 1500]*
39 der Schulterkragen (Goller, Koller)
- *shoulder cape*
40 Burgunder *m* [15. Jh.]
- *Burgundian [15th cent.]*
41 das kurze Wams
- *short doublet*
42 die Schnabelschuhe *m*
- *piked shoes (peaked shoes, copped shoes, crackowes, poulaines)*

622

43 die Holzunterschuhe *m* (Trippen *f*)
 - *pattens (clogs)*
44 junger Edelmann [um 1400]
 - *young nobleman [ca. 1400]*
45 die kurze Schecke
 - *short, padded doublet (short, quilted doublet, jerkin)*
46 die Zaddelärmel *m*
 - *dagged sleeves (petal-scalloped sleeves)*
47 die Strumpfhose
 - *hose*
48 Augsburger Patrizierin *f* [um 1575]
 - *Augsburg patrician lady [ca. 1575]*
49 die Ärmelpuffe
 - *puffed sleeve*
50 das Überkleid (die Marlotte)
 - *overgown (gown, open gown, sleeveless gown)*
51 franz. Dame *f* [um 1600]
 - *French lady [ca. 1600]*
52 der Mühlsteinkragen
 - *millstone ruff (cartwheel ruff, ruff)*
53 die geschnürte Taille (Wespentaille)
 - *corseted waist (wasp waist)*
54 Herr *m* [um 1650]
 - *gentleman [ca. 1650]*
55 der schwed. Schlapphut
 - *wide-brimmed felt hat (cavalier hat)*
56 der Leinenkragen
 - *falling collar (wide-falling collar) of linen*

57 das Weißzeugfutter
 - *white lining*
58 die Stulpenstiefel *m*
 - *jack boots (bucket-top boots)*
59 Dame *f* [um 1650]
 - *lady [ca. 1650]*
60 die gepufften Ärmel *m* (Puffärmel)
 - *full puffed sleeves (puffed sleeves)*
61 Herr *m* [um 1700]
 - *gentleman [ca. 1700]*
62 der Dreispitz (Dreieckhut, Dreimaster)
 - *three-cornered hat*
63 der Galanteriedegen
 - *dress sword*
64 Dame *f* [um 1700]
 - *lady [ca. 1700]*
65 die Spitzenhaube
 - *lace fontange (high headdress of lace)*
66 der Spitzenumhang
 - *lace-trimmed loose-hanging gown (loose-fitting housecoat, robe de chambre, negligée, contouche)*
67 der Stickereisaum
 - *band of embroidery*
68 Dame *f* [um 1880]
 - *lady [ca. 1880]*
69 die Turnüre (der Cul de Paris)
 - *bustle*
70 Dame *f* [um 1858]
 - *lady [ca. 1858]*

71 die Schute (der Schutenhut)
 - *poke bonnet*
72 der runde Reifrock (die Krinoline)
 - *crinoline*
73 Herr *m* der Biedermeierzeit
 - *gentleman of the Biedermeier period*
74 der hohe Kragen (Vatermörder)
 - *high collar (choker collar)*
75 die geblümte Weste
 - *embroidered waistcoat (vest)*
76 der Schoßrock
 - *frock coat*
77 die Zopfperücke
 - *pigtail wig*
78 das Zopfband (die Zopfschleife)
 - *ribbon (bow)*
79 Damen *f* im Hofkleid *n* [um 1780]
 - *ladies in court dress [ca. 1780]*
80 die Schleppe
 - *train*
81 die Rokokofrisur
 - *upswept Rococo coiffure*
82 der Haarschmuck
 - *hair decoration*
83 der flache Reifrock
 - *panniered overskirt*

1 das Freigehege (die Freianlage)
 – outdoor enclosure
2 der Naturfelsen
 – rocks
3 der Absperrgraben, ein Wassergraben *m*
 – moat
4 die Schutzmauer
 – enclosing wall
5 die gezeigten Tiere *n; hier:* ein
   Löwenrudel *n*
 – animals on show; here: a pride
   of lions
6 der Zoobesucher
 – visitor to the zoo
7 die Hinweistafel
 – notice
8 die Voliere (das Vogelgehege)
 – aviary
9 das Elefantengehege
 – elephant enclosure
10 das Tierhaus (z. B. Raubtierhaus,
   Giraffenhaus, Elefantenhaus, Affen-
   haus)
 – animal house (e.g. carnivore house,
   giraffe house, elephant house, monkey
   house)
11 der Außenkäfig (Sommerkäfig)
 – outside cage (summer quarters)
12 das Reptiliengehege
 – reptile enclosure
13 das Nilkrokodil
 – Nile crocodile

14 das Terra-Aquarium
 – terrarium and aquarium
15 der Glasschaukasten
 – glass case
16 die Frischluftzuführung
 – fresh-air inlet
17 der Luftabzug (die Entlüftung)
 – ventilator
18 die Bodenheizung
 – underfloor heating
19 das Aquarium
 – aquarium
20 die Erläuterungstafel
 – information plate
21 die Klimalandschaft
 – flora in artificially maintained
   climate

1-12 **Einzeller** m (Einzellige pl,
  Protozoen n, Urtierchen)
– **unicellular** (one-celled, single-celled)
  animals (protozoans)
1 die Amöbe (das Wechseltierchen),
  ein Wurzelfüßler m
– amoeba, a rhizopod
2 der Zellkern
– cell nucleus
3 das Protoplasma
– protoplasm
4 das Scheinfüßchen
– pseudopod
5 das Absonderungsbläschen (die pul-
  sierende Vakuole, eine Organelle)
– excretory vacuole (contractile vacuole,
  an organelle)
6 das Nahrungsbläschen (die
  Nahrungsvakuole)
– food vacuole
7 das Gittertierchen, ein Sonnen-
  tierchen n
– Actinophrys, a heliozoan
8 das Strahlentierchen (die Radiolarie);
  darg.: das Kieselsäureskelett
– radiolarian; here: siliceous skeleton
9 das Pantoffeltierchen, ein Wimper-
  infusorium n (Wimpertierchen)
– slipper animalcule, a Paramecium
  (ciliate infusorian)
10 die Wimper
– cilium
11 der Hauptkern (Großkern)
– macronucleus (meganucleus)
12 der Nebenkern (Kleinkern)
– micronucleus
3-39 **Vielzeller** m (Gewebetiere n,
  Metazoen)
– **multicellular animals** (metazoans)

13 der Badeschwamm, ein Schwamm-
  tier n (Schwamm m)
– bath sponge, a porifer (sponge)
14 die Meduse, eine Scheibenqualle
  (Schirmqualle, Qualle), ein
  Hohltier n
– medusa, a discomedusa,
  a coelenterate
15 der Schirm
– umbrella
16 der Fangarm (der od. das
  Tentakel)
– tentacle
17 die Edelkoralle, ein Korallentier n
  (Blumentier, Riffbildner m)
– red coral (precious coral), a coral
  animal (anthozoan, reef-building
  animal)
18 der Korallenstock
– coral colony
19 der Korallenpolyp
– coral polyp
20-26 Würmer m
– worms (Vermes)
20 der Blutegel, ein Ringelwurm m
  (Gliederwurm)
– leech, an annelid
21 die Saugscheibe
– sucker
22 der Spirographis, ein Borsten-
  wurm m
– Spirographis, a bristle worm
23 die Röhre
– tube
24 der große Regenwurm (Tauwurm,
  Pier)
– earthworm
25 das Körperglied (Segment)
– segment

26 das Clitellum [der Begattung
  dienende Region]
– clitellum [accessory reproductive
  organ]
27-36 **Weichtiere** n (Mollusken f)
– molluscs (Am. mollusks)
27 die Weinbergschnecke, eine
  Schnecke
– edible snail, a snail
28 der Kriechfuß
– creeping foot
29 die Schale (das Gehäuse,
  Schneckenhaus)
– shell (snail shell)
30 das Stielauge
– stalked eye
31 die Fühler m (die
  Fühlerpaare n)
– tentacles (feelers)
32 die Auster
– oyster
33 die Flußperlmuschel
– freshwater pearl mussel
34 die Perlmutter (das Perlmutt)
– mother-of-pearl (nacre)
35 die Perle
– pearl
36 die Muschelschale
– mussel shell
37 der gemeine Tintenfisch, ein
  Kopffüßer m
– cuttlefish, a cephalopod
38 u. 39 Stachelhäuter m
  (Echinodermen)
– echinoderms
38 der Seestern
– starfish (sea star)
39 der Seeigel
– sea urchin (sea hedgehog)

1 *u.* **2 Krebstiere** *n* (Krebse *m*,
Krustentiere *n*)
- *crustaceans*
1 die Wollhandkrabbe, eine Krabbe
- *mitten crab, a crab*
2 die Wasserassel
- *water slater*
3-39, 48-56 **Insekten** *n* (Kerbtiere,
Kerfe *m*)
- *insects*
3 die Seejungfer, ein Gleichflügler *m*,
eine Libelle (Wasserjungfer)
- *water nymph (dragonfly), a
homopteran (homopterous insect), a
dragonfly*
4 der Wasserskorpion, eine Wasser-
wanze, ein Schnabelkerf *m*
- *water scorpion (water bug), a
rhynchophore*
5 das Raubbein
- *raptorial leg*
6 die Eintagsfliege
- *mayfly (dayfly, ephemerid)*
7 das Facettenauge
- *compound eye*
8 das Grüne Heupferd (die Heuschrecke, der Heuspringer, Heu-
hüpfer, Grashüpfer), eine Spring-
heuschrecke, ein Geradflügler *m*
- *green grasshopper (green locust,
meadow grasshopper), an orthopteron
(orthopterous insect)*
9 die Larve
- *larva (grub)*
10 das geschlechtsreife Insekt, eine
Imago, ein Vollkerf *m*
- *adult insect, an imago*
11 das Springbein
- *leaping hind leg*
12 die Große Köcherfliege (eine
Köcherfliege, Wassermotte,
Frühlingsfliege, ein Haarflügler),
ein Netzflügler *m*
- *caddis fly (spring fly, water moth), a
neuropteran*
13 die Blattlaus (Röhrenlaus), eine
Pflanzenlaus
- *aphid (greenfly), a plant louse*
14 die ungeflügelte Blattlaus
- *wingless aphid*
15 die geflügelte Blattlaus
- *winged aphid*
16-20 **Zweiflügler** *m*
- *dipterous insects (dipterans)*
16 die Stechmücke (*obd.* Schnake,
österr. Gelse, der Moskito), eine
Mücke
- *gnat (mosquito, midge), a culicid*
17 der Stechrüssel
- *proboscis (sucking organ)*
18 die Schmeißfliege (der Brummer),
eine Fliege
- *bluebottle (blowfly), a fly*
19 die Made
- *maggot (larva)*
20 die Puppe
- *chrysalis (pupa)*

21-23 **Hautflügler** *m*
- *Hymenoptera*
21 *u.* **22** die Ameise
- *ant*
21 das geflügelte Weibchen
- *winged female*
22 der Arbeiter
- *worker*
23 die Hummel
- *bumblebee (humblebee)*
24-39 **Käfer** *m* (Deckflügler)
- *beetles (Coleoptera)*
24 der Hirschkäfer (*obd.* Schröter,
Feuerschröter, Hornschröter, *md.*
Hausbrenner, *schweiz.* Donnerkäfer,
österr. Schmidkäfer), ein Blatthornkäfer *m*
- *stag beetle, a lamellicorn beetle*
25 die Kiefer *m* (Zangen *f*)
- *mandibles*
26 die Freßwerkzeuge *n*
- *trophi*
27 der Fühler
- *antenna (feeler)*
28 der Kopf
- *head*
29 *u.* **30** die Brust (der Thorax)
- *thorax*
29 der Halsschild
- *thoracic shield (prothorax)*
30 das Schildchen
- *scutellum*
31 der Hinterleibsrücken
- *tergites*
32 die Atemöffnung
- *stigma*
33 der Flügel (Hinterflügel)
- *wing (hind wing)*
34 die Flügelader
- *nervure*
35 die Knickstelle
- *point at which the wing folds*
36 der Deckflügel (Vorderflügel)
- *elytron (forewing)*
37 der Siebenpunkt, ein Marienkäfer *m*
(Herrgottskäfer, Glückskäfer,
Sonnenkälbchen *n, md.* Gottes-
giebchen, *schweiz.* Frauenkäfer *m*)
- *ladybird (Am. ladybug), a coccinellid*
38 der Zimmermannsbock (Zimmer-
bock), ein Bockkäfer *m* (Bock)
- *Ergates faber, a longicorn beetle
(longicorn)*
39 der Mistkäfer, ein Blatthornkäfer *m*
- *dung beetle, a lamellicorn beetle*
40-47 **Spinnentiere** *n*
- *arachnids*
40 der Hausskorpion (Italienischer
Skorpion), ein Skorpion *m*
- *Euscorpius flavicandus, a scorpion*
41 das Greifbein mit Schere
- *cheliped with chelicer*
42 der Kieferfühler
- *maxillary antenna (maxillary
feeler)*
43 der Schwanzstachel
- *tail sting*

44-46 **Spinnen** *f* (*md.* Kanker *m*)
- *spiders*
44 der Holzbock (die Waldzecke,
Hundezecke), eine Milbe, Zecke
- *wood tick (dog tick)*
45 die Kreuzspinne (Gartenspinne),
eine Radnetzspinne
- *cross spider (garden spider), an orb
spinner*
46 die Spinndrüsenregion
- *spinneret*
47 das Spinngewebe (das Spinnennetz, *österr.* das Spinnweb)
- *spider's web (web)*
48-56 **Schmetterlinge** *m* (Falter)
- *Lepidoptera (butterflies and moths)*
48 der Maulbeerseidenspinner, ein
Seidenspinner *m*
- *mulberry-feeding moth (silk moth),
a bombycid moth*
49 die Eier *n*
- *eggs*
50 die Seidenraupe
- *silkworm*
51 der Kokon
- *cocoon*
52 der Schwalbenschwanz, ein
Edelfalter *m* (Ritter)
- *swallowtail, a butterfly*
53 der Fühler
- *antenna (feeler)*
54 der Augenfleck
- *eyespot*
55 der Ligusterschwärmer, ein
Schwärmer *m*
- *privet hawkmoth, a hawkmoth
(sphinx)*
56 der Rüssel
- *proboscis*

1-3 **Straußvögel** *m* (flugunfähige
Vögel *m*)
- *flightless birds*
1 der Helmkasuar, ein Kasuar *m;*
ähnl.: der Emu
- *cassowary;* sim.: *emu*
2 der Strauß
- *ostrich*
3 das Straußengelege [12-14 Eier *n*]
- *clutch of ostrich eggs [12 - 14 eggs]*
4 der Kaiserpinguin (Riesenpinguin),
ein Pinguin *m* (Flossentaucher,
Fettaucher; ein flugunfähiger Vogel)
- *king penguin, a penguin, a flightless
bird*
5-10 **Ruderfüßer** *m*
- *web-footed birds*
5 der Rosapelikan (Gemeine Pelikan,
Nimmersatt, die Kropfgans, Löffel-
gans, Meergans, Beutelgans), ein
Pelikan *m*
- *white pelican (wood stork, ibis, wood
ibis, spoonbill, brent goose, Am. brant
goose, brant), a pelican*
6 der Ruderfuß (Schwimmfuß)
- *webfoot (webbed foot)*
7 die Schwimmhaut
- *web (palmations) of webbed foot
(palmate foot)*
8 der Unterschnabel, mit dem
Kehlsack *m* (Hautsack)
- *lower mandible with gular pouch*
9 der Baßtölpel (Weiße Seerabe, die
Bassangans), ein Tölpel *m*
- *northern gannet (gannet, solan goose),
a gannet*
10 die Krähenscharbe, ein Kormoran *m*
(eine Scharbe), mit gespreizten
Flügeln *m* „posierend"
- *green cormorant (shag), a cormorant
displaying with spread wings*
11-14 **Langflügler** *m* (Seeflieger,
Meeresvögel)
- *long-winged birds (seabirds)*
11 die Zwergschwalbe (Kleine
Schwalbenmöwe), eine Seeschwalbe,
beim Tauchen *n* nach Nahrung *f*
- *common sea swallow, a sea swallow
(tern), diving for food*
12 der Eissturmvogel
- *fulmar*
13 die Trottellumme (Dumme Lumme,
das Dumme Tauchhuhn), eine
Lumme, ein Alk *m*
- *guillemot, an auk*
14 die Lachmöwe (Haffmöwe, Kirrmöwe, Fischmöwe, Speckmöwe, See-
krähe, der Mohrenkopf), eine Möwe
- *black-headed gull (mire crow), a gull*
15-17 **Gänsevögel** *m*
- *Anseres*
15 der Gänsesäger (Ganner, die
Sägegans, Sägeente, Schnarrgans),
ein Säger *m*
- *goosander (common merganser),
a sawbill*

16 der Höckerschwan (Wildschwan,
Stumme Schwan, *alem.* Elbs, Ölb),
ein Schwan *m*
- *mute swan, a swan*
17 der Schnabelhöcker
- *knob on the bill*
18 der Fischreiher (Graureiher, Kamm-
reiher), ein Reiher *m,* ein Storch-
vogel *m*
- *common heron, a heron*
19-21 **Regenpfeiferartige** *pl*
- *plovers*
19 der Stelzenläufer (Strandreiter, die
Storchschnepfe)
- *stilt (stilt bird, stilt plover)*
20 das Bleßhuhn (Wasserhuhn, Moor-
huhn, die Weißblässe, Bläßente),
eine Ralle
- *coot, a rail*
21 der Kiebitz (*nd.* Kiewitt)
- *lapwing (green plover, peewit, pewit)*
22 die Wachtel, ein Hühnervogel *m*
- *quail, a gallinaceous bird*
23 die Turteltaube, eine Taube
- *turtle dove, a pigeon*
24 der Mauersegler (Mauerhäkler, die
Mauerschwalbe, Kirchenschwalbe,
Turmschwalbe, Kreuzschwalbe),
ein Segler *m*
- *swift*
25 der Wiedehopf (Kuckucksküster,
Kuckucksknecht, Heervogel,
Wehrhahn, Dreckvogel, Kotvogel,
Stinkvogel), ein Ra[c]kenvogel
- *hoopoe, a roller*
26 der aufrichtbare Federschopf
- *erectile crest*
27 der Buntspecht (Rotspecht, Groß-
specht, Fleckspecht), ein Specht *m*
(Holzhacker); *verw.:* der Wendehals
(Drehhals, Drehvogel, Regenvogel)
- *spotted woodpecker, a woodpecker;
related: wryneck*
28 das Nestloch
- *entrance to the nest*
29 die Bruthöhle
- *nesting cavity*
30 der Kuckuck (Gauch, Gutzgauch)
- *cuckoo*

1, 3, 4, 5, 7, 9, 10 Singvögel *m*
- *songbirds*
1 der Stieglitz (Distelfink), ein Finken-
vogel *m*
- *goldfinch, a finch*
2 der Bienenfresser
- *bee eater*
3 das Gartenrotschwänzchen (Rotschwänzchen), ein Drosselvogel *m*
- *redstart (star finch), a thrush*
4 die Blaumeise, eine Meise, ein Stand-
vogel *m*
- *bluetit, a tit (titmouse), a resident bird*
(non-migratory bird)
5 der Gimpel (Dompfaff)
- *bullfinch*
6 die Blauracke (Mandelkrähe)
- *common roller (roller)*
7 der Pirol, ein Zugvogel *m*
- *golden oriole, a migratory bird*
8 der Eisvogel
- *kingfisher*
9 die Weiße Bachstelze, eine Stelze
- *white wagtail, a wagtail*
10 der Buchfink (Edelfink)
- *chaffinch*

1-20 Singvögel *m*
- **songbirds**
1-3 Rabenvögel *m* (Raben)
- **Corvidae** *(corvine birds, crows)*
1 der Eichelhäher (Eichelhabicht, Nuß-, Spiegelhäher, Holzschreier), ein Häher *m*
- *jay (nutcracker)*
2 die Saatkrähe (Feld-, Haferkrähe), eine Krähe
- *rook, a crow*
3 die Elster (Alster, Gartenkrähe, *schweiz.* Atzel)
- *magpie*
4 der Star (Rinderstar, Starmatz)
- *starling (pastor, shepherd bird)*
5 der Haussperling (Dach-, Kornsperling, Spatz)
- *house sparrow*
6-8 Finkenvögel *m*
- **finches**
6 *u.* **7** Ammern *f*
- *buntings*
6 die Goldammer (Gelbammer, der Kornvogel, Grünschling)
- *yellowhammer (yellow bunting)*
7 der Ortolan (Gärtner, die Garten-, Sommerammer)
- *ortolan (ortolan bunting)*

8 der Erlenzeisig (Erdfink, Strumpfwirker, Leineweber), ein Zeisig *m*
- *siskin (aberdevine)*
9 die Kohlmeise (Spiegel-, Rollmeise, der Schlosserhahn), eine Meise
- *great titmouse (great tit, ox eye), a titmouse (tit)*
10 das Wintergoldhähnchen (Safranköpfchen); *ähnl.:* das Sommergoldhähnchen (Goldköpfchen), ein Goldhähnchen *n* (Goldämmerchen, Sommerkönig *m*)
- *golden-crested wren (goldcrest); sim.: firecrest, one of the Regulidae*
11 der Kleiber (Blauspecht, Baumrutscher)
- *nuthatch*
12 der Zaunkönig (Zaunschlüpfer, Dorn-, Vogel-, Winterkönig)
- *wren*
13-17 Drosselvögel *m* (Drosseln *f*. Erdsänger *m*)
- **thrushes**
13 die Amsel (Schwarz-, Dreckamsel, Graudrossel, *schweiz.* Amstel)
- *blackbird*
14 die Nachtigall (Wassernachtigall, der Rotvogel, *dicht.* Philomele *f*)
- *nightingale (poet.: philomel, philomela)*

15 das Rotkehlchen (Rötel)
- *robin (redbreast, robin redbreast)*
16 die Singdrossel (Wald-, Weißdrossel, Zippe)
- *song thrush (throstle, mavis)*
17 der Sprosser (Sproßvogel)
- *thrush nightingale*
18 *u.* **19 Lerchen** *f*
- *larks*
18 die Heidelerche (Baum-, Steinlerche)
- *woodlark*
19 die Haubenlerche (Kamm-, Dreck-, Hauslerche)
- *crested lark (tufted lark)*
20 die Rauchschwalbe (Dorf-, Lehmschwalbe), eine Schwalbe
- *common swallow (barn swallow, chimney swallow), a swallow*

1-13 **Greifvögel** *m* (*früh.:* Tagraub-
vögel *m*)
- *diurnal birds of prey*
1-4 Falken *m*
- *falcons*
1 der Merlin (Zwergfalke)
- *merlin*
2 der Wanderfalke
- *peregrine falcon*
3 die „Hose" (Unterdeckfedern *f*,
das Schenkelgefieder)
- *leg feathers*
4 der Lauf
- *tarsus*
5-9 Adler *m*
- *eagles*
5 der Seeadler (Meeradler)
- *white-tailed sea eagle (white-tailed
eagle, grey sea eagle, erne)*
6 der Hakenschnabel
- *hooked beak*
7 der Fang
- *claw (talon)*
8 der Stoß (Schwanz)
- *tail*
9 der Mäusebussard (Mauser)
- *common buzzard*
10-13 Habichtartige *m*
- *accipiters*

10 der Habicht (Hühnerhabicht)
- *goshawk*
11 der Rote Milan (die Gabel-,
Königsweihe)
- *common European kite (glede, kite)*
12 der Sperber (Sperlingstößer)
- *sparrow hawk (spar-hawk)*
13 die Rohrweihe (Sumpf-, Rostweihe)
- *marsh harrier (moor buzzard, moor
harrier, moor hawk)*
14-19 **Eulen** *f*
- *owls*
14 die Waldohreule (Goldeule, der
Kleine Uhu)
- *long-eared owl (horned owl)*
15 der Uhu
- *eagle-owl (great horned owl)*
16 das Federohr
- *plumicorn (feathered ear, ear tuft,
ear, horn)*
17 die Schleiereule
- *barn owl (white owl, silver owl, yellow
owl, church owl, screech owl)*
18 der „Schleier" (Federkranz)
- *facial disc (disk)*
19 der Steinkauz (das Käuzchen, der
Totenvogel)
- *little owl (sparrow owl)*

1 der Gelbhaubenkakadu, ein Papa-
  geienvogel *m*
– *sulphur-crested cockatoo, a parrot*
2 der Ararauna
– *blue-and-yellow macaw*
3 der blaue Paradiesvogel
– *blue bird of paradise*
4 der Sappho-Kolibri
– *sappho*
5 der Kardinal
– *cardinal (cardinal bird)*
6 der Tukan (Rotschnabeltukan,
  Pfefferfresser), ein Spechtvogel *m*
– *toucan (red-billed toucan), one of the
  Piciformes*

1-18 Fische *m*
- *fishes*
1 der Menschenhai (Blauhai), ein Haifisch *m* (Hai)
 - *man-eater (blue shark, requin), a shark*
2 die Nase
 - *nose (snout)*
3 die Kiemenspalte
 - *gill slit (gill cleft)*
4 der Teichkarpfen (Flußkarpfen), ein Spiegelkarpfen *m* (Karpfen)
 - *carp, a mirror carp (carp)*
5 der Kiemendeckel
 - *gill cover (operculum)*
6 die Rückenflosse
 - *dorsal fin*
7 die Brustflosse
 - *pectoral fin*
8 die Bauchflosse
 - *pelvic fin (abdominal fin, ventral fin)*
9 die Afterflosse
 - *anal fin*
10 die Schwanzflosse
 - *caudal fin (tail fin)*
11 die Schuppe
 - *scale*
12 der Wels (Flußwels, Wallerfisch, Waller, Weller)
 - *catfish (sheatfish, sheathfish, wels)*
13 der Bartfaden
 - *barbel*
14 der Hering
 - *herring*
15 die Bachforelle (Steinforelle, Bergforelle), eine Forelle
 - *brown trout (German brown trout), a trout*
16 der Gemeine Hecht (Schnock, Wasserwolf)
 - *pike (northern pike)*
17 der Flußaal (Aalfisch, Aal)
 - *freshwater eel (eel)*
18 das Seepferdchen (der Hippokamp, Algenfisch)
 - *sea horse (Hippocampus, horsefish)*
19 die Büschelkiemen *f*
 - *tufted gills*
20-26 Lurche *m* (Amphibien *f*)
- *Amphibia (amphibians)*
20-22 Schwanzlurche *m*
 - *salamanders*
20 der Kammolch, ein Wassermolch *m*
 - *greater water newt (crested newt), a water newt*
21 der Rückenkamm
 - *dorsal crest*
22 der Feuersalamander, ein Salamander *m*
 - *fire salamander, a salamander*
23-26 Froschlurche *m*
 - *salientians (anurans, batrachians)*
23 die Erdkröte, eine Kröte (*nd.* Padde, *obd.* ein Protz *m*)
 - *European toad, a toad*
24 der Laubfrosch
 - *tree frog (tree toad)*

25 die Schallblase
 - *vocal sac (vocal pouch, croaking sac)*
26 die Haftscheibe
 - *adhesive disc (disk)*
27-41 Kriechtiere *n* (Reptilien)
- *reptiles*
27 *u.* 30-37 **Echsen** *f*
 - *lizards*
27 die Zauneidechse
 - *sand lizard*
28 die Karettschildkröte
 - *hawksbill turtle (hawksbill)*
29 der Rückenschild
 - *carapace (shell)*
30 der Basilisk
 - *basilisk*
31 der Wüstenwaran, ein Waran *m*
 - *desert monitor, a monitor lizard (monitor)*
32 der Grüne Leguan, ein Leguan *m*
 - *common iguana, an iguana*
33 das Chamäleon, ein Wurmzüngler *m*
 - *chameleon, one of the Chamaeleontidae (Rhiptoglossa)*
34 der Klammerfuß
 - *prehensile foot*
35 der Rollschwanz
 - *prehensile tail*
36 der Mauergecko, ein Gecko *m* (Haftzeher)
 - *wall gecko, a gecko*
37 die Blindschleiche, eine Schleiche
 - *slowworm (blindworm), one of the Anguidae*
38-41 Schlangen *f*
- *snakes*
38 die Ringelnatter, eine Natter (eine Schwimmnatter; Wassernatter; Wasserschlange)
 - *ringed snake (ring snake, water snake, grass snake), a colubrid*
39 die Mondflecken *m*
 - *collar*
40 *u.* 41 Vipern *f* (Ottern)
 - *vipers (adders)*
40 die Kreuzotter (Otter, Höllennatter), eine Giftschlange
 - *common viper, a poisonous (venomous) snake*
41 die Aspisviper
 - *asp (asp viper)*

1-6 Tagfalter *m*
– *butterflies*
1 der Admiral
– *red admiral*
2 das Tagpfauenauge
– *peacock butterfly*
3 der Aurorafalter
– *orange tip (orange tip butterfly)*
4 der Zitronenfalter
– *brimstone (brimstone butterfly)*
5 der Trauermantel
– *Camberwell beauty (mourning cloak,
mourning cloak butterfly)*
6 der Bläuling
– *blue (lycaenid butterfly, lycaenid)*
7-11 Nachtfalter *m*
(Nachtschmetterlinge)
– *moths (Heterocera)*
7 der Braune Bär
– *garden tiger*
8 das Rote Ordensband
– *red underwing*
9 der Totenkopf (Totenkopf-
schwärmer), ein Schwärmer *m*
– *death's-head moth (death's-head
hawkmoth), a hawkmoth (sphinx)*
10 die Raupe
– *caterpillar*
11 die Puppe
– *chrysalis (pupa)*

1 das Schnabeltier, ein Kloakentier *n*
(Eileger *m*)
- *platypus (duck-bill, duck-mole), a*
monotreme (oviparous mammal)
2 *u.* 3 **Beuteltiere** *n*
- **marsupial mammals** *(marsupials)*
2 das Nordamerikanische Opossum,
eine Beutelratte
- *New World opossum, a didelphid*
3 das Rote Riesenkänguruh, ein
Känguruh *n*
- *red kangaroo (red flyer), a kangaroo*
4-7 **Insektenfresser** *m* (Kerbtierfresser)
- **insectivores** *(insect-eating mammals)*
4 der Maulwurf
- *mole*
5 der Igel
- *hedgehog*
6 der Stachel
- *spine*
7 die Hausspitzmaus, eine Spitzmaus
- *shrew (shrew mouse), one of the*
Soricidae
8 das Neunbindengürteltier
- *nine-banded armadillo (peba)*
9 die Ohrenfledermaus, eine Glattnase,
ein Flattertier *n* (eine Fledermaus)
- *long-eared bat (flitter-mouse), a flying*
mammal (chiropter, chiropteran)
10 das Steppenschuppentier, ein
Schuppentier *n*
- *pangolin (scaly ant-eater), a scaly*
mammal
11 das Zweizehenfaultier
- *two-toed sloth (unau)*
12-19 **Nagetiere** *n*
- **rodents**
12 das Meerschweinchen
- *guinea pig (cavy)*
13 das Stachelschwein
- *porcupine*
14 die Biberratte
- *beaver*
15 die Wüstenspringmaus
- *jerboa*
16 der Hamster
- *hamster*
17 die Wühlmaus
- *water vole*
18 das Murmeltier
- *marmot*
19 das Eichhörnchen
- *squirrel*
20 der Afrikanische Elefant, ein
Rüsseltier *n*
- *African elephant, a proboscidean*
(proboscidian)
21 der Rüssel
- *trunk (proboscis)*
22 der Stoßzahn
- *tusk*
23 der Lamantin, eine Sirene
- *manatee (manati, lamantin),*
a sirenian

24 der südafrikanische Klippschliefer,
ein Schliefer *m* (Klippdachs)
- *South African dassie (das, coney,*
hyrax), a procaviid
25-31 **Huftiere** *n*
- **ungulates**
25-27 **Unpaarhufer** *m*
- **odd-toed ungulates**
25 das Spitzmaulnashorn, ein
Nashorn *n*
- *African black rhino, a rhinoceros*
(nasicorn)
26 der Flachlandtapir, ein Tapir *m*
- *Brazilian tapir, a tapir*
27 das Zebra
- *zebra*
28-31 **Paarhufer** *m*
- **even-toed ungulates**
28-30 **Wiederkäuer** *m*
- **ruminants**
28 das Lama
- *llama*
29 das Trampeltier (zweihöckrige
Kamel)
- *Bactrian camel (two-humped*
camel)
30 der Guanako
- *guanaco*
31 das Nilpferd
- *hippopotamus*

1-10 **Huftiere** *n*, Wiederkäuer *m*
– **ungulates, ruminants**
1 der Elch
– *elk (moose)*
2 der Wapiti
– *wapiti (Am. elk)*
3 die Gemse (Gams)
– *chamois*
4 die Giraffe
– *giraffe*
5 die Hirschziegenantilope, eine
Antilope
– *black buck, an antelope*
6 das Mufflon
– *mouflon (moufflon)*
7 der Steinbock
– *ibex (rock goat, bouquetin, steinbock)*
8 der Hausbüffel
– *water buffalo (Indian buffalo, water
ox)*
9 der Bison
– *bison*
10 der Moschusochse
– *musk ox*
11-22 **Raubtiere** *n*
– **carnivores** *(beasts of prey)*
11-13 **Hundeartige** *pl*
– **Canidae**
11 der Schabrackenschakal (Schakal)
– *black-backed jackal (jackal)*
12 der Rotfuchs
– *red fox*
13 der Wolf
– *wolf*
14-17 **Marder** *m*
– **martens**
14 der Steinmarder
– *stone marten (beach marten)*
15 der Zobel
– *sable*
16 das Wiesel
– *weasel*
17 der Seeotter, ein Otter *m*
– *sea otter, an otter*
18-22 **Robben** *f* (Flossenfüßler *m*)
– **seals** *(pinnipeds)*
18 der Seebär (die Bärenrobbe)
– *fur seal (sea bear, ursine seal)*
19 der Seehund
– *common seal (sea calf, sea dog)*
20 das Polarmeerwalroß
– *walrus (morse)*
21 das Barthaar
– *whiskers*
22 der Hauer
– *tusk*
23-29 **Wale** *m*
– **whales**
23 der Tümmler
– *bottle-nosed dolphin (bottle-nose
dolphin)*
24 der Gemeine Delphin
– *common dolphin*
25 der Pottwal
– *sperm whale (cachalot)*
26 das Atemloch
– *blowhole (spout hole)*

27 die Fettflosse
– *dorsal fin*
28 die Brustflosse
– *flipper*
29 die Schwanzflosse
– *tail flukes (tail)*

1-11 Raubtiere *n*
- **carnivores** *(beasts of prey)*
1 die Streifenhyäne, eine Hyäne
- *striped hyena, a hyena*
2-8 Katzen *f*
- **felines** *(cats)*
2 der Löwe
- *lion*
3 die Mähne (Löwenmähne)
- *mane (lion's mane)*
4 die Tatze
- *paw*
5 der Tiger
- *tiger*
6 der Leopard
- *leopard*
7 der Gepard
- *cheetah (hunting leopard)*
8 der Luchs
- *lynx*
9-11 Bären *m*
- **bears**
9 der Waschbär
- *raccoon (racoon,* Am. *coon)*
10 der Braunbär
- *brown bear*
11 der Eisbär
- *polar bear (white bear)*
12-16 Herrentiere *n*
- **primates**
12 *u.* 13 Affen *m*
- *monkeys*
12 der Rhesusaffe
- *rhesus monkey (rhesus, rhesus macaque)*
13 der Pavian
- *baboon*
14-16 Menschenaffen *m*
- **anthropoids** *(anthropoid apes, great apes)*
14 der Schimpanse
- *chimpanzee*
15 der Orang-Utan
- *orang-utan (orang-outan)*
16 der Gorilla
- *gorilla*

1 Gigantocypris agassizi (der Riesen-
muschelkrebs)
- *Gigantocypris agassizi*

2 Eupharynx pelecanoides (der
Pelikanaal)
- *Eupharynx pelecanoides (pelican eel,
pelican fish)*

3 Metacrinus (der Haarstern), eine
Seelilie, ein Stachelhäuter *m*
- *Metacrinus (feather star), a sea lily,
an echinoderm*

4 Lycoteuthis diadema (die Wunder-
lampe), ein Tintenfisch *m* [leuchtend]
- *Lycoteuthis diadema (jewelled squid),
a cuttlefish [luminescent]*

5 Atolla, eine Tiefseemeduse, ein
Hohltier *n*
- *Atolla, a deep-sea medusa, a
coelenterate*

6 Melanocetes, ein Armflosser *m*
[leuchtend]
- *Melanocetes, a pediculate
[luminescent]*

7 Lophocalyx philippensis, ein
Glasschwamm *m*
- *Lophocalyx philippensis, a glass
sponge*

8 Mopsea, eine Hornkoralle
[Kolonie *f*]
- *Mopsea, a sea fan [colony]*

9 Hydrallmania, ein Hydroidpolyp *m*,
ein Polyp *m*, ein Hohltier *n*
[Kolonie *f*]
- *Hydrallmania, a hydroid polyp, a
coelenterate [colony]*

10 Malacosteus indicus, ein Großmünder *n* [leuchtend]
- *Malacosteus indicus, a stomiatid
[luminescent]*

11 Brisinga endecacnemos, ein
Schlangenstern *m*, ein Stachelhäuter *m*
[nur gereizt leuchtend]
- *Brisinga endecacnemos, a sand star
(brittle star), an echinoderm
[luminescent only when stimulated]*

12 Pasiphaea, eine Garnele, ein
Krebs *m*
- *Pasiphaea, a shrimp, a crustacean*

13 Echiostoma, ein Großmünder *n*, ein
Fisch *m* [leuchtend]
- *Echiostoma, a stomiatid, a fish
[luminescent]*

14 Umbellula encrinus, eine Seefeder,
ein Hohltier *n* [Kolonie *f* leuchtend]
- *Umbellula encrinus, a sea pen (sea
feather), a coelenterate [colony,
luminescent]*

15 Polycheles, ein Krebs *m*
- *Polycheles, a crustacean*

16 Lithodes, ein Krebs *m*, eine Krabbe
- *Lithodes, a crustacean, a crab*

17 Archaster, ein Seestern *m*, ein
Stachelhäuter *m*
- *Archaster, a starfish (sea star),
an echinoderm*

18 Oneirophanta, eine Seegurke, ein
Stachelhäuter *m*
- *Oneirophanta, a sea cucumber, an
echinoderm*

19 Palaeopneustes niasicus, ein Seeigel *m*, ein Stachelhäuter *m*
- *Palaeopneustes niasicus, a sea urchin
(sea hedgehog), an echinoderm*

20 Chitonactis, eine Seeanemone, ein
Hohltier *n*
- *Chitonactis, a sea anemone (actinia),
a coelenterate*

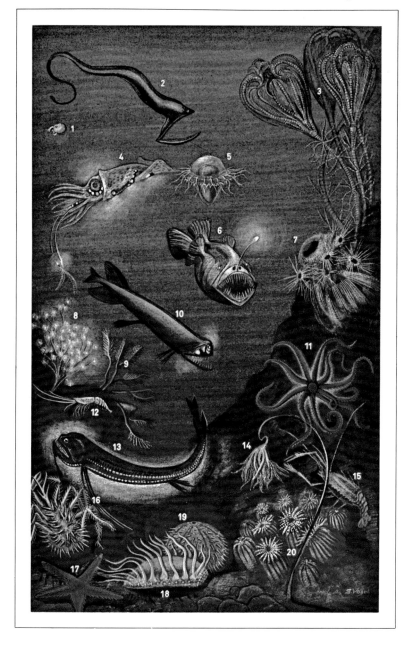

1 der Baum
- *tree*
2 der Baumstamm (Stamm)
- *bole (tree trunk, trunk, stem)*
3 die Baumkrone
- *crown of tree (crown)*
4 der Wipfel
- *top of tree (treetop)*
5 der Ast
- *bough (limb, branch)*
6 der Zweig
- *twig (branch)*
7 der Baumstamm [Querschnitt]
- *bole (tree trunk) [cross section]*
8 die Rinde (Borke)
- *bark (rind)*
9 der Bast
- *phloem (bast sieve tissue, inner fibrous bark)*
10 das Kambium (der Kambiumring)
- *cambium (cambium ring)*
11 die Markstrahlen *m*
- *medullary rays (vascular rays, pith rays)*
12 das Splintholz
- *sapwood (sap, alburnum)*
13 das Kernholz
- *heartwood (duramen)*
14 das Mark
- *pith*
15 **die Pflanze**
- ***plant***
16-18 die Wurzel
- *root*
16 die Hauptwurzel
- *primary root*
17 die Nebenwurzel (Seitenwurzel)
- *secondary root*
18 das Wurzelhaar
- *root hair*
19-25 der Sproß
- *shoot (sprout)*
19 das Blatt
- *leaf*
20 der Stengel
- *stalk*
21 der Seitensproß
- *side shoot (offshoot)*
22 die Endknospe
- *terminal bud*
23 die Blüte
- *flower*
24 die Blütenknospe
- *flower bud*
25 die Blattachsel, mit der Achselknospe
- *leaf axil with axillary bud*
26 **das Blatt**
- ***leaf***
27 der Blattstiel (Stiel)
- *leaf stalk (petiole)*
28 die Blattspreite (Spreite)
- *leaf blade (blade, lamina)*
29 die Blattaderung
- *venation (veins, nervures, ribs)*
30 die Blattrippe
- *midrib (nerve)*
31-38 Blattformen *f*
- *leaf shapes*
31 linealisch
- *linear*
32 lanzettlich
- *lanceolate*
33 rund
- *orbicular (orbiculate)*
34 nadelförmig
- *acerose (acerous, acerate, acicular, needle-shaped)*
35 herzförmig
- *cordate*

36 eiförmig
- *ovate*
37 pfeilförmig
- *sagittate*
38 nierenförmig
- *reniform*
39-42 geteilte Blätter *n*
- *compound leaves*
39 gefingert
- *digitate (digitated, palmate, quinquefoliolate)*
40 fiederteilig
- *pinnatifid*
41 paarig gefiedert
- *abruptly pinnate*
42 unpaarig gefiedert
- *odd-pinnate*
43-50 Blattrandformen *f*
- *leaf margin shapes*
43 ganzrandig
- *entire*
44 gesägt
- *serrate (serrulate, saw-toothed)*
45 doppelt gesägt
- *doubly toothed*
46 gekerbt
- *crenate*
47 gezähnt
- *dentate*
48 ausgebuchtet
- *sinuate*
49 gewimpert
- *ciliate (ciliated)*
50 die Wimper
- *cilium*
51 **die Blüte**
- ***flower***
52 der Blütenstiel
- *flower stalk (flower stem, scape)*
53 der Blütenboden
- *receptacle (floral axis, thalamus, torus)*
54 der Fruchtknoten
- *ovary*
55 der Griffel
- *style*
56 die Narbe
- *stigma*
57 das Staubblatt
- *stamen*
58 das Kelchblatt
- *sepal*
59 das Kronblatt
- *petal*
60 Fruchtknoten *m* und Staubblatt *n* [Schnitt]
- *ovary and stamen [section]*
61 die Fruchtknotenwand
- *ovary wall*
62 die Fruchtknotenhöhle
- *ovary cavity*
63 die Samenanlage
- *ovule*
64 der Embryosack
- *embryo sac*
65 der Pollen (Blütenstaub)
- *pollen*
66 der Pollenschlauch
- *pollen tube*
67-77 Blütenstände *m*
- *inflorescences*
67 die Ähre
- *spike (racemose spike)*
68 die geschlossene Traube
- *raceme (simple raceme)*
69 die Rispe
- *panicle*
70 die Trugdolde
- *cyme*

71 der Kolben
- *spadix (fleshy spike)*
72 die Dolde
- *umbel (simple umbel)*
73 das Köpfchen
- *capitulum*
74 das Körbchen
- *composite head (discoid flower head)*
75 der Blütenkrug
- *hollow flower head*
76 die Schraubel
- *bostryx (helicoid cyme)*
77 der Wickel
- *cincinnus (scorpioid cyme, curled cyme)*
78-82 Wurzeln *f*
- *roots*
78 die Adventivwurzeln *f*
- *adventitious roots*
79 die Speicherwurzel
- *tuber (tuberous root, swollen taproot)*
80 die Kletterwurzeln *f*
- *adventitious roots (aerial roots)*
81 die Wurzeldornen *m*
- *root thorns*
82 die Atemwurzeln *f*
- *pneumatophores*
83-85 der Grashalm
- *blade of grass*
83 die Blattscheide
- *leaf sheath*
84 das Blatthäutchen
- *ligule (ligula)*
85 die Blattspreite
- *leaf blade (lamina)*
86 der Keimling
- *embryo (seed, germ)*
87 das Keimblatt
- *cotyledon (seed leaf, seed lobe)*
88 die Keimwurzel
- *radicle*
89 die Keimsproßachse
- *hypocotyl*
90 die Blattknospe
- *plumule (leaf bud)*
91-102 Früchte *f*
- *fruits*
91-96 Öffnungsfrüchte *f*
- *dehiscent fruits*
91 die Balgfrucht
- *follicle*
92 die Hülse
- *legume (pod)*
93 die Schote
- *siliqua (pod)*
94 die Spaltkapsel
- *schizocarp*
95 die Deckelkapsel
- *pyxidium (circumcissile seed vessel)*
96 die Porenkapsel
- *poricidal capsule (porose capsule)*
97-102 Schließfrüchte *f*
- *indehiscent fruits*
97 die Beere
- *berry*
98 die Nuß
- *nut*
99 die Steinfrucht (Kirsche)
- *drupe (stone fruit) (cherry)*
100 die Sammelnußfrucht (Hagebutte)
- *aggregate fruit (compound fruit) (rose hip)*
101 die Sammelsteinfrucht (Himbeere)
- *aggregate fruit (compound fruit) (raspberry)*
102 die Sammelbalgfrucht (Apfel *m*)
- *pome (apple)*

371 Laubhölzer

Deciduous Trees

1-73 Laubbäume *m*
- *deciduous trees*
1 die Eiche
- *oak (oak tree)*
2 der Blütenzweig
- *flowering branch*
3 der Fruchtzweig
- *fruiting branch*
4 die Frucht (Eichel)
- *fruit (acorn)*
5 der Becher (die Cupula)
- *cupule (cup)*
6 die weibliche Blüte
- *female flower*
7 die Braktee
- *bract*
8 der männliche Blütenstand
- *male inflorescence*
9 die Birke
- *birch (birch tree)*
10 der Zweig mit Kätzchen *n*,
ein Blütenzweig *m*
- *branch with catkins, a flowering branch*
11 der Fruchtzweig
- *fruiting branch*
12 die Fruchtschuppe
- *scale (catkin scale)*
13 die weibliche Blüte
- *female flower*
14 die männliche Blüte
- *male flower*
15 die Pappel
- *poplar*
16 der Blütenzweig
- *flowering branch*
17 die Blüte
- *flower*
18 der Fruchtzweig
- *fruiting branch*
19 die Frucht
- *fruit*
20 der Samen
- *seed*
21 das Blatt der Zitterpappel (Espe)
- *leaf of the aspen (trembling poplar)*
22 der Fruchtstand
- *infructescence*
23 das Blatt der Silberpappel
- *leaf of the white poplar (silver poplar, silverleaf)*
24 die Salweide
- *sallow (goat willow)*
25 der Zweig mit den Blütenknospen *f*
- *branch with flower buds*
26 das Blütenkätzchen mit Einzelblüte *f*
- *catkin with single flower*
27 der Blattzweig
- *branch with leaves*
28 die Frucht
- *fruit*
29 der Blattzweig der Korbweide
- *osier branch with leaves*
30 die Erle
- *alder*
31 der Fruchtzweig
- *fruiting branch*

32 der Blütenzweig mit vorjährigem Zapfen *m*
- *branch with previous year's cone*
33 die Buche
- *beech (beech tree)*
34 der Blütenzweig
- *flowering branch*
35 die Blüte
- *flower*
36 der Fruchtzweig
- *fruiting branch*
37 die Ecker (Buchenfrucht)
- *beech nut*
38 die Esche
- *ash (ash tree)*
39 der Blütenzweig
- *flowering branch*
40 die Blüte
- *flower*
41 der Fruchtzweig
- *fruiting branch*
42 die Eberesche
- *mountain ash (rowan, quickbeam)*
43 der Blütenstand
- *inflorescence*
44 der Fruchtstand
- *infructescence*
45 die Frucht [Längsschnitt]
- *fruit [longitudinal section]*
46 die Linde
- *lime (lime tree, linden, linden tree)*
47 der Fruchtzweig
- *fruiting branch*
48 der Blütenstand
- *inflorescence*
49 die Ulme (Rüster)
- *elm (elm tree)*
50 der Fruchtzweig
- *fruiting branch*
51 der Blütenzweig
- *flowering branch*
52 die Blüte
- *flower*
53 der Ahorn
- *maple (maple tree)*
54 der Blütenzweig
- *flowering branch*
55 die Blüte
- *flower*
56 der Fruchtzweig
- *fruiting branch*
57 der Ahornsamen mit Flügel *m*
- *maple seed with wings (winged maple seed)*
58 die Roßkastanie
- *horse chestnut (horse chestnut tree, chestnut, chestnut tree, buckeye)*
59 der Zweig mit jungen Früchten *f*
- *branch with young fruits*
60 die Kastanie (der Kastaniensamen)
- *chestnut (horse chestnut)*
61 die reife Frucht
- *mature (ripe) fruit*
62 die Blüte [Längsschnitt]
- *flower [longitudinal section]*
63 die Hainbuche (Weißbuche)
- *hornbeam (yoke elm)*

64 der Fruchtzweig
- *fruiting branch*
65 der Samen
- *seed*
66 der Blütenzweig
- *flowering branch*
67 die Platane
- *plane (plane tree)*
68 das Blatt
- *leaf*
69 der Fruchtstand und die Frucht
- *infructescence and fruit*
70 die Robinie
- *false acacia (locust tree)*
71 der Blütenzweig
- *flowering branch*
72 Teil *m* des Fruchtstandes *m*
- *part of the infructescence*
73 der Blattansatz mit Nebenblättern *n*
- *base of the leaf stalk with stipules*

1-71 Nadelbäume *m* (Koniferen *f*)
- *coniferous trees (conifers)*
1 die Edeltanne (Weißtanne)
- *silver fir (European silver fir, common silver fir)*
2 der Tannenzapfen, ein Fruchtzapfen *m*
- *fir cone, a fruit cone*
3 die Zapfenachse
- *cone axis*
4 der weibliche Blütenzapfen
- *female flower cone*
5 die Deckschuppe
- *bract scale (bract)*
6 der männliche Blütensproß
- *male flower shoot*
7 das Staubblatt
- *stamen*
8 die Zapfenschuppe
- *cone scale*
9 der Samen mit Flügel *m*
- *seed with wing (winged seed)*
10 der Samen [Längsschnitt]
- *seed [longitudinal section]*
11 die Tannennadel (Nadel)
- *fir needle (needle)*
12 die Fichte
- *spruce (spruce fir)*
13 der Fichtenzapfen
- *spruce cone*
14 die Zapfenschuppe
- *cone scale*
15 der Samen
- *seed*
16 der weibliche Blütenzapfen
- *female flower cone*
17 der männliche Blütenstand
- *male inflorescence*
18 das Staubblatt
- *stamen*
19 die Fichtennadel
- *spruce needle*
20 die Kiefer (Gemeine Kiefer, Föhre)
- *pine (Scots pine)*
21 die Zwergkiefer
- *dwarf pine*
22 der weibliche Blütenzapfen
- *female flower cone*
23 der zweinadlige Kurztrieb
- *short shoot with bundle of two leaves*
24 die männlichen Blütenstände *m*
- *male inflorescences*
25 der Jahrestrieb
- *annual growth*
26 der Kiefernzapfen
- *pine cone*
27 die Zapfenschuppe
- *cone scale*
28 der Samen
- *seed*
29 der Fruchtzapfen der Zirbelkiefer
- *fruit cone of the arolla pine (Swiss stone pine)*
30 der Fruchtzapfen der Weymouthskiefer (Weimutskiefer)
- *fruit cone of the Weymouth pine (white pine)*

31 der Kurztrieb [Querschnitt]
- *short shoot [cross section]*
32 die Lärche
- *larch*
33 der Blütenzweig
- *flowering branch*
34 die Schuppe des weiblichen Blütenzapfens *m*
- *scale of the female flower cone*
35 der Staubbeutel
- *anther*
36 der Zweig mit Lärchenzapfen *m* (Fruchtzapfen)
- *branch with larch cones (fruit cones)*
37 der Samen
- *seed*
38 die Zapfenschuppe
- *cone scale*
39 der Lebensbaum
- *arbor vitae (tree of life, thuja)*
40 der Fruchtzweig
- *fruiting branch*
41 der Fruchtzapfen
- *fruit cone*
42 die Schuppe
- *scale*
43 der Zweig mit männlichen und weiblichen Blüten *f*
- *branch with male and female flowers*
44 der männliche Sproß
- *male shoot*
45 die Schuppe, mit Pollensäcken *m*
- *scale with pollen sacs*
46 der weibliche Sproß
- *female shoot*
47 der Wacholder
- *juniper (juniper tree)*
48 der weibliche Sproß [Längsschnitt]
- *female shoot [longitudinal section]*
49 der männliche Sproß
- *male shoot*
50 die Schuppe, mit Pollensäcken *m*
- *scale with pollen sacs*
51 der Fruchtzweig
- *fruiting branch*
52 die Wacholderbeere (Krammetsbeere)
- *juniper berry*
53 die Frucht [Querschnitt]
- *fruit [cross section]*
54 der Samen
- *seed*
55 die Pinie
- *stone pine*
56 der männliche Sproß
- *male shoot*
57 der Fruchtzapfen mit Samen [Längsschnitt]
- *fruit cone with seeds [longitudinal section]*
58 die Zypresse
- *cypress*
59 der Fruchtzweig
- *fruiting branch*
60 der Samen
- *seed*

61 die Eibe
- *yew (yew tree)*
62 männlicher Blütensproß und weiblicher Blütenzapfen
- *male flower shoot and female flower cone*
63 der Fruchtzweig
- *fruiting branch*
64 die Frucht
- *fruit*
65 die Zeder
- *cedar (cedar tree)*
66 der Fruchtzweig
- *fruiting branch*
67 die Fruchtschuppe
- *fruit scale*
68 männlicher Blütensproß und weiblicher Blütenzapfen
- *male flower shoot and female flower cone*
69 der Mammutbaum
- *mammoth tree (Wellingtonia, sequoia)*
70 der Fruchtzweig
- *fruiting branch*
71 der Samen
- *seed*

1 die Forsythie
 - *forsythia*
2 der Fruchtknoten und das Staubblatt
 - *ovary and stamen*
3 das Blatt
 - *leaf*
4 der Gelbblühende Jasmin
 - *yellow-flowered jasmine (jasmin, jessamine)*
5 die Blüte [Längsschnitt] mit Griffel *m*, Fruchtknoten *m* und Staubblättern *n*
 - *flower [longitudinal section] with styles, ovaries, and stamens*
6 der Gemeine Liguster
 - *privet (common privet)*
7 die Blüte
 - *flower*
8 der Fruchtstand
 - *infructescence*
9 der Wohlriechende Pfeifenstrauch
 - *mock orange (sweet syringa)*
10 der Gemeine Schneeball
 - *snowball (snowball bush, guelder rose)*
11 die Blüte
 - *flower*
12 die Früchte *f*
 - *fruits*
13 der Oleander
 - *oleander (rosebay, rose laurel)*
14 die Blüte [Längsschnitt]
 - *flower [longitudinal section]*
15 die Rote Magnolie
 - *red magnolia*
16 das Blatt
 - *leaf*
17 die Japanische Quitte
 - *japonica (japanese quince)*
18 die Frucht
 - *fruit*
19 der Gemeine Buchsbaum
 - *common box (box, box tree)*
20 die weibliche Blüte
 - *female flower*
21 die männliche Blüte
 - *male flower*
22 die Frucht [Längsschnitt]
 - *fruit [longitudinal section]*
23 die Weigelie
 - *weigela (weigelia)*
24 die Palmlilie [Teil *m* des Blütenstands *m*]
 - *yucca [part of the inflorescence]*
25 das Blatt
 - *leaf*
26 die Hundsrose
 - *dog rose (briar rose, wild briar)*
27 die Frucht
 - *fruit*
28 die Kerrie
 - *kerria*
29 die Frucht
 - *fruit*
30 die Rotästige Kornelkirsche
 - *cornelian cherry*
31 die Blüte
 - *flower*
32 die Frucht (Kornelkirsche, Kornelle)
 - *fruit (cornelian cherry)*
33 der Echte Gagel
 - *sweet gale (gale)*

1 der Gemeine Tulpenbaum
- *tulip tree (tulip poplar, saddle tree,*
  whitewood)
2 die Fruchtblätter *n*
- *carpels*
3 das Staubblatt
- *stamen*
4 die Frucht
- *fruit*
5 der Ysop
- *hyssop*
6 die Blüte [von vorn]
- *flower [front view]*
7 die Blüte
- *flower*
8 der Kelch mit Frucht *f*
- *calyx with fruit*
9 der Gemeine Hülsstrauch
  (die Stechpalme)
- *holly*
10 die Zwitterblüte
- *androgynous (hermaphroditic,*
  hermaphrodite) flower
11 die männliche Blüte
- *male flower*
12 die Frucht mit bloßgelegten
   Steinen *m*
- *fruit with stones exposed*
13 das Echte Geißblatt
   (Jelängerjelieber *m* od. *n*)
- *honeysuckle (woodbine, woodbind)*
14 die Blütenknospen *f*
- *flower buds*
15 die Blüte [aufgeschnitten]
- *flower [cut open]*
16 die Gemeine Jungfernrebe
   (der Wilde Wein)
- *Virginia creeper (American ivy,*
  woodbine)
17 die geöffnete Blüte
- *open flower*
18 der Fruchtstand
- *infructescence*
19 die Frucht [Längsschnitt]
- *fruit [longitudinal section]*
20 der Echte Besenginster
- *broom*
21 die Blüte nach Entfernung *f* der
   Blumenblätter *n*
- *flower with the petals removed*
22 die unreife Hülse
- *immature (unripe) legume (pod)*
23 der Spierstrauch (die Spiräe)
- *spiraea*
24 die Blüte [Längsschnitt]
- *flower [longitudinal section]*
25 die Frucht
- *fruit*
26 das Fruchtblatt
- *carpel*
27 die Schlehe (der Schwarzdorn,
   Schlehdorn)
- *blackthorn (sloe)*
28 die Blätter *n*
- *leaves*
29 die Früchte *f*
- *fruits*

30 der Eingriffelige Weißdorn
- *single-pistilled hawthorn (thorn, may)*
31 die Frucht
- *fruit*
32 der Goldregen
- *laburnum (golden chain, golden rain)*
33 die Blütentraube
- *raceme*
34 die Früchte *f*
- *fruits*
35 der Schwarze Holunder (Holunder-
   busch, Holderbusch, Holder, Holler)
- *black elder (elder)*
36 die Holunderblüten *f* (Holderblüten,
   Hollerblüten), Blütentrugdolden *f*
- *elder flowers*
37 die Holunderbeeren *f* (Holderbee-
   ren, Hollerbeeren)
- *elderberries*

1 der Rundblätterige Steinbrech
- *rotundifoliate (rotundifolious) saxifrage (rotundifoliate breakstone)*
2 das Blatt
- *leaf*
3 die Blüte
- *flower*
4 die Frucht
- *fruit*
5 die Gemeine Kuhschelle
- *anemone (windflower)*
6 die Blüte [Längsschnitt]
- *flower [longitudinal section]*
7 die Frucht
- *fruit*
8 der Scharfe Hahnenfuß
- *buttercup (meadow buttercup, butterflower, goldcup, king cup, crowfoot)*
9 das Grundblatt
- *basal leaf*
10 die Frucht
- *fruit*
11 das Wiesenschaumkraut
- *lady's smock (ladysmock, cuckoo flower)*
12 das grundständige Blatt
- *basal leaf*
13 die Frucht
- *fruit*
14 die Glockenblume
- *harebell (hairbell, bluebell)*
15 das Grundblatt
- *basal leaf*
16 die Blüte [Längsschnitt]
- *flower [longitudinal section]*
17 die Frucht
- *fruit*
18 die Efeublätterige Gundelrebe (der Gundermann)
- *ground ivy (ale hoof)*
19 die Blüte [Längsschnitt]
- *flower [longitudinal section]*
20 die Blüte [von vorn]
- *flower [front view]*
21 der Scharfe Mauerpfeffer
- *stonecrop*
22 das (der) Ehrenpreis
- *speedwell*
23 die Blüte
- *flower*
24 die Frucht
- *fruit*
25 der Samen
- *seed*
26 das Pfennigkraut
- *moneywort*
27 die aufgesprungene Fruchtkapsel
- *dehisced fruit*
28 der Samen
- *seed*
29 die Taubenskabiose
- *small scabious*
30 das Grundblatt
- *basal leaf*
31 die Strahlblüte
- *ray floret (flower of outer series)*

32 die Scheibenblüte
- *disc (disk) floret (flower of inner series)*
33 der Hüllkelch mit Kelchborsten *f*
- *involucral calyx with pappus bristles*
34 der Fruchtknoten mit Kelch *m*
- *ovary with pappus*
35 die Frucht
- *fruit*
36 das Scharbockskraut
- *lesser celandine*
37 die Frucht
- *fruit*
38 die Blattachsel mit Brutknollen *m*
- *leaf axil with bulbil*
39 das Einjährige Rispengras
- *annual meadow grass*
40 die Blüte
- *flower*
41 das Ährchen [von der Seite]
- *spikelet [side view]*
42 das Ährchen [von vorn]
- *spikelet [front view]*
43 die Karyopse (Nußfrucht)
- *caryopsis, an indehiscent fruit*
44 der Grasbüschel
- *tuft of grass (clump of grass)*
45 der Gemeine Beinwell (die Schwarzwurz)
- *comfrey*
46 die Blüte [Längsschnitt]
- *flower [longitudinal section]*
47 die Frucht
- *fruit*

1 das Gänseblümchen (Maßliebchen)
 – *daisy (Am. English daisy)*
2 die Blüte
 – *flower*
3 die Frucht
 – *fruit*
4 die Wucherblume (Margerite)
 – *oxeye daisy (white oxeye daisy,*
 marguerite)
5 die Blüte
 – *flower*
6 die Frucht
 – *fruit*
7 die Sterndolde
 – *masterwort*
8 die Schlüsselblume (Primel, das
 Himmelsschlüsselchen)
 – *cowslip*
9 die Königskerze (Wollblume, das
 Wollkraut)
 – *great mullein (Aaron's rod, shepherd's*
 club)
10 der Wiesenknöterich (Knöterich)
 – *bistort (snakeweed)*
11 die Blüte
 – *flower*
12 die Wiesenflockenblume
 – *knapweed*
13 die Wegmalve (Malve)
 – *common mallow*
14 die Frucht
 – *fruit*
15 die Schafgarbe
 – *yarrow*
16 die Braunelle
 – *self-heal*
17 der Hornklee
 – *bird's foot trefoil (bird's foot clover)*
18 der Ackerschachtelhalm [ein
 Sproß *m*]
 – *horsetail (equisetum) [a shoot]*
19 die Blüte
 – *flower (strobile)*
20 die Pechnelke
 – *campion (catchfly)*
21 die Kuckuckslichtnelke
 – *ragged robin (cuckoo flower)*
22 die Osterluzei
 – *birthwort*
23 die Blüte
 – *flower*
24 der Storchschnabel
 – *crane's bill*
25 die Wegwarte (Zichorie)
 – *wild chicory (witloof, succory, wild*
 endive)
26 das Nickende Leinkraut
 – *common toadflax (butter-and-eggs)*
27 der Frauenschuh
 – *lady's slipper (Venus's slipper,*
 Am. *moccasin flower)*
28 das Knabenkraut, eine Orchidee
 – *orchis (wild orchid), an orchid*

1 das Buschwindröschen (die
  Anemone, *schweiz.* das
  Schneeglöggli)
– *wood anemone (anemone,
  windflower)*
2 das Maiglöckchen (die Maiblume,
  schweiz. das Maierisli, Knopfgras,
  Krallegras)
– *lily of the valley*
3 das Katzenpfötchen (Himmelfahrtsblümchen); *ähnl.:* die Sandstroh-
  blume
– *cat's foot (milkwort); sim.: sandflower
  (everlasting)*
4 der Türkenbund
– *turk's cap (turk's cap lily)*
5 der Waldgeißbart
– *goatsbeard (goat's beard)*
6 der Bärenlauch (*österr.* Faltigron,
  Faltrian, Feltrian)
– *ramson*
7 das Lungenkraut
– *lungwort*
8 der Lerchensporn
– *corydalis*
9 die Große Fetthenne (der Schmer-
  wurz, Donnerbart, *schweiz.* Schuh-
  putzer)
– *orpine (livelong)*
10 der Seidelbast
– *daphne*
11 das Große Springkraut (Rührmich-
  nichtan)
– *touch-me-not*
12 der Keulige Bärlapp
– *staghorn (stag horn moss, stag's horn,
  stag's horn moss, coral evergreen)*
13 das Fettkraut, eine insektenfressende
  Pflanze
– *butterwort, an insectivorous plant*
14 der Sonnentau; *ähnl.:* die
  Venusfliegenfalle
– *sundew; sim.: Venus's flytrap*
15 die Bärentraube
– *bearberry*
16 der Tüpfelfarn, ein Farnkraut *n*
  (Farn *m*); *ähnl.:* der Wurmfarn,
  Adlerfarn, Königsfarn
– *polypody (polypod), a fern; sim.: male
  fern, brake (bracken, eagle fern),
  royal fern (royal osmund, king's fern,
  ditch fern)*
17 das Goldene Frauenhaar, ein Moos *n*
– *haircap moss (hair moss, golden
  maidenhair), a moss*
18 das Wollgras
– *cotton grass (cotton rush)*
19 das Heidekraut (die Erika); *ähnl.:*
  die Glockenheide (Sumpfheide,
  Moorheide)
– *heather (heath, ling); sim.: bell
  heather (cross-leaved heather)*
20 das Heideröschen (Sonnenröschen)
– *rock rose (sun rose)*
21 der Sumpfporst
– *marsh tea*

22 der Kalmus
– *sweet flag (sweet calamus, sweet
  sedge)*
23 die Heidelbeere (Schwarzbeere,
  Blaubeere); *ähnl.:* die Preiselbeere,
  Moorbeere, Krähenbeere
  (Rauschbeere)
– *bilberry (whortleberry, huckleberry,
  blueberry); sim.: cowberry (red
  whortleberry), bog bilberry (bog
  whortleberry), crowberry
  (crakeberry)*

378 Alpen-, Wasser- und Sumpfpflanzen

1-13 Alpenpflanzen *f*
- *alpine plants*
1 die Alpenrose
- *alpine rose (alpine rhododendron)*
2 der Blütenzweig
- *flowering shoot*
3 das Alpenglöckchen
- *alpine soldanella (soldanella)*
4 die ausgebreitete Blütenkrone
- *corolla opened out*
5 die Samenkapsel mit dem Griffel *m*
- *seed vessel with the style*
6 die Edelraute
- *alpine wormwood*
7 der Blütenstand
- *inflorescence*
8 die Aurikel
- *auricula*
9 das Edelweiß
- *edelweiss*
10 die Blütenformen *f*
- *flower shapes*
11 die Frucht mit dem Haarkelch *m*
- *fruit with pappus tuft*
12 der Teilblütenkorb
- *part of flower head (of capitulum)*
13 der Stengellose Enzian
- *stemless alpine gentian*
14-57 Wasser- u. Sumpfpflanzen *f*
- *aquatic plants (water plants) and marsh plants*
14 die Seerose
- *white water lily*
15 das Blatt
- *leaf*
16 die Blüte
- *flower*
17 die Victoria regia
- *Queen Victoria water lily (Victoria regia water lily, royal water lily, Amazon water lily)*
18 das Blatt
- *leaf*
19 die Blattunterseite
- *underside of the leaf*
20 die Blüte
- *flower*
21 das Schilfrohr (der Rohrkolben)
- *reed mace bulrush (cattail, cat's tail, cattail flag, club rush)*
22 der männliche Teil des Kolbens *m*
- *male part of the spadix*
23 die männliche Blüte
- *male flower*
24 der weibliche Teil
- *female part*
25 die weibliche Blüte
- *female flower*
26 das Vergißmeinnicht
- *forget-me-not*
27 der blühende Zweig
- *flowering shoot*
28 die Blüte [Schnitt]
- *flower [section]*
29 der Froschbiß
- *frog's bit*

30 die Brunnenkresse
- *watercress*
31 der Stengel mit Blüten *f* und jungen Früchten *f*
- *stalk with flowers and immature (unripe) fruits*
32 die Blüte
- *flower*
33 die Schote mit Samen *m*
- *siliqua (pod) with seeds*
34 zwei Samen *m*
- *two seeds*
35 die Wasserlinse
- *duckweed (duck's meat)*
36 die blühende Pflanze
- *plant in flower*
37 die Blüte
- *flower*
38 die Frucht
- *fruit*
39 die Schwanenblume
- *flowering rush*
40 die Blütendolde
- *flower umbel*
41 die Blätter *n*
- *leaves*
42 die Frucht
- *fruit*
43 die Grünalge
- *green alga*
44 der Froschlöffel
- *water plantain*
45 das Blatt
- *leaf*
46 die Blütenrispe
- *panicle*
47 die Blüte
- *flower*
48 der Zuckertang, eine Braunalge
- *honey wrack, a brown alga*
49 der Laubkörper (Thallus, das Thallom)
- *thallus (plant body, frond)*
50 das Haftorgan
- *holdfast*
51 das Pfeilkraut
- *arrow head*
52 die Blattformen *f*
- *leaf shapes*
53 der Blütenstand mit männlichen Blüten *f* [oben] und weiblichen Blüten *f* [unten]
- *inflorescence with male flowers [above] and female flowers [below]*
54 das Seegras
- *sea grass*
55 der Blütenstand
- *inflorescence*
56 die Wasserpest
- *Canadian waterweed (Canadian pondweed)*
57 die Blüte
- *flower*

1 der Eisenhut (Sturmhut)
– *aconite (monkshood, wolfsbane,*
  helmet flower)
2 der Fingerhut (die Digitalis)
– *foxglove (Digitalis)*
3 die Herbstzeitlose (*österr.* Lausblume, das Lauskraut, *schweiz.* die
  Herbstblume, Winterblume)
– *meadow saffron (naked lady,*
  naked boys)
4 der Schierling
– *hemlock (Conium)*
5 der Schwarze Nachtschatten (*österr.*
  Mondscheinkraut, Saukraut)
– *black nightshade (common*
  nightshade, petty morel)
6 das Bilsenkraut
– *henbane*
7 die Tollkirsche (Teufelskirsche,
  schweiz. Wolfsbeere, Wolfskirsche,
  Krottenblume, Krottenbeere, *österr.*
  Tintenbeere, Schwarzbeere), ein
  Nachtschattengewächs *n*
– *deadly nightshade (belladonna,*
  banewort, dwale), a solanaceous herb
8 der Stechapfel (Dornapfel, die
  Stachelnuß)
– *thorn apple (stramonium, stramony,*
  Am. jimson weed, jimpson weed,
  Jamestown weed, stinkweed)
9 der Aronsstab
– *cuckoo pint (lords-and-ladies, wild*
  arum, wake-robin)
10-13 Giftpilze *m*
– *poisonous fungi (poisonous*
  mushrooms, toadstools)
10 der Fliegenpilz, ein Blätterpilz *m*
– *fly agaric (fly amanita, fly fungus),*
  an agaric
11 der Knollenblätterpilz
– *amanita*
12 der Satanspilz
– *Satan's mushroom*
13 der Giftreizker
– *woolly milk cap*

1 die Kamille (Deutsche Kamille, Echte Kamille)
- *camomile (chamomile, wild camomile)*
2 die Arnika
- *arnica*
3 die Pfefferminze
- *peppermint*
4 der Wermut
- *wormwood (absinth)*
5 der Baldrian
- *valerian (allheal)*
6 der Fenchel
- *fennel*
7 der Lavendel (*schweiz.* Valander *m*, die Balsamblume)
- *lavender*
8 der Huflattich (Pferdefuß, Brustlattich)
- *coltsfoot*
9 der Rainfarn
- *tansy*
10 das Tausendgüldenkraut
- *centaury*
11 der Spitzwegerich
- *ribwort (ribwort plantain, ribgrass)*
12 der Eibisch
- *marshmallow*
13 der Faulbaum
- *alder buckthorn (alder dogwood)*
14 der Rizinus
- *castor-oil plant (Palma Christi)*
15 der Schlafmohn
- *opium poppy*
16 der Sennesblätterstrauch (die Kassie); *die getrockneten Blätter:* Sennesblätter *n*
- *senna (cassia);* the dried leaflets: *senna leaves*
17 der Chinarindenbaum
- *cinchona (chinchona)*
18 der Kampferbaum
- *camphor tree (camphor laurel)*
19 der Betelnußbaum
- *betel palm (areca, areca palm)*
20 die Betelnuß
- *betel nut (areca nut)*

1 der Feldchampignon
- *meadow mushroom (field mushroom)*
2 das Fadengeflecht (Pilzgeflecht, Myzelium, Myzel) mit Frucht-körpern *m* (Pilzen)
- *mycelial threads (hyphae, mycelium) with fruiting bodies*
3 Pilz *m* [Längsschnitt]
- *mushroom [longitudinal section]*
4 der Hut mit Lamellen *f*
- *cap (pileus) with gills*
5 der Schleier (das Velum)
- *veil (velum)*
6 die Lamelle [Schnitt]
- *gill [section]*
7 die Sporenständer *m* (Basidien *f*) [vom Lamellenrand *m* mit Sporen *f*]
- *basidia [on the gill with basidiospores]*
8 die keimenden Sporen *f*
- *germinating basidiospores (spores)*
9 die Trüffel
- *truffle*
10 der Pilz [von außen]
- *truffle [external view]*
11 der Pilz [Schnitt]
- *truffle [section]*
12 Inneres *n* mit den Sporen-schläuchen *m* [Schnitt]
- *interior showing asci [section]*
13 zwei Sporenschläuche *m* mit den Sporen *f*
- *two asci with the ascospores (spores)*
14 der Pfifferling
- *chanterelle (chantarelle)*
15 der Maronenpilz
- *Chestnut Boletus*
16 der Steinpilz
- *cep (cepe, squirrel's bread, Boletus edulis)*
17 die Röhrenschicht
- *layer of tubes (hymenium)*
18 der Stiel
- *stem (stipe)*
19 der Eierbovist
- *puffball (Bovista nigrescens)*
20 der Flaschenbovist
- *devil's tobacco pouch (common puffball)*
21 der Butterpilz
- *Brown Ring Boletus (Boletus luteus)*
22 der Birkenpilz
- *Birch Boletus (Boletus scaber)*
23 der Speisetäubling
- *Russula vesca*
24 der Habichtschwamm
- *scaled prickle fungus*
25 der Mönchskopf
- *slender funnel fungus*
26 der Speisemorchel
- *morel (Morchella esculenta)*
27 der Spitzmorchel
- *morel (Morchella conica)*
28 der Hallimasch
- *honey fungus*
29 der Grünreizker
- *saffron milk cap*

30 der Parasolpilz
- *parasol mushroom*
31 der Semmelpilz
- *hedgehog fungus (yellow prickle fungus)*
32 der Gelbe Ziegenbart
- *yellow coral fungus (goatsbeard, goat's beard, coral Clavaria)*
33 das Stockschwämmchen
- *little cluster fungus*

1 der Kaffeestrauch
 - *coffee tree (coffee plant)*
2 der Fruchtzweig
 - *fruiting branch*
3 der Blütenzweig
 - *flowering branch*
4 die Blüte
 - *flower*
5 die Frucht mit den beiden Bohnen *f*
 [Längsschnitt]
 - *fruit with two beans [longitudinal
 section]*
6 die Kaffeebohne; *nach Verarbeitung:*
 der Kaffee
 - *coffee bean; when processed: coffee*
7 der Teestrauch
 - *tea plant (tea tree)*
8 der Blütenzweig
 - *flowering branch*
9 das Teeblatt; *nach Verarbeitung:*
 der Tee
 - *tea leaf; when processed: tea*
10 die Frucht
 - *fruit*
11 der Matestrauch
 - *maté shrub (maté, yerba maté,
 Paraguay tea)*
12 der Blütenzweig mit den Zwitter-
 blüten *f*
 - *flowering branch with androgynous
 (hermaphroditic, hermaphrodite)
 flowers*
13 die männl. Blüte
 - *male flower*
14 die Zwitterblüte
 - *androgynous (hermaphroditic,
 hermaphrodite) flower*
15 die Frucht
 - *fruit*
16 der Kakaobaum
 - *cacao tree (cacao)*
17 der Zweig mit Blüten *f* und
 Früchten *f*
 - *branch with flowers and fruits*
18 die Blüte [Längsschnitt]
 - *flower [longitudinal section]*
19 die Kakaobohnen *f; nach Verarbeitung:* der Kakao, das Kakaopulver
 - *cacao beans (cocoa beans); when
 processed: cocoa, cocoa powder*
20 der Samen [Längsschnitt]
 - *seed [longitudinal section]*
21 der Embryo
 - *embryo*
22 der Zimtbaum
 - *cinnamon tree (cinnamon)*
23 der Blütenzweig
 - *flowering branch*
24 die Frucht
 - *fruit*
25 die Zimtrinde; *zerstoßen:* der Zimt
 - *cinnamon bark; when crushed:
 cinnamon*
26 der Gewürznelkenbaum
 - *clove tree*
27 der Blütenzweig
 - *flowering branch*

28 die Knospe; *getrocknet:* die
 Gewürznelke, „Nelke"
 - *flower bud; when dried: clove*
29 die Blüte
 - *flower*
30 der Muskatnußbaum
 - *nutmeg tree*
31 der Blütenzweig
 - *flowering branch*
32 die weibl. Blüte [Längsschnitt]
 - *female flower [longitudinal section]*
33 die reife Frucht
 - *mature (ripe) fruit*
34 die Muskatblüte, ein Samen *m* mit
 geschlitztem Samenmantel *m*
 (Macis)
 - *nutmeg with mace, a seed with
 laciniate aril*
35 der Samen [Querschnitt]; *getrocknet:*
 die Muskatnuß
 - *seed [cross section]; when dried:
 nutmeg*
36 der Pfefferstrauch
 - *pepper plant*
37 der Fruchtzweig
 - *fruiting branch*
38 der Blütenstand
 - *inflorescence*
39 die Frucht [Längsschnitt] mit
 Samen *m* (Pfefferkorn); *gemahlen:*
 der Pfeffer
 - *fruit [longitudinal section] with seed
 (peppercorn); when ground: pepper*
40 die Virginische Tabakpflanze
 - *Virginia tobacco plant*
41 der Blütenzweig
 - *flowering shoot*
42 die Blüte
 - *flower*
43 das Tabakblatt; *verarbeitet:* der
 Tabak
 - *tobacco leaf; when cured: tobacco*
44 die reife Fruchtkapsel
 - *mature (ripe) fruit capsule*
45 der Samen
 - *seed*
46 die Vanillepflanze
 - *vanilla plant*
47 der Blütenzweig
 - *flowering shoot*
48 die Vanilleschote; *nach Verarbeitung:*
 die Vanillestange
 - *vanilla pod; when cured: stick of
 vanilla*
49 der Pistazienbaum
 - *pistachio tree*
50 der Blütenzweig mit den weibl.
 Blüten *f*
 - *flowering branch with female
 flowers*
51 die Steinfrucht (Pistazie)
 - *drupe (pistachio, pistachio nut)*
52 das Zuckerrohr
 - *sugar cane*
53 die Pflanze (der Habitus) während
 der Blüte
 - *plant (habit) in bloom*

54 die Blütenrispe
 - *panicle*
55 die Blüte
 - *flower*

1 der Raps
– *rape (cole, coleseed)*
2 das Grundblatt
– *basal leaf*
3 die Blüte [Längsschnitt]
– *flower [longitudinal section]*
4 die reife Fruchtschote
– *mature (ripe) siliqua (pod)*
5 der ölhaltige Samen
– *oleiferous seed*
6 der Flachs (Lein)
– *flax*
7 der Blütenstengel
– *peduncle (pedicel, flower stalk)*
8 die Fruchtkapsel
– *seed vessel (boll)*
9 der Hanf
– *hemp*
10 die fruchtende weibliche Pflanze
– *fruiting female (pistillate) plant*
11 der weibliche Blütenstand
– *female inflorescence*
12 die Blüte
– *flower*
13 der männliche Blütenstand
– *male inflorescence*
14 die Frucht
– *fruit*
15 der Samen
– *seed*
16 die Baumwolle
– *cotton*
17 die Blüte
– *flower*
18 die Frucht
– *fruit*
19 das Samenhaar [die Wolle]
– *lint [cotton wool]*
20 der Kapokbaum
– *silk-cotton tree (kapok tree,*
capoc tree, ceiba tree)
21 die Frucht
– *fruit*
22 der Blütenzweig
– *flowering branch*
23 der Samen
– *seed*
24 der Samen [Längsschnitt]
– *seed [longitudinal section]*
25 die Jute
– *jute*
26 der Blütenzweig
– *flowering branch*
27 die Blüte
– *flower*
28 die Frucht
– *fruit*
29 der Olivenbaum (Ölbaum)
– *olive tree (olive)*
30 der Blütenzweig
– *flowering branch*
31 die Blüte
– *flower*
32 die Frucht
– *fruit*
33 der Gummibaum
– *rubber tree (rubber plant)*

34 der Zweig mit Früchten *f*
– *fruiting branch*
35 die Feige
– *fig*
36 die Blüte
– *flower*
37 der Guttaperchabaum
– *gutta-percha tree*
38 der Blütenzweig
– *flowering branch*
39 die Blüte
– *flower*
40 die Frucht
– *fruit*
41 die Erdnuß
– *peanut (ground nut, monkey nut)*
42 der Blütenzweig
– *flowering shoot*
43 die Wurzel mit Früchten *f*
– *root with fruits*
44 die Frucht [Längsschnitt]
– *nut (kernel) [longitudinal section]*
45 die Sesampflanze
– *sesame plant (simsim, benniseed)*
46 der Zweig mit Blüten *f* und
Früchten *f*
– *flowers and fruiting branch*
47 die Blüte [Längsschnitt]
– *flower [longitudinal section]*
48 die Kokospalme
– *coconut palm (coconut tree, coco palm,*
cocoa palm)
49 der Blütenstand
– *inflorescence*
50 die weibliche Blüte
– *female flower*
51 die männliche Blüte [Längsschnitt]
– *male flower [longitudinal section]*
52 die Frucht [Längsschnitt]
– *fruit [longitudinal section]*
53 die Kokosnuß
– *coconut (cokernut)*
54 die Ölpalme
– *oil palm*
55 der männliche Blütenkolben mit der
Blüte
– *male spadix*
56 der Fruchtstand mit der Frucht
– *infructescence with fruit*
57 der Samen mit den Keimlöchern *n*
– *seed with micropyles (foramina)*
(foraminate seed)
58 die Sagopalme
– *sago palm*
59 die Frucht
– *fruit*
60 das Bambusrohr
– *bamboo stem (bamboo culm)*
61 der Blattzweig
– *branch with leaves*
62 die Blütenähre
– *spike*
63 das Halmstück mit Knoten *m*
– *part of bamboo stem with joints*
64 die Papyrusstaude
– *papyrus plant (paper reed,*
paper rush)

65 der Blütenschopf
– *umbel*
66 die Blütenähre
– *spike*

384 Südfrüchte

1 die Dattelpalme
- date palm (date)
2 die fruchttragende Palme
- fruiting palm
3 der Palmwedel
- palm frond
4 der männliche Blütenkolben
- male spadix
5 die männliche Blüte
- male flower
6 der weibliche Blütenkolben
- female spadix
7 die weibliche Blüte
- female flower
8 ein Zweig m des Fruchtstandes m
- stand of fruit
9 die Dattel
- date
10 der Dattelkern (Samen)
- date kernel
11 die Feige
- fig
12 der Zweig mit Scheinfrüchten f
- branch with pseudocarps
13 die Feige mit Blüten f
[Längsschnitt]
- fig with flowers [longitudinal
section]
14 die weibliche Blüte
- female flower
15 die männliche Blüte
- male flower
16 der Granatapfel
- pomegranate
17 der Blütenzweig
- flowering branch
18 die Blüte [Längsschnitt, Blütenkrone
entfernt]
- flower [longitudinal section, corolla
removed]
19 die Frucht
- fruit
20 der Samen (Kern) [Längsschnitt]
- seed [longitudinal section]
21 der Samen [Querschnitt]
- seed [cross section]
22 der Embryo
- embryo
23 die Zitrone (Limone); ähnl.:
Mandarine f, Apfelsine f,
Pampelmuse f (Grapefruit f)
- lemon; sim.: tangerine (mandarin),
orange, grapefruit
24 der Blütenzweig
- flowering branch
25 die Apfelsinenblüte (Orangenblüte)
[Längsschnitt]
- orange flower [longitudinal section]
26 die Frucht
- fruit
27 die Apfelsine (Orange)
[Querschnitt]
- orange [cross section]
28 die Bananenstaude
- banana plant (banana tree)
29 die Blätterkrone
- crown

30 der Scheinstamm mit den
Blattscheiden f
- herbaceous stalk with overlapping
leaf sheaths
31 der Blütenstand mit jungen
Früchten f
- inflorescence with young fruits
32 der Fruchtstand
- infructescence (bunch of fruit)
33 die Banane
- banana
34 die Bananenblüte
- banana flower
35 das Bananenblatt [Schema]
- banana leaf [diagram]
36 die Mandel
- almond
37 der Blütenzweig
- flowering branch
38 der Fruchtzweig
- fruiting branch
39 die Frucht
- fruit
40 die Steinfrucht mit dem Samen m
[der Mandel]
- drupe containing seed [almond]
41 das Johannisbrot
- carob
42 der Zweig mit weibl. Blüten f
- branch with female flowers
43 die weibliche Blüte
- female flower
44 die männliche Blüte
- male flower
45 die Frucht
- fruit
46 die Fruchtschote [Querschnitt]
- siliqua (pod) [cross section]
47 der Samen
- seed
48 die Edelkastanie
- sweet chestnut (Spanish chestnut)
49 der Blütenzweig
- flowering branch
50 der weibliche Blütenstand
- female inflorescence
51 die männliche Blüte
- male flower
52 der Fruchtbecher (die Cupula) mit
den Samen m [den Kastanien f,
Maronen f]
- cupule, containing seeds
53 die Paranuß
- Brazil nut
54 der Blütenzweig
- flowering branch
55 das Blatt
- leaf
56 die Blüte [Aufsicht]
- flower [from above]
57 die Blüte [Längsschnitt]
- flower [longitudinal section]
58 der geöffnete Fruchttopf mit
einliegenden Samen m
- opened capsule, containing seeds
59 die Paranuß [Querschnitt]
- Brazil nut [cross section]

60 die Nuß [Längsschnitt]
- nut [longitudinal section]
61 die Ananaspflanze (Ananas)
- pineapple plant (pineapple)
62 die Scheinfrucht mit der Blattrosette
- pseudocarp with crown of leaves
63 die Blütenähre
- syncarp
64 die Ananasblüte
- pineapple flower
65 die Blüte [Längsschnitt]
- flower [longitudinal section]

Für freundliche Unterstützung und Mitarbeit haben wir zu danken:

ADB GmbH, Bestwig; AEG-Telefunken, Abteilung Werbung, Wolfenbüttel; Agfa-Gevaert AG, Presse-Abteilung, Leverkusen; Eduard Ahlborn GmbH, Hildesheim; AID, Land- und Hauswirtschaftlicher Auswertungs- und Informationsdienst e. V., Bonn-Bad Godesberg; Arbeitsausschuß der Waldarbeitsschulen beim Kuratorium für Waldarbeit und Forsttechnik, Bad Segeberg; Arnold & Richter KG, München; Atema AB, Härnösand (Schweden); Audi NSU Auto-Union AG, Presseabteilung, Ingolstadt; Bêché & Grohs GmbH, Hückeswagen/Rhld.; Big Dutchman (Deutschland) GmbH, Bad Mergentheim und Calveslage über Vechta; Biologische Bundesanstalt für Land- und Forstwirtschaft, Braunschweig; Black & Decker, Idstein/Ts.; Braun AG, Frankfurt am Main; Bolex GmbH, Ismaning; Maschinenfabrik zum Bruderhaus GmbH, Reutlingen; Bund Deutscher Radfahrer e. V., Gießen; Bundesanstalt für Arbeit, Nürnberg; Bundesanstalt für Wasserbau, Karlsruhe; Bundesbahndirektion Karlsruhe, Presse- u. Informationsdienst, Karlsruhe; Bundesinnungsverband des Deutschen Schuhmacher-Handwerks, Düsseldorf; Bundeslotsenkammer, Hamburg; Bundesverband Bekleidungsindustrie e. V., Köln; Bundesverband der Deutschen Gas- und Wasserwirtschaft e. V., Frankfurt am Main; Bundesverband der Deutschen Zementindustrie e. V., Köln; Bundesverband Glasindustrie e. V., Düsseldorf; Bundesverband Metall, Essen-Kray und Berlin; Burkhardt + Weber KG, Reutlingen; Busatis-Werke KG, Remscheid; Claas GmbH, Harsewinkel; Copygraph GmbH, Hannover; Dr. Irmgard Correll, Mannheim; Daimler-Benz AG, Presse-Abteilung, Stuttgart; Dalex-Werke Niepenberg & Co. GmbH, Wissen; Elisabeth Daub, Mannheim; John Deere Vertrieb Deutschland, Mannheim; Deutsche Bank AG, Filiale Mannheim, Mannheim; Deutsche Gesellschaft für das Badewesen e. V., Essen; Deutsche Gesellschaft für Schädlingsbekämpfung mbH, Frankfurt am Main; Deutsche Gesellschaft zur Rettung Schiffbrüchiger, Bremen; Deutsche Milchwirtschaft, Molkerei- und Käserei-Zeitung (Verlag Th. Mann), Gelsenkirchen-Buer; Deutsche Eislauf-Union e. V., München; Deutscher Amateur-Box-Verband e. V., Essen; Deutscher Bob- und Schlittensportverband e. V., Berchtesgaden; Deutscher Eissport-Verband e. V., München; Deutsche Reiterliche Vereinigung e. V., Abteilung Sport, Warendorf; Deutscher Fechter-Bund e. V., Bonn; Deutscher Fußball-Bund, Frankfurt am Main; Deutscher Handball-Bund, Dortmund; Deutscher Hockey-Bund e. V., Köln; Deutscher Leichtathletik Verband, Darmstadt; Deutscher Motorsport Verband e. V., Frankfurt am Main; Deutscher Schwimm-Verband e. V., München; Deutscher Turner-Bund, Würzburg; Deutscher Verein von Gas- und Wasserfachmännern e. V., Eschborn; Deutscher Wetterdienst, Zentralamt, Offenbach; DIN Deutsches Institut für Normung e. V., Köln; Deutsches Institut für Normung e. V., Fachnormenausschuß Theatertechnik, Frankfurt am Main; Deutsche Versuchs- und Prüf-Anstalt für Jagd- und Sportwaffen e. V., Altenbeken-Buke; Friedrich Dick GmbH, Esslingen; Dr. Maria Dose, Mannheim; Dual Gebrüder Steidinger, St. Georgen/Schwarzwald; Durst AG, Bozen (Italien); Gebrüder Eberhard, Pflug- und Landmaschinenfabrik, Ulm; Gabriele Echtermann, Hemsbach; Dipl.-Ing. W. Ehret GmbH, Emmendingen-Kollmarsreute; Eichbaum-Brauereien AG, Worms/Mannheim; ER-WE-PA, Maschinenfabrik und Eisengießerei GmbH, Erkrath bei Düsseldorf; Escher Wyss GmbH, Ravensburg; Eumuco Aktiengesellschaft für Maschinenbau, Leverkusen; Euro-Photo GmbH, Willich; European Honda Motor Trading GmbH, Offenbach; Fachgemeinschaft Feuerwehrfahrzeuge und -geräte, Verein Deutscher Maschinenbau-Anstalten e. V., Frankfurt am Main; Fachnormenausschuß Maschinenbau im Deutschen Normenausschuß DNA, Frankfurt am Main; Fachnormenausschuß Schmiedetechnik in DIN Deutsches Institut für Normung e. V., Hagen; Fachverband des Deutschen Tapetenhandels e. V., Köln; Fachverband der Polstermöbelindustrie e. V., Herford; Fachverband Rundfunk und Fernsehen im Zentralverband der Elektrotechnischen Industrie e. V., Frankfurt am Main; Fahr AG Maschinenfabrik, Gottmadingen; Fendt & Co., Agrartechnik, Marktoberndorf; Fichtel & Sachs AG, Schweinfurt; Karl Fischer, Pforzheim; Heinrich Gerd Fladt, Ludwigshafen am Rhein; Forschungsanstalt für Weinbau, Gartenbau, Getränketechnologie und Landespflege, Geisenheim am Rhein; Förderungsgemeinschaft des Deutschen Bäckerhandwerks e. V., Bad Honnef; Forschungsinstitut der Zementindustrie, Düsseldorf; Johanna Förster, Mannheim; Stadtverwaltung Frankfurt am Main, Straßen- und Brückenbauamt, Frankfurt am Main; Freier Verband Deutscher Zahnärzte e. V., Bonn-Bad Godesberg; Fuji Photo Film (Europa) GmbH, Düsseldorf; Gesamtverband der Deutschen Maschen-Industrie e. V., Gesamtmasche, Stuttgart; Gesamtverband des Deutschen Steinkohlenbergbaus, Essen; Gesamtverband der Textilindustrie in der BRD, Gesamttextil, e. V., Frankfurt am Main; Geschwister-Scholl-Gesamtschule, Mannheim-Vogelstang; Eduardo Gomez, Mannheim; Gossen GmbH, Erlangen; Rainer Götz, Hemsbach; Grapha GmbH, Ostfildern; Ines Groh, Mannheim; Heinrich Groos, Geflügelzuchtbedarf, Bad Mergentheim; A. Gruse, Fabrik für Landmaschinen, Großberkel; Hafen Hamburg, Informationsbüro, Hamburg; Hagedorn Landmaschinen GmbH, Warendorf/Westf.; kino-hähnel GmbH, Erftstadt Liblar; Dr. Adolf Hanle, Mannheim; Hauptverband Deutscher Filmtheater e. V., Hamburg; Dr.-Ing. Rudolf Hell GmbH, Kiel; W. Helwig Söhne KG, Ziegenhain; Geflügelfarm Hipp, Mannheim; Gebrüder Holder, Maschinenfabrik, Metzingen; Horten Aktiengesellschaft, Düsseldorf; IBM Deutschland GmbH, Zentrale Bildstelle, Stuttgart; Innenministerium Baden-Württemberg, Pressestelle, Stuttgart; Industrieverband Gewebe, Frankfurt am Main; Industrievereinigung Chemiefaser e. V., Frankfurt am Main; Instrumentation Marketing Corporation, Burbank (Calif.); ITT Schaub-Lorenz Vertriebsgesellschaft mbH, Pforzheim; M. Jakoby KG, Maschinenfabrik, Hetzerath/Mosel; Jenoptik Jena GmbH, Jena (DDR); Brigitte Karnath, Wiesbaden; Wilhelm Kaßbaum, Hockenheim; Van Katwijk's Industrieën N. V., Staalkat Div., Aalten (Holland); Kernforschungszentrum Karlsruhe; Leo Keskari, Offenbach; Dr. Rolf Kiesewetter, Mannheim; Ev. Kindergarten, Hohensachsen; Klambt-Druck GmbH, Offset-Abteilung, Speyer; Maschinenfabrik Franz Klein, Salzkotten; Dr. Klaus-Friedrich Klein, Mannheim; Klimsch + Co., Frankfurt am Main; Kodak AG, Stuttgart; Alfons Kordecki, Eckernförde; Heinrich Kordecki, Mannheim; Krefelder Milchhof GmbH, Krefeld; Dr. Dieter Krickeberg, Musikinstrumenten-Museum, Berlin; Bernard Krone GmbH, Spelle; Pelz-Kunze, Mannheim; Kuratorium für Technik und Bauwesen in der Landwirtschaft, Darmstadt-Kranichstein; Landesanstalt für Pflanzenschutz, Stuttgart; Landesinnungsverband des Schuhmacherhandwerks Baden-Württemberg, Stuttgart; Landespolizeidirektion Karlsruhe, Karlsruhe; Landwirtschaftskammer, Hannover; Metzgerei Lebold, Mannheim; Ernst Leitz Wetzlar GmbH, Wetzlar; Louis Leitz, Stuttgart; Christa Leverkinck, Mannheim; Franziska Liebisch, Mannheim; Linhof GmbH, München; Franz-Karl Frhr. von Linden, Mannheim; Loewe Opta GmbH, Kronach; Beate Lüdicke, Mannheim; MAN AG, Werk Augsburg, Augsburg; Mannheimer Verkehrs-Aktiengesellschaft (MVG), Mannheim; Milchzentrale Mannheim-Heidelberg AG, Mannheim; Ing. W. Möhlenkamp, Melle; Adolf Mohr Maschinenfabrik, Hofheim; Mörtl Schleppergerätebau KG, Gemünden/Main; Hans-Heinrich Müller, Mannheim; Müller Martini AG, Zofingen; Gebr. Nubert KG, Spezialeinrichtungen, Schwäbisch Gmünd; Nürnberger Hercules-Werke GmbH, Nürnberg; Olympia Werke AG, Wilhelmshaven; Ludwig Pani Lichttechnik und Projektion, Wien (Österreich); Ulrich Papin, Mannheim; Pfalzmilch Nord GmbH, Ludwigshafen/Albisheim; Adolf Pfeiffer GmbH, Ludwigshafen am Rhein; Philips Pressestelle, Hamburg; Carl Platz GmbH Maschinenfabrik, Frankenthal/Pfalz; Posttechnisches Zentralamt, Darmstadt; Rabe-Werk Heinrich Clausing, Bad Essen; Rahdener Maschinenfabrik August Kolbus, Rahden; Rank Strand Electric, Wolfenbüttel; Stephan Reinhardt, Worms; Nic. Reisinger, Graphische Maschinen, Frankfurt-Rödelheim; Rena Büromaschinenfabrik GmbH & Co., Deisenhofen bei München; Werner Ring, Speyer; Ritter Filmgeräte GmbH, Mannheim; Röber Saatreiniger KG, Minden; Rollei Werke, Braunschweig; Margarete Rossner, Mannheim; Roto-Werke GmbH, Königslutter; Ruhrkohle Aktiengesellschaft, Essen; Papierfabrik Salach GmbH, Salach/Württ.; Dr. Karl Schaifers, Heidelberg; Oberarzt Dr. med. Hans-Jost Schaumann, Städt. Krankenanstalten, Mannheim; Schlachthof, Mannheim; Dr. Schmitz + Apelt, Industrieofenbau GmbH, Wuppertal; Maschinenfabrik Schmotzer GmbH, Bad Windsheim; Mälzerei Schragmalz, Berghausen b. Speyer; Schutzgemeinschaft Deutscher Wald, Bonn; Siemens AG, Bereich Meß- und Prozeßtechnik, Bild- und Tontechnik, Karlsruhe; Siemens AG, Dental-Depot, Mannheim; Siemens-Reiniger-Werke, Erlangen; Sinar AG Schaffhausen, Feuerthalen (Schweiz); Spitzenorganisation der Filmwirtschaft e. V., Wiesbaden; Stadtwerke – Verkehrsbetriebe, Mannheim; W. Steenbeck & Co., Hamburg; Streitkräfteamt, Dezernat Werbemittel, Bonn-Duisdorf; Bau- und Möbelschreinerei Fritz Ströbel, Mannheim; Gebrüder Sucker GmbH & Co. KG, Mönchengladbach; Gebrüder Sulzer AG, Winterthur (Schweiz); Dr. med. Alexander Tafel, Weinheim; Klaus Thome, Mannheim; Prof. Dr. med. Michael Trede, Städt. Krankenanstalten, Mannheim; Trepel AG, Wiesbaden; Verband der Deutschen Hochseefischereien e. V., Bremerhaven; Verband der Deutschen Schiffbauindustrie e. V., Hamburg; Verband der Korbwaren-, Korbmöbel- und Kinderwagenindustrie e. V., Coburg; Verband des Deutschen Drechslerhandwerks e. V., Nürnberg; Verband des Deutschen Faß- und Weinküfer-Handwerks, München; Verband Deutscher Papierfabriken e. V., Bonn; Verband Kommunaler Städtereinigungsbetriebe, Köln-Marienburg; Verband technischer Betriebe für Film und Fernsehen e. V., Berlin; Verein Deutscher Eisenhüttenleute, Düsseldorf; Verein Deutscher Zementwerke, Düsseldorf; Vereinigung Deutscher Elektrizitätswerke, VDEW, e. V., Frankfurt am Main; Verkehrsverein, Weinheim/Bergstr.; J. M. Voith GmbH, Heidenheim; Helmut Volland, Erlangen; Dr. med. Dieter Walter, Weinheim; W. E. G. Wirtschaftsverband Erdöl- und Erdgasgewinnung e. V., Hannover; Einrichtungshaus für die Gastronomie Jürgen Weiss & Co., Düsseldorf; Wella Aktiengesellschaft, Darmstadt; Optik-Welzer, Mannheim; Werbe & Graphik Team, Schriesheim; Wiegand Karlsruhe GmbH, Ettlingen; Dr. Klaus Wiemann, Gevelsburg; Wirtschaftsvereinigung Bergbau, Bonn; Wirtschaftsvereinigung Eisen- und Stahlindustrie, Düsseldorf; Wolf-Dietrich Wyrwas, Mannheim; Yashica Europe GmbH, Hamburg; Zechnersche Buchdruckerei, Speyer; Carl Zeiss, Oberkochen; Zentralverband der Deutschen Elektrohandwerke, ZVEH, Frankfurt am Main; Zentralverband der deutschen Seehafenbetriebe e. V., Hamburg; Zentralverband der elektrotechnischen Industrie e. V., Fachverband Phonotechnik, Hamburg; Zentralverband des Deutschen Bäckerhandwerks e. V., Bad Honnef; Zentralverband des Deutschen Friseurhandwerks, Köln; Zentralverband des Deutschen Handwerks ZDH, Pressestelle, Bonn; Zentralverband des Kürschnerhandwerks, Bad Homburg; Zentralverband für das Juwelier-, Gold- und Silberschmiedehandwerk der BRD, Ahlen; Zentralverband für Uhren, Schmuck und Zeitmeßtechnik, Bundesinnungsverband des Uhrmacherhandwerks, Königstein; Zentralverband Sanitär-, Heizungs- und Klimatechnik, Bonn; Erika Zöller, Edingen; Zündapp-Werke GmbH, München.

Register

Die halbfetten Zahlen hinter den Stichwörtern sind die Nummern der Bildtafeln, die mageren die auf diesen Tafeln erscheinenden Bildnummern. Gleichlautende Wörter mit verschiedenen Bedeutungen werden durch kursiv gesetzte Bereichsangaben oder Bedeutungshinweise unterschieden.

Folgende Abkürzungen und Kurzformen wurden für die Bereichsangaben verwendet:

Anat.:	Anatomie	*Med.:*	Medizin
Astr.:	Astronomie	*Mil.:*	Militärwesen
AV:	Audiovision	*Müllbes.:*	Müllbeseitigung
Bau:	Bauwesen	*Mus.:*	Musik
Bot.:	Botanik	*Papier:*	Papierherstellung
Buchb.:	Buchbinderei	*Porzellan:*	Porzellanherstellung
Chem.:	Chemie	*Repro:*	Fotoreproduktion
Druck:	Druckerei	*Schädlingsbek.:*	Schädlingsbekämpfung
Eisenb.:	Eisenbahnwesen	*Tech.:*	Technik
Elektr.:	Elektroinstallateur	*Textilw.:*	Textilwesen
Fotogr.:	Fotografie	*U-Elektronik:*	Unterhaltungselektronik
Geld:	Geldwesen	*Walz.:*	Walztechnik
Glas:	Glasherstellung	*Wasservers.:*	Trinkwasserversorgung
Infotechnik:	Informationstechnik	*Web.:*	Weberei
Hütt.:	Hüttenwerk	*Werkzeugmasch.:*	Werkzeugmaschinen
Landw.:	Landwirtschaft	*Winter:*	Winterlandschaft
Masch.:	Maschinenteile	*Zeichn.:*	Zeichnerbüro
Math.:	Mathematik	*Zool.:*	Zoologie

A

Aal 364 17
~ fisch 364 17
~ haken 89 87
Aas·blume 53 15
~ fliegenblume 53 15
Abakus 334 20
Abbauhammerstreb 144 35
Abbildung 348 9–11, 9, 10, 11
Abbindeplatz 120 1–59
Abblasemast 221 38
Abblend·licht 191 20
~ schalter 191 59
Abbund 120 24
Abdampf·auspuff 210 22
~ schale 350 29
Abdeck·band 128 16
~ blende 310 51
Abdeck *Druck* 182 14
~ *Film* 310 51
Abdeck·haube 241 36
~ kappe 126 33
~ leiste 123 57
~ platte 37 37
~ schieber 2 32
~ schiene 167 56
~ stab 123 64
Abdeckung *Optik* 113 13
~ *Straße* 198 17
~ *Müllbes.* 199 21
Abdomen 16 35–37
Abdrucklöffel 24 56
Abdrückstelle 21 14
Abducken 299 29
Abend·anzug 33 7
~ kleid 30 53

Abendmahl 332 26
Abendmahls·kelch 332 29
~ tisch 330 4
Abenteuerspielplatz 273 21
Abfahrts·lauf 301 32
~ signal *Eisenb.* 205 47
~ signal *Flaggen* 253 26
~ ski 301 34
~ tafel 204 20
~ zeit 205 23
Abfall 268 22
~, mittelaktiver 154 72
~, radioaktiver 154 77
~ behälter 26 22; 196 12; 207 55; 268 5
Abfälle, radioaktive 154 57–68
Abfall·eimer 22 70; 96 46
~ korb 205 55; 268 5; 272 43; 273 25
~ tonne 199 3
~ vorrichtung 147 39
Abfangjäger 256 1
Abferkel-Aufzucht-Bucht 75 40
Abfertigungs·beamter 204 9; 206 36
~ fahrzeug 233 22
~ feld 233 3
~ gebäude 233 15
~ position 233 21
Abfeuereinrichtung 255 75
Abfiltrieren 92 50
Abflug 233 25
~ halle 233 15
Abflußhahn 178 34
Abfüll·anlage 76 20
~ maschine 76 21
~ - und Verpackungsanlage 76 20

Abgangs·innengewinde 126 47
~ pforte 319 12
~ winkel 87 75
Abgas·entgiftung 190 73
~ leitung *Schiff* 221 76
~ lippe 259 92
~ mast 221 17
~ öffnung 258 79
~ pfosten 221 17
~ rohr 146 5
~ schalldämpfer 212 42, 48
~ schornstein 146 2
~ wärmetauscher 155 9
abgestoßen 321 34
Abgleichbohle 201 3, 4
Abguß 261 15
Abhang 12 37
Abhängling 335 32
Abhäutemesser 94 13
Abheber 109 10
Abhebestange 325 23
Abhörlautsprecher *Radio* 238 15
~ *Film* 311 13
Abisolierzange 127 64
Abkühlung *Textil* 170 34
~ *Schwimmbad* 281 28
Abkühlungsraum 281 28
Ablage·bläser 181 33
~ bord 74 42
~ fach *Auto* 195 14
~ fach *U-Elektronik* 241 9, 10
~ korb 248 41
~ körbchen 245 30
Ablagerungsgebiet 11 47
Ablagetisch 181 31
Ablängsäge 120 14

Ablaßhahn 38 65
Ablauf·berg 206 46
~ gestell 165 41
~ kondensator 92 4
~ leitung 269 12
~ rost 198 24
~ ventil 126 16
Ableerbütte 172 81
Ablegemechanismus 174 20, 30
Ableger 54 10, 11, 12
Ablege·tisch 184 14
~ vorrichtung 236 49
Ableiter, elektrostatischer 230 51; 231 27
Ableitung 345 13
Ablenk·einheit 240 23
~ mauer 304 2
Ablese·instrument 2 6
~ mikroskop 113 28
Abluft·anlage 154 81
~ kamin 154 37; 155 25
~ leitung 155 11
~ öffnung 49 20
~ rohr 168 29
~ schacht 92 14
~ schlitz 50 30
~ stutzen 142 16
~ wäschetrockner 50 28
Abmessen 350 21
abnehmender Mond 4 7
Abnehmer 163 42
Abort 49 12
~ raum 207 16-42
Abpackanlage 76 32
Abrasionsplatte 13 31
Abraum 158 2
~ bagger 159 3
~ bau 158 1
Abreiß·kante 247 30

~ schutz **142** 6
armenisch **341** 3
Arm·flossler **369** 6
~ geflecht **18** 27
~ haltung **314** 7–10
~ hebel **299** 10
Armierung **119** 54–76, 68
Armierungseisen **119** 23
Arm·kachel **329** 48
~ lehne **42** 22; **46** 28; **106** 18;
  207 45, 69
~ lehnenascher **207** 46
~ muskel **18** 54, 55
~ muskel, dreiköpfiger **18** 38
~ muskel, zweiköpfiger **18**
  37
~ reif **36** 17
~ schlinge **21** 2
~ speichenmuskel **18** 39
~ stütze **208** 26
~ tragetuch **21** 2
~ verband **21** 1
Arnika **380** 2
Aronsstab **379** 9
Arpeggio **321** 22
Arretierstift **140** 47
Arretierung **349** 37
Arretierungsknopf **349** 38
Arrondieren **109** 17
Arterie **18** 1
arterielles Blut **18** 12
Arterienpinzette **26** 49
artesischer Brunnen **12** 26
artesisches Grundwasser **12**
  21
Artikel·hinweis **342** 49
~ überschrift **342** 44
Artilleriewaffe **255** 29–61
Artischocke **57** 41
Artist **308** 25–28
Artisten·stand **307** 5
~ vermittler **307** 18
Arzneimittel **22** 23
Arzt **22; 23; 233** 44
~, praktischer **23** 2
Ärztemuster **22** 41
Arzthelferin **22** 19
ärztliche Hilfe **253** 27
Arzt·stempel **22** 29
~ tasche **22** 33
A-Saite **323** 9
Asbestdrahtnetz **350** 19
Asche **327** 10
Aschen·abzug **152** 8
~ bahn **298** 6
~ bahnrennen **290** 24–28
~ becher **42** 29; **104** 5; **246**
  33; **267** 50
~ kugel **266** 5
~ tür **38** 39
~ urne **328** 38
Ascher **207** 69
Aschkasten **210** 6
~ bodenklappe **210** 7
As-Dur **320** 66
A-Schrohr **259** 88
Äser **88** 13
Asien **14** 16
Aspergill **332** 54
Asphalt **155** 29
~ decke **200** 58
~ mischtrommel **200** 50
~ papier **153** 48
asphärischer Hohlspiegel
  312 39
Aspirationspsychrometer **10**
  33
Aspisviper **364** 41

Asroc-Starter **258** 50
Assaut **294** 5, 6
Assel **81** 6
Assistent **99** 96
Assistentin **307** 39
Assyrer **333** 29–36
Ast *Math* **347** 15
~ *Bot.* **370** 5
Asteroid **4** 47
Ast·gabel **54** 13
~ hippe **56** 9
~ lochfräser **132** 53
~ lochfräsmaschine **132** 52
~ reinigung **84** 12
Astronaut **6** 11; **235** 67
Astronomie **3; 4; 5**
Ast·säge **56** 16
~ schere **56** 11
~ schneider **56** 11
Äsung **86** 13
Asymptote **347** 29
Atair **3** 9
Atelier **338** 1–43; **339** 1–38
~ aufnahme **310** 26–60
~ fenster **338** 1
~ mikrophon **310** 31
~ sekretärin **310** 39
~ staffelei **338** 3
~ wohnung **37** 74
Atem·frequenz **23** 27
~ funktion, Messung der **23**
  31
~ gerät **21** 27
~ loch **367** 26
~ öffnung **358** 32
~ schlauch **27** 37
~ schutzgerät **270** 39
~ volumen **26** 28
~ wurzel **370** 82
Atlant **334** 36
Atlantiksteven **221** 83
Atlantischer Ozean **14** 20
Atmosphäre **7**
Atmung, künstliche **21**
  24–27
Atoll **13** 32
Atoll **369** 5
Atom **1; 2**
~ bombenexplosion **7** 11
~ kern **1** 2, 16, 29, 49–51
~ kern, schwerer **1** 35
~ kraftwerk **154** 19
~ modell **1** 1, 1–8, 5, 26
~ müll **154** 57–68
~ müllagerung **154** 56
~ reaktor **1** 48
~ reaktormantel **259** 67
~ schicht **7** 32
Atrium **334** 66
Attika **334** 60
Attitude **314** 17
Ätzbad **340** 51
Atzel *Perücke* **34** 2
~ *Vögel* **361** 3
Ätzen **340** 51
Ätz·flanke **178** 45
~ flüssigkeit **178** 24; **182** 16
~ grund **340** 55
~ maschine **182** 15
~ trog **178** 24, 31; **182** 16
Audio-CD **241** 9; **242** 45–49
~ kassette **241** 9; **242** 45–49
~ synchronkopf **243** 16
Auditorium **262** 2
Auerbachsprung **282** 41
Auerhahn **88** 72
Auf **86** 48

Aufbau **221** 10, 69; **258** 22
~ deck **258** 10
~ häuschen **273** 56
~ spritzgerät **83** 2
Aufbauten **258** 10–28
Aufbereitungsanlage **144** 5
Aufbewahrungskasten **195**
  10
Aufblas·artikel **280** 33
~ ballon **25** 17
Aufenthaltsdeck **224** 107
Auffahr·mulde **213** 36
~ rampe **221** 55
Auffahrt **15** 16
Auffahrtsrampe **206** 1
Auffang·gefäß **10** 40, 45
~ tisch **249** 47
Auffußen **72** 43
Aufgabe·kasten **118** 35
~ raum **293** 61
~ schnecke **92** 26
~ tisch **157** 63
Aufgang *Schiff* **223** 24
~ *Zirkus* **307** 20
Aufgeber **293** 62
Aufhalte·kette **71** 20
~ ring **71** 27
Aufhängebügel **94** 21
~ holm **75** 16
~ kette **65** 17
Aufhängung *Schädlingsbek.*
  83 7
~ *Textilw.* **171** 9
~, kardanische **224** 50
Aufheller **310** 52
Aufklebeadresse **236** 4
Aufladeturbine **212** 51
Auflage **293** 47
~ fläche **261** 9
Auflagekrafteinstellung **241**
  33
Auflager *Bau* **121** 83
~ *Brücken* **215** 55
~ *Mus.* **322** 42
~ bock **120** 18
Auflagetisch **133** 17, 21
Auflege·matte **64** 72
~ vorrichtung **74** 49–51
Auflicht·beleuchtung **112** 59,
  63
~ mikroskop **112** 23
Auflösung **169** 10
Auflösungszeichen **320** 54
Aufnahme *Med* **22** 5
~ *Repro* **177** 38
~ *TV* **238** 58
~ anzeigeleuchte **242** 26
~ becherwerk **200** 49; **201** 21
~ einheit **240** 36
~ gerät **311** 23
~ halle **310** 26–60
~ kammer **113** 40
~ kopf **311** 25
~ leiter **310** 44
~ objektiv **114** 26
~ optik **313** 2
~ pegel **242** 16
~ richtung **243** 22
~ taste *Schmalfilm* **117** 83
~ taste *U-Elektronik* **242** 11
~ tonkopf **117** 33
~ - und Wiedergabegerät
  311 23
~ verstärker **311** 11
Aufpausen **129** 48
Aufprallschutz **191** 57
Aufputzinstallation **127** 6, 13
Aufrauhen **168** 31

Aufrauhstation **184** 3
Aufreißen **299** 8
Aufreißer **200** 20
Aufrollung **173** 28
Aufrollvorrichtung **173** 41
Aufruf **263** 14
Aufsattelgerät **65** 82
Aufsatz **293** 90
~ kamera **112** 64
~ seite **324** 74
~ uhr **42** 16
Aufschiebling **121** 31
Aufschlag *Kleidung* **33** 5
~ *Sport* **293** 42
Aufschläger **293** 51
Aufschlag·feld **293** 12
~ linie **293** 6 *bis* 7
~ linienrichter **293** 27
Aufschnitt **326** 25
~ messer **96** 31
~ ware **96** 14
Aufschwungphase **298**
  29
Aufsetzen **72** 43
Aufsicht **262** 14
Ausichtsbeamter **205** 41
Aufsichtsratsvorsitzender
  251 15
Aufsitz·mäher **56** 37
~ platz **307** 12
Aufstellmaschine **236** 34
Aufstieg **194** 39
Aufstiegsstufe **6** 37–47
Auftauchstufe **279** 17
Auftrage·bürste **50** 42
~ tablett **265** 14
Auftrag[s]walze *Druck* **181** 7
~ *Büro* **249** 52
Aufträufeln **228** 11
Auftriebskörper **217** 34
Auftritt **316** 36
Auf-und-ab-Schalter **211** 30
Auf-und-nieder-Steven **285**
  40
Aufwärtshaken **299** 32
Aufwascheimer **50** 54
Aufwickel-friktionsachse **312**
  37
~ spule **117** 32
Aufwind, thermischer **287** 21
~ schlauch **287** 21
Aufzug *Landw.* **66** 59
~ *Uhren* **110** 24–35
~, automatischer **110** 24–35
~ kasten **200** 14
~ schacht **271** 51
~ seil **120** 37
Aufzugs·rad **110** 33
~ tür **139** 51
Augapfel **19** 45
Auge *Anat.* **16** 7; **19** 5, 38–51
~ *Pferd* **72** 4
~ *Jagd* **88** 60
~ *Schmied* **137** 29
~ *Spiele* **276** 32
~ *Kunst* **334** 75
Augen·braue **19** 38
~ fleck **358** 54
~ hintergrundtafel **22** 32
~ muschel **117** 14
~ muskel **19** 44
~ refraktometer **111** 44
~ schutz **84** 23
~ spiegel **22** 64
~ sprosse **88** 6
~ steckling **54** 22
~ trost **61** 27
~ wurz **61** 13

~, männliche **59** 39
~, weibliche **59** 38
~, welke **58** 55
Blutegel **357** 20
Blüten·ähre **383** 62, 66; **384**
63
~ ansatz **59** 28
~ blatt **58** 43; **59** 11
~ boden **370** 53
~ dolde **378** 40
~ form **378** 10
~ kätzchen **371** 26
~ knospe **58** 27; **370** 24; **371**
25; **374** 14
~ kolben **383** 55; **384** 4, 6
~ köpfchen **61** 14
~ krone **378** 4; **384** 18
~ krug **370** 75
~ rispe **378** 46; **382** 54
~ schopf **383** 65
~ sproß **372** 6, 62, 68
~ stand **370** 67–77; **371** 8,
43, 48; **372** 17, 24; **373**
24; **378** 7, 53, 55; **382** 38;
383 11, 13, 49; **384** 31, 50
~ stand, männlicher **68** 35
~ stand, weiblicher **68** 32
~ staub *Bienenzucht* **77** 3, 6
~ staub *Bot.* **370** 65
~ stecher **80** 10
~ stengel **59** 4; **383** 7
~ stiel **370** 52
~ traube **58** 15; **374** 33
~ trugdolde **374** 36
~ zapfen **372** 4, 16, 22, 34,
62, 68
~ zweig **59** 26; **371** 2, 10, 16,
32, 34, 39, 51, 54, 66, 71;
372 33; **378** 2; **382** 3, 8,
12, 23, 27, 31, 41, 47, 50;
383 22, 26, 30, 38, 42;
384 17, 24, 37, 49, 54
Blut·gefäß **19** 33
~ klee **69** 4
~ kreislauf **18** 1–21
Blutlaus **80** 32
~ kolonie **80** 34
~ krebs **80** 33
Blut·senkung **23** 42
~ stein **108** 48
~ stillung **21** 14–17
~ wurst **99** 56
BMK **255** 68
b-Moll **320** 67
Bobby **264** 34
Bobführer **303** 20
Bobine **163** 2
Bob·schlitten **303** 19
~ sport **303** 19–21
Boccia **305** 21
Bock *Zool.* **73** 13, 18; **358** 38
~ *Jagd* **88** 28
~ *Brauerei* **93** 26
~ *Korbmacher* **136** 10
~ *Wagen* **186** 8
~ *Sport* **296** 17
~, wachsender **254** 32
~ bier **93** 26
~ büchsflinte **87** 33
~ gerüst **91** 33
~ käfer **358** 38
~ kitz **88** 39
~ mühle **91** 31
~ sattel **71** 37–44
~ sitz **186** 8
~ strang **122** 67
Boden **296** 11, 52; **297** 6, 19,
20, 23, 24, 25, 26, 27

~, eingeschnittener **119** 56
~ ansicht **286** 32, 35, 39
~ bestellung **63** 10–12
~ blender **289** 30
~ fläche **296** 11; **297** 6
~ gang **222** 48
~ geflecht **136** 20
~ gruppe der Karosserie
191 2
~ haltung **74** 1–17
~ heizung **356** 18
~ kammertür **38** 20
~ kampf **299** 8
~ kreuz **131** 23
~ lederschere **100** 39
~ luke **38** 14
~ pflege **50** 53–86
~ platte **112** 27
~ riß **11** 52
~ stampfer **200** 26
~ staubsauger **50** 68
~ stein **91** 23
~ stelle **6** 44
~ stern **136** 19
~ stromgerät **233** 22
~ stück **255** 38
~ tank **222** 38
~ teppich *Wohnung* **44** 16
~ teppich *Auto* **191** 43
~ wegerung **222** 63
~ wrange **222** 59
Bodhisattwa **337** 10
Bogen *Installateur* **126** 46
~ *Druck* **180** 55
~ *Eisenb.* **203** 51, 52
~ *Börse* **251** 17
~ *Sport* **302** 6
~ *Theater* **316** 11
~ *Mus.* **323** 12
~ *Fabelwesen* **327** 53
~ *Kunst* **336** 19
~ *Völkerkunde* **354** 32
~ ablage **180** 44; **181** 6
~ achter **302** 11
~ anlage **181** 6
~ anlegeapparat **180** 68
~ anleger *Druck* **180** 31, 48;
181 5
~ anleger *Buchb.* **184** 16; **185**
25
~ anschlag **185** 11
~ ausleger **180** 45
~ brücke **215** 19, 28
~ feintrieb **151** 66
~ feld **335** 26
~ form **316** 19–37
~ gang **297** 23
~ kämpfer **215** 29
~ lauf **180** 33
~ leiter **5** 20
~ norm **185** 69
~ offsetmaschine **180** 30
~ peitsche **307** 53
~ säge **108** 12; **136** 40
~ scheitel **215** 31
~ schießen **305** 52–66
~ schütze **305** 53
~ sehne **305** 59
~ spannweite **215** 26
~ wurf **297** 33; **305** 19
~ zähler **181** 54
~ zuführtisch **185** 9
~ zuführungstisch **180** 67
~ zusammentragemaschine
249 59
Bohlen·belag **118** 28
~ weg **118** 79
Bohne *Landw.* **57** 11

~ *Bot.* **382** 5
Bohnen·blüte **57** 9
~ käfer, Vierfleckiger **81** 19
~ kaffee **98** 65
~ pflanze **52** 28; **57** 8
~ stange **52** 28
~ stengel **57** 10
Bohrer *Med.* **24** 38
~ *Erdöl* **145** 21
~ *Steinbruch* **158** 9
~ *Sport* **282** 44
~ fach **24** 17
Bohr·fliege **80** 18
~ gestänge **145** 19
~ hammer **158** 11
~ insel **146** 1–39; **221** 64
~ inselversorger **221** 32
~ instrument **24** 6
~ kopf **134** 48
Bohrloch *Bot.* **58** 65
~ *Erdöl* **145** 17
~ *Steinbruch* **158** 12
Bohr·maschine **120** 21; **134**
16, 22
~ meißel **145** 21
~ motor **133** 7
~ rohr **145** 6
~ seil **145** 7
Bohr-Sommerfeldsches
Atommodell **1** 26
Bohr·spindel **150** 23
~ ständer **134** 54
~ turm *Landkarte* **12** 33
~ turm *Erdöl* **145** 1; **146** 12;
221 67
~ turmplattform **146** 1–37
Bohrung **143** 86
Bohrungskaliber **87** 40
Bohrwerk **138** 22
Boiler **38** 68
Boje **90** 2
Bola **352** 31
Bollstichel **340** 20
Bolzenschußgerät **94** 3
Bolzstichel **340** 20
Bombarde **322** 14
Bombardon **323** 44
Bomhart **322** 14
Bommel **29** 4
Bon **271** 7
Bonbon **98** 75
Bonbonniere **98** 79
Bonbon·sortiment **47** 31
~ tüte **47** 32
Bongo **324** 58
Bonnet **218** 34
Boot **89** 26; **285** 7; **354** 20
~ axt **328** 19
Bootes **3** 30
Boots·anhänger **278** 20
~ ausschnitt **30** 34
~ auszetzkran **258** 13
~ davit **258** 83
~ deck **223** 19–21
~ haus **283** 23
~ haut **283** 58
~ klasse **284** 49–65
~ mann **221** 114
~ rucksack **283** 65
~ rumpf **232** 2, 9
~ schuppen **283** 24
~ steg **283** 19
~ treppe **283** 22
Boottransporter **278** 20
Bord·energieanlage **6** 6, 8

~ gebrauch **6** 19
~ instrument **288** 68
~ jackett **221** 127
~ kanone **256** 3
~ kran **259** 10
~ küche **231** 20
~ maschinenkanone **255** 68
Bordsteinkante **198** 6
Bord·telefon **239** 13
~ uhr **230** 11
Bordun **322** 11
~ saite **322** 31
Bordwand **62** 25
boreales Klima **9** 56
Borgis **175** 26
Borke **370** 8
Borkenkäfer **82** 22
Börse **251** 1–10
Börsen·handel **251** 6
~ makler **251** 4
~ mitglied **251** 6
~ saal **251** 1
~ vertreter **251** 7
Borsten·schwanz **81** 14
~ wurm **357** 22
Böschung **118** 72
Boskett **272** 4
Bossenwerk **335** 51
Bossierer **161** 19
Bossier·griffel **161** 20
~ holz **161** 20
Botanik, allgemeine **370**
Botta dritta **294** 7
Böttcher **130** 11
Böttcherei **130** 1–33
Bottich *Böttcher* **130** 1
~ *Schwimmbad* **281** 26
Boule·spiel **305** 21
~ spieler **305** 22
Bovenspiegel **218** 55
Bowdenzug **188** 37; **189** 12
Bowling **305** 14–20
~ aufstellung **305** 14
~ kugel **305** 15
~ stand **305** 14
Bowlspiel **305** 21
Box *Landw.* **75** 2
~ *U-Elektronik* **241** 12
~ *Flohmarkt* **309** 30
~ auto **308** 63
~ birne **299** 23
Boxen **299** 20–50
Boxer *Zool.* **70** 10
~ *Sport* **299** 25
~ motor **230** 34
Box·handschuh **299** 26
~ kamera **309** 30
~ kampf **299** 20–50
~ manager **299** 45
~ match **299** 20–50
~ ring **299** 35
~ veranstaltung **299** 35–50
Boy **267** 18
Boy-Scout **278** 11
Brach·acker **63** 1
~ distel **61** 32
Brackett-Serie **1** 23
Brail **90** 2
~ tau **90** 3
Brakteat **252** 4
Braktee **371** 7
Bram·stag **219** 12
~ stengstag **219** 12
~ stengstagsegel **219** 25, 29
~ stengewant **219** 18
Branche **26** 46
Brand·giebel **121** 9
~ haken **77** 55

~ stand **195** 1–23
~ steckbuchse **195** 39
~ stecker **195** 2
Diagonale *Brücken* **215** 35
~ *Math.* **346** 33
Diagonal·kraweelbeplan-
kung **285** 56
~ riß **300** 3
Diagramm **151** 11
Diakopier·adapter **115** 61
~ vorsatz **115** 60
Diamant *Setzerei* **175** 21
~ *U-Elektronik* **241** 28
~ *Kristallkunde* **351** 10, 13
~ schleifer **24** 40
~ schneider **124** 25
Dianette **101** 48
Diaphragma **10** 27
Diapositivprojektor **309** 42
Diaprojektor **114** 76; **262** 8;
309 42; **312** 23
Diaschieber **309** 43
Diathermiegerät **23** 22
Diätmenü **266** 62
Diaulos **322** 3
Diazoplatte **179** 32, 34
Dichtband **126** 75
Dichter·narzisse **60** 4
~ roß **327** 26
Dichtleiste **190** 69
Dickdarm **20** 17–22
Dickenmesser **173** 10
dickes Bugstück **95** 29
~ Stück **95** 50
Dick·glas **124** 5
~ laugenpumpe **172** 34
~ rübe **69** 21
Dickte **175** 48
Dickteerabscheidung **156** 18
Dickten·hobelmaschine **132**
45
~ tisch **132** 46
Dickung **84** 11,12
Dickwurz **69** 21
Dieb **308** 16
Diechling **329** 52
Diele *Wohnung* **41** 1–29
~ *Bau* **119** 16
~ *Sägewerk* **157** 34
Dielen·belag **118** 28
~ kopf **334** 13
Diener **186** 20
~ anzug **186** 21
Dienst **335** 35
diensteintegrierendes digitales Fernmeldenetz **237**
42–62
Dienst·gebäude **205** 13
~ hund **70** 25
~ kleidung **264** 7
~ marke **264** 26
~ mütze **264** 8
~ pistole **264** 22
~ raum **207** 41
Dieselaggregat **259** 94
dieselelektrischer Antrieb
223 68–74
Diesel·kleinlokomotive **212**
68
~ kompressorschlepper **200**
39
~ kraftstoff **146** 26; **196** 1
~ kraftstofftank **146** 13
~ lok **212** 1–84, 1, 5
~ motor **155** 5; **190** 3, 4; **211**
47; **212** 25, 51; **223** 73
~ treibstoff **145** 56
~ triebwagen **211** 41

Differential **345** 13, 14
~ quotient **345** 13
~ zeichen **345** 13
Differenz **344** 24
~ menge **348** 7, 8
Diffuseur **172** 11
~ bütte **172** 13
Diffusor **234** 15
~ kalotte **114** 60
Digitalanzeige **110** 2, 12; **242**
42
Digital Audio Tape **242** 66
Digitalbetrieb **242** 68
digitale Datenanzeige **112** 47
~ Fluoreszenzanzeige **241**
47
digitales Fernmeldenetz **237**
42–62
Digitalis **379** 2
Digitalisiertablett **244** 26
Digitalkassettenrecorder **242**
66
Digitalplattenspieler **242** 28
Digitizer **244** 26
Diktatlängenanzeige **246** 18
Diktiergerät **22** 27; **246** 17;
248 34
Diligence **186** 39
Dimmer **127** 17
dinar **252** 28
Dinar **252** 28
Dinkel **68** 14
Diopter *Film* **117** 58
~ *Sport* **305** 41
~ visierung **305** 50, 51
Dioptrieneinstellung **117** 15
Dipolantenne **230** 65
Direct Drive **241** 19
Direktantrieb **241** 19
Direktionsbüro **271** 24
Dirigent **274** 21; **315** 26
Dirigentenstab **315** 27
Dirk **219** 48
Dirndl **31** 26
~ bluse **31** 29
~ kleid **31** 26
~ schmuck **31** 28
~ schürze **31** 31
Discman **242** 60
Disk **243** 37
~ achse **243** 43
Diskant·register **324** 41
~ saite **325** 10
~ steg **325** 11
~ teil **324** 39
Diskette **176** 5, 23; **244**
36–44
Disketten·achse **243** 43
~ format **243** 37–41
~ hülle **244** 41
~ laufwerk **176** 17; **244**
33–44
~ schublade **243** 36
Disk·format **243** 37–41
~ jockey **317** 25
~ schublade **243** 36
Diskothek **317**
Diskussionstubusanordnung
112 22
dis-Moll **320** 61
Dispersions·farbe **129** 4
~ kleber **128** 28
Display **242** 32, 33; **241**
47; **242** 36, 55, 63; **244**
60, 62; **249** 42
~ wahltaste **241** 62
Distel **61** 32
~ fink **360** 1

Distickstoffoxid **26** 3
Diva **310** 27
Dividend **344** 26
Dividendenschein **251** 18
Dividieren **344** 26
Division **344** 26
Divisionszeichen **344** 26
Divisor **344** 26
DM **252** 7, 29
d-Moll **320** 63
Dobermann **70** 27
Docht **107** 29
~ wolle **35** 9
Dock **222** 43
~ betrieb **222** 36–43
Docke **322** 50
Docken **222** 41–43
Dockgrube **222** 36
Dockingeinschnitt **6** 47
Dock·körper **222** 37, 38
~ kran **222** 34
~ ponton **222** 32
~ sohle **222** 31
~ stapel **222** 39
~ tor **222** 32
Dogcart **186** 18
Dogge **70** 1–14
~, Deutsche **70** 14
Do-it-yourself **134** 1–34
Dolbywahltaste **242** 14
Dolch **353** 44
Dolde **370** 72
Doline **13** 71
dollar **252** 34
Dollar **252** 34
Dollbord **283** 30
Dolle **278** 18; **283** 29, 41
Dollen **121** 93
Dolly **310** 49
Dolmen **328** 16
Dom **335** 1–13
Domäne **15** 94
Domdeckel **38** 48
Domino *Spiele* **276** 33
~ *Karneval* **306** 15
~ spiel **276** 33
~ stein **276** 34
Domizilvermerk **250** 22
Dompfaff **360** 5
Dompteur **307** 52
Donnerbart **377** 9
Donnerkäfer **358** 24
Doppel *Sport* **293** 2 *bis* 3, 49
~, gemischtes **293** 2 *bis* 3
~ -B **320** 53
~ besäumsäge **157** 57
~ bett **43** 4–13; **47** 1; **267** 38
~ boden **222** 60
~ brötchen **97** 15
~ bruch **344** 17
~ deckbús **194** 36
~ decker **229** 10
~ deckomnibus **194** 36
~ deckung **122** 2
~ drehfalluft **208** 7
~ dreier **302** 14
~ druckwerk **180** 6–13
~ endball **299** 20
~ falttür **197** 14
~ fang **171** 47
~ federzinken **64** 42, 54
~ flügel **229** 51
~ ganze **320** 12, 20
~ haken, offener **89** 83
~ haus **37** 69–71
~ herzschar **65** 58

~ hobel **132** 16
~ kajak **283** 5
~ kassettenrecorder **241** 7;
242 21, 43
~ kassettentonbandgerät
241 7; **242** 21
~ klaue **77** 8
~ köper **171** 48
~ kreuz *Schiff* **224** 98
~ kreuz *Mus.* **320** 51
~ kreuz *Kirche* **332** 64
~ kreuzpoller **217** 14
~ latte **122** 43
~ leiter **129** 5
~ leiterzahnstange **214** 11
~ leitwerk **229** 32, 34, 35
~ liftsessel **214** 17
~ maschine **100** 26
~ maschinentelegraph **224**
25
~ mühle **276** 25
~ oberleitung **194** 43
~ paddel **283** 39
~ paß **291** 49
~ perlfang **171** 48
~ poller **217** 11
~ punkt **342** 17
~ raufe **75** 12
~ reck **297** 3
~ rohrblatt **323** 29
~ rumpf **284** 65
~ rumpfflugzeug **229** 34
~ salto **282** 42
~ schaukel **273** 39
~ schlag **321** 21
~ schlagmaschine **163** 14
~ schleifenrahmen **189** 17
~ sessel **214** 18
~ sessellift **301** 57
~ sitzbank **188** 42
~ sitzplatz **197** 19
~ sitzreihe **207** 63
~ spalt-Fowler-Klappe **229**
40
~ spaltklappe **229** 48
~ spiel **293** 2 *bis* 3
~ spiralfibel **328** 30
~ startkatapult **259** 14
~ steckdose **127** 6
~ stern **3** 29
~ stockwagen **213** 35
~ -T-Eisen **143** 6
doppelt gesägt **370** 45
Doppel·tisch **260** 2
~ tor **301** 68, 70
~ tür **267** 27
~ uhr **276** 16
Doppelung **164** 5
Doppel·wappen **254** 10–13
~ waschmischer **267** 32
~ wellenmischer **159** 10
~ wendeleuchtkörper **127**
58
~ wiege **214** 68
~ zange **121** 50
~ zimmer **267** 27–38
Dorf **15** 105
~ kirche **15** 107
~ schwalbe **361** 20
dorischer Tempel **334** 1
dorische Säule **334** 8
Dornapfel **379** 8
Dornenranke **58** 30
Dorn·könig **361** 12
~ reisig **274** 2
~ speckkäfer **81** 22
Dörr·fleisch **96** 3
~ obstmotte **81** 28

~ gas 12 30
~ gasmotor 155 5
~ geschoß 37 2; 118 7
~ geschoßmauerwerk 123 29
~ haufen 55 15
~ hobel 200 19
~ hund 70 39
~ jagd 86 23
~ karte 14 10–45
~ kern 11 5
~ klemme 142 35
~ klumpenabsonderung 64 79
~ kröte 364 23
~ kruste 11 1
~ kugel 4 8
~ messung 14 46–62
~ mond 4 45
Erdnuß 45 41; 383 41
~ öl 98 24
Erdoberfläche 11 6–12
Erdöl 12 31; 145
~ bohrung 145 1–21
~ erzeugnis 145 52–64
~ förderung 145 22–27
~ gewinnung 145 22–27
~ lagerstätte 12 27
~ leitung 145 65
~ produkt 145 52–64
~ raffinerie 145 65–74
~ verarbeitung 145 36–64
Erd·pol 14 32
~ rauchgewächs 60 5
~ raupe 80 44
~ reich 123 9
~ rutsch 11 46
~ sänger 361 13–17
~ schaufel 55 14
~ schäufelchen 56 6
~ sieb 55 17
~ spalte 11 52
~ teil 14 12–18
Erfassungsplatz 176 3
Erfrischung 205 49
Erfrischungs·bude 308 3
~ getränk 96 30
Ergebnis 344 23
Ergometrie 23 26–31
Erhöhen 115 16
Erhöhung 320 51
Erhöhungs·winkel 87 76
~ zeichen 320 50, 51
Eridanus 3 12
Erika 377 19
Erläuterungstafel 356 20
Erle 371 30
Erlenbruchtorf 13 18
Erlenmeyerkolben 173 2; 350 39
Erlenzeisig 361 8
erloschener Vulkan 11 28
Erneuerungsschein 251 19
Erniedrigen 115 16
Erniedrigung 320 53
Erniedrigungszeichen 320 52, 53
Erpel 73 35
Ersatz·reifen 194 4
~ schlauchreifen 290 23
~ signal 203 6
~ spieler 291 54
~ teil 109 22
~ teilliste 195 32
Erstarrung 170 43
Erste Hilfe 21
Erste-Klasse-Teil 207 17
Erstentwickler 116 10

Erster 305 1
Ertrinkender 21 35
Eruptionskanal 11 17
Erve, Weiße 69 19
Erwerbsgartenbau 55 1–51
Erz 147 2
~ lagerstätte 11 31
Erzieherin 48 1
E-Saite 323 9
Esche 371 38
E-Schicht 7 27
escudo 252 23
Escudo 252 23
Es-Dur 320 65
Esel 73 3
~ hengst 73 8
Eselsrücken 336 36
Eskimo 353 1
~ kajak 283 68
es-Moll 320 68
Espada 319 32
Esparsette 69 10
Espartogras 136 26
Espe 371 21
Esper 69 10
Espresso 265 1–31
Eßbesteck 45 7
Esse 38 5; 137 1–8, 1; 138 34
Essenkehrer 38 31
Eß·geschirr 44 33
~ gruppe 42 33, 34; 44 1–11
Essig 98 25
~ flasche 45 42
~ gurke 98 29
Eß·löffel 45 61
~ teller 39 42; 45 4
~ tisch 42 33; 44 1; 45 1; 46 34; 266 74
~ zimmer 44
~ zimmerstuhl 44 10
Estocada 319 30
Estoqueo 319 30
Etagen·bett 47 1
~ käfig 74 20
~ ofen 97 71
Eule 252 2; 362 14–19
Eulenspiegel 306 38
Eurasien 14 15, 16
Eurocheque-Karte 250 24
Eurocity-Zug 205 34
Europa 14 15
~ flagge 253 4
~ flasche 93 26
~ rat 253 4
Eustachische Röhre 17 65
Euter 75 18
Evakuierungspumpe 67 11, 23
evangelische Kirche 330 1–30
Eventualquote 289 37
Ever 220 9
Ewer 220 9
Ewige Lampe 330 49
ewiger Frost 9 58
Ewiges Licht 330 49
Exhauster Mälzerei 92 15
~ Tischler 133 33
Exlibris 185 51
Exosphäre 7 31
Exotin 306 30
Expansions·gefäß 38 24
~ kamm 165 26
~ leitung 1 67
Experimentier·einrichtung 261 11
~ tisch 261 3
Explosions·ramme 200 26

~ stampfer 200 26
Exponent 345 1
Expreßgut 204 2
~ abfertigung 204 1
~ annahme 204 1
~ ausgabe 204 1
Exsikkator 350 51
Exsikkatoreneinsatz 350 54
Exterieur (des Pferdes) 72 1–38
Extraktionszange 24 47
Extraktor 170 37
Extremität 82 6–8
Extremthermometer 10 53–54
Exzenter 166 57
~ rolle 166 67
~ tritthebel 166 58
~ welle 166 56
~ wellenzahnrad 166 55

F

Fabel·tier 327 1–61
~ wesen 327 1–61
Fabrik 15 37
~ nummer 187 51
Facette Med. 24 32
~ Zool. 77 20
Facettenauge 77 20–24; 358 7
facettierter Stein 36 42–71
Fach Web. 166 40
~ U-Elektronik 242 29, 30
~, ausgemauertes 120 59
Facher 168 35
Fächer Jagd 88 75
~ Völkerkunde 353 42
~ besen 51 3
~ gewölbe 336 46
Fachkreuzspule 164 58
Fachwerk·binder 121 78
~ bogen 215 25
~ bogenbrücke 215 23
~ element 215 24
~ knoten 215 37
~ stütze 214 77
~ wand 120 48
Faden 164 53; 165 8; 167 7, 17, 36, 64
~ absaugung 164 44
~ auge 166 28, 29
~ behälter 22 61
~ bruch 165 19, 37
~ einzug 171 5, 20, 21
~ führer 166 14
Fadenführer Schuhmacher 100 30
~ Textil 167 3, 54, 64
~ haltestange 167 2
Faden·geflecht 381 2
~ heftmaschine 185 16
~ kops 185 18
~ kreuz Jagd 87 32
~ kreuz Personalcomputer 244 28
~ rolle 100 29
~ scheibe 165 30
~ schere 100 43
~ spanner 167 5
~ spannung 165 21
~ spule 185 18
~ strecke 171 38, 41
~ trenner 164 43
~ verkreuzung 165 11

~ wurm 80 51
~ zähler 177 23
Fagott 323 28
Fähe 88 42
Fähin 88 42
Fahlerz 351 1
Fahne Setzerei 176 29
~ Flaggen 253 7–11
Fahnen·abzug 176 29
~ band 253 9
~ nagel 253 8
~ schaft 253 7
~ spitze 253 10
~ stange 273 61
~ tuch 253 11
Fahr·antrieb 201 18
~ ausweis 204 36
~ ausweisausgabe 204 34
~ ausweisautomat 204 17
~ ausweisschalter 204 35
Fahrbahn·begrenzung 268 72
~ blech 215 6
~ decke 198 5
~ oberkante 215 8
~ platte 215 2
~ schicht 198 1–5
Fahrbenzin 145 54
Fährboot 216 11; 225 11
Fahrdamm 198 13
Fahrdraht 197 41; 205 58
~ spannungsanzeige 211 28
Fähre 216 10
fahrende Leute 308 25–28
Fahrender 308 25–28
Fahrer 289 26
~ haus 194 2; 200 11
~ hausgestänge 65 21
~ kabine 64 36; 194 15
~ luke 255 64
~ sitz 191 34
~ stand 64 33; 197 25
~ tür 193 2
Fahrgast Eisenb. 208 30
~ Schiff 221 109
~ abteil 207 13
~ anlage 225 31
~ kabine 214 28, 52
~ raum 208 22
~ sitz 194 34
Fahrgestell Landw. 67 14
~ Bau 119 32
~ Kraftwerk 152 41
~ Auto 191 2
~ Mil. 255 30–32
Fährhaus 216 45
Fahr·kabine 271 46
~ karte 204 36
~ kartenausgabe 204 34
~ kartenautomat 204 17
~ kartenschalter 204 35
~ kartenverkäufer 204 39
~ kupplung 65 39
~ leine 289 27
Fahrleitungs·kontakt 197 40
~ querspannung 197 42
~ unterhaltungstrieb·wagen 211 41, 44–54
Fährmann 216 17
Fahrmotor 197 5, 7; 209 3; 211 6
~ belüftung 209 7
~ lüfter 211 15
Fahrrad 187 1
~ antrieb 187 35–42
~ ergometer 23 26
~ gestell 187 14–20
~ glocke 187 4

Flansch *Böttcher* **130** 28
~ *Masch.* **143** 2, 5
~ stutzen **130** 20
Fla-Raketenstarterzwilling
    259 33
Flasche **93** 21; **98** 60−64; **105**
    37; **266** 16
Flaschen·abfüllung **93** 22
~ batterie **141** 1
~ bier **93** 26
~ blasmaschine **162** 21
~ bord **267** 64
~ bovist **381** 20
~ box **28** 21
~ gestell **79** 11
~ inhalt **279** 13
~ korb **79** 13
~ lager **79** 11
~ öffner **45** 47
~ regal **266** 10; **317** 4
~ reinigungsanlage **93** 18
~ reinigungsmaschine **93** 19
~ spule **167** 4
~ ventil **279** 22
~ wagen **141** 23
~ zug **137** 20; **145** 8; **221** 27
Flashbar **114** 75
Flattertier **366** 9
Fla-Zwillingsturm **259** 30
Flecht·arbeit **136** 16
~ art **136** 1−4
~ werk **136** 4
~ zaun **216** 54
Fleck, blinder **19** 50
~ specht **359** 27
Fledermaus **366** 9
~ ärmel **31** 16
~ flügel **327** 4
~ gaube **121** 23
~ gaupe **121** 23
Fleetreep **90** 4
Fleisch **175** 40
~ beschauer **94** 24
~ dünnung **95** 15
Fleischer **94** 1; **96** 38
Fleischerei **96** 1−30
Fleischer·fachgeschäft **96**
    1−30
~ geselle **96** 58
~ meister **96** 38
~ messer **96** 31−37
~ schürze **96** 39
Fleisch·gericht **266** 55
~ hacker **40** 39
~ haken **96** 55
~ hauer **94** 1
~ konserve **98** 20
~ messer **96** 35
~ nelke **60** 6
~ pastete **96** 15
~ salat **96** 13
~ stück **86** 43; **96** 59
~ teile **94** 20
~ topf **40** 12
~ waren **96** 1−4; **99** 53
~ warenabteilung **99** 51
~ wolf **96** 53
~ wurstring **96** 10; **99** 55
~ zerlegesäge **94** 20
Flexy disk **244** 36
Flickflack **297** 24
Fliege *Kleidung* **32** 47
~ *Bart* **34** 17
~ *Angelsport* **89** 65
~ *Zool.* **358** 18
fliegende Fähre **216** 10
~ Hundehütte **288** 91
fliegender Händler **308** 51

~ Mensch **307** 7
Fliegen·klappe **83** 32
~ klatsche **83** 32
~ pilz **379** 10
Fliegerabwehrkanonen-
    Panzer **255** 82
Fliegerabwehr-Maschinen-
    gewehr **255** 48
fließendes Wasser **89** 1
Fließ·heck **193** 10, 29
~ hecklimousine **193** 8
~ zone **11** 2
Float·bad **162** 16
~ glasprozeß **162** 12
F-Loch **323** 6
Flockenblume **61** 1
Flödel **323** 26
Floh **81** 42
~ markt **309**
Flomen **95** 45
Floppy **244** 36−44
~ disk **244** 36−44
~ laufwerk **244** 33−44
Florbildung **168** 31
Florentinerhut **35** 21
Florett **294** 11, 37, 39
~ fechten **294** 1−18, 53
~ fechter **294** 5, 6
~ knauf **294** 40
florin **252** 19
Flosse **286** 43, 61
Flossen·füßler **367** 18−22
~ stummel **232** 3
~ taucher **359** 4
Floßgasse **283** 60
Flöte *Küchengeräte* **40** 11
~ *Mus.* **323** 30, 31
~ *Völkerkunde* **353** 47
Flötenkessel **39** 16; **40** 10
Flottholz **90** 6
Flottung **171** 40
Flöz **154** 65
~ strecke **144** 29
Fluatmittel **128** 7
Fluchtweg **233** 41
Flug·abwehrraketenstarter
    258 32; **259** 25
~ bahn **89** 36
~ ball **293** 41
~ benzin **145** 57
~ betankungsstutzen **256** 7
~ blatt **263** 4
~ blattverteiler **263** 9
~ boot **232** 1
~ brettchen **77** 49
~ deck **259** 2, 12
~ drachen **260** 71
Flügel *Zool.* **81** 8; **82** 11; **327**
    28, 51, 60; **358** 33; **359**
    10
~ *Fischerei* **90** 16
~ *Flugzeug* **230** 43
~ *Mus.* **325** 40
~ *Bot.* **371** 57; **372** 9
~ , elliptischer **229** 15
~ ader **358** 34
~ anordnung **229** 1−14
~ ärmel **29** 14
~ aufhängung **257** 34, 35
~ decke **82** 10
~ form **229** 15−22
~ hahn **126** 35
~ hemdchen **29** 8
~ kopf **91** 6
~ mauer **216** 35
~ mutter **143** 42; **187** 39
~ nasenteil **235** 32
~ pedal **325** 41

~ rad **217** 52
~ radpumpe **217** 47−52
~ radwasserzähler **269** 53
~ roß **327** 26
~ schiene **202** 25
~ spannweite **229** 2
~ spitzentank **231** 9
~ tank **256** 4
~ walze **64** 73
~ welle **91** 5
Fluggast·brücke **233** 14
~ raum **231** 22
Flughafen **233**
~ betrieb, Hinweisschilder
    für den **233** 24−53
~ feuerwehr **233** 7
~ restaurant **233** 19
Flug·hafer **61** 29
~ haltung **301** 36
~ körperschnellboot **258** 69,
    75
~ körperstartcontainer **258**
    71
~ loch **77** 48
~ platzsammelraum **233** 11
~ reise **267** 15
~ sport **288**
~ steig **233** 12
~ steuerung, automatische
    235 23
Flugzeug **229**; **230** 67−72;
    231; **232**; **233** 21
~ aufzug **259** 4, 13
~ führersitz **257** 6
~ halle **287** 14
~ schlepp **287** 1
~ schlepper **233** 23
~ schleppstart **287** 1
~ träger, atomgetriebener
    259 1
~ triebwerk **232** 33−60
~ typ **231** 1−33
Fluidkompaß **224** 46
Fluoreszanzeige, digitale
    241 47
Fluothane-(Halothan-)
    Behälter **26** 26
~ -Behälter **26** 26
Flur *Haus* **41** 1−29
~ *Landw.* **63** 17
~ garderobe **41** 1
~ hüter **63** 13
~ wächter **63** 13
Flushdecksrumpf **258** 2
Fluß *Astr.* **3** 12
~ *Geogr.* **13** 61; **15** 76; **216**
    31
~ aal **364** 17
~ arm **13** 2; **216** 3, 18
~ aue **13** 62
~ bau **13** 66
~ bett **13** 68
~ damm **216** 49
~ fähre **216** 10
flüssige Phase **148** 27
flüssiges Eisen **148** 11
~ Roheisen **147** 55
Flüssiggas **145** 53
~ tanker **221** 35
Flüssigkeit **350** 21
Flüssigkeits·barometer **10** 1
~ behälter **247** 9
~ getriebe **212** 27, 52
~ raketen-Hauptmotor **235**
    36
~ standanzeiger **316** 57
Flüssig·kristallanzeige **110** 2;
    241 63; **242** 55

~ lager **225** 72
~ sauerstoff-Förderleitung
    234 10
~ sauerstoffleitung **234** 52
~ sauerstofftank **234** 12, 24,
    39
~ wasserstoffleitung **234** 51
~ wasserstoff-Saugleitung
    234 23
~ wasserstofftank **234** 26,
    41
Fluß·insel **216** 4
~ karpfen **364** 4
~ landschaft **13** 1−13
~ mittel **125** 7
~ mündung **13** 1
~ nixe **327** 23
~ perlmuschel **357** 33
~ regelung **216** 31
~ schleppdampfer **216** 23
~ spat **351** 16
~ tal **13** 57−70
~ ufer **216** 5
~ versickerung **13** 73
~ wasser **154** 55
~ wels **364** 12
~ windung **13** 11
Flüstertüte **283** 21
Flut **280** 7
Fluten **129** 34
Flut·gerät **129** 34
~ grenze **13** 35
~ welle **11** 53
Flyaway **298** 30
Flyerflügel **164** 25
Flyerin **164** 24
Flyer·lunte **164** 29
~ spule **164** 23
~ streckwerk **164** 22
Flying Dutchman **284** 49
f-Moll **320** 66
Fock **284** 16; **285** 3
~ mast **218** 42; **219** 2−4; **220**
    21
~ niederholer **284** 17
~ rah **219** 32
~ schot **284** 23
~ schotklemme **284** 22
~ schotleitschiene **284** 29
~ segel **218** 41; **219** 55
~ untermast **219** 2
Fohlen **73** 2
~ fellstiefel **101** 10
Föhnwelle **287** 17
Föhre **372** 20
Folie **76** 28
Folien·gewächshaus **55** 40
~ schlauchsilo **62** 43
~ schrumpfofen **226** 12
~ schrumpftunnel **76** 24
~ schweißanlage **76** 27
~ schweißgerät **40** 47
~ tunnel **55** 40
Folklorekleid **30** 27
Follikel **20** 84
Fön **105** 33; **106** 22
~ anschluß **106** 15
Fond·fenster **191** 23
~ sitz **191** 31
~ tür **193** 3
Fönkamm **105** 22
Fontäne **272** 22
Fontur **167** 21
Football **292** 22
~ spiel **292** 22
~ spieler **292** 23
Förder·aggregat **83** 59
~ band *Molkerei* **76** 23

~ weihe 362 11
Gaffel 219 45
~ geer 219 70
~ segel 220 1
~ stander 219 49
~ toppsegel 219 31
Gagel, Echter 373 33
Gaillardie 60 19
Galanterie·degen 355 63
~ warenabteilung 271 62
Galaxis 3 35
Galeere 218 44–50
Galeeren·sklave 218 48
~ sträfling 218 48
Galerie 315 16
~ grab 328 16
Galette 169 16
Galgenmikrophon 311 40
Gallapfel 82 34
Galle 82 34
Gallen·aufnahme 27 4
~ blase 20 11, 36
~ blasengang 20 38
~ gang 20 37, 38
Gall·mücke 80 40
~ wespe 82 33
Galopp, gestreckter 72 43,
  44
~, kurzer 72 42
~ rennen 289 50
galvanischer Betrieb 178 1–6
Galvanisierbecken 178 4
Galvanoplastik 178
Gamaschenhose 29 45
Gambe 322 23
Gammastrahlung 1 33, 40
Gams 367 3
Ganasche 72 11
Gang 192 32, 34, 35, 36, 42,
  43, 45
~ art 289 7
~ arten 72 39–44
~ gewicht 110 21; 309 59
~ grab 328 16
~ schaltung 65 35; 188 31
~ schaltungshebel 189 28
Ganner 359 15
Gans 73 34; 272 52
Gänse·blümchen 376 1
~ feder 341 26
~ fuß Bot. 61 25
~ fuß Sport 288 74
~ füßchen 342 26
~ kresse 61 9
Ganser 73 34
Gänserich 73 34
Gänse·säger 359 15
~ vogel 359 15–17
Gantelet 329 50
Ganter 73 34
ganze Note 320 13
~ Pause 320 21
Ganzholz 120 87
ganzrandig 370 43
Garage Med. 24 8
~ Haus 37 32, 79
Garageneinfahrt 37 52
Gär·aufsatz 349 7
~ bottich 93 8
Garderobe Wohnung 41 1
~ Theater 315 5
~ Nachtlokal 318 1
Garderoben·ablage 48 34
~ frau Theater 315 6
~ frau Nachtlokal 318 2
~ halle 315 5–11
~ marke 315 7
~ nummer 315 7

~ raum 207 70
~ spiegel 41 6
~ ständer 266 12
~ wand 41 1
Garderobiere 315 6
Gardine 44 14
Gardinen·abteilung 271 66
~ leiste 44 15
~ stoff 167 29
Gärkeller 93 7
Garmond 175 27
Garn 164 53, 56; 167 17, 36
~ aufwicklung 170 44
Garnele 369 12
Garnierung 222 62, 63
Garn·knäuel 183 11
~ kötzer 163 2
~ meterzähler 165 28
~ nummerfeinheit 164 40
~ rolle 103 12
~ scheibe 166 49
Garratlokomotive 210 64
Gärraum 97 72
Garten, englischer 272
  41–72
~ ammer 361 7
~ bank 272 42
~ baubetrieb 55 1–51
~ bauer 55 20
~ baugehilfe 55 45
~ baugehilfin 55 46
~ baumeister 55 20
~ baumschule 55 3
~ besen 56 3
~ blume 60
~ erdbeere 58 16
~ erde 55 15
~ fuchsschwanz 60 21
~ gerät 56
~ gerbera 51 26
~ hecke 51 9
~ hippe 56 9
~ krähe 361 3
~ laube 52 14
~ leiter 52 8
~ leuchte 37 38
~ liege 51 2
~ mauer 37 37
~ messer 56 9
~ nelke 60 7
~ rittersporn 60 13
~ rotschwänzchen 360 3
~ schädling 80
~ schirm 37 48
~ schlauch 37 42; 56 27
~ schubkarren 56 47
~ spinne 358 45
~ spritze 56 24
~ stiefmütterchen 60 2
~ stuhl 37 49
~ teich 51 16
~ tisch 37 50
~ treppe 37 39
~ weg 51 14; 52 23
~ zaun 52 10
~ zwiebel 57 24
Gärthermometer 93 9
Gärtner Beruf 55 20
~ Vogel 361 7
Gärtnerei 55 1–51
Gärwagen 97 73
Gas Erdöl 146 9
~ Auto 191 46
~ abscheider 145 28
~ anschluß 261 24
~ austritt 156 16
~ ballon 288 63
~ brenner 139 3, 48

~ drehgriff 189 29
~ durchlauferhitzer 126 12
~ entnahme 350 63
~ entwicklungsapparat 350
  59
~ feuerzeug 107 30
~ flaschenkasten 278 53
~ gerät 126 12–25
~ griff 188 30
Gashebel Auto 191 94
~ Flugzeug 230 30; 288 15
~ sperre 85 17
Gas·heizkammer 147 28
~ herd 39 12
~ kanal 152 12
~ kappe 12 30
~ kocher 278 33
~ kompressor 156 26
~ kühlaggregat 146 27
~ kühler 156 19
~ kühlung 156 29
~ leitung Erdöl 145 29
~ leitung Hütt. 147 18, 27
~ leitung Straße 198 21
~ maske 270 40
~ maskenfilter 270 57
~ ofen 126 25
~ ölfraktion 145 42
Gasometer 144 12
Gas·pedal 191 46, 94
~ regulierung 350 6
~ rohr 83 14, 35
~ sammelbehälter 156 25
~ sammelleitung 156 17
~ sauger 156 21
~ schlauch 141 9
~ schmiedeofen 140 11
Gast 266 25
Gastankleichter 221 94
Gasthaus 266 1–27
Gas·trennanlage 145 69
~ trocknung 156 30
Gastseite 207 78
Gas·uhr 156 1
~ - und Wasserinstallateur
  126 1
~ versorgungsregulierung
  27 41
~ waschflasche 261 32; 350
  58
~ wasser 156 39
~ zähler 156 31
~ zufuhr 139 54
~ zuführung 140 12
~ zuführungsrohr 350 2
Gatter Forstw. 84 7
~ Spinnerei 164 58
~ Sport 289 8
~ rahmen 157 8
Gaube 38 7
Gauch 359 30
Gauchheil, Roter 61 27
~, Rotes 61 27
Gaucho 306 31
Gaumen, harter 19 20
~, weicher 19 21
~ mandel 19 23
~ segel 19 21
Gaupe 38 7
Gautscher 173 49
Gaze Med. 22 58
~ Buchb. 183 32; 185 20
~ rollenhalter 185 19
G-Dur 320 56
Geäfter 88 23, 57
Geäse 88 13
Gebälk 334 52
Gebände 355 22

Gebärmutter 20 79
~ höhle 20 80
Gebäudeteil 335 43
Gebein 17 1–29
Gebende 355 22
Gebetbuch 330 62
Gebets·mühle 353 29
~ turm 337 13
Gebinde 84 35
Gebirgs·bahn 308 39
~ bewegungen 12 4–20
Gebiß 19 16–18
~, künstliches 24 25
Gebläse Landmaschinen 64
  15
~ Schädlingsbek. 83 49
~ Kürschner 131 10
~ Wärmepumpe 155 14
~ Papier 172 4
~ Flugzeug 232 34
~ brenner 350 9
~ einstellung 191 83
geblimpte Filmkamera 313
  15
Gebräch 88 53
Gebrech 88 53
Gebührenstempelabdruck
  236 58
gebunden 321 33
Geburtszange 26 53
Geck 306 33
Gecko 364 36
gedachte Lippenpfeife 326
  34
Gedankenstrich 342 23
Gedeck 44 5; 45 3–12; 266
  27
gedeckter Güterwagen 213
  14
Gedenkemein 60 2
Gedenk·kapelle 331 12
~ platte 331 14
~ stein 331 14, 26
~ tafel 331 14
Gedränge 292 20
gedrechselte Holzware 135
  19
Gefahrenzone 2 50
Gefährt 186 1–54
Gefäß 328 13
~ flöte 324 32
~ förderanlage 144 25
Gefechts·linie 294 9
~ turm 259 31, 43, 44
gefiedert, paarig 370 41
~, unpaarig 370 42
gefingert 370 39
Geflecht 136 4
Geflügel 73 19–36
~ haltung 74
~ marke 74 55
Gefrier·fach 39 5
~ gemüse 99 61
~ gut 99 58–61
~ schrank 39 7
Gegen·bindungsstelle 171 28
~ blasen 162 25
~ capstan 117 35
~ dreier 302 17
~ fänger 325 31
Gegengewicht Landw. 67 37
~ Optik 113 19
~ Bau 119 33
~ Tech. 139 34
~ Wasserbau 217 76
~ Hafen 226 50
Gegenkontakt 142 35
Gegenlichttubus 313 5

Gegen·mutter 143 30
~ schlaghammer 139 5
~ seil 214 46
~ seilmuffe 214 74
~ sprechgerät 22 34
Gegentaktspur 312 45
Gegen·wende 302 18
~ winkel 346 12
Gegner 294 10; 299 40
Gehacktes 96 16
gehalten 321 30
Gehänge 214 54
~ bolzen 214 72
Gehäuse *Meteorol.* 10 18
~ *Masch.*
~ *Kraftwerk* 153 37
~ *Textil* 168 17
~ *U-Elektronik* 242 63
~ *Personalcomputer* 244 4
~ *Film* 312 48
~ *Chem.* 349 26
~ *Zool.* 357 29
~ abdeckung 249 27
~ deckel *Masch.* 143 79
~ deckel *U-Elektronik* 241 2;
242 62
~ schlüssel 109 11
~ verriegelung 313 33
Gehbelag 123 41
Gehen am Seil 300 22–27
Gehör 88 44
~ gang 17 34, 58
~ knöchelchen 17 61
Gehörn 88 29–31
Gehör·nerv 17 64
~ organ 17 56–65
~ schutzkapsel 84 23
Gehrung 124 4; 133 19
Gehrungs·lade 132 43
~ säge 124 30
~ schmiege 120 81
~ sprossenstanze 124 7
~ stoßlade 124 31
~ winkel 120 82
Geh·steig 198 9
~ weg 37 60; 198 9
~ wegpflaster 198 8
Geige 323 1
Geigen·bogen 323 12
~ bogenbezug 323 15
~ hals 323 2
~ körper 323 3
~ korpus 323 3
~ steg 323 5
Geigerzähler 2 19
Geiser 11 21
Geisha 353 39
Geisipodes 334 14
Geison 334 12
Geiß *Zool.* 73 14
~ *Jagd* 88 34
Geißblatt, Echtes 374 13
Geißfuß 339 20; 340 9
Geister·bahn 308 19
~ beschwörung 354 42
Geistlicher 330 22; 331 37;
332 3, 22
gekerbt 370 46
Gelände·abbruch 11 50
~ fahrt 290 33
~ fahrzeug 193 11
~ maschine 189 16
~ wagen 193 11
Geländer 37 19
Geländer·reifen 194 4
~ ritt 289 16
Geländer·pfosten 38 29
~ stab 123 51

Gelände·sport 290 24–28
~ sportmotorrad 189 16
~ verschiebung 11 50
Gelatinewalze 340 12
Geläuf 289 23
gelb 343 2
Gelb·ammer 361 6
~ blühender Jasmin 373 4
~ -Doppeldruckwerk 180
6, 7
gelbe Karte 291 63
Gelbe Lupine 69 17
gelber Dotter 74 68
gelbe Rübe 57 17
Gelber Ziegenbart 381 32
Gelbe Schwertlilie 60 8
Gelb·filtereinstellung 116 44
~ haubenkakadu 363 1
Geld 252
~ betrag 196 4
~ fach 271 6
~ harke 275 5
~ kasten 271 5
~ kurstabelle 204 32
~ schein 252 30–39
~ schrank 246 22
~ schub 271 5
~ stück 252 1–29
~ wechsel 233 51
~ wechselautomat 204 22
~ wechselschalter 250 10
~ wechsler 197 33; 204 22
Gelege 80 30
Gelenk 100 68
~ kopf 50 60
~ lokomotive 210 64
~ messer 85 20
~ rille 291 29
~ triebwagen 197 1, 13
~ welle 64 40, 48; 67 16; 211
51; 212 29, 83
~ wellenanschluß 64 63
~ zugriemen 291 25
Geliger 329 88
Gelse 358 16
Gelt·reh 88 34
~ tier 88 1
Gemeinde 330 29
Gemeine Akelei 60 10
~ Feldbohne 69 15
~ Jungfernrebe 374 16
~ Kornrade 61 6
~ Kuhschelle 375 5
~ Melde 61 24
~ Quecke 61 30
Gemeiner Beinwell 375 45
~ Buchsbaum 373 19
~ Delphin 367 24
~ Hecht 364 16
~ Hülsstrauch 374 9
~ Liguster 373 6
~ Pelikan 359 5
~ Spörgel 69 12
~ Tulpenbaum 374 1
Gemeines Hirtentäschel
61 9
~ Knaulgras 69 25
Gemeine Stubenfliege 81 2
~ Wicke 69 18
Gemeinschaftssauna 281 18
Gemenge·eingabe 162 2
~ trichter 162 13
Gemini 3 28; 4 55
Gemisch·hebel 230 31
~ regler 230 31
~ regulierhebel 288 16

~ tank 188 28
gemischtes Eis 265 28
Gemse 367 3
Gemüse·abteilung 99 80
~ beet 52 26; 55 39
~ behälter 96 51
~ bohne 57 8
~ garten 52 1–32
~ konserve 96 27; 98 17
~ korb 99 81
~ löffel 45 74
~ pflanze 57
~ platte 45 33
~ schale 39 4
~ schüssel 45 25
~ steige 55 43
~ - und Obstgarten 52 1–32
~ versandsteige 55 43
Generator 152 23; 153 26;
154 15, 47, 53; 155 46;
223 74
~ anlage 146 2
~ teil 114 66
Genick *Anat.* 16 21
~ *Pferd* 72 12
~ fänger 87 42
~ stück 71 10
Genua 284 16
Genußmittel 98 65–68; 99
68–70
~ pflanze, tropische 382
Geodäsie 14 46–62
Geographie 11; 12; 13
geographische Breite 14 6
~ Länge 14 7
Geologie 12 1–33
Geometrie 346; 347
~, elementare 346 1–58
~, euklidische 346 1–58
geometrische Form 260 79
geometrischer Körper 347
30–46
geometrisches Zeichen 345
21–24
Georgine 60 23
georgisch 341 4
Gepäck·abfertigung 204 4
~ ablage 207 51; 208 27
~ apsis 278 27
~ aufbewahrung 233 39
~ aufkleber 204 7
~ ausgabe 233 38
~ bandwagen 233 22
~ bank 204 42
~ fach 194 18
~ halle 233 5
~ raum *Auto* 194 13
~ raum *Flugzeug* 257 19
~ schein 204 8
~ schiebekarren 205 32
~ schließfach 204 21
~ spinne 278 51
~ träger 187 44
~ träger *Eisenb.* 205 31
~ tunneleinfahrt 233 6
gepanzerter Schloßraum 246
24
Gepard *Mil.* 255 82
~ *Zool.* 368 7
Gerade *Eisenb.* 203 49, 50
~ *Sport* 299 28
~ *Math.* 346 2, 3, 5
Gerad·flügler 358 8
~ führung 151 2, 53
Geranien·gewächs 53 1
Gerät 244 66, 67; 296
48–60; 297 15–32
~, landwirtschaftliches 66

Geräte, kirchliche 332 34–64
~, liturgische 332 34–54
~, optische 112; 113
~ -Baugruppe 234 56
~ brett 235 23
~ halle 233 8
~ haus 270 1
~ kopf 116 41
~ raum 37 32
~ schuppen 52 3; 55 1
~ tisch 212 31
~ träger 177 58
~ turnen 296; 297
~ wagen 270 53
Gerätsteckdose 50 78
Geräuschorgel 238 35
Gericht 266 49,67
Gerinne 91 41
Gerippe 17 1–29; 261 14
germanisches Ruderschiff
218 1–6
Geröllband 300 4
Gerste 68 1, 26
~ anlieferung 92 41
~ einlauf 92 2
~ elevator 92 33
~ silo 92 31
Gertel 85 11
Geruchsverschluß 126 26
Gerüst *Korbmacher* 136 25
~ *Bildhauerei* 339 22
~ bug 118 25
~ diele 122 70
~ eisen 339 24
~ hebel 118 27
~ helling 222 19–21
~ knoten 118 30
~ ständer 118 23
~ stange 118 23
gesägt 370 44
~, doppelt 370 45
Gesamtschule 261 1–45
Gesangbuch 330 30
Gesäß 16 40
~ backe 16 40
~ falte 16 42
~ muskel 18 60
Gesätz 332 32
Geschabtes 96 16
Geschäfts·bote 236 17
~ brief 245 33; 246 7; 248
30
~ flugzeug 231 3, 7
~ führer 267 7
~ - und Reiseflugzeug 231
3, 7
Geschicklichkeitswettbe-
werb 290 32
Geschirr 71 7–25
~ schrank 39 8; 44 26
~ serie 40 12–16
~ spülautomat 39 40
~ spüle 39 35
~ spüler 39 40
~ spülmaschine 39 40
~ stapel 266 11
~ wagen 39 41
Geschlechtsorgan, männl.
~, weibl. 20 79–88
geschlossene Gesellschaft
267 40–43
Geschmeidigmachen 169 22
geschmolzener Schnee 304
30
Geschoß·spitze 328 2
~ treppe 123 42–44
Geschütz 218 50; 259 52

~ motorklappe **195** 50
~ partie **193** 35
~ pforte **221** 55; **226** 18
~ propeller **232** 28
~ rampe **258** 91
~ rotor **232** 14; **256** 20; **264** 4
~ scheibe **191** 32, 82
~ scheibenheizung **191** 80
~ schild **85** 40
~ spiegel **221** 42; **286** 26
~ spoiler **193** 34; **290** 35
~ trawler **221** 86
~ triebwerk **231** 10
~ tür **193** 20; **194** 11; **255** 81
Hederich, Echter **61** 21
~, Falscher **61** 18
Heer **255**
~ vogel **359** 25
Hefe **97** 53
~ brezel **99** 16
~ reinzuchtapparat **93** 6
~ zopf **97** 41
Heft **45** 51; **132** 10
~ drahtabspulvorrichtung **184** 18
Heften **183** 8
Hefter **247** 4
Heft·gaze **183** 33; **185** 20
~ lade **183** 9
~ lage **183** 12
~ lasche **119** 60
~ nadel **185** 21
~ pflaster **21** 7; **22** 55
~ pflasterrolle **26** 54
~ sattel **185** 24
~ schnur **183** 10
Heftung **183** 34
Heide **15** 5
~ kraut **377** 19
~ krautgewächs **53** 12
Heidelbeere **377** 23
Heide·lerche **361** 18
~ pflanze **377**
~ röschen **377** 20
Heiliger, buddhistischer **337** 10
Heilige Schrift **330** 11
heiliges Sakrament **332** 35
Heilpflanze **380**
Heimathafen **286** 8
Heimchen **81** 7
Heim·werken **134** 1–34
~ werker **134** 61
~ werkerbank **134** 41
Heinze **63** 29
Heiß·email-(Diazo-)platte **179** 32
~ emailplatte **179** 32
Heißluft **96** 47
~ bad **281** 18
~ ballon **288** 79
~ kamm **106** 29
~ leitung **139** 52
~ pistole **130** 25
~ sterilisator **22** 71
Heißtrubausscheidung **93** 2
Heißwasser·bereiter **126** 12, 13
~ versorgung **155** 26
heiter **9** 21
Heiz·anlage **192** 60–64
~ druckmesser **210** 44
Heizersitz **210** 39
Heiz·gas **145** 52
~ gebläse **192** 62
~ generator **212** 39
~ kasten **183** 27

~ keller **38**
~ kessel **155** 13
Heizkörper **38** 76; **129** 34; **155** 15; **172** 32
~ pinsel **129** 21
~ rippe **38** 77
Heiz·kupplungsschlauch **208** 20
~ leitung **208** 20
~ öl **38** 50
~ öl, leichtes **145** 58
~ öl, schweres **145** 59
~ ölbehälter **212** 75
~ presse **116** 57
~ raum **38** 43; **55** 7
~ rohr *Gärtner* **55** 8
~ rohr *Eisenb.* **210** 17
~ spannungsanzeige **211** 27
~ spannungsmesser **212** 17
~ strommesser **212** 18
~ umrichterschrank **212** 40
Heizung *Haus* **38** 24
~ *Setzerei* **174** 45
~ *Eisenb.* **207** 6
Heizungs·anschluß **190** 55
~ körper **126** 20
~ regulierung **207** 54
Heizwindleitung **147** 19
Held **310** 28
Helfer *Erste Hilfe* **21** 19
~ *Sport* **299** 44
Helferineinheit **24** 9
Helgen **222** 11–26, 11–18
Helikon **323** 44
Heliostat **5** 29
Helium **1** 5; **234** 14
~ atomkern **1** 30, 31
~ -Druckgastank **234** 43, 50
helles Bier **93** 26
Helligkeitsregelung **240** 33
Helling **222** 11–26, 11–18
~ anlage **222** 11–26
~ gerüst **222** 19
~ kran **222** 23
~ portal **222** 11
~ sohle **222** 17
Helm *Schiff* **218** 13
~ *Heraldik* **254** 4, 7–9, 9
~ *Polizei* **264** 35
~ *Sport* **292** 24
~ *Ritterwesen* **329** 39–42
~ decke **254** 3
~ glocke **329** 39
~ kasuar **359** 1
~ kleinod **254** 1, 11, 30–36
~ krone **254** 12
~ öler **187** 65
~ stock **218** 13
~ zeichen **254** 1, 11, 30–36
~ zier **254** 1, 11, 30–36
Hemd, kurzärmeliges **33** 33
~ bluse **30** 40
~ blusenkleid **30** 10
Hemden·bluse **30** 40
~ knopf **33** 34
~ tasche, aufgesetzte **33** 38
Hemieder **351** 24
Hemipyramide **351** 24
Hemisphäre **3** 1–35
Hengst **73** 2
Henkel *Textil* **171** 37
~ *Schule* **260** 8
~ kanne **38** 35
~ kreuz **332** 63
~ locheisen **100** 46
Henne **62** 36; **73** 19; **98** 7
Henriquatre **34** 13
Heppe **85** 11

Heraldik **254** 1–36
Herbst·anfang **3** 7
~ blume **379** 3
~ punkt **3** 7
~ zeitlose **379** 3
Hercules **3** 21
Herd·apfel **68** 38
~ tiefe **11** 34
Hererofrau **354** 25
Hering *Camping* **278** 24
~ *Zool.* **364** 14
Herings·hammer **278** 25
~ logger **90** 1
~ treibnetz **90** 2–10
Herkules **3** 21
Herme **334** 35
Herr **265** 22; **355** 54, 61, 73
Herren·anzug **33** 1
~ artikelabteilung **271** 12
~ doppel **293** 2 *bis* 3
~ einzel **293** 4 *bis* 5
~ fahrrad **187** 1
~ friseur **106**
~ hemd **32** 38–47
~ hut **35** 13, 22–40
~ hutform **35** 14
~ kleidung **33**
~ mode **33** 1–67
~ mütze **35** 22–40
~ nachtkleidung **32** 35–37
~ pullover **33** 51
~ ring **36** 20
~ salon **106** 1–42
~ schaftstiefel **101** 7
~ schneider **104** 22
~ schneideratelier **104** 1–32
~ socke **32** 32–34
~ sommerpulli **33** 32
~ stiefel **101** 5
~ straßenstiefel **101** 13
~ tier **368** 12–16
~ toilette **233** 47
~ unterkleidung **32** 22–29
~ unterwäsche **32** 22–29
~ wäsche **32** 22–29
Herrgottskäfer **358** 37
Herz *Anat.* **18** 14; **20** 8, 24, 25, 45–57
~ *Spiele* **276** 40, 44
~ blume **60** 5
~ brett **120** 93
herzförmig **370** 35
Herz·kammer **20** 51
~ katheterisierung **27** 30
~ kirsche **59** 5
~ klappen **20** 46, 47
~ linie **19** 74
Herzogstul **254** 39
Herz·ohr **20** 24
~ rhythmus **25** 1
~ schild **254** 17
Herzschrittmacher **25** 31
~, intrakorporaler **25** 37
~ silhouette **25** 39
~ stromkurve **25** 2, 21, 28
~ stück **202** 24; **203** 48
~ überwachungsanlage **25** 1
Hessen·fliege **80** 40
~ mücke **80** 40
Hetzhund **70** 24; **86** 33
Heu **63** 25; **75** 13
~ ernte **63** 19–30
Heufler **88** 23
Heu·forke **66** 3
~ gabel **66** 3
~ harke **66** 23
~ hüpfer **358** 8

Heulapparat **224** 70
Heu·pferd, Grünes **358** 8
~ reuter **63** 28, 29
~ schrecke **358** 8
~ schreckenköder **89** 68
~ springer **358** 8
~ wurm **80** 23
Hexaeder **351** 2
Hexagon *Schmuck* **36** 62, 63
~ *Kristallkunde* **351** 15
~, ovales **36** 63
Hexakisoktaeder **351** 13
Hexe **306** 6
Hexen·kraut **61** 31
~ stich **102** 9
Hieb- und Stoßwaffe **294** 34
Hiebwaffe *Polizei* **264** 19
~ *Sport* **294** 34
Hieroglyphe **341** 1
HiFi-Anlage **241** 1–17
~ -Kompaktanlage **242** 64
~ -Tower **241** 1
~ -Turm **241** 1
Hifthorn **289** 44
High-Hat **324** 50
~ -riser **188** 56
~ -Speed-Dubbing **242** 24
~ -Speed-Shutter **243** 5
Hi-Hat **324** 50
Hilfe, ärztliche **253** 27
~, Erste **21**
~ stellung **297** 16
Hilfs·arbeiter **118** 19
~ betrieb **209** 13; **211** 34
~ betriebeumrichter **209** 10
~ fahrwerk **194** 32
~ fallschirm **235** 59
~ gasturbine **231** 33
~ gerät **296** 12–21; **297** 7–14
~ kontakt **153** 57
~ kranzug **147** 61
~ luftbehälter **212** 61
~ maschine **223** 71
~ maschinenraum **223** 70; **259** 56
~ mittel **21** 31
~ motor **211** 17
~ rippe **287** 36
~ schirm **288** 39
~ schwert **284** 9
~ seil **214** 47
~ seilspannvorrichtung **214** 48
~ stander **253** 30–32
~ triebwerk **231** 33
~ wagen **157** 11
Himation **355** 6
Himbeerblüte **58** 26
Himbeere **58** 28; **370** 101
Himbeerstrauch **58** 25
himmelblau **343** 6
Himmelfahrtsblümchen **377** 3
Himmels·achse **4** 10
~ äquator **3** 3
~ bedeckung **9** 20–24
~ gewölbe **3** 1–8
~ karte **3** 1–35
~ pol **3** 1; **4** 24, 26
~ schlüsselchen **376** 8
~ sphäre **4** 23
Hindernis *Roulette* **275** 30
~ *Sport* **289** 8, 20
~ lauf **298** 7, 8
~ laufen **298** 7, 8
~ rennen **289** 20–22
Hinkelstein **328** 18
~ gruppe **328** 11

K

Kabarett **40** 8
Kabel **50** 66; **153** 41; **169** 28,
  30; **170** 58, 59, 60; **326**
  53
~ anschluß *Astr.* **6** 26
~ anschluß *Post* **237** 88
~ anschlußtafel **239** 3
~ aufhängung **133** 39
~ bindung **301** 40
~ boden **152** 20
~ endverschluß **153** 33
~ fernsehen **237** 79
~ galgen **195** 15
~ haken **50** 65
~ keller **152** 21
~ kopfstation **237** 83
~ kranhelling **222** 11–18
~ messer **127** 63
~ netz **237** 87
~ rolle **294** 29
~ schacht *Straßenbau* **198**
  17
~ schacht *Raumfahrt* **234**
  29, 47; **235** 61
~ schelle **127** 40
~ trommel **270** 55
~ trommelwinde **258** 85
Kabine **223** 29; **282** 1; **288**
  19
Kabinen·fenster **312** 15
~ haube **257** 4
~ laufwerk **214** 66
Kabriolett **186** 29
Kabrio·sportcoupé **193** 14
~ sportwagen **193** 14
Kachelofen **266** 34
Käfer **82** 26, 42; **358** 24–39
Kaffee *Getränk* **98** 65; **99**
  68; **265** 1–31, 19
~ *Bot.* **382** 6
~ automat **39** 38; **265** 2
~ bohne **382** 6
~ gedeck **265** 18
~ geschirr **44** 27
Kaffeehaus **265** 1–31
~ besucher **265** 22–24
~ gast **265** 22–24
~ tisch **265** 11
Kaffee·kanne **44** 28
~ maschine **39** 38
~ mühle, elektrische **39** 24;
  98 69
~ röstmaschine **98** 70
~ sorte **98** 67
~ strauch **382** 1
~ tasse **44** 29
Käfig·haltung **74** 18
~ wagen **307** 62
Kahl·kopf **34** 22
~ schlag **84** 13
~ schlagwirtschaft **84** 4–14
~ wild **88** 1
Kahn·fähre **216** 15
~ fibel **328** 28
Kai **222** 5; **225** 64
~ mauer **217** 1–14
Kaiserin **355** 15
Kaiser·krone **254** 38
~ pinguin **359** 4
Kai·straße **225** 38
~ zunge **225** 66
Kajak **283** 4, 68–70; **353** 12
Kaje **225** 64
Kajütboot **286** 3
Kajüte **218** 45; **285** 39

Kajütenaufbau **285** 39
Kakao *Getränk* **98** 66
~ *Bot.* **382** 19
~ baum **382** 16
~ bohne **382** 19
~ pulver **382** 19
Kakerlak **81** 17
Kalabreser **35** 38
Kalander **173** 36
~ walze *Spinnerei* **163** 37
~ walze *Papier* **173** 38
Kalb *Zool.* **62** 33; **73** 1
~ *Fleischerei* **95** 1–13
Kalbs·brust **95** 4
~ filet **95** 7
~ kotelett **95** 3
Kaldarium **55** 4
Kalebasse **354** 27
Kalenderblatt **247** 33
Kalesche **186** 35
Kaliber *Jagd* **87** 40
~ *Walz.* **148** 59
~ *Sport* **305** 38, 39
~ dorn **149** 56
Kalibrierpresse **139** 18
Kalidünger **63** 14
Kalifornischer Strom **14** 39
Kalisalzflöz **154** 65
Kalk **147** 56
~, rückgebrannter **172** 52
~ bunker **147** 62
~ dünger **63** 14
~ löschtrommel **172** 51
~ ofen **15** 86
~ schale **74** 59
~ spat **351** 22
~ stein **13** 71–83; **160** 1
~ steinmergel **160** 1
Kalme **9** 11
Kalmengürtel **9** 46, 47
~, äquatorialer **9** 46
Kalmus **377** 22
Kalotte **261** 16, 18
Kalottenhochtöner **241** 13
Kälte·kompressor **92** 22
~ mittelsammler **92** 7
~ schutzanzug **279** 9
Kalt·front **8** 13–17, 13; **9** 27
~ haus **55** 33
~ leim **134** 36
~ lichtbeleuchtung **23** 8
Kalt- und Warmwasserhahn
  49 26
Kaltwasser·becken **281** 30
~ behälter **92** 9
~ griff **126** 29
~ hahn **49** 26
Kambium **370** 10
~ ring **370** 10
Kamel, zweihöckriges **366**
  29
~ karawane **354** 1
Kamera **1** 60; **112** 55; **243** 1;
  279 24; **313** 1
~, impulsgebende **117** 71
~ assistent **117** 68; **310** 42
~ ausgang **117** 28
~ führer **310** 42
~ kabel **239** 2
~ kasten **117** 25, 33
~ kopf **240** 27
~ kran **310** 49
~ mann **117** 67; **310** 20, 41
~ monitor **238** 65; **239** 12;
  240 28
~ objektiv **313** 19
~ recorder **243** 1
~ rückteil **114** 54

~ schwenker **310** 42
~ tasche **115** 70
~ teil **112** 20
~ tür **313** 25
Kamille **380** 1
~, Taube **61** 8
~, Wilde **61** 8
Kamin *Haus* **37** 10; **38** 5;
  155 12; **267** 23
~ *Bergsport* **300** 8
~ *Chem.* **350** 7
~ ecke **267** 22
~ formstein **159** 28
~ kehrer **38** 31
~ sims **267** 24
Kamm *Geogr.* **12** 36
~ *Hausrat* **28** 8
~ *Pferd* **72** 14
~ *Jagd* **88** 52
~ *Fleischerei* **95** 20, 47
~, verstellbarer **165** 26
Kämmaschine **163** 56, 63
Kamm·breiteveränderung
  165 36
~ deckel **71** 17, 31
Kammer *Atom* **1** 66
~ *Gewehr* **87** 20
~ scheidewand **20** 52
~ schleuse **15** 58
~ stengel **87** 22
~ trockner **170** 49
Kamm·griff **296** 41
~ lerche **361** 19
Kammolch **364** 20
Kamm·rad **91** 7
~ reiher **359** 18
Kammzug **163** 72
~ ablage **163** 62
Kamp **84** 6
Kampanile **334** 65
Kampf·bahn **294** 2
~ beobachtersitz **257** 7
Kämpfer **336** 21
Kampferbaum **380** 18
Kämpferstein **336** 21
Kampf·panzer **255** 62
~ raum **255** 44
~ ring **299** 35
~ schiff **259**
~ stier **319** 28
Kanadier **283** 3
Kanal *Landkarte* **15** 57
~ *Wasserbau* **217** 15–28
~ einfahrt **217** 15, 16
~ haltung **217** 29, 37
~ sohle **217** 30
~ verwaltung **217** 24
~ weiche **217** 27
Kanarienstrom **14** 41
Kandare **71** 13
Kandarenkette **71** 12
Kanette **166** 21, 30
Kanetten·klemmfeder **166**
  33
~ wechsel **166** 5
Känguruh **366** 3
Kaninchen **73** 18; **86** 23; **88**
  65
~ bau **86** 26
~ haube **86** 27
~ höhle **86** 26
~ wiesel **86** 24
Kanker **358** 44–46
Kanne **39** 30; **129** 7, 8
Kannelierung **334** 27
Kannenstock **163** 36
Kanonen·ofen **309** 4

~ schlag **306** 53
Kantbeitel *Tischler* **132** 11
~ *Bildhauerei* **339** 19
Kante *Brotstück* **97** 5
~ *Zeichn.* **151** 23, 24
~ *Sport* **302** 21
~ *Math.* **347** 32
Kanten·band **103** 14; **104** 19
~ klebemaschine **133** 26
~ meißel **339** 14
~ schleifmaschine **133** 12
~ schutz **123** 20
Kantholz **120** 10; **157** 36
Kantine **119** 45
Kanu *Sport* **283** 3
~ *Völkerkunde* **352** 19
~ heck **285** 44
Kanz **329** 83
Kanzel *Jagd* **86** 14
~ *Mil.* **255** 93
~ *Kirche* **330** 19
~ brüstung **330** 23
~ deckel **330** 21
~ haube **230** 39
Kanzelle **326** 13
Kanzeltreppe **330** 18
Kapaun **73** 21
Kapella **3** 27
Kapelle **15** 61
Kapellmeister **274** 21
Kapern **98** 42
Kapillarständer **23** 42
Kapital **345** 7
Kapitäl **334** 20–25
Kapitalband **183** 35; **185** 42
Kapitälchen **175** 14
Kapitalis **13** 16
Kapitalschrift **341** 16
Kapitän **224** 38
Kapitänskajüte **223** 13
Kapitell **334** 20–25
~, arabisches **337** 18
Kapitelüberschrift **185** 60
Kapokbaum **383** 20
Kappe *Schuh* **101** 37
~ *Kunst* **336** 39
~ *Kostüme* **355** 39
Kappen·blech **303** 7
~ heberzange **100** 52
~ isolator **153** 54
~ muskel **18** 52
Kappes **57** 32
Kapriole *Reitkunst* **71** 5
~ *Ballett* **314** 21
Kaprolaktam **170** 28
Kaptalband **183** 35
Kapuze **30** 69; **300** 19; **331**
  56
~, abknöpfbare **31** 21
Kapuzen·band **29** 64
~ muskel **18** 52
Kapuzinerkresse **53** 4
Kar **12** 48
Karabiner **300** 46
~ loch **300** 35
~ sitz **300** 19
Karambolagebillard **277** 7
Karamelle **98** 77
Karate **299** 18, 19
Karateka **299** 18
Karavelle **218** 27–43; **220** 37
Kardan·antrieb **189** 47
~ bogen **67** 6
~ gelenkkupplung **67** 28
kardanische Aufhängung
  224 50
Kardan-M-Teil **67** 29
~ -V-Teil **67** 31

Kern *Atom* 1 43
~ *Geogr.* 11 5
~ *Bot.* 58 23; 384 20
~ *Gieß.* 148 36
~ *Kraftwerk* 153 17
~ *Mus.* 326 28
~ bohrgerät 145 21
~ brennstoff 154 4
~ brett 120 93
~ bruchstück 1 37, 38, 44, 47, 51
~ energie 154
~ energieforschungsschiff 221 9
~ gehäuse 58 36, 59
~ haus 58 36, 59
~ holz *Bau* 120 84
~ holz *Bot.* 370 13
~ kraftwerk 154 19
~ marke 148 37
~ obst 58
~ obstgewächs 58 31-61
~ reaktor 154 19
~ schatten 4 35
~ spalt 326 24
kernspaltendes Neutron 1 42
Kernspaltung 1 34, 46
Kerosin-(RP-1-)Tank 234 9
Kerrie 373 28
Kerwe 308 1-69
Kerze *Wachskerze* 260 76
~ *Sport* 295 29
Kerzenstecker 188 27
Kessel 199 29
~ druckmesser 210 47
~ fundament 38 66
~ haube 329 61
~ haus 152 1-21
~ jagd 86 34-39
~ pauke 323 57
~ schmiede 222 9
~ speisepumpe 152 18
~ thermometer 38 64
~ treiben 86 34-39
~ wagen 145 35; 213 31
Ketchup 45 43
Ketscher 89 2
Kettbaum 165 56; 166 48; 167 24
~ bremse 166 59
Kette *Landw.* 75 15
~ *Web.* 166 39; 167 24
~ *Fahrrad* 187 36
~ *Mil.* 255 31
Ketten·ablängsäge 157 38
~ antrieb *Tischler* 133 38
~ antrieb *Fahrrad* 187 35-42
~ auslage 180 43
~ blende 255 50
~ blume 61 13
~ fähre 216 1
~ fahrzeug 255 51
~ flieger 308 4
~ fräse 120 17
~ fräsmaschine 132 49
~ gehänge 226 26
~ glied 36 39
~ greifer 180 56
~ karussell 308 4
~ kasten 188 46
~ panzer 329 63
~ querförderer 157 22
~ rad 187 35
~ reaktion 1 41, 48
~ säge 120 14
~ schleier 139 50
~ schließe 118 30

~ schrägförderer 64 7
~ schürze 255 50
~ schutz 187 37
~ schutzblech 187 37
~ selbstführung 65 12
~ spannvorrichtung 157 41
~ stich 102 2
~ stopper 223 51
~ trieb 187 35-39
~ zahnkranz 187 38
~ zahnrad 187 38
Kettfaden 166 39; 171 1-29, 2, 17, 18
~, gehobener 171 7
~, gesenkter 171 8
~ wächter 166 34
Kettschnitt 171 14
Keule *Jagd* 88 21, 37
~ *Fleischerei* 95 1, 14
~ *Sport* 297 37
~ *Chem.* 349 10
~ *Völkerkunde* 354 33
Keuliger Bärlapp 377 12
Keuper, Unterer 154 57
Kfz 191 1-56
~ -Schlosser 195 53
~ -Werkstatt 195
Kicherling 69 19
Kick·schuh 292 10
~ starter 188 43; 189 38
Kiebitz 359 21
Kiefer *Zool.* 358 25
~ *Bot.* 372 20
~ fühler 358 42
Kiefern·eule 82 46
~ schwärmer 82 27
~ spanner 82 28
~ zapfen 372 26
Kiel *Sport* 283 32, 50; 285 32; 286 61
~ *Mus.* 322 53
~, gestreckter 222 22
~ bogen 336 36
~ des Schiffes 3 46
~ flosse 231 6; 232 7
~ flügel 322 45
~ pallen 222 39
~ stapel 222 39
~ träger 235 7
~ wasser 223 58
Kiemen·deckel 364 5
~ spalte 364 3
Kies 118 36; 119 26
~ bettung 200 60
Kieselgur 93 3
~ filter 93 4
Kieselsäureskelett 357 8
Kieselstein 328 6
Kies·filterschicht 199 23
~ weg 272 18
Kiewitt 359 21
killendes Segel 285 8
Kilometer·tafel 216 44
~ zähler 187 33
Kimme 87 66; 255 19
Kimm·gang 222 46
~ kiel 222 47
~ pallen 222 40
~ stapel 222 40
Kimono 353 40
~ passe 31 18
Kind 48 33
Kinder·bett 47 1
~ buch 47 17; 48 23
~ dirndl 29 36
~ fahrrad 273 9
~ garten 48
~ gartenalter 48 33

~ gärtnerin 48 1
~ grab 331 29
~ hemdchen 28 23
~ karussell 308 2
~ kleidung 29
~ pulli 29 47
~ reisebett 28 1
~ shorts 29 25
~ sitz 187 21
~ söckchen 29 30
~ spielplatz 273
~ stuhl 28 33
~ tagesstätte 48
~ tasse 28 27
~ telefon 47 35
~ teller 28 28
~ -T-Shirt 29 27
~ wagen 272 71; 273 31
~ zimmer 47
~ zimmerschrank 47 21
~ zwieback 97 54
Kinn 16 15
~ backe 16 9
~ band 355 22
~ bart 34 10
~ grübchen 16 16
~ kette 71 12
~ lade 16 17
~ lappen 73 24
~ reff 329 41
~ stütze 323 8
Kino 312 1
~ besucher 312 5
~ karte 312 3
~ kasse 312 2
~ maschine 312 24
~ neiger 313 12
~ nivellierkopf 114 48
~ plakat 268 57
~ projektor 312 24
Kipp·anhänger 56 42
~ anschlag 214 35
~ anschluß 127 23
~ aschenbecher 208 29
~ flügel 232 27
~ flügelflugzeug 232 26
~ kasten 214 34
~ lager 226 40
~ lore 119 28
~ mulde 213 38
~ pritsche 194 25
~ rost 210 5
~ rostkurbel 210 40
~ rotor 232 32
~ rotorflugzeug 232 31
Kippscher Apparat 350 59
Kipp·vorrichtung 147 44, 59
~ zylinder 62 19
Kirche 15 53, 64; 330 1; 331 32; 335 1-13
~, evangelische 330 1-30
~, gotische 335 22
~, katholische 330 31-62
~, protestantische 330 1-30
~, romanische 335 1-13
Kirchen·bank 330 28
~ besucher 330 29
~ dach 331 11
~ diener 330 26
~ fahne 331 44
~ fenster 330 14
~ gestühl 330 28
~ orgel 16 1-52
~ portal 331 16; 335 24
~ schwalbe 359 24
Kirchgänger 330 29; 331 17
Kirchhof 331 21-41

~ mauer 331 18
~ tor 331 19
kirchliche Geräte 332 34-54
Kirchturm 331 2
~ hahn 331 3
~ spitze 331 6
~ uhr 331 7
Kirchweih 308 1-69
Kirgise 353 22
Kirmes 308 1-69
~ orgel 308 38
Kirri 354 33
Kirrmöwe 359 14
Kirsch·baum 59 1-18
~ baumblatt 59 2
~ blüte 59 3
Kirsche 59 5, 6-8; 370 99
Kirsch·fliege 80 18
~ frucht 59 6-8
~ fruchtfliege 80 18
~ kern 59 7
~ torte 97 22
~ torte, Schwarzwälder 97 24
~ zweig 59 1
Kithara 322 15
Kitt 124 17
Kittel, weißer 33 56
Kittmesser 124 27; 129 24
Kitz 88 39
Kitzel 20 88
Kitzreh 88 33
Klamm 13 52
Klammer *Bau* 121 97
~ *Chem.* 350 33
~, eckige 342 25
~, runde 342 24
~ fuß 364 34
Klampfe 324 12
Klang 89 21
Klapp·anhänger 278 3
~ caravan 278 3
~ deckel *Elektr.* 127 24
~ deckel *Kamera* 309 27
Klappe *Anat.* 20 46
~ *Mus.* 323 32, 35
Klappen·gefach 246 5
~ jalousie 212 84
~ kasten 267 5
~ mann 310 34
~ stutzen 190 15
~ system 229 37
~ text 185 39
Klapper 306 40
~ mohn 61 2
Klapp·hut 35 36
~ kamera 309 25
~ koje 259 84
~ laden 37 30
~ lüftung 55 10
~ rad 188 1
~ scharnier 188 2
~ sitz 207 12
~ stuhl *Babyausstattung* 28 33
~ stuhl *Camping* 278 43
~ tintenfaß 309 78
~ tisch 278 44
~ tischchen 207 53
~ tür 194 12
~ verdeck 186 52
~ wehr 217 65-72
~ wohnwagen 278 3
Kläranlage 144 20
klarer Schnaps 98 56
Klarinette 318 4; 323 34
Klarinettist 318 5

Klarsicht·fenster **278** 41; **284**
3
~ scheibe **189** 46
Klärwerk **144** 20
Klasse **77** 1, 4, 5
~ , 5,5-m- **284** 58
Klassen·buch **260** 23
~ raum **260** 1–45
~ schrank **260** 43
~ sortierung **74** 44
~ zimmer **260** 1–45
Klassierer **172** 50
Klassizismus **336** 15
klassizistischer Stil **336** 15
Klatschmohn **51** 30; **61** 2
Klaue *Jagd* **88** 24
~ *Setzerei* **174** 48
~ *Fabelwesen* **327** 3
Klaviatur **322** 28; **324** 40;
325 4, 5, 41
Klavichord **322** 36
~ mechanik **322** 37
Klavier **325** 1
~ gehäuse **325** 6
~ hammer **325** 3
~ mechanik **325** 2–18
~ pedal **325** 8, 9
~ saite **325** 7
~ taste **325** 4, 5
Klavizimbel **322** 45
Klebe·arbeit **260** 50–52
~ band **134** 38
~ binder **184** 1; **249** 61
~ fläche **260** 50
~ maschine **184** 1
~ presse **117** 89
~ streifen **98** 47
~ streifenhalter **247** 28
~ streifenrolle **247** 29
~ streifenspender **247** 27
~ vorrichtung **133** 29
Klebstoff **48** 4
~ tube **260** 51
Klee, Deutscher **69** 1
~ , Hoher **69** 9
~ , Kriechender **69** 2
~ , Russischer **69** 6
~ , Schweizer **69** 10
~ , Steyrer **69** 1
~ , Welscher **69** 9
Kleeblatt, vierblättriges **69** 5
~ bogen **336** 32
~ kreuz **332** 71
Klee·blüte **69** 7
~ karre **66** 26
~ sämaschine **66** 26
Kleiber **361** 11
Kleid **30** 10; **271** 29
~ , gegürtetes **355** 25
~ , zweiteiliges **31** 11
Kleider·ablage **315** 5
~ abteil **267** 30
~ bügel **41** 3
~ bürste **50** 44
~ gürtel **30** 11; **31** 10
~ haken **41** 2; **207** 50; **266**
14
~ kasten **212** 63
~ laus **81** 41
~ mode **355**
~ motte **81** 13
~ rock **30** 8
~ schrank **267** 29
~ schutz **104** 14
~ ständer *Schneiderei* **103**
17
~ ständer *Restaurant* **266** 12
~ stange **271** 31

Klein **275** 22
~ auflage **184** 1; **249** 59
~ bahn **15** 25
~ behälter **206** 19
Kleinbild·kamera **23** 7; **112**
26
~ kassette **112** 35; **114** 7
~ -Kompaktkamera **114** 1
~ patrone **114** 7
~ -Spiegelreflexkamera, vollautomatische einäugige
115 1–24
Kleinblütiges Knopfkraut **61**
31
Klein·buchstabe **175** 12
~ bus **194** 9; **195** 47
~ container **206** 19
~ diktiergerät **246** 32
~ drehbank **109** 20
~ drehtisch **142** 41
kleine Hostie **332** 48
~ Oktave **321** 45
kleiner als **345** 20
Kleiner Bär **3** 34
kleiner Finger **19** 68
Kleiner Frostspanner **80** 16
kleiner Hahn **88** 66
Kleiner Hund **3** 15
~ Kohlweißling **80** 48
~ Uhu **362** 14
~ Wagen **3** 34
Kleine Schwalbenmöwe **359**
11
~ Stubenfliege **81** 1
Klein·garten **52** 1–32
~ gärtner **52** 24
~ gepäckablage **208** 28
~ hirn **17** 45
~ kabine **214** 20
~ kabinenbahn **214** 19
Kleinkaliber·gewehr **305** 48
~ standardgewehr **305** 43
~ waffe **305** 44
Klein·kern **357** 12
~ kind **28** 42
~ kinderkleidung **29** 13–30
~ klavier **325** 1
~ kraftrad **189** 1
~ küchenmaschine **40** 45
~ laster **194** 1
~ lasttransporter **194** 5
~ motorrad **189** 1
~ offsetdrucker **249** 48
~ offset-Stapeldrucker **180**
70
~ schmetterling **58** 62, 64
~ schraubstock **134** 10
Kleinst·bildkamera **114** 16
~ bildkassette **114** 17
Kleinsterilisator **26** 35
Kleinteile·kasten **134** 34; **195**
31
~ spender **22** 64
Klein·uhr **109** 5
~ vieh **73** 18–36; **213** 28
~ vorlage **117** 56
~ wagen **193** 19
Kleister·bürste **128** 27
~ gerät **128** 25
Klemmbügel **247** 43
Klemme **350** 33
Klemmen·kasten **153** 60
~ schrank **211** 16
Klemm·halter **149** 45
~ hebel **132** 67
~ platte *Werkzeugmasch.*
149 46
~ platte *Eisenb.* **202** 9

~ schraube **133** 23
~ vorrichtung **2** 43
~ walzenpaar **165** 39
Klempner **125** 17
Kletter·ausrüstung **300**
31–57
~ bohne **57** 8
~ dach **273** 60
Kletterer **300** 5
Kletter·gerüst **273** 47
~ gürtel **300** 56
~ hose **300** 7
Klettern **300** 2–13
Kletternetz **273** 50
Klettern im Eis **300** 14–21
~ im Fels **300** 2–13
Kletter·pflanze **51** 5; **53** 2;
57 8
~ rose **52** 12
~ schuh **300** 44
~ seil **273** 48
~ tau **296** 19
~ technik **300** 2–13
~ turm **273** 17
~ walze **157** 5
~ wurzel **370** 80
Kliff **13** 28
Klima **9** 53–58
~ , äquatoriales **9** 53
~ , boreales **9** 56
~ , polares **9** 57, 58
~ anlage **26** 20; **146** 24; **209**
15; **239** 15
~ karte **9** 40–58
~ kunde **9**
~ landschaft **356** 21
Klinge *Messerklinge* **45** 54
~ *Sport* **294** 44
~ *Völkerkunde* **354** 12
Klingel·beutel **330** 59
~ tafel **267** 28
~ taster **127** 2
Klingenbindung **294** 46
Klinik, chirurgische **26** 1–54
Klinkenfeld **311** 16
Klinker·beplankung **285**
50–52
~ einer **283** 18
~ kühler **160** 9
~ lager **160** 10
Klinknagel **285** 52
Klinopinakoid **351** 24
Klippdachs **366** 24
Klippe **13** 25
Klipper **220** 36
Klippschliefer **366** 24
Klischee **178** 38
~ ätzmaschine **178** 23
~ facette **178** 44
~ fuß **178** 41
~ herstellung **178**
~ holz **178** 41
Klischiergerät **177** 52
Klivie **53** 8
Klo **49** 12
Kloakentier **366** 1
Klopapier **49** 11
Klopf·düse **50** 71
~ eisen **136** 36
Klöpfel *Tischler* **132** 5
~ *Steinbruch* **158** 36
Klopf·holz **120** 67
~ maschine **131** 4
Klöppel **324** 64
~ spitze **102** 18
Klosett **49** 12
~ becken **49** 13
~ brille **49** 15

~ deckel **49** 14
~ papier **49** 11
~ umrahmung **49** 18
~ umrandung **49** 18
Kloster **15** 63; **331** 52–58
~ garten **331** 53
~ gewölbe **336** 41
~ hof **331** 53
Klotz **125** 21
Klub·flagge **283** 25
~ haus **283** 23
~ sessel **267** 26
~ stander **283** 25
Kluft **13** 50
Klüpfel **132** 5
Kluppen·kette **168** 24
~ pinsel **129** 20
Kluppmeßstock **85** 10
Klüver **219** 22
~ baum **218** 51; **219** 1
~ leiter **219** 14
Knaben·hemd **29** 61
~ hose **29** 60
~ kraut **376** 28
Knäckebrot **97** 50
Knackmandel **45** 41
Knall·blättchen **306** 49
~ bonbon **306** 50
~ erbse **306** 51
~ frosch **306** 52
Knappe **329** 68
Knarre **306** 47
Knarrpoller **284** 25
Knauelgras **69** 25
Knäuelgras **69** 25
Knaulgras, Gemeines **69** 25
Knebel *Med.* **21** 16
~ *Schlosser* **140** 5
~ *Bildhauerei* **339** 25
~ bart **34** 13
~ knopf **30** 66
Kneif **183** 13
~ zange **100** 41; **126** 65; **134**
13; **140** 69
Kneipe **266** 1–27
Knet·brett **48** 14
~ figur **48** 13
~ maschine **97** 55
~ masse **48** 12
Knick·flügel **229** 14
~ kragen **324** 10
~ lenkung **85** 31, 37
~ säulenmontierung **113** 21
~ spant **258** 8
~ stelle **358** 35
Knie **16** 50
~ bank **332** 25
~ beuge **16** 51
~ buckel **329** 53
~ bund **33** 41
~ bundhose **33** 40
~ gamasche **289** 31
~ geige **323** 16
~ gelenk **340** 30
Kniehebel **325** 45
~ antrieb **181** 16
~ presse **183** 26
~ system **183** 30
Knie·kehle **16** 51
~ liegesitze **295** 20
~ scheibe *Anat.* **17** 23
~ scheibe *Pferd* **72** 33
~ schutz **292** 9
~ schützer **303** 17
~ stand **295** 7
~ stock **121** 46, 47
~ strumpf **29** 53; **33** 42
Knobel **276** 31

Kranich 3 42
Krankabel 222 13
Kranken·auto 270 19
~ bahre 270 23
~ blatt 22 8
~ haus 25; 26; 27
~ kraftwagen 270 19
~ schein 22 9
Kranker 274 7
Kran·kette 139 44
~ motor 157 28
~ pfanne 147 60
~ wagen 270 47
Kranz, Frankfurter 97 42
~ frisur 34 31
~ gesims 334 11–14; 335 48
~ riff 13 32
Krater *Geogr.* 11 16
~ *Film* 312 44
Kratzboden 62 24
Kratze 163 34; 168 31
Kratzeisen 303 24
Kratzenrauhmaschine 168 31
Kratz·malerei 338 41
~ putz 338 41
Kraulen 282 37
Kraulschwimmen 282 37
Kräuselung 170 59
Krauskohl 57 34
Kraut 57 32
~ abstreifer 64 73
~ band 64 76
~ bandantrieb 64 78
~ bandklopfeinrichtung 64 77
~ pflanze 57 28–34
Krawatte 32 41
Krawatten·knoten 32 42
~ nadel 36 22
Kraweel·beplankung 285 53
~ boot 283 9
Krayonmanier 340 14–24
Krebs *Astr.* 3 4; 4 56
~ *Zool.* 358 1–2; 369 12, 15, 16
~ tier 358 1, 2
Kredit 250 4
~ büro 271 24
Krehl 51 22
Kreide *Schule* 260 32
~ *Graphik* 340 26
~ ablage 260 31
~ manier 340 14–24
~ skizze 338 4
~ stift 338 5
~ zirkel 260 40
Kreis 346 42
~, konzentrischer 346 58
~ abschnitt 346 52
~ ausschnitt 346 54
~ berechnung 247 24
~ bogen 346 53
Kreisel 64 52
~ brecher 158 19
~ heuer 63 24
~ horizont 230 3
~ kompaß 224 31, 51–53
~ kompaßanlage 224 51–53
~ mäher 63 19
~ pumpe 79 7; 269 44; 270 8
~ schwader 63 26
~ turbopumpe 259 57
~ zetter 63 24
Kreis·fläche 347 39
~ flanke 296 54
~ führung 141 35
~ grenze 15 103

~ kamm 163 68
~ laufanlage 83 16
~ linie 346 44
~ messer 184 22
~ pappschere 184 20
~ regner 56 43; 67 4, 32
~ ring 346 57
Kreissäge *Hut* 35 35
~ *Forstw.* 84 33
~ *Bau* 119 19
~ *Heimwerken* 134 50
~ blatt 132 59
~ maschine 125 24
~ vorsatz 134 52
Kreis·schablone 151 70
~ spieler 292 3
~ verstellung 14 62
Krempel·ärmel 31 62
~ band 163 64; 164 5
Kremser 186 33
Kren 57 20
Krepidoma 334 4
Kreppeisen 106 26
Kreuz *Anat.* 16 25
~ *Pferd* 72 31
~ *Schule* 260 28
~ *Spiele* 276 38
~ *Mus.* 320 50
~, ägyptisches 332 59
~, Brabanter 332 71
~, burgundisches 332 60
~, erzbischöfliches 332 64
~, griechisches 332 56
~, Jerusalemer 332 72
~, konstantinisches 332 67
~, lateinisches 332 55
~, Lothringer 332 62
~, päpstliches 332 66
~, russisches 332 57
~ bein 17 21; 20 59
~ blume *Bot.* 61 1
~ blume *Kunst* 335 17
~ bramsegel 218 54
~ bruchfalzmesser 185 12
~ des Südens 3 44
~ durchschlag 297 44
Kreuzen 285 25–28
Kreuz·form, christl. 332 55–72
~ gang 331 52
~ gewölbe 335 31, 32
~ gratgewölbe 336 42
~ griff *Med.* 21 21
~ griff *Sport* 296 43
~ hang 296 50
~ holz 120 90
~ kopf 210 27
~ kraut, Gemeines 61 12
~ lage 340 54
~ leitwerk 229 28
~ mast 220 24, 30
~ meißel 140 25
~ otter 364 40
~ poller 217 13; 227 10
~ rippe 335 31
~ rippengewölbe 336 43
~ ritter 329 72
~ scharnier 151 50
~ schliff 36 63, 65
~ schlittenführung 174 48
~ schlitzschraube 143 26
~ schlitzschraubendreher 134 5
~ schwalbe 359 24
~ segel 220 26
~ spinne 358 45
~ sprosse 37 35

~ spule 165 8, 13, 24; 169 27; 170 51, 52
~ spulendurchmesser 165 7
~ spulmaschine 165 1
~ stich 102 5
~ strebe 118 88
~ strecke 285 22, 25
~ stück 126 50
Kreuztisch 112 29
~ einrichtung 112 10
Kreuzträger 331 43
Kreuzungsweichen 203 49–52
Kreuz·verband 118 65
~ weg 330 54
~ wegstation 330 54
Kricket 292 70–76
~ spiel 292 70–76
~ tor 292 70
Kriechblume 335 38
Kriechender Klee 69 2
Kriech·fuß 357 28
~ stoßschwimmen 282 37
~ tier 364 27–41
Kriegs·bemalung 352 13
~ horn 354 39
~ schiff 258; 259
~ schiff, römisches 218 9–12
Kriminal·beamter 264 33
~ polizei 264 26
Krimmermütze 35 34
Krinoline 355 72
Kris 353 44
Kristall 351 29
~ bau 351 1–26
~ glas 45 86
~ glasscheibe 179 24
~ grundform 351 1–26
~ kegel 77 21
~ kombination 351 1–26
~ kunde 351
~ messung 351 27–33
~ mittelpunkt 351 3
Kristallometrie 351 27–33
Kristall·spiegelglas 124 5
~ struktur 351 1–26
Kristallsystem, hexagonales 351 20–22
~, isometrisches 351 1–17
~, kubisches 351 1–17
~, monoklines 351 24–25
~, reguläres 351 1–17
~, rhombisches 351 23
~, tesserales 351 1–17
~, tetragonales 351 18–19
~, triklines 351 26
Kristallzucker 98 55
KR-Klasse 284 63
Krocket 292 77–82
~ hammer 292 81
~ kugel 292 82
~ spiel 292 77–82
~ spieler 292 80
~ tor 292 78
Krokant 98 85
krona 252 25
Kronblatt 59 11; 370 59
krone 252 24, 26
Krone *Anat.* 19 37
~ *Zahnarzt* 24 28
~ *Messerkrone* 45 55
~ *Jagd* 88 9, 29–31
~ *Uhr* 110 34
~ *Geld* 252 24, 25, 26, 27
~ *Herrscherkrone* 254 37, 38, 42–46
Kronen·dach 122 50
~ korköffner 45 47

~ mutter 143 24, 77
~ verschluß 93 27
Kronleuchter 267 21
Kropf 73 20
~ gans 359 5
~ stück 123 49
Krösel 124 25
~ zange 124 19
Kröte 364 23
Krotten·beere 379 7
~ blume 379 7
Krücke *Jagd* 86 49
~ *Mus.* 326 21
Krückenkreuz 332 70
Krüger-Klappe 229 55
Krüllschnitt 107 25
Krume 97 3
Krummdarm 20 16
Krumme 86 35
Krummhorn 322 6
Krümmling 123 52
Krümmungs·halbmesser 346 22
~ mittelpunkt 346 23
Krumpfen 168 26
Kruppe 72 31
Krüppelwalm 121 17
~ dach 121 16
Kruste 97 4
Krustentier 358 1, 2
Kruzifix 332 33
kryochirurgischer Eingriff 22 63
Kübel *Gärtner* 55 48
~ *Straßenbau* 201 9
~ helm 254 7
~ pflanze 55 47
Kubikwurzel 345 2
Kubusspiel 48 21
Küche 39; 207 29, 80
Kuchen 266 20
~ büfett 265 1
Küchen·durchreiche 266 66
~ gerät 40
~ lampe 39 39
~ meister 207 34
~ schüssel 40 6
~ stuhl 39 43
~ tisch 39 44
~ uhr 39 20; 109 34
~ waage 309 84
~ wagen 233 22
~ wand 46 29
~ zwiebel 57 24
Kuckuck 359 30
Kuckucks·knecht 359 25
~ küster 359 25
~ lichtnelke 376 21
~ uhr 109 31
Kufe *Mil.* 255 95
~ *Sport* 303 10
Kugel *Schmuck* 36 82–86
~ *Fischerei* 90 19
~ *Fleischerei* 95 36
~ *Fahrrad* 187 31, 56, 68
~ *Sport* 298 49
~ *Math.* 347 41
~, glatte 36 82
~ baum 272 12
~ charakteristik 241 70
~ fräser 108 7
~ gelenkkopf 114 47
~ kaktus 53 14
~ kopf 249 15
~ kopfnadel 328 29
~ kopfschreibmaschine 249 1
~ kuppe 143 50

L

Lackierer 129 2
Lade·aufsicht 206 36
~ baum 221 26–59; 223 36
~ brücke 226 2
~ deck 221 34
~ druckmesser 230 7
~ gerät 25 51
~ geschirr 221 24–29, 59
~ gleis 206 17
~ kante 193 21
~ kran 85 28, 44
~ luke 221 11, 63; 226 14
~ maschine 154 27
~ maß 206 22
~ mast 221 60
~ meister 206 29
Laden·deckel 166 6
~ feststeller 37 31
~ kasse 47 34; 271 2
~ klotz 166 42
~ schild 268 39
~ schubstange 166 52
~ stelze 166 53
Lade·pfosten 221 58; 223 35
~ platz 15 91
~ pritsche 194 3
~ rampe 206 9
~ raum *Auto* 193 18
~ raum *Schiff* 223 55, 75
~ runge 85 30
~ schaffner 205 30
~ schieber 247 6
~ straße 206 8
~ stromkontrolle 191 78
~ stütze 85 45
~ tür *Auto* 194 8
~ tür *Eisenb.* 207 23
~ - und Lüfterpfosten 221 58
~ wagen 63 27, 38
Ladung 223 77; 226 9, 19
~, feuergefährliche 253 38
Lager *Werkzeugmasch.* 150 33
~ *Brücken* 215 11, 12
~ *Sport* 284 6
~, bewegliches 215 12
~, festes 215 11
~ becken 154 28
~ behälter 130 17
~ bock 177 61
Lageregelungs·rakete 234 38
~ triebwerk 6 39
Lager·faß 79 2
~ feuer 278 10
~ gang 11 31
~ haus 206 53
~ kammer 154 76
~ keller 79 1–22; 93 12
~ stätte 154 57–68
~ stein 110 25
~ stützbock 67 2
~ tank 93 13; 145 72
Lagerung 144 33–36
~ Bewußtloser 21 24–27
Lagune 13 33
Lagunenriff 13 32
Laib 97 2
Laibung 336 25
Laich 89 12
~ hecht 89 11
Lakai 186 20
Lakkolith 11 30
Laktamöl 170 25, 37
Lama 366 28
Lamantin 366 23
Lamelle *Sägewerk* 157 59
~ *Sport* 301 46

~ *Bot.* 381 4, 6
Lamellen·blende 2 33
~ rand 381 7
~ reibungskupplung 139 21
~ sieb 64 17
Laminat 301 48
Lamm 73 13; 75 11
Lammfell·polierhaube 134 21
~ rolle 130 31
~ scheibe 134 21
Lampe 86 35
Lampen·gebläse 179 22
~ gehäuse 116 29; 309 44
~ gelenkarm 177 16
~ haus 112 28, 59; 312 39–44
~ hausanschluß 112 60
~ kopf 116 29
~ raum 177 41
~ sockel 127 59
~ stab 309 40
Lampion 52 15; 306 4; 353 36
Lance 255 49
Landauer 186 36
Landaulett 186 36
Landbrot 97 6; 99 14
Lande·bahn 233 1; 287 15
~ fangseil 259 16
~ gestell-Spreizmechanik 6 31
~ klappe 230 53; 257 38; 288 29
~ kufe 232 15; 256 21
Länderwappen 252 14
Landesbibliothek, wissen-schaftliche 262 11–28
Lande·scheinwerfer 230 49; 257 37; 288 32
~ spoiler 229 42
~ steg 278 13
Landes·vermessung 14 46–62
~ wappen 252 12
Landeteller 6 33
Land·fahrzeugtechnik 138
~ karte 14; 15; 260 44
~ pfeiler 215 27
~ rad 65 15
~ regen 8 18
Landschaftspark 272 41–72
Landsknecht 355 32
~ trommel 306 70
Landspitze 225 65
Landung 298 19
Landungs·boot 258 89; 259 46
~ brücke *Landkarte* 15 59
~ brücke *Hafen* 225 30
~ steg 278 13; 283 19
Landwirt 35 40
Landwirtschaft 63
landwirtschaftliche Maschine 64; 65
landwirtschaftliches Gerät 66
Landwirtschaftsprodukt 68 1–47
Lang·arm 100 25
~ band 140 51
~ brot 97 8
~ drahtantenne 230 66
Länge 100 20
~, geographische 14 7
Länge 100 20
~, geographische 14 7
~ halbkreis 14 4
langer Ärmel 30 15

Langettenstich 102 6
lange Unterhose 32 11
Lang·flügler 359 11–14
~ form-Schlafanzug 32 36
Länghaken 122 64
Langhobel 132 39
Langholz *Forstw.* 84 15, 19; 85 42
~ *Bau* 120 2
~ platte 340 2
~ schnitt 340 4
Langkessel 210 16
Langlauf 301 42
~ anzug 301 17
~ ausrüstung 301 14–20
~ -Rattenfallbindung 301 15
~ schuh 301 16
~ ski 301 14
~ stock 301 20
Lang·leine 90 28
~ leinenfischerei 90 28, 29
Langloch 240 17
~ ziegel 159 22
Langpferd 296 1
Längsachse 230 72
Langsam·fahrscheibe 203 36–38
~ fahrsignal 203 36–44
~ fahrstelle 203 39–42
~ fahrt 203 4
~ flug-Querruder 229 41
Längsbau 77 45–50
Langschild 329 56
Längs·furche 20 25
~ lenker 191 27; 192 66
~ riegel 119 48
~ rips 171 13
~ riß 300 3
~ schlitten 149 42
~ schlittenbewegung 149 13
~ schneiden 181 42
~ schnitt 190 1, 3
~ spant 285 55
~ support 149 22, 42
~ trägerverstärkung 213 12
Lang·streckenläufer 298 5
~ streckenverkehrsflugzeug 231 13
~ streckler 298 5
Längstrikotbindung 171 26, 27
Langstromtrog 89 18
Längs- und Plangangshebel 149 17
~ verband 222 44–56
~ versteifung 230 47, 57
Lang·trieb 78 3
~ welle 242 50
~ wobbler, zweiteiliger 89 70
Lanze *Stierkampf* 319 17
~ *Ritterwesen* 329 81
~ *Völkerkunde* 354 12
Lanzen·reiter 319 16
~ spitze 328 21
Lanzettfenster 335 39–41
lanzettlich 370 32
Lappen 95 15–16
Laptop 244 1
Lärche 372 32
Lärchenzapfen 372 36
Larve *Zool.* 58 64; 77 29; 80 6, 19, 36, 38, 41, 46, 53; 81 20; 82 12, 25, 36; 358 9
~ *Karneval* 306 13
Larven·gang 82 24
~ kammer 82 36

Lasche 119 65
Laschenbolzen 202 13
Lasching 218 32
Laschung 218 32
Laser·abtastsystem 243 42
~ aggregat 243 45
~ belichter 176 28
Laserdisk 243 40, 41
~, große 243 41
~, kleine 243 40
Laser·diskette 243 40, 41
~ drucker 176 12; 244 61
~ kopf 243 44, 45
~ printer 176 12; 244 61
Lasso 319 40; 352 5
~ band 134 38
Last 299 5
~ kahn 216 25
~ kraftwagen 194; 226 19
~ plattform 232 19
~ tier 354 3
~ zug 213 34
Lateinersegel 218 29; 220 3
La-Tène-Zeit 328 21–40
Laterne *Wagen* 186 9
~ *Schiff* 218 44; 221 48; 224 69, 105
~ *Kunst* 335 45
Laternenträger 224 82
Lattbeil 122 21
Latte 284 44; 291 36; 298 14, 31
Latten·kiste 206 5
~ lehre 122 18
~ tasche 284 43
~ wand 213 29
~ zaun 52 10
Lattung 122 17; 123 70
Latz 30 24
Lätzchen 28 43
Latz·hose 29 40; 30 21
~ rock 29 41
~ tasche 33 46
Laub·baum 371 1–73
~ besen 51 3; 272 67
Laubengang 37 73; 272 17
~ haus 37 72–76
Laub·frosch 364 24
~ hölzer 371
~ körper 378 49
~ krone 254 12
~ säge 135 12; 260 53
~ sägeblatt 108 13; 135 13; 260 54
~ wald 15 4
Lauch 57 21
Lauf *Mil.* 255 2
~ *Vögel* 362 4
~ achse 210 35
~ bahn 298 6
~ bildbetrachter 117 91
~ brett *Dach* 38 3
~ brett *Gärtner* 55 22
~ diele 120 36
~ drehgestell 197 10
Laufen 298 1–8
laufende Nummer 251 13
~ Scheibe 305 33, 48
laufendes Gut 219 67–71
Läufer *Landw.* 75 39
~ *Spinnerei* 164 55
~ *Spiele* 276 10
~ *Sport* 292 45, 66; 298 5
~ bucht 75 36
~ koben 75 36
~ schicht 118 63
~ stein 91 22
~ verband 118 59

Lauf·gang *Zirkus* **307** 51
~ gang *Kunst* **335** 33
~ gewicht **22** 68; **40** 36
~ gewichtswaage **22** 66; **40** 35
~ katze **147** 3; **222** 14, 28
~ kran **147** 41; **222** 28
~ kugel **307** 60
~ leder **164** 16
~ mantel **187** 30
~ mündung **305** 71
~ platte **123** 30
~ puppe **273** 63
~ rad *Landw.* **64** 41, 56; **67** 24
~ rad *Bergbahnen* **214** 7
~ rädchen **187** 9
~ radverstellung **64** 58
~ reinigungsbürste **87** 62
~ richtung **242** 9
~ ring **89** 56
~ rinne **282** 22
~ rolle *Eisenb.* **206** 39
~ rolle *U-Elektronik* **241** 11
~ rolle *Mil.* **255** 32
~ rolle *Sport* **294** 29
~ schiene *Atom* **2** 37
~ schiene *Web.* **165** 3
~ schiene *Textil* **167** 45
~ schiene *Eisenb.* **206** 38
~ schienenträger **201** 15
~ schritt **295** 41
~ sprungtechnik **298** 40
~ stall **28** 39
~ stallboden **28** 40
~ ställchen **28** 39
~ steg *Hütt.* **147** 38
~ steg *Schiff* **221** 3
~ stellung **295** 2
~ trommel **273** 45
~ wandung **87** 35
Laufwerk *Setzerei* **176** 17
~ *Bergbahnen* **214** 36, 53
~ *U-Elektronik* **242** 4, 63
~ *Personalcomputer* **244** 12, 33–44
~ *Film* **311** 10
~ hauptträger **214** 67
~ rolle **214** 70
Laugen·brezel **97** 44
~ pumpe **172** 33
~ vorwärmer **172** 8
Lausblume **379** 3
Lauscher **88** 16, 32
Lauskraut **379** 3
Laute **324** 1
Läuter·batterie **92** 51
~ bottich **92** 50
~ wanne **162** 4
Läutewerk **127** 15
Lautschrift **342** 14
Lautsprecher **237** 17; **242** 44; **249** 70; **264** 12; **311** 46; **318** 12
~ box **42** 10; **241** 12; **317** 15; **318** 12
~ taste **237** 14
~ wahltaste **241** 58
Lautstärke·regler **117** 85; **241** 56; **242** 33; **261** 43
~ schieberegler **242** 56
Läutwerk **212** 49
Lava·decke **11** 14
~ strom **11** 18
Lavendel **380** 7
Lawine **304** 1
Lawinen·brecher **304** 2
~ galerie **304** 3

~ keil **304** 2
Layoutprogramm **176** 23
Lazaruskreuz **332** 71
LCD-Anzeige **110** 2; **241** 63; **242** 55
~ -Datenmonitor **115** 36–42
LD-Konverter **147** 45–50
Lebens·art, textilfreie **281** 16
~ baum **372** 39
~ erhaltungsgerät **6** 20
~ linie **19** 72
Lebensmittel **99** 1–96
~ geschäft **98** 1–87
~ handlung **98** 1–87
Leber **20** 10, 34, 35
~ band **20** 34
~ gang **20** 37
~ lappen **20** 35
Lebkuchen **97** 51
Lecco **305** 23
Lecker **88** 2
LED-Anzeige **241** 48, 59, 66; **242** 19, 20, 36
Leder *Buchb.* **184** 12
~ *Völkerkunde* **352** 18
~ beere **80** 21
~ besatz **30** 18
~ futter **291** 22
~ haube **354** 26
~ hose **29** 32
~ hosen **29** 32
~ hosenträger **29** 34
~ jacke **33** 43
~ kissen **108** 29
~ kopfteil **35** 19
~ kuppe **277** 10
~ manschette **191** 92
~ mütze **35** 32
~ polster **166** 64
~ schürze **142** 11
~ schutzkleidung **290** 26
~ segment **163** 69
~ seite **131** 13, 18
~ walze **340** 23
Leerdarm **20** 15
Leerlauf·düse **192** 1
~ gemischregulierschraube **192** 11
~ luftdüse **192** 2
~ verstellung **190** 51
Leertaste **249** 2
Leewelle **287** 17
Lefze **70** 26
legato **321** 33
Lege·batterie **74** 19
~ henne **74** 57
Legende **14** 27–29; **268** 4
Leggings **352** 17
Leggins **352** 17
Leguan **364** 32
~ , Grüner **364** 32
Leguminose **57** 1–11
Lehm **120** 44; **159** 2
~ grube **159** 1
~ schwalbe **361** 20
Lehnstuhl **336** 18
Lehrbuch **261** 28
Lehrer **260** 21
~ einheit **261** 37
~ sitz **257** 7
~ tisch **260** 22
Lehr·material **261** 27
~ programm **261** 7
Leib **16** 1–54
~ binde **319** 23
Leibesvisitation **264** 31
Leibung **120** 31, 32; **336** 25

Leichen·begängnis **331** 33–41
~ halle **331** 21
~ haus **331** 21
~ kapelle **331** 21
~ stein **331** 26
Leicht·athletik **298**
~ bauplatte **123** 58
~ benzinfraktion **145** 39
~ bügelautomat **50** 6
leichte Panzerfaust **255** 22
Leichter **225** 25
Leicht·gewichtsanker **286** 16–18
~ koffer **267** 15
~ metallbeplankung **235** 11
~ metalleiter **50** 35
~ metallgußrand **189** 48
~ steigeisen **300** 48
~ triebwagen **208** 13
Leier *Astr.* **3** 22
~ *Jagd* **88** 67
~ *Mus.* **322** 15
Leihschein **262** 25
Leim·kasten **184** 9
~ kessel **132** 12; **183** 15; **185** 32
~ presse **173** 24
~ topf **132** 13; **236** 5; **260** 57
~ walze **185** 33
~ werk **184** 4
Lein **383** 6
Leine *Hundeleine* **70** 30
~ *Sport* **293** 73
Leinen **184** 12
~ bezug **207** 48
~ kragen **355** 56
~ mütze **35** 8
~ rock **355** 5
Leine-Steinsalz **154** 64
Leineweber **361** 8
Lein·kraut, Nickendes **376** 26
~ pfad **216** 30
~ tuch **43** 9
Leinwand *Film* **312** 11
~ *Nachtlokal* **318** 21
~ *Malerei* **338** 21
~ ballen **206** 11
~ bindung **171** 1, 4
~ kasten **318** 21
Leinzug **216** 27
leise **321** 31
Leiste *Anat.* **16** 38
~ *Glaser* **124** 3
~ *Web.* **166** 11
~ *Textil* **171** 24
~ *Bergsport* **300** 13
Leisten **100** 32
~ beuge **16** 38
~ furche **294** 52, 53
~ kopfplattkäfer **81** 27
~ probe **124** 20, 22
~ schaft **171** 20, 22
~ stift **128** 30
Leistungs·hebel **257** 9
~ prüfung **290** 33
~ schalter **152** 34; **153** 51–62
~ transformator **152** 30, 39
~ verstärker **241** 6, 49
Leit·artikel **342** 48
~ dalbe **222** 35
Leiter **21** 32; **47** 5; **118** 42; **211** 43; **235** 28; **270** 10
~ gerüst **118** 86–89
~ getriebe **270** 11

~ haken **122** 15, 69
~ park **270** 10
~ stufe **50** 38
~ übung **270** 1–46
~ wagen **309** 86
Leit·feuer **224** 101, 102
~ spindel **149** 19, 32
~ spindelwendegetriebe **149** 6
~ steven **222** 70
Leit- und Zugspindeldrehmaschine **149** 1
Leitung **269** 22, 52
Leitungs·freigabe **237** 16
~ kabel **39** 25
~ kupplung **208** 16
~ schacht **234** 40
~ schutzschalter **127** 19, 33
~ schutzsicherung **127** 36
Leit·walze **168** 12
~ werkaufbau **257** 20
~ werkform **229** 23–36
~ werkverstrebung **232** 4
Lektor **262** 3
Lende *Anat.* **16** 24
~ *Pferd* **72** 30
Lenden·schurz **354** 31
~ stück **96** 4
~ wirbel **17** 4
Lenk·achsbereifung **64** 32
~ einrichtung **255** 73
Lenken **303** 24
Lenker **65** 27, 28; **187** 2; **188** 3, 11, 57
~ armaturen **188** 30–35
Lenk·flugkörper **255** 74
~ getriebe **192** 56–59
~ gurt **303** 4
Lenkrad **191** 37; **305** 89
~ nabe **191** 57
~ schloß **191** 75
~ speiche **191** 58
Lenk·rakete **255** 52, 96
~ rolle **50** 81
~ säule **192** 56
~ stange **187** 2
~ stangenschaft **187** 10
~ stockhebel **192** 58
Lenkung, hydraulische **65** 41
Lenkwaffensystem **255** 79
Lentikulariswolke **287** 19
Lenzloch **284** 36
Leo **3** 17; **4** 57
Leonberger **73** 16
Leopard *Mil.* **255** 62
~ *Zool.* **368** 6
Leporello **248** 47
Lepton **252** 38
Lerche **361** 18, 19
Lerchensporn **377** 8
Lernäische Schlange **327** 32
Lern·laufkinderschuh **101** 56
~ stützrad **188** 5
Lese·behälter **78** 10
~ buch **260** 16
~ lampe **43** 15
~ pult **330** 2
Leserin **78** 11
Lese·saal **262** 13
~ stein **63** 9
~ zeichen, festes **185** 70
~ zeichen, loses **185** 71
Letter **174** 7, 44; **175** 32–37, 38
Letzter **305** 11
Leucht·anzeige **247** 15
~ bildanzeige **23** 27

~ buchstabe **268** 45
~ diodenanzeige **110** 2; **241**
48, 59, 66; **242** 19, 20, 36
Leuchte **198** 18; **267** 21
Leuchtelement **26** 11
leuchtende Nachtwolken **7**
22
Leuchten·klemme **127** 29
~ sockel **127** 60
Leuchter **309** 45
Leucht·feuer *Landkarte* **15**
49
~ feuer *Schiff* **224** 83
~ fläche **177** 20
~ glockentonne **224** 74
~ heultonne **224** 68
~ melder *Kraftwerk* **153** 3
~ melder *Eisenb.* **212** 15
~ pedal **187** 78
~ reklame **268** 16
~ röhre **49** 32
Leuchtstoff·lampe **127** 61;
271 23
~ röhre **271** 23
~ schicht **240** 19
~ streifen **240** 18
Leucht·stroboskop **241** 20
~ tafel **264** 30
~ turm *Landkarte* **15** 8
~ turm *Schiff* **224** 103
~ warte **226** 27
~ zeichen **196** 7
Leuzit **351** 12
Levade **71** 4; **307** 30
Lexika **262** 17
Lexikon **42** 18; **262** 17
Libelle **358** 3
Libero **291** 11
Libra **3** 19; **4** 59
Licht **88** 15, 33
~ anlaßmaschine **212** 30
~ blende **5** 22
Lichtbogen **312** 42
~ stabilisierung **312** 39
lichtempfindlicher Abschnitt
77 22
Lichterführung **286** 10–14
lichte Weite **215** 13
Licht·gaden **334** 70
~ griffel **271** 4
~ hof **271** 11
~ maschine **187** 8; **190** 76;
211 46
~ mast **198** 18
~ messung **114** 60
~ öffnung **334** 75
~ orgel **317** 13
~ quelle **1** 59; **112** 52
~ rufsignal **267** 6
~ satz **176** 1–21
~ schnittubus **112** 38
~ schutzblende **6** 22
~ setzanlage **176** 22
~ signal **203** 3
~ spielhaus **312** 1
~ spieltheater **312** 1
~ stellanlage **316** 2
~ stift **271** 4
~ stimmung **316** 2
~ strahlengang **1** 62
Lichtton·aufnahmegerät **311**
6
~ aufzeichnung **311** 9
~ gerät **312** 45
~ kamera **310** 60; **311** 6
~ optik **312** 46
Lichtung **15** 2
Licht·visier **2** 34

~ vorsignal **203** 9, 14
~ wange **123** 44
~ zeichenanlage **268** 54
~ zeigerinstrument **238** 43
Lidodeck **223** 22
Liebes·apfel **57** 12
~ paar **272** 72
Liedernummer **330** 24
Lieferwerk **164** 59
Liege·fläche **281** 11
~ hafen **216** 14
~ kur **274** 12–14
~ matratze **278** 31
~ sessel **281** 5
~ sitz **191** 34
~ stufe **281** 20
~ stuhl **37** 47; **51** 2; **221** 111;
274 13
~ stütz **295** 21, 22, 25
~ terrasse **37** 75
~ wiese **37** 46; **274** 12
Lieschen **68** 33
Lift *U-Elektronik* **241** 27
~ *Kaufhaus* **271** 45
~ dump **229** 42
~ sessel **214** 16
Ligatur **175** 6
~ führer **26** 44
Liguster, Gemeiner **373** 6
~ schwärmer **358** 55
Likör **98** 58
~ glas **317** 7
~ karaffe **45** 48
~ schale **45** 89
Lilie *Bot.* **60** 12
~ *Heraldik* **254** 13
Liliengewächs **53** 13
Limerick **89** 84
Limonaden·flasche **265**
15
~ glas **265** 16
Limone **384** 23
Limousine **193** 1, 4–10
~ , viertürige **193** 4–10
Linde **371** 46
Lindengewächs **53** 9
Lindwurm **327** 1
Lineal **247** 35
~ einrichtung **179** 26
~ handrädchen **132** 66
linealisch **370** 31
Linealwinkel **132** 65
Linearmotor **244** 51
Liner **221** 82; **225** 32
Linie **346** 1–23
~ , gekrümmte **346** 21
~ , krumme **346** 21
Linien·bus **194** 34
~ fahrt **221** 96
~ frachter **221** 96
~ glas **124** 6
~ richter **291** 59; **293** 69
~ schiff **218** 51–60; **225** 32
~ schild **197** 20, 21
~ stichel **340** 5
~ system **320** 43, 44
~ zugbeeinflussung **209** 18
Links·lauf **149** 11
~ maschine **312** 13
Linotype **174** 19
~ matrize **174** 29
Linse **19** 48; **176** 37
Linsen·fernrohr **113** 16
~ kissen **108** 29
Lintwurm **327** 1
Linz-Donawitz-Konverter
147 45–50
Lippe **70** 26

Lippen·pfeife **326** 23–30,
31–33, 34
~ scheibe **354** 23
Lira **252** 20, 21
Lisene **335** 11
Litewka **221** 115
Litfaßsäule **268** 70
Lithodes **369** 16
Lithograph **340** 45
Lithographie **340** 25, 26
Lithokreide **340** 26
Lithostein **340** 25, 57
liturgische Geräte **332** 34–54
~ Räucherung **332** 38
Litze **166** 27
Litzen·auge **166** 28
~ band **325** 36
Livestock-Carrier **221** 68
Live-Ton **117** 100
Livree **186** 21
Lkw-·Beladung **226** 28
~ Fahrstuhl **221** 56
~ Rad **138** 21
~ Reifen **273** 19
LM **6** 12; **243** 54
LM-Hangar **234** 54
Loch *Käse* **99** 41
~ *Golf* **293** 79–82, 87
~ beitel **132** 8
~ billard **277** 7
~ eisen **100** 45; **125** 13; **132**
8
Locher **22** 28; **247** 3
Loch·kugel **305** 15
~ nippel **162** 51
~ platte **17**; **140** 14
~ rotor **85** 25
~ rundmutter **143** 35
~ säge **120** 63; **126** 70; **132** 3
~ schaft **305** 47
~ stecher **102** 12
~ stickerei **102** 11
~ ziegel **159** 21, 22
~ zirkel **135** 23
Locke **34** 3
Locken·former **106** 31
~ haar **34** 33
~ klammer **105** 14
~ kopf **34** 18
~ perücke **34** 2
~ wickel **105** 12
~ wickler **105** 12
Lockermasse, vulkanische
11 19
Lock·geräte **87** 43–47
~ jagd **87** 43–47
~ vogel **86** 48
~ wellbürste **105** 13
Loden·hut **35** 24
~ mantel **29** 31; **30** 64
~ rock **30** 67
Löffel *Med.* **22** 50
~ *Hausrat* **45** 61
~ *Jagd* **88** 61
~ , *Angelsport* **89** 73
~ , scharfer **22** 50; **26** 52
~ bagger **118** 81
~ bohrer **135** 16
~ bug **285** 30
~ gans **359** 5
Log **224** 54
Logarithmenrechnung **345** 6
Logarithmen **345** 6
Logarithmus **345** 6
Loge **319** 7
Logel **78** 15
Logenschließer **315** 12
Logge **224** 54

Logger **90** 1
Loggia **37** 18
~ tür **37** 21
Log·propeller **224** 55
~ uhr **224** 57
Lohnkutsche **186** 26
Loipe **301** 44
Loipenmarkierung **301** 45
Lok **211** 10–18; **212** 51–67
Lokal **266** 1–27
Lok·führerhaus **210** 49
~ führersitz **210** 59
Lokomotive **208** 1; **211** 1;
212 1, 24, 47; **213** 1
~ , elektrische **208** 1
Lokomotivkessel **210** 2–37
Loktriebwerk **210** 2–37
Lokus **49** 12
Longdrink **317** 32
Longline-Büstenhalter **32** 4
Longplay **242** 15
Looping **288** 1
~ acht **288** 2
Lophocalyx philippensis **369**
7
Lore **200** 25
Lösch·fahrzeug **270** 5
~ kammer **153** 51
~ kopf *Videogeräte* **243** 12
~ kopf *Film* **311** 25
~ lok **156** 10
~ taste **117** 86
~ trog **137** 8
~ trupp **270** 34
~ turm **156** 11
~ übung **270** 1–46
~ wagen **156** 10
~ wedel **137** 3
Loser **88** 16
Lösung **345** 10
Lösungsmittel·dampf **182** 25
~ kanne **129** 16
Lot *Bau* **118** 50, 71
~ *Schiff* **224** 58–67
Löt·borax **108** 39
~ kolben **126** 73; **127** 45;
134 19, 57
Lötkörper **224** 59
Lötlampe **126** 74; **301** 22
Lotleine **224** 60
Lötmittel **108** 36
Lotossäule **333** 13
Lötpistole **108** 14; **134** 56
Lotse an Bord **253** 24
Lotsen·boot **221** 95
~ rufsignal **253** 23
Löt·stange **108** 38
~ stein **125** 6
Lotte **78** 3
Löt·wasser **125** 7
~ zinn **126** 76
~ zinndraht **134** 20
Loudnesstaste **241** 57
Louisdor **252** 5
Louis-seize-Stil **336** 14
Lounge **233** 18
Löwe *Astr.* **3** 17; **4** 57
~ *Zool.* **307** 56; **368** 2
Löwen·kopf **327** 17
~ leib **327** 14
~ mähne **368** 3
~ mäulchen **51** 32
~ rudel **356** 5
~ rumpf **327** 22
~ zahn **51** 34; **61** 13
Low speed aileron **229** 41
Luchs *Mil.* **255** 67
~ *Zool.* **368** 8

~ sammel- und Luftvertei-
lerstück 75 32
~ straße 3 35
~ tankwagen 76 2
~ topf 40 15
~ viehstall 75 14
Military 289 16–19
Millibar 9 4
~ teilung 10 3
Millimeterteilung 10 3; 247
36
Milz 20 12, 27
Mimbar 337 15
Minarett 337 13
Minen·jagdboot 258 80
~ klemmstift 151 45
~ räumgerät 258 87
~ suchboot, Schnelles 258
84
~ transporter 258 94
Mineralwasserflasche 266 61
Mini 193 19
Miniaturkultwagen 328 36
Mini·disk 244 36
~ diskette 244 36
~ disklaufwerk 244 33
Minigolf·anlage 272 68
~ bahn 272 70
~ spieler 272 69
Minima 320 14
Minimumthermometer 10
54
Ministativ 115 66
Ministrant 330 40; 331 45
Minnesänger 329 70
Minuend 344 24
Minusfacette 111 37, 42
Minuskel 175 12
~ , karolingische 341 18
Minuszeichen 344 24
Minutenknopf 110 3
Miobare 9 3
Mira 3 11
Mirabelle 59 25
Misch·anlage Straßenbau
200 15; 201 19
~ anlage Film 311 21
~ arbeit 311 36
~ asphaltauslauf 200 54
~ atelier 311 34
~ ballenführer 163 7
~ batterie 49 2; 106 14
~ behälter 172 35
~ brot 97 6
~ düse 191 61
Mischen 92 42
Mischer Ziegelei 159 10
~ Flugzeug 232 48
Misch·gutschrapper 200 13
~ kammer 83 62
~ kessel 170 53
~ pult 117 26; 238 25; 310
56; 311 35; 317 26
~ rohr 192 10
~ schnecke 83 59
~ station 201 19
~ tonmeister 311 36
~ trommel 118 34
Mischung 238 54–59
Misch·wald 15 14
~ wasserkanal 198 21
~ wesen 327 52
~ zylinder 173 3; 350 28
Missale 330 38
Mist·beet 55 16
~ beetfenster 55 17
~ beetkasten 55 16
~ forke 66 7

~ gabel 66 7
~ hacke 66 8
~ käfer 358 39
Mitläufertuch 168 56
Mitnehmer 135 9; 149 55
~ stange 145 14
~ Mitralklappe 20 47
Mittel 175 29
mittelaktiver Abfall 154 72
mittelalterliche Noten 320
1, 2
Mittel·bauch 16 36
~ bein 82 7
~ brust 95 26
~ decke 222 55
~ decker 229 4
~ druckzylinder 153 24
~ fahne 291 64
~ feldspieler 291 14
~ finger 19 66
~ flügel 229 8
~ flyer 164 27
~ fuß 72 23
~ gang Gärtner 55 42
~ gang Eisenb. 208 23
~ gang Schiff 218 46
~ gang Kirche 330 27
~ gebirge 12 34
~ grund 224 88, 89, 91
~ handknochen 17 16
~ klasse 193 4–10
~ klassewagen 193 4–10
~ kreis 291 2
~ lager 177 65
~ linie Zeichn. 151 30
~ linie Sport 291 3; 293 8 bis
9, 54; 294 4
~ linienrichter 293 25
~ mann 293 76
~ mast 220 33
~ meer 14 25
~ moräne 12 54
~ ohr 17 59–61
~ pfette 121 51
~ punkt 346 43
~ punktswinkel 346 55
~ rumpflängsträger 235 9
~ säule 114 46
~ scheitel 34 9
~ schiff 334 62; 335 1
~ schiffsektion 259 55–74
mittelschlächtiges Mühlrad
91 37
Mittel·senkrechte 346 28
~ spieler 293 76
~ sproß 88 8
~ sprosse 88 8
~ stander 221 102
mittelständiger Fruchtknoten 59 14
Mittel·steinzeit 328 1–9
~ stoß 277 2
~ strecke 231 17
~ streckenläufer 298 5
~ streckentransportflugzeug
256 14
~ streckenverkehrsflugzeug
231 4, 11, 12
~ streckler 298 5
~ teil 215 68
~ töner 241 14
~ tonsystem 241 14
~ träger 222 53
~ triebwagen 211 62
~ wand 77 43
~ welle 242 50
~ zehe 19 54
~ zeichen 293 11

Mitten·kontakt 114 72
~ leuchte 268 49
Mittlerer Muschelkalk 154
59
Mittschiffslinie 285 5
Mixbecher 267 61
Mixed 293 49
Mixer Küchengerät 40 46
~ Bäckerei 97 59
~ Barmixer 267 62
Mizar 3 29
Möbelwagen 268 47
Mobile 260 70
Mobiltelefon 237 26
Mode·journal 104 4; 271 36
~ katalog 104 6
Modell 338 32
~ abdruck 148 34
~ bühne 315 41
Modelleur 339 6
Modell·flug 273 37; 288 85
~ flugsport 288 85–91
~ flugzeug 273 38
~ hut 35 7
Modellier·bock 339 9
~ brett 339 34
~ holz Porzellan 161 20
~ holz Bildhauerei 339 10
~ masse 339 8
~ schere 106 34
~ schlinge 339 11
~ ton 339 31
Modell·kleid 103 5
~ mantel 103 7
Modem 237 48; 244 67
Modepuppe 271 34
Moderator 154 54
Mode·salon 268 9
~ zeitschrift 271 36
Modulbauweise 240 1
Mofa 188 6
Mohair·hut 35 6
~ stoffkappe 35 11
Mohn 61 2
~ blüte 61 4
~ brötchen 97 14
~ kapsel 61 5
~ samen 61 5
Möhre 57 17
Mohrenkopf Gebäck 97 36
~ Vögel 359 14
Mohrrübe 57 17
Mokassin 101 30; 352 18
Mokick 188 39
Molch 146 31
~ schleuse 146 31
Mole 217 15
Molekularumlagerung 170
23
Molekülstruktur 1 9–14
Molkerei 76 1–48
Molldreiklang 321 2
Molle 96 40
Molltonart 320 55–68
Molluske 357 27–44
Molterbrett 65 5, 67
Monats·erdbeere 58 16
~ klee 69 9
Mönch Fischzucht 89 9
~ Bau 122 58
~ Kirche 331 54
~ absperrgitter 89 10
~ -Nonnen-Dach 122 56
Mönchskopf 381 25
Mond 4 1–9, 31, 46, 52
~ , abnehmender 4 7
~ , zunehmender 4 3
~ bahn 4 1

Möndchen 19 81
Mond·finsternis 4 29–35, 34,
35
~ fleck 364 39
~ landeeinheit 6 12; 234 55
~ landung 6
~ oberfläche 6 13
~ phasen 4 2–7
~ rand 4 41
~ scheinkraut 379 5
~ sichel 4 3, 7
~ staub 6 14
~ umlauf 4 1
~ viertel 4 4, 6
~ wechsel 4 2–7
Monierzange 119 85
Monitor 23 27; 25 2, 21, 28,
29, 44, 47, 54; 26 16, 33;
27 23; 176 16; 237 43;
241 50; 244 60
~ arm 27 24
~ feld 238 1–7
Monobetrieb 241 41, 48;
242 68
Monode 23 39
Monogramm 36 41
Monolith 328 18
Monoposto 290 34
Monoski 286 56
Monotype 174 32–45, 32, 39
,,Monotype''-Normalsetz-
maschine 174 32
Monster 308 20
Monstranz 331 48; 332 34
Montage·gerät 214 80
~ tisch 177 19; 179 23
Moor 13 14–24; 15 20
~ beere 377 23
~ heide 377 19
~ huhn 359 20
~ pflanze 377
~ tümpel 13 23
Moos 377 17
~ torfmasse 13 20, 22
Moped 188 24
~ leuchte 188 29
Mops 70 9
Mopsea 369 8
Moränenfilterschicht 199 24
Mordent 321 20
Morgenmantel 32 35
Morselampe 223 7
Mörser 349 9
Mortadella 96 7
Mörtel·bett 123 27
~ kasten 118 20
~ kübel 118 84
~ pfanne 118 39
Mosaik 338 37
~ figur 338 38
~ stein 338 39
Moschee 337 12
Moschusochse 367 10
Moses 221 112
Moskito 358 16
Motiv 338 27
Moto-Cross 290 24–28
Motor 115 2; 148 64; 164 2,
33, 37; 165 12, 34; 167
31; 168 55; 178 14; 189
31, 39; 269 7, 8, 15, 45
~ aggregat 50 82
~ boot 280 13; 283 2; 286
1–5
~ bootrennen 286 21–44
~ bootsteg 216 7
~ drehzahlmesser 212 22
~ dreiradwalze 200 36

~einheit **84** 34
Motorenaufbau **226** 58
Motor·fähre **216** 6
~fischkutter **221** 49
~flugzeug **287** 2, 15
~gartenhacke **56** 18
~grundplatte **164** 36
~haube **191** 8; **195** 36
~haubenstange **195** 37
~hydraulik **64** 65
motorisierte Verkehrsstreife
264 9
Motor·kreuzer **286** 4
~nivellier **112** 69
~öl **196** 15
~ölkanne **196** 16
~öltemperaturmesser **212**
19
~pumpe **270** 8
Motorrad **189; 268** 35
~, leichtes **189** 16
~, schweres **189** 31–58
~fahrer **268** 34; **290** 11, 32
~gabel, imitierte **188** 58
~kette **189** 22
~reifen **189** 26
~rennen **290** 24–28
~rennfahrer **290** 25
~ständer **189** 21
Motor·rasenmäher **56** 28
~raum **195** 35
~regulierung **212** 67
~roller **188** 47
~säge **84** 22, 27; **85** 13
~schaltschutz **269** 46
~schiff **223**
~schmieröl **212** 55
~segler **287** 8
~sport **290** 24–38
~spritze **270** 5
~steuerungsgerät **235** 39
~träger **190** 38; **191** 53
~winde **287** 6
~zapfwelle **65** 31
Motte **81** 13
Mouche **306** 24
Möwe **359** 14
Mozartzopf **34** 4
MRCA **256** 8
MTA **23** 41
MTW **255** 86
Mücke **358** 16
Muddeschicht **13** 15
Muffe **126** 43
Muffelofen **140** 11
Mufflon **367** 6
Mühlbach **91** 44
Mühle *Bauwerk* **91**
~ *Spiele* **276** 24
~brett **276** 23
Mühleisen **91** 12
Mühlespiel **276** 18, 23–25
Mühl·graben **91** 44
~rad **91** 35
~rad, mittelschlächtiges **91**
37
~rad, unterschlächtiges **91**
39
~stein **91** 16
~steinauge **91** 19
~steinkragen **355** 52
~wehr **91** 42
Mulde *Geogr.* **12** 18
~ *Kunst* **336** 48
Mulden·achse **12** 19
~gewölbe **336** 47
~kipper **47** 38
~kippwagen **213** 37

~presse **168** 38
~tal **13** 56
~wagen **147** 64
Muleta **319** 33
Müll **199** 17, 22
~abfuhr **199** 1
~abfuhrwagen **199** 1
Mullauflage **21** 6
Müll·auto **199** 1
~beseitigung **199**
Mullbinde **21** 9
Müll·container **199** 4
~deponie **199** 10
Müller **91** 15
Müll·tonne **199** 3
~tonnenkippvorrichtung
199 2
~verbrennungsanlage **199**
28
~wagen **199** 1
Multi-Disk-Player **243** 34
Multi·display **243** 31
~funktionsanzeige **241** 63
Multiplikand **344** 25
Multiplikation **344** 25
Multiplikator **344** 25
~rolle **89** 59
Multiplizieren **344** 25
Multirole Combat Aircraft
256 8
Multirolle **89** 59
Mumie **352** 21
Münchener Bier **93** 26
Mund **16** 13; **19** 8, 14–37
~binde **322** 5
~blasen **162** 38–47
~harmonika **324** 35
~leuchte **24** 42
~schenk **329** 69
~sperrer **22** 48
~spiegel **24** 41
Mundstück *Med.* **27** 38
~ *Zigarette* **107** 13
~ *Ziegelei* **159** 13
~ *Mus.* **323** 36; **324** 33, 72
Mundtuch **45** 9
Mündungs·arm **13** 2
~bremse **255** 40
~feuerdämpfer **255** 17
~klappe **259** 78
~waagerechte **87** 74
Mund·wasser **49** 36
~winkel **16** 14; **19** 19
~-zu-Mund-Beatmung **21**
26
~-zu-Nase-Beatmung **21** 26
Munition **87** 19
Münster **335** 22
Münz·bild **252** 12
~buchstabe **252** 10
Münze **252** 1–29
Münzen·fassung **36** 38
~kette **36** 36
Münz·fernsprecher **236** 9
~plättchen **252** 43
~prägung **252** 40–44
~zeichen **252** 10
Murmeltier **366** 18
Musche **306** 24
Muschel·horn **327** 41
~kalk, Mittlerer **154** 59
~kalk, Oberer **154** 58
~kalk, Unterer **154** 60
~schale **357** 36
Musenroß **327** 26
Musette **322** 8
Mushaus **329** 13
Musik·atelier **310** 14

~automat **308** 38; **309** 14
~clown **307** 23
Musikertribüne **307** 9
Musik·instrument **322; 323;**
324; 325; 326
~notation **320; 321**
~note **320** 3–7
~werk **308** 38
Muskat·blüte **382** 34
~nuß **382** 35
~nußbaum **382** 30
Muskulatur **18** 34–64
Musselinglas **124** 5
Mustang **352** 4
Muster, aufgestepptes **30** 31
~, eingestricktes **30** 37
~kette **167** 19
~walze **129** 13
Muting **241** 40
Mutter *Frau* **28** 6; **272** 71
~ *Fahrrad* **187** 53
~gang **82** 23
~knolle **68** 39
~kompaß **224** 51
~korn **68** 4
~mund **20** 85
~pflanze **54** 15
~sau **75** 43
~schaf **75** 10
~schloß **149** 19
Mutulus **334** 13
Mützchen **29** 2
Mütze **35** 9; **268** 32
MW **242** 50
Myrte **53** 11
Myrtensträußchen **332** 21
Myrtus **53** 11
mythologische Figur **327**
1–61
mythologisches Tier **327**
1–61
Myzel **381** 2
Myzelium **381** 2

N

Nabe **187** 26
Nabel **16** 34
Nabenhülse **187** 69
Nach·besserung **84** 10
~bildung **261** 15
~brennerdüse **256** 13
~brust **95** 25
~darre **92** 18, 30
~führbelichtungsmesser
114 29
~hall **310** 59
~läufer *Forstw.* **85** 49
~läufer *Billard* **277** 3
~pflanzung **84** 10
Nachricht, vermischte **342**
63
Nachrichten·modul **237** 68
~satellit **237** 63
~sprecher **238** 21
Nach·schaltgetriebe **212** 53
~schlag **321** 17, 18
~schlagewerk **262** 17
~sortierer **172** 58
~speise **45** 6; **266** 20
Nächstbereich **258** 62
Nach·stellschritt **295** 43
~synchronisierstudio **238**
27–53
~synchronisierung **311**
37–41

Nacht·creme **99** 27
~falter **365** 7–11
~hemd **32** 16
~hyazinthe **60** 9
Nachtigall **361** 14
Nachtisch **266** 20
Nacht·kerzengewächs **53** 3
~kleidung **32**
~klub **318** 1–33
~lokal **318** 1–33
~rettungslicht **221** 125
Nachtschatten, Schwarzer
379 5
~gewächs **53** 6; **379** 7
Nacht·schmetterling **82** 14;
365 7–11
~wolken, leuchtende **7** 22
~zeichen **203** 38
Nachwickel Filmzahntrom-
mel **312** 27
Nachwuchs·banderillero
319 4
~torero **319** 2
Nachzwirnerei **170** 47
Nacken **16** 21
~halte **295** 52
~muskel **18** 51
~pinsel **106** 27
~schutz **270** 38
~stand **295** 29
Nadel *Masch.* **143** 76
~ *Zeichn.* **151** 56
~ *Textilw.* **165** 37; **167** 7,
53, 63, 64
~ *U-Elektronik* **241** 28
~ *Bot.* **372** 11
~, chirurgische **22** 57
~, gekröpfte **151** 67
~barren **167** 28
~baum **372** 1–71
~bett **167** 51, 55
~drucker **244** 61
~einsatz **151** 54
nadelförmig **370** 34
Nadel·fuß **167** 60
~halter **22** 59
~heber **167** 59
~hölzer **372**
~käfig **143** 75
~kanal **167** 15
~kette **168** 24
~kissen **104** 20
~lager **143** 75, 76
~reihe **167** 27, 46, 47
~schloß **167** 57
~segment **163** 70
~senker **167** 58
~spitze **102** 30
~wald **15** 1
~zeichen **340** 16
~zylinder **167** 8, 11
Nadir **4** 13
Nagel *Anat.* **19** 80
~ *Masch.* **134** 39; **143** 51
~heft **100** 56
~klaue **120** 75
~lack **99** 32
~tasche **122** 72
Nagerl **60** 6
Nagetier **366** 12–19
Näglein **60** 6
Nahaufnahme **115** 54–74
Nähgarnrolle **104** 9
Näh·kampf **299** 31
~linse **117** 55
Nähmaschine **100** 21
Nähmaschinen·garn **103** 12
~schublade **100** 18

~ waschraum 207 26
~ -WC 207 82
Personen·aufzug 271 45
~ fähre Landkarte 15 60
~ fähre Fluß 216 1
~ fahrung 144 39, 44
~ fahrzeug 191 1–56
~ hebebühne 173 40
~ schleuse 154 32
~ waage 22 66; 49 47
~ wagen 191 1–56; 195 34
~ wagentyp 193 1–36
~ zug 144 39
Perücke 34 2; 105 38; 315 49
Perückenständer 105 39
Perustrom 14 42
peseta 252 22
Peseta 252 22
Petasos 355 4
Peter, Blauer 253 26
Peterlein 57 19
Petersilie 57 19
Petit 175 25
Petrischale 261 25
Petroleum 145 41
~ lampe 278 29
Petruskreuz 332 58
Pettycoat 309 85
Petunie 53 6
Pfadfinder 278 11
~ lager 278 8–11
~ treffen 278 8–11
Pfahl 78 7; 84 17
~ bau 328 15
~ bauhütte 352 33
~ gründung 216 8
~ haus 328 15
~ mast 258 42; 259 6
~ zaun 329 36
Pfandbrief 251 11–19
Pfannenhaube 92 45
Pfannkuchen, Berliner 97 29
Pfarrer 330 22
Pfarrhaus 331 20
Pfau Astr. 3 41
~   Zool. 73 30
Pfauen·auge 73 32
~ busch 254 36
~ feder 73 31
Pfeffer 382 39
~, spanischer 57 42
~ fresser 363 6
~ korn 382 39
~ minze 380 3
~ strauch 382 36
~ streuer 266 77
Pfeife Tabakspfeife 42 12
~   Eisenb. 212 49
~   Mus. 322 57; 326 16,
    17–35
~, kurze 107 33
~, lange 107 35
Pfeifen·besteck 107 44
~ deckel 107 37
~ kopf 107 36
~ körper 322 38
~ mundstück 107 40
~ reiniger 107 46
~ reinigungsdraht 107 48
~ rohr 107 38
~ ständer 42 11
~ stock 326 15
~ strauch, Wohlriechender
    373 9
Pfeifsignal 211 40
~ instrument 211 9
Pfeil 305 60; 327 53; 352 28
Pfeiler 335 20

~ aufsatz 335 29
Pfeilflügel 229 20, 21
pfeilförmig 370 37
Pfeil·kraut 378 51
~ spitze 305 61; 352 29
~ stirnrad 143 87
Pfeilung, positive 229 20, 21
Pfennig 252 7
Pfennigkraut 375 26
Pferd 71; 72; 73 2; 319 18
Pferde·bohne 69 15
~ box 75 2
~ droschke 186 26
~ fuß Fabelwesen 327 42
~ fuß Bot. 380 8
~ hof 319 15
~ kamm 72 14
~ kopf 72 1–11
~ kopf, geschnitzter 218 14
~ körper 327 54
~ kruppe 72 31
~ leib 327 27
~ mähne 72 13
~ omnibus 186 37
~ rücken 72 29
~ rumpf 327 45
~ schlitten 304 25
~ schwanz Frisur 34 27
~ schwanz Pferd 72 38
~ schweif 72 38
~ sport 289
~ stall 75 1
~ stand 75 2
~ stute 73 8
~ wagen 186
~ zahnmais 68 31
Pfette 121 76
Pfettendachstuhl 121 60
~, einfachstehender 121 42
~, zweifachliegender 121
    52
~, zweifachstehender 121
    46
Pfifferling 381 14
Pfirsich 59 31
~ baum 59 26–32
~ baumblatt 59 32
~ blüte 59 27
~ torte 97 22
Pflänzchen 55 23
Pflanze 370 15; 378 36; 382
    53; 383 10
~, blühende 58 17
~, eingetopfte 55 25
~, fruchttragende 58 17
~, insektenfressende 377 13
~, vertopfte 55 25
Pflanzen·fenster 37 68
~ fett 98 23
~ gondel 248 13
~ laus 358 13
~ schauhaus 272 65
~ tisch 55 12
~ vermehrung 54
~ zaun 37 59
Pflanz·garten 84 6
~ holz 54 7; 56 1
~ kamp 84 6
~ kelle 56 4
~ topf 54 8
Pflaster·spender 22 64
~ - und Kleinteilespender 22
    64
Pflaume 59 20, 25
Pflaumen·baumblatt 59 21
~ kern 59 23
Pflegebox 28 18
Pflichtfigur 302 11–19

Pflock 123 11
Pflug 63 6
~ baum 65 9
~ furche 63 8
~ karren 65 14–19
~ kolter 65 10
~ körper 65 4–8, 64–67
~ messer 65 10
~ rahmen 65 70
~ schar Landmaschinen 65
    7, 65
~ schar Eisenb. 203 34, 35
~ schar Vorgeschichte 328
    33
~ scharanker 286 16
~ sohle 65 6, 66
~ sterz 65 3
~ stützrad 65 63
Pfortader 20 39
Pforten·band 220 27
~ deckel 218 60
Pförtner 20 42
Pfosten Bau 120 25; 121 40,
    81
~   Sport 291 37
Pfropfen, das 54 36
Pfropfreis 54 37
Pfund 252 29
Pfund-Serie 1 24
Pfund Sterling 252 29
Phaethon 186 38
Phaeton 186 38
Phantasie·kostüm 306 32
~ schliff 36 68–71
Phase, feste 148 26
~, flüssige 148 27
Phenol 170 14
~ gewinnung 170 3
~ hydrierung 170 16
Philate 183 3
Philomele 361 14
Philtrum 16 12
Phlox 60 14
phonetische Umschrift 342
    14
Phönix 327 9
phönizisch 341 14
Phonotypistin 248 33
Phorbeia 322 5
Phoropter 111 44
Phosphorsäuredünger 63 14
Photo·diode 114 70
~ grammetrie 112 67
~ leiste 195 21, 22
~ meter 23 54
~ meterlichtquelle 112 50
~ metrie 23 52, 53
~ multiplier 112 40
~ theodolit 112 67
~ vervielfacher 112 51
~ zelle 312 49
physikalische Größe 344 4
Piaffe 71 1
Pianino 325 1
pianissimo 321 36
~   piano 321 37
~ piano 321 35
Piano 325 1
~ forte 325 1
~ mechanik 325 2–18
~ pedal 325 9
Picador 319 16
~ hut 319 20
Piccolo·flöte 323 30
Pickel 300 16, 31
Picker 166 64
Pickstander 219 49
Pick-up-Haspel 64 4

~ -Vorrichtung 62 41; 63 27
Pictor 3 47
Piedestal 307 55
Pier Hafen 225 66
~   Zool. 357 24
Pierrette 306 12
Pierrot 306 19
Piezohochtöner 241 13
Pigment·papier 182 1, 8, 10
~ papierübertragungsma-
    schine 182 6
Pik 276 39
Pikieren 54 5
Pikkoloflöte 323 30
Piktogramm 233 24–53; 241
    60
Pilaster 335 46
Pilgermuschel 309 46
Pilker 89 72
Pilot 235 18
Pilote 325 33
Piloten·draht 325 34
~ kanzel 231 19; 264 2
~ sitz 230 36
Pilotton·anschluß 117 7
~ geber 313 30
~ kabel 313 29
Pilsener Bier 93 26
Pilz 68 4; 381 2, 3, 10, 11
~ geflecht 381 2
Pimpernell, Großer 69 28
~, Roter 69 28
Pimpinelle 69 28
Pinakel 335 29
Pinakoid, triklines 351 26
Pinaß 258 45
Pinasse 221 107
Pinguin 359 4
Pinie 372 55
Pinne Schmied 137 27
~   Sport 284 32
Pinnenausleger 284 31
Pinole 19 27
Pinolen·feststellknebel 149
    28
~ verstellrad 149 30
Pinzette 22 52; 109 14; 174
    18
Pipeline 145 35, 65
Pipette 22 72; 23 44; 350 25
Pipettenständer 23 52
Pipettiergerät 23 47
Pique 276 39
Piqueur 289 43
Pirat Segelsport 284 52
~   Karneval 306 43
Pirol 360 7
Pirouette 314 23, 24
Pirschbüchse 86 4
Pirschen 86 1–8
Pirschgang 86 1–8
Pisces 4 64
Pistazie 382 51
Pistazienbaum 382 49
Piste Film 117 82
~   Flughafen 233 1
~   Sport 294 2
~   Zirkus 307 22
Pisten·film 117 82
~ tonsystem 117 21
Pistill 349 10
Pistole 255 1
Pistolen·griff 87 6; 264 23
~ handgriff 134 44
~ kopfdüse 83 28
~ magazin 264 25
~ tasche 264 24
Piston 323 43

~ deckel **133** 51
~ druckskala **185** 5
Presse·foto **342** 58
~ fotograf **299** 49
Preßeinrichtung **183** 18; **184** 13
Pressekamera **114** 36
Pressen *Glas* **162** 33
~ *Textil* **170** 41
~ *papier* **173** 50
Pressezentrum **233** 43
Preß·form **162** 26, 34
~ gewicht **167** 32
~ holzplatte **338** 24
Pressionshaken **163** 16, 18
Preß·kissen **100** 16
~ kopf *Fleischerei* **96** 9
~ kopf *Tech.* **139** 36
~ korkgriff **89** 50
Preßluft·flasche **279** 21
~ meißel **148** 45
~ reifen **187** 30
~ schlauch **174** 38
~ schleifmaschine **148** 44
~ stampfer **148** 31
~ tauchgerät **279** 12
~ zuleitung **139** 22
Preß·müllfahrzeug **199** 1
~ platte *Schuhmacher* **100** 15
~ platte *Buchb.* **183** 24
~ platte *Graphik* **340** 31
~ pumpe **178** 11
~ rolle **165** 57
~ sack **96** 9
~ stempel *Tischler* **133** 52
~ stempel *Glas* **162** 32
~ - und Blasverfahren **162** 30
~ verfahren **162** 30
~ walze **163** 20; **168** 41
presto **321** 28
Priem **107** 19
Priester **331** 47
~ sitz **330** 41
Primaballerina **314** 27
Primär·fokuseinrichtung **5** 11
~ fokuskabine **5** 2
~ kreislauf **154** 2, 42; **259** 65
~ kreisumwälzpumpe **154** 5
~ luftgebläse **160** 11
~ wicklung **153** 15
Prime **321** 6
Primel **376** 8
~ gewächs **53** 5
Primzahl **344** 13
Printer **176** 12; **244** 61
Prinzengarde **306** 68
Prinz-Heinrich-Mütze **35** 28
Prinzipal **326** 31–33
Prinz Karneval **306** 58
Prisma, ditrigonales **351** 22
~ , hexagonales **351** 21, 22
~ , monoklines **351** 24
~ , quadratisches **347** 34
~ führung **175** 54
~ schiene **132** 61
Pritsche *Pferd* **71** 45–49
~ *Bau* **119** 41
~ *Karneval* **306** 48
Pritschen·ausführung **194** 6
~ wagen **194** 6
Privat·detektiv **275** 16
~ dozent **262** 3
Privater **251** 6
Privatkonto **250** 4
Probe **315** 21–27

~ abzug **340** 43
~ druck **340** 43
~ gestell **111** 3
~ kapsel **161** 2
Probentrennvorrichtung **146** 10
Probewürfelform **119** 84
Probier·glas **350** 34
~ gläserkasten **111** 45
~ glastrockner **261** 31
~ schaufel **98** 72
Produkt **344** 25
Produktions·anlage **76** 38
~ leiter **310** 26
Produzent **238** 39
Professional **299** 25
Profil **143**
~ eisen **130** 16
~ rahmen **65** 56
~ säule **116** 42
~ sohle **101** 19; **300** 43
Programm **249** 40; **315** 13
~ , rechnergesteuertes **238** 2
~ anzeige **115** 36
~ einschub **177** 71
~ heft **315** 13
Programmiererin **248** 15
Programmierung **242** 35
Programm·karte **195** 10
~ karteneinschub **195** 5
~ lautstärkeregler **261** 44
Programmonitor **238** 61
Programm·recorder **261** 42
~ rückstelltaste **115** 5
~ skala **243** 31
~ speichertaste **242** 69
~ vorschau **342** 64
~ wahl **25** 50
Projektion **262** 8
Projektions·aufsatz **112** 55
~ fläche **260** 36
~ kuppel **5** 21
~ lampe **312** 18
~ leinwand **238** 32
~ mattscheibe **112** 24
~ objektiv **312** 35
~ öffnung **312** 15
~ optik **261** 10
~ tisch **261** 13
~ wand **260** 36; **262** 8; **312** 11
Projektorschalter **195** 20
proktologisches Untersuchungsinstrument **23** 3–21
Proktoskop **23** 19, 21
Prokyon **3** 15
Promenade **223** 27
Promenadendeck **223** 22–27
Propangas **278** 33
~ flasche **278** 34
~ lötgerät **125** 5–7
~ lötkolben **125** 5
Propeller **230** 32; **255** 71; **288** 36
~ flugzeug **231** 1–6
~ nabenhaube **230** 33
~ pumpe **217** 47–52
~ raum **227** 22
~ rührer **79** 6
~ -Schnellrührgerät **79** 5
~ steigung **224** 20
~ -Turbinen-Flugzeug **231** 4
~ -Turbinen-Triebwerk **256** 16
Proportionszirkel **339** 2
Propyläen **334** 7

Proskenium **334** 46
Prospekt *Film* **310** 33
~ *Theater* **315** 33; **316** 10
~ *Mus.* **326** 1–5
~ beleuchtung **316** 15
~ faltblätter **250** 7
~ pfeife **326** 1–3
~ zug **316** 8
Proszenium **315** 15
protestantische Kirche **330** 1–30
Protokollführer **299** 48
Proton **1** 2, 16, 31
Proto·plasma **357** 3
~ prisma **351** 19, 20
~ pyramide **351** 19, 20
~ typ **290** 38
~ - und Deuteropyramide **351** 20
~ zoen **357** 1–12
~ zoon **357** 1–12
Protuberanz **4** 40
Protz **364** 23
Proviantraum **223** 57
Prozent **345** 7
~ rechnungstaste **247** 23
~ satz **345** 7
~ skala **177** 7
~ zeichen **345** 7
Prozession **331** 42–50
Prozessions·fahne **331** 44
~ kreuz **331** 42
~ spinner **82** 14
~ teilnehmer **331** 51
Prozeßfestsäure **236** 37
Prüf·gerät **25** 52; **109** 26; **195** 17, 24
~ kasten **138** 14
~ platz, ophthalmologischer **111** 43
Prüfung **92** 51
Prunkheck **218** 55–57
Psychrometer **10** 52
Puck **302** 35
Puddingpulver **98** 50
Pudel **70** 36
Puder·dose **43** 28; **49** 35; **99** 29
~ streuer **28** 14
~ zucker **98** 54
Puff **276** 22
Puffärmel **31** 27; **355** 60
Puffer **213** 7
~ abstellstange **166** 45
Puffmais **68** 31
Puffspiel **276** 18, 22
Pulli **31** 51
Pulmonalklappe **20** 50
Pulpa **19** 32
Puls·frequenz **23** 27
~ schlagader **18** 21
~ schreiber **26** 32
~ - und Atemfrequenz **23** 27
Pult·dach **37** 78; **121** 7
~ regal **174** 2
~ scholle **12** 9
Pulver **87** 53
~ flagge **253** 38
~ kaffee **99** 70
~ ladung **87** 57
Pumpanlage **146** 7
Pumpe **2** 52; **65** 45; **170** 31
~ anschlußbogen **145** 22
~ antriebsbock **145** 22
~ druckfeder **174** 41
~ haus *Wasserbau* **217** 43
~ haus *Schiff* **222** 33

~ schacht **199** 19
Pumpernickel **97** 49
Pumpgestänge **145** 25
Pumps **101** 29
Pump·speicherwerk **217** 39–46
~ stativ **310** 50
~ werk **274** 4
Punchingball **299** 24
Punkt *Setzerei* **175** 19–31
~ *Schrift* **342** 16
~ *Math.* **346** 1–23,1; **347** 8
~ , trigonometrischer **14** 49; **15** 71
~ , typographischer **175** 18
~ ball *Billard* **277** 13
~ ball *Sport* **299** 22
Punktiereisen **339** 15
Punkt·lichtkopierlampe **179** 21
~ lichtlampe **182** 4
~ richter **299** 43
~ roller **340** 18
~ roulett **340** 18
~ schweißmaschine **142** 29
~ schweißung **142** 22
~ schweißzange **142** 23
Punze *Goldschmied* **108** 19, 31
~ *Setzerei* **175** 41
~ *Graphik* **340** 15
Punzen·büchse **108** 30
~ hammer **340** 14
Pupille **19** 43
Puppe *Zool.* **77** 30, 32; **80** 4, 25, 43; **81** 3, 21, 24; **82** 13, 21, 32; **358** 20; **365** 7
~ *Flohmarkt* **309** 11
Puppen·sportwagen **48** 31
~ wagen **47** 10; **48** 24
~ wiege **77** 32
Purpur·filtereinstellung **116** 43
~ mantel **355** 18
~ saum **355** 14
Pürzel **88** 49, 58
Pusteblume **61** 13
Pute **73** 28
Putenschlegel **99** 59
Puter **73** 28
Putten **293** 86
Putter **293** 93
~ grün **293** 82
Putz **338** 42
Putz·deckel **164** 22
~ eimer **50** 54
Putzer **148** 43
Putzerei **148** 38–45
Putz·maschine **92** 36
~ messer **136** 38
~ tuch **87** 61
~ teil **35** 4
~ träger **123** 71
~ tuch **50** 55
Puzzle **48** 9
~ stein **48** 10
PVC-Regenstiefel **101** 14
~ -Sohle **101** 2
Pygmäe **354** 41
Pylon *Brücken* **215** 42
~ *Kunst* **333** 9
Pyramide *Astr.* **5** 19
~ *Garten* **52** 16
~ *Zirkus* **307** 20
~ *Kunst* **333** 1
~ *Math.* **347** 46

~ kasse **271** 2
Scantaste **242** 71
Schabe, Deutsche **81** 17
Schabefleisch **96** 16
Schaber **140** 63; **340** 17
Schab·glocke **96** 42
~ hobel **132** 27
~ kunst **340** 14–24
Schablone **175** 55
Schablonen·ablage **245** 9
~ aufbewahrungslade **245** 10
~ aufnahmeschacht **245** 8
~ kasten **168** 60
~ messer **129** 43
~ tisch **175** 56
Schabotte **139** 17, 31, 40
Schabracke **329** 74
Schabrackenschakal **367** 11
Schach **265** 17; **276** 1–16
Schachbrett **47** 20; **276** 1
Schachbrettafel **203** 30
Schachbrett·feld **276** 2
~ ornament **335** 14
~ schliff **36** 66
Schächerkreuz **332** 61
Schach·feld **276** 2
~ felderbezeichnung **276** 6
~ figur **276** 4, 5, 7
~ figurensymbol **276** 4, 5
~ matt **276** 15
~ meisterschaft **276** 16
~ partie **265** 17; **276** 6
~ problem **276** 6
~ spiel **276** 1–16
~ spieler **265** 17
Schacht **154** 69
~ deckel **38** 46
Schachterlteufel **306** 56
Schacht·gebäude **144** 4
~ ofen **147** 1
~ sumpf **144** 47
Schach·turnier **276** 16
~ uhr **276** 16
Schädel **17** 1, 30–41; **261** 15, 17, 21
~ dach **261** 16, 18
~ sammlung **261** 15
Schädlingsbekämpfung **56** 24; **83**
Schaf **73** 13
~ bock **73** 13
Schäfchenwolke **8** 14, 15
Schäferhund, Deutscher **70** 25
Schaffellmütze **353** 23
Schaffner **204** 45
Schaf·garbe **376** 15
~ stall **75** 9
Schaft *Schlosser* **140** 33
~ *Masch.* **143** 15, 53
~ *Textil.* **166** 3, 4; **171** 5, 9
~ *Sport* **305** 64
~ *Kunst* **333** 27
~ rand **101** 20
~ rolle **166** 36
~ spanner **166** 54
Schäftung **87** 3, 4, 6, 13
Schakal **367** 11
Schal **33** 65
Schalanken **71** 16
Schal·boden **119** 54
~ brett **119** 18, 76
Schale *Jagd* **88** 24
~ *Friseur* **185** 1
~ *Zool.* **357** 29
Schäleisen **85** 8
Schalen·aufbau **11** 1–5

~ haut **74** 60
~ sitz **305** 90
~ skistiefel **301** 12
~ sohle **101** 11
~ stern **10** 30
~ thermometer **116** 13
Schalholz **118** 41; **119** 18
Schalk **306** 38
Schall·becher **323** 42; **326** 22
~ blase **364** 25
~ dämpfer *Eisenb.* **211** 49
~ dämpfer *Sport* **305** 93
~ deckel **330** 21
~ dose **309** 33
~ kasten **322** 18; **324** 15
~ körper **322** 2, 15
Schalloch *Mus.* **322** 22; **323** 6; **324** 5
Schall·öffnung **309** 19
~ platte **46** 15; **241** 10; **309** 32; **317** 24
Schallplatten-Abspielapparatur **238** 24
~ durchmesser **241** 30
~ spieler **241** 4, 18
~ ständer **309** 36
Schall·rose **324** 5
~ schlucktrennwand **248** 20
Schallschutz·gehäuse **313** 16–18, 27
~ kasten **310** 48
~ oberteil **313** 16
~ seitenwand **313** 18
~ unterteil **313** 19
Schall·sender **224** 61
~ stück **323** 37, 48
~ trichter **309** 34; **323** 42
~ wand **309** 17
~ wellenausbreitung **7** 14
~ wellenimpuls **224** 62
Schalmei **322** 3, 14
Schalt·anlage **93** 20; **152** 19; **157** 67
~ armatur **230** 26
~ brett **180** 74
~ drehgriff **188** 31
Schalter **127** 7, 66; **179** 19; **180** 74; **191** 64, 81, 82; **326** 47
~ beamter **204** 39
~ -Wertzeichengeber **236** 19
Schalt·feld **311** 4, 17
~ gabel **192** 42, 45
~ gerät **153** 5; **209** 13; **269** 47
~ getriebe **149** 2; **211** 50
~ hahn **172** 9
~ haus **217** 45
~ hebel **191** 91; **192** 46
~ kammer **153** 55
~ kassette **238** 45
~ kasten **150** 29; **179** 33
~ knopf **168** 40
~ knüppel **191** 91; **192** 46
~ kopf **192** 44
~ kupplung **227** 23
~ mechanismus **181** 26
~ pult **27** 10; **76** 11; **153** 1–6; **179** 10; **180** 16; **185** 2; **261** 37; **311** 12
~ rad **168** 40
~ schaubild **92** 25
~ schema **192** 47
~ schieber **115** 16
~ stange **192** 41

~ tafel **26** 20; **38** 67; **173** 43; **179** 17
~ trittbrett **168** 48
~ uhr **242** 42
~ - und Regelkassette **238** 45
~ - und Regelpult **311** 12
Schaltung **110** 43; **178** 36
~ , integrierte **110** 43
Schaltungskette **290** 20
Schalt·warte **76** 7; **92** 25; **152** 28; **153** 1–8
~ werk **211** 10
~ werkantrieb **211** 13
Schalung **119** 54; **122** 61
Schalungs·sprieße **119** 13
~ stütze **119** 86
~ träger **119** 78
Scham **16** 39
Schamane **353** 24
Scham·bein **17** 20
~ beinfuge **20** 65
~ laus **81** 40
~ lippe **20** 87
Schamotte·deckel **108** 9
~ stein **141** 30
Schanzkleid **221** 120; **222** 67; **223** 17
Schapel **355** 21
Schappelholz **119** 61
Schar **65** 7, 58, 65
Scharbe **359** 10
Scharbockskraut **375** 36
Schardrehkranz **200** 22
Schärenkreuzer, 30-m²- **284** 60
Schärfeindikator **115** 27
Scharfeinstellung **115** 22; **240** 30
~ , manuelle **115** 22
Scharfer Hahnenfuß **375** 8
scharfer Löffel **22** 50; **26** 52
Scharfer Mauerpfeffer **375** 21
Schärf·kopf **157** 46
~ messer **100** 51
~ scheibe **157** 45
Scharnierband **140** 49
Scharraum **74** 11
Scharriereisen **158** 37
Scharwachturm **329** 17
Schatten·brett **55** 9
~ matte **55** 6
~ morelle **59** 5
Schattierbrett **55** 9
Schau·bild **248** 36
~ bude **308** 6
Schauer **8** 19; **9** 37
~ niederschlag **8** 19
Schaufel *Gärtner* **55** 14
~ *Mühlrad* **91** 38, 40
~ *Bergsport* **300** 34
~ deckel **95** 32
~ rad **178** 33
~ sporn **255** 34
~ stück **95** 30
~ walze **178** 25
~ zylinder **255** 35
Schaufenster **268** 10
~ auslage **98** 1; **268** 11
~ dekoration **268** 12
~ front **268** 42
Schaufler **88** 40
Schauglas *Heizung* **38** 62
~ *Landw.* **75** 31
Schaukel·brett **273** 40

~ kufe **47** 16
~ reck **307** 6
~ sitz **273** 40
~ stuhl **309** 61
~ teddy **48** 30
Schauloch **148** 4
Schaum·bad **49** 3
~ krone **93** 31
~ löffel **96** 43
~ markierer **83** 9
~ markierung **83** 6
Schaumstoff·auflage *Schlaf-zimmer* **43** 10
~ auflage *Sport* **291** 20
~ behälter **83** 6
~ schwimmer **89** 46
~ zunge **291** 24
Schaum·wein **98** 63
~ zufuhrleitung **83** 10
Schauöffnung **2** 16; **312** 15
Schauspieler **316** 37
~ garderobe **315** 43–52
Schauspielerin **316** 38
Schausteller **308** 10
~ bude **308** 24
~ wagen **206** 20
~ zelt **308** 24
Schau·tafel *Med.* **22** 16
~ tafel *Stadt* **268** 3
~ vitrine **271** 13
Scheck **289** 29
Schecke **355** 45
Scheibe *Landmaschinen* **65** 84, 85
~ *Bahnhof* **204** 40
~ *Sport* **305** 66
~ , laufende **305** 33, 48
~ Brot **45** 22
Scheiben·anordnung **65** 83
~ blüte **375** 32
~ bremse **189** 32; **190** 74; **191** 17, 18; **192** 48–55; **208** 4
~ bremssattel **189** 33
~ egge **65** 82
~ hantel **299** 3
~ honig **77** 64
~ qualle **357** 14
~ rad **191** 14
~ sech **64** 66; **65** 69
~ sechantrieb **64** 68
~ wischer **191** 41; **197** 32
Scheide *Anat.* **20** 86
~ *Landw.* **68** 9
Scheiden·spekulum **23** 13
~ spiegel **23** 13, 14
Scheidetrichter **349** 3
Scheidtsche Kugel **349** 1
Schein **252** 30–39
~ frucht **58** 21; **384** 12, 62
~ füßchen **357** 4
~ stamm **384** 30
Scheinwerfer *Fahrzeug* **187** 7; **189** 10; **191** 20; **255** 78; **258** 28
~ *Zirkus* **307** 3
~ brücke **310** 53
~ einstellung **195** 24
~ halter **187** 6
~ schalter **191** 62
Scheitel *Anat.* **16** 1
~ *Flugsport* **288** 47
~ *Math.* **347** 16
~ bein **17** 31
~ brechwertmesser **111** 33
~ höhe **87** 77
~ punkt **346** 1; **347** 16, 28
~ rohr **187** 16

~anlage 337 25
~mauer 334 6
~ritter 329 73
~turm 333 32; 337 1, 26
Temperafarbe 338 17
Temperatur 9 40
~angabe 9 8
~dosierung 191 84
~geber 190 50
~linie 7 37
~regler 237 60
~skala 7 36
~wähler 50 8
Tempest 284 54
Tender 258 92
~brücke 210 2
~lok 210 65
Tenne 92 8
Tennis 293 1–42
~ball 293 28
~netz 293 13
~platz 293 1
~schläger 41 13; 293 29
~schuh 101 36
~spiel 293 1–42
~spieler 293 16
Tenor·horn 323 39
~oboe 323 38
~posaune 323 46
~schlüssel 320 11
Tentakel 357 16
tenuto 321 30
Teppich·boden 41 18; 43 23
~bürste 50 45
~bürstvorsatz 50 79
~kehrer 50 57
~klopfvorsatz 50 79
~schamponiervorsatz 50 79
~stange 37 51
Terminal 233 15
Termin·kalender 246 8
~plantafel 151 12
~uhr 110 11
Termschema 1 15
Terpentinabscheider 172 14
Terra-Aquarium 356 14
Terrasse 37 36
Terrassencafé 272 57
Terrier 70 15–18
~, Schottischer 70 17
Terrine 45 15
Tertia 175 30
Tertiärkreislauf 154 10
Terz, große 321 8
~bindung 294 48
~deckung 294 8
Terzel 86 46
Terzparade 294 8
Tetradrachme 252 1
Tetraeder 351 1
Teufel 306 14
Teufels·kirsche 379 7
~scheibe 308 46
Text 175 31
~erfasser 176 15
~erfassung 176 14
~erfassungsplatz 176 14
Textildrucker 168 65
textile Bindung 171
textilfreie Lebensart 281 16
Textilgeschäft 268 9
Textilglas 162 48–55
~-Elementarfaden 162 52
~garn 162 56
~garn, gefachtes 162 57
~matte 162 58
~produkt 162 56–58
Textilien 168

Textiltapete 128 18
Textprogramm 176 23
TGV 209 20
Thallom 378 49
Thallus 378 49
Theater 315; 316; 334 44
~, griechisches 334 44
~besucher 315 8
~billett 315 11
~chor 315 21
~friseur 315 48
~karte 315 11
~kartenverkaufsstelle 271 26
~kostüm 315 51
~maschine 312 24
~platz 315 20
~probe 315 21–27
~raum 315 14–27
~- und Konzertkartenverkaufsstelle 271 26
~vorhang 316 23
~werkstatt 315 28–42
Theatron 334 44
Theke 266 1–11; 267 54; 317 9
Theodolit 14 52–62
Theorbe 324 1
Thermik·schlauch 287 21
~segeln 287 20
thermischer Aufwind 287 21
Thermo·bindung 249 61
~bürste 106 30
~graph 10 19, 51
~kauter 24 43
thermokonstantes Wasserbad 23 48
Thermometer 10 25, 34, 35; 28 29; 168 27; 281 24
~hütte 10 49
Thermoplast 130 15
thermoplastischer Kunststoff 127 29
Thermoschalter 190 63
Thermostatentwicklungsschale 116 56
Thomas·birne 147 55–69
~konverter 147 55–69
Thorax 358 29–30
Thymele 334 48
Tiara 254 37
Tibeter 353 27
tibetisch 341 12
Tief 9 5
~decker 229 5, 14; 231 1
Tiefdruck 182
~ätzer 182 18
~gebiet 9 5
~verfahren 340 14–24
~walze 182 10, 17
~zylinder 182 22
Tiefen·einstellung 65 60; 157 45
~filtertaste 241 51
~gestein 11 29
~lehre 140 54; 149 72
~linie 15 11
~magnetismus 11 29–31
~messer 149 68
~meßfühler 149 68
~meßschieber 140 54; 149 72
~regler 241 52
~ruder 259 95, 96
~sickerungsanlage 200 61
~skala 224 66
~- und Seitenruder 259 95
~verstellung 133 21

tiefer Teller 44 6; 45 5
Tiefgangsmarke 222 73
tiefgeätzter Teil 178 43
Tiefgefrierschrank 39 7
tiefgefrorenes Fertiggericht 96 23
Tiefhalte 295 47
Tiefkühl·box 99 57
~truhe 96 21; 98 74
Tieflöffel 118 82
Tiefofen 148 46
~kran 148 47
Tief·pumpe 145 23
~schlag 299 34
Tiefsee·fauna 369
~graben 11 12
~meduse 369 5
~tafel 11 10
Tief·start 298 4
~stoß 277 4
~töner 241 15
~tonsystem 241 15
~wasserstart 286 46
Tiegel 340 31
~druckpresse 181 13, 29; 340 29
~zange 108 11; 350 32
Tier 88 1; 356 5
~, mythologisches 327 1–61
~, wirbelloses 357
~bändiger 307 52
~gehege 272 49
~haus 356 10
~kreiszeichen 4 53–64
~lehrer 307 52
~nahrung 99 36–37
~schau 307 63
~transport 221 69
Tiger 307 56; 368 5
Tilbury 186 44
Tilde 342 35
Timbale 324 57
Timer 242 42
Tinktur 254 24–29
Tinten·beere 379 7
~faß 309 78
~fisch 357 37; 369 4
~strahldrucker 244 61
Tipi 352 7
Tippfehlerkorrektur·blatt 247 12
~flüssigkeit 247 13
Tiptank 231 9
Tisch 21 31; 273 2; 336 14, 16
~aufstellung 260 1
~bein 44 2
~belag 141 16
~dame 267 43
~decke 266 28
~exhauster 108 43
~farbwerk 181 8
~gesellschaft 267 40–43
~herr 267 42
~höhenverstellung 133 22, 23
~kalender 247 32
~karte 45 13
~kasse 275 11
~konsole 133 24
~lampe 44; 246 35
~läufer 46 35
Tischler 132 38; 133
Tischlerei 132 1–73
Tischler·leim 132 13
~platte 132 73
~werkstatt 132 1–73

~werkzeug 132 1–28
~winkel 132 6
Tisch·leuchte 246 35
~leuchter 45 16
~nachbar 267 41
~platte 44 3; 139 20
~säule 26 6
~schmuck 266 78
~sockel 112 15
~stativ 115 66
~staubsauger 108 43
~tuch 266 28
Tischtennis 293 45–55
~ball 273 5; 293 48
~netz 273 3; 293 53
~schläger 273 4; 293 45
~spiel 273 1; 293 45–55
~spieler 293 49
~tisch 293 52
Tisch·vorschubantrieb 150 27
~walze 132 46
~wäsche 271 57
~wurstfüller 96 49
Titan 327 37
Titelblatt 185 45
Titelei 185 43–47
Titel·index 242 37
~kampf 299 35–50
~nummeranzeige 242 70
~seite 185 45
~speichertaste 242 69
~sprungtaste 242 32
Tjalk 220 6
T-Lage 288 62
T-Leitwerk 229 29; 287 10
Toast Brot 45 34
~, Trinkspruch 267 40
Toaster 39 45
~kompaß 224 31, 52
Todes·anzeige 342 68
~fahrer 308 54
~spirale 302 5
Töffel 101 47
Toga 355 13
Toilette 49 12; 126 14; 146 29; 211 59; 231 31; 268 62; 278 5; 317 31
Toiletten·papier 49 11
~papierhalter 49 10
~wagen 233 22
~wasser 105 37; 106 9
Tollkirsche 379 7
Tölpel 359 9
Tomahawk 352 16
Tomate 57 12; 99 82
Tomatenstaude 55 44
Tombola 306 11
Tomtom 324 49
Ton 269 1; 160 1; 260 79; 328 20; 339 31
~, gebrannter 328 20
Tonabnehmer 241 29
~system 241 29
Tonanschlußleitung 117 8
Tonarm 241 31
~absenktaste 241 26
~anhebetaste 241 27
~-Auflagekrafteinstellung 241 33
~balancegewicht 241 35
~stütze 241 32
Tonart 320 55–68
~assistent 117 68; 310 57
Tonaufnahme 313 26
~gerät 117 7; 310 24
~-Wahlschalter 117 13

Index

Ordering
In this index the entries are ordered as follows:
1. Entries consisting of single words, e.g.: 'hair'.
2. Entries consisting of noun + adjective. Within this category the adjectives are entered alphabetically, e.g. 'hair, bobbed' is followed by 'hair, closely-cropped'.
Where adjective and noun are regarded as elements of a single lexical item, they are not inverted, e.g.: 'blue spruce', not 'spruce, blue'.
3. Entries consisting of other phrases, e.g. 'hair curler', 'ham on the bone', are alphabetized as headwords.
Where a whole phrase makes the meaning or use of a headword highly specific, the whole phrase is entered alphabetically. For example 'ham on the bone' follows 'hammock'.

References
The numbers in bold type refer to the sections in which the word many be found, and those in normal type refer to the items named in the pictures. Homonyms, and in some cases uses of the same word in different fields, are distinguished by section headings (in italics), some of which are abbreviated, to help to identify at a glance the field required. In most cases the full form referred to by the abbreviations will be obvious. Those which are not explained in the following list:

Agr.	Agriculture / Agricultural	*Hydr. Engl.*	Hydraulic Engineering
Alp. Plants	Alpine Plants	*Impl.*	Implements
Art. Studio	Artist's Studio	*Inf. Tech.*	Information Technology
Bldg.	Building	*Intern. Combust. Eng.*	Internal Combustion Engine
Carp.	Carpenter	*Moon L.*	Moon Landing
Cement Wks.	Cement Works	*Music Not.*	Musical Notation
Cost.	Costumes	*Overh. Irrign.*	Overhead Irrigation
Cyc.	Cycle	*Platem.*	Platemaking
Decid.	Deciduous	*Plant. Propagn.*	Propagation of Plants
D.I.Y.	Do-it-yourself	*Rm.*	Room
Dom. Anim.	Domestic Animals	*Serv. Stat.*	Service Station
Equest.	Equestrian Sport	*Sp.*	Sports
Fabul. Creat.	Fabulous Creatures	*Text.*	Textile[s]
Gdn.	Garden	*Veg.*	Vegetable[s]

A

Aaron's rod **376** 9
abacus **309** 77
abacus *Art* **334** 20
abattoir **94**
abbreviated dialling key **237** 13
abdomen *Man* **16** 35-37, 36
abdomen *Bees* **77** 10-19
abdomen *Forest Pests* **82** 9
abdomen, lower ~ **16** 37
abdomen, upper ~ **16** 35
abductor hallucis **18** 49
abductor of the hallux **18** 49
aberdevine **361** 8
aborigine, Australian ~ **352** 37
abrasion platform **13** 31
abrasive wheel combination **111** 28, 35
abscissa **347** 9
abseiling **300** 28-30
abseil piton **300** 39
abseil sling **300** 28
absinth **380** 4
absorber attachment **27** 44
absorption dynamometer **143** 97-107
absorption muffler **190** 16
absorption silencer **190** 16
abutment *Bridges* **215** 27, 29, 45
abutment *Art* **336** 20
abutment pier **215** 29
acanthus **334** 25

acceleration lane **15** 16
acceleration rocket **234** 22, 4
accelerator **191** 46
accelerator lock **85** 17
accelerator pedal **191** 46, 94
accelerometer **230** 10
accent, acute ~ **342** 30
accent, circumflex ~ **342** 32
accent, grave ~ **342** 31
accent, strong ~ **321** 27
accents **342** 30-35
acceptance **250** 12, 23
access arm **244** 47
access flap **62** 1, 25
accessories **115** 54-74
accessory shoe **114** 4; **115** 4
accessory shop **196** 24
access ramp **199** 15
access slot **244** 42
acciaccatura **321** 15
accipiters **362** 10-13
accolade **329** 66
accommodation **146** 33
accommodation bureau **204** 28
accommodation ladder **221** 98
accomodation module **146** 33
accompaniment side **324** 43
accompaniment string **324** 24
accordion **324** 36
account, private ~ **250** 4
accounting machine **236** 26
account number **250** 26
accumulator **309** 41
accumulator *Theatre* **316** 55
accumulator railcar **211** 55

accuracy jump **288** 55
acerate **370** 34
acerose **370** 34
acerous **370** 34
acetylene connection **141** 31
acetylene control **141** 32
acetylene cylinder **141** 2, 22
achene **58** 23
achievement **254** 1-6
achievement, marital ~ **254** 10-13
achievement of arms **254** 1-6
Achilles' tendon **18** 48
acicular **370** 34
acid container **350** 62
Ackermann steering system **85** 31, 37
acolyte **331** 45
aconite **379** 1
acorn **371** 4
acorns **276** 42
acoustic coupler **237** 48; **244** 66
acrobat **307** 47
Acropolis **334** 1-7
acroter **334** 34
acroterion **334** 34
acroterium **334** 34
acting area light **316** 16
acting area spotlight **316** 16
actinia **369** 20
Actinophrys **357** 7
action **326** 6-16
action lever **325** 32
activated blade attachment **84** 33
actor **316** 37

actress **316** 38
actuating transistor **195** 19
actuator **244** 47
acuity projector **111** 47
acute **342** 30
ad **342** 56
Adam's apple **19** 13
adapter **112** 55
adapter, four-socket ~ **127** 8
adapter, four-way ~ **127** 8
adapter ring **115** 55
added-feature telephone **237** 9, 19, 22
adders **364** 40 u. 41
adding **344** 23
adding and subtracting machine **309** 74
addition **344** 23
address **236** 42
address bus **244** 52
address display **236** 41
addressing machine, transfer-type ~ **245** 7
address label **236** 4
address system, ship's ~ **224** 30
A-deck **223** 28-30
adhesion railcar **214** 1
adhesive, hot ~ **249** 61
adhesive binder *Bookbind.* **184** 1
adhesive binder *Office* **249** 61
adhesive tape dispenser **247** 27
adhesive tape dispenser, roller-type ~ **247** 28
adhesive tape holder **247** 28
adjusting cone **187** 58

flower head *Weeds* **61** 14
flower head *Alp. Plants etc.*
  378 12
flower head, discoid ~ **370** 74
flower head, hollow ~ **370** 75
flowering branch *Decid. Trees*
  371 2, 10, 16, 34, 39, 51,
  54, 66, 71
flowering branch *Conifers*
  372 33
flowering branch *Trop. Plants*
  382 8, 12, 23, 27, 31, 50
flowering branch *Industr.*
  Plants **383** 22, 26, 30, 38
flowering branch *South. Fruits*
  384 17, 24, 37, 49, 54
flowering rush **378** 39
flowering shoot *Alp. Plants etc.*
  378 2, 27
flowering shoot *Trop. Plants*
  382 41, 47
flowering shoot *Industr. Plants*
  383 42
flower pot **54** 8
flowers, wild ~ **375; 376**
flower seller **266** 28
flower shoot **59** 28
flower shoot, male ~ **37** 26,
  62, 68
flower stalk *Drupes & Nuts*
  59 4
flower stalk *Bot.* **370** 52
flower stalk *Industr. Plants*
  383 7
flower stand **267** 36
flower stem **370** 52
flower umbel **378** 40
flower vase **309** 2
flower window **37** 68
flowmeter *Hosp.* **26** 3
flowmeter *Dairy* **76** 4
flow path **154** 51
flow pipe *Roof & Boilerr.* **38** 74
flow pipe *Plumb. etc.* **126** 23
flow pipe *Energy Sources*
  155 10
fluate **128** 7
flue **155** 25
flueblock **38** 40
flue brush **38** 35
flue pipe **322** 57
flue pipe, metal ~ **326** 23-30
flue pipe, open ~ **326** 23-30,
  31-33
flue pipe, stopped ~ **326** 34
flue pipe, wooden ~
  326 31-33
flue pipe duct **326** 24
flue pipe windway **326** 24
flue tube **210** 8
fluid container **247** 9
fluid reservoir **247** 9
fluid transmission **212** 27, 52
fluorescent display, eight digit
  ~ **247** 15
fluorescent material **240** 18
fluorescent tube **127** 61, 62
fluorite **351** 16
fluoroscope, mobile ~ **26** 14
fluorspar **351** 16
fluothane container **26** 26
flush-deck vessel **258** 2; **259** 22
flushing lever *Bathrm. etc.*
  49 17
flushing lever *Plumb. etc.*
  126 19
flushing valve **126** 37
flush pipe **126** 17
flute *Mills* **91** 17
flute *Music. Instr.* **323** 31
flute *Art* **334** 27
flute *Ethnol.* **353** 47
flute, globular ~ **324** 32

flute, small ~ **323** 30
fluting **157** 6
flux *Goldsm. etc.* **108** 36
flux *Plumb.* **125** 7
flux *Gas Weld.* **141** 18
flux *Iron & Steel* **147** 2
fly *Men's Wear* **33** 48
fly *Fish Farm.* **89** 65
fly *Arthropods* **358** 18
fly agaric **379** 10
fly amanita **379** 10
fly and draw curtain **315** 4
fly curtain **315** 3
flyer **164** 25
fly floor **316** 5
fly frame **164** 19
fly frame operative **164** 24
fly frame operator **164** 24
fly front **33** 62
fly fungus **379** 10
fly gallery **316** 5
flying boat **232** 1
flying boat, amphibian ~ **232** 8
flying buttress **335** 28
Flying Dutchman **284** 49
fly leaf **185** 49
fly line **316** 8
fly man **316** 7
fly nut *Mach. Parts etc.* **143** 42
fly nut *Bicycle* **187** 39
flyover **268** 48
flysheet **278** 22
fly swat **83** 32
fly title **185** 44
flywheel *Weaving* **166** 15
flywheel *Intern. Combust. Eng.*
  190 20
F major **320** 63
F minor **320** 66
foal **73** 2
foam bath **49** 3
foam can **228** 28
foam canister **83** 6
foam feed pipe **83** 10
foam gun **270** 64
foam-making branch **270** 64
focal length setting **117** 3
focimeter **111** 33
fo'c'sle **218** 10, 19; **221** 13;
  223 48
focus **347** 25, 27
focus, seismic ~ **11** 32
focus area indicator **115** 35
focusing adjustment **240** 30
focusing device **5** 11
focusing hood **114** 23
focusing ring **114** 39
focusing screen *Optic. Instr.*
  112 21
focusing screen *Photog.*
  115 25-35
focusing screen *Photomech.*
  Reprod. **177** 2, 34
focusing screen, micro-
  honeycombed ~
  115 25-35
focusing stage **115** 59
focus mode switch **115** 22
focus setting **114** 28; **117** 3
focus signal **115** 27
fodder plants **69** 1-28
fodder silo **62** 11, 43
fodder tank **221** 73
fog **9** 31
fog, high ~ **8** 4
fog headlamp and rear lamp
  switch **191** 64
fog horn **223** 3
fog horn, ship's ~ **224** 32
fog lamp, rear ~ **191** 67
fog lamp warning light **191** 63
foil **294** 1-18, 11
foil, electric ~ **294** 26

foil, French ~ **294** 37
foil, Italian ~ **294** 39
foil fencers **294** 5 *u.* 6
foilists **294** 5 *u.* 6
foil mask **294** 13
foil pommel **294** 40
foilsmen **294** 5 *u.* 6
fold **185** 54
fold, asymmetrical ~ **12** 13
fold, gluteal ~ **16** 42
fold, nasolabial ~ **16** 11
fold, normal ~ **12** 12
fold, reclined ~ **12** 15
fold, recumbent ~ **12** 15
fold, symmetrical ~ **12** 12
fold-away table **207** 53
foldboats **283** 54-66
folder *Offset Print.* **180** 15, 29
folder *Letterpress* **181** 55
folder *Photograv.* **182** 27
folder *Office* **245** 19
folder-feeding station **184** 17
folder unit *Offset Print.* **180** 15,
  29
folder unit *Letterpress* **181** 55
folder unit *Photograv.* **182** 27
folding **12** 4-20
folding machine **249** 58
folding mechanism **249** 46
fold mountains **12** 12-20
fold plate **185** 10
fold unit **74** 1
foliage **330** 48
foliage plant **39** 37
folk instruments **324** 1-46
follicle *Man* **20** 84
follicle *Bot.* **370** 91
follower *Metalwkr.* **140** 43
follower *Typesett. Rm.* **175** 57
follow-through **293** 84
F-1 engine **234** 4
font **332** 10
fontange, lace ~ **355** 65
font basin **332** 11
food, canned ~ **96** 25;
  98 15-20
food, frozen ~ **99** 58-61
food compartment **207** 83
food pests **81** 15-30
food price list **266** 65
food slicer **40** 38
food store, self-service ~
  99 1-96
food vacuole **357** 6
fool **306** 38
foolscap **306** 39
foot *Man* **16** 54; **17** 26-29;
  19 52-63
foot *Shoem.* **100** 23
foot *Photog.* **114** 71
foot *Joiner* **132** 29
foot *Blacksm.* **137** 15
foot *Bookbind.* **185** 58
foot *Sailing* **284** 403
foot *Music. Instr.* **326** 23
foot, palmate ~ **73** 36; **359** 7
foot, prehensile ~ **364** 34
foot, rubber ~ **114** 45
foot, second ~ **286** 59
foot, serpent's ~ **327** 39
foot, webbed ~ **73** 36; **359** 6, 7
footage counter **117** 52
foot bag *Infant Care etc.* **28** 38
foot bag *Winter Countr.* **304** 27
football **273** 12; **291** 17; **292** 22
football boot **291** 21
football game **273** 10
football pad **291** 33
football pitch **291** 1-16
football player **292** 23
football sock **291** 58
footband **185** 42
foot bar lever **100** 27

footbath **282** 22
footbed, surgical ~ **101** 50
foot binding, front ~ **286** 57
footboard **186** 7, 13
foot brake **188** 52
footbridge **15** 78
foot control **139** 27
foot control socket **249** 66
foot-fault judge **293** 24
foot ferry **15** 60
foot gear-change control
  188 55; **190** 77
foot gearshift control **188** 55;
  190 77
footing **123** 2
foot lever **83** 34
footlight **316** 26
footman **186** 20
foot margin **185** 58
foot muff *Infant Care etc.*
  28 38
foot muff *Winter Countr.*
  304 27
foot muscle **18** 49
footnote **185** 62
foot of bed **43** 4
foot of goblet **162** 42
foot of machine **133** 25
foot of mast **284** 20
foot passenger ferry **15** 60
footpath **15** 43
footpath under railway **15** 44
foot pedal *Pest Contr.* **83** 34
foot pedal *Forging* **139** 27
foot pedal *Arc. Weld.* **142** 31
foot pedal *Letterpress* **181** 12
foot pedal *Bookbind.* **183** 18
footpiece *Mach. Tools* **149** 12
footpiece *Carriages* **186** 13
footprints **126** 59
foot rail **267** 52
footrest *Hairdresser* **105** 18;
  106 19
footrest *Bicycle* **187** 47
footrest *Motorcycles etc.*
  188 44
footrest *Railw.* **207** 57
footrest *Winter Sp.* **301** 58
footrest *Sports* **305** 81
footrope *Sea Fish* **90** 9, 18
footrope *Ship* **219** 46
foot scraper **123** 25
foot switch *Hosp.* **27** 21
foot switch *Dressm.* **103** 26
foot switch *Sawmill* **157** 66
foot switch, electric ~ **50** 2
foot treadle **83** 34
foot valve **269** 6, 14, 43
footwear **101**
fop **306** 33
forage harvester, self-
  propelled ~ **64** 34-39
forage plants **69** 1-28
foramen **383** 57
forceps **22** 52
forceps, obstetrical ~ **26** 53
forcing bed **55** 16
forcing house **55** 4
forearm *Man* **16** 46
forearm *Horse* **72** 21
forearm balance **295** 26
forearm stand **295** 26
forebay **217** 39
forecarriage **65** 14-19
forecastle **218** 10, 19; **221** 13;
  223 48
fore course **218** 41; **219** 55
foredeck **223** 47; **284** 10
foredeck, flooded ~ **258** 65;
  259 77
fore edge **185** 57
fore edge margin **185** 57
fore end **95** 51

H

plane, abyssal

E 62